한국인의 잔치술

한국의 전통주 주방문 ❶
한국인의 잔치술

2쇄 발행 : 2023년 4월 5일
초판 발행 : 2015년 11월 10일

지은이 : 박록담
펴낸이 : 김세권

펴낸곳 : 바룸출판사
출판등록 : 2013년 4월 18일(제2013-000121호)
주소 : 121-840 서울시 마포구 양화로 8길 15 (301호)
전화 : 02)333-1225
팩스 : 02)332-5763
이메일 : bonbook@daum.net

ISBN 979-11-950314-4-3
ISBN 979-11-950314-3-6 (set)

한국의 전통주 주방문 **1**

양주총론
탁주류

한국인의 잔치술

박록담 著

바룸

일러두기

1. 한글 표제 〈양주방〉과 한문 표제 〈양주방(釀酒方)〉은 각기 다른 문헌이다. 한글 표제 〈양주방〉은 1800년대에 쓰인 한글 필사본으로 전라도 지방의 문헌으로 알려져 있으며, 한문 표제 〈양주방(釀酒方)〉은 1700년대 말엽에 쓰인 한글 필사본으로 '연민 선생 소장본'이다. 이 둘이 혼동될 우려가 있어 한글 표제의 경우 〈양주방〉*으로 구분하여 표기하였다.

2. 전통주가 수록된 문헌 중에 〈주방(酒方)〉으로 표기된 것이 두 가지이다. 하나는 1800년대 초엽에 쓰인 한글 필사본이며, 다른 하나는 1827년(또는 1887년)에 쓰인 한글 한문 혼용 필사본으로 임용기 소장본이다. 이를 구분하기 위해 한글 필사본인 경우 〈주방(酒方)〉*, 또는 〈주방〉*으로 표기하였다.

3. 〈주식방문〉과 〈쥬식방문〉은 별개의 문헌이다. 〈주식방문〉은 한글 붓글씨본이고, 〈쥬식방문〉은 한문 활자본이다.

〈한국의 전통주 주방문〉 출간에 부쳐

윤서석 ∣ 중앙대학교 명예교수

한국 전통주 양조의 명인 박록담 선생께서 〈한국의 전통주 주방문〉을 출간하였음을 충심으로 축하드리고, 〈한국의 전통주 주방문〉의 출간이 큰 동기가 되어 한국 전통주가 세계를 향한 비약적인 발전으로 격상하기를 기대해 마지않습니다.

〈한국의 전통주 주방문〉은 한국 전통주 주방문이 수록되어 있는 고문서 80여 책과 선생께서 직접 조사한 문헌을 근거 자료로 총 62개 항목으로 구성되었으며, 이 내용을 5,000여 쪽에 제5권으로 나누어 편집한 방대한 연구 업적입니다.

한국 전통주 양주총론을 시작으로 각 항목은 누룩방문 43품, 주방문으로 탁주 64품, 청주 214품, 혼양주 10품, 증류주 52품, 그리고 향을 가해서 빚는 가향주 37품, 약용약주와 과실주 72품 외에 주방문이 없는 술 51품, 양주잡방 24품 등 총 570여 품에 달합니다. 그처럼 상세한 한국 전통주 주방문 기록에 선생의 해설과 소견을 보태어 체계정연하게 서술되어 있습니다. 이 방대한 연구를 착안하고 다년간의 각고를 지속하신 선생의 소신과 열정에 감동하고, 그간의 연구와 경험으로 축적된 선생의 양주지식이 이 방대한 작업을 지속하게 한 동력이었음을 감탄합니다.

한편 수많은 한국 전통주 목록을 읽으면서 이토록 다양한 명주를 개발하여 한국 전통주 문화를 형성하고 그 한 가지 한 가지를 상세하고 정확한 기록으로 남겨 전수할 수 있게 한 우리 선조들의 철저한 생활규범과 질서에 고개 숙여 존경

했습니다. 이러한 생활관행과 철학이 굴곡 많던 우리의 역사를 극복하게 한 저력이었음을 새삼 깨닫게 되었습니다.

<한국의 전통주 주방문>의 성취는 비단 한국 전통주의 재현·발전뿐 아니라, 우리 생활문화 역정을 다시 인식하게 하는 큰 동기입니다. 크나큰 공헌을 이룩하셨습니다. 이제 한국 전래 전통주 주방문을 알기 쉽게 해설한 문헌이 탄생하였으니 한국 전통주의 연구가 심화될 것이고, 한국의 명주 생산은 탄탄대로를 향하리라 믿습니다.

술은 인류와 역사를 함께한 의미 깊은 문화입니다. 의례행위에서 신에게 올리는 술은 인간의 염원을 전하는 매체이고, 혼례절차에서 행하는 합환주는 부부의 연을 맹세하는 상징이며, 인간사를 경륜하는 자리에서는 술이 합의와 화합을 이끄는 고리가 됩니다.

이같이 술은 인류생활의 요긴한 문화이므로 세계 여러 민족은 각각 그들의 자연과 조화를 이룬 전통주를 가지고 있습니다. 한국은 벼 농사국이어서 쌀로 빚은 술이 전통주로 이어오는데, 고대로부터 한국인의 양주기술은 탁월하였습니다. 고구려가 술 빚기, 장 담기 등 장양을 잘한다고 <삼국지> '위지동이전'에 기술되어 있고, 압록강 건너 옛 곡아(曲阿) 지방의 명주인 곡아주(曲阿酒)는 고구려 여인의 솜씨라 전합니다. 4세기경 백제 사람 인번(仁番)이 일본으로 건너갔을 때 그곳에 처음으로 누룩으로 술 빚는 기술을 전수한 사실이 일본 고문서 <고사기(古事記)>에 명기되어 있습니다.

중국 당나라의 시인 이상은(李商隱)은 "신라의 술은 한 잔으로 취한다."고 한국 술이 발효도가 높은 명주임을 알리고 있는데, 고려에서 원나라로부터 증류주법을 도입하여 한국 전통주의 양주법 체계가 한층 더 확대되었습니다. 이같이 일찍 발달한 양주기술이 역대로 발전하였는데, 조선시대에 이르면 동의학의 발달 환경에서 양주원리의 인식이 고양되어 약용약주의 효용이 생활화하였습니다. 이어서 의례행위를 존중하는 대가족 생활이 엄수되면서 한 가문의 가양주 기술이 가문의 성쇠를 가늠한다 할 정도로 가양주 문화를 존중했으므로 가양주 기술은 더욱 발전했습니다.

한편 한반도는 좁은 국토이면서 기후구가 다양했으므로 여러 고장에서 그 고장만이 자랑하는 향토명주를 개발하게 되어 한국 전통주는 더욱 확대되었던 것입니다.

　이같이 고대로부터 발달한 한국 전통주 문화가 20세기 초 일제 통치기관이 시행한 철저한 '가양주금지령'과 '주세법' 시행 등으로 한동안 잠재되었습니다. 광복 후에 동란 시기와 양곡 생산량 부족 환경에서 전통주류의 활발한 복원이 지연되었지만, 다행히 1980년대 중기 이후로 문화재관리국의 선도로 한국 전통주 발굴 조사를 실시하고 몇 가지 명주를 중요무형문화재로 지정하였는데, 이 시점은 한국 전통주 복원발전의 봉아기입니다.

　이후로 한국 전통주 복원을 전담하는 연구가 활발해지고 관계 행정당국의 전통주 발전 시책도 촉진되어, 일부 품목이지만 전통주 생산이 확대되어 국내외로 애호하게 되었습니다.

　이러한 시기에 <한국의 전통주 주방문>이 출간되었으니 이 공헌이 동기가 되어 학계에서는 한국 전통주 연구를 활발하게 심화할 것이며, 관계 행정당국은 보다 적극적으로 전통주 발전 시책을 지원할 것입니다. 또한 모두가 한국 전통주 문화에 대한 가치를 깨닫고 인식을 새롭게 할 것입니다.

　이제 선생께서는 한국 전통주 연구복원에 보다 적극 매진하시고 선생께서 스토리텔링에서 말씀한 대로 한국 가양주 연구업계와 함께 한국 전통주 양조를 위한 구체적이고 현실적인 공동연구와 여러 세칙에 관한 합의를 성취하여 한국 전통주가 세계적인 명주 대열에서 빛나도록 선도하시기 바랍니다. <한국의 전통주 주방문>의 출간을 다시 축하드립니다.

전통주 연구의 입문서

조재선 | 경기대학교 명예교수

술이 이 지구상에서 언제부터 만들어졌는지는 아무도 모른다. 과실이 익어 땅에 떨어진 것이 야생 효모(酵母)의 작용으로 당분이 알코올로 변화하는 자연발효에 의해서 술이 된 것이 최초의 술의 탄생이라고 추정하고 있다.

인류의 역사를 기록한 신화나 전설에 술이 등장한 것은 5,000년 전부터이다. 우리나라의 최초의 기록은 고구려의 건국신화에 등장하니, 적어도 3,000년 전부터 만들어 이용되었을 것이다.

술의 원료는 당분(糖分)이나 전분(澱粉)이 들어 있는 과실이나 곡류인데, 과실주가 먼저 만들어지고 그 이후 농경이 시작되면서 곡류를 원료로 한 술들이 만들어졌을 것이다. 우리나라는 쌀이나 잡곡 등의 곡류 생산을 주로 하였기 때문에 이들을 원료로 한 술이 개발되어 농민의 애환을 달래고, 관혼상제(冠婚喪祭)나 세시풍속(歲時風俗)의 의례음식(儀禮飮食)으로 이용하는 등 우리의 일상생활과 밀착하여 문화상품이 되어 왔다.

처음에는 잡곡을 원료로 하던 것이 쌀농사가 시작되면서 쌀을 이용하였고, 여기에 주변에서 얻기 쉬운 솔잎, 각종 향초류(香草類), 약초(藥草) 등 그 지역의 특산물 등을 가미하여 다채로운 술을 만들어 즐겨 이용하여 왔다. 그 중에서 여러 사람들의 기호에 맞는 것이 널리 이용되어 전통주(傳統酒)나 민속주(民俗酒)

라는 이름으로 전해 내려오고 있는 것이다.

곡류를 원료로 하는 술은 과실주와는 달리 만드는 과정에서 전분을 당분으로 하는 당화과정을 거쳐야 하는데, 이때 사용되는 것이 누룩이고, 이 누룩 중에 들어 있는 곰팡이는 당화작용뿐만 아니라 여러 가지 독특한 향기 성분을 생성하므로, 맛 좋은 술을 위해서는 누룩이 좋아야 함은 물론이다. 또한 숙성조건에 따라서도 술의 성분이 달라진다.

이와 같이 사용하는 원료, 누룩의 특성, 집집마다 담그는 숙성조건(熟成條件) 등에 따라 각양각색의 술이 만들어지므로 알려진 술만 해도 수백 종에 달한다.

옛날에는 정부의 간섭이 적어서 집집마다 자유롭게 술을 빚어서 다양한 가양주(家釀酒)가 만들어져 찬란한 술 문화를 즐겨왔지만, 일제강점기의 수탈정책의 일환으로 주세(酒稅) 징수(徵收)를 위해서 획일화된 제조법으로 통제하여 단순화되었으며, 해방 후 식량난으로 양조용으로 쌀을 사용하지 못하게 함으로써 좋은 술을 만들 수가 없었다. 이제는 경제형편이 좋아지고 쌀의 사용이 자유로워 여러 가지 술도 만들 수 있어서 그동안 숨겨져 있던 다양한 전통주를 복원하는 운동이 전개되고 있다.

그동안 어려운 여건을 이겨내면서 사라져가는 전통주의 복원연구와 후진양성에 정진해 오고 있는 박록담 선생은 고문헌에 나오는 500여 종의 주방문을 주종별로 탁주(濁酒), 청주(淸酒), 가향주(佳香酒), 증류주(蒸溜酒), 혼양주(混釀酒) 등으로 구분하여 수록하고, 저자가 직접 복원연구한 결과들을 해설 형식으로 첨부하였다.

우리나라의 각종 옛날 요리서에는 술에 관한 종류와 주방문이 비교적 많이 수록되어 있는데, 문헌마다 다소 다르게 설명되어 있는 것도 있고 여기저기 산재되어 있는 실정이다. 이것들을 비교하기 쉽게 한데 모아놓고 복원 결과를 설명하고 있다.

요컨대 지금까지 간행된 고요리서 중 주방문(酒方文)을 발췌 수록하여 집대성하였으며, 저자의 복원연구 결과를 첨부하였기에 전통주 연구의 요긴한 입문서로서 추천한다.

저자의 말

<한국의 전통주 주방문>은 국내 최고의 양주 관련 기록인 <산가요록(山家要錄)>과 <언서주찬방(諺書酒饌方)>, <수운잡방(需雲雜方)>, <고사촬요(故事撮要)>, <산림경제(山林經濟)>, <증보산림경제(增補山林經濟)>, <음식디미방>, <임원십육지(林園十六志)>와 <양주방>*, <주찬(酒饌)>, <주정(酒政)> 등 한문과 한글 기록에서부터 최근 발굴된 <봉접요람>, <양주(釀酒)>, <술방> 등에 이르기까지 80여 종의 문헌에 부분적으로 수록된 주품명과 그에 따른 주방문을 총망라한 것이다.

특히 조선시대 600년간의 기록을 통해서 520가지가 넘는 주품들의 양주경향과 특징, 시대별 양주기법의 변화, 양주기술의 발달과정 등 우리나라 양주문화 전반을 추적해 보고, 전통주에 대한 새로운 의미 부여와 해설 등 스토리텔링을 통해서 우리 술의 가치를 재조명하였다. 이로써 전통주의 대중화는 물론 세계화에 대한 단초와 차별화 전략을 세울 수 있기를 바란다.

필자의 우리 술에 대한 연구는 1987년 11월로 거슬러 올라간다. 처음에는 애주가인 아버지의 반주(飯酒)를 직접 빚어드려야겠다는 조촐한 생각으로 시작했던 가양주(家釀酒) 빚기가 전국의 전승가양주 조사와 기록화 작업이라는 전통주 연구활동으로 이어졌고, 민간에 전승되어 오던 숱한 가양주 발굴이라는 커다란 성과와 더불어 그간 배우게 된 전승가양주가 133가지에 이르면서, 가양주에 대한 관심과 생각은 양주도구와 술독은 물론이고, 심지어 안주를 만드는 데 사용되는 조리도구에 이르기까지 확대되었다.

그런데 이때부터 필자의 불행이 시작된 듯하다. 이 땅에서는 전통을 바탕으로 하는 어떠한 연구와 노력도 결코 밥이 되지 않는다는 사실을 몰랐던 것이다.

주변의 만류에도 불구하고 고서(古書)에 활자로 박제된 우리의 양주비법을 밝혀 대중화의 길로 이끌어보고자 <명가명주(名家名酒)>를 비롯하여 <우리 술 빚는 법>과 <우리 술 103가지>를 출간하게 되었고, 이를 보완한 <다시 쓰는 주방문(酒方文)>을 펴내게 되었다. 그리고 조선시대 양주 관련 고문헌에 수록된 전통 주방문에 근거하여 술 빚는 방법들을 풀어 쓴 <전통주 비법 211가지>, 고문헌의 기록과 가양주법의 누룩(麴子; 麯子)들을 망라한 <버선발로 디딘 누룩>을 펴내게 되었다. 전통주의 대중화를 위해서는 시급한 일이었다고 판단되었기 때문이다.

그리고 내친김에 우리나라만의 독특하면서도 차별화된 음주문화라고 할 수 있는 가향주문화(佳香酒文化)의 가치를 재인식해 보자는 취지에서 <꽃으로 빚는 가향주 101가지>, 발굴 기록인 <양주집(釀酒集)>에는 재현 전통주의 격에 맞는 주안상 차림까지를 곁들이는 등 여러 가지 방법의 다양한 시도를 하게 되었으나, 저간의 노력에도 불구하고 전통주의 대중화는 요원하게만 느껴지고, 지금 내게 남은 것은 고질병이 된 어깨통증을 비롯하여 뼈 마디마디 관절통, 그리고 빚뿐이다.

그럼에도 불구하고 <한국의 전통주 주방문>을 다시 엮게 된 동기와 배경 먼저 밝히고자 한다.

그간 우리 술에 대한 편견을 없애려고 갖은 노력을 다해 오면서 가장 빠른 지름길이 무엇일까를 생각하게 되었고, 그 결론으로 술 빚는 기술과 방법의 교육을 통해 가양주문화를 되살려 보고자 '전통주 교실'을 열었다. 국내 처음으로 개관한 '전통주 교실'을 통해 배출된 전문가들이 지금은 전국 각지에서 각종 전통주 강좌를 진행하고 있고, 2012년부터는 국가 지원을 받는 교육기관만도 13곳에 이를 정도로 가양주문화에 대한 관심이 고조되었다.

'전통주 교실'을 통해 배출된 전문가들이 각자의 독립된 위치에서 전통주 강좌를 시작하기까지 숱한 우여곡절이 많았다. 전통 양주방법에 대한 시각차와 곡해, 폄훼에 따른 갈등이 그것이었다.

사실 그간 우리나라의 학계와 양주업계는 전통주 제조법에 대한 이론도, 체계화된 양주공정도 끌어내지 못한 채, 100여 년간 일본에서 들여온 입국식(粒麴式) 양주기법을 보급했다. 국적 없는 이들 술이 국내 시장을 점유하고 있는 것도 전통주에 대한 폄훼와 부정적인 시각을 갖게 된 배경이기도 하다.

특히 입국식 양주기법은 국가기관을 중심으로 보급되고 있어, 필자의 전통 양주방법의 교육과 보급은 '미신적인 방법'과 '주먹구구식'으로, 그리고 '비과학적인 방법'으로 매도되기도 하고, '미생물학'이나 '발효학'을 전공하지도 않은 사람이 전통주 양주학을 교육한다는 사실에 비아냥거림이 있었음도 주지의 사실이다.

이에 필자는 전통 양주방법의 체계를 세우기 위해 우리 술의 우수성과 합리성, 과학적 근거를 수집하기에 이르렀고, 그 해답을 <산가요록> 등 80여 권에 이르는 조선시대 양주 관련 고서와 옛 기록을 근거로 한 우리 술 빚는 방법으로 채택하였다. 즉, 조선시대 고문헌의 기록에 따른 주방문(酒方文)으로 양주된 전통술에 대하여 미생물학과 발효학을 바탕으로 양주기술의 체계를 확립할 수 있었다.

그리고 전통 방식의 양주기술을 통해 복원 및 재현된 '우리 술'의 향기와 맛, 색상 등 관능시험평가를 통한 주질 비교에서 우리 술의 우수성과 합리성, 차별성, 그리고 세계화의 가능성을 찾을 수 있었다.

처음에는 전승가양주를 중심으로 양주방법의 원형을 찾고자 주방문의 비교와 차이점 등을 살펴보던 단순한 방법에서 벗어나 직접 술을 빚어보면서 전승가양주에 대한 문제의식을 갖게 되었고, 그때부터 본격적인 양주방법을 연구하고 양주실험을 해보게 된 것인데, 우리 술 빚는 법에 대한 걷잡을 수 없는 묘한 매력에 빠져 헤어날 수 없게 되었다.

지난 100여 년간 단절되고 맥이 끊어진 채 활자 속에 갇혀만 있던 주방문들에 대한 복원과 재현은, 무엇보다 죽어 있는 전통주들에 대한 생명을 불어넣는 작업이었다. 이러한 작업의 배경은 저마다의 주품들에서 전승가양주와는 다른 맛과 색깔, 특히 와인에 비견되는 아름다운 향기로서의 방향(芳香)을 발견하게 되면서부터이다.

그리고 고문헌에 수록된 주방문에 대한 관심을 갖기 시작한 지 28년이 지난 지금, 고문헌 속의 주방문들은 들여다보면 볼수록 그 해석이 바뀔 수 있다는 것을 뼈저리게 느꼈다. 왜냐하면 한글 조리서이든 한문 조리서이든 깊이 들여다볼수록 당시 그 주방문을 썼던 사람의 입장이 되어 들여다보기 마련이어서, 어제의 눈과 생각이 오늘에 와서는 달라지곤 하는 것이었다. 소위 "아는 만큼 보인다."는 말이 가장 적합한 표현이라는 생각도 하게 되었다.

그간 수많은 고문헌이 한글로 번역, 출판되어 보급된 것은 사실이지만, 특히 고문헌 속의 전통주를 연구하는 전문가가 없다 보니 학자들이 번역해 놓은 주방문역시도 직역 정도의 수준에 머물렀던 것이 사실이다.

고문헌에 수록된 주방문과 관련해서는 필자의 <다시 쓰는 주방문(酒方文)>이 등장하기 전까지는 전통주의 양주기술에 대한 어떤 전문서적도 없었다. 특히 처음으로 고문헌에 수록된 전통주를 복원해 보겠다고 덤볐던 당시의 기억들은 참담함 그것이었다. 번역된 고조리서의 술 빚는 방법을 재현하면서 부딪쳤던 실패와 좌절감, 궁극의 참담함을 혼자만의 추억으로 간직하기에는 너무나 안타까운 생각이 들었다.

이에 나름 30년에 가까운 세월 동안 술을 빚어보았던 경험을 바탕으로 고문헌속의 주방문을 다시 찬찬히 들여다보게 되었고, 그 결과물인 <한국의 전통주 주방문>은 기본적인 술 빚는 법을 지득하고 있는 사람이라면 누구나 보다 쉽게 접근할 수 있도록 주방문마다의 해석과 술 빚는 데 따른 주의사항 등 구체적인 접근방법, 시대별 주방문의 변화과정에 대해서도 언급하였다.

특히 주품명에 얽힌 스토리텔링을 통하여 우리 술의 가치를 재조명하고, 새로운 의미부여를 통해 양주문화와 음주문화의 수준, 술을 빚는 사람의 자세와 철학, 가문마다의 가양주 제조방법에 깃든 이야기들을 재조명해 보고자 하였음을 밝혀둔다.

예를 들어 <산림경제>의 한 가지 주방문이 다른 기록인 <증보산림경제>로 옮겨지고, 다시 <임원십육지>로 옮겨져 재해석되는 과정에서 심지어 주품명이 바뀌는가 하면, 재료 배합비율이 바뀌기도 하고, 주재료의 가공법이 바뀌고, 더러는 양주과정이 생략되기도 하면서 전혀 다른 명칭의 주품명으로 등장하는 등 다양한 변화를 거치는 사실을 목도하게 되었다.

이러한 사실에서 보다 정확한 문헌 조사의 필요성과 함께 고문헌 속의 주방문에 담겨진 우리나라 전통주의 원형을 찾아보고, 역사성과 전통성, 문화성을 바탕으로 한 양주문화와 보다 체계적이고 과학적인 양주기술의 축적, 그리고 앞으로 전개될 우리나라 술의 세계화를 위한 합리적 접근방법을 모색하는 자료가 되었으면 하는 바람이다.

<한국의 전통주 주방문>은 1400년대 초 이퇴계(李退溪) 선생의 수적본(手蹟本)으로 알려진 <활인심방(活人心方)>을 시작으로, 국내 최고의 양주 관련 기록이라고 할 수 있는 <산가요록>과 <언서주찬방>, <수운잡방>, <고사촬요>, <산림경제>, <증보산림경제>, <음식디미방>, <임원십육지>와 <양주방>*, <주찬>, <주정> 등 한문과 한글 기록에서부터 최근 발굴된 <봉접요람>, <양주>, <술방> 등에 이르기까지 80여 권의 문헌에 부분적으로 수록된 주품명과 그에 따른 주방문을 총망라한 것이다.

한 나라의 문화는 시대에 맞게 변화와 수용을 거쳐 개선되고 발전해 왔다는 것이 정설이지만, 우리나라 술의 역사는 1907년 '주세령(酒稅令)' 발포를 시작으로 단절과 말살의 역사로 점철되었고, 그 사이 국적 없는 양주기술이 도입, 뿌리를 내리면서 우리 술의 정체성 위기를 초래하게 되었던 것이 사실이다.

1980년대 접어들면서 정부가 전승가양주에 대한 자원조사를 시작으로 몇몇 가양주에 대한 무형문화재 지정으로 전통주 양성화의 계기를 마련하였지만, 전통주의 대중화에는 성공하지 못하였다.

1987년도 접어들면서 필자에 의해 본격적인 가양주 조사와 발굴 작업이 이뤄졌고, 그 연속선상에서 사라지고 맥이 끊긴 조선시대 가양주에 대한 복원과 재현 작업이 시작되었는데, 조선시대 600년간의 양주문화와 양주기술은 물론이고, 전통주에 대한 본격적인 조명이 이뤄졌다고 생각한다.

일반인들이 그간 알지 못했던 '석탄향(惜呑香)'을 비롯하여 '이화주(梨花酒)', '백하주(白霞酒)', '하향주(荷香酒)', '감향주(甘香酒)', '과하주(過夏酒)', '동양주(冬陽酒)', '백화주(白花酒)', '백화주(百花酒)', '동정춘(洞庭春)', '호산춘(壺山春)', '감홍로(甘紅露)', '이강고(梨薑膏)', '죽력고(竹瀝膏)' 등 사라지고 맥이 끊겼던 전통 주품들에 대해 새로이 인식하기 시작했고, 특히 우리 고유의 술맛과 향기에 대한 깊은 애정과 관심을 갖게 된 것이 그 예이다.

<한국의 전통주 주방문>은 7년여에 걸친 조선시대 가양주의 종류와 그에 따른 주방문, 그리고 양주기법, 조선시대 궁중과 사대부들의 제주(祭酒)와 반주(飯酒), 접대주(接待酒)에서 일반 여염집의 가양주에 이르기까지 우리 술의 진정한 맛과 향기, 고유의 색깔에 대한 진면목을 엿볼 수 있다고 판단되며, 이러한 양주문화가 향촌(鄕村)과 민간에 어떠한 영향을 미쳤고, 주막이나 농가의 대중주로 뿌리 내리게 되었는지를 판단할 수 있는 중요한 기초자료가 될 수 있을 것이라고 확신한다.

　　필자는 1450년대 문헌 <산가요록>에 수록된 주방문에서 일본의 '사케(Sake)' 제조방법의 원형을 찾을 수 있었으며, 1500년대 문헌 <수운잡방>에서 프랑스의 '와인(wine)'을 공부했으며, 시대 불명의 조선 아낙이 쓴 한글 필사본 <양주집(釀酒集)>에서 독일의 '맥주(麥酒)'를 공부했다.

　　우리나라 술의 뿌리도 모른 채, 타의에 의한 입국식 양주방법에 따른 저가주(底價酒)와 속성주(速成酒) 중심의 양주문화와 유통으로 인해 맥주와 와인, 사케에 우리의 입맛을 저당 잡히고 있는 한, 우리나라 양주산업의 미래와 전통주의 정체성을 확보하기 힘들 것이라 확신한다.

　　그간 '전통주 육성법'이 제정 발포되었지만 아직까지 이렇다 할 우리 전통주에 대한 정체성을 확보하기에는 어려움이 많고, 특히 현재 국내의 전통주 자원에 대한 기초조사마저도 이루어지지 않은 상황이다.

　　사실, 그간 수차례에 걸쳐 전국의 가양주 조사와 발굴은 물론이고 고문헌에 수록된 전통주에 대한 자료수집과 번역 등 '국내 전통주 자원조사'를 제안했지만, 관심 밖의 일로 외면당했던 입장이었다.

　　그리하여 개인적으로나마 힘닿는 데까지, 그리고 누가 시켜서 한 일도 아니고 혼자 미쳐서 해왔던 일인 만큼 미칠 수 있는 데까지 미쳐보자는 생각이 이 방대한 작업 <한국의 전통주 주방문>을 끝낼 수 있었던 동기라고 할 수 있다.

　　조선시대 고문헌에 수록된 전통주에 대한 연구조사 작업인 <한국의 전통주 주방문>은 올해로 7년째인데, 주품명에 따른 분류 작업이 쉽지가 않았다. 특히 2014년에 새로 발굴된 <잡지(雜誌)>, <주방문조과법(造果法)>, <약방>, <양주>, <규중세화> 등에 수록된 주품에 대한 주방문까지를 추가하다 보니, 주품명에 따른 주방문의 분류 작업이 계속 혼돈을 초래했다. 특히 한글 문헌 속의 주품명들은 동일한 주품명인데도 순곡주와 가향주가 존재하고, 전라도와 경상도의 방언에 의한 주품명은 전혀 다른 주품으로 오인하게 만들기도 했다.

바로 이러한 이유 때문에 주방문 해설은 계속해서 수정을 해야만 했고, 탈고 시기는 자꾸만 지연되어 스스로에게 "무엇 때문에 나는 이 작업을 하는가?"고 하루에도 수십 번씩 되묻곤 하는 버릇이 생겼다.

그리고 그때마다 처음 주방문 정리와 해설을 쓰기 시작했을 때, 아니 처음 술 빚기를 시작했을 때 마음으로 돌아가자는 다짐으로 스스로를 다독여 보지만, 괜스레 짜증이 나고 손가락 마디마디 통증이 어깨까지 확대되어 고개를 돌릴 수 없을 때면 이번 집필을 마지막으로 다시는 책을 쓰지 않겠다는 작정을 하기도 했다.

사실 무엇을 이루자고 시작했던 일이 아니었다. 또 어떤 목적이나 이유가 있어서가 아니라, 그냥 호기심 때문에 시작했던 일이 점차 재미있고, 그래서 그 매력에 빠져들다 보면 나중에는 습관이나 버릇 같은 것이 되고, 결국에는 나이 때문에 잊어버리지 않기 위해서, 아니 어쩌면 더 늘어서 자신을 추억하기 위해서 쓰는 글이어야 한다고 생각하면서도 자꾸만 어떤 목적과 의도를 담기 시작하면서부터 글을 잘 써야 한다는 강박관념에서 비롯된 것이리라.

<한국의 전통주 주방문>은 최초의 시도이지만 부족한 부분이 너무 많으리라는 것을 인정하지 않을 수 없다. 특히 <산가요록>을 비롯하여 <수운잡방>, <산림경제>, <증보산림경제>, <임원십육지> 등 수십 종에 달하는 한문 기록의 주방문 번역과 주방문의 현대화 작업은 여러 가지 견해와 이견(異見)이 있을 수 있고, 술 빚는 방법에의 접근도 각각의 주장이 있을 수 있다.

하지만 <한국의 전통주 주방문>은 30년간 전통주를 빚어온 사람으로서, 그리고 처음으로 고문헌 속의 주품들을 복원하고 재현하면서 경험했던 시행착오와 반복실습, 술 빚는 방법에 따른 주의사항 등에 대한 선험적 기록이라는 점에서, 또한 15년간 가양주 가꾸기 운동과 전통주의 대중화를 위한 전통주 교육을 해오면서 교육현장에서 숱한 사람들을 대상으로 가졌던 시음평가를 토대로 한 기록이라는 점에서 그 의미와 가치를 부여하고 싶다.

특히 조선시대 600년간의 기록을 통해서 520가지가 넘는 주품들의 양주경향과 특징, 시대별 양주기법의 변화, 양주기술의 발달과정 등 우리나라 양주문화 전반을 추적해 봄으로써, 전통주에 대한 새로운 의미부여와 해설 등 스토리텔링을 통해서 우리 술의 가치를 재조명하고, 대중화는 물론 세계화에 대한 단초와 차별화 전략을 찾을 수 있기를 희망한다.

끝으로 <한국의 전통주 주방문>의 출판을 감내해 주신 바룸출판사의 김세권 대표님과 출판을 지원해 준 농림축산식품부 이동필 장관님께 진심 어린 감사의 말씀을 드리고, 이 원고의 교정에 참여해 준 제자 김태훈, 김인애, 조태경, 홍태기 씨에게 고마움을 전한다.

2015년 11월 1일

죽성재(竹城齋)에서
지은이 박록담(朴碌潭)

차례

제1부
양주총론

양주총론

스토리텔링 및 술 빚는 법

술을 공부하는 대다수의 사람들이 술이라는 것에 대해 "알면 알수록 어렵다." 는 말을 한다. 무엇이 중요한지, 무엇부터 공부를 해야 하는지에 대한 책이나 자료, 보고서도 없는 상태이고, 설혹 그런 자료들이 있다고 해도 공감할 수 없다는 반응이다.

실제로 우리 술은 공부를 할수록 어렵고 힘들다는 데 공감한다. 왜 그런가 하고 궁리를 해보게 되었는데, 이미 우리는 우리 술보다 와인이나 맥주, 위스키, 고량주 등 외국 술에 대한 정보와 지식을 먼저 접했고, 외국 술에 대한 다양한 경험을 하게 되면서 나름의 기준을 알게 모르게 모든 술에 대한 척도로 삼게 된 것이 그 이유가 아닌가 생각한다.

<임원십육지(林園十六志)>에 수록된 총론(總論)은 술의 종류와 그에 대한 구별법, 명칭을 수록한 내용이다. <임원십육지>의 총론을 보면 '오제(五齊)'·'삼주(三酒)', '앙(醠)'·'잔(醆)'·'순(醇)', '배홍(醅紅)'·'제록(醍綠)'·'영백(醽白)' 등의 용어와 표현들이 나오는데, 지금은 우리나라에서 사용하지 않는 것들이다. 대

표적으로 '오제'·'삼주'라는 것이 그 예라고 할 수 있겠는데, <임원십육지>에 "범제(泛齊)는 의성료(宜城醪)라 했고, 예제(醴齊)는 염주(恬酒), 앙제(盎齊)는 찬백(酇白), 제제(緹齊)는 하주(下酒), 침제(沉齊)는 조청(造淸)이라 했으니, 이는 모두 맛이 단 것이다. …(중략)… 탁한 술을 앙(醠), 약간 탁하지만 맑은 술은 '잔(醆)', 농도가 짙은 술은 '순(醇)'이라 한다."고 한 내용을 볼 수 있다.

여기서 참고할 대목은 <설문(說文)>의 "술을 마시면 사람의 성품으로 선악을 알 수 있다."거나 "길흉을 위해 술을 빚었다."는 표현에서 음주(飮酒)와 양주(釀酒)의 궁극적인 목적을 엿볼 수 있다는 점이다. 뿐만 아니라 술의 종류나 형태, 색깔 등 술의 농순(濃醇)이나 명암(明暗) 등에 대한 구분을 보다 상세하게 기록함으로써, 지금의 청탁(淸濁), 증류(蒸溜) 여부에 따른 구분만으로 해소되지 않는 부분까지를 밝혀놓고 있다.

이러한 부분은 앞으로 전통주 전문가와 생산자, 마케팅·유통 등 각 전문 분야의 관계자들이 숙의와 의견 수렴을 통해서 다듬고, 체계를 세워나가야 할 사항들이라는 점에서 군이 언급하였음을 밝힌다. 와인이나 사케, 위스키 등과 같이 체계적이고 합의된 분류 기준이나 명칭들이 필요한 이유는 군이 설명하지 않아도 잘 알 것이나, 우리 술에 이러한 분류체계를 확립하자고 하면, 그렇잖아도 어려운 술을 더 복잡하고 어렵게 만든다고 질책할 것이기 때문이다.

총론 <임원십육지(林園十六志)>

1. <춘추운두추(春秋運斗樞)>는 술을 '유(乳)'라고 하였는데, 이것은 술을 마시면 몸이 유연해지는 데서 이름 붙여진 것이다.

허신(許愼)의 <설문(說文)>에는 "술을 마시면 사람의 성품으로 선악을 알 수 있다."고 하였으며, "길흉을 위해 술을 빚었다."고 하였다. 또 <석명(釋名)>에는 "술은 유(酉, 발효됨, 익음)이며, 쌀누룩으로 빚은 술이 맛이 좋다."고 하였고, <두씨주보(竇氏酒譜)>에는 "사람을 겸손하고 공손해지도록 한다."고 하였다.

2. <두씨주보>에 의하면, 주나라 때 관청에서는 술을 다루는 정령(政令, 정치상의 모든 법령)으로 '오제(五齊)'와 '삼주(三酒)'로 구분하였다.

　1) 오제 : 범제(泛齊), 예제(醴齊), 앙제(盎齊), 제제(緹齊), 침제(沉齊)

　2) 삼주 : 사주(事酒), 석주(昔酒), 청주(淸酒)

이 구별은 당시 후(厚) 또는 박(薄)을 구별하는 것으로 추측되며, 전해 내려오는 주석이 없어 뜻을 완전히 파악하기 어렵다.

3. 맑은 술을 뜻하는 양(釀)—이(酏, 단술)의 오기로 추측됨—은 <옥편>에 의하면 이(酏), 청주라고 해석하고 있다.

　1) 탁한 술을 앙(醠), 약간 탁하지만 맑은 술은 잔(醆), 농도가 짙은 술은 순(醇)이라 한다.

　2) <설문>에 의하면 찹쌀술은 대체로 진해서 순(醇)이라 한다. 맑은 술은 리(醨), 걸쭉한 술은 '앙(醠)이라 한다. <자서(字書)>에 의하면 밑술은 이(酏), 덧술은 두(酘), 두 번째 덧술은 주(酎)라 한다. 하루 만에 익는 술인 예(醴)는 곧 감주이다.

　3) 옛날 사람들은 술을 빚을 때 예(醴)에 누룩을 넣고 빚으며, <설문>에 의하면, "하루 만에 익는 술을 예(醴)라 한다."고 하였다.

　4) <음선표제(飮饍標題)>에 주자틀에 짜낸 술 가운데 붉은색을 띤 술은 배홍(醅紅), 푸른색을 띤 술을 제록(醍綠), 흰 술을 령백(醽白) 또는 차(醝)라고 부른다.

總論

<春秋運斗樞>曰酒之言乳也所以柔身扶老也許愼. <說文>云酒就也所以取人性之善惡也一日造也吉凶所造起. <釋名>曰酒酉也釀之米麴酉繹而成其米美也亦言踧踖也能否皆强相踧持也. <竇氏酒譜>周官酒人掌酒之政令辨五齊三酒之名一曰泛齊二曰醴齊三曰盎齊四曰醍濟五曰沈齊一曰事酒二曰昔酒三曰淸酒此蓋當時厚薄之差而經無其. <說傳>注悉度而解之未必得其眞也同上酒之淸者曰釀案釀款酏之誤. <玉篇>酏淸酒也濁者曰醠案醠一作醲又案. <字

書>酒之濁者曰醙曰醪濁而微淸曰醆厚曰醇案. <說文>醹醲皆厚酒之名薄曰
醨重釀曰酎案. <字書>重釀曰酴又云再釀曰酘又云三重醇酒曰酎一宿曰醴案
醴甘酒也古人釀酒以麴釀醴以蘗釀法旣異味亦不同觀. <周禮>五齊三酒之分
可知矣. <說文>云醴酒一宿熟者蓋謂醴可一宿而熟而非以醴爲一宿酒之名也
美曰醑未榨曰醅紅曰醍綠曰醹白曰醝. <飮饍標題>.

술 빚는 법·양주법·조주법

우리 술은 쌀로 빚는다. 쌀로 빚은 술이니 술의 분류상 당질(糖質)에 따른 명칭인 '미주(米酒)'라고 해야 옳을 것이나, 우리 조상들은 이를 '청주(淸酒)'라고 하고, 통과의례(通過儀禮)를 비롯하여 중요한 의식에 사용해 왔다. 쌀로 빚은 청주는 지구상에서 가장 깨끗하고, 특히 맑고 깨끗한 향기(淸香)가 있어 좋은 신성물(神聖物)로 여긴 까닭이다.

술을 이와 같이 귀한 신성물로 여기게 된 배경에는 술을 빚는 데 필요한 누룩을 장만하는 일, 술의 주원료인 쌀을 마련하는 일이 '일 년 농사'라는 인식이 깔려 있다. 또한 아름다운 향기를 얻기 위하여 쌀을 선별하고 씻는 일 등 모든 과정에 남다른 정성을 기울여 왔으며, 특히 향기가 좋은 술은 인간이 만들 수 없는 미생물의 작용이라는 사실을 인식하고 있었다는 것을 알 수 있다.

그러기에 술을 빚는 법에 대하여 여러 가지 원칙과 기교, 요령 등을 열거하고 이를 반드시 지킬 것을 강조한 것을 볼 수 있다. 이를 '조주법(造酒法)', '양주법(釀酒法)', '술법', '술 담그는 법', '주방(酒方)', '치주재법(治酒材法)' 등으로 표기하고 있는데, 문헌마다 각각 동일하기도 하고 조금씩 차이가 나기도 한다.

예를 들면 <방서(方書)>에 '조주법', <부인필지(夫人必知)>에 '술 빚기 요령', <산가요록(山家要錄)>에 '주방', <성호사설(星湖僿說)>에 '주재(酒材)', <언서주찬방(諺書酒饌方)>에 '술 빚는 법', <오주연문장전산고(五洲衍文長箋散稿)>에 '양주(釀酒)', <온주법(醞酒法)>에 '술법', <임원십육지(林園十六志)>에 '총론(總論)', <조선무쌍신식요리제법(朝鮮無雙新式料理製法)>에 '술 담그는 법' 등이 그것이다.

이들 문헌에 수록된 내용 가운데 중요하다고 생각되는 내용을 일부 발췌하여 정리하여 봄으로써, 우리 술 빚는 법의 기초자료로 활용하였으면 좋겠다는 생각을 하기에 이르렀다. 시대별 변화과정과 우선순위가 어디에 있는지를 살펴볼 수 있으며, 현대의 양주기술과 비교하면 차이도 엿볼 수 있어, 많은 생각을 하게 될 것이기 때문이다.

<산가요록>의 '주방'에 "쌀은 반드시 백세(百洗, 가능한 한 많이 씻음)해야 한다."고 하고, "쌀 두 홉(合)이 술 한 잔(盞)이 되고, 두 잔이 한 작(爵)이 되고, 두 되(升)가 한 복자(鐥)가 된다. 세 복자가 한 병(瓶)이 되고, 다섯 복자가 한 동이(盆, 東海 : 동희)가 된다."고 하였다.

양주 관련 최고(最古)의 기록으로 알려지고 있는 <산가요록>에서 우리 술 빚는 법에 대하여 '백세'를 가장 중요하다고 판단, 이를 강조하고 있음을 알 수 있다. 또한 '백세'한 쌀로 빚은 술은 발효가 잘되고 맛과 향기가 좋은 데다 얻어지는 술 양 또한 많음을 알 수 있다.

또 <언서주찬방>에는 "누룩을 술 비즐 제 밤낮 마곰 무아 사흘 볕 말뢰야 뿍내 업슨 후에 디허 쓰라. 독을 구장 니그니를 굴희야 믈 브어 이사흘이나 우리오 딕 믈을 주조 구라 잡내 업거든 조심호야 비즈면 둇느니라."고 하여 누룩의 전처리와 디디는 법, 술을 발효시킬 술독의 사용법에 대해 서술한 것을 볼 수 있다.

<온주법>에서는 "술 빚을 제 먼저 누룩을 밤만 마곰 뜯어 볏에다 엿되 바래여 끄은 기운을 없이 한 후에 가는 베 작말하고 또 술독을 과로 세지 아니한 것을 물 부어 삼일을 두어 악귀를 없이 하고 쌀을 백세하여 이삼일 담가 조석으로 물을 갈아 극히 좋고 깨끗하게 한 석 빚는 중이 몸 싸고 또 사람이나 짐승이나 먹거

나 도적맞지 않으면, 만분지일도 그릇되지 아니하나니라."고 하였다.

<온주법>에서도 누룩의 법제와 좋은 술독의 선택, 쌀의 백세와 침숙과정을 중요하다고 한 것을 볼 수 있으며, 술독은 싸서 발효시키는 등 술독 관리에 힘쓰고, 특히 원료의 손실을 없이 하라는 것을 강조하였다.

<방서>의 '조주법'에서는 고두밥을 찌는 증숙법과 양주용수의 사용법에 대해 강조하고 있는 것을 볼 수 있으며, 술을 빚어서 독에 안치고 발효시키는 등 술독 관리에 대해 강조하고 있는 것도 볼 수 있다. 즉, "술 빚는 쌀은 마른불(센불)을 때서 고두밥을 찌고, 보자에 넓게 고루 펼쳐서 그 기운(뜨거운 열, 온도)이 없이 하여야 한다. 누룩가루와 고루 섞이도록 조화하되, 물이 들어가지 않게 하여 독 가운데 채우고, 단단히 밀봉하여 찬 곳에 앉혀두고, 5~6일이 지난 후 술이 익었으면 떠낸다. 그리고 솥에 끓인 물은 차게 식혀서 독에 담아 하룻밤 지낸 후에 사용한다."는 것이 그것이다.

<방서>의 '조주법'은 가양주를 빚는 원칙이라고 할 정도로 매우 과학적이고 합리적인 방법을 제시하고 있다는 것이 필자의 생각이다.

그리고 술을 빚는 데 있어 가장 기본적이면서도 간과하기 쉬운 부분에 대해 비교적 자세하게 지적하고 있는 기록은 <성호사설>의 '육재(六材)'이다. <성호사설>에 술 만드는 재료에는 대개 다음의 여섯 가지가 가장 중요하다고 하였다.

첫째, "차조와 벼는 반드시 잘 익어야 한다(秫稻必齊)."는 '차조와 벼가 반드시 일찍 익어서 차지고 정하며 깨끗해야 한다.'는 것인데, 차조와 벼는 반드시 식량으로 쓸 차조나 벼보다 먼저 심고 일찍 익어서 차지고 정하되, 심백까지 고루 익은 것을 선택하여 수확하여야 하고, 쭉정이나 이물질이 없이 깨끗하게 해야 한다는 말이다.

둘째, "누룩은 반드시 시기를 맞춰서 띄워 두어야 한다(麴蘖必時)."고 했는데, 이는 '누룩은 여름보다는 초가을에 일찍 만들어서 잘 띄워야 술의 발효가 잘되고 술맛이 쓰지 않고 맛이 달게 된다.'는 말이다. 누룩을 디디는 시기가 술맛을 결정한다는 얘기와 다름 아니다. 그리고 "지금 사람은 이렇게 하지 않는다."는 말은, 대개 민간에서 누룩을 삼복에 띄우는 것을 능사로 여긴다는 말이다.

고온다습한 여름철에 누룩곰팡이가 잘 자라므로 보다 손쉽게 만들 수 있다는 편의성 때문에 삼복을 선호하지만, 술에서 누룩곰팡이 냄새가 많이 나고 술 빛깔이 검으며 쓴맛이 나게 된다는 지적을 하고 있는 것이다.

셋째, "술밥을 담그는 데는 반드시 깨끗이 해야 한다(湛饎必潔)."고 했다. 말인 즉슨 '먼저 쌀을 물에 여러 번 깨끗이 씻은 다음, 맑은 물에 담가 사흘이 지난 후에 술밥을 찌되, 반드시 뜸을 잘 들여서 열이 다 식은 후 바로 술을 빚어야 한다.'는 말이다.

술밥을 찔 쌀은 백세(白洗, 百洗)하여 쌀눈이나 영양소가 남지 않도록 해야 한다는 뜻으로 이해해야 한다. 여러 번 씻어서 뜨물과 쌀눈이 일체 남지 않도록 말갛게 헹궈야 한다는 뜻으로도 이해할 수 있다.

또한 씻은 쌀은 맑은 물에 담가서 불리는데, 감주와 같이 단맛을 낼 특별한 목적이 아니면 하룻밤 정도가 가장 알맞고, 고두밥을 찔 때는 부드러운 불로 찌고 센불로 거듭 쪄서 뜸을 잘 들여야 하며, 쪄낸 고두밥은 가능한 한 온기가 남지 않고 서늘하게 느껴질 정도로 차게 식기를 기다려서 누룩과 물을 섞어서 술을 빚어야 한다는 뜻이다.

넷째, "샘물은 반드시 향기로워야 한다(水泉必香)."는 것은 '술 빚는 물은 그 맛이 달고 물 성분이 순수해야 하며, 온도가 차가운 것을 써야 술이 쉬지 않는다.'는 말이다.

술 빚는 물, 곧 양주용수(釀酒用水)에 대해서는 '택수(擇水)' 편에서 구체적으로 다루었으므로 여기서는 더 이상의 설명을 줄인다.

다섯째, "질그릇은 반드시 좋아야 한다(陶器必良)."고 한 것은 '술 빚는 독이 좋고 나쁨에 따라 맛이 상반되기 때문에 잘못 만들어진 독을 사용하면 술맛이 쓰게 된다.'는 말이다.

그런즉 '반드시 잘 만든 독을 가려서 물로 깨끗이 씻은 다음, 물을 담아 두었다가 열흘이 넘은 후에 바로 술을 빚어 넣어야 한다.'고 하였다.

술을 담고 발효시키는 데 사용되는 독(甕.)이나 항(缸)은 끊임없이 산소를 공급할 수 있어야 하고, 스스로 온도를 조절할 수 있는 용기라야 한다. 술독이나 항아리는 숨구멍이 있어 산소 유입이 가능하여야 효모의 증식이 활발해진다.

그리고 술은 발효 시 열이 발생하므로 이 열에 의해 효모가 사멸할 수도 있기 때문에 용기 자체가 열을 발산시킬 수 있는 그릇이어야 좋다는 뜻인데, 이러한 조건을 다 갖춘 용기가 독이나 항아리이다.

여섯째, "술밥을 찔 때는 불을 반드시 알맞게 때야 한다(火齊必得)."는 것은, '불기운은 뽕나무 섶보다 더 뜨거운 것이 없기 때문에, 도가(道家)에서 약 달일 때처럼 하여 처음에는 모닥불로 시름시름 타게 하다가 나중에 가서 세차게 때고, 불은 화경(陽燧)에서 새로 생긴 불을 사용하여 대략 문무화(文武火)처럼 해야 한다는 말이니, 이와 같이만 하면 술에 어찌 아름답지 않은 것이 있겠는가.'라고 하였다.

술을 자주 빚어본 사람일수록 술 빚기에 가장 알맞은 고두밥을 찌기가 어렵다는 말을 자주 듣는다. 실제로 누룩을 사용해 빚는 전통 양주에서는 고두밥의 상태에 따라서 감패와 산패, 발효부진 등 여러 가지 문제, 곧 실패 원인을 초래하게 된다.

고두밥은 지나치게 딱딱해도 안 되고 질어도 안 되며, 뜨거워도 안 되고 말라도 안 된다. 쌀의 중심부까지 고르고 부드럽게 익어야 하고, 가능한 한 차갑게 식어야 하며, 마르지 않아야 발효가 잘 이루어져 술맛과 향기가 좋아진다.

때문에 고두밥(증미)의 성패가 곧 술의 성패로 이어진다고도 하는 까닭이 여기에 있고, 술 빚기에서 고두밥을 잘 찌는 것이 가장 어렵다고 하는 이유도 여기에 있는 것이다.

한편, 김봉조(金奉祖, 1572~1630)의 <학호선생문집(鶴湖先生文集)>에 수록된 '제사절목(祭祀節目)' 편에 "매년 논밭에서 나는 소출 중에 풍년이면 30섬, 평년작이면 25섬, 흉년이면 20섬을, 곡식이 익으면 별도로 곳간에 채우고 사계절 사시제 때 그 양을 네 등분하여 제수용으로 삼는다. 고기 값은 노비 신공 및 가내에서 조치하여 준비하고 매번 제사 때 필요한 목면 3필과 콩 2섬, 찰벼 2섬, 말린 과일 10말, 누룩 10덩이도 별도로 마련해 두어 제사 때에 사용한다. 정월 초하루·동지·삭망 및 속절 차례는 각자 집에서 편의에 따라 행하는데 정성을 다한다. '술 담을 쌀을 별도로 저장해 두었다가, 양에 따라 꺼내어 쓴다'(每年田土所出 豊年則三十石 中年則二十五石 凶年則二十石 秋成別藏于庫 四仲享祭時量數四分 以爲祭用 肉價則奴婢身貢及家內措備 每祭木三疋 用下太二石 粘稻二石 果末十斗 麴十圓 亦別藏以爲祭祀時所用 正至朔望及俗節茶禮 自家隨便設行 盡誠爲之

'而酒米則別藏穀中 量宜除出用之')."고 한 내용을 볼 수 있는데, 특히 "매년 논밭에서 나는 소출 중에 풍년이면 30섬, 평년작이면 25섬, 흉년이면 20섬을, 곡식이 익으면 별도로 곳간에 채우고 사계절 사시제 때 그 양을 네 등분하여 제수용으로 삼는다."고 하고, "술 담을 쌀을 별도로 저장해 두었다가, 양에 따라 꺼내어 쓴다."고 한 것은 술 빚을 쌀은 식량으로 사용할 쌀과 다르게 특별히 보관하여 사용한다는 것으로, 시대를 뛰어넘어 특히 우리나라 양주인들에게 시사하는 바가 크다고 할 것이다.

<오주연문장전산고>의 '양주'에 "육재는 술 빚는 법의 정도가 된다."고 하고, <예기(禮記)>를 인용하여 '육재'에 대해 이르기를 "차조와 찰벼는 반드시 고르게 하고, 누룩은 특히 좋은 것을, 쌀을 잠길 때는 반드시 정결하게 하고, 샘물은 반드시 향기롭고, 도기는 반드시 좋을 것이며, 불을 가지런히 하기를 반드시 얻은 후에야 가히 묘결이라고 할 수 있다."고 하였다. 이는 <성호사설>의 육재를 보다 함축적으로 설명한 것에 지나지 않는다.

<조선무쌍신식요리제법>에는 '술 담그는 법'이라 하여, "대저 술이란 것은 쌀을 많이 씻고 씻는 것이 으뜸이요, 하룻밤 담갔다가 찌는 것이 좋고, 차게 식힌 후에 담그는 것이 좋으니, 옛 사람이 이르기를 술 담그는 데 '백세(百洗)', '침숙(浸宿)', '대냉(待冷)'이라. 여섯 자로만 법을 삼으면 제일 아름답다 하나니, 여섯 자는 처음에 말한 것이라. 이 아래 술쌀을 백 번 씻으라 한 것은 어찌 백 번까지 되리오, 아무쪼록 여러 번 찧고 여러 번 씻으라 한 것이니, 술이 좋게 되는 것은 여러 번 씻어야 술이 맑고 조흐니라. 술은 별수 없이 쌀을 잘 씻고 좋은 누룩을 볕을 많이 뵈여 수비하고 좋은 물에 법대로 담그면 백발백중 좋건마는, 많이 가끔 틀리기는 덥고 추위를 잘못 맞추어 그러한 것이니 이왕 사람이 한난계(寒暖計)를 보아가며 만들어서 뒷사람에게 전하지를 아니하였으니 애닯은 일이라. 법대로만 만들고 한서를 맞추어 익히면 술맛도 좋고 도청도 잘되고 오래 변치도 안 되고 빛깔도 맑고 몸에 자양되는 것은 세계에 으뜸이니, 부디 법대로 담그고 한서를 잘 맞출지니라. 술독을 방에 들여놓는 데는 널빤지는 못 쓰나니 토막이로 세 군데를 괴어놓거나, 짚방석으로 괴는 것이 좋으니라. 술을 빚을 제, 쌀겨나 뜨물이나 밥 지은 것을 사람이나 쥐나 개를 먹이지 말지니라. 술의 선악은 전혀 누룩이

정하고 물이 깨끗한 데 있는 고로, 누룩이 제일 요긴한 약이 되나니라.”고 하였다.

결국 <조선무쌍신식요리제법>의 ‘술 담그는 법’에서는 쌀을 백세(百洗)하고, 하룻밤 불려서 익히며(浸宿), 술거리는 익힌 후에 반드시 차게 하여 하고(待冷), 물은 끓여서 사용하고(湯水), 술그릇은 청결히 하되(陶器必良), 날씨의 춥고 더운 것(술독 관리)을 살펴서 할 것을 강조한 것이다. 특히 누룩은 제때에 빚어 디디고 법제(法製)를 많이 하여야 실수가 없다는 것으로, 누룩의 중요성을 강조한 것을 볼 수 있다.

그리고 <음식디미방>에 수록된 52종의 주품별 주방문 가운데 맨 처음 등장하는 ‘순향주(醇香酒)’ 주방문을 보면 술 빚는 법에 대해 매우 상세하게 기록한 내용이 있어 주목된다. 이는 술을 직접 빚어본 사람이 작성한 주방문이라는 사실에서 관심을 끈다고 하겠다.

그 내용은 “술독은 가장 잘 구워진 관독이 좋고, 노란 독도 좋다. 독 안팎을 아주 많이 씻고, 청솔가지를 많이 넣어 솥에 거꾸로 엎어서 쪄서 식혀 술을 빚어 넣으라. 다른 데 쓰던 독이면 여러 날 물을 부어 우린 후, 솔가지를 넣어 쪄서 쓴다. 추운 때면 짚으로 독의 몸을 감아 엮어 옷을 입히고, 독 밑에 두꺼운 널빤지를 놓고 독을 놓으면 방구들이 더워져도 온기가 오르지 못하여 좋으므로, 무릇 술은 다 이렇게 한다.”고 하고, “떡과 밥이 설익으면 나쁘고, 술밑이 설거나 넘기 냄새가 나거나 눋거나 하면 나쁘다. 술그릇을 땅에 놓으면 땅기운에 의해 술맛이 변하므로 상에 높이 놓아두고, 자주 옮기지 아니하면 변하지 않는다. 봄, 가을, 겨울은 술이 좋고, 여름은 좋지 않다. 이 법을 잊지 않으면 반드시 지주(맛 좋은 술) 되나니, 이 법대로 하여야 한다.”고 하고, 또 “이렇게 하되, 나쁘기는 종(하인)이 씻을 때 덜 씻거나 쌀을 덜어서 적게 한 것을 모르고 물을 법대로 부어서 그렇게 되니 봐서 시키기에 종에게 처음부터 끝까지 맡겨 시킬 때 미리 경계한다.”고 하여, 술 빚을 쌀의 세척과 주원료의 배합비율, 술독 관리 요령에 대한 주의사항을 설명한 것을 볼 수 있다.

또한 <임원십육지(林園十六志)>의 ‘치주재법(治酒材法)’은 ‘술 재료를 다스리는 법’이다. <삼산방(三山方)>을 인용하였는데, “주재(酒材)란 술을 빚을 때 사용하는 찹쌀 등으로, 술을 빚는 쌀이다. 술을 빚는 쌀은 깨끗하게 씻어야 하는데, 옛날 방식에는 백 번 정도 씻어야 한다고 하였다. 쌀이 깨끗하지 못하면 술맛이 좋지 않고 술색이 탁하게 된다. 또 술밥은 하루 저녁을 물에 담갔다가 익혀야 하고, 펼쳐 식혀서 항아리에 넣어야 술을 쉬지 않는다. 그러므로 '백 번 씻고(百洗), 하룻밤 물에 담그고(浸宿), 내놓아 식힌다(放冷).'는 뜻의 여섯 글자가 좋은 술을 빚는 세 가지 비결이다."고 하였다. 즉, 술 빚는 데 따른 쌀 씻기와 불리기, 익혀서 차게 식히는 일이 중요하다고 강조하였다.

따라서 '조주법'을 비롯한 '양주법', '술 빚는 법' 등은 전통적인 양주방법의 기본적인 상식을 소개하고 있다고 할 것이며, 술 빚는 데 따른 일련의 주의사항과 숙지할 일들에 대한 내용을 강조하고 있다는 점에서 주목된다.

이렇듯 우리 전통술은 수백 년 전부터 그 기초를 갈고닦아 조선시대에는 전성기를 구가했으며, 일본과 중국에까지 수출해 왔다는 사실을 확인해 주고 있다. 그런데 일제강점기를 거치면서 자가양주(自家釀酒)가 어렵게 되었고, 해방 후에는 우리 정부에 의해 '밀주(密酒)'이자 '탈세의 주범'이라는 오명을 뒤집어써야만 했다. 이후, 농촌인구의 도시집중과 함께 경제성장 위주의 정책으로 국적 없는 값싼 희석식 소주와 저급 막걸리가 공장에서 쏟아져 나오면서 우리 술 빚는 법에 대한 관심과 연구는 '남의 일'처럼 인식되어 왔다.

이제는 우리 술 빚는 일에 대한 국가 차원의 투자와 연구, 대중화를 위한 '범국민적 가양주 문화 가꾸기 운동'을 전개해야만 한다. 반주가 일상화될 때 전통주의 세계화는 저절로 이루어진다고 확신한다. 전통주 연구는 이제 '남의 일'이 아니기 때문이다.

1. 치주재법 <임원십육지(林園十六志)>
– 술 재료를 다스리는 법

주재(酒材)란 술을 빚을 때 사용하는 찹쌀 등으로, 술을 빚는 재료를 말한다. 술을 빚는 쌀은 깨끗하게 씻어야 하는데, 옛날 방식에는 백 번 정도 씻어야 한다고 하였다. 쌀이 깨끗하지 못하면 술맛이 좋지 않고 술색이 탁하게 된다. 또 술밥은 하루 저녁을 물에 담갔다가 익혀야 하고, 펼쳐 식혀서 항아리에 넣어야 술이 쉬지 않는다. 그러므로 '백 번 씻고(百洗), 하룻밤 물에 담그고(浸宿), 내놓아 식힌다(放冷).'는 뜻의 여섯 글자가 좋은 술을 빚는 세 가지 비결이다. <삼산방(三山方)>을 인용하였다.

治酒材法

治酒材法案酒材卽秫稻等釀酒之米是也凡酒米淨洗爲貴故古方皆以百洗爲度苟不淨洗則味惡而色濁也造酒飯須沈經宿然後易爛又須放冷入甕然後不酸故百洗浸宿方冷六字卽釀酒三昧也. <三山方>.

2. 조주법 <감저종식법(甘藷種植法)>

삼복중에 누룩을 함께 두면 벌레가 생기지 않는다. 목일(木日)에 누룩을 만들면 시큼해진다.

造酒法

三伏中合麴不生蟲. 木日造麴則酸.

3. 주제조법 <고사신서(攷事新書)>

술을 <설문(說文)>에는 '취(就)'라고 하였으니 이는 사람의 본성이 선악(善惡)으로 나아가기 때문이다. 무엇을 선악이라 하는가? 유락에 빠져 돌아오지 않거나(流連) 사냥이나 주색에 빠지거나(荒亡) 자신의 덕을 상실하거나(喪德) <여오(旅獒)>에 '사람을 가지고 희롱하면서 놀다 보면 자기의 덕을 상실하고 물건을 가지고 희롱하면서 놀다 보면 본래의 뜻을 잃게 된다(玩人喪德玩物喪志).'라고 하였다. 법도(法度)를 어기는 일(敗度)은 악으로 나아가는 것이며, 장생불사의 영약을 복용하거나(服食), 몸을 보하거나(滋補), 수명을 연장하는(延年) 일은 선으로 나아가는 일이다. <석명(釋名)>에는 '유는 쌀누룩(미국)으로 빚은 술이다. 쌀누룩으로 빚어서 맛이 좋다.' 하였으니 역시 통하는 말이다. 술의 명칭은 매우 많다. 맑은 술은 이(酏)라 하고, 탁한 술은 앙(醠)·밀(醾)이라 하며, 조금 맑은 술은 잔(醆)이라 하고, 진한 술은 순(醇)·유(醹)라 하며, 두 번 빚은 것은 중양(重釀) 이(酹)라 하고 세 번 빚은 술은 주(酎)라 하며, 박주(薄酒)를 이(醨)라 하고 하루 만에 익힌 단술(一宿酒)을 예(醴)라 하며, 맛이 있는 술은 미(美) 서(醑)라 하고 쓴 술은 선(酉善)이라 하며, 붉은 술은 제(醍)라 하고, 녹색 술은 영(醽)이라 하며 흰 술은 차(醝)라 한다. 술의 재료(酒材)가 있으니 바로 찰벼(秫稻)이고, 술의 원료(酒母)가 있으니 이것이 바로 누룩(麴蘗)이다.

酒齊造法

酒 <說文>云 就也所以就人性之善惡也何謂善惡流連荒亾褻德敗度惡之就也 服食滋補延年益壽善之就也 <釋名>云 酉也釀之米麴酉倪而味羮也亦通 酒之別稱甚多 淸曰酏濁曰醠曰醾微淸曰醆厚曰醇曰醹重釀曰酹三釀曰酎薄曰醨一宿而熟曰醴美曰醑苦曰 (酉善)紅曰醍綠曰醽白曰醝有酒材者秫稻是也 有酒母者麴蘗是也.

4. 주제조법 <고사십이집(攷事十二集)>

술을 <설문(說文)>에는 '취(就)'라고 하였으니 이는 사람의 본성이 선악(善惡)으로 나아가기 때문이다. 무엇을 선악이라 하는가? 유락에 빠져 돌아오지 않거나(流連) 사냥이나 주색에 빠지거나(荒亾) 자신의 덕을 상실하거나(喪德) <여오(旅獒)>에 '사람을 가지고 희롱하면서 놀다 보면 자기의 덕을 상실하고 물건을 가지고 희롱하면서 놀다 보면 본래의 뜻을 잃게 된다(玩人喪德玩物喪志).'라고 하였다. 법도(法度)를 어기는 일(敗度)은 악으로 나아가는 것이며, 장생불사의 영약을 복용하거나(服食), 몸을 보하거나(滋補) 수명을 연장하는(延年) 일은 선으로 나아가는 일이다. <석명(釋名)>에는 '유는 쌀누룩(미국)으로 빚은 술이다. 쌀누룩으로 빚어서 맛이 좋다.' 하였으니 역시 통하는 말이다. 술의 명칭은 매우 많다. 맑은 술은 이(酏)라 하고, 탁한 술은 앙(醠)·밀(醯)이라 하며, 조금 맑은 술은 잔(醆)이라 하고, 진한 술은 순(醇)·유(醹)라 하며, 두 번 빚은 것은 중양(重釀)이(酏)라 하고 세 번 빚은 술은 주(酎)라 하며, 박주(薄酒)를 이(醨)라 하고 하루만에 익힌 단술(一宿酒)을 예(醴)라 하며, 맛이 있는 술은 미(美)·서(醑)라 하고 쓴 술은 선(酋善)이라 하며, 붉은 술은 제(醍)라 하고, 녹색 술은 영(醽)이라 하며 흰 술은 차(醝)라 한다. 술의 재료(酒材)가 있으니 바로 찰벼(秫稻)이고, 술의 원료(酒母)가 있으니 이것이 바로 누룩(麴蘗)이다.

酒齊造法

酒 <說文> 云 就也所以就人性之善惡也何謂善惡流連荒亾褻德敗度惡之就也 服食滋補延年益壽善之就也 <釋名>云 酉也釀之米麴酉悅而味美也亦通酒之別稱甚多清曰酏濁曰酏曰醠微清曰醆厚曰醇曰醹重釀曰酎三釀曰酎薄曰醨一宿而熟曰醴美曰醑苦曰(酋善)紅曰醍綠曰醽白曰醝有酒材者秫稻是也有酒母者麴蘗是也.

5. 조주법 <방서(方書)>

1. 술 빚는 쌀은 마른불(부드러운 불)을 때서 고두밥을 찌고, 보자기에 넓게 고루 펼쳐서 그 기운(뜨거운 열, 온도)이 없이 하여야 한다.
2. 누룩가루와 고루 섞이도록 조화하되, 물이 들어가지 않게 하여 독 가운데 채우고, 단단히 밀봉하여 찬 곳에 앉혀두고, 5~6일이 지난 후 술이 익었으면 떠낸다.
3. 솥에 끓인 물은 차게 식혀서 독에 담아 하룻밤 지낸 후에 사용한다.
4. (술독에 용수를 박아 떠내면) 술이 달고 맵다.

造酒法

酒米乾炊作飯 鋪於廣袱俟 其無過氣卽 以麴末調和不入水盛於甕中堅封 置
冷地過五六日俟 其成釀出 卽以鼎沸水冷之而注於甕中過一夜俟 以樽漉酒則
甘烈而.

6. 술 빚기 요령 <부인필지(夫人必知)>

대저 술밥은 차게 식혀 하면 신맛이 없고, 누룩은 바래어 하면 잡맛이 없고, 그
릇은 정히 하여야 변하지 아니하나니라.

7. 주방 <산가요록(山家要錄)>

1. 쌀은 반드시 백세(百洗, 가능한 한 많이 씻음)해야 한다.
2. 쌀 두 홉(合)이 술 한 잔(盞)이 되고, 두 잔이 한 작(爵)이 되고, 두 되(升)가
   한 복자(鐥)가 된다. 세 복자가 한 병(瓶)이 되고, 다섯 복자가 한 동이(盆, 東
   海 : 동희)가 된다.
3. 길일(吉日, 술 빚기 좋은 날)은 정묘(丁卯), 경오(庚午), 계미(癸未), 갑오(甲
   午), 기미(己未)일이다.
4. 또한 봄철에는 저(氐)·기(箕), 여름철에는 항(亢), 가을철에는 규(奎), 겨울
   철에는 위(危) 방향에 안쳐 익히되, 술이 다 익어 독 뚜껑을 열 때는 멸일(滅
   日)과 몰일(沒日)을 피해야 한다.

酒方

米必百洗, 二合爲一盞, 二盞爲一爵, 二升爲一鐥, 三鐥爲一瓶, 五鐥爲一東海.
吉日, 丁卯 庚午 癸未 甲午 己未, 又春氐箕 夏亢 秋奎 冬危 滿成開日 忌滅
沒日.

8. 주재 <성호사설(星湖僿說)>

<만물문(萬物門)>에 "술이란 것은 노인을 봉양하고 제사를 받드는 데 더 이상 없는 음식이다. 그러므로 주정(酒正)이란 관원이 술 만드는 방법과 술 만들 재료를 술 만드는 사람에게 나눠 준다." 하였으니, 이는 월령(月令)에 이른 '대추(大酋)에게 명한다.'는 바로 그것이다.

술 만드는 재료에는 대개 여섯 가지가 있는데, '차조와 벼는 반드시 잘 익어야 한다(秫稻必齊).'는 것은, 차조와 벼가 반드시 일찍 익어서 차지고 정하며 깨끗해야 한다는 말이고, '누룩은 반드시 시기를 맞춰서 찍어두어야 한다(麴蘗必時).'는 것은, 누룩을 가을에 일찍 만들어서 잘 띄워야 술맛이 달게 된다는 말인데, 지금 사람은 이렇게 하지 않는다. '술밥을 담그는 데는 반드시 깨끗이 해야 한다(湛饎必潔).'는 것은, 먼저 쌀을 물에 여러 번 깨끗이 씻은 다음, 맑은 물에 담가 사흘이 지난 후에 술밥을 찌되, 반드시 뜸을 잘 들여서 열이 다 식은 후 바로 술을 빚어야 한다는 말이고, '샘물은 반드시 향기로워야 한다(水泉必香).'는 것은, 물맛이 달고 물 성분이 차가운 것을 써야 한다는 말이다.

그리고 '질그릇은 반드시 좋아야 한다(陶器必良).'는 것은, 술 빚는 독이 좋고 나쁨에 따라 맛이 상반되기 때문에 잘못 만들어진 독을 사용하면 술맛이 쓰게 된다는 말이다. 그런즉 반드시 잘 만든 독을 가려서 물로 깨끗이 씻은 다음, 물을 담아두었다가 열흘이 넘은 후에 바로 술을 빚어 넣어야 한다. '술밥을 찔 때는 불을 반드시 알맞게 때야 한다(火齊必得).'는 것은, 불기운은 뽕나무 섶보다 더 뜨거운 것이 없기 때문에, 도가(道家)에서 약 달일 때처럼 하여 처음에는 모닥불로 시름시름 타게 하다가 나중에 가서 세차게 때고, 불은 화경(陽燧)에서 새로 생긴 불을 사용하여 대략 문무화(文武火)처럼 해야 한다는 말이니, 이와 같이만 하면 술에 어찌 아름답지 않은 것이 있겠는가. <유원총보(類苑)>의 '음식문주(飮食門酒)'를 인용하였다.

* 주정(酒正) : <주례(周禮)>의 편명이자 벼슬 이름. 주(周)나라 때 천관(天官)에 속한 주관(酒官)의 우두머리.

* 대추(大酋) : 벼슬 이름. 주정(酒正)의 별칭.
* 여섯 가지 : <예기(禮記)> 월령에 있는 여섯 가지 조건. ① "술밥을 담그는 데는 반드시 깨끗이 해야 한다(湛饎必潔)." : 이 대문을 <예기>에는 "湛熾必潔"이라 하였음. ② "수수와 벼는 반드시 잘 익어야 한다(秫稻必齊)." ③ "누룩은 반드시 시기를 맞춰서 찍어두어야 한다(麴蘗必時)." ④ "샘물은 반드시 향기로워야 한다(水泉必香)." ⑤ "질그릇은 반드시 좋아야 한다(陶器必良)." ⑥ "술밥을 찔 때는 불을 반드시 알맞게 때야 한다(火齊必得)."
* 도가(道家) : 도교(道敎)를 닦아서 일가(一家)를 이뤘다는 말. 이는 음양오행(陰陽五行)·신선술(神仙術)로 불로장생을 구해서 연단(鍊丹)하는 자를 가리킴.
* 문무화(文武火) : '문'은 약하다는 뜻이고 '무'는 억세다는 뜻인데, 이를 비유해서 약하게 타는 불과 세차게 타는 불을 문무화라고 함.

9. 술 빚는 법 <언서주찬방(諺書酒饌方)>

술 빚는 법이라고 하여 두 가지 주의사항을 열거하였다.

첫째는, 누룩을 빚을 때는 밤낮으로 햇볕에 내어 볕을 쬐어 말리고 하여 쑥 냄새를 없앤 후에 가루로 빻아 쓰라고 하였다.

둘째는, 술독은 가장 잘 익게 구운 것을 선택하고, 물을 끓여서 부어 이틀이나 사흘간 우려내되 물을 자주 갈아주어야 잡냄새가 없으며, 잘 건조시켜서 사용하여야 좋다고 하였다.

(술 빚는 법)
누록을 술 비즐 제 밤낫 마곰 무아 사흘볕 쯰야 쑥내 업슨 후에 디허 쓰라.
독을 ᄀ장 니그니흘 굴히야 믈 브어 이사흘이나 우리오ᄃᆡ 믈을 ᄌ조 ᄀ라 잡내 업거든 조심ᄒᆞ야 비즈면 됴ᄂᆞ니라.

10. 양주 변증설 <오주연문장전산고(五洲衍文長箋散稿)>

기록에 술을 빚는 데 있어 "육재는 술 빚는 법의 정도가 된다."고 했다. <예기 (禮記)>에 술을 하는 데 있어 육재에 대해 이르기를, "차조와 찰벼는 반드시 고르게 하고, 누룩은 특히 좋은 것을 쓰고, 쌀을 잠길 때는 반드시 정결하게 하고, 샘물은 반드시 향기롭고, 도기는 반드시 좋을 것이며, 불을 가지런히 하기를 반드시 얻은 후에야 가히 묘결이라고 할 수 있다."고 하였다.

<주례(周禮)>에 술에 대해 바르게 잡는 다섯 가지의 명칭이 있는데, 이것은 "매번 제사를 지낼 적에는 자기 법도로 헤아려 그것으로 조절해서 (제사의 규모 나 정도, 형편 등) 만든다."고 하였다. 옛날의 대추(大酋, 술 빚는 관원의 명칭)가 관장하는 바가 고대부터 그러하였음은 물론이다.

술은 바람을 쫓고 날에 따른다. 회남자는 "동풍이 이르러 오면 주침일주(술이 가라앉았다가 넘침)한다."고 하였다. 왜냐하면 "동풍은 진방(辰方, 만물이 생성) 이다. 술이 가라앉아 맑아지는 것(酒沈淸酌酒)"이기 때문이다.

쌀이 아래로 가라앉고 물맛이 신 것은 동풍이 술에 들어간 것이다. 그러므로 아래로 가라앉은 것이 끓어오른다고 하였다. 무릇 술맛이 시고 박한 것은 반드시 바람이 쏘아서 술 가운데 있지 않고, 누룩이 썩고 술밥이 따뜻해져야 능히 날을 따라서 맑아지는 것이다.

이순풍이 이르기를, "이제 술이 처음 익을 때에 항아리 위에 맑은 것은, 늘 날에 따라서 아침까지 구르면 맑음이 동쪽에 있고, 낮에는 남쪽에 있고, 해가 지면 서쪽에 있고, 한밤중에는 북쪽에 맑음이 있다."고 하였으니, 술 빚는 자는 마땅히 징험을 하고 그릇에 저장을 한다.

좋은 술을 해를 묵히고자 한다면, 모두 기후와 풍조에 따라 옮기니 이것은 바로 음양의 합이다. 이것을 볼 때 더욱 미덥다. 기후와 바람과 조수에 따라 굴려야하니, 이것이 바로 음양의 합이니 이것을 보면 바람을 따르고 날이 구른다는 말은 지극한 이치가 보존되어 있음이 더욱 믿을 만하다.

지금 집에서 술을 빚을 때 만약 매번 달(月)의 장단과 별과 날을 범하고서 술을 빚으면 술이 익어감에 따라 술이 넘치게 되는 것이니, 그러므로 크게 피하는 것이다.

항아리를 두드려보고 술이 잘될 것인가를 분별하는 법이 있으니, 항아리를 두드려서 소리가 맑고 또 길면 술이 아름답고, 소리가 탁하고 짧으면 아름답지 않다. 메아리(울림)가 없는 술은 반드시 무너져버린다(망가진다).

술의 생숙(生熟, 끓고 있는지 아닌지)을 징험해 보려면 초에 불을 붙여 항아리 가운데에 비추어 보면 된다. 아직 미숙(未熟, 발효가 되지 않는 것)이면 불이 꺼지지 않고, 농숙(濃熟, 잘 끓고 있는 것)이면 불이 저절로 꺼진다.

술맛이 두텁고 묽은 것은 또 물과 연관이 있으니, 회래 땅에서 나는 물은 탁주 담그는 데 마땅하고, 두강천의 물은 좋은 술을 빚는 데 마땅한 것과 같으니, 물을 가리지 않을 수 없다.

도군석이 말하기를 "사람들이 집에서 술을 빚어 좋은 술을 얻으려면, 모름지기 진흙으로 입구를 봉하고 실오라기 털끝 하나도 새지 않게 해서 저장하기를 여러 해 두면 그 맛이 점점 아름다워지고, 조금이라도 새면 좋은 술을 쓰는 데 맞지 않으니, 그 밀봉하고 뚜껑을 닫음의 삼가고 엄함이 이와 같으니, 어찌 바람에 뚫리고 기운이 새어서 맛의 변함에 이르겠는가." 여기까지는 술 빚는 것의 조박(하찮은 일)이다.

불인자(나쁜 사람)들은 비상을 태운 연기로 항아리를 쪼여서 술을 오래 두어도 상하지 않게 하고, 마시는 자가 매번 중독이 되어 병을 이루었고, 혹 어떤 이는 술에 석회를 섞어서 술맛을 맵게 도우니 살피지 않으면 안 된다.

'준순주', '천리주' 법은 여러 책에 흩어져 나타나 있는데, 이것은 산수간제승지구(山水間濟勝之具, 경치 좋은 곳을 찾아다니며 즐기는 데 갖추어야 할 것)와 불세지수(不歲之需, 세상에 더 나지 않는 필요한 것)가 되니, 역시 또한 아름다운 취미이다.

또 술을 재촉하는 방법이 있다. 무릇 겨울에 술을 빚기 어려울 때에 익히려면 보릿짚을 따뜻하게 담갔다가 술항아리 안의 주모 위에 덮는다…(하략)….

술에 산(酸, 신맛)을 없애는 여러 가지 방법이 있으니, 하나는 황보송의 <취경일월기>에 나타나고, 하나는 동벽 이시진의 <본초강목(本草綱目)>에 나타나고, 하나는 서광계의 <농정전서>에서 상고할 수 있다. 엷은 술(淡酒)은 구지나무, 가

지나무 재로 하는 법이 있고, 진한 술은 부다나무와 참나무를 태워서 재를 넣으면 된다.

소주는 '노주' 혹은 '화주'라 칭한다. '약로' 역시 소주류이다. 이슬 받듯이 한 소주는 맑고 상쾌하고, 향이 맹렬하여 병을 치료할 수 있다. 실패한 소주는 오이, 비름, 식초, 소금을 넣으면 된다. 술을 끓일 때 수수의 줄기를 넣으면 술색이 붉고, 푸른 소나무를 넣으면 기운이 향기롭고 색이 푸르다. 소주에 불이 붙었을 때 푸른 베를 흔들면 꺼지는데, 그러나 뚜껑을 덮어 꺼지게 하는 방법만 한 것이 없다.

술 빚는 법은 매우 많아, 일부러 대략 들어서 썼으므로, 여가 있는 날을 기다려 다시 들어 쓰기를 기다려라. 나의 술 빚는 법은 양수보다 낫다.

겨울(동월)에 술을 빚을 때는, 항상 사람으로 하여금 독을 잠깐 끌어안게 하고 다시 사람을 바꾸기를 1일에 수차례 하면, 술이 빨리 익고 맛이 기특하고 아름답다.

11. 술법 <온주법(醞酒法)>

술은 신명(神明)을 감동(感動)하고 빈객(賓客)을 화창(和暢)하니 음식 의미란 크니 없음으로 있어 하되, '고을 정사를 술로 안다' 하였나니 양반의 집에서 유념치 이암작하리오. 정유일은 처음으로 술 한 사람 두강(杜康)의 죽은 날이니 흉하고 매월 초사일과 초오일과 초탁일이 흉하니 술 빚기와 고자의 드리우기와 금기하나니라.

술 빚을 제 먼저 누룩을 밤만 마곰 뜯어 볏에다 엿되 바래여 刀은 기운을 없이 한 후에 가는 베 작말하고 또 술독을 과로 세지 아니한 것을 물 부어 삼일을 두어 악귀를 없이 하고 쌀을 백세하여 이삼일 담가 조석으로 물을 갈아 극히 좋고 깨끗하게 한 석 빚는 중이 몸 싸고 또 사람이나 짐승이나 먹거나 도적맞지 않으면, 만분지일도 그릇되지 아니 하나니라.

고자 이후 대여섯 번이나 도청하여 '부의'주를 업신하며 소홀하니 술에 부의 있으면 맛이 그릇되나니라. 술을 출입할 제 조심 아니하는 사람을 가까이 말며, 또 술밥이나 죽이나 많이 익게 하고, 죄게 하는 방에 빚어 가이서 신술하는 매슬니라(날이 춥거나 방이 차서 삼사일이 되도록 괴지 않거든 독 한가운데를 헤치고 좋은 술 한 사발만 들어부으면 잠간 새 괴나니라)

술(법)이라

술은 신명을 감동흐고 빈객을 화하게 하니 음식이 이만큼 큰 것이 없으므로 고인이 힘써 빚되 '고을 정사를 술로 안다.' 하였나니 양반의 집에서 유념하지 않으리오. 정유일은 처음으로 술 만든 사람 두강이 죽은 날이니 흉하고 매월 초사일과 초오일과 초팔일이 흉하니 술 빚기와 고자(주조)의 드리오기와 금기하나니라.

술 빚을 제 먼져 누룩을 밟는 만큼 뜯어 볕에 대엿새 바래여 뜬 기운을 없이 한 후에 가늘게 작말하고 또 술독을 갈고 쇠지 아니한 것을 물 부어 사나흘 우리어 악기를 없이하고, (쌀)을 백세하야 이삼일 담가 조석으로 물을 갈아 극히 좋고 깨끗하게 하여 빚는 종이 몸과 손을 깨끗이 하여야 한다. 가장 금기할 것은 임신한 임부와 상 입은 사람을 시키지 말고 또 사람이나 짐승이나 먹거나 도적맞지 아니면 만분지일도 그릇되지 아니하나니라.

고자에 짠 후 대여섯 번이나 도청하여 부의를 없이 함이 옳으니 부의 있으면 마시 그릇되나니라. 술을 출입할 제 조심 아니하는 사람을 가까이 말며 또 술밥이나 죽이나 많이 익게 하고 제계 방의 빚으라. 이거시 술 하는 데 있어 크게 꺼리는 것이니라.

12. 순향주 <음식디미방>

'순향주' 주방문 머리에 "술독은 가장 잘 구워진 관독이 좋고, 노란 독도 좋다. 독 안팎을 아주 많이 씻고, 청솔가지를 많이 넣어 솥에 거꾸로 엎어서 쪄서 식혜 술을 빚어 넣으라. 다른 데 쓰던 독이면 여러 날 물을 부어 우린 후, 솔가지를 넣어 쪄서 쓴다. 추울 때면 짚으로 독의 몸을 감아 엮어 옷을 입히고, 독 밑에 두꺼운 널빤지를 놓고 독을 놓으면 방구들이 더워져도 온기가 오르지 못하여 좋으므로, 무릇 술은 다 이렇게 한다."고 하였다.

'순향주' 주방문 말미에 "떡과 밥이 설익으면 나쁘고, 술밑이 설거나 넘기 냄새가 나거나 눋거나 하면 나쁘다. 술밑에 찹쌀이 많아도 좋고 적어도 좋고, 없으면 멥쌀만 하여도 무난하다. 대강 쌀 한 말에 누룩 한 되, 밀가루 세 홉씩 넣되, 떡에 밥 두 말과 누룩가루와 밀가루가 이미 들어가 있으므로 밥에 두 말 분량을 덜 넣는다. 쌀이 많으나 적으나 이를 짐작하여 빚으면 된다. 술독을 두꺼운 종이나 기름종이로 싸맨다. 술이 괴어 넘치거든 시루를 깨끗이 씻어 술독에 엎어놓고 사이를 바른다. 다 괴거든 도로 떼고 싸맨다. 청주를 짜 넣을 술단지나 병을 더운 물로 씻어 엎어두었다가, 마르거든 술을 담고, 바쁘면 더운 물로 씻은 후에 술을 조금 넣어 흔들어 쏟고, 그 그릇에 넣으면 술맛이 변하지 않는다. 술을 떠내는 그릇은 물기 없이 씻어 독에 넣어두고 쓰면 변하지 않는다. 써 가며 밥보자기를 더운 물을 묻혀 짜 버리고 독 안을 씻어내면 빈 독 냄새가 나지 않는다. 술이 맑게 괴거든 즉시 맑은 술을 다 긷고, 흐린 술을 고자(기름틀)에 짜는데, 병을 기름틀 목에 대어 받거나 혹은 기름종이로 싸매고 가운데 작은 구멍을 뚫어 받는다. 술은 김이 나가면 변한다. 술그릇을 땅에 놓으면 땅기운에 의해 술맛이 변하므로 상에 높이 놓아두고, 자주 옮기지 아니하면 변하지 않는다. 봄, 가을, 겨울은 술이 좋고, 여름은 좋지 않다. 이 법을 잊지 않으면 반드시 지주(맛 좋은 술) 되나니, 이 법대로 하여야 한다. 이렇게 하되, 나쁘기는 종(하인)이 씻을 때 덜 씻거나 쌀을 덜어서 적게 한 것을 모르고 물을 법대로 부어서 그렇게 되니, 종에게 처음부터 끝까지 맡겨 시킬 때 미리 경계한다."고 하였다.

순향쥬법

술독이 ᄀᆞ장 ᄂᆡ고 관독이 죠코 노른 독 ᄯᆞᆨᄒᆞᆫ 죠ᄒᆞ니라. 독 안밧글 ᄀᆞ장 ᄆᆞ이 씨어 청속가비를 만이 녀허 소ᄐᆡ 각고로 업펴 ᄡᅧ 시겨 녀흐라. 다른 ᄃᆡ 쓴던 독이면 여러 날 ᄆᆞᆯ 부서 우리운 후 ᄉᆞᆯ 녀허 ᄡᅧ ᄡᅳ라. 치운 ᄢᅢ면 집흐로 독 몸의 가마 엿거 옷 닙피고 독 미ᄐᆡ 두터온 널 노코 독을 노흐면 구들이 더워도 온긔 오ᄅᆞ지 못ᄒᆞ여 죠흐니 무릿 술을 다 이리 ᄒᆞ라. ᄇᆡᆨ미 너 말 ᄇᆡᆨ셰작말

ᄒᆞ여 시ᄅᆞ덕 닉게 ᄶᅥ 탕슈 너 말에 프러 ᄶᅥᆨ을 고로 싸워 그ᄅᆞᆨ식 실고 믈 븟고 ᄯᅩ 그리 쎼쎼 ᄶᅥᆨ과 믈을 섯거 둧다가 ᄒᆞᄅᆞᆨ밤 쟈여 쳐로 츤 국말 엿 되 진말 ᄒᆞᆫ 되 여듧 홉 섯거 그 ᄶᅥᆨ에 ᄀᆞ장 고로 섯거 독의 녀허 둧다가 닷쇈 만의 빅ᄆᆡ 엿 말 빅셰ᄒᆞ여 밥 ᄶᅥ 그ᄅᆞ셰 갈라 담고 ᄆᆡ이 글힌 탕슈 엿 말 갈라 씨부어 밤자혀 ᄀᆞᄅᆞ누룩 너 되 진말 ᄒᆞᆫ 되 두 홉 젼의 술을 그ᄅᆞ셰 퍼 두고 밤애 술 ᄶᅥᆯ코 누룩 진말 주여 노화 ᄀᆞ장 고로 석거 녀헛다가 채 닉어 믈게 되거든 ᄎᆞᆸᄡᆞᆯ 엿 되 뫼ᄡᆞᆯ너 되 희게 ᄡᅳᆯ허 빅셰ᄒᆞ되 박쥭으로 드노화 시서 셰말ᄒᆞ여 놋동희로 둘 남자기 둠ᄆᆡᆫᄃᆞ되 몬져 믈 글히고 츤믈에 ᄀᆞ를 프러 솟틔 믈 ᄯᅳᆯ흘 부어 이윽게 저어 닉거든 솟두에 덥고 불 처 둧다가 퍼 ᄒᆞᄅᆞᆨ밤 자여 ᄀᆞᄅᆞ누룩 ᄒᆞᆫ 되 녀허 고로 저서 그 술에 부엇다가 믈거든 ᄡᅳ라. ᄶᅥᆨ과 밥이 셜면 사오납고 둠이 셜거나 닛내 나거나 눗거나 ᄒᆞ면 사오나오니라. 둠애 ᄎᆞᆸᄡᆞᆯ이 만ᄒᆞ여도 됴코 젹어도 됴코 업스면 뫼ᄉᆞᆯ만 ᄒᆞ여도 무던ᄒᆞ니라. 대강 ᄡᆞᆯ ᄒᆞᆫ 말애 누룩 ᄒᆞᆫ 되 진ᄀᆞᄅᆞ 서 홉식 혀여 녀ᄒᆞ되 ᄶᅥᆨ에 밥 두 말앳 누룩 진말이 미리 드러시매 밥애 두 말앳 시룰 덜 넛ᄂᆞ니라. ᄡᆞᆯ이 만ᄒᆞ나 젹그나 이를 츄이ᄒᆞ여 비ᄌᆞ라. 술독을 두터온 죠희로나 유지로나 ᄲᅡ미라. 괼 제 넘거든 실ᄅᆞᆯ 조히 시어 안ᄌᆞ 노코 스이룰 ᄇᆞᄅᆞ라. 다 괴거든 도로 ᄶᅦ고 사미라. 쳥쥬 ᄲᅡ 녀흘 준이나 병이나 더운 믈에 시어 어펏다가 ᄆᆞᄅᆞ거든 녀코 밧브거든 더운 믈에 시손 후 술을 죠곰 녀허 흿돌러 솟고 그 그ᄅᆞ셰 녀흐면 술 마시 변치 아니ᄒᆞᄂᆞ니라. 술 ᄯᅳ 내ᄂᆞᆫ 그ᄅᆞᆯ 믈긔 업시 ᄡᅥ서 독의 녀허 두고 ᄡᅳ면 변치 아니ᄒᆞᄂᆞ니라. ᄯᅥ 가며 독 안흘 밥보희 더운 믈 무쳐 ᄶᅡ ᄇᆞ리고 ᄡᅥ서 내면 뷘 독 내 아니 나ᄂᆞ니라. 술이 채 닉거든 즉시 ᄆᆞᆯ근 술 다 깃고 흐린 술을 고ᄌᆞ의 ᄯᅳ되 병을 고ᄌᆞ목의 다혀 밧거나 혹 단지어든 유지로 싸미고 가은대 효근 궁글 ᄯᅳᆯ어 바ᄃᆞ라. 술이 김 나면 변ᄒᆞᄂᆞ니라. ᄶᅡ해 노흐면 지긔예 술마시 변ᄒᆞᄂᆞ니 샹의 놉ᄌᆞ기 언저 두고 ᄌᆞ조 옴기지 아니ᄒᆞ면 변치 아니ᄒᆞᄂᆞ니라. 봄 ᄀᆞ올 겨을은 이 술이 됴코 녀름은 그ᄅᆞ니라. 이 법을 일치 아니면 필연 지쥐 되ᄂᆞ니 이 법대로 ᄒᆞ노라 ᄒᆞ되 사오납기는 좋이 시솔 제 데싯거나 ᄡᆞᆯ을 업시 ᄒᆞ엿ᄂᆞᆫ 거슬 모ᄅᆞ고 믈을 법대로 부으매 그러ᄒᆞ니 바셔 시기기 비편ᄒᆞ거든 ᄒᆞᆫ 죵으로 내죵내 맛져 시기고 미리 경계ᄒᆞ라.

13. 술 담그는 법 <조선무쌍신식요리제법(朝鮮無雙新式料理製法)>

대저 술 담그는 법은, 멥쌀이나 찹쌀을 백 번 씻고 백 번 씻어 찐 후에 차게 하여야 하고, 물은 샘물이나 정화수를 백 번 곱옷쳐(고비쳐) 끓여 식혀서 담그고, 누룩은 여러 날 햇볕에 바래여 하면 잡맛이 없고, 또 수비를 하면 더욱 좋고, 그릇은 정히 하여야 맛이 변하지 아니하나니라. 찹쌀이 많으면 술맛이 시고, 찹쌀이 많으면 맛이 달고, 누룩이 많으면 맛이 쓰니라.

무릇 술 만드는 데 달고 씩씩한 샘물이라야 하나니, 만일 물이 좋지 못하면 술맛이 좋지 못하나니, 옛 사람 말이 샘이 씩씩하면 술이 향내가(천열주향 : 泉列酒香) 난다 하나니, 청명날 물이나 곡우날 물로 술을 담그면 술빛이 푸르고 붉으며 (순색, 純色) 맛이 씩씩하여 가히 오래 둔다 하였으며, 또 청명이나 곡우일에 강물을 갖다가 술을 담그면 빛이 또한 푸르고 붉으며, 맛이 이상하다 하는 것은 때에 기후를 취하는 이치라 하나니라.

또는 술 담글 때 물을 끓여서 식혀서 밥과 누룩을 반죽하면 술이 시어지지 않고, 더욱이 여름에 이 법으로 하는 것이 더욱 좋느니라. 술이 짠 것을 만나면 푸러지는 것은, 물이 물을 제어함과 같아서 술의 성품은 옳고 짠 것은 아래도 흐르는 까닭이니라. 술이 지구(枳椇 : 헛개나무)와 칡꽃(갈화 : 葛花)과 붉은 팥(적두 : 赤豆)과 녹두(綠豆)를 두려워하는 것은 찬 것이 더운 것을 이기는 까닭이니라. 술이 한창 괴어오를 때에 뚜껑을 열어 기운을 빼고 다시 닫으면 나중에 술맛이 씩씩하니라. 술이 날이 춥거나 방이 차서 삼사일이 되도록 괴지 않거든 독 한 가운데를 헤치고 좋은 술 한 사발만 들어부으면 잠간 새 괴어오르느니라. 술이 익기 전에 손을 대어 떠먹으면 왼통 흐려 도청이 되지 않나니, 모두 걸러 흐린 술을 독에 붓고 찹쌀 석 되를 밥 지어 누룩 한 되와 한데 버무려 대여섯 조각을 만들어 독에 넣은 지 사흘이면 맑아지나니, 이것은 한 말 담그는 데 하는 것이니 많이 하려면 분정하여 할지니라.

술을 주조(酒糟)에 올려 뜨거든 대여섯 번 도청을 식혀서 찌꺼기가 없어야 오래도록 변치 않느니라. 술이 너무 묽거든 기왓장 조각을 불에 달궈 넣으면 술이 되어지느니라. 만일 겨울에 술 한독을 만들제 괴길 더디하여(타팔지, 打杞遲) 시어지거든 검정콩을 한두 되 볶고 석회를 두석 되가량을 눈도록 볶아 두 가지 다 뜨거운 김에 술그릇에 넣고 급히 저어 둔지 한두 날 만에 짜서 마시면 맛이 매우 좋으니라. 석회 두석 되라 하는 것은 그 독한 것을 이렇게 많이 넣으리오, 알 수 없노라.

대저 술이란 것은, 쌀을 많이 씻고, 씻는 것이 으뜸이요, 하루밤 담갔다가 찌는 것이 좋고, 차게 식힌 후에 담그는 것이 좋으니, 옛사람이 이르기를, 술 담그는 데 '백세·침숙·대냉'이라. 여섯 자로만 법을 삼으면 제일 아름답다 하나니, 여섯 자는 처음에 말한 것이라. 이 아래 술쌀을 백 번 씻으라 한 것은 어찌 백 번까지 되리오, 아무쪼록 여러 번 찧고 여러 번 씻으라 한 것이니, 술이 좋게 되는 것은 여러 번 씻어야 술이 맑고 조흐니라. 술은 별 수 없이 쌀을 잘 씻고 좋은 누룩을 볕을 많이 뵈여 수비하고 좋은 물에 법대로 담그면 백발백중 좋건마는, 많이 가끔 틀리기는 덥고 추위를 잘못 맞추어 그러한 것이니 이왕 사람이 한난계(寒暖計)를 보아가며 만들어서 뒷사람에게 전하지를 아니하였으니 애닲은 일이라. 법대로만 만들고 한서를 맞추어 익히면 술맛도 좋고 도청도 잘되고 오래 변치도 안 되고 빛깔도 맑고 몸에 자양되는 것은 세계에 으뜸이니, 부디 법대로 담그고 한서를 잘 맞출지니라. 술독을 방에 들여놓는 데는 널빤지는 못 쓰나니 토막이로 세 군대를 괴어놓거나, 짚방석으로 괴는 것이 좋으니라. 술을 빚을 제, 쌀겨나 뜨물이나 밥 지은 것을 사람이나 쥐나 개를 먹이지 말지니라.

술의 선악은 전혀 누룩이 정하고 물이 깨끗한 데 있는 고로, 누룩이 제일이 요긴한 약이 되나니라. 매양 흰누룩 한 장(一擔)과 찹쌀가루 한 말에 물 치고 반죽하여 마르고 축축한 것을 고르게 하여 체에 쳐서 밟아 떡처럼 만들어 종이에 싸서 바람 곳에 달았다가 오십일 만에 내려서 낮에 볕 뵈고 밤에 이슬을 맞혀서 매양 쌀 한 말에 이 누룩 열 냥중을 넣고, 술을 빚을 제 한서를 잘 맞추어 하나니, 심히 차거든 더웁게 반죽을 하고, 심히 더웁거든 밥은 헤쳐 식혀서 반죽을 하되, 밥이 단단하면 술맛이 맵고, 밥이 묵으면 술맛이 달아지나니라. 술의 선악을 알랴 하면, 손으로 술항아리를 두드려서 소리가 얇고 긴 것은 술이 좋고, 무겁고 짧은 것은 맛이 쓰고, 소리가 울리지 않는 것은(不音) 그 술이 반드시 글러진 것이니라. 술을 다 짠 후에 항아리에 담은 지 하루 만에 고으면 빛이 맑고(便蒸色淸)

사흘 만에 고으면 빛이 붉어지나니라. 술을 주석 그릇(錫器)에 담아둔 지 오래면 능히 사람을 죽이는 것은 비상독(砒毒)이 있는 것이요, 구리 그릇에 담아서 밤을 지내지 말지니라.

14. 술 담글 때 알아둘 일
<조선무쌍신식요리제법(朝鮮無雙新式料理製法)>

1. 먼저, 누룩을 부숴서 밤알만큼씩 크게 만들어 낮에 햇볕을 여러 날 쬐이고 밤이면 이슬을 맞힌다.
2 잘 익은 독을 물에 담근 지 삼일 만에 정히 씻고, 물기를 말린다. 볏짚을 때서 그 연기로 술독을 말린다(소독한다).
3. 술 담글 때에 부정한 사람과 몹쓸 병 든 사람, 아이 밴 부인과 효자와 중을 모두 다 기피한다.
4. 만일 콩나물을 기르거든 술독을 한 방에 놓지 말지니, 술은 관계없으나 콩나물이 흠뻑 썩어진다.

술 당글 째 알 일
먼저 누룩을 부스질러 밤알만큼식 만드러 볏흘 여러 날 쐬이고 밤이면 이슬을 맞치며 잘 익은 독을 물에 당근 지 사흘 만에 정이 씻고 집흘 째에 그 연기로 말리고 당글 째에 부정한 사람과 몹쓸 병 든 사람과 아희 밴 부인과 효자와 중을 모도 다 기하나니라. 만일 콩나물을 길으거든 술독을 한 방에 노치 말지니 술을 관게치 아니하나 콩나물이 흠벅 썩어지나니라.

15. 양주법 <증보산림경제(增補山林經濟)>

무릇 술을 빚을 때에, 물을 끓인 뒤 식혀 밥과 누룩을 섞으면 신 것을 막을 수 있다. 여름에는 이 방법이 더욱 마땅하다.

釀酒法
凡造酒用沸湯候冷造飯麴則免酸夏月尤宜此法.

16. 양주 <태상지(太常志)>

구제의 원래 공물은 중미 102섬이다(정사년에 35섬을 더하고 교점미와 누룩, 밀도 더하여 내렸다). 쌀 1말에 술 1병 반이 나온다. 술을 빚을 때마다 쌀 23말을 쓴다. 먼저 7말을 깨끗하게 씻어 가루내고 쪄서 누룩가루와 고루 섞어 항아리에 넣으면 이것이 밑술이 된다. 발효되기를 기다려 바로 쌀 16말을 쪄서 섞는데 객물이 들어가지 않게 하고 누룩가루만 첨가하여 잘 섞어준다. 여러 항아리에 나눠 넣고 창고에 저장하여 날이 차서 술이 괴면 명주 보자기에 담아 나무 술주자에 얹어 짜면 청주를 얻는다. 밑술을 빚을 때 찹쌀을 섞어 가루를 내면 맛이 더욱 달고 톡 쏘는데 이를 교점미라고 한다.

釀酒
舊制元貢中米一百二石[丁巳加三十五石交粘米麴小麥亦加下]. 每斗出酒一瓶半. 每釀用米二十三斗. 先以七斗, 百洗作末蒸熟, 和麴末打勻, 入甕, 是爲酒本. 待其醞釀, 乃以米十六斗蒸飯交和, 不容客水, 但添麴末調勻. 分入諸甕, 儲之庫中, 日滿醱醅, 後盛紬帒, 帖於木槽, 壓取淸酒. 造酒本時, 以粘米交和作末, 則味尤甘冽, 是謂交粘米.

17. 양주법 <학음잡록(鶴陰雜錄)>

무릇 술을 빚을 때에, 물을 끓인 뒤 식혀 밥과 누룩을 섞으면 신 것을 막을 수 있다. 여름에는 이 방법이 더욱 마땅하다.

釀酒法

凡造酒用沸湯候冷造飯麴則免酸夏月尤宜此法.

택수 · 조주착취법

술 빚는 물에 대해서는 제대로 깊이 있게 다룬 적이 없었다고 생각된다. 정확하게 말하자면 "물에 대해서는 자신이 없었다."고 하는 것이 솔직한 표현일 것 같다.

여기에서 다루고자 하는 내용은 조선시대 문헌에 수록된 기록들로, 술 빚는 물을 고르는 데 필요한 내용들, 즉 '택수(擇水)' 또는 '착수지법(搾水之法)'에 관한 방법이다. 양주 관련 문헌에 수록된 내용이라는 사실만으로도 기본적인 지침이 될 수 있다고 하겠지만, 필자가 자신이 없다고 하는 까닭은 이들 문헌에 수록된 내용들이 현실적으로 얼마나, 어느 정도까지 차용이 가능한지에 대해서 확신을 가질 수 없기 때문이다.

세월이 흐르고 시대가 바뀌면서 물은 더할 나위 없이 오염되었고, 물다운 물을 찾을 수 없는 세상이 되었다. 마음 놓고 마실 수 없어 각종 약품처리를 해야만 마실 수 있는 환경에서, 술 빚는 물은 어떤 것을 선택하고 어떤 기준을 세워야 할지 막막하게만 느껴진다.

'택수' 또는 '착수지법'에 관한 조선시대 기록으로는 <감저종식법(甘藷種植法)>

을 비롯하여 <고려대규합총서(高麗大閨閤叢書, 異本), <고사신서(攷事新書)>, <군학회등(群學會騰)>, <규합총서(閨閤叢書)>, <농정찬요(農政纂要)>, <농정회요(農政會要)>, <산림경제(山林經濟)>, <임원십육지(林園十六志)>, <증보산림경제(增補山林經濟)>, <학음잡록(鶴陰雜錄)>, <해동농서(海東農書)> 등의 문헌을 들 수 있다. 그리고 이들 문헌의 공통점은 양주 관련 전문서적이 아니라, 농업 또는 가정백과사전과 같은 성격의 서적이 주류를 이룬다는 것이다.

그나마 양주 관련 전문서적이라고 할 수 있는 <산가요록(山家要錄)>이나 <주방문(酒方文)>, <양주방>*, <양주방(釀酒方)>, <양주집(釀酒集)>, <언서주찬방(諺書酒饌方)>, <술 빚는 법>, <술방>, <술 만드는 법>과 같은 문헌에서 택수에 관한 내용이 거의 언급되어 있지 않은 점은 매우 안타까운 일이라고 생각된다.

<감저종식법>을 비롯하여 <고사신서>, <군학회등>, <규합총서>, <농정찬요>, <농정회요>, <산림경제>, <임원십육지>, <증보산림경제>, <학음잡록>, <해동농서> 등에 수록된 '택수'는 크게 다섯 가지로 구분할 수 있고, 이 다섯 가지 내용은 문헌은 달라도 그 내용은 동일하다.

첫째, 술을 빚을 때 샘물 맛이 맑고 달아야 한다. 물맛이 좋지 않으면 술도 맛이 없다.

둘째, 청명수(淸明水)와 곡우수(穀雨水)로 술을 빚으면 빛깔이 붉고 맛이 좋으며 오래 보관할 수 있다.

셋째, 청명, 곡우일에 장강(長江, 양자강)의 물로 술을 빚으면 색이 붉고 맛이 특별한데, 이는 아마도 절후의 기운을 취하기 때문일 것이다.

넷째, 가을 이슬이 많이 내릴 때, 쟁반을 만들어 이슬을 받아 술을 빚는데, '추로백(秋露白)'이라고 한다. 맛이 매우 향기롭게 차다.

다섯째, 무릇 술을 빚을 때에 물을 끓인 뒤, 식혀 밥과 누룩을 섞으면 쉬는 것을 막을 수 있다. 여름에는 이 방법이 더욱 좋다.

한편, 이익(李瀷)의 <성호사설(星湖僿說)> '만물문(萬物門)'에 술 빚는 물에 대해 언급한 것을 볼 수 있는데, '수천필향(水泉必香)'이 그것이다. '수천필향'은 "술 빚는 물은 반드시 향기로워야 한다."는 뜻인데, '물맛이 달고 물 성분이 차가운 것을 써야 한다.' '물은 무색, 무취, 무미한 것을 선택해야 한다.'는 말로 풀이할 수도 있다.

애기인즉, '한국인의 식수로 가능한 물'을 가리키는 것으로, 단적으로 표현하면, '연수(軟水, 단물)를 사용하여야 한다.'는 말과도 통한다.

그런데 조선시대 전통주를 수록하고 있는 문헌마다의 실질적인 양주용수는 '탕수(湯水, 끓여서 차게 식힌 물)'와 '끓는 물'이 중심을 이루고, 더러 '정화수(井華水)', '동류수(東流水)', '강수(江水)'가 사용되는 것을 볼 수 있다. <감저종식법>을 비롯한 여러 문헌에 수록된 '택수' 또는 '착수지법'과는 사실적으로 거리가 멀다는 애기다. 또한 현재까지도 전승되고 있는 소위 '무형문화재'로 지정된 술이나 전통식품으로서의 '전통식품 명인(名人)'의 술, 그리고 전승가양주 대부분은 지하수, 샘물, 암반수 등을 사용하는 경우가 많다.

이러한 연유로 '택수'에 관한 한 이렇다 할 정의를 내릴 수 없다. 다만, "술 빚는 물은 어떠한 이유에서라도 맑고 깨끗해야 하며, 순수해야 하고, 차가워야 한다는 원칙은 고수해야 한다."는 것이다. 그 물이 샘물이든 강수이든 지하수이든 정화수이든, 아니면 설사 수돗물이든, 끓이거나 정치해서라도 공해나 미생물에 의해 오염되지 않은 순수한 물이라야 한다는 원칙에는 변함이 없다.

참고로 허준(許浚) 선생의 <동의보감(東醫寶鑑)>에 수록된 물을 분류해 놓은 것이 있으니 참고하면 좋을 것이다.

* <동의보감>의 '물의 종류와 등급'

1. 정화수(井華水, 새벽에 처음 길은 우물물) : 이 물의 맛은 마치 눈이 녹은 물처럼 달며 독이 없어 약을 달이는 데 썼다.

2. 한천수(寒泉水, 찬 샘물) : 새로 길어다가 보관하지 않은 상태의 우물물로 약을 달이는 물로 사용했다.

3. 국화수(菊花水, 국화 뿌리 밑에서 나는 물) : 따뜻하고 맛이 단 것이 특징으로 이 물을 마시면 장수한다고 한다.

4. 납설수(臘雪水, 섣달에 온 눈이 녹은 물) : 차고 맛이 달며 열을 다스리는 데 사용했다. 이 물에 과실을 담가서 보관하면 좋다고 전해진다.

5. 춘우수(春雨水, 정월에 처음으로 내린 빗물) : 약을 달여 먹으면 양기가 충만해진다고 전해진다.

6. 추로수(秋露水, 가을철 아침 해가 뜨기 전 이슬을 받은 물) : 살빛을 윤택하게 한다. 이 물을 받아서 먹으면 장수할 뿐만 아니라 배도 고프지 않다고 한다.

7. 동상(冬霜, 겨울철에 내린 서리) : 술로 인해 생긴 열, 얼굴이 벌겋게 되는 것 등을 치료한다.

8. 박(雹, 우박) : 장맛이 변했을 때 우박 1~2되를 넣으면 장맛이 전과 같아진다고 한다.

9. 하빙(夏氷, 여름철의 얼음) : 여름철 음식을 차게 하기 위해 그릇 둘레에 두었던 얼음으로 섭취는 몸을 나쁘게 한다.

10. 방제수(方諸水, 조개껍질을 밝은 달빛에 비춰 받은 물) : 눈을 맑아지게 하고, 마음을 안정시키는 데 사용한다.

11. 매우수(梅雨水, 매화 열매가 누렇게 된 때에 내린 빗물) : 상처가 나거나 피부가 헌 곳을 씻으면 흠집 없이 낫는다.

12. 반천하수(橳天河水, 나무에 고인 빗물) : 큰 나무의 벌레 먹은 구멍에 고인 빗물로 정신질환의 치료에 쓰인다.

13. 옥유수(屋遊水, 볏짚 지붕에서 흘러내린 물) : 지붕에 물을 끼얹고 처마에 흘러내리는 것을 받아서 사용한 것으로 광견병을 치료했다고 한다.

14. 옥정수(玉井水, 옥이 있는 곳에서 나오는 샘물) : 오랫동안 장복하면 몸이 윤택해지고 머리털이 희어지지 않는다고 한다.

15. 벽해수(碧海水, 바닷물) : 이 물을 끓여서 목욕을 하면 가려운 것이 낫는다.

16. 천리수(千里水, 멀리서 흘러내리는 물) : 더러움을 씻어낼 때 사용했다.

17. 감란수(甘欄水, 휘저어 거품이 생긴 물) : 물을 1말 정도 큰 동이에 퍼올렸다가 (낮은 곳의 그릇에 쏟아 거품이 생기게) 만든 물이다.

18. 역류수(逆流水, 천천히 휘돌아 흐르는 물) : 먹은 것을 토하게 할 필요가 있을 때 사용했다.

19. 순류수(巡流水, 순하게 흐르는 물) : 허리와 무릎의 질병 치료에 사용했다.

20. 급류수(急流水, 급히 흐르는 여울물) : 대소변의 순환이 원활하지 않을 때 사용한다.

21. 온천수(溫泉水) : 피부병 치료에 많이 사용되었다.

22. 냉천(冷泉, 맛이 떫은 찬물) : 편두통, 화병 등에 효과가 있다고 한다.

23. 장수(漿水, 좁쌀로 쑨 죽의 윗물) : 더위를 막고, 설사와 갈증 해소에 사용된다.

24. 지장수(地漿水, 황토수) : 중독되어 답답한 것을 풀어준다.

25. 요수(樂水, 산골에 고인 빗물) : 음식을 잘 먹게 하고 중초의 기운을 보하는 약을 달이는 데 쓰인다.

26. 생숙탕(生熟湯, 끓는 물에 찬물을 타서 만든 것) : 소금을 타서 마시면 독이 해독되는 약으로 쓰인다.

27. 열탕(熱湯, 뜨겁게 끓인 물) : 양기를 북돋우며 경락을 통하게 한다.

28. 마비탕(麻沸湯, 마를 삶은 물) : 냄새가 약하고 허열을 내리는 데 쓴다.

29. 조사탕(繰絲湯, 누에고치를 삶은 물) : 회충을 없애는 데 쓰이며, 입이 마르는 것을 예방한다.

30. 증기수(蒸氣水, 밥을 찌는 시루 뚜껑에 맺힌 물) : 머리털을 자라나게 하고, 이 물로 머리를 감으면 머리가 검고 윤기가 난다.

31. 동기상한(銅器上汗, 구리 그릇 뚜껑에 맺힌 물) : 이 물이 떨어진 음식을 먹으면 병이 생긴다고 한다.

* 현대과학에서 이야기하는 물의 종류 4등급

1. 광천수(鑛泉水) : 끓이지 않은 약수물을 말한다. 약수물에는 미네랄이나 칼슘, 무기질 등이 함유되어 있다. 하지만 정제가 된 물이 아니기 때문에 세균 등에 감염될 위험성도 있다.

2. 증류수(蒸溜水) : 물을 끓일 때 발생하는 수증기를 냉각시켜서 정제한 물로, 오염물질이 남아 있지 않은 깨끗한 물이다.

3. 육각수(六角水) : 육각형의 구조를 가지고 있는 물로, 맑고 차가운 물일수록

육각형의 모양을 갖는다. 육각수를 계속 마시게 되면 신장병이나 당뇨병 같은 성인병을 예방할 수 있고, 식생활 개선에 도움이 된다.

4. 전자수(電子水) : 일본에서 연구된 물이다. 물통에 정전압 수천 볼트를 발생시켜서 물 안에 많은 전자를 쌓이게 만든 물로, 육각수의 일종이기도 한데, 전자수도 각종 성인병 예방에 도움이 되고, 치료에도 좋은 효과가 있다고 알려져 있다.

1. 택수 <감저종식법(甘藷種植法)>

1. 청명수와 곡우수로 술을 빚으면 빛깔이 붉고 맛이 좋으며 오래 보관할 수 있다.
2. 청명, 곡우일에 장강의 물로 술을 빚으면 색이 감처럼 붉고 맛이 독하여 오래 저장해 둘 수 있는데, 이는 아마도 절후의 기운을 취하기 때문일 것이다.
3. 가을 이슬이 많이 내릴 때, 쟁반을 만들어 이슬을 받아 술을 빚는데, '추로백(秋露白)'이라고 한다. 맛이 매우 향기롭게 차다.

擇水

清明水及穀雨水造酒色紺味烈可儲久(兩日取長江水盖所節之庚之氣). 秋露繁濃時盤收造酒名秋露白味最香冽.

2. 술 빚는 물 <고려대규합총서(高麗大閨閣叢書, 異本)>

1. 청명일, 곡우일에 강물로 술을 빚으면 빛과 맛이 특별히 아름다우니, 이는 때의 기운을 받기 때문에 그러하다.
2. 가을에 이슬이 많이 내릴 적에 그릇을 놓아 받아 술을 빚으면, 이름이 추로백이니, 특히 향기롭고 콕 쏘는 맛이 있다.

술 빚는 물

무릇 술을 빚음에 물을 가려야 하니, 물맛이 사나우면 술이 또한 아름답지 않은 법이다. 청명일, 곡우일에 강물로 술을 빚으면 빛과 맛이 특별히 아름다우니, 이는 때의 기운을 받기 때문에 그러하다. 가을에 이슬이 많이 내릴 적에 그릇을 놓아 받아 술을 빚으면 이름이 추로백이니, 특히 향기롭고 콕 쏘는 맛이 있다.

3. 택수 <고사신서(攷事新書)>

청명수와 곡우수로 술을 빚으면 빛깔이 붉고 맛이 좋으며 오래 보관할 수 있다. 청명, 곡우일에 장강의 물로 술을 빚으면 색이 붉고 맛이 특별한데, 이는 아마도 절후의 기운을 취하기 때문일 것이다.

擇水
清明水及穀雨水造酒色紺味烈可儲久(清明日及穀雨日取長江水造酒色紺味烈盖取時候之氒).

4. 택수 <고사십이집(攷事十二集)>

청명수와 곡우수로 술을 빚으면 빛깔이 붉고 맛이 좋으며 오래 보관할 수 있다. 청명, 곡우일에 장강의 물로 술을 빚으면 색이 붉고 맛이 특별한데, 이는 아마도 절후의 기운을 취하기 때문일 것이다.

擇水
清明水及穀雨水造酒色紺味烈可儲久(清明日及穀雨日取長江水造酒色紺味烈盖取時候之氒).

5. 택수법 <군학회등(群學會騰)>

1. 술을 빚을 때 샘물 맛이 맑고 달아야 한다. 물맛이 좋지 않으면 술도 맛이 없다.
2. 청명수와 곡우수로 술을 빚으면 빛깔이 붉고 맛이 좋으며 오래 보관할 수 있다.
3. 청명, 곡우일에 장강의 물로 술을 빚으면 색이 붉고 맛이 특별한데, 이는 아마도 절후의 기운을 취하기 때문일 것이다.
4. 가을 이슬이 많이 내릴 때, 쟁반을 만들어 이슬을 받아 술을 빚는데, '추로백'이라고 한다. 맛이 매우 향기롭게 차다.
5. 무릇 술을 빚을 때에, 물을 끓인 뒤 식혀 밥과 누룩을 섞으면 쉬는 것을 막을 수 있다.

擇水

凡造酒要泉味淸甘若泉味不佳則酒亦不美. 淸明水及穀雨水造酒色紺味烈可儲久. 淸明穀雨日取長江水造酒色紺味烈盖取時候之氣也.

6. 술 빚는 물 <규합총서(閨閤叢書)>

1. 대개 술을 빚음에 물을 가려야 하니, 물맛이 나쁘면 술이 따라서 아름답지 않은 법이다.
2. 청명일, 곡우일에 강물로 술을 담그면 술빛과 맛이 뛰어나게 아름다우니, 이는 시후(時候)의 기운을 받기 때문이다.
3. 가을 이슬이 많이 내릴 적에 그릇을 놓아 이슬을 받아 술을 빚으면 이 술이 '추로백'이니, 맛이 특별히 향렬(香烈)하다.

술 빚는 물

므릇 슐을 비즈미 믈을 굴힐디니 믈이 스오나오면 술이 역 아름답지 아니ᄒ니라. 청명일 곡우일의 강믈노 슐을 비지면 빗과 마시 즈별이 아름다오니 이는 씩 긔운을 밧기 그러ᄒ니 ᄀ을의 이슬이 성히 ᄂ릴 젹의 그르슬 노하 바다 슐을 비즈면 일홈이 츄노빅이니 마시 향녈ᄒ미 즈별ᄒ니라.

7. 조주착취법 <농정찬요(農政纂要)>

1. 무릇 술을 빚을 때 샘물 맛이 맑고 달아야 한다. 물맛이 좋지 않으면 술도 맛이 없다.
2. 청명수와 장강수(長江水), 곡우수로 술을 빚으면 빛깔이 붉고 맛이 좋으며 오래 보관할 수 있다. 이를 '착수지법'이라고 한다.
3. 청명일, 곡우일에 강물로 술을 담그면 술빛과 맛이 뛰어나게 아름다우니, 이는 시후(時候)의 기운을 받기 때문이다.

造酒搾取法

凡造酒要泉味淸甘若泉味不佳則酒亦不美. 淸明水及穀雨水造酒色紺味烈可儲久. 淸明穀雨日取長江水造酒色紺味烈盖取時候之氣也.

8. 택수 <농정회요(農政會要)>

1. 술을 만들 때 샘물 맛이 맑고 달아야 한다. 물맛이 좋지 않으면 술도 맛이 없다.
2. 청명수와 곡우수로 술을 빚으면 빛깔이 붉고 맛이 좋으며 오래 보관할 수 있다.
3. 청명, 곡우일에 장강의 물로 술을 빚으면 색이 붉고 맛이 특별한데, 이는 아마도 절후의 기운을 취하기 때문일 것이다.

4. 가을 이슬이 많이 내릴 때, 쟁반을 만들어 이슬을 받아 술을 빚는데, '추로백'이라고 한다. 맛이 매우 향기롭게 차다.

5. 무릇 술을 빚을 때에, 물을 끓인 뒤 식혀 밥과 누룩을 섞으면 쉬는 것을 막을 수 있다. 여름에는 이 방법이 더욱 좋다.

擇水

凡造酒要泉味淸甘若泉味不佳則酒亦不美. 淸明水及穀雨水造酒色紺味烈可儲久. 淸明穀雨日取長江水造酒色紺味烈盖取時候之氣也. 秋露 繁濃時盤以收之造之名秋露白味最香烈. 凡造酒用沸湯候冷造飯麴則免酸夏月尤宜此法.

9. 택수 <산림경제(山林經濟)>

1. <동의보감>을 인용하여, "청명수(청명날 길은 장강수)나 곡우수(곡우날 길은 장강수)로 술을 빚으면 빛이 연보라색이고, 맛이 콕 쏘며 오래 둘 만하다. <사시찬요보(四時纂要補)>에 청명날과 곡우날 장강 물을 길어 술을 빚으면 술빛이 연보라색이고 맛이 유별난 것은 대개 그 철의 정기를 얻기 때문이다."고 하였다.

2. <선서(善書)>를 인용하여, "가을 이슬이 흠씬 내릴 때, 넓은 그릇에 이슬을 쟁반에 받아 빚은 술을 '추로백'이라 하니, 그 맛이 가장 향긋하고 콕 쏜다."고 하였다.

擇水

淸明水及穀雨水造酒. 色紺味烈. 可儲久. 寶鑑, 纂要補曰, 淸明日及穀雨日. 取長江水造酒. 色紺味別. 盖取時候之氣. 秋露繁濃時. 作盤以收之. 造酒名秋露白. 味最香列. 善書.

10. 택수 <산림경제촬요(山林經濟撮要)>

술을 만들 때 샘물 맛이 맑고 달아야 한다. 물맛이 좋지 않으면 술도 맛이 없다. 청명수(淸明水)와 곡우수(穀雨水)로 술을 만들면 색은 감색이고, 맛은 독해 오래 저장할 수 있다. 청명일(淸明日)과 곡우일(穀雨日)에 장강(長江)의 물로 술을 만들면 색은 감색이고 맛은 진하다(대개 계절의 기운을 취하기 때문이다).

擇水
凡造酒要泉味淸甘若泉味不佳則酒亦不美. 淸明穀雨日取長江水造酒色紺味烈(盖取時候之氣也).

11. 택수법 <임원십육지(林園十六志)>

1. 술을 빚는 물은 '감천수(甘泉水)'라야 하고, 물맛이 좋지 않으면 술맛도 없다. <증보산림경제>를 인용하였다.
2. '청명수'와 '곡우수'로 술을 빚으면 색이 좋고, 맛이 달며, 오래 보관할 수 있다.
3. 청명·곡우날에 장강의 물로 술을 빚으면 색이 좋고 맛이 단데, 이는 절후의 기운을 취하기 때문이다.

擇水法
凡造酒要泉味淸甘若泉味不佳則酒亦不美. <增補山林經濟>. 淸明水及穀雨水造酒色紺味烈可儲久. 又淸明穀雨日取長江水造酒色紺味烈盖取時候之氣也.

12. 택수 <증보산림경제(增補山林經濟)>

1. 술을 만들 때 샘물 맛이 맑고 달아야 한다. 물맛이 좋지 않으면 술도 맛이 없다.
2. 청명수와 곡우수로 술을 빚으면 빛깔이 붉고 맛이 좋으며 오래 보관할 수 있다.
3. 청명, 곡우일에 장강의 물로 술을 빚으면 색이 붉고 맛이 특별한데, 이는 아마도 절후의 기운을 취하기 때문일 것이다.
4. 가을 이슬이 많이 내릴 때, 쟁반을 만들어 이슬을 받아 술을 빚는데, '추로백'이라고 한다. 맛이 매우 향기롭게 차다.
5. 무릇 술을 빚을 때에, 물을 끓인 뒤 식혀 밥과 누룩을 섞으면 쉬는 것을 막을 수 있다. 여름에는 이 방법이 더욱 좋다.

擇水

凡造酒要泉味淸甘若泉味不佳則酒亦不美. 淸明水及穀雨水造酒色紺味烈可儲久. 淸明穀雨日取長江水造酒色紺味烈盖取時候之氣也.

13. 택수법 <학음잡록(鶴陰雜錄)>

1. 청명수와 곡우수로 술을 빚으면 빛깔이 붉고 맛이 좋으며 오래 보관할 수 있다.
2. 청명·곡우일에 장강의 물로 술을 빚으면 색이 붉고 맛이 특별한데, 이는 아마도 절후의 기운을 취하기 때문일 것이다.
3. 가을 이슬이 많이 내릴 때, 쟁반을 만들어 이슬을 받아 술을 빚는데, '추로백'이라고 한다. 맛이 매우 향기롭게 차다.

擇水法

凡造酒要泉味淸甘若泉味不佳則酒亦不美. 淸明水及穀雨水造酒色紺味烈可
儲久. 淸明穀雨日取長江水造酒色紺味烈盖取時候之氣也.

14. 택수 <해동농서(海東農書)>

1. 술을 만들 때 샘물 맛이 맑고 달아야 한다. 물맛이 좋지 않으면 술도 맛이
   없다.
2. 청명수와 곡우수로 술을 빚으면 빛깔이 붉고 맛이 좋으며 오래 보관할 수
   있다.
3. 청명·곡우일에 장강의 물로 술을 빚으면 색이 붉고 맛이 특별한데, 이는 아
   마도 절후의 기운을 취하기 때문일 것이다.
4. 가을 이슬이 많이 내릴 때, 쟁반을 만들어 이슬을 받아 술을 빚는데, '추로
   백'이라고 한다. 맛이 매우 향기롭게 차다.

擇水

淸明水及穀雨水造酒. 色紺味烈. 可儲久. 寶鑑, 纂要補曰, 淸明日及穀雨日. 取
長江水造酒. 色紺味別. 蓋取時候之氣. 秋露繁濃時. 作盤以收之. 造酒名秋露
白. 味最香冽. <善書>.

15. 명수 <성호사설(星湖僿說)>

사훼씨(司烜氏)의 직책은, "부수(夫遂)로써 해에서 깨끗한 불을 구하고 거울로
써 달에서 깨끗한 물을 구하고, 제사에 쓰이는 명자(明粢)·명촉(明燭)·명수(明
水)를 공급한다."고 하였는데, 그 주(注)에 '부수는 양수(陽燧), 거울은 방저(方
諸)이다.'고 하였다. 세상에서 복어(鰒魚) 껍질을 역시 방저라고 하는 까닭에 사
람들은 더러 그 거울을 복어 껍질이라고 착각한다. 그러나 내가 모든 사적에 상고

해 보니 이는 잘못이다.

그 거울 제도는 어떻게 생겼는지 알 수 없으나, 추측컨대 둥글고 한복판이 오목하게 생겨서 달에 비추면 물이 생기게 되었던가 보다. 또 그 주(注)에 '깨끗한 물로 자성(粢盛)과 서직(黍稷)을 씻는다.'고 하였다. 자성이란 것은 바로 밥이다. 그런데 이미 물에 씻어서 깨끗이 만든 밥을 또 무엇 때문에 깨끗한 물로 씻겠는가? 나의 의견에는, 옛사람은 밥을 다 먹은 후에 반드시 입을 세 번씩 가시게 되었으니, 제사 때에도 이런 예가 있었던가 싶다.

명촉이란 것은 비단 불만으로 비추는 것이 아니라, 향기로운 쑥을 쇠기름에 합쳐서 횃불로 밝히기도 하는데, 이런 것이 모두 명촉이라는 것이다. <예기>에 이르기를, "깨끗한 물로 재(齊)를 씻는 것은 깨끗함을 귀히 여기기 때문이고, 축작(縮酌)에 모사(茅沙)를 쓰는 것은 술잔을 깨끗이 하기 때문이다." 하였다. 이는 추측컨대, 울창(鬱鬯)을 명수에 타서 모사 위에다 조금 따라 붓는다는 것인 듯하다.

양정(陽精)은 해(日)만한 것이 없고 음정(陰精)은 달(月)만한 것이 없다. 까닭에 명화(明火)로써 향기로운 쑥을 태워 조상의 영(魂)을 생각하고, 깨끗한 명수로 축작에 따라서 조상의 넋(魄)을 생각함은 그 이치에 있어서 마땅히 그렇게 해야 할 것이다. 만약 명수로써 자성을 깨끗이 씻어 쪄서 밥을 짓는다고 한다면, 제수(祭需)를 진설한 후에 이런 일을 또 할 리가 있겠는가? 지금 우리나라 사전(社典)에는 빈 그릇만을 베풀어 놓을 뿐이다. 더구나 말할 나위도 없다.

* 명수(明水) : 깨끗한 물. 또는 현주(玄酒). <類選> 卷 6下 經史篇 2 經書門. <林下> 卷 16 文獻指掌編 7.
* 사훼씨(司烜氏) : <주례(周禮)>의 편명이자 주(周)나라 때 벼슬 이름.
* 명자(明齍) : 깨끗한 물로 씻어서 지은 밥.
* 양수(陽燧) : 화경(火鏡).
* 방저(方諸) : 거울의 별명. 옛날 그것을 달에 비춰서 물을 구했다 함.
* 재(齊) : 오재(五齊)를 말함.
* 축작(縮酌) : 제사에서 헌작(獻酌)할 때 모사(茅沙)에 조금 붓는 술.
* 모사(茅沙) : 제사 지낼 때 쓰는 그릇에 띠 묶음과 모래를 담은 것.

* 울창(鬱鬯) : 제사에 쓰는 술 이름. 울금초(鬱金草)를 넣어 제사의 강신(降神) 때 쓴다.

곡물 이름

스토리텔링 및 술 빚는 법

양식이 되는 곡물이 몇 가지나 될까? 그리고 이들 곡식 가운데 술을 빚을 수 있는 것은 몇 가지나 될까?

전통주의 대중화, 나아가 세계화를 위해 필요하다고 생각했던 스토리텔링 가운데 전통주가 다른 나라의 술과 어떻게 다른지 그 차별성을 규명해야 한다는 생각을 하게 되었을 때, 가장 먼저 갖게 되었던 궁금증이었다. 그리고 그 궁금증이 해결되는 순간 우리나라 전통주의 차별성을 극적으로 드러낼 수 있었다.

우선, 조선시대 고식문헌에 수록된 주방문에 등장하는 술의 원료들을 탐색하기로 했는데, 의외의 답을 찾을 수 있었다.

<산가요록(山家要錄)>을 비롯하여 조선시대 600년간에 걸쳐 저술된 80여 종의 양주 관련 문헌에 등장하는 주재(酒材)는 대략 20가지 내외이다. 그 종류별 사용 빈도수를 보면 찹쌀(粘米, 糯米)이 가장 많고, 다음으로 멥쌀(杭米, 白米)이 주로 쓰인다. 그리고 보리쌀(大麥, 麰米), 차조쌀(粘粟米), 찰기장쌀(粘黍米), 찰수수쌀(粘秫米) 등의 쌀이 있고, 찰옥수수(玉蜀黍)를 비롯하여 찰벼(正租), 겉

보리(皮麳), 고구마(甘藷), 밀(眞麥, 小麥), 도토리(橡實), 메밀(木麥, 蕎麥), 귀리(耳麳), 잣(栢子), 호두(胡桃), 오디(桑椹, 桑實), 산포도(山葡萄, 머루) 등이 사용된 것을 찾아볼 수 있다.

이들 곡물 가운데 우리나라 사람들이 밥이나 죽, 떡을 해먹을 수도 있는 쌀의 종류에 해당하는 것을 주로 양주에 사용해 오고 있다는 점에서 차별성을 강조할 수 있다. 특히 쌀은 우리나라 사람들에게 주식이자 밥의 개념이기 때문에 매우 중요한 의미를 갖게 되는데, 우리나라를 제외한 거의 모든 나라의 양주문화는 부식이자 부존자원을 활용한 양주를 해오고 있어 그 차별성이 부각된다.

이 쌀의 종류에 대해 보다 자세히 설명하고 있는 기록이 <성호사설(星湖僿說)>의 '곡명(穀名)'이다. <성호사설>에는 쌀을 비롯한 각각의 곡물의 유래와 표기 방법의 변화과정에 대해 자세하게 설명하고 있다는 점에서 의미가 크다고 할 수 있다.

사실, 현재 우리가 인식하고 있는 곡물의 종류나 형태, 용도, 성분과 효능에 대한 설명은 <동의보감(東醫寶鑑)>에 더 상세하게 설명되어 있다. <동의보감>에 좁쌀에 대해 <본초(本草)>를 인용하여 "성질이 약간 차고 맛은 시며, 독이 없다. 신기를 기르고 비위의 열을 없애며, 기를 더하고 소변을 잘 나오게 하며, 비위를 도와준다."고 하였고, "좁쌀은 기장쌀보다 작다. 작은 것이 좁쌀이고, 거칠고 큰 것이 기장쌀이다. '속(粟)'은 '서(西)'와 '미(米)'를 합한 것으로, 좁쌀의 형태를 본뜬 것이다. 즉, 오늘날의 좁쌀이다. 오곡 중에 가장 단단하여 '단단한 곡식(硬粟)'이라고도 한다."고 하였다. 좁쌀 가운데, 묵은 좁쌀을 '진속미(陳粟米)'라고 하고, 좁쌀로 만든 엿기름을 '얼미(糵米)'라고 한다.

'갱미(粳米)' 또는 흔히 '이(니쌀)'라고도 하는 멥쌀은, <본초>를 인용하여 "성질이 평(平)하고 맛은 달고 쓰며 독이 없다. 위기(胃氣)를 고르게 하고 살지게 하며, 속을 따뜻하게 하여 이질을 멎게 하고, 기(氣)를 더하여 답답한 것을 없앤다."고 하고, "밥이나 죽을 지어 먹는다. 설익은 것은 비록 비(脾)를 보하지 못하니 다 익은 것이 좋다. 희고 늦게 여무는 쌀이 제일 좋고, 빨리 여무는 쌀은 그보다 못하다."고 하였다. 그리고 <입문(入門)>을 인용하여 "갱(粳)은 '단단하다'는 뜻으로, 찹쌀보다 단단하다는 것이다. 수태음경·수소음경에 들어간다. 기(氣)와 정

(精)은 모두 쌀에서 변화되어 생겨나는 것이기 때문에 글자에 모두 '미(米)' 자가 들어 있다."고 하였다. 갱미 중에 창고에 오래 두어 묵은 쌀을 '진름미(陳廩米)'라고 한다.

찹쌀은 '점미(粘米)'와 '나미(糯米)'라고도 하는데, <본초>를 인용하여 "성질은 차고 맛은 달고 쓰며 독이 없다. 중기(中氣)를 보하고 곽란을 멎게 한다. 먹으면 열이 많이 나고 대변이 굳어진다. 모든 경락의 기운을 막히게 하여 사지가 말을 듣지 않게 되고, 풍(風)을 일으키며, 어지러워 잠을 많이 자게 하니, 많이 먹으면 안 된다. 오래 먹으면 몸이 연(軟)해진다. 고양이나 개가 먹으면 다리가 굽어져 제대로 돌아다니지 못한다. 사람의 근(筋)을 늘어지게 한다. 찹쌀은 찰진 벼이고, 멥쌀은 찰지지 않은 벼이다. 멥쌀과 찹쌀은 매우 비슷한데 점도의 차이가 있을 뿐이다. 찹쌀의 성질은 차지만 술을 담그면 뜨겁게 되고, 술찌끼는 따뜻하고 평(平)한 성질이 있다. 이것은 콩이 메주나 간장과 다른 것과 같다."고 하였다. 또 <입문>을 인용하여 "나(糯)는 연약하다는 뜻이다. 그 쌀이 연하고 찰지니, 곧 찹쌀이다. 요즘 사람들은 이것으로 술을 빚거나 엿을 만든다."고 하였다.

곡물 이름 <성호사설(星湖僿說)>

오곡(五穀)이란 이름을 어떤 사람은 더러 분별하지 못하나, 오직 벼와 보리만은 의심스럽게 여기지 않는다.

기장(黍)은 '황종(黃鐘)의 실(實)'이란 것으로 미뤄 보면, 시속에서 이름한 기장(耆莊)이 아니고서는 율관(律管) 속에 쓰임이 알맞지 않을 것이다. 서속(粟)·피(稷)·기장(粱) 이 세 가지는 대개 서로 비슷하다.

<자서(字書)>에 이르기를, "옛날에는 이 속(粟)은 서(黍)·직(稷)·양(粱)·출(秫)의 총칭이었다."라고 했는데, 후인들은 오직 알이 잘게 생긴 기장(粱)만을 속(粟)이라고 하였다.

이시진(李時珍)은 이르기를, "속(粟)이 즉 양(粱)인데, 이삭이 크고 털이 길며 알이 굵은 것은 '양'이고, 이삭이 작고 털이 짧으며 알이 잔 것은 '속'이라는 것인

데, 싹은 모두 띠(茅)와 같다."고 하였다.

지금 시속에서는 속(粟)을 조라고 하는데, 이 조라는 따위는 아주 많다. 푸른 기장(靑粱)이란 것이 있는데, 이는 이삭이 작고 털이 짧으니 옛날 소위 양(粱)이란 것으로서, 그 빛깔이 푸르고 누른 데에 따라 푸른 기장이니 누른 기장(黃粱)이니 하는 명칭이 있었던 듯하다.

직(稷)이란 곡식은 줄기와 잎은 기장(粱)과 비슷하고 키는 조금 낮다. 이삭은 벼와 같고 알은 기장과 같으며 껍질은 매끈매끈하다. 쌀 빛은 푸르스름하기도 하고, 또는 누르스름하기도 하며, 불그스름하기도 하다.

이 불그스름한 것은 일명 제(穄)라고도 한다. 또는 제(穄)와 직(稷)은 다 같이 기장이라고 하므로 실은 한 글자의 뜻이다. 지금 사람은 속명 '피'라는 것을 직(稷)이라고들 한다. 그러나 빛깔이 불그스름한 것이 소위 제(穄)라는 것인데, 누르스름한 따위가 있는 것은 보지 못했으니, 이런 따위는 우리나라에 없는 듯하다. 필경 이 제(穄)와 직(稷)이란 글자가 본래 같은 것이라면 불그스름한 피도 역시 직(稷)이라고 할 수 있겠다.

<육서고(六書故)>에, "남쪽 지방 사람은 적제(荻穄)를 서(黍)라고 한다. 이 적제를 비록 촉서(蜀黍)라고 하나, 서(黍)와는 한 종자가 아닌 것이다."고 하였다. 촉서는 지금 소위 촉촉(薥蜀)이란 것인데, 촉촉은 속음에 수수라고 한다. 수수는 서(黍)와 흡사하나 키가 크며, 빛깔은 붉기도 하고 혹 희기도 하다.

<역어유해(譯語類解)>에는 또 옥촉(玉薥)이란 것이 있다. 이 옥촉은 이삭에는 열매가 없고 잎 사이에 뿔이 생기며 뿔 밖에는 꾸러미(苞)가 있다. 꾸러미 위에는 수염이 있고 꾸러미 속에는 구슬처럼 생긴 열매가 있는데, 맛이 달아서 먹음직하다. 사람들이 원장(園墻) 사이에다 많이 심는데, 줄기와 잎은 수수와 비슷하나 곡식 종류는 아닌 것이다.

보리라는 곡식은 주나라 때부터 처음 있었는데, <주송(周頌)>에 "우리 백성에게 내모를 주심은 상제께서 백성을 두루 기르게 하심이다(貽我來牟 帝命率育)."라고 분명하게 말하였으니, 이것이 어찌 속이는 말이겠는가?

<도경(圖經)>에는, "대맥(大麥)·소맥(小麥)·광맥(穬麥)이란 것이 있는데, 광맥에는 두 종류가 있다. 한 가지는 대맥과 같고, 한 가지는 소맥과 같은데 모두 조

금 크다.”고 하고, 또 “따뜻한 지방에서는 대맥과 소맥을 봄에도 심을 수 있다.”고 하였으며, 우석(禹錫)은 “산동(山東)·하북(河北) 두 지방 사람은 정월에 보리를 심는데, 이름을 춘광(春穬)이라고 한다.” 하였다.

그런즉, 껄끄러운 껍질이 살에 붙지 않는 대맥이 지금 소위 미맥(米麥)이라는 것인데, 이 대맥·소맥이란 것에도 모두 이런 종류가 있다. 이것이 바로 <도경>에 이른 대맥·소맥이라는 것인데, 이 두 종류에도 봄과 가을에 심는 것이 따로 정해져 있다.

진장기(陳藏器)는 이르기를, “이 귀리(穬)란 보리껍질이라는 것인데, 마치 쌀껍질을 벼라고 하는 말과 같은 것이다.”고 하였으니, 이는 보리란 바로 이 미맥이라는 것이고, 이 귀리란 바로 껄끄러운 껍질이 살에 붙어서 소맥과는 구별이 있다는 것을 가리켜 말한 것인 듯하며, 또 중국에는 껍질과 살이 서로 떨어지지 않는 소맥도 있었던 까닭에 꼭 이렇게 말한 것인 듯도 하다.

이 소위 귀리라는 것에는 두 종류가 있는데, 봄에 심는 귀리도 있다고 했으니, 이는 대맥과 소맥이 모두 귀리가 있다는 것이고, 또는 봄과 가을에 심는 두 가지 종자가 있다는 것이다.

과맥(稞麥)이란 것은 푸르고 누른 두 종류가 있는데, 푼른 것은 알이 잘고 빛깔은 약간 푸르스름하다. 이는 오로지 말먹이로 심는 보리로서 껍질과 살이 서로 붙지 않는 것이다. 추측컨대, 지금 소위 귀맥이란 것이 바로 이것인 듯하다. 빛깔이 푸르고 알이 잘게 생겼으니, 곡식 중에 가장 나쁜 것인데, 지금 산중 사람들이 먹는 것이다.

평야지에도 귀리를 심긴 하나, 혹 흉년이 들어서 잘 되지 않으면 봄에 심은 것은 대부분 변해서 귀맥이 되고 가을에 심은 것은 대부분 변해서 귀래(鬼來)가 된다. 귀래란 것은 소맥인데 모두 먹을 수 없다. 생긴 모양은 소맥과 흡사해도 쓸모가 없는 까닭에 귀래라고 한다. 과맥이란 것도 이 귀래와 똑같아서 먹을 것도 있고 못 먹을 것도 있었다. 그런데 과맥이란 것은 먹을 수 있는 것인가?

유우석이 일컬은바 토규(兎葵)니 연맥(燕麥)이니 한 것은 무엇을 이른 것인지 알 수 없다.

지금 들판에 어떤 풀이 있는데, 알이 귀맥보다도 더 잘게 생긴 것이 곳곳마다 있으니, 혹 이 풀을 가리켜 말한 것인가?

* 황종(黃鐘)의 실(實) : 기본이 되는 수.
* 이시진(李時珍) : 자는 동벽(東璧). 명(明)나라 사람.
* <육서고(六書故)> : 송(宋) 나라 대동(戴侗)이 지은 일종의 자서(字書).
* <역어유해(譯語類解)> : 중국에서 상용되는 문장 또는 언어 중에서 간단한
  단어만 뽑아 우리말로 풀이한 사전. 조선 숙종 때 김경준(金敬俊)·신이행
  (愼以行) 등이 지었음.
* 옥촉(玉蜀) : 옥수수. "우리 백성에게 …… (帝命率育)" : 이 대문은 후직(后
  稷)의 덕을 기리는 시의 한 구절인데, 그 집주(集註)에 "貽 遺也 來小麥 牟
  大麥也. 率 徧 育 養也. 其貽我民. 以來牟之種. 乃上帝之命. 以此徧養下民者."
  라고 하였음.
* 광맥(穬麥) : 귀리.
* 춘광(春穬) : 봄귀리.
* 미맥(米麥) : 쌀보리.
* 과맥(稞麥) : 중보리
* 우석(禹錫) : 당(唐)나라 문장가 유우석(劉禹錫). 자는 몽득(夢得).

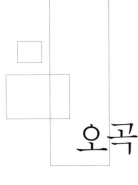

오곡

스토리텔링 및 술 빚는 법

어렸을 때 고향에서 농사를 짓는 조부모님을 돕곤 했었다. 쌀, 보리, 조, 수수, 밀, 콩, 팥, 녹두, 고구마 등이었다. 봄방학과 가을 추수 무렵은 주말마다 고향 해남으로 내려가 파종과 풀 매기, 수확과 탈곡을 도왔다.

홀태와 탈곡기를 이용하여 벼를 훑는 일은 물론이고, 도리깨질로 팥과 녹두, 콩을 털기도 하였다. 수확하는 일 가운데 가장 힘들고 싫었던 일이 '서숙 털기'였다. 방망이로 하릴없이 짓두드려서 대충 알곡을 털고 다시 찧어서 나머지 알곡을 훑어내는 일이었는데, 먼지를 뒤집어쓴 모습이 가관이었다. 콧물과 재채기에 시달리다 보면 허기가 느껴질 정도였다.

그렇게 고생을 하고 나면 머잖아 할머니와 어머니는 이 서숙과 찹쌀을 섞어 밥을 찌고 술을 빚곤 하셨다. 남동생과 두 누이, 손아래 삼촌과 고모 등 우리들은 술밥을 훔쳐 먹는 재미로 별의별 야단도 귀에 들어오지 않았다. 한집에 20명이 넘는 대가족 하에서 코흘리개였던 우리들은 술 빚기 위해 멍석 위에 넣어놓은 술밥을 훔쳐 먹더라도 생존(?)을 해야만 했던 것이다.

하지만 그때까지만 해도 '서숙'이 곧 '서속(黍粟)'이며, 기장(黍)과 조(粟)를 가리키는 말인 줄도 모르고 자랐었다. 이 '서속'이 오곡 중의 두 가지를 뜻하고, 우리나라 사람들에게는 중요한 식량이었다는 사실에 대해서도 알지 못했었다. 그저 그간 밥이나 죽, 떡으로 먹어왔기 때문에 자연스럽게 먹는 끼니 대용의 개념이었을 뿐이었다.

그런데 <주례(周禮)> '질의(疾醫)'에 "오미(五味)·오곡(五穀)·오약(五藥)으로써 병을 다스린다."고 하고, 그 주(註)에 "오곡은 삼(麻)·기장(黍)·피(稷)·보리(麥)·콩(豆) 이 다섯 가지이다."고 하였다. <맹자(孟子)>의 주(註)에는, "벼·기장·피·보리·콩을 오곡이라." 했으니 중요한 곡식이 아닐 수 없다.

<동의보감> '곡부(穀部)' 첫머리에 <본초강목>을 인용하여 "천지간에 사람의 성명을 기르는 것은 오직 곡식뿐이다. 토(土)의 덕(德)을 갖추고, 기(氣)의 중화(中和)를 얻어서 그 맛이 담담(淡淡)하고 달며 화평(和平)하다. 크게 보(補)하고 스며 나가게 한다. 오래 먹어도 질리지 않으니 사람에게 크나큰 공(功)이 있는 것이다(天地間, 養人性命者, 惟穀耳. 備土之德, 得氣中和, 故其味淡甘而性和平. 大補而滲泄, 乃可久食而無厭, 是大有功於人者也)."고 하였다.

<국어사전>에는 '오곡'에 대해 "다섯 가지 주요 곡식. 쌀·보리·조·콩·기장, 또는 곡식을 통틀어 이르는 말"이라고 하였고, '곡식'에 대하여도 "양식이 되는 쌀·보리·조·콩 따위를 통틀어 이르는 말"이라고 설명하고 있다.

성호 이익은 우리가 이렇게 오곡의 종류에 대해 몽매한 사람들이 될 것이라는 염려를 했을지도 모른다. <성호사설>에 오곡의 유래와 종류의 변화, 그리고 그 유용성에 대해 비교적 자세하게 알려주고 있다는 점에서 좋은 자료가 된다고 생각한다.

술을 빚는 사람은 자신이 다뤄야 할 원료에 대해 누구보다 정확한 정보를 지득하고 있어야만 한다. 술 빚을 원료의 특성에 대해 모르면서 어떻게 그 원료를 다루고 처리할 수 있단 말인가. 특히 개성화와 다양화를 추구해 가고 있는 시점에서 오곡만이 아닌, 육곡(六穀)과 팔곡(八穀), 나아가 우리가 밥과 죽, 떡을 해먹는 원료인 십곡(十穀)에 대해서도 자세히 알 필요가 있다.

멥쌀과 찹쌀이 성분은 거의 같으면서도 가공하는 과정이 달라지듯, 보리와 조,

수수, 기장 등을 주원료로 하는 전통 양주에서 주원료의 특성에 따라 전처리와 가공방법을 달리해야 한다는 것이 필자의 지론이다.

오곡 <성호사설(星湖僿說)>

<주례> 질의(疾醫)에 "오미(五味)·오곡(五穀)·오약(五藥)으로써 병을 다스린다."고 하였다. 그 주(註)에 '오곡은 삼(麻)·기장(黍)·피(稷)·보리(麥)·콩(豆) 이 다섯 가지이다.' 하였으니, 이는 <예기> 월령(月令) 편에서 말한 오곡에 의거하여 해설한 것이다. 사의(食醫)에는 "소에게는 벼(稌)가 알맞고 염소에게는 기장(黍)이 알맞으며, 돼지에게는 피(稷)가 알맞고 개에게는 좁쌀(粱)이 알맞으며, 기러기에게는 보리(麥)가 알맞고 물고기에게는 줄(苽)이 알맞다." 하였으니, 이는 이른바 '육곡'이라는 것인데, 줄은 바로 조호(彫胡)이다.

태재(太宰)의 "삼농은 구곡(九穀)을 생산시킨다."라는 주(註)에는 '구곡은 기장(黍)·피(稷)·수수(秫)·벼(稻)·삼(麻)·콩(大豆)·팥(小豆)·보리(大麥)·밀(小麥) 이 아홉 가지이다.'고 했는데, 정현(鄭玄)이 말한 구곡은 수수와 보리 대신 조와 줄을 넣었다.

<맹자>의 주(註)에는, "벼·기장·피·보리·콩을 오곡이라." 했으니, 이는 월령 등 모든 글에 있는 것과 따지면 삼은 빠지고 벼가 들어 있는 셈이다.

그런즉, 이 오곡이란 어느 것을 의거해야 할지 모르겠다.

<맹자>에 "오랑캐 지방에는 오곡은 나지 않고 오직 기장만 난다." 하였으니, 이 말을 참고하면, 이 기장이란 곡식은 오곡 중에 한몫 끼지 않는 듯하니, 또한 괴이하다. 또 서직(黍稷)·도량(稻粱)·화마(禾麻·숙맥(菽麥) 이 여덟 가지를 팔곡이라고 하나, 화(禾)와 도(稻)는 두 가지 곡식이 아닌 듯하다.

<곡례(曲禮)>에 "도(稻)를 가소(嘉蔬)라고 한다."라는 그 주(註)에 '도(稻)는 고소(苽蔬) 따위이다.' 하였고, 옛사람도 혹 이 고(苽)라는 것을 도(稻)라고 하였으니, 이 도라는 벼는 지금의 '가화(嘉禾)'라는 것과 다른 것인가?

* 질의(疾醫) : 주례(周禮) 천관(天官)의 편명. 질병을 맡아 다스리는 의원이라는 뜻
* 사의(食醫) : <주례>의 한 편명. 음식물의 맛을 조화시키는 의원
* 오미(五味) : 초·엿·꿀·생강·소금
* 오약(五藥) : 풀·나무·벌레·돌·곡식
* 조호(彫胡) : 줄(苽) 열매
* 태재(太宰) : 주(周)나라 때 벼슬 이름이자 <주례>의 편명
* 삼농(三農) : 평지농(平地農), 산농(山農), 택농(澤農)
* 주(註) : 등문공 상(滕文公上)의 '오곡불등(五穀不登)'에 대한 주임. "오랑캐 지방에는…… 기장만 난다." : 이 대문은 고자 하(告子 下)에 보임.

도량

스토리텔링 및 술 빚는 법

술 빚는 방법과 관련하여 여러 문헌의 주방문에 도량형(度量衡)이 각기 다르게 기록되고 있음을 볼 수 있다. '석(石)'과 '섬', '말(斗)', '되(升)', '동이(盆)'와 '놋동이(鍮盆)', '바리', '사발(沙鉢)'과 '주발(周鉢, 椀)', '복자(鐥, 鐥子)', '푼주', '식기(食器)' 등이 그것이다.

이렇듯 다른 도량형을 사용하게 된 배경에는 우리 술의 출발이 각 개인의 집에서 이뤄졌고, 형편과 사정에 따라 또는 주품마다의 특징을 살리고 모방을 방지하기 위하여 동이나 사발, 식기 등을 사용하는 것이라고 추정할 수 있다. 실제로 지금도 경주최씨 집안의 가양주인 '경주 교동법주'는 술 빚는 데 사용하는 도량형으로 그 집의 식기(周鉢)를 되 개념의 도량형으로 사용하고 있는 것을 볼 수 있다.

또한 양주 관련 문헌 가운데 한글 필사본인 <음식방문니라>의 '송순주법 또 일방'을 보면, "물 네 스발 붓고 구무쩍으로 살마짜가 식은 후, 그 물 말국 일승과 버무려 밋흐고 츠게 흐기는 니 위 방문과 갓고 효쥬 닷셧 복즈을 일칠일 만의 붓고 쏘 칠일 후의 쩌쓰고 츠〃 보와가며 송향니 업도록 효쥬을 부워 쓰니라. 중〃

들은 밋치 져거 간면감즁을 밋회 붓넌니라.”고 하여 ‘사발(沙鉢)’과 ‘되(升)’, ‘복자(鐥子)’가 함께 사용되고 있음을 볼 수 있다.

또 같은 한글 필사본으로 반가(班家)의 여인에 의해 저술된 것으로 추측되는 <이씨(李氏)음식법>의 ‘청향주신방’에서도 “빅미 이십 긔(器) 빅셰ᄒᆞ야 담갓다가 ᄒᆞ로밤 지은 후의 작말ᄒᆞ야 빅비탕 쓸혀 이십 긔(器)만 빅미가로와 혼가지로 골골우 셕그면 반싱반슉홀 거시이 미우 식은 후의 가로누룩 일 긔(器) 진말 일 긔(器) 가늘게 쳐셔 미말과 혼가지로 고로 셕거 항의 너허 단단이 봉ᄒᆞ여 두엇다가 이십 일 된 후 빅미 슴십 긔(器) 졈미 슴십 긔(器) 빅셰ᄒᆞ야 담갓다가 ᄒᆞ로 밤 지온 후 지여 밥 쎠 차게 식이고 빅비탕 스십팔 긔(器) 차게 식여 슐밋과 혼가지로 고로 셕거 항의 너허 단단이 봉ᄒᆞ여 두어다가 이십 일 된 후 ᄂᆡ여 쓰면 조흐되 무을 금긔ᄒᆞ난이라.”고 하여, ‘식기(食器)’가 이씨 집안만의 도량형으로 사용된 것을 볼 수 있다.

위의 예에서 보듯 이러한 경향은 특히 여인들에 의해 저술된 한글 필사본에서 주로 나타나는 것으로 미루어, 가정에서 직접 술 빚기와 그에 따른 일을 담당하는 여인들의 편의성과 취사선택에 의한 결과로 추측된다.

<성호사설>의 도량은 우리가 사용하고 있는 도량형의 유래와 변화과정을 밝히는 중요한 자료가 되거니와, 옛것과 지금의 것이 차이가 나더라도, 실생활의 편의성을 쫓지 않을 수 없다는 사실을 지적하고 있다.

양주 관련 문헌에 나타나는 도량형으로는 말(斗)과 되(升), 섬(石), 복자(鐥子), 주발(周鉢), 완(椀), 사발(沙鉢), 분(盆), 동이(盆), 놋동이(鍮盆), 식기(食器), 탕기(湯器) 등이 있다. 이들 도량형이 문제가 되는 것은 시대별로 그릇들의 크기가 변화되었다는 것이다. 따라서 수록 문헌의 저술 연대와 관련하여 당시의 도량형 표준을 구하는 일이 불가능하거니와, 지방마다 도량형의 단위가 다르다는 것이 그 이유이다. 최근까지도 지방마다 도량형의 차이를 목격할 수 있었는데, 서울 지방의 쌀 1말(斗)은 8kg인데 경상남도 지방의 쌀 1말은 16kg이고, 전라남도 지방의 1말은 20kg이었다.

물론 필자의 경우도 사라지고 맥이 끊긴 고문헌 속의 전통주를 복원하면서 문헌마다 다른 도량형의 차이를 이해하지 못해 어려움이 많았다.

사실 이러한 양주에 따른 도량형의 다양화와 변화는 우리 술의 표준화나 균질화의 장애이기도 하지만, 다른 한편으로는 주품의 다양화, 양주기술의 다양화와 개성화로 나타나, 그 집 또는 그 지방만의 고유성과 차별화를 이루며 지금껏 사라지지 않고 명맥을 유지해 온 바탕이 되기도 한다.

양주(釀酒)에 있어서도 표준화·균질화가 합리적이긴 하지만, 그것이 자칫 획일화를 지향하는 결과를 낳는다면, 이는 반드시 억지하고 지양해야 할 일이라고 생각한다. 술은 빚는 사람의 성격을 닮는 것이기에 획일화를 크게 꺼리기 때문이다.

도량 <성호사설(星湖僿說)>

지금 세속에서 15두를 1석(石)이라 하고 2척(尺) 4촌을 1척이라 하니 무슨 까닭인가? 석은 본래 오권(五權)의 하나이고 양(量)과는 아무 관계도 없는데, 한(漢)나라 때부터 양(量)이 되었다. 대개 오권은 황종(黃鍾)에서 기인되었는데, 24수(銖)가 1냥(兩), 6냥이 1근(斤), 30근이 1균(勻), 4균이 1석(石)이니, 이로 따지면 120근이 1석이 되는 것이다.

석이란 곡(斛)으로서, 곡의 중량도 120근인 것이다. 예전에는 쌀을 측정하는 데 경중으로 썼던 것은 이일미(二溢米) 따위에서 볼 수 있으니, 곡을 석이라 해도 해로울 것이 없다. 그러나 지금 사용하는 말(斗)은 옛것과 비교하면 세 갑절이나 되므로 실에 있어서는 서로가 같지 않다. 또 싣고 운반하는 데 오직 15두가 편리한 까닭에 억측으로 정한 것이므로 이름과 실상이 서로 어긋나는 것이 매양 이러하다.

지금 시행하는 포백척(布帛尺)도 옛 것에 표준하면 2척 4촌이 되는데, 이도 쓰기에 편리함을 위해서이고, 또 옛것에 근본한 바도 있다. 진 효공(秦孝公)이 정전법(井田法)을 없애고 240보(步)를 1묘(畝)라고 한 데서 기인된 것이다. 이보다 더 예전에는 6척을 1보, 100보를 1묘라고 했는데, 이때에 와서 옛날 1척을 2척 4촌으로 변한 까닭에 240보가 1묘가 된 것이다.

주자(朱子)는, "지금 쓰는 자를 예전 자에 표준하면, 2척 2촌이 조금 모자란다." 하였다. 이는 지금 우리나라에서 쓰는 포백척에 비하면 2촌이 모자라니 마땅히 상고해 봐야 하겠다.

* 도량(度量) : <반계(磻溪)> 권(卷) 25의 송편 상(續編上)에 수록되어 있다. 도량에 대해, ① 황종(黃鍾) : 옛날 악기(樂器)의 하나. 그 길이가 지금 양척(洋尺)으로는 1척 1촌 2푼 7리(釐), 포백척으로는 1척 2촌 4푼 8리, 목척(木尺)으로는 8촌 9푼 9리와 맞먹음. ② 이일미(二溢米) : 1일(溢)이 24냥(兩)이니, 이일미는 48냥의 쌀임.
* 진 효공(秦孝公) : 진나라 임금. 이름은 거량(渠梁). 상앙(商鞅)을 등용, 부국강병책을 써서 국세를 크게 떨쳤음.
* 정전법(井田法) : 삼대(三代) 때에 행해진 전제(田制). 900묘(畝)의 농지를 정자형(井字形)으로 9등분하여 주위를 여덟 집에 나누어 경작하고, 그 중앙을 공전(公田)으로 하여 여덟 집이 공동으로 경작하여 그 수확을 나라에 바치었음.

용정식·작말식

스토리텔링 및 술 빚는 법

　　<한국의 전통주 주방문>을 시작하면서 참고하였던 80여 권의 고식문헌 가운데 '용정식(舂正式)' 또는 '작말식(作末式)'에 대한 기록을 보지 못하였다. 이미 '도량(度量)' 편에서 술 빚기에 사용된 조선시대 도량형에 대해 언급한바, 전통주 복원에 있어 가장 중요하게 인식되었던 부분 가운데 한 가지가 쌀, 즉 주원료의 양을 산정하는 기명(器皿)의 크기에 대한 고민이었다.

　　그러다가 평소 거래해 오던 민속품점 주인의 전화를 받고 한걸음에 달려가 거금(?)을 주고 구입하게 된 문헌이 <언서주찬방(諺書酒饌方)>인데, 저자와 저술 연대를 알 수 없으나 조선시대 반가의 여인에 의해 한글 붓글씨로 쓰여진 양주 관련 문헌이라는 사실은 분명하다.

　　<언서주찬방>에는 주찬방 목록과 함께 '용정식'과 '작말식'을 시작으로 '백하주'·'삼해주'·'옥지주'·'이화주'·'벽향주'·'벽향주　별법'·'유하주'·'세신주'·'향온주'·'내의원 향온주'·'점주'·'감주'·'서김 만드는 규식'·'하일점주'·'두강주'·'아황주'·'죽엽주'·'연화주'·'소국주'·'모미주'·'추모주'·'하숭의　사시절주'·'하절

삼일주'·'하일불산주'·'부의주'·'하향주'·'합자주'·'삼두주'·'소주 많이 나는 법'·'밀소주'·'사병주'·'자주'·'신 술 고치는 법'·'누룩 만드는 법' 등의 주방문과 '보리초 빚는 규식'·'밀초 빚는 규식'·'창포초 담는 법' 등의 식초방문, '면디디는 법'·'변미한 고기 고칠 법'·'팀청대'·'토란팀치' 등 음식방문, 그리고 참외 등 과실과 식품 저장법도 수록되어 있다.

<언서주찬방>에 수록된 주방문 가운데는 1450년경의 저술로 밝혀진 <산가요록(山家要錄)>에 처음 등장하는 주품과 동일한 주방문이 상당수 수록되어 있는데, 그 가운데는 '향온주'와 '내의원 향온주'가 함께 수록되어 있으며, 누룩방문도 함께 수록되어 있다는 점에서 학술적 자료가치가 높다고 할 수 있다.

특히 한글로 쓰여진 문헌으로는 드물게 '순곡청주류'를 비롯하여 탁주류·가향주류·약용약주류·소주류·혼성주류에 이르기까지 다양한 주종을 수록하고 있음을 볼 수 있는데, 이는 조선 중기 이후에 등장하는 '과하주' 등 혼양주류를 제외하고는 주종별에 대해 다루고 있는 셈이다.

<언서주찬방>에서 가장 주목되는 내용은 '용정식'과 '작말식'이라고 할 수 있을 것 같다. '용정식'과 '작말식'은 여러 가지 곡물에 대하여 도정 전과 도정 후에 그 양의 변화를 측정하여 수치화한 것이다. 특히 '작말식'은 각각의 곡물을 가루로 빻았을 때 각각 분량의 변화를 측정한 내용이라는 점에서 양주를 비롯하여 음식의 조리와 가공에 따른 도량의 애로사항을 해소시켜 주고 있다고 할 것이다.

<언서주찬방>의 '용정식'에 따르면, 나락(正租) 1말은 도정 정도에 따라 다른 것으로, 갱미(粳米)의 경우 3되 3홉에 해당하고, 백미(白米)로는 4되 1홉, 중미(中米)로는 4되 5홉, 조미(造米)로는 4되 9홉에 해당한다(<표 1> '용정식' 참조).

'작말식'의 경우, 백미 1말은 가루로 2말이 되고, 체에 여러 번 치면 1말이 된다고 하였다.

이 밖에도 밀과 녹두, 참깨, 잣 등 도량형을 실측해 놓은 것을 볼 수 있으며, 이러한 '용정식'과 '작말식'은 궁중이나 관아, 부잣집 등에서 규모가 큰 행사나 대량의 잔치음식을 만들 때 절대적으로 필요한 내용으로, 조리와 가공에 따른 합리성과 편의성을 추구해 왔음을 엿볼 수 있다고 할 것이다(<표 2> '작말식' 참조).

또, 음식의 조리나 가공에 있어 부득이 시장에서 사다 써야 할 경우가 있는데,

이때 장사치들이 그 양을 속이는 일이 허다했으므로, 각각의 곡물마다 찧거나 작말했을 때 그에 해당하는 분량을 지득하고 있어야 적정 양을 구입해다가 실패하지 않고 목적하는 음식을 만들 수 있었을 것으로 생각된다.

하물며 술은 쌀은 물론이고 누룩과 양주용수의 단위가 매우 정확해야 실패가 없고, 조금의 허용치에 따라서도 맛과 향, 알코올 도수에서 많은 차이가 난다는 사실을 염두에 둘 필요가 있다.

실례로, 쌀과 누룩의 경우를 두고 보더라도 도량형의 중요성은 말할 것도 없다. 같은 품종의 쌀이라도 수확 연도에 따라, 계절에 따라 쌀 제체의 수분 함량이 다르므로 저울로 계량을 해서는 안 된다. 누룩의 경우는 더 심하다. 누룩은 다공성으로 여름처럼 습도가 높은 계절과 건조한 봄·가을의 무게가 다르다. 그만큼 습기를 많이 빨아들이게 되어 있어, 저울로 계량하였을 경우와 도량형으로 계량하였을 경우, 누룩 냄새와 쓴맛에서 차이가 많이 난다.

이와 같이 '용정식'과 '작말식'을 통해서 알 수 있는 분명한 한 가지 사실은 <언서주찬방>이 반가의 여인네에 의해 저술된 것이라는 확신이다.

이미 앞서 언급하였지만 <성호사설>의 '도량'에서 우리의 실정과 맞지 않은 도량형에 대한 기록을 확인하였고, 그것이 실용적이지 못하다는 것도 확인하였기로, 조선시대 양주와 음식 조리 및 가공에 따른 밀접한 도량 단위를 확인할 수 없었던 아쉬움이 많았던 것이 사실이다

또한 '용정식'과 '작말식'에 언급된 대부분의 항목과 내용이 일반 가정에서 음식과 조리에 가장 널리 사용되는 곡물이라는 사실에서 그 중요성과 의미가 크다고 할 것이다. 다만, <언서주찬방>의 저술 연대와 저자를 알 수 없다는 사실이 안타깝기 그지없거니와, 고증을 통하여 저술 연대를 살필 수 있다면 조선시대의 음식 조리와 가공에 따른 도량형에 대한 단초를 확실히 밝힐 수 있을 것이라는 기대를 해본다.

<표 1> 용정식(舂正式)

	春精 前	春精 後			
春精式	正租一斗	粳米三升三合	白米四升一合	中米四升五合	造米四升九合
	荒租一斗		白米三升三合	中米三升六合	造米三升九合六勺
	稷一斗	米三			
	黍一斗	米五升			
	粟米 一斗(亦同)	米五升			
	秫一斗	米四升二合			

<표 2> 작말식(作末式)

	作末 前	作末 後			
作末式	白米一斗	作末二斗			若乾而累篩則一斗
	木米一斗	上末 七升	中末 二升二合		
	小麥一斗	上末 二斤八兩	中末 十二兩	小麥一斤十兩	물에 뜨는 기울(則浮麥) 一合五夕
	皮綠豆一斗	末 三升			
	太一斗	作末 一斗四升			
	小豆一斗	作末 一斗五升			팥고물(丁含) 則 七升
	黃粟米一升	末 三升			
	眞荏一斗	實荏 七合			
	眞荏一斗(水)	油 二升八合			
	皮栢子四升	實柏 一升			
	皮胡桃四升	胡桃 一升			
	甘醬一斗	煮作淸醬 七升			
	祖塩麯一斗	准米 四升			
	赤豆一斗	准米 六升			
	稷一斗	米 三升			
	唐黍一斗	米 四升二合			
	黍粟麥黃豆一斗	准米 五升			

1. 용정식 <언서주찬방(諺書酒饌方)>

우리나라 사람들이 쌀이라고 부르는 곡물의 종류를 보면, 찹쌀(粘米, 糯米), 멥쌀(粳米, 白米), 보리쌀(大麥, 麰米), 차조쌀(粘粟米), 찰기장쌀(粘黍米), 찰수수쌀(粘秫米) 등이 있는데, 이렇게 다양한 쌀이 양주에 사용되고 있다. 그 외 잡곡으로 찰옥수수(黏蜀黍)를 비롯하여 밀(眞麥, 小麥), 메밀(木麥, 蕎麥), 귀리(耳麥)가 있다. 그리고 서류로 고구마(甘藷), 산에서 채취한 도토리(橡實)도 양주에 사용된 것을 볼 수 있으며, 드물게 메벼(正租)와 겉보리(皮麰)도 사용된다.

1. 메벼(正租) 1말을 방아에 찧으면 멥쌀(粳米)는 3되 3홉, 백미(白米)는 4되 1홉이 되며, 중미(中米)는 4되 5홉이 되며, 조미(造米)는 4되 9홉이 된다.
2. 까끄라기가 있는 거친 벼(荒租) 1말을 방아에 찧으면 백미 3되 3홉이 되고, 조미는 3되 9홉 6작이 나온다.
3. 메기장(稷) 1말을 방아에 찧으면 쌀 3되가 된다.
4. 찰기장(黍) 1말을 방아에 찧으면 쌀 5되가 된다.
5. 메조(粟) 1말을 방아에 찧으면 쌀 5되가 된다.
6. 차조(秫) 1말을 방아에 찧으면 쌀 4되 2홉이 된다.

* 정조(正租) : 조(租)는 겉벼, 즉 도정하지 않은 벼를 말한다. 정조는 타작을 끝낸 뒤 방아를 찧지 않은 벼이다. 때로는 부세(賦稅) 명목으로 만들어진 벼를 뜻하기도 한다.
* 조미(造米) : 지금의 현미로 보면 된다.
* 황조(荒租) : 이두문자에 도(稻)를 조(租)라 하니, 까끄라기가 있는 거친 벼. <송암집> 제3권 서(書) '학봉 김 선생에게 올리는 편지(上鶴峯金先生)'에 "다만 종자곡을 옮기는 일은 마침 부백(府伯)이 진(陳)을 풀고 관아로 돌아와 오늘 창고를 열고 만나서 받았는데, 이른바 '황조(荒租)'입니다. 한 섬에 겨우 몇 말만 얻을 수 있고, 또 진잡미(陳雜米)가 많아 종자로 쓰기에 마땅하지 않습니다."고 한 것을 볼 수 있다.

春正式

正祖一斗, 粳米三升三合, 白米四升一合, 中米四升五合, 造米四升九合. 荒租一斗, 白米三升三合, 中米三升六合, 造米三升九合六勺. 稷一斗, 米三. 黍一斗, 米五升. 粟米亦同. 秫一斗 米四升二合.

2. 작말식 <언서주찬방(諺書酒饌方)>

1. 백미 1말을 가루로 빻으면 2말이 된다. 이를 약간 말려서 여러 번 체에 치면 1말이 된다.
2. 메밀 1말을 가루로 빻으면 거친 가루 7되, 고운 가루 2되 2홉이 된다.
3. 밀(小麥) 1말을 가루로 빻으면 고운 가루로 2근 8냥, 거친 가루 12냥이 된다.
4. 밀 1근(10냥)이면 물에 뜨는 밀기울(麩麥) 1홉 5작이 나온다.
5. 피녹두(皮菉豆) 1말을 가루로 빻으면 3되가 된다.
6. 콩(太) 1말을 가루로 빻으면 1말 4되가 된다.
7. 팥(小豆) 1말을 가루로 빻으면 1말 5되, 팥고물(丁舍)은 7되가 된다.
8. 메조(黃粟) 1되를 가루로 빻으면 3되가 된다.
9. (털기 전의) 참깨(眞荏) 1말을 털어내면 참깨씨 7홉이 된다. 참깨 1말을 짜면 참기름(水油) 2되 8홉이 나온다.
10. 피백자(皮栢子) 4되를 찧어 껍질을 벗기면 실잣 1되가 나온다.
11. 피호도(皮胡桃) 4되를 찧어 껍질을 벗기면 실호도 1되가 나온다.
12. 단맛이 있는 간장(甘醬) 1말을 달여서 거르면 진하지 않은 청장(淸醬) 7되가 나온다.
13. 조세로 받은 소금과 보리(租塩麰) 1말은 각기 쌀 4되와 같다.
14. 붉은팥(赤豆) 1말은 쌀 6되와 같다.
15. 메기장(稷) 1말은 쌀 3되와 같다.
16. 당찰기장(唐黍) 1말은 쌀 4되 2홉에 해당한다.
17. 찰기장쌀(黍)과 좁쌀(粟), 보리쌀(麰米), 누런 콩(黃豆) 1말은 쌀 5되와

같다.

作末式

白米一斗, 作末二斗, 若乾而累篩則一斗. 木米一斗, 上末七升, 中末二升二合. 小
麥一斗, 上末二斤八兩, 中末十二兩, 小麥一斤十兩, 則浮麥一合五夕. 皮綠豆一
斗, 末三升. 太一斗, 作末 一斗 四升. 小豆一斗, 作末 一斗 五升, 丁舍則七升. 黃粟
米一升, 末三升. 眞荏一斗, 實荏 七合. 眞荏一斗, (水)油二升八合. 皮栢子四升, 實
柏一升. 胡桃亦. 甘醬一斗, 煮作淸醬七升. 租塩麯一斗, 准米四升. 赤豆一斗, 准米
六升. 稷一斗, 米三升. 唐黍一斗, 米四升二合. 黍粟麥黃豆一斗, 准米五升.

서김·부본·주본

'서김'은 '석임', '니금' 또는 '부본(腐本)', '작주부본(作酒腐本)', '주본(酒本)', '효법(酵法)'이라고도 하는데, 이하 '석임', '부본'이라고 한다. 옛날에는 술을 '발효(醱酵)'라는 뜻보다는 누룩곰팡이에 의한 '삭음' 또는 '썩힘'의 의미와 농사법에서의 '못자리'와 같은 '술의 바탕'으로 이해하였기 때문인 것으로 여겨진다.

왜냐하면 술을 빚어두면 쌀(밥)이 삭아서 가벼워지고, 그것이 술 위로 떠오르는 현상을 목격할 수 있는데, 이러한 현상이 옛사람들에게는 누룩 속의 누룩곰팡이에 의한 '삭음' 또는 '썩힘' 작용으로 비쳐졌을 것이기 때문이다.

또 술이 발효되는 현상으로 열(熱)이 생기고 가스(CO_2)가 만들어지는 화학적 변화를 "물에서 불이 난다."고 생각했던 데서 우리말 '술'의 유래를 찾고 있는 까닭도 같은 맥락에서 출발하고 있음은 주지하는 바와 같다. 같은 이치로 전통 양주기법의 한 가지인 '석임'을 비롯하여 '서김' 또는 '니금', '부본', '작주부본', '주본', '효법'에 대하여 현대양주에서는 '주모(酒母)'라고 부르는 것도 같은 맥락이라고 할 것이다.

주지하다시피 '주모'는 술을 빚을 때 "발효력이 강하고 향미 생성이 우수한 효모를 인위적으로 다량 번식시킨 술(밑술)"을 가리킨다. 그 양주 방법도 여러 가지가 있는데, 전통적인 방법(석임)과 개량식(주모)의 제조 방법은 상당한 차이가 있다.

전통적인 방법의 '석임', '서김', '니금', '부본', '주본', '효법'은 누룩과 물, 곡식이 재료의 전부인데 반하여, 개량식의 '주모' 제조법은 '조효소제주모(물, 조효소제, 젖산, 효모, 곡식)'를 비롯하여 '곡자주모(물, 젖산, 곡자, 곡식)', '입국주모(물, 밑주모, 입국)', '연양주모(술밑, 젖산 또는 구연산)', '고온당화주모(조효소제 주모나 곡자주모, 또는 입국주모에 효모나 밑주모 첨가)', '속양주모(곡자주모, 조효소제주모)' 등 여러 가지가 있다.

어떠한 '주모'이든 그 역할은 같으며, '좋은 주모'라고 할 수 있는 것은 농산(濃酸)·농당(濃糖)에서 길들여진 만큼 당분이 많아서 끓지 못한 주모이므로, 묽은 온염수로 끓게 만들어 사용한다. 발효 시의 온도는 20~30도로, 이 온도 범위를 벗어나지 않도록 관리하여야 한다.

'주모'를 첨가한 밑술은 젖산과 같은 산(酸)을 전연 첨가하지 않아도 정상적인 밑술이 되며, 그 '주모'를 이용한 덧술도 산패하지 않고 정상적으로 발효를 일으킬 수 있다.

전통 주모로서 '석임', '서김', '니금', '부본', '주본', '효법'은 <감저종식법(甘藷種植法)>을 비롯하여 <고사신서(攷事新書)>, <고사십이집(攷事十二集)>, <군학회등(群學會騰)>, <농정회요(農政會要)>, <동의보감(東醫寶鑑)>, <민천집설(民天集說)>, <산림경제(山林經濟)>, <산림경제촬요(山林經濟撮要)>, <양주방>*, <양주방(釀酒方)>, <언서주찬방(諺書酒饌方)>, <임원십이지(林園十六志)>, <조선무쌍신식요리제법(朝鮮無雙新式料理製法)>, <주방문(酒方文)>, <주찬(酒饌)>, <증보산림경제(增補山林經濟)>, <해동농서(海東農書)> 등 18종의 문헌에서 20차례나 찾아볼 수 있는데, 한글 붓글씨본인 <언서주찬방>과 <주방문>, <양주방>*, <양주방>에도 수록된 것으로 미루어, 전통 양주 방법이 대규모로 치닫기 시작한 조선 초기와 중기부터 '석임', '서김', '니금', '부본', '주본', '효법'을 사용한 양주가 시작되었을 것으로 추측된다.

'석임', '서김', '니금', '부본', '주본', '효법'을 빚는 방법은 그 특징이 두 가지로 요약된다.

첫째, 술 빚을 쌀을 오랫동안 불려서 어느 정도 부식(腐蝕)시킨 상태에서 사용한다는 것이고, 둘째는 쌀을 불렸던 물을 그대로 사용하는 한편으로 '고두밥'만이 아닌, 상시 먹는 '끓인 밥'이나 '죽'을 쑤어서 술을 빚는다는 점이다.

잘 아는 바와 같이 술을 빚기 위한 고두밥은 쌀을 익힐 때 물을 흡수시키는 방법을 '흡습법(洽濕法)'이라 하고, 물이 끓을 때 발생하는 뜨거운 수증기로 쌀을 익히는 방법은 '증자법(蒸煮法)' 또는 '증숙법(蒸熟法)'이라고 하는데, 흡습법에 의한 쌀은 밥이 되고, 증자법에 의한 쌀은 고두밥이 되는 것이므로, 쌀은 익은 상태와 익히는 온도에서 차이가 있다.

이와 같이 쌀을 익히는 방법을 달리하는 것은, 발효 상태나 그에 따른 효모(酵母)의 증식(增殖) 상태, 알코올 도수에서 차이가 나기 때문으로, 고두밥만이 아닌 끓인 밥과 죽을 이용한 '석임, 부본'은 효모의 증식에 알맞은 상태가 되어, 본술의 발효를 촉진시키기 위해 빚는 밑술 또는 보조 역할로 매우 적합하여, 오랜 옛날부터 맛 좋은 술을 빚기 위해 유용한 방법으로 널리 이용되어 왔다.

대표적인 예를 보면, 시대적으로 가장 앞선 기록인 <동의보감>을 비롯하여 <감저종식법>, <고사신서>, <군학회등>, <농정회요>, <민천집설>, <산림경제>, <산림경제촬요>, <임원십육지>, <주찬>, <증보산림경제>, <해동농서> 등에서 "멥쌀 1말을 세정(洗淨)하여 물에 담가 겨울철은 10일, 봄과 가을에는 5일, 여름에는 3일간 불린 다음, 시루에 안쳐서 쌀이 투명하고 윤기가 나게 무르익도록 푹 쪄낸다. 고두밥에 약간의 누룩가루를 풀어 넣고, 덩어리 없이 손으로 비벼서 낱낱이 풀고, 고루 힘껏 치대어 술밑을 빚는다. 술독 주둥이를 밀봉하여 여름에는 서늘한 데 두고, 겨울에는 따뜻한 데 두며, 봄과 가을에는 서늘한 곳에 두어 익힌 후, 술 빚을 때 사용한다. 고두밥이 삭아서 무르고, 그 맛이 약간 시큼털털하면서도 매끄러우면 잘된 것이다."고 하는 <동의보감>의 '작주본(作酒本)'을 그대로 인용하고 있음을 볼 수 있는데, 문헌에 따라서는 고두밥이 아닌 죽을 끓여서 사용하는 경우도 있다.

또한 <언서주찬방>과 <양주방>*에서는 '서김 만드는 법' 또는 '석임 만드는 법'이라고 하여 멥쌀 5홉을 백세하여 물 1사발에 담갔다가, 건져서 그릇에 담고 쌀 불렸던 물을 불린 쌀에 붓고, 다시 끓여서 밥을 짓는데, 한김 나가게 식으면 누룩가루 한 줌을 섞어서 빚는 방법을 보여주고 있다.

이 밖에도 <양주방>을 비롯하여 <임원십육지>, <조선무쌍신식요리제법>, <주방문> 등의 '석임, 부본'은 쌀 양과 물 양의 다소(多少)와 '죽'이나 '고두밥'이냐의 차이가 있을 뿐으로, '석임, 부본'은 쌀이 부패되도록 오랫동안 불려서 익히고, 물의 양은 최소한으로 넣거나 사용하지 않는다는 점에서 공통점을 나타낸다.

둘째, <임원십육지>에서 가장 독특한 주방문으로 '조부본방(造腐本方) 일법(一法)'을 목격할 수 있는데, "멥쌀 2되를 깨끗이 씻어 물에 담갔다가 건진다. 쌀을 항아리에 넣고 끓인 물 2사발을 넣어 휘저어 섞은 후 김이 새지 않도록 주둥이를 밀봉하여 따뜻한 곳에 둔다. 다음날 아침에 열어 보아 쌀 표면에 거품이 생기고 색이 하얗게 되었으면 거품을 거둬내고 쌀을 쪄서 항아리에 물과 같이 넣는다. 밑술이 잘 익었으면 쌀을 담갔던 물과 좋은 술 1~2숟가락, 신국(神麴) 2줌을 같이 넣는다."고 하여, '술'과 '신국'이 함께 사용된다는 것을 알 수 있다.

또한 <오주연문장전산고(五洲衍文長箋散稿)>에는 '홍국주모(紅麴酒母)'라고 하여 특별한 주모를 소개하고 있는데, 그 과정이 여느 주모나 '석임, 부본'의 양주 방식과는 전혀 다르다는 것을 알 수 있다.

실례로 <오주연문장전산고>에 "상품의 흰찹쌀과 좋은 홍국(紅麴) 2근을 취하고, 차조를 일어서 깨끗이 하고 쪄서 익혀 밥을 짓는데, 불을 써서 김을 올리기를 술밥 찌는 것과 같이 하라. 위의 두 가지를 섞어서 고루 항아리에 담고, 주둥이를 단단하게 봉해서 오직 엄동에는 7일, 여름에는 3일, 춘추에는 5일이 지나도록 두어 술이 익기를, 도수를 한도로 삼아라. 동이 안에 넣고 갈아서 거친 죽과 비슷하게 해서 매번 멥쌀 1말에 단지 국모 2되를 쓰는데, 이 한 재로 모국이 가히 상품의 '홍국주' 1섬 5말을 만들 수 있다."고 하여 찹쌀과 차조로 지은 고두밥에 홍국을 섞어 밀봉하여 3~7일 발효시키는 방법을 볼 수 있다. 그리고 그 형태가 '석임', '부본'과 유사하다는 것을 알 수 있다.

또한 "이 글을 취해서 상고해 보면, 이제 사람들이 소위 '주본'이라 하는데, 단지 홍국을 쓰는 것이 다를 뿐이다."고 한 것으로 미루어, '홍국주모'라는 것이 홍국을 사용하는 데 따른 명칭으로, 여느 '석임', '부본'과 다르지 않다는 것을 밝히고 있음을 볼 수 있다.

이렇듯 다양한 방법의 '석임', '부본'을 사용하는 대표적인 술로는 궁중법의 술로 알려진 '내국향온'을 비롯하여 '백로주', '오호주', '백하주' 등 옛 문헌에만 수록되어 있을 뿐 현재는 맥이 끊긴 주품이 다양하다.

'서김', '석임', '니금', '부본', '주본', '효법'은 특별한 방법과 목적을 두고 빚는 술이 아니면 어느 술에나 사용해도 좋으며, 특히 빨리 발효시킬 목적으로 빚는 술에 더욱 유용하다. '석임', '서김', '니금', '부본', '주본', '효법'을 빚을 때 주의할 일은, 별도의 물을 사용하지 않으므로 누룩과 혼합할 때 누룩이 물러질 때까지 충분히 치대어 주어야 하고, 특별히 따뜻한 곳에 두어서 발효시키며, 끓고 난 후에 며칠간 더 삭혀서 숙성이 되었을 때 사용해야 본술의 발효 상태가 고르다는 것이다. 그리고 무엇보다 '석임', '서김', '니금', '부본', '주본', '효법'을 이용한 술 빚기는, 술이 술을 빚는 사람의 의도대로 되는 것이 아니기에 어려움에 직면하게 되는데, 술이 더디 괸다든가, 시어진다든가, 썩는다든가, 얼게 된다든가 하는 이상발효와 산패를 초래할 수 있다.

특히 전통 방법의 술 빚기에서 이상발효와 산패 등을 방지하기 위해 흔히 이양법(異釀法)의 술 빚기가 이뤄지고 있고, 보다 안전하게 술을 빚기 위하여 현대양주에서조차 소위 '주모'라고 하는 것을 만들어 사용하는 기술을, 이미 반세기 이전의 조선시대 양주기법에서 찾을 수 있으니, 감탄사가 절로 나올 뿐이다.

1. 작주부본 <감저종식법(甘藷種植法)>

술 재료 : 멥쌀 1말, 누룩가루 한 줌

술 빚는 법 :
1. 멥쌀 1말을 매우 깨끗하게 씻어 물에 담가 불리는데, 겨울철은 10일, 봄과 가을에는 5일, 여름에는 3일간 불린다.

2. 불린 쌀을 다시 씻어 심박부까지 투명하고 윤이 나게 말갛게 헹궈서 채반이나 소쿠리에 담아 물기를 뺀다.

3. 불린 쌀을 시루에 안쳐서, 무르익도록 푹 쪄낸다(고루 펼쳐서 약간 온기가 남게 식힌다).

4. 고두밥에 한 줌의 누룩가루를 풀어 넣고, 덩어리 없이 손으로 비벼서 낱낱이 풀고, 고루 치대어 술밑을 빚는다.

5. 술밑을 술독에 담아 안치고, 독 주둥이를 밀봉하여 놓는다.

6. 술독은 여름에는 서늘한 데 두고, 겨울에는 따뜻한 데 두며, (봄과 가을에는 차지도 덥지도 않은 곳에 두어) 삭힌다.

7. 고두밥이 삭아서 물러지고, 그 맛이 약간 시큼털털하면서도 살살 녹으면 잘된 것이다.

作酒腐本

白米一斗洗淨浸水冬十春秋五夏三日待米透心潤濕取蒸瀾熟入麴少許手挼按十分調勻納缸封口冬置煖處夏置凉處待消化成酒取用其味微酸澁而滑爲好.

2. 작주부본 <고사신서(攷事新書)>

술 재료 : 멥쌀 1말, 누룩 약간

술 빚는 법 :

1. 멥쌀 1말을 매우 깨끗하게 씻어(洗淨) 물에 담가 불리는데, 겨울철은 10일, 봄과 가을에는 5일, 여름에는 3일간 불린다.

2. 불린 쌀을 다시 씻어 말갛게 헹궈서 소쿠리에 담아 물기를 뺀다.

3. 불린 쌀을 시루에 안쳐서, 쌀이 투명하고 윤기가 나게 무르익도록 푹 쪄낸다(고루 펼쳐서 약간 온기가 남게 식힌다).

4. 고두밥에 약간의 누룩가루를 풀어 넣고, 덩어리 없이 손으로 비벼서 낱낱이 풀고, 고루 치대어 술밑을 빚는다.
5. 술밑을 술독에 담아 안치고, 독 주둥이를 밀봉하여 놓는다.
6. 술독은 여름에는 서늘한 데 두고, 겨울에는 따뜻한 데 두며, 봄과 가을에는 서늘한 곳에 두어 익힌다.
7. 고두밥이 삭아서 무르고, 그 맛이 약간 시큼털털하면서도 매끄러우면 잘된 것이다.

* 쌀 씻는 법에 대하여 '세정(洗淨)'이라고 하였다.

作酒腐本
白米一斗洗淨浸水冬十春秋五夏三日待米透心潤濕取蒸灡熟入麴少許手挼按十分調勻納缸封口冬置煖處夏置凉處待消化成酒取用其味微酸澁而滑爲好.

3. 작주부본 <고사십이집(攷事十二集)>

술 재료 : 멥쌀 1말, 누룩 약간

술 빚는 법 :
1. 멥쌀 1말을 매우 깨끗하게 씻어(洗淨) 물에 담가 불리는데, 겨울철은 10일, 봄과 가을에는 5일, 여름에는 3일간 불린다.
2. 불린 쌀을 다시 씻어 말갛게 헹궈서 소쿠리에 담아 물기를 뺀다.
3. 불린 쌀을 시루에 안쳐서, 쌀이 투명하고 윤기가 나게 무르익도록 푹 쪄낸다 (고루 펼쳐서 약간 온기가 남게 식힌다).
4. 고두밥에 약간의 누룩가루를 풀어 넣고, 덩어리 없이 손으로 비벼서 낱낱이 풀고, 고루 치대어 술밑을 빚는다.

5. 술밑을 술독에 담아 안치고, 독 주둥이를 밀봉하여 놓는다.

6. 술독은 여름에는 서늘한 데 두고, 겨울에는 따뜻한 데 두며, 봄과 가을에는 서늘한 곳에 두어 익힌다.

7. 고두밥이 삭아서 무르고, 그 맛이 약간 시큼털털하면서도 매끄러우면 잘된 것이다.

* 쌀 씻는 법에 대하여 '세정(洗淨)'이라고 하였다.

作酒腐本

白米一斗洗淨浸水冬十春秋五夏三日待米透心潤濕取蒸爛熟入麯少許手挼按十分調勻納缸封口冬置煖處夏置凉處待消化成酒取用其味微酸澁而滑爲好.

4. 작주부본법 <군학회등(群學會騰)>

술 재료 : 멥쌀 1말, 누룩 한 줌

술 빚는 법 :

1. 멥쌀 1말을 세정(洗淨, 매우 깨끗하게 씻음)하여 물에 담가 불리는데, 겨울 철은 10일, 봄과 가을에는 5일, 여름에는 3일간 불린다.

2. 불린 쌀을 다시 씻어 말갛게 헹궈서 소쿠리에 담아 물기를 뺀다.

3. 불린 쌀을 시루에 안쳐서, 쌀이 투명하고 윤기가 나게 무르익도록 푹 쪄낸다 (고루 펼쳐서 약간 온기가 남게 식힌다).

4. 고두밥에 한 줌의 누룩가루를 풀어 넣고, 덩어리 없이 손으로 비벼서 낱낱 이 풀고, 고루 치대어 술밑을 빚는다.

5. 술밑을 술독에 담아 안치고, 독 주둥이를 밀봉하여 놓는다.

6. 술독은 겨울에는 따뜻한 데 두며, 여름에는 서늘한 데 두고, (봄과 가을에는

서늘하지도 따뜻하지도 않은 곳에 두어) 익힌다.
7. 고두밥이 삭아서 무르고, 그 맛이 약간 시큼털털하면서도 매끄러우면 잘된
것이다.

* 쌀 씻는 법에 대하여 '세정(洗淨)'이라고 하였다.

作酒腐本法
白米一斗洗淨浸水冬十春秋五夏三日待米透心潤濕取蒸爛熟入麴少許手挼按
十分調勻納缸封口冬置煖處夏置凉處待消化成酒取用其味微酸澁而滑爲好.

5. 작주부본법 <농정회요(農政會要)>

> 술 재료 : 멥쌀 1말, 누룩 약간

술 빚는 법 :
1. 멥쌀 1말을 매우 깨끗하게 씻어(洗淨) 물에 담가 불리는데, 겨울철은 10일,
봄과 가을에는 5일, 여름에는 3일간 불린다.
2. 불린 쌀을 다시 씻어 말갛게 헹궈서 소쿠리에 담아 물기를 뺀다.
3. 불린 쌀을 시루에 안쳐서, 쌀이 투명하고 윤기가 나게 무르익도록 푹 쪄낸다
(고루 펼쳐서 약간 온기가 남게 식힌다).
4. 고두밥에 약간의 누룩가루를 풀어 넣고, 덩어리 없이 손으로 비벼서 낱낱이
풀고, 고루 치대어 술밑을 빚는다.
5. 술밑을 술독에 담아 안치고, 독 주둥이를 밀봉하여 놓는다.
6. 술독은 여름에는 서늘한 데 두고, 겨울에는 따뜻한 데 두며, 봄과 가을에는
서늘한 곳에 두어 익힌다.
7. 고두밥이 삭아서 무르고, 그 맛이 약간 시큼털털하면서도 매끄러우면 잘된

것이다.

* 쌀 씻는 법에 대하여 '세정(洗淨)'이라고 하였다.

作酒腐本法
白米一斗洗淨浸水冬十春秋五夏三日待米透心潤濕取蒸瀾熟入麴少許手挼按
十分調勻納缸封口冬置煖處夏置凉處待消化成酒取用其味微酸澁而好.

6. 작주본 <東醫寶鑑>

술 재료 : 멥쌀 1되, 누룩가루 약간

술 빚는 법 :
1. 멥쌀 1되를 세정(洗淨, 매우 깨끗하게 씻음)하여 물에 담가 불리는데, 겨울철
   은 10일, 봄과 가을에는 5일, 여름에는 3일간 불린다.
2. 불린 쌀을 다시 씻어 말갛게 헹궈서 소쿠리에 담아 물기를 뺀다.
3. 불린 쌀을 시루에 안쳐서, 쌀이 투명하고 윤기가 나게 무르익도록 폭 쪄낸다
   (고루 펼쳐서 약간 온기가 남게 식힌다).
4. 고두밥에 약간의 누룩가루를 풀어 넣고, 덩어리 없이 손으로 비벼서 낱낱이
   풀고, 고루 힘껏 치대어 술밑을 빚는다.
5. 술밑을 술독에 담아 안치고, 술독 주둥이를 밀봉하여 놓는다.
6. 술독은 여름에는 서늘한 데 두고, 겨울에는 따뜻한 데 두며, 봄과 가을에는
   서늘한 곳에 두어 익힌 후, 술 빚을 때 사용한다.
7. 고두밥이 삭아서 무르고, 그 맛이 약간 시큼털털하면서도 매끄러우면 잘된
   것이다.

* 쌀 씻는 법에 대하여 '세정(洗淨)'하라고 하였다.

作酒本
白米一升, 洗淨浸水中, 冬十, 春秋五, 夏三日, 待米透心潤濕, 取米蒸爛熟, 入
麴小許, 以手按按十分調均, 納缸中封口, 冬置溫處, 夏置涼處, 待消化成酒乃
取用, 其味微酸澁而滑爲好. <俗方>

7. 작주본 <민천집설(民天集說)>

> 술 재료 : 멥쌀 1말, 누룩 조금

술 빚는 법 :
1. 멥쌀 1말을 매우 깨끗하게 씻어 물에 담가놓는데, 봄·가을에는 5일, 여름에
   는 3일, 겨울에는 10일간 불린다(다시 씻어 건져서 물기를 뺀다).
2. 불린 쌀을 시루에 안쳐 찌는데, 속까지 익어 투명하도록 무르게 푹 쪄낸다
   (그릇에 퍼 담고 식기를 기다린다).
3. 고두밥에 누룩을 조금 넣고, 매우 많이 주무르고 십분 치대어 고루 물러지
   도록 하여 술밑을 빚는다.
4. 술밑을 술독에 담아 안치고 주둥이를 밀봉하여, 겨울에는 따뜻한 곳에 두고
   숙성되기를 기다리는데, 그 맛이 달고 매우며 시고 떫고 하여야 한다.
5. 술을 빚을 때 주본을 조금씩 넣고 빚으면, 술빛이 맑고 향기롭고 아름답다.

作酒本
白米一斗. 洗淨浸水. 春秋五日夏三日冬十日. 待米透心潤濕. 蒸蒸爛熟. 入麴少
許以手按按十分調均. 納缸封口. 冬置溫處. 夏置涼處. 消化成酒後釀酒 咁酒
酒爲本則 酒味甘烈 酒本則 味酸澁而滑香爲佳.

8. 작주부본법 <산림경제(山林經濟)>

술 재료 : 멥쌀 1말, 누룩 약간

술 빚는 법 :

1. 멥쌀 1말을 매우 깨끗하게 씻어 물에 담가 불리는데, 겨울철은 10일, 봄과 가을에는 5일, 여름에는 3일간 불린다.
2. 불린 쌀을 다시 씻어 말갛게 헹궈서 채반이나 소쿠리에 담아 물기를 뺀다.
3. 불린 쌀을 시루에 안쳐서, 쌀이 투명하고 윤기가 나게 무르익도록 푹 쪄낸다 (고루 펼쳐서 약간 온기가 남게 식힌다).
4. 고두밥에 약간의 누룩을 풀어 넣고, 덩어리 없이 손으로 비벼서 낱낱이 풀고, 고루 치대어 술밑을 빚는다.
5. 술밑을 술독에 담아 안치고, 독 주둥이를 밀봉하여 놓는다.
6. 술독은 여름에는 서늘한 데 두고, 겨울에는 따뜻한 데 두며, 봄과 가을에는 차지도 덥지도 않은 곳에 두어 삭힌다.
7. 고두밥이 삭아서 물러지고, 그 맛이 약간 시큼털털하면서도 살살 녹으면 완성된 것이다.

作酒腐本法

白米一斗. 洗淨浸水. 冬十春秋五夏三日. 待米透心潤濕. 取蒸爛熟. 入麴少許 手挼按十分調匀. 納缸封口. 冬置溫處. 夏置涼處. 待消化成酒取用. 其味微酸 澁而滑爲好. <東醫寶鑑>.

9. 작주부본법 <산림경제촬요(山林經濟撮要)>

술 재료 : 멥쌀 1말, 누룩가루 약간

술 빚는 법 :

1. 멥쌀 1말을 매우 깨끗하게 씻어 물에 담가 불리는데, 겨울철은 10일, 봄과 가을에는 5일, 여름에는 3일간 불린다.
2. 불린 쌀을 다시 씻어 말갛게 헹궈서 채반이나 소쿠리에 담아 물기를 뺀다.
3. 불린 쌀을 시루에 안쳐서, 쌀이 투명하고 윤기가 나게 무르익도록 푹 쪄낸다 (고루 펼쳐서 약간 온기가 남게 식힌다).
4. 고두밥에 약간의 누룩가루를 풀어 넣고, 덩어리 없이 손으로 비벼서 낱낱이 풀고, 고루 치대어 술밑을 빚는다.
5. 술밑을 술독에 담아 안치고, 독 주둥이를 밀봉하여 놓는다.
6. 술독은 여름에는 서늘한 데 두고, 겨울에는 따뜻한 데 두며, (봄과 가을에는 차지도 덥지도 않은 곳에 두어) 삭힌다.
7. 고두밥이 삭아서 물러지고, 그 맛이 약간 시큼털털하면서도 살살 녹으면 완성된 것이다.

作酒腐本法
白米一斗洗淨浸水冬十日春秋五日夏三日待米透心潤濕取蒸瀾熟入麴小許手挼按十分調勻納缸封口冬置煖處夏置凉處待消成酒取用其味微酸澁而滑爲好.

10. 서김법 <양주방>*

술 재료 : 멥쌀 5홉, 누룩 한 줌, 물 1사발

술 빚는 법 :

1. 익은 석임 한 되 하려면, 희게 쓿은 멥쌀 5홉을 깨끗이 씻고 또 씻어 물 1사
   발에 담가 불려놓는다.
2. 쌀이 불었으면 건져서 다른 그릇에 담아놓고, 남은 물은 소쿠라치게 끓여 건
   져두었던 쌀에 부어놓는다.
3. 쌀이 데쳐져 설익었으면, 그대로(물을 버리지 말고) 담가놓는다.
4. 내일 쓰려거든, 오늘 그 불린 쌀을 꽤 끓여 밥을 짓고, 지은 밥이 식기를 기
   다린다.
5. 차게 식은 밥에 누룩 한 줌을 섞어두었다가, 다음날 필요할 때 사용하면 좋
   다.

서김법

닉은 석김 흔 되만 흐려면 빅미 닷 홉을 물 흔 사발의 담가 마이 붓거든 뽈을
건져노코 그 물을 고붓게 쓸혀 그 쑬 우희 퍼 부으며 그 쑬이 데여 닉거든
그 물 조츠 담가 두엇다가 닉일 쑤려 흐면 오날 그 쑬마이 쓸혀 식거든 누룩
흔 쥼만 섯거 두엇다가 쓰면 조흐니라.

11. 니금 하는 법 <양주방(釀酒方)>

술 재료 : 멥쌀 1되, 가루누룩 한 줌, 물(1되)

술 빚는 법 :

1. 멥쌀 1되를 (백세하여 물에 담가 불렸다가, 다시 씻어 건져서) 물을 뺀다.

2. 솥에 물(1되)을 끓이다가, 불린 쌀을 넣고 끓여서 죽을 쑨다.

3. 죽을 한김 나가게 식혔다가, 가루누룩이나 빻아진 누룩 한 줌 넣고, 많이 치대어 술밑을 빚는다.

4. 술밑을 단지에 담아 안치고, 예의 방법대로 하여 삭았으면 쓴다.

* 주방문에 '니금'이라고 하였는데, '니금'을 빚는 방법으로 미루어 '석임' 또는 '서김', 한자로 '주본(酒本)', '부본(腐本)'의 다른 표현으로 여겨진다.

니금 ㅎ는 법

뽈 한 되 죽뿌어 한김 내여 ㄱ른누록이나 바샤진 누록이나 한 줌 너허 무이 져허 섯거 삭거든 쓰라.

12. 서김 만드는 법 <언서주찬방(諺書酒饌方)>

<blockquote>술 재료 : 멥쌀 5홉, 누룩 한 줌, 물 1사발</blockquote>

술 빚는 법 :

1. 익은 서김 1되만 하려면, 멥쌀 5홉을 백세하여 (물에 담가 불렸다가, 다시 씻어 헹궈 건져서 물기를 뺀 후) 물 1사발에 담가 가장 많이 붇도록 기다린다.

2. 불린 쌀은 (다시 씻어 헹궈서) 체에 걸러 건져 물이 빠지도록 하여 놓는다.

3. 쌀 불린 물을 가장 많이 끓여 쌀 위에 끼얹고, 그 쌀이 데여 익거든 그 물에 다시 담가둔다.

4. 내일 쓰려고 하면, 오늘 같은 날 그 쌀을 많이 끓여 밥을 만든 후, (뚜껑을 덮은 채로) 차게 식기를 기다린다.

5. 밥이 식었으면 누룩 한 줌만 섞고 (고루 치대어) 술밑을 빚는다.

6. 술밑은 작은 단지나 항아리에 담아 안치고, 예의 방법대로 하여 익으면 사용하기에 좋다.

서김 믄드는 법—白米五合 曲末一捽

니근 서김 흔 되만 흐려 흐면 빅미 닷 홉을 믈 흔 사발의 둠가 ᄀ장 붇거든 뽈란 체예 건져두고 그 믈을 ᄀ장 믜이 글혀 그 뽈 우희 찌이즈면 그 뽈이 례여 닉거든 그 믈 조차 도로 둠가 둣다가 닉일 쓰고져 흐면 오늘 ᄀ트니 그 뽈을 믜이 글혀 내여 식거든 누룩 흔 줌만 섯거 둣다가 쓰면 됴흐니라.

13. 조주본방 <임원십육지(林園十六志)>

술 빚는 법 :

1. 멥쌀 1말을 정세(백세)하여 술독에 담아 안치고, 오랫동안 끓인 백비탕을 온기가 남게 식힌 물을 항아리에 부은 후, 쌀을 3일간 불려놓는다.

2. 쌀 담근 지 3일 후에, 불린 쌀을 새 물에 다시 씻어 말갛게 건져서 신맛을 제거한다.

3. 솥에 새 물(1~3말)을 붓고, (물이 끓으면) 불린 쌀을 넣고 함께 끓여서 죽을 쑨 다(넓은 그릇에 퍼서 차게 식기를 기다린다).

4. 죽에 누룩가루 1되 5홉을 합하고, 고루 버무려서 술밑을 빚는다.

5. 술밑을 술독에 담아 안치고, 예의 방법대로 하여 (여름에는 서늘한 곳에, 겨울에는 따뜻한 곳에 두고) 발효시켜 익기를 기다린다.

6. (주본이 익었으면 술을 빚을 때 밑술/주모 대신 사용한다.)

造酒本方

白米一斗淨洗入缸以沸湯水停溫注之經三日味微酸去酸酸水更以淸水淨洗下
鼎作爛粥麴末一斗半和釀待熟用之. <三山方>.

14. 조부본방 <임원십육지(林園十六志)>

술 재료 : 멥쌀 1말, 누룩 1되 5홉, 물(3〜4되)

술 빚는 법 :

1. 멥쌀 1말을 세정(백세)하여 물에 담가 불리는데, 겨울에는 10일, 봄ㆍ가을에
   는 5일, 여름에는 3일간 불려놓는다.
2. 쌀이 속까지 투명하고 윤이 나도록 불려졌으면 건져낸다(다시 새 물에 씻어
   신맛을 제거한 후, 건져서 물기를 뺀다).
3. 불린 쌀을 시루에 안쳐서 고두밥을 찌는데, 쌀이 속까지 투명하고 윤이 나도
   록 무르게 쪄서 시루에서 퍼낸다(고루 펼쳐서 차게 식기를 기다린다).
4. 고두밥에 누룩을 조금(한 줌) 넣고, 손으로 고루 힘껏 치대서 술밑을 빚는다.
5. 술밑을 술독에 담아 안치고, 예의 방법대로 하여 항아리를 밀봉하여 겨울
   에는 따뜻한 곳에 두고, 여름에는 서늘한 곳에서 발효시켜 술 냄새가 나고
   익기를 기다린다.
6. 술맛이 약간 시고 떫은맛이 나면 잘된 것이다.

造腐本方

白米一斗洗淨浸水冬十春秋五夏三日待米透心潤濕取蒸爛熟入麴少許手挼按
十分調勻納缸封口冬置煖處夏置凉處待消化成酒取用其味微酸澁而滑爲好.
<東醫寶鑑>.

15. 조부본방 일법 <임원십육지(林園十六志)>

술 재료 : 멥쌀 2되, 좋은 술 1~2숟가락, 신국 2줌, 끓여 식힌 물 2사발

술 빚는 법 :

1. 멥쌀 2되를 정세(백세)히여 물에 담가 불렸다가, 쌀이 속까지 투명하고 윤이 나도록 (다시 씻어 건져서) 항아리에 담아 안친다.

2. 물 2사발을 오래 끓여 쌀을 안친 항아리에 뿌려서 붓고 휘저어준 후, 항아리를 밀봉하여 따뜻한 곳에 3일간 두고 불려놓는다.

3. 다음날 항아리를 열어보면 거품이 생기고 하얗게 (부식)되었으면, 거품을 걷어내고 시루에 안쳐서 고두밥을 짓는다.

4. 고두밥이 익었으면 서늘하게 식혀서, 쌀 불린 물과 함께 좋은 술 1~2숟가락, 신국 2줌을 한데 합하고, 고루 치대어 술밑을 빚는다.

5. 술밑을 술독에 담아 안치고, 예의 방법대로 하여 (여름에는 서늘한 곳에, 겨울에는 따뜻한 곳에 두고) 3일간 발효시켜 익기를 기다린다.

6. (주본이 익었으면, 술을 빚을 때 밑술/주모 대신 사용한다.) 쌀 5말에 대하여 부본 반 되(5홉)의 비율로 섞어서 술을 빚는다.

* 주방문 말미에 "부본을 많이 사용하고 적게 사용하고는 (쌀의) 비율에 따라서 사용한다."고 하였다.

造腐本方 一法

白米二升淨洗浸水透心潤濕後漉出小缸貯之水二鉢 滾 沸浥注以匕攪勻母酒
氣封口置溫處第二日開視則米面生泡色淸爲上白次之去泡拯米蒸熟前缸中漬
水和勻母令過滑待凉好酒一二匙神麴二掬和納第三日氣方盛每酒米五斗腐本
半分和釀多少准次. <三山方>.

16. 술밑 만드는 법 <조선무쌍신식요리제법(朝鮮無雙新式料理製法)>

술 재료 : 흰쌀 1말, 누룩 1되 5홉, 물(1말)

술 빚는 법 :

1. 흰쌀 1말을 정히 씻어 (하룻밤 불렸다가), 다시 새 물에 헹군 후 소쿠리에 건
   져서 물기를 뺀다.
2. 솥에 물(1말가량)을 팔팔 끓인 후, 끓는 물과 불린 쌀을 한데 항아리에 붓
   는다.
3. 3일 되는 날 쌀 불린 물이 쉬었을 것이니, 쉰 물은 버리고 다시 쌀을 정히 씻
   어 헹군다.
4. 불린 쌀을 솥에 넣고 끓여서 죽처럼 쑤어 차게 식힌다.
5. 죽에 누룩 1되 5홉을 섞고 고루 버무려서 술항아리에 담아 안친다.
6. 술밑이 익기를 기다렸다가, 덧술을 할 때 쓴다.

＊ 주방문 말미에 "비록 더운 여름철이라도 변치 않는다."고 하였다.

술밋 만드는 법(造酒法)
흔 쌀 한 말 정이 씨서 물에 건저 쓸는 물과 한데 항아리에 분 지 사흘이면
맛이 시여질 것이니 신물은 버리고 또 정이 씨서 솟혜 느코 죽처럼 쑤어 누룩
한 되 닷 홉과 비저 너코 익기를 기다려 쓰나니 익을 째에 밥을 짓되 한 말가
량에 누룩 두 되식 조곰조곰하게 난우와 다른 항아리에 당갓다가 익거든 물
에 채여가며 쓰면 비록 더운 여름이라도 변치 아니 하나니라.

17. 서김법 <주방문(酒方文)>

술 재료 : 멥쌀 1되, 누룩 조금, 물 2되

술 빚는 법 :

1. 쌀 1되를 백세하여 물 2되에 담가 7일간 불려놓는다.
2. 쌀 불린 지 7일 후에 쌀을 헹구거나 물을 버리지 말고 그대로 끓여서 밥을 짓는다.
3. 끓인 밥을 차디차게 식힌 다음, 누룩을 조금(한 줌 정도) 섞어 넣고, 고루 힘껏 치대어 술밑을 빚는다.
4. 술밑을 작은 단지에 담아 안치고, 예의 방법대로 하여 따뜻한 곳에 두고 3~4일간 발효시킨다.
5. 술 빚을 때 밑술(주모, 부본, 석임, 술밑, 효법)로 대신하여 사용한다.

* '서김'을 발효시킬 때 서늘한 곳이나 차지도 덥지도 않은 곳, 또는 더운 곳, 따뜻한 곳 어느 곳에서도 가능하다. 다만, 더운 곳이나 따뜻한 곳에서 발효시키면 농당(濃糖)에서 길들여진 효모를 육성할 수 있어, 결국 발효 능력이 뛰어난 '서김'을 만드는 비결이 될 수도 있다.

서김법(酵法)

뽈 흔 되 빅셰ᄒ여 믈 두 되예 돔가 닐웨의 그 믈로 밥 지어 ᄀ장 ᄎ거든 누록 죠곰 녀허 비저 사나흘 후의 술 비즐 제 밋ᄒ라.

18. 작주부본법 <주찬(酒饌)>

술 빚는 법 :

1. 멥쌀 1되를 백세하여 5일(여름 3일, 겨울 10일)간 물에 담가 불려놓는다.
2. 불린 쌀을 다시 씻어 말갛게 헹군 후, 물기를 빼서 시루에 안쳐 고두밥을 짓는다.
3. 고두밥이 익었으면 퍼내고, 고루 펼쳐서 한김 나가서 따뜻하게 식기를 기다린다.
4. 고두밥에 누룩가루 한 줌을 넣고, 고루 섞이도록 잘 치대어 술밑을 빚는다.
5. 술독에 술밑을 담아 안치고, 예의 방법대로 하여 상온(겨울에는 따뜻한 곳, 여름에는 서늘한 곳)에서 발효시킨다.

* 주방문 말미에 "목일(木日)에 누룩을 만들면 시다."고 하였다.

作酒腐本法

白米一升洗淨浸水冬十春秋五夏三日米透心潤濕取烝煇熟入麴少許手按按十分調均納缸封口冬置煖處夏置凉處待消化成酒取用其味微酸澁而滑爲好　木日造麴則酸.

19. 작주부본방 <증보산림경제(增補山林經濟)>

술 빚는 법 :

1. 멥쌀 1말을 매우 깨끗하게 씻어(洗淨) 물에 담가 불리는데, 겨울철은 10일, 봄과 가을에는 5일, 여름에는 3일간 불린다.

2. 불린 쌀을 다시 씻어 말갛게 헹궈서 소쿠리에 담아 물기를 뺀다.

3. 불린 쌀을 시루에 안쳐서, 쌀이 투명하고 윤기가 나게 무르익도록 푹 쪄낸다 (고루 펼쳐서 약간 온기가 남게 식힌다).

4. 고두밥에 약간의 누룩가루를 풀어 넣고, 덩어리 없이 손으로 비벼서 낱낱이 풀고, 고루 치대어 술밑을 빚는다.

5. 술밑을 술독에 담아 안치고, 독 주둥이를 밀봉하여 놓는다.

6. 술독은 여름에는 서늘한 데 두고, 겨울에는 따뜻한 데 두며, 봄과 가을에는 서늘한 곳에 두어 익힌다.

7. 고두밥이 삭아서 무르고, 그 맛이 약간 시큼털털하면서도 매끄러우면 잘된 것이다.

作酒腐本方

白米一斗洗淨浸水冬十春秋五夏三日待米透心潤濕取蒸爛熟入麴少許手挼按
十分調勻納缸封口冬置煖處夏置凉處待消化成酒取用其味微酸澁而滑爲好.

20. 작주부본법 <해동농서(海東農書)>

술 재료 : 멥쌀 1말, 누룩 약간

술 빚는 법 :

1. 멥쌀 1말을 매우 깨끗하게 씻어(洗淨) 물에 담가 불리는데, 겨울철은 10일, 봄과 가을에는 5일, 여름에는 3일간 불린다.

2. 불린 쌀을 다시 씻어 말갛게 헹궈서 소쿠리에 담아 물기를 뺀다.

3. 불린 쌀을 시루에 안쳐서, 쌀이 투명하고 윤기가 나게 무르익도록 푹 쪄낸다
   (고루 펼쳐서 약간 온기가 남게 식힌다).
4. 고두밥에 약간의 누룩가루를 풀어 넣고, 덩어리 없이 손으로 비벼서 낱낱이
   풀고, 고루 치대어 술밑을 빚는다.
5. 술밑을 술독에 담아 안치고, 독 주둥이를 밀봉하여 놓는다.
6. 술독은 여름에는 서늘한 데 두고, 겨울에는 따뜻한 데 두며, 봄과 가을에는
   서늘한 곳에 두어 익힌다.
7. 고두밥이 삭아서 무르고, 그 맛이 약간 시큼털털하면서도 매끄러우면 잘된
   것이다.

* 쌀 씻는 법에 대하여 '세정(洗淨)'이라고 하였다. <동의보감>을 인용하였다.

作酒腐本法
白米一斗洗淨浸水冬十春秋五夏三日待米透心潤濕取蒸瀾熟入麴少許手挼按
十分調勻納缸封口冬置煖處夏置凉處待消化成酒取用其味微酸澁而滑爲好.
<寶鑑>.

홍국국모

스토리텔링 및 술 빚는 법

'홍국(紅麴)'은 누룩곰팡이의 색깔에 따른 구분으로, '홍국' 제조법은 다음의 두 가지 방법을 떠올릴 수 있다.

먼저, 한 가지 방법은 <임원십육지(林園十六志)>에 "겨울에 찹쌀(1말)을 물에 17일간 담가두면 찹쌀이 부식되면서 냄새가 몹시 난다. 이렇게 불린 쌀을 자루에 담아 흐르는 물(장류수)에 씻어 냄새가 빠지도록 한 다음, 시루에 안쳐 고두밥을 짓는데, 이 밥에서 소위 향분(香芬)이 심하게 난다. 밥이 익을 만하면 시루를 떼어내고 보면 반은 익고 반은 생쌀이므로, 솥을 냉수로 씻어 완전히 식힌 후 다시 찌면 잘 익는다. 익은 밥 속에 누룩을 2근쯤 넣고 잘 섞어 따뜻해진 후에 볕에 내어 말린다. 건조시킬 때 7일간 잠자지 말고 보면서 잘 섞어(뒤집어)주어야 한다. 처음에는 설백색(雪白色)이다가 2일이 지나면 흑색이 되고, 다시 갈색이 되고, 맨 나중에는 홍색으로 변한다."고 하고, "향온주, 관서감홍로에 이용한다."고 하였다.

또 다른 방법은 <본초강목(本草綱目)>에 "멥쌀 1석 5말을 씻어 물에 담가 하룻밤 불린다. 멥쌀을 건져 고두밥을 짓고 15덩이로 나눈다. 고두밥에 국모(麴母)

3근을 나눠 골고루 섞어 넣는다. 국모 섞은 고두밥은 한곳에 모은 후, 보자기를 위로 덮어둔다. 열이 많이 나면 덮은 보자기를 제치고, 온기가 내려가도록 고루 섞어 주고 다시 보자기를 덮는다. 2일째 낮에 3덩이로 나누고 1시간 후 5덩이, 다시 한 덩이로 뭉쳤다가 다시 5덩이로 나누고, 또 1시간이 지나면 한 덩이로 만드는 일을 여러 차례 반복한다. 제3일째 만들어진 국을 대광주리에 담아 새로 길어온 물에 50~60% 정도 담근다. 제4일째에도 똑같이 반복하여 햇볕이 좋은 날 밖에 내어 말린다. 쌀 깊숙이까지 생황(生黃)이 생기도록 한다."고 하였다.

이로써 '홍국'은 멥쌀이나 찹쌀을 부식시켜 고두밥을 짓고, 여기에 누룩이나 국모를 사용하여, 누룩이나 국모에 생육하는 누룩곰팡이(紅麴菌)와 효모를 배양시키는 방법이라는 것을 알 수 있다.

그런데 <오주연문장전산고(五洲衍文長箋散稿)>에는 '홍국주모(紅麴酒母)'라고 하여 특별한 주모를 소개하고 있는데, 바로 '홍국'을 사용한 주모라는 것이다. 그 과정이 여느 주모나 '석임', 부본(腐本)'의 양주 방식과는 전혀 다르지만, '홍국'을 만들어야 하므로 여느 주본이나 석임, 부본과는 다르다는 것을 알 수 있다.

실례로 <오주연문장전산고>에 "상품의 흰찹쌀과 좋은 홍국 2근을 취하고, 차조를 일어서 깨끗이 하고 쪄서 익혀 밥을 짓는데, 불을 써서 김을 올리기를 술밥 찌는 것과 같이 하라. 위의 두 가지를 섞어서 고루 항아리에 담고, 주둥이를 단단하게 봉해서 오직 엄동에는 7일, 여름에는 3일, 춘추에는 5일이 지나도록 두어 술이 익기를, 도수를 한도로 삼아라. 동이 안에 넣고 갈아서 거친 죽과 비슷하게 해서 매번 멥쌀 1말에 단지 국모 2되를 쓰는데, 이 한 재로 모국이 가히 상품의 '홍국주' 1섬 5말을 만들 수 있다."고 하였다.

결국, '홍국국모(紅麴麴母)'는 찹쌀과 차조로 지은 고두밥에 '홍국'을 섞어 밀봉하여 3~7일 발효시키는데, 그 형태가 '석임', '부본'과 유사하다는 것을 알 수 있다.

또한 "이제(요즘) 사람들이 소위 '주본(酒本)'이라 하는데, 단지 홍국을 쓰는 것이 다를 뿐이다."고 한 것으로 미루어 '홍국주모'라는 것이 '홍국'을 사용하는 데 따른 명칭으로, 여느 '석임', '부본'과 다르지 않다는 것을 밝히고 있음을 볼 수 있다.

이 글의 요지는 옛 조상들이 자연계의 미생물 생육 과정을 이렇듯 철저하게 생활과 양주(釀酒)에 이용할 줄 알았다고 하는 사실이다.

불린 쌀이나 쌀가루를 여름철에 상온에 두었다 얼렸다를 반복하면 쌀이나 쌀가루에 붉고 주황색의 곰팡이가 자라는 것을 볼 수 있는데, 미미하지만 독특한 향분(香紛)이 나는 것을 경험할 수 있다.

간략하면, '홍국'은 바로 이와 같은 과정을 반복함으로써, 의도적으로 자낭균류(子囊菌類) Monascus나 Neurospora를 배양하는 방법으로 이루어진 누룩이라고 하겠다.

따라서 조곡(粗麴)이나 분곡(粉麴) 등 일반 누룩을 사용하여 만든 '주본(酒本)'이나 '석임', '부본'과는 차별화된다고 할 수 있으며, '홍국주모'를 통해서 우리 전통주의 다양화와 가능성을 내다볼 수 있다고 할 것이다.

제홍국국모 변증설 <오주연문장전산고(五洲衍文長箋散稿)>

술 재료 : 흰찹쌀 2근, 차조(1말), 좋은 홍국 2근

술 빚는 법 :

1. 덜 익거나 싸라기가 없는 상품의 흰찹쌀 2근과 차조(1말)를 물에 깨끗하게 씻어 불린 후, 다시 씻어 일어서 시루에 안쳐 고두밥을 짓는다.
2. 찹쌀·차조 고두밥이 익었으면 퍼내고, 고루 펼쳐 (온기가 남게) 식기를 기다린다.
3. (온기가 남게) 식은 찹쌀·차조고두밥에 홍국 2근을 합하고, 힘껏 치대어 술밑을 빚는다.
4. 술밑을 술독에 담아 안치고, 예의 방법대로 하여 단단히 밀봉하여 겨울은 7일, 봄·가을은 5일, 여름은 3일간 발효시킨다.
5. 술이 익었으면, 동이 안에 넣고 확돌을 사용하여 갈아서 거친 죽처럼 만든다.
6. 매번 술을 빚을 때 멥쌀 1말에 국모 2되를 사용한다.

* '홍국국모'는 다른 주품의 양주에서 '주본', '서김', '부본' 등과 같은 뜻으로, 그 용도도 같다. 다만, 홍국을 사용하였기에 '홍국국모'라고 부른다.

製紅麴麴母 辨證說

내가 전에 홍국 빚는 법에 대해 변증하였다. 그 홍국은 국모와 함께 <물리소지>에 명칭만 보이고, 그 방법을 볼 수가 없어서 자세한 것을 얻지 못하다가, 근래에 전당 땅에 전여성이 편찬한 바의 것이 모름지기 "거가필용한다."고 하여 자세히 본즉, '국모법' 및 '홍국법'이 있는데, '홍국방'이 다시 전에 일찍이 기록한 것과 조금 다르다. 그러므로 전에 설명한 것에서 빠진 것을 보충한다. 국모를 만드는 법은, 무릇 홍국을 만들 때 먼저 국모를 만들어야 한다. 상품의 흰 찹쌀과 좋은 홍국 2근을 취하고, 차조를 일어서 깨끗이 하고 쪄서 익혀 밥을 짓는데, 불을 써서 김을 올리기를 술밥 찌는 것과 같이 하라. 위의 두 가지를 섞어서 고루 항아리에 담고, 주둥이를 단단하게 봉해서 오직 엄동에는 7일, 여름에는 3일, 춘추에는 5일이 지나도록 두어 술이 익기를, 도수를 한도로 삼아라. 동이 안에 넣고 갈아서 거친 죽과 비슷하게 해서 매번 멥쌀 1말에 단지 국모 2되를 쓰는데, 이 한 재로 모국이 가히 상품의 홍국주 1섬 5말을 만들 수 있다. 이 글을 취해서 상고해 보면, 이제 사람들이 소위 '주본'이라 하는데, 단지 홍국을 쓰는 것이 다를 뿐이다.

화향입주방·꽃향기 술에 넣는 법

스토리텔링 및 술 빚는 법

　무엇이건 한 가지 것에 미치면 자칫 '외골수'로 빠지기 쉽다. 우리 술 연구도 마찬가지여서 지나치게 '전통'만을 고집할 수가 있고, 자신의 방법이나 자신이 알고 있는 범위 밖의 것에 대해 경계를 하게 되는 경우가 많다. 필자 역시 그러한 우(愚)를 범하지 않기 위해 노력하고 있는데, 일부의 시각은 그렇지 않은 것 같다.

　조선시대 500년간의 고식문헌(古食文獻)에 수록된 주방문(酒方文)들을 발췌하고 집약하면서 500종이 넘는 주방문들에 대하여 '어떤 원칙을 두고 분류할 것인가?' 하는 문제로 고민하였다. 술 이름이 같으면서도 주방문이 다른 경우가 있고, 재료나 부재료의 차이에서 전혀 다른 주품명으로 바뀌는 경우가 있었기 때문이었다.

　본편 '화향입주법(花香入酒法)'에서도 <민천집설(民天集說)>의 '화향주(花香酒)'가 그런 경우였다. '화향입주법' 또는 '화향입주방'은 '술에 꽃향기를 불어넣는 방법'이라는 뜻이다.

　'화향입주법' 또는 '화향입주방'은 <간본규합총서(刊本閨閣叢書)>를 비롯하여 <감저종식법(甘藷種植法)>, <고려대규합총서(高麗大閨閤叢書, 異本)>, <고사신서(攷事新書)>, <군학회등(群學會騰)>, <규합총서(閨閤叢書)>, <농정회요(農政會要)>, <민천집설(民天集說)>, <산림경제(山林經濟)>, <술방>, <오주연문장전산고(五洲衍文長箋散稿)>, <의방합편(醫方合編)>, <음식방문나라>, <임원십육지(林園十六志)>, <주방문조과법(造果法)>, <주식시의(酒食是儀)>, <증보산림경제(增補山林經濟)>, <해동농서(海東農書)> 등 19권의 문헌에 29회나 등장하는 것으로 미루어, '화향입주법'이 매우 성행했을 것이라는 짐작을 할 수가 있다.

시대적으로 가장 앞선 기록은 <산림경제>와 <고사신서> 등이므로, 이들 문헌의 주방문을 근거로 그 특징과 술 빚는 데 따른 요령을 살펴보기로 한다.

우선, <산림경제>에는 '화향입주'라고 하여 "감국(甘菊)이 만개하는 때 꽃을 따서 햇볕에서 꽃잎을 건조시킨다. 항아리에 잘 익은 술(청주 또는 탁주) 1말을 채우고 국화 2냥을 생견(生絹) 포대에 넣고, 끈으로 주둥이를 묶어 술 표면 위로 약 한 손가락 정도의 높이만큼 거리를 두고 매달아 놓는다. 술항아리를 밀봉하고, 하루가 지난 뒤 주머니를 꺼낸다. 술에 국화 향기가 있어 한겨울의 매화를 맡는 것과 같다."고 하였고, <고사신서>에도 "감국이 흐드러지게 필 때 따서 볕에 말려, 술 1말을 독에 담고 감국 2냥을 생명주 주머니에 담아, 손가락 하나 너비쯤 떨어지게 술 위에 달아매고, 독 주둥이를 꼭꼭 봉한 뒤 하룻밤 지나 꽃 주머니를 떼어내면, 마치 납매(臘梅, 섣달 매화)와 같이 국화 향기가 술에 밴다."고 하였다.

이외 <고사십이집>를 비롯하여 <수운잡방(需雲雜方)>에 '국화주', '국화주우법', <부인필지(夫人必知)>와 <주식방(酒食方, 高大閨壺要覽)>에 '국화주법'이라고 하여 주품명을 싣고 있으나, '화향입주방'의 주방문을 수록하고 있음을 볼 수 있다. 따라서 국화주로 표지된 주품명의 주방문은 '국화주'편에 수록하게 되었음을 밝혀둔다.

한편, <산림경제>에는 또 "술이 막 익으려 할 때, 꽃받침을 따 버린 감국 2냥을 빚은 술에 넣어 고루 젓는다. 이튿날 아침 일찍 술을 짜면 맛이 향기롭고 아름답다. 모든 독이 없는 향기로운 꽃이라면 이 방법대로 할 수 있다."고 하여 발효가 끝났거나 발효 중인 술덧, 곧 주배(酒醅)를 이용한 주방문을 보여주고 있는데, 이는 '국화주'라고 해도 좋을 것 같다.

<고려대규합총서(이본)>와 <고사신서>를 비롯하여 <감저종식법>, <임원십육지>, <주식시의>, <증보산림경제>, <해동농서> 등의 문헌에서도 동일한 주방문을 수록하고 있음을 볼 수 있다.

다만, <민천집설>에는 위의 두 가지 예와는 다른, '화향주', '화향주 우법'을 싣고 있는데, 주재료가 '국화'가 아닌, '백화(百花)'라는 점에서 주품명으로 보자면 '백화주(百花酒)'이겠으나, 술 빚는 방법에 있어서는 '화향입주법' 또는 '화향입주방'과 동일하다는 것을 알 수 있다. 따라서 '화향입주법' 또는 '화향입주방'은 '국화주' 또는 '백화주'라고도 할 수 있으며, 세 가지 방법이 존재한다는 사실을 확인할 수 있는데, 첫째는 맑은 청주를 이용하는 방법과, 아직 거르지 않은 술덧(주배)을 이용하는 방법, 그리고, 꽃을 직접 주배에 넣어두었다가 걸러서 마시는 '지약주중법(漬藥酒中法)'이다(따라서 '국화주'와 '백화주'편에도 싣는다).

여기서 '지약주중법'은 본디 약재를 이용하는 방법인데, '화향입주법' 또는 '화향입주방'에서 혼용되고 있다. 소위 '주배'를 이용하는 방법이 그것인데, '화향입주법' 또는 '화향입주방'과는 달리 술의 맛이나 성격까지도 바뀌는 경향이 있다. '지약주중법'에 대해서는 '송화주'편에서 자세하게 다룬다

한편, 이규경의 <오주연문장전산고>에는 '제화향입주 변증설(諸花香入酒 辯證說)'이라 하여 술을 빚을 때 주의할 사항에 대해 언급하고 있음을 볼 수 있다. 그 내용은 대략 이렇다.

'제화향입주 변증설' 말미에 "감미(甘味)는 목향(木香)과 같다. 납매와 일체의 향기가 있는 꽃은 이 법에 의지해서 하라. 대개 술의 성질은 차의 성질과 같아, 여러 꽃의 향기를 따라서 변하니, 이 법이 꽃과 더불어 술을 같이 빚는 것보다 그 맛이 낫다. 맛이 중탁하게 돌아가고 향은 떠서 가볍고 맑으니, 맛이 무겁고 탁하면 단지 입만 기쁘게 하고, 맑고 가벼운 것은 정신을 상쾌하게 한다."고 하였다.

또 "꽃을 거둘 적에는 단지 독이 없는 꽃을 위해야 하니, 만약에 향기를 탐하여 독이 있는 것을 가리지 않으면, 그 해(害)가 곧바로 일어나서 짐새(중국 남부에 산다는 새로 뱀을 잡아먹어서 강한 독을 지녔다고 하며, 이 새의 날개를 적신 술을 마시면 즉사한다고 함)를 담근 술(鴆酒)과 다를 것이 없으니, 경계하지 않

을 수 있겠는가. 그런즉 매화, 국화 외에 복사꽃, 계수나무·귤나무의 꽃이 조금 낫다. 당(唐) 헌종(憲宗)의 이화(梨花)로 빚은 '환골료(탁주)'란 술이 바로 이것이다."고 하였다. 즉, 꽃의 선택과 관리, 마시는 방법에도 주의해야 한다는 경계를 놓치지 않고 있다.

하지만 '화향입주법' 또는 '화향입주방'은 무엇보다 좋은 술을 얻는 것이 먼저다. 아무리 좋은 꽃이라도 사용할 술이 좋지 못하면 그 향기가 반감되고 맛도 좋지 않으니, 모쪼록 좋은 술을 얻기에 힘쓰고, 그 다음에 운이 좋아 좋은 꽃을 구하게 되면 술에 꽃향기를 불어넣어 두었다가, 특별한 사람들과 특별한 장소에서 함께 즐길 일이다.

필자처럼 맨숭이도 백화를 곁들인 술이라면 밤새 취해도 좋았으니 하는 말이요, 마음에 맞지 않는 사람과는 말 한마디도 경계해야 한다는 말이 생겨난 배경도 화향(花香)이 물씬 풍겨오는 좋은 술을 앞에 두고 하는 말이 아니겠는가.

1. 화향입주법 <간본규합총서(刊本閨閤叢書)>

술 재료 : 감국 2되, 술(발효주 1말), 생명주 주머니

술 빚는 법 :

1. 국화(외 백화百花)가 만발할 때 꽃을 송이째 채취하여, (흐르는 물에 살짝 씻어 이물질을 제거하여) 햇볕에 물기가 없어질 정도로 꾸들꾸들하게 말린다.
2. (사용하고 남은 꽃은 잎잎이 부스러질 정도가 되게 말려서 여러 겹으로 된 종이봉투에 담아두고 필요할 때 사용한다.)
3. 주머니에 국화 2되를 넣어 (주머니 주둥이를 묶고 끈을 달아) 놓는다.
4. 술독에 술(발효주 1말)을 담아 안치고, 꽃주머니를 술 위에 손가락 한 마디쯤 떨어지게 매달아 놓는다.

5. 술독은 베보자기를 씌워 단단히 밀봉하고, 뚜껑을 덮어 (하룻밤 또는 2~3 일간) 지내면 꽃향기가 술에 가득하다.

* 주방문 말미에 "다른 꽃이 독기 없거든 다 이와 같은 법을 쓰라. 꽃을 술 위에 뿌려도 좋으되, 유자(柚子)는 담으면 실 것이니 껍질을 줌치에 넣어 달아 두고 익히면, 향기 기이하니라."고 하였다.

화향입쥬법
국화 만발헐 쩍 슐 한말에 꽃 두되을 줌치에 너허 슐독 속에 드라 두면 향 닉가 가득허니 다른 꽂치 독긔 업거든 다 이법을 쓰고 꽃츨 우희 쑤려도 죠 흐되 유즈는 담으면 실 거시니 껍질을 줌치에 너허 달고 닉히면 향쥐 긔이ᄒ 니라.

2. 화향입주방 <감저종식법(甘藷種植法)>

술 재료 : 감국 2냥, 술(발효주 1말), 생명주 주머니

술 빚는 법 :
1. 감국(甘菊, 황국)이 흐드러지게 필 때 꽃을 송이째 채취하여 (흐르는 물에 살짝 씻어 먼지와 벌레, 이물질을 제거하여) 햇볕에 말린다.
2. (꽃잎은 잎잎이 부스러질 정도가 되게 말려서 여러 겹으로 된 종이봉투에 담아두고 필요할 때 사용한다.)
3. 생명주 주머니에 감국 2냥을 넣어 (주머니 주둥이를 묶고 끈을 달아) 놓는 다.
4. 술독에 술(발효주 1말)을 담아 안치고, 생명주 주머니를 주면 위에 손가락 한 마디쯤 떨어지게 매달아 놓는다.

5. 술독은 베보자기를 씌워 단단히 밀봉하고, 뚜껑을 덮어 하룻밤(2~3일간) 지낸다.

6. 다음날(2~3일 후) 주머니를 걷어내면 국화 향기가 겨울 매화꽃같이 술에 밴다.

花香入酒方

甘菊盛開時揀摘晒乾用甕盛酒一斗以菊二兩盛生絹帒懸於酒面上約離一指 高密封甕口經宿去帒味有菊香如臘梅一切有香之花依此法爲之.

3. 화향입주방 우방 <감저종식법(甘藷種植法)>
－주배(酒醅) 이용법

술 재료 : 감국 2냥, 술 1말, 생명주 주머니

술 빚는 법 :

1. 빚어두었던 술이 농익었을 때(발효가 끝났을 때) 흐드러지게 핀 감국(甘菊, 황국)을 송이째 채취하여 준비한다.

2. (꽃잎은 잎잎이 부스러질 정도가 되게 말려서 여러 겹으로 된 종이봉투에 담아두고 필요할 때 사용한다.)

3. 채취한 꽃은 꽃받침을 제거하여 잎잎이 뜯어낸 감국 2냥을 술에 넣고, 주걱 으로 휘저어 놓는다.

4. 술독은 베보자기를 씌워 단단히 밀봉하고, 뚜껑을 덮어 하룻밤 지낸다.

5. 다음날이면 꽃향기가 아름다우니, 술독에 용수를 박거나 체에 걸러 짜서 마신다.

* 주방문 말미에 "맛이 향기롭고 아름답다. 모든 독이 없는 향기로운 꽃이라면

이 방법대로 할 수 있다."고 하였다.

* <고려대규합총서(異本)>, <고사신서>, <고사십이집>, <농정회요>, <임원십육지>에는 '국화주'라는 주품명으로 수록되어 있다.

花香入酒方 又方

酒酪欲濃時用甘菊去蕚蔕二兩入醅攪勻次日早榨其味香美諸有香無<菊花酒(又法)> 酒酪欲濃時用 甘菊去蕚蔕二兩入醅攪勻次日早榨取 其味香美諸有香無毒之花亦可依此.　南陽有甘谷水左右皆生菊花花墮水中故味甘居人不穿井飲此水壽高者百四五十歲毒之花亦可依此.

4. 화향입주방 <고려대규합총서(高麗大閨閣叢書, 異本)>

> 술 재료 : 국화 2되, 술(발효주 1말), 생명주 주머니

술 빚는 법 :

1. 국화(외 백화百花)가 만발할 때 꽃을 송이째 채취하여 (흐르는 물에 살짝 씻어 이물질을 제거하여) 햇볕에 물기가 없어질 정도로 꾸들꾸들하게 말린다.
2. (사용하고 남은 꽃은 잎잎이 부스러질 정도가 되게 말려서 여러 겹으로 된 종이봉투에 담아두고 필요할 때 사용한다.)
3. 주머니에 국화 2되를 넣어 (주머니 주둥이를 묶고 끈을 달아) 놓는다.
4. 술독에 술(발효주 1말)을 담아 안치고, 꽃주머니를 술 위에 손가락 한 마디쯤 떨어지게 매달아 놓는다(꽃을 위에 뿌려도 좋다).
5. 술독은 베보자기를 씌워 단단히 밀봉하고, 뚜껑을 덮어 (하룻밤 또는 2~3일간) 지내면 꽃향기가 술에 가득하다.

* <고사신서>, <고사십이집>, <농정회요>, <임원십육지>에는 '국화주'라는

주품명으로 수록되어 있다.

화향입쥬방

국화 셩기시의 술이 흔 말이어든 곳 두 되를 주머니의 너허 술독 속의 드라 두면 향늬가 フ득흐니 미화 년화 등 향이 잇고 독이 업슨 곳촌 다 이 법을 쓸 거시오. 곳촐 우의 샌려도 됴흐딘 유즈는 술마시 싈 거시니 술 속의 너치 말 고 유즈 겁질은 줌치예 너허 들고 술독 우흘 둔둔이 덥허 닉이면 향취가 긔 이흐니라.

5. 화향입주방 <고사신서(攷事新書)>

술 재료 : 감국, 술 1말, 베주머니 1장

술 빚는 법 :

1. 감국(甘菊)이 만개하는 때에 꽃을 송이째 따고 깨끗하게 다듬어서 햇볕(바 람이 잘 통하는 그늘)에서 꽃잎이 바스러질 정도로 건조시킨다.
2. 소독을 하여 물기 없이 씻어 준비한 항아리에 잘 익은 술(청주 또는 탁주, 막 걸리는 안 됨) 1말을 채워놓는다.
3. 건조시킨 국화 2냥을 생견(生絹) 포대(베로 만든 주머니)에 넣고, 끈으로 주 둥이를 묶어놓는다.
4. 꽃주머니를 술 표면 위로 약 손가락 한 마디 정도의 높이만큼 거리를 두고 매달아 놓는다.
5. 술항아리의 입구를 베보자기를 씌워 밀봉하고, 뚜껑을 덮어놓는다.
6. 꽃주머니를 매단 지 하루가 지난 뒤, 꽃주머니를 꺼낸다.
7. 술에 국화 향기가 배어들어 있어 한겨울의 매화를 맡는 것과 같이 향기가 좋다.

* 주방문 말미에 "일체의 향기가 있는 꽃은 이 방법과 같이 사용하면 된다."고
 하였다.

花香入酒方
甘菊盛開時　揀摘晒乾用瓮盛酒一斗以菊二兩盛生綃袋懸於酒面上約離一指
高密封瓮口經宿去袋酒味有菊香如臘梅.

6. 화향입주방 우방 <고사신서(攷事新書)>

술 재료 : 감국 2냥, 숙성 중인 술덧, 베주머니 1장

술 빚는 법 :

1. 주배(酒醅, 발효 중인 술덧)가 짙어(다 익어) 갈 때, 꽃받침과 꼭지를 제거한
   감국(甘菊) 2냥을 준비한다.
2. 거르지 않은 술(독)에 집어넣고, 주걱으로 고루 휘젓는다.
3. 술독을 베보자기로 밀봉하고 뚜껑을 덮어놓는다.
4. 다음날 아침 일찍이 술통을 열어서 보면 향기가 있고 맛있다.

* 주방문 말미에 "향이 있으면 독이 없는 꽃은 모두 이 방법을 쓴다."고 하였다.

花香入酒方 又方
一切有香之花依此法爲之亦可. 酒醅欲濃時用 甘菊去萼蔕二兩入醅攪匀次日
早榨取 其味香美諸有香無毒之花亦可依此.

7. 화향입주법 <군학회등(群學會騰)>

> 술 재료 : 감국 2냥, 청주 1말, 명주 주머니 1개

술 빚는 법 :

1. 감국(甘菊, 황국)이 흐드러지게 필 때, 좋은 꽃을 (송이째 채취하여, 흐르는 물에 살짝 씻어 먼지와 벌레, 이물질을 제거하여) 햇볕에 말린다.
2. (꽃잎은 잎잎이 부스러질 정도가 되게 말려서 여러 겹으로 된 종이봉투에 담아두고 필요할 때 사용한다.)
3. 술 1말당 생명주 주머니에 감국 2냥을 넣어 (주머니 주둥이를 묶고 끈을 달아) 놓는다.
4. 술독에 술(발효주)을 가득 담아 안치고, 감국을 담은 생명주 주머니를 주면 위에 손가락 한 마디쯤 떨어지게 매달아 놓는다.
5. 술독은 베보자기를 씌워 단단히 밀봉하고, 뚜껑을 덮어 하룻밤(2~3일간) 지낸다.
6. 다음날(2~3일 후) 주머니를 걷어내고 마시면, 국화 향기가 술에 밴다.

* 주방문 말미에 "납매(臘梅, 겨울 섣달에 피는 매화)처럼 향기가 있는 모든 꽃은 이 방법처럼 쓸 수 있다."고 하였다.
* <고사십이집>에는 '국화주' 방문으로 수록되어 있다.

花香入酒方 又方
酒醋欲濃時用甘菊去蕚蒂生者二兩入醅攪匀次日早搾取其味香美諸有香無毒之花亦可依此.

8. 꽃향기 술에 들이는 법 <규합총서(閨閤叢書)>

술 재료 : 국화 2되, 술(발효주 1말), 생명주 주머니

술 빚는 법 :

1. 국화가 만발할 때 꽃을 송이째 채취하여 (흐르는 물에 살짝 씻어 이물질을 제거하여) 햇볕에 물기가 없어질 정도로 꾸들꾸들하게 말린다.
2. (사용하고 남은 꽃은 잎잎이 부스러질 정도가 되게 말려서 여러 겹으로 된 종이봉투에 담아두고 필요할 때 사용한다.)
3. 주머니에 국화 2되를 넣어 (주머니 주둥이를 묶고 끈을 달아) 놓는다.
4. 술독에 술(발효주 1말)을 담아 안치고, 꽃주머니를 술 위에 손가락 한 마디 쯤 떨어지게 매달아 놓는다(꽃을 위에 뿌려도 좋다).
5. 술독은 베보자기를 씌워 단단히 밀봉하고, 뚜껑을 덮어 (하룻밤 또는 2~3 일간) 지내면 꽃향기가 술에 가득하다.

* <고사신서>, <고사십이집>, <농정회요>, <임원십육지>에는 '국화주'라는 주품명으로 수록되어 있다.
* 주방문 말미에 "매화, 연화 등 향기가 있고 독이 없는 꽃은 이 방법과 같이 사용하면 된다."고 하고, "꽃을 위에 뿌려도 좋으되, 유자는 술맛이 실 것이 니 술 속에 넣지 말고 줌치에 넣어 매달고 단단히 덮어 익히면 향취가 기이 할 것이다."고 하였다.

꽃향기 술에 넣는 법 (花香入酒方)
국화 셩기시의 술이 흔 말이어든 꼿 두 되를 주머니 너허 술독 속의 드라 두면 향늬가 フ득ᄒ니 미화 년화 등 향이 잇고 독이 업손 꼿츤 다 이 법을 쓸 거시오. 꼿츨 우의 쌕려도 됴흐되 유ᄌᄂᆞᆫ 술마시 실 거시니 술 속의 너치 말 고 유ᄌ 겁질은 줌치예 너허 들고 술독 우흘 든든이 덥허 닉이면 향취가 긔

이흐니라.

9. 화향입주방 <농정회요(農政會要)>

술 재료 : 감국 2냥, 청주 1말, 명주 주머니 1개

술 빚는 법 :

1. 감국(甘菊, 황국)이 흐드러지게 필 때, 좋은 꽃을 (송이째 채취하여, 흐르는 물에 살짝 씻어 먼지와 벌레, 이물질을 제거하여) 햇볕에 말린다.
2. (꽃잎은 잎잎이 부스러질 정도가 되게 말려서 여러 겹으로 된 종이봉투에 담아두고 필요할 때 사용한다.)
3. 생명주 주머니에 감국 2냥을 넣어 (주머니 주둥이를 묶고 끈을 달아) 놓는다.
4. 술독에 술(발효주) 1말을 담아 안치고, 생명주 주머니를 주면 위에 손가락 한 마디쯤 떨어지게 매달아 놓는다.
5. 술독은 베보자기를 씌워 단단히 밀봉하고, 뚜껑을 덮어 하룻밤 지낸다.
6. 다음날 주머니를 걷어내고 마시면 국화 향기가 술에 밴다.

* 주방문 말미에 "납매(臘梅, 겨울 섣달에 피는 매화)처럼 향기가 있는 모든 꽃은 이 방법처럼 쓸 수 있다."고 하였다. <고사십이집>에는 '국화주' 방문으로 수록되어 있다.

花香入酒方

甘菊盛開時揀摘晒乾用瓮盛酒一斗酒以菊二兩盛生絹帒或生疎布袋懸於酒面上約離一指高密封瓮口經宿去帒酒味有菊香如臘梅一切有香之花依此爲之.

10. 화향입주방 <농정회요(農政會要)>
−주배를 이용할 때

술 재료 : 감국 2냥, 술 1말, 명주 주머니 1개

술 빚는 법 :

1. 술덧(酒醅)을 이용하고자 하면, 술이 익어갈 때 감국을 채취하여 깨끗하게 다듬는데, 꽃받침을 제거한다.
2. 술을 빚어 (21일가량 지나) 숙성된 술로 거르지 않은 술독을 준비한다.
3. 이른 아침에 잘 다듬은 감국 2냥을 술독에 넣고, 손으로 휘저어 술덧과 섞어놓는다.
4. 다음날 술독에서 (용수를 박고 술이 맑아지기를 기다렸다가) 떠내는데, 그 맛과 향기가 아름답다.

* 주방문 말미에 "향기가 있고 독이 없는 꽃은 다 이와 같이 할 수 있다."고 하였다.

花香入酒方(又方)

酒醅(既)熟時用甘菊去蕚蒂生者二兩入醅攪勻次日早搾取其味香美諸有香無毒之花亦可依此.

11. 화향입주방 <농정회요(農政會要)>
−유자 껍질을 이용할 때

술 재료 : 유자 껍질(적당량), 술 1말, 명주 주머니 1개

술 빚는 법 :

1. 유자가 노랗게 익었을 때, 좋은 유자를 골라 껍질을 벗겨낸다.
2. 유자 껍질을 적당한 크기로 썰어 생명주 주머니에 넣고 (주머니 주둥이를 묶고) 끈을 달아놓는다.
3. 술독에 술(발효주) 1말을 담아 안치고, 생명주 주머니를 주면 위에 손가락 한 마디쯤 떨어지게 매달아 놓는다.
4. 술독은 베보자기를 씌워 단단히 밀봉하고, 뚜껑을 덮어 하룻밤(또는 2~3일간) 지내면 유자 향기가 술에 밴다.
5. 다음날(또는 2~3일 후) 주머니를 걷어내고 마신다.

* 주방문에 "껍질을 술안에 넣으면 얼마 가지 않아 술이 쉬어 버린다."고 하였다.

花香入酒方(柚子酒)

生柚子剝皮剉切盛帒懸酒上如上法. 若取皮投入酒中則未久令酒酸乘.

12. 화향주 <민천집설(民天集說)>

술 재료 : 백화(百花, 백 가지 꽃) 2냥, 술(청주, 탁주) 1말, 명주 주머니 1장

술 빚는 법 :

1. 백화를 송이째 채취하여 (물에 살짝 헹궈서 물기를 털어내고, 햇볕이 들지 않는) 그늘진 곳에서 완전 건조시킨다.
2. 깨끗한 명주 주머니에 건조시킨 백화 2냥을 넣고, 끈으로 묶어놓는다.
3. (소독하여 준비한) 술독에 술(청주, 탁주) 1말을 담아 안친다.
4. 백화 주머니를 술 표면에 닿지 않게, 손가락 한 마디쯤 떨어지도록 하여 매달아 놓는다.

5. 술독을 밀봉하여 밤재웠다가, 백화 주머니를 제거하면, 술에 백화향이 배어
　　든다.

* 주방문 말미에 "무릇 일체의 향기 있는 꽃은 다 이와 같이 할 수 있다."고 하
　　였다. 이러한 방법은 화향입주법의 하나로, 사용하고 난 백화 주머니는 다시
　　건조시킨 후 재차 사용할 수 있다.

花香酒

花香晒乾釀酒一斗則花二兩盛帒懸酒缸去離一指許封缸口經夜酒味好花香且
酒醅時花香入醅調均翌日早搾則其味香.凡採菊及有香之乾皆依花香酒後及
之盖酒性能透淸香而自変. 菊花則香甘香尤美實(○)時(○○○).

13. 화향주(우법) <민천집설(民天集說)>
－주배를 이용하는 법

술 재료 : 백화 2냥, 발효 중이거나 완숙된 술덧이 담긴 독, 명주 주머니 1개

술 빚는 법 :
1. 술덧(酒醅)을 이용하고자 하면, 술이 익었을 때 백화를 준비하여 깨끗하게
　　다듬는데, 꽃받침을 제거한다.
2. 술을 빚어 숙성된 술로 거르지 않은 술독을 준비한다.
3. 잘 다듬은 백화 2냥을 술독에 넣는다(손으로 휘저어 술덧과 섞어놓는다).
4. 다음날 술독에서 (용수를 박고 술이 맑아지기를 기다렸다가) 떠내는데, 그
　　맛과 향기가 아름답다.

* 주방문 말미에 "향기가 있고 독이 없는 꽃은 다 이와 같이 할 수 있다."고 하

였다.

花香酒(又法)
凡採菊及有香之乾皆依花香酒後及之盖酒性能透淸香而自変. 菊花則香甘香
尤美實(○)時(○○○).

14. 화향입주법 <산림경제(山林經濟)>

술 빚는 법 :
1. 감국(甘菊, 황국)이 흐드러지게 필 때 꽃을 송이째 채취하여 (흐르는 물에 살짝 씻어 먼지와 벌레, 이물질을 제거하여) 햇볕에 말린다.
2. (꽃잎은 잎잎이 부스러질 정도가 되게 말려서 여러 겹으로 된 종이봉투에 담아두고 필요할 때 사용한다.)
3. 생명주 주머니에 감국 2냥을 넣어 (주머니 주둥이를 묶고 끈을 달아) 놓는다.
4. 술독에 술(발효주) 1말을 담아 안치고, 생명주 주머니를 주면 위에 손가락 한 마디쯤 떨어지게 매달아 놓는다.
5. 술독은 베보자기를 씌워 단단히 밀봉하고, 뚜껑을 덮어 하룻밤(2~3일간) 지낸다.
6. 다음날(2~3일 후) 주머니를 걷어내고 마시면 겨울 매화꽃같이 국화 향기가 술에 밴다.

* 주방문 말미에 "향기 있는 꽃이라면 어느 꽃이고 다 이 법으로 하면 또한 좋다."고 하였다.

花香入酒法

甘菊盛開時 揀摘晒乾 用瓮盛酒一斗. 以菊二兩 盛生綃袋 懸於酒面 上約離一
指高 密封瓮口 經宿去袋 酒味有菊香. 如臘梅一切有香之花 依此法爲之亦可.
<必用> <神隱> <纂要>.

15. 화향입주법 일방 <산림경제(山林經濟)>

술 재료 : 감국 2냥, 술 1말, 생명주 주머니

술 빚는 법 :

1. 빚어두었던 술이 막 익으려 할 때(발효가 끝났을 때) 흐드러지게 핀 감국(甘
菊, 황국)을 송이째 채취하여 꽃잎만을 뜯어낸다. (흐르는 물에 살짝 씻어 먼
지와 벌레, 이물질을 제거하여) 햇볕에 말려 물기를 제거한다.

2. (꽃잎은 잎잎이 부스러질 정도가 되게 말려서 여러 겹으로 된 종이봉투에
담아두고 필요할 때 사용한다.)

3. 꽃받침을 제거하여 잎잎이 뜯어낸 감국 2냥을 술에 쑤셔 넣고, 주걱으로 휘
저어 놓는다.

4. 술독은 베보자기를 씌워 단단히 밀봉하고, 뚜껑을 덮어 하룻밤(2~3일간)
지낸다.

5. 다음날(2~3일 후) 아침 일찍 술을 체에 걸러 짜서 마신다.

* 주방문 말미에 "맛이 향기롭고 아름답다. 모든 독이 없는 향기로운 꽃이라면
이 방법대로 할 수 있다."고 하였다.

花香入酒法 一方

酒酪欲熟時. 用甘菊去萼蔕二兩 入醅攪勻 次日早榨取 其香味美 諸有香無毒

之花 亦可依此. <神隱>.

16. 난꽃 넣는 법 <술방>

술 재료 : 멥쌀 1말, 누룩(1되 5홉~2되), (끓여 식힌 물 5되), 감국화 두 방식(2되 분량)

술 빚는 법 :

1. 감국화가 성하게 필 때, 만개하지 않은 꽃을 택하여 송이째 채취한다.
2. 꽃을 흐르는 물에 살짝 헹궈서 물기를 뺀다.
3. 꽃을 바람이 잘 통하고 그늘진 곳에 돗자리를 펼쳐서 널어놓는다.
4. 꽃송이가 바스러질 정도로 완전히 건조시킨다.
5. 두세 겹으로 종이봉투를 만들어 그 안에 담아두고 필요할 때 사용한다.
6. 쌀 1말을 백세하여 하룻밤 불렸다가, 새 물에 말갛게 헹궈서 소쿠리에 밭쳐 물기를 뺀다.
7. 불린 쌀을 시루에 안쳐서 무른 고두밥을 짓는다.
8. 고두밥에 누룩(1되 5홉 또는 2되)과 (끓여 식힌 물 5되)를 섞고, 고루 버무려 술밑을 빚는다.
9. 술독에 술밑을 담아 안치고, 예의 방법대로 하여 21일 정도 발효시킨다.
10. 술이 익으면 보관해 두었던 국화 두 방식(2되 분량)을 성긴 베자루에 담고 주둥이를 묶는다.
11. 베자루에 담은 국화를 술독에 담근 후, 밀봉하여 하룻밤을 재운다.
12. 다음날 국화를 넣은 베자루를 건져내면, 국화 향기가 배어 있는 좋은 술이 된다.

* 주방문 말미에 "매화나 향기가 좋은 꽃은 아무 꽃이든 다 이와 같은 방법으

로 빚을 수 있다."고 하였다.

눈꽃 넛는 법
감국화 성히 틸썬의 썬 말이와 슐 흔 말의 국화 두 방식 싱견듸나 셩건 뵈주로의나 너허 슐독의 담가다가 밤준 후 젼듸를 바리면 슐의 국화향긔 잇고 민화느 아모 꼿이라도 향긔 잇는 꼿츤 이 법듸로 흐라.

17. 제화향입주 <오주연문장전산고(五洲衍文長箋散稿)>

술 재료 : 감국 2냥, 청주 1말, 명주 주머니 1개

술 빚는 법 :

1. 9월에 국화가 흐드러지게 필 때, 냄새가 향기롭고 맛이 단 황국을 가려 따서 (송이째 채취하여, 흐르는 물에 살짝 씻어 먼지와 이물질을 제거하여) 햇볕에 말린다.
2. (꽃잎은 잎잎이 부스러질 정도가 되게 말려서 여러 겹으로 된 종이봉투에 담아두고 필요할 때 사용한다.)
3. 생명주 주머니에 감국 2냥을 넣어 (주머니 주둥이를 묶고 끈을 달아) 놓는다.
4. 술독에 술(발효주) 1말을 담아 안치고, 생명주 주머니를 주면 위에 손가락 한 마디쯤 떨어지게 매달아 놓는다.
5. 술독은 베보자기를 씌워 단단히 밀봉하고, 뚜껑을 덮어 하룻밤(2~3일간) 지낸다.
6. 다음날(2~3일 후) 주머니를 걷어내고 마시면 국화 향기가 술에 밴다.

* <증보산림경제> 등의 '화향입주방'과 동일하다. 주방문 말미에 "당 헌종에 이

화로 빚은 '환골료(탁주)'란 술이 바로 이것이다."고 하였다.

諸花香入酒 辨證說

국화주는 구월 국화가 활짝 피었을 때에 냄새가 향기롭고 맛이 단 황국을 가려 따서 햇볕을 말려, 매번 청주 한 말에 국화꽃 2냥을 생명주 주머니에 담아서 술 위에 약 손가락 높이로 매달아 항아리 주둥이를 밀봉하고, 하룻밤이 지나면 그 맛이 국화향이 있게 된다. 감미는 목향과 같다. 납매와 일체의 향기가 있는 꽃은 이 법에 의지해서 하라. 대개 술의 성질은 차의 성질과 같아, 여러 꽃의 향기를 따라서 변하니 이 법이 꽃과 더불어 술을 같이 빚는 것보다 그 맛이 낫다. 맛이 중탁하게 돌아가고 향은 떠서 가볍고 맑으니, 맛이 무겁고 탁하면 단지 입만 기쁘게 하고, 맑고 가벼운 것은 정신을 상쾌하게 한다. 그러므로 약로와 한 가지로 효과가 있다. 술은 본래 향이 있는데, 다시 꽃향기를 얻으면 그 빛나고 맹렬한 기운이 코와 눈을 통하게 하고, 위부(胃腑)를 연다. 꽃을 거둘 적에는 단지 독이 없는 꽃을 취해야 하니, 만약에 향기를 탐하여 독이 있는 것을 가리지 않으면, 그 해(害)가 곧바로 일어나서 짐새를 담근 술과 다를 것이 없으니, 경계하지 않을 수 있겠는가. 그런즉 매화, 국화 외에 복사꽃 계수나무·귤나무의 꽃이 조금 낫다.

18. 화향입주방 <의방합편(醫方合編)>

술 재료 : 감국 2냥, 청주 1말, 명주 주머니 1개

술 빚는 법 :

1. 감국이 만개할 때 따서 햇볕에 말린다.
2. 술독에 술 1말을 채운다.
3, 생견으로 만든 포대(자루)에 감국 2냥을 넣어 주둥이를 묶는다.

4. 꽃을 담은 포대를 술 표면 위로 약 한 손가락 정도의 높이만큼 거리를 두고 매달아 놓는다.
5. 술독 입구를 밀봉하고 하루가 지난 뒤, 꽃을 담은 포대를 꺼낸다.
6. 술맛에 국화 향기가 있어, 한겨울의 매화와 같다.

* 일체의 향기가 있는 꽃을 따서 이 방법과 같이 사용하면 된다.

花香入酒方

甘菊盛開時陳摘肥軋用瓮盛酒一斗以菊二兩盛生絹袋懸於酒面上約離一措
高密封瓮口經宿去袋酒味有菊香如梅亦然有香之花亦然.

19. 화향입주법 <음식방문니라>

> 술 재료 : 감국 2냥, 청주 1말, 명주 주머니 1개

술 빚는 법 :
1. 감국이 만개할 때 (송이째) 따서 (그늘에) 말린 것으로 2되를 마련한다.
2. 발효가 끝난 술독을 준비한다.
3. 생견으로 만든 포대(자루)에 감국 2되를 넣어 주둥이를 묶는다.
4. 꽃을 담은 포대를 술 표면 위로 약 한 손가락 정도의 높이만큼 거리를 두고 매달아 놓는다.
5. 술독 입구를 밀봉하고 2~3일이 지난 뒤, 꽃을 담은 포대를 꺼낸다.
6. 술독에 국화 향기가 가득하다.

* 주방문 말미에 "꽃슨 미화와 년화 등 향긔 잇고 독긔 읍는 꽃슬 니 법으로 ᄒ
되 꽃슬 만니 ᄉᆈ 우흔 ᄶᅳᆨ리야 조흔니라. 유ᄌᆞ는 슐맛시 쁠 거시니 슐독의 넛

치 말고 유즈껍질을 줌치의 너허 달고 슐독을 단〻니 덥허 두면 향ᄎᆔ가 긔니
ᄒᆞ니라."고 하였다.

화향입주법
국화 셩기시의 슐니 한 말니여든 꼿 두 되을 주머니의 너허 슐독 속의 다라
두면 향늬 가득ᄒᆞ니 꼿슨 미화와 년화 등 향긔 잇고 독긔 읍는 꼿슬 니 법
으로 ᄒᆞ되 꼿츨 만니 슐 우흔 ᄲᅡ리야 조흔니라. 유즈는 슐맛시 쓸 거시니 슐
독의 넛치 말고 유즈껍질을 줌치의 너허 달고 슐독을 단〻니 덥허 두면 향ᄎᆔ
가 긔니ᄒᆞ니라.

20. 화향입주법 <음식방문니라>
–유자 껍질을 이용할 때

> 술 재료 : 유자 껍질(적당량), 발효가 끝난 술독, 명주 주머니 1개

술 빚는 법 :
1. 유자가 노랗게 익었을 때, 좋은 유자를 골라 껍질을 벗겨낸다.
2. 유자 껍질을 적당한 크기로 썰어 생명주 주머니에 넣고 (주머니 주둥이를 묶
   고) 끈을 달아놓는다.
3. 술독에 술(발효주) 1말을 담아 안치고, 생명주 주머니를 주면 위에 손가락
   한 마디쯤 떨어지게 매달아 놓는다.
4. 술독은 베보자기를 씌워 단단히 밀봉하고, 뚜껑을 덮어 하룻밤(2~3일간) 지
   내면 유자 향기가 술에 밴다.
5. 다음날(2~3일 후) 주머니를 걷어내고 마신다.

화향입주법

유조는 슐맛시 쓸 거시니 슐독의 넛치 말고 유조셥질을 줌치의 너허 달고 슐독을 단;니 덥허 두면 향츄가 긔니ㅎ니라.

21. 화향입주방 <임원십육지(林園十六志)>

술 재료 : 감국 2냥, 술(1말), 생명주 주머니

술 빚는 법 :

1. 감국(甘菊, 황국)이 흐드러지게 필 때 꽃을 송이째 채취하여 (흐르는 물에 살짝 씻어 먼지와 벌레, 이물질을 제거하여) 햇볕에 바스라지게 말린다.
2. (꽃잎은 잎잎이 부스러질 정도가 되게 말려서 여러 겹으로 된 종이봉투에 담아두고, 필요할 때 사용한다.)
3. 생명주 주머니에 준비한 감국 2근을 넣어 (주머니를 묶고 끈을 달아) 놓는다.
4. 술독에 술(발효주) 1말을 담아 안치고, 국화 주머니를 주면 위에 손가락 한 마디쯤 떨어지게 매달아 놓는다.
5. 술독은 베보자기를 씌워 단단히 밀봉하고, 뚜껑을 덮어 하룻밤 지낸다.
6. 다음날 주머니를 걷어내면 국화 향기가 술에 배었으므로 짜서 마신다.

* 주방문 말미에 "맛이 향기롭고 아름답다. 모든 독이 없는 향기로운 꽃이라면 이 방법대로 할 수 있다."고 하였다.

花香入酒法
甘菊盛開時(凍/揀)摘晒乾用瓮盛酒一斗以菊二兩盛生絹帒懸於酒面上約離一指高密封(缸/瓮)口經宿去帒酒味有菊香如(蠟/臘)梅木香一切有香之花依此法爲之.皆酒性與茶性同能逐諸香而自變. <臞仙神恩書>.

22. 화향입주 일법 <임원십육지(林園十六志)>

-유자 껍질을 이용할 때

술 재료 : 유자 껍질(적당량), 술 1말, 명주 주머니 1개

술 빚는 법 :

1. 유자가 노랗게 익었을 때, 좋은 유자를 골라 껍질을 벗겨낸다.
2. 유자 껍질을 적당한 크기로 썰어 생명주 주머니에 넣고 (주머니 주둥이를 묶고) 끈을 달아놓는다.
3. 술독에 술(발효주) 1말을 담아 안치고, 생명주 주머니를 주면 위에 손가락 한 마디쯤 떨어지게 매달아 놓는다.
4. 술독은 베보자기를 씌워 단단히 밀봉하고, 뚜껑을 덮어 하룻밤(2~3일간) 지내면 유자 향기가 술에 밴다.
5. 다음날(2~3일 후) 주머니를 걷어내고 마신다.

花香入酒 一法

柚子剝皮剉(切/切)盛帒懸酒上加上法. 若取皮投入酒中則未久令酒酸壞. <增補山林經濟>.

23. 화향입주법 <주방문조과법(造果法)>

술 재료 : 말린 감국, 청주, 명주 주머니 1개

술 빚는 법 :

1. 감국(甘菊, 황국)이 흐드러지게 필 때, 좋은 꽃을 (송이째 채취하여, 흐르는

물에 살짝 씻어 먼지와 벌레, 이물질을 제거하여) 햇볕에 말린다.

2. (꽃잎은 잎잎이 부스러질 정도가 되게 말려서 여러 겹으로 된 종이봉투에 담아두고 필요할 때 사용한다.)

3. 생명주 주머니에 말린 감국을 넣어 (주머니 주둥이를 묶고 끈을 달아) 놓는다.

4. 술독에 국화 주머니를 쑤셔 박아 놓는다.

5. 술독은 베보자기를 씌워 단단히 밀봉하고, 뚜껑을 덮어 하룻밤(2~3일간) 지낸다.

6. 다음날(2~3일 후) 주머니를 걷어내고 마시면 국화 향기가 아름답다.

花香入酒法

乾菊花浸于酒甕中香臭可愛.

24. 화향입주방 <주식시의(酒食是儀)>

술 재료 : 감국 2냥, 술 1말, 생명주 주머니

술 빚는 법 :

1. 국화가 성하게 필 때 꽃을 송이째 채취하여 (흐르는 물에 살짝 씻어 먼지와 벌레, 이물질을 제거하여) 햇볕에 말려 물기를 제거한다.

2. (꽃잎은 잎잎이 부스러질 정도가 되게 말려서 여러 겹으로 된 종이봉투에 담아두고 필요할 때 사용한다.)

3. 주머니에 국화 2되를 넣어 (주머니 주둥이를 묶고 끈을 달아) 놓는다.

4. 술독에 술(발효주 1말)을 담아 안치고, 국화 주머니를 (주면 위에 손가락 한 마디쯤 떨어지게) 매달아 놓는다.

5. 술독은 베보자기를 씌워 단단히 밀봉하고, 뚜껑을 덮어놓는다. (하룻밤 또

는 2~3일간) 지내면 꽃향기가 술에 가득하다.

* 주방문 말미에 "매화, 연화 등 향기가 있고 독이 없는 꽃은 이 법을 쓸 것이오. 꽃을 위에 뿌려도 좋으나, 유자는 술 속에 넣으면 술맛이 실 것이니, 술속에 넣지 말고 껍질 주머니에 넣어 달고, 위를 단단히 덮어 익히면 향취가 기이하니라."고 하였다.

화향입쥬방
국화가 셩이 필 씌 슐이 흔 말이어든 곳 두 되을 쥬머이의 너어 슐독 속의 다라 두면 향늬가 슐의 가득ᄒ니 미화 연화 등 향 잇고 독이 업슨 곳츤 다 이 법을 쓸 거시오 곳츨 우의 쌰려도 조흐되 유ᄌ은 슐의 잠그면 슐맛시 실 거시니 슐 속의 너치 말고 유ᄌ 겁질을 쥼치의 너허 달고 슐독 우희 단단이 덥퍼 익히면 향취가 긔이ᄒ니라.

25. 화향입주방 <증보산림경제(增補山林經濟)>

술 재료 : 감국 2냥, 청주 1말, 명주 주머니 1개

술 빚는 법 :
1. 감국(甘菊, 황국)이 흐드러지게 필 때, 좋은 꽃을 (송이째 채취하여, 흐르는 물에 살짝 씻어 먼지와 벌레, 이물질을 제거하여) 햇볕에 말린다.
2. (꽃잎은 잎잎이 부스러질 정도가 되게 말려서 여러 겹으로 된 종이봉투에 담아두고 필요할 때 사용한다.)
3. 생명주 주머니에 감국 2냥을 넣어 (주머니 주둥이를 묶고 끈을 달아) 놓는다.
4. 술독에 술(발효주) 1말을 담아 안치고, 생명주 주머니를 주면 위에 손가락

한 마디쯤 떨어지게 매달아 놓는다.
5. 술독은 베보자기를 씌워 단단히 밀봉하고, 뚜껑을 덮어 하룻밤(2~3일간) 지낸다.
6. 다음날(2~3일 후) 주머니를 걷어내고 마시면 국화 향기가 술에 밴다.

* 주방문 말미에 "납매(臘梅, 섣달에 피는 매화)처럼 향기가 있는 모든 꽃은 이 방법처럼 쓸 수 있다."고 하였다. <고사십이집>에는 '국화주' 주품명으로 수록되어 있다.

花香入酒方
甘菊盛開時揀摘晒乾用甕盛酒一斗以菊二兩盛生絹帒或生踈布袋懸於酒面上約離一指高密封甕口經宿去帒酒味有菊香如臘梅一切有香之花依此爲之.

26. 화향입주방 우방 <증보산림경제(增補山林經濟)>
−주배를 이용할 때

술 재료 : 감국 2냥, 술 1말, 명주 주머니 1개

술 빚는 법 :
1. 술덧(酒醋)을 이용하고자 하면, 술이 익었을 때 감국을 채취하여 깨끗하게 다듬는데, 꽃받침을 제거한다.
2. 술을 빚어 (21일가량 지나) 숙성된 술로 거르지 않은 술독을 준비한다.
3. 잘 다듬은 감국 2냥을 술독에 넣고 손으로 휘저어 술덧과 섞어놓는다.
4. 다음날 술독에서 (용수를 박고 술이 맑아지기를 기다렸다가) 떠내는데, 그 맛과 향기가 아름답다.

* 주방문 말미에 "향기가 있고 독이 업는 꽃은 다 이와 같이 할 수 있다."고 하였다.

花香入酒方 又方
酒醋欲濃時用甘菊去蔕蒂生者二兩入醅攪勻次日早搾取其味香美諸有香無毒之花亦可依此.

27. 화향입주방(유자주) <증보산림경제(增補山林經濟)>
－유자 껍질을 이용할 때

술 재료 : 유자 껍질(적당량), 술 1말, 명주 주머니 1개

술 빚는 법 :
1. 유자가 노랗게 익었을 때, 좋은 유자를 골라 껍질을 벗겨낸다.
2. 유자 껍질을 적당한 크기로 썰어 생명주 주머니에 넣고 (주머니 주둥이를 묶고) 끈을 달아 놓는다.
3. 술독에 술(발효주) 1말을 담아 안치고, 생명주 주머니를 주면 위에 손가락 한 마디쯤 떨어지게 매달아 놓는다.
4. 술독은 베보자기를 씌워 단단히 밀봉하고, 뚜껑을 덮어 하룻밤(2~3일간) 지내면 유자 향기가 술에 밴다.
5. 다음날(2~3일 후) 주머니를 걷어내고 마신다.

* 주방문 말미에 "껍질을 술 안에 넣으면 얼마 가지 않아 술이 쉬어버린다."고 하여 유자를 담은 주머니가 술에 닿지 않도록 할 것을 강조하였다.

花香入酒方(柚子酒)

生柚子剝皮剉切盛帒懸酒上如常法 若取皮投入酒中則未久令酒酸乘.

28. 화향입주방 <해동농서(海東農書)>

술 재료 : 감국 2냥, 청주 1말, 명주 주머니 1개

술 빚는 법 :

1. 감국(甘菊, 황국)이 흐드러지게 필 때, 좋은 꽃을 (송이째 채취하여, 흐르는 물에 살짝 씻어 먼지와 벌레, 이물질을 제거하여) 햇볕에 말린다.

2. (꽃잎은 잎잎이 부스러질 정도가 되게 말려서 여러 겹으로 된 종이봉투에 담아두고 필요할 때 사용한다.)

3. 생명주 주머니에 감국 2냥을 넣어 (주머니 주둥이를 묶고 끈을 달아) 놓는다.

4. 술독에 술(발효주) 1말을 담아 안치고, 생명주 주머니를 주면 위에 손가락 한 마디쯤 떨어지게 매달아 놓는다.

5. 술독은 베보자기를 씌워 단단히 밀봉하고, 뚜껑을 덮어 하룻밤(2~3일간) 지낸다.

6. 다음날(2~3일 후) 주머니를 걷어내고 마시면 국화 향기가 술에 밴다.

* 주방문 말미에 "납매(臘梅, 섣달에 피는 매화)처럼 향기가 있는 모든 꽃은 이 방법처럼 쓸 수 있다."고 하였다. <거가필용(居家必用)>, <신은(神隱)>, <사시찬요(四時纂要)>를 인용하였다. <고사십이집>에는 국화주방문으로 수록되어 있다.

花香入酒方

甘菊盛開時揀摘 曬乾用甕盛酒一斗以菊二兩盛生絹帒懸於酒面上約離一指

高密封甕口經宿去帒酒味有菊香如臘梅一切有香之花依此法爲之亦可. <必
用> <神恩> <纂要>.

29 화향입주법 우법 <해동농서(海東農書)>
−주배를 이용할 때

술 재료 : 감국 2냥, 술 1말, 명주 주머니 1개

술 빚는 법 :

1. 술덧(酒醅)을 이용하고자 하면, 술이 익었을 때 감국을 채취하여 깨끗하게
   다듬는데, 꽃받침을 제거한다.
2. 술을 빚어 (21일가량 지나) 숙성된 술로 거르지 않은 술독을 준비한다.
3. 잘 다듬은 감국 2냥을 술독에 넣고 손으로 휘저어 술덧과 섞어놓는다.
4. 다음날 술독에서 (용수를 박고 술이 맑아지기를 기다렸다가) 떠내는데, 그
   맛과 향기가 아름답다.

* 주방문 말미에 "향기가 있고 독이 없는 꽃은 다 이와 같이 할 수 있다."고 하
   였다.

花香入酒法 又法
酒醅欲濃時用甘菊去萼蒂生者二兩入醅攪勻次日早搾取其味香美諸有香無毒
之花亦可依此.

주중지약법

스토리텔링 및 술 빚는 법

'주중지약법(酒中漬藥法)'은 '술에 약재를 넣어서 우려 마시는 방법'으로 '주정 침출법(酒精浸出法)'이라고도 한다. 주정을 이용한 침출법은 한의학의 발달과 함께 생겨난 것으로 여겨지는데, 언제부터 시작되었는지는 정확히 알 수 없다.

'주중지약법'이 우리나라 문헌과 술 빚는 법에 등장하는 시기는 <동의보감(東醫寶鑑, 湯液序例)>이 처음이라고 할 수 있으며, 이후 <감저종식법(甘藷種植法)>을 비롯하여 <고사신서(攷事新書)>, <고사십이집(攷事十二集)>, <군학회등(群學會騰)>, <농정회요(農政會要)>, <산림경제(山林經濟)>, <임원십육지(林園十六志)>, <증보산림경제(增補山林經濟)>, <해동농서(海東農書)> 등 10종의 문헌에서 찾을 수 있다.

<동의보감>에서 "<본초(本草)>를 인용하였다."고 한 것을 볼 수 있고, <산림경제>를 비롯한 여러 문헌에서도 <본초>를 인용하였다.

대체로 술에 약재를 넣는 방법은, 반드시 잘게 썰어 생명주 부대에 담아서 술에 넣고 꼭꼭 봉한다. 봄이면 닷새, 여름에는 사흘, 가을에는 이레, 겨울에는 열흘

이 지나, 콕 쏘듯 무르익거든 이내 걸러서, 맑은 것은 마시고 찌꺼기는 볕에 바싹 말려 거칠게 가루로 만들어 다시 술에 담가 마신다.

또 <동의보감>을 인용하여 "술 1병에 거칠게 간 약 3냥을 넣는 것이 옳다."고 한 것으로 미루어, '주중지약법'은 중국의 기록인 <본초>의 영향을 받은 것으로 생각된다.

'주중지약법'은 대개 두 가지 방법이 이용되는 것을 엿볼 수 있다.

첫째는 <본초>에서 제시하고 있는 것으로, 준비한 약재를 얇게 편으로 썰어서 사용하는 방법이다. 약재를 편으로 얇게 썰어서 사용하는 방법은 일반 한약의 조제에서 상용하는 방법으로, 약재가 갖는 약성이나 색을 효율적으로 추출하기 위한 방법이다.

둘째는 <동의보감>에서 나타나는 것을 볼 수 있는데, 약재를 거친 가루로 빻아서 사용하는 방법이다. 이 방법은 <본초>에서 제시하고 있는 방법보다 효율성이 좋을 것으로 생각된다. 아마도 약재의 생산량이 중국보다 적어 귀한 대접을 받았던 우리나라에서는 가능한 한 귀한 약재의 효용을 극대화시키고자 하는 노력이 반영된 것으로 여겨진다.

문헌마다의 주방문 말미에 "맑은 것을 복용하고 나서, 찌꺼기는 햇볕에 말린 다음 거칠게 빻아 다시 술에 담가서 마시는데, 술 1병에 가루 약 3냥의 비율로 담근다."고 하여, 술(발효주의 경우)에 담가 우려낸 약재를 재사용하는 방법을 소개하고 있는 것을 볼 수 있다.

'주중지약법'의 경우 약재의 선별에 특히 신경을 써야 한다. 약재의 선택에 따라 술의 성질이 바뀌기도 하고 맛이 전혀 달라질 수 있기 때문이다. 특히 건조가 덜 되었거나 푸른곰팡이가 피어 있는 부패한 약재를 더러 볼 수 있는데, 아까운 술까지도 망칠 수 있고, 문제는 건강을 망칠 수도 있기 때문이다.

주지하다시피 약을 술과 함께 복용하는 이유는 무엇보다 흡수효과가 빠르기 때문인데, '주중지약법' 또는 '침출법'의 경우에 해당한다. 그리고 술의 알코올 도수가 높을수록 효과도 커지게 되는데, 그에 따른 부작용도 커지기 마련이다.

주방문에도 나와 있지만, 약재를 술에 담그는 기간이 3~7일로, 그렇게 길지 않다는 것을 알 수 있다. '주중지약법'의 경우 길어야 10일 이내이다. 흔히 민간에서 귀한 약재일수록 소주에 오랫동안 담가두는 것을 능사로 여기는 것을 볼 수 있는데, '증류식 소주'처럼 순수한 소주의 선택이 첫째이고, 오크처럼 자연친화적인 옹기그릇을 사용하는 것이 둘째이고, 서늘하고 온도가 일정한 곳에 보관하는 것이 셋째이고, 침출기간이 3~6개월 이내라야 한다는 것이 넷째이다.

또한, 거듭 강조하지만 술에 약재를 넣는 방법은 시대 흐름을 반영해야 한다고 생각한다. 과거 한약재가 비싸고 귀했던 시절에는 '주중지약법'과 같은 방법이 절대적이었다고 하겠지만, 지금은 사정이 다르다. 약재는 넘쳐나고, 값도 싸졌다. 언제든지 그 이용이 가능해졌기 때문에 약재의 이용은 탕약이나 환약으로 이용하는 것이 좋을 것으로 생각된다.

술은 누가 뭐래도 기호음료로서 확실하게 자리매김되어 있기 때문이다.

1. 주중지약법 <감저종식법(甘藷種植法)>

술 재료 : 약재(적당량), 술 또는 소주(1말), 명주 주머니 1개

술 빚는 법 :

1. 준비한 분량의 약초를 물에 깨끗하게 씻고 물기를 닦은 후, 햇볕에 내어 완전히 건조시켰다가 잘게 (편으로) 썰어놓는다.

2. 잘게 썰어놓은 약재를 (돌멩이 한 개와 함께) 생명주 주머니에 넣고 (주머니 주둥이를 묶고) 끈을 달아놓는다.

3. 술독에 술(또는 소주 1말)을 담아 안치고, 약재 주머니를 술 속에 쑤셔 박아 가라앉게 하여, 끈으로 매달아 놓는다.

4. 술독은 베보자기를 씌워 단단히 밀봉하고, 뚜껑을 덮어 (차지도 덥지도 않은 곳에) 보관한다.

5. 술을 담아 안친 술독은 봄에는 5일, 여름에는 3일, 가을에는 7일, 겨울에는 10일 지나 농도가 짙어지고 향기가 술에 배어들었으면 약재 주머니를 건져

낸다.

6. 술독의 술은 명주베나 모시베를 이용하여 여과하여 마신다.

酒中漬藥法

凡淸酒藥皆細節生絹帒盛之入酒密封經春五夏三秋七冬十日視其濃烈使可漉
出取淸服之滓可暴燥爲 麤末更漬飮之. 一甁酒浸麤末藥三兩爲正.

2. 주중지약법 <고사신서(攷事新書)>

술 재료 : 발효 중인 술독(또는 발효가 끝난 술), 약재 주머니, 약재(필요에 따라)

술 빚는 법 :

1. 대개 술에 약을 담글 때에는 잘게 썰어 생견 자루(生絹帒)에 채워 술에 집
   어넣고 밀봉한다.
2. 봄에는 5일, 여름에는 3일, 가을에는 7일, 겨울에는 10일이 지나면, 맛이 진
   하고 매운지를 보고 곧 걸러내어 맑은 것을 복용한다.
3. 찌꺼기는 햇볕에 말리면 거친 가루가 되는데, 다시 담가서 마신다.

* 1병의 술에 거친 가루로 만든 약(藥) 3냥을 넣어 담그면 된다.

酒中漬藥法

凡淸酒藥皆細節生絹帒盛之入酒密封經春五夏三秋七冬十日視其濃烈便可漉
出取淸服之滓可暴燥爲麤末更漬飮之. 一甁酒浸麤末藥三兩爲正.

3. 주중지약법 <고사십이집(攷事十二集)>

술 재료 : 술, 술독(단지), 약재, 베주머니

술 빚는 법 :
1. 약재를 담글 때는 약재를 전부 얇게 썰어 준비한다.
2. 약재를 비단 주머니에 담고, 술을 부어 밀봉한다.
3. 봄에는 5일, 여름에는 3일, 가을에는 7일, 겨울에는 10일을 두었다가, 진하게 우러나면 걸러낸다.
4. 맑아진 술은 복용하고, 남은 약재 찌꺼기는 햇볕에 바짝 말려 거칠게 빻아서 다시 술에 담가 마신다.
5. 약재를 거칠게 간 것을 사용하여 술을 빚으면 맛이 매우 맵고, 소주를 내리면 더욱 좋다.

* 술 1병에 거칠게 간 약(藥) 3냥을 넣는 것이 옳다.

酒中漬藥法
諸藥若末能釀酒須細切生絹帒盛之入酒密封經春五夏三秋七冬十日視其濃烈便可漉出取清服之大抵一瓶酒浸䵃末藥三兩爲正又或藥料同釀酒味太辛燒作露酒尤妙.

4. 주중지약법 <군학회등(群學會騰)>

술 재료 : 약재(적당량), 술 또는 소주(1말), 명주 주머니 1개

술 빚는 법 :

1. 준비한 분량의 약재를 물에 깨끗하게 씻고 물기를 닦은 후, 햇볕에 내어 완전히 건조시켰다가 잘게 (편으로) 썰어놓는다.

2. 잘게 썰어놓은 약재를 (돌멩이 한 개와 함께) 생명주 주머니에 가득 넣고 (주머니 주둥이를 묶고) 끈을 달아놓는다.

3. 술독에 술(또는 소주 1말)을 담아 안치고, 약재 주머니를 술 속에 쑤셔 박아 가라앉게 하여 (끈으로 매달아) 놓는다.

4. 술독은 베보자기를 씌워 단단히 밀봉하고, 뚜껑을 덮어 (차지도 덥지도 않은 곳에) 보관한다.

5. 술을 담아 안친 술독은 봄에는 5일, 여름에는 3일, 가을에는 7일, 겨울에는 10일 지나 농도가 짙어지고 향기가 술에 배어들었으면 약재 주머니를 건져낸다.

6. 술독의 술은 명주베나 모시베를 이용하여 여과하여 마신다.

* 주방문 말미에 "맑은 것을 복용하고 나서, 찌꺼기는 햇볕에 말린 다음 거칠게 빻아 다시 술에 담가서 마시는데, 술 1병에 가루 약 3냥의 비율로 담근다."고 하여, 술(발효주의 경우)에 담가 우려낸 약재를 재사용하는 방법을 소개하고 있다.

酒中漬藥法

凡藥漬酒皆細節生絹帒盛之入酒密封經春五夏三秋七冬十日視其濃烈使可漉出取淸服之滓可暴燥爲麤末更漬飮之. 每一甁酒浸麤末藥三兩爲率.

5. 주중지약법 <농정회요(農政會要)>

술 재료 : 약초(적당량), 술 또는 소주(1말), 명주 주머니 1개

술 빚는 법 :

1. 준비한 분량의 약초를 물에 깨끗하게 씻고 물기를 닦은 후, 햇볕에 내어 완전히 건조시켰다가 잘게 (편으로) 썰어놓는다.

2. 잘게 썰어놓은 약재를 (돌멩이 한 개와 함께) 생명주 주머니에 넣고 (주머니 주둥이를 묶고) 끈을 달아놓는다.

3. 술독에 술(또는 소주 1말)을 담아 안치고, 약재 주머니를 술 속에 쑤셔 박아 가라앉게 하여, 끈으로 매달아 놓는다.

4. 술독은 베보자기를 씌워 단단히 밀봉하고, 뚜껑을 덮어 (차지도 덥지도 않은 곳에) 보관한다.

5. 술을 담아 안친 술독은 봄에는 5일, 여름에는 3일, 가을에는 7일, 겨울에는 10일 지나 농도가 짙어지고 향기가 술에 배어들었으면, 약재 주머니를 건져 낸다.

6. 술독의 술은 명주베나 모시베를 이용하여 여과하여 마신다.

* 주방문 말미에 "맑은 것을 복용하고 나서, 찌꺼기는 햇볕에 말린 다음 거칠게 빻아 다시 술에 담가서 마시는데, 술 1병에 가루 약 3냥의 비율로 담근다."고 하여, 술(발효주의 경우)에 담가 우려낸 약재를 재사용하는 방법을 소개하고 있다.

酒中漬藥法
凡藥漬酒皆細切生絹俗盛之入酒密封經春五夏三秋七冬十日視其濃烈使可漉出取清服之滓可暴燥爲麤末更漬飮之. 每一瓶酒浸麤末藥三兩爲率..

6. 지약주법 <동의보감(東醫寶鑑, 湯液序例)>

술 재료 : 술, 술독(단지), 약재, 베주머니

술 빚는 법 :

1. 약재를 담글 때는 약재를 전부 얇게 썰어 준비한다.

2. 약재를 비단 주머니에 담고, 술을 부어 밀봉한다.

3. 봄에는 5일, 여름에는 3일, 가을에는 7일, 겨울에는 10일을 두었다가, 진하게 우러나면 걸러낸다.

4. 맑은 것은 복용하고, 찌꺼기는 햇볕에 바짝 말려 거칠게 빻아서 다시 술에 담가 마신다.

＊ 보통 1병의 술에 거칠게 빻은 약재 가루를 약 3냥을 담근다.

＊ 이상은 <본초>를 인용하였다.

漬藥酒法

皆須細切, 生絹袋盛之, 乃入酒蜜封, 經春五夏三秋七冬十日, 視其濃烈, 便可○出, 取淸服之. 滓可暴燥爲麤末, 更漬飮之. <本草> 一甁酒, 浸麤末藥三兩爲正. <俗方>.

7. 주중지약법 <산림경제(山林經濟)>

술 재료 : 술, 술독(단지), 약재, 베주머니

술 빚는 법 :

1. 약재를 담글 때는 약재를 전부 얇게 썰어 준비한다.

2. 약재를 비단 주머니에 담고, 술을 부어 밀봉한다.

3. 봄에는 5일, 여름에는 3일, 가을에는 7일, 겨울에는 10일을 두었다가, 진하게 우러나면 걸러낸다.

4. 맑은 것은 복용하고, 찌꺼기는 햇볕에 바짝 말려 거칠게 빻아서 다시 술에

담가 마신다. 이상 <본초>를 인용하였다.

5. 술 1병에 거칠게 간 약 3냥을 넣는 것이 옳다. <동의보감>을 인용하였다.

酒中漬藥法

凡漬藥酒 皆須細切 生絹岱盛之 入酒密封 經春五夏三秋七冬十日. 視其濃烈
便可漉出 取淸服之 滓可暴燥爲麤末 更漬飮之. <本草> 一瓶酒 浸麤末藥三
兩爲正. <寶鑑>.

8. 주중지약법 <임원십육지(林園十六志)>

술 재료 : 술, 술독(단지), 약재, 베주머니

술 빚는 법 :

1. 약재를 담글 때는 약재를 전부 얇게 썰어 준비한다.

2. 약재를 비단 주머니에 담고, 술을 부어 밀봉한다.

3. 봄에는 5일, 여름에는 3일, 가을에는 7일, 겨울에는 10일을 두었다가, 진하
   게 우러나면 걸러낸다.

4. 맑은 것은 복용하고, 찌꺼기는 햇볕에 바짝 말려 거칠게 빻아서 다시 술에
   담가 마신다. 이상 <본초>를 인용하였다.

* 술 1병에 거칠게 간 약 3냥을 넣는 것이 옳다. <동의보감>에는 "생약 가루 3
  냥이 적절하다. 혹은 약재와 함께 술을 빚으면 맛이 너무 매우므로 소주나
  노주(露酒)를 내리면 묘하다."고 하였다.

酒中漬藥法

凡酒中漬藥皆細切生絹岱盛之入酒密封經春五夏三秋七冬十日視基濃烈便可

漉出取淸服之滓可曝燥爲麤末漬麤更漬飲之一瓶酒漬麤末藥三兩爲正. <東醫寶鑑>. 或藥料同釀酒味太辛燒作露酒尤. <攷事十二集>.

9. 주중지약법 <증보산림경제(增補山林經濟)>

> 술 재료 : 약초(적당량), 술 또는 소주(1말), 명주 주머니 1개

술 빚는 법 :

1. 준비한 분량의 약초를 물에 깨끗하게 씻고 물기를 닦은 후, 햇볕에 내어 완전히 건조시켰다가 잘게 (편으로) 썰어놓는다.

2. 잘게 썰어놓은 약재를 (돌멩이 한 개와 함께) 생명주 주머니에 넣고, (주머니 주둥이를 묶고) 끈을 달아놓는다.

3. 술독에 술(또는 소주 1말)을 담아 안치고, 약재 주머니를 술 속에 쑤셔 박아 가라앉게 하여, 끈으로 매달아 놓는다.

4. 술독은 베보자기를 씌워 단단히 밀봉하고, 뚜껑을 덮어 (차지도 덥지도 않은 곳에) 보관한다.

5. 술을 담아 안친 술독은 봄에는 5일, 여름에는 3일, 가을에는 7일, 겨울에는 10일 지나 농도가 짙어지고 향기가 술에 배어들었으면, 약재 주머니를 건져낸다.

6. 술독의 술은 명주베나 모시베를 이용하여 여과하여 마신다.

* 주방문 말미에 "맑은 것을 복용하고 나서, 찌꺼기는 햇볕에 말린 다음 거칠게 빻아 다시 술에 담가서 마시는데, 술 1병에 가루 약 3냥의 비율로 담근다."고 하여, 술(발효주의 경우)에 담가 우려낸 약재를 재사용하는 방법을 소개하고 있다.

酒中漬藥法

凡藥漬酒皆細節生絹帒盛之入酒密封經春五夏三秋七冬十日視其濃烈使可漉
出取淸服之滓可暴燥爲麤末更漬飮之. 每一甁酒浸麤末藥三兩爲率.

10. 주중지약법 <해동농서(海東農書)>

술 재료 : 약초(적당량), 술 또는 소주(1말), 명주 주머니 1개

술 빚는 법 :

1. 준비한 분량의 약초를 물에 깨끗하게 씻고 물기를 닦은 후, 햇볕에 내어 완
   전히 건조시켰다가 잘게 (편으로) 썰어놓는다.
2. 잘게 썰어놓은 약재를 (돌멩이 한 개와 함께) 생명주 주머니에 넣고 (주머니
   주둥이를 묶고) 끈을 달아놓는다.
3. 술독에 술(또는 소주 1말)을 담아 안치고, 약재 주머니를 술 속에 쑤셔 박
   아 가라앉게 하여, 끈으로 매달아 놓는다.
4. 술독은 베보자기를 씌워 단단히 밀봉하고, 뚜껑을 덮어 (차지도 덥지도 않
   은 곳에) 보관한다.
5. 술을 담아 안친 술독은 봄에는 5일, 여름에는 3일, 가을에는 7일, 겨울에는
   10일 지나 농도가 짙어지고 향기가 술에 배어들었으면, 약재 주머니를 건져
   낸다.
6. 술독의 술은 명주베나 모시베를 이용하여 여과하여 마신다.

* 주방문에 "맑은 것을 복용하고 나서, 찌꺼기는 햇볕에 말린 다음 거칠게 빻
  아 다시 술에 담가서 마신다."고 하여, 우려낸 약재를 재사용하는 방법을 소
  개하고 있다.

酒中漬藥法

凡漬藥酒皆細剉生絹帒盛之酒密封入經春五夏三冬十秋七日視其濃烈使可漉
出取淸服之滓可暴燥爲麤末更漬飮之. <本草>.

구주불비법·술이
괴지 않을 때

　가정에서 술을 빚다 보면 어떤 이유에선지 모르지만 술이 전혀 미동도 하지 않을 때가 있다. 그러다가 진황색이나 진갈색빛으로 변하면서 산패가 되거나, 누리끼리한 흐린 술이 되어 식초 같은 신맛의 술을 대하게 된다. 더러는 흐리멍덩한 식혜보다도 더 단맛이 나는 '감주'가 만들어지는 경우를 종종 경험하게 된다. 그 원인을 추적하다 보면 몇 가지 공통적인 사실을 발견하게 된다.

　술의 발효가 원활하지 못한 이유가 분명 있는데도, 술 빚는 자신만 모르는 경우 애가 타고 스트레스를 받게 된다. 그러다가 여러 가지 소위 '방법'들을 시도하게 되고, 그도 저도 안 되면 누룩 탓이나 술 탓을 하는 것을 목격하게 된다.

　이러한 여러 가지 사례 가운데, 술을 빚어놓은 지 2~3일이 지나도록 술이 미동도 하지 않는, 또는 발효는 되는 것 같은데 술독이 따뜻해지지도 않고 활발하게 끓는 기미가 보이지 않는 경우에 대하여, 고주방문에 그 처방법을 언급해 놓은 것을 볼 수 있다. 그리고 그 원인이 "술을 빚을 때 술밑을 지나치게 차게 하여"와 "지나치게 추운 곳에 두어"라고 하였다.

이렇듯 "술을 빚을 때 술밑을 지나치게 차게 하여"와 "지나치게 추운 곳에 두어" 발효되지 않는 술을 살리는 방법을 '구주불비법(救酒不沸法)'이라 하는데, 문헌에 따라서는 다르게 표기하고 있다.

발효되지 않는 술을 살리는 법을 최초로 언급한 문헌은 <고사촬요(故事撮要)>로 '구주법(救酒法)'이라 하였고, 이후의 문헌으로 <산림경제(山林經濟)>를 비롯하여 <감저종식법(甘藷種植法)>, <고려대규합총서(高麗大閨閤叢書, 異本)>, <고사신서(攷事新書)>, <농정회요(農政會要)>, <증보산림경제(增補山林經濟)>, <해동농서(海東農書)> 등 한문 기록에서는 '구주불비법'이라고 하였으며, <임원십육지(林園十六志)>에는 '치주불배법(治酒不醅法)'이라고 하였다.

한편, 한글 기록인 <규합총서(閨閤叢書)>에서는 "술이 더디 괴거든", <술방>에서는 "술이 잘못되거나 괴지 아니할 때"라고 하여, 표현 방식은 다르지만 같은 목적의 비방(秘方)을 제시하고 있음을 목격할 수 있다.

이렇듯 "술을 빚을 때 술밑을 지나치게 차게 하여"서나 "지나치게 추운 곳에 두어" 발효되지 않는 술을 살리는 방법을 제시하고 있는 기록은 전통주 관련 문헌 80여 권 중 10권(10회)에서 언급하고 있는데, 그 처방법은 술을 빚다가 "실수하여", "너무 차게 하여", "술을 빚은 지 3~4일이 되어도 괴지 않을 때"에는 바로 "지에밥(술덧) 한복판을 주걱으로 파헤쳐 좋은 술을 기울여 부어주면 이내 바로 괸다."고 하여 동일한 방문을 제시하고 있다.

이 경우는 주변의 낮은 온도로 인해서 효모의 활동이 더뎌진다는 것을 의미하고, 효모의 활동이 더뎌질 경우 자칫 잡균의 증식이 우선하여 변질이나 부패가 일어날 수 있기 때문인데, 기존의 생주(生酒)를 추가해 줌으로써 술에 남아 있는 효모를 투입해 주는 셈이 되므로 발효가 보다 활발해지게 되고, 더불어 알코올을 추가해 주는 결과를 가져오므로 상대적으로 잡균의 증식을 억제할 수 있게 된다.

이렇게 누룩이 아닌 술을 첨가해 주는 방법이 선호되었던 이유는, 빠른 효과와 함께 누룩취를 줄일 수 있다는 장점 때문이다.

여기서 주의할 일은 추가로 넣어주어야 할 술이 거른 지 오래지 않은, 가능한 한 신선도가 좋은 생주라야 한다는 것이다. 술이 숙성된 지 오래인 술은 효모의 기능을 기대하기 어렵고, 그 양을 많이 넣어주거나 알코올 도수가 높은 청주를 넣어주면 오히려 발효를 억제시키는 결과를 초래할 수도 있다는 사실을 유념해야 한다.

경험적으로는 발효시키고자 하는 술의 10~15%를 넘지 않는 것이 좋고, 무엇보다 맛이 좋은 술이어야 한다는 것이다.

1. 구주불비법 <감저종식법(甘藷種植法)>

술 재료 : 괴어오르지 않는 술, 좋은 술

술 빚는 법 :
1. 술을 빚다가 실수하여 너무 차게 하여, 술을 빚은 지 3~4일이 되어도 괴지 않을 때는 바로 지에밥(술덧) 한복판을 주걱으로 파서 헤쳐놓는다.
2. 파헤쳐 놓은 술덧 속에 좋은 술을 기울여 부어주면 이내 바로 괸다.

救酒不沸法
釀酒失冷有三四日不沸者卽撥開飯中央以好酒傾其中須曳便沸.

2. 술이 더디 괴거든 <규합총서(閨閤叢書)>

술 재료 : 괴어오르지 않는 술, 좋은 술

술 빚는 법 :
1. 술을 빚다가 실수하여 너무 차게 하여, 술을 빚은 지 3~4일이 되어도 괴지 않을 때는 바로 지에밥(술덧) 한복판을 주걱으로 파서 헤쳐놓는다.

2. 파헤쳐 놓은 술덧 속에 좋은 술을 기울여 부어주면 이내 바로 괸다.

3. 술에 가지나무 재가 들면 변하여 물이 되니 주의하여야 한다.

술이 더디 괴거든

좋은 술을 가운데 조금 부으면 즉시 괸다. 술에 가지나무재가 들면 변하여 물이 된다.

3. 구주불비법 <고사신서(攷事新書)>
－괴지 않는 술을 살리는 법

술 재료 : 발효 중인 술독(또는 발효가 되지 않는 술), 좋은 술(1병)

술 빚는 법 :

1. 술을 빚는데 실수하여 술독이 차가워져서 3~4일이 되어도 괴지 않을 때는 술독의 술덧 가운데를 주걱으로 헤쳐놓는다.

2. 좋은 술(1병)을 파헤쳐 놓은 술덧 중앙에 기울여 붓고 나면 잠깐 사이에 끓어오르지 않았던 술덧이 즉시 괸다.

3. 술독을 밀봉하여 두었다가, 술독이 더워지면 즉시 찬 곳으로 내어 차게 식힌다.

救酒不沸法

釀酒失冷有三四日不沸者卽撥開飯中央以好酒傾其中須曳便沸.

4. 구주법 <고사촬요(故事撮要)>

술 재료 : 괴어오르지 않는 술, 좋은 술

술 빚는 법 :

1. 술을 빚다가 실수하여 너무 차게 하여, 술을 빚은 지 3~4일이 되어도 괴지 않을 때는 바로 지에밥(술덧) 한복판을 주걱으로 파서 헤쳐놓는다.
2. 파헤쳐 놓은 술덧 속에 좋은 술을 기울여 부어주면 이내 바로 괸다.

救酒法

釀酒失冷有三四日不沸者卽撥開飯中央以好酒傾其中須叟便沸.

5. 술이 더디 괴거든 <고려대규합총서(高麗大閨閤叢書, 異本)>

술 재료 : 괴어오르지 않는 술, 좋은 술

술 빚는 법 :

1. 술을 빚다가 실수로 너무 차게 하였거나, 어떤 이유로든지 술이 부걱부걱 거품이 일기만 하고 끓어오르지 않으면, 또 술을 빚은 지 3~4일이 되어도 괴지 않을 때는, 바로 지에밥(술덧) 한복판을 주걱으로 파서 헤쳐놓는다.
2. 파헤쳐 놓은 술덧 속에 좋은 술을 기울여 부어주면 이내 바로 괸다.

술이 더디 괴거든

좋은 술을 가운데 조금 부으면 즉시 괸다. 술에 가지나무 재가 들면 변하여 물이 된다.

6. 구주불비방 <농정회요(農政會要)>
–괴지 않는 술을 살리는 법

술 재료 : 발효 중인 술독(또는 발효가 되지 않는 술), 좋은 술(1병)

술 빚는 법 :

1. 술을 빚는데 실수하여 술독이 차가워져서 3~4일이 되어도 괴지 않을 때는 술독의 술덧 가운데를 주걱으로 헤쳐놓는다.
2. 좋은 술(1병)을 파헤쳐 놓은 술덧 중앙에 기울여 붓는다.
3. 술을 붓고 나면 잠깐 사이에 끓어오르지 않았던 술덧이 즉시 괸다.
4. 술독을 밀봉하여 두었다가, 술독이 더워지면 즉시 찬 곳으로 내어 차게 식힌다.

救酒不沸方
釀酒失冷有三四日不沸者卽撥開飯中央以好酒傾入其中須更便沸.

7. 구주불비법 <민천집설(民天集說)>
–괴지 않는 술을 살리는 법

술 재료 : 발효 중인 술독(또는 발효가 되지 않는 술), 좋은 술 (1병)

술 빚는 법 :

1. 술을 빚는데 실수하여 술독이 차가워져서 3~4일이 되어도 괴지 않을 때는 술독의 술덧 가운데를 주걱으로 헤쳐 놓는다.
2. 좋은 술(1병)을 파헤쳐 놓은 술덧 중앙에 기울여 붓는다.

3. 술을 붓고 나면 잠깐 사이에 끓어오르지 않았던 술덧이 즉시 괸다.
4. 술독을 밀봉하여 두었다가, 술독이 더워지면 즉시 찬 곳으로 내어 차게 식힌다.
5. 술독을 다시 밀봉하여 서늘한 곳에 두었다가, 익기를 기다려 채주한다.

救酒不沸法
釀酒久冷有三四日不沸者卽撥開飯中央以好酒傾其中須臾便沸.

8. 구주불비법 <산림경제(山林經濟)>

술 재료 : 괴어오르지 않는 술, 좋은 술

술 빚는 법 :
1. 술을 빚다가 실수하여 너무 차게 하여, 술을 빚은 지 3~4일이 되어도 괴지 않을 때는 바로 지에밥(술덧) 한복판을 주걱으로 파서 헤쳐놓는다.
2. 파헤쳐 놓은 술덧 속에 좋은 술을 기울여 부어주면 이내 바로 괸다.

救酒不沸法
釀酒失冷 有三四日不沸者 卽撥開飯中央 以好酒傾其中 須臾便沸. <攷事撮要>.

9. 술이 괴지 아니할 때 <술방>

술 재료 : 괴어오르지 않는 술, 좋은 술

술 빚는 법 :

1. 술을 빚다가 실수하여 너무 차게 하여, 술을 빚은 지 3~4일이 되어도 괴지
   않을 때는, 바로 지에밥(술덧) 한복판을 주걱으로 파서 헤쳐놓는다.
2. 파헤쳐 놓은 술덧 속에 좋은 술을 기울여 부어주면 이내 바로 괸다.

슐 괴지 아니ᄒᆞᄂᆞᆫ 듸
슐이 잘못되거ᄂᆞ ᄎᆞ거ᄂᆞ ᄒᆞ여 삼사일 괴지 아니커든, 즉시 슐 ᄒᆞᆫ가온듸를 헛
치고 죠흔 슐을 그 가온듸 부으면 이윽고 문득 괴ᄂᆞ니라.

10. 치주불배법 <임원십육지(林園十六志)>

> 술 재료 : 괴어오르지 않는 술, 좋은 술

술 빚는 법 :

1. 술을 빚다가 실수하였거나, 너무 차게 하여 술을 빚은 지 3~4일이 되어도 괴
   지 않을 때는, 바로 지에밥(술덧) 한복판을 주걱으로 파서 헤쳐놓는다.
2. 파헤쳐 놓은 술덧 속에 좋은 술을 기울여 부어주면 이내 바로 괸다.

治酒不醅法
釀酒失冷有三四日不發者卽撥開飯中央以好酒傾入須臾便發. <故事撮要>.

11. 구주불비방 <증보산림경제(增補山林經濟)>

> 술 재료 : 괴어오르지 않는 술, 좋은 술

술 빚는 법 :

1. 술을 빚다가 실수하였거나, 너무 차게 하여 술을 빚은 지 3~4일이 되어도 괴지 않을 때는, 바로 지에밥(술덧) 한복판을 주걱으로 파서 헤쳐놓는다.
2. 파헤쳐 놓은 술덧 속에 좋은 술을 기울여 부어주면 이내 바로 괸다.

救酒不沸方

釀酒失冷有三四日不沸者卽撥開飯中央以好酒傾其中須 須臾便沸.

12. 구주불비법 <해동농서(海東農書)>
－괴지 않는 술을 살리는 법

> 술 재료 : 괴어오르지 않는 술, 좋은 술

술 빚는 법 :

1. 술을 빚다가 실수하였거나, 술을 빚은 지 3~4일이 되어도 괴지 않을 때는, 바로 지에밥(술덧) 한복판을 주걱으로 파서 헤쳐놓는다.
2. 파헤쳐 놓은 술덧 속에 좋은 술을 기울여 부어주면 이내 바로 괸다.

救酒不沸法

釀酒失冷 有三四日不沸者 卽撥開飯中央 以好酒傾其中 須臾便沸. <故事撮要>.

하월수중양주법

'하월수중양주법(夏月水中釀酒法)'은 여름철 술 빚는 방법의 한 가지이다. 술 빚는 법으로 분류하면 '이양법(異釀法)'이라고 할 수 있으며, 여름철에는 고온다습하여 술 빚는 일을 꺼리는데, 부득이하게 술을 빚어야만 하는 경우에 이용하는 방법이다.

여름철 술 빚기가 어려운 이유의 첫째 요인은, 고온다습한 자연환경이다. 요즘은 냉방장치를 가동하여 인위적으로 주변의 온도와 습도를 조절할 수 있고, 저온저장고와 같은 설비를 이용하면 주변의 온도와 습도에 의한 영향을 받지 않을 수 있다. 그러나 과거 전통사회에서는 매달 매 계절의 자연조건에 순응하면서 살아가는 것을 당연하게 여겼다. 그러면서도 고온다습한 여름철의 무더위나 살을 에는 겨울철 추위 등 술을 빚기에 힘든 환경변화에 대응하는 양주 방법을 찾고자 갖가지 지혜와 경험을 동원한 것을 볼 수 있다.

'하월수중양주법'은 그 한 가지 예에 속한다. 술은 당화와 발효를 거치면서 자연적으로 열을 발생해 내는데, 이로 인해 술덧의 온도가 높아진다. 그리고 이때의 열은 주변의 온도나 습도와 밀접한 관련을 맺고 있는데, 주변의 온도나 습도가 높아지면 발효가 더욱 활발해져 술덧의 품온(品溫)을 상승하게 만든다.

문제는 술덧의 품온이 지나치게 상승하면 발효를 일으키는 발효균인 효모의 사멸을 초래하게 되고, 초산균이 알코올을 비롯하여 잔당과 전분이 남아 있는 술덧을 지배하게 되어 초산발효로 이어지고, 곧 식초가 되고 만다.

이러한 산패를 막을 수 있는 방법 가운데 한 가지가 냉수를 이용하는 것이었다. 술덧의 품온이 지나치게 상승하는 것을 막는 손쉬운 방법으로 우물의 냉수를 사용해 술독을 차게 식히는 것이다. 산간 지방과 남부 지방에서 흔하게 목격할 수 있었던 '겹오가리'나 '이중독' 등이 냉수를 이용하여 과발효나 재발효를 억지시키고자 개발된 용기들인 사실이 이를 뒷받침한다.

'하월수중양주법'은 매우 까다롭고 번거로운 작업이다. <농정회요(農政會要)>와 <임원십육지(林園十六志)>, <증보산림경제(增補山林經濟)>에 수록된 이 방법은, "작은 항아리에 술을 빚어 담고, 굴을 파서 단지를 앉힌 다음, 큰 독으로 작은 항아리를 덮는다. 독 아구리가 닿은 부분을 토사로 막고 곧 샘물을 붓는다. 비록 독은 물에 잠겨도 작은 항아리 안으로는 물이 들어가지 않는다. 익으면 꺼내어 쓴다."고 하였다.

즉, 여름철에 술밑을 빚어 작은 술독에 담아 안치고, 햇볕이 들지 않는 뒷마당이나 부엌, 뜰에 구덩이를 파서 그 한가운데에 술을 담은 작은 술독을 앉힌다. 그리고 아가리의 지름이 술밑을 안친 술독의 어깨나 배 부분의 지름이 되는 큰 독으로 골라 작은 술독을 덮어씌운 다음, 큰 독의 아가리가 닿은 부분에 진흙을 발라서 틈이 없게 만들고, 술독이 잠기도록 구덩이에 물을 가득 채운다. 이렇게 하여 술이 익기를 기다려서 술의 발효가 끝나 익었다고 판단되면, 남아 있는 물을 퍼내고 술독을 들어내어 사용한다고 하였는데, 술이 언제 익었는지 살필 수 없다는 것이 문제이다.

이러한 경우, 순전히 경험과 직관에 의존할 수밖에 없는데, 땅속의 평균온도가 14~16℃ 내외인 점을 감안하면, 발효에 필요한 시간을 어느 정도 판단할 수 있을 것이다. 다만, 발효의 정도를 살피기 위해 술독을 건드려서는 안 된다. 자칫 술독을 건드리게 되면, 진흙을 발라놓은 부분에 틈이 생겨 물이 들어갈 수 있기 때문이다.

따라서 구덩이에 물을 담아 채울 때 술밑을 안친 작은 독의 키높이를 가늠해 두었다가, 독의 키높이보다는 덜 차게 물을 채워야만 실패가 없고, 술이 익었을 때도 술독을 들어내기가 쉽다. 물론, 시간이 경과하면서 땅속으로 물이 스며들기 때문에 수위가 낮아질 수도 있으나, 날씨가 더욱 무더워져서 물의 온도가 올라가 거나, 물을 부을 때 일어난 흙탕물이 술독 안으로 들어갈 경우까지도 대비해야 한다는 것이다.

<농정회요>와 <임원십육지>, <증보산림경제>의 '하월수중양주법'은 농어촌 과 산간 지방에서는 가능하지만 도시에서는 마땅치 못하므로, 가능하다면 '하월 수중양주법'의 원리를 이용하여 커다란 고무통이나 물두멍 같은 그릇에 술독을 앉히고, 술독의 높이보다 조금 낮게 찬물을 가득 채워놓는 방법을 택하는 것이 좋다.

그리고 페트병이나 유리병에 물을 담아 냉동고에 얼려두었다가, 그릇 안의 물 이 더워지기 전에 얼려둔 물병을 자주 바꿔주는 방법을 동원할 필요가 있다. 계 속해서 얼음물병을 교환해 주면 물의 낭비도 없고 비용도 적게 드니 일거양득이 아닐 수 없다.

1. 하월수중양주법 <농정회요(農政會要)>

작은 항아리에 술을 빚어 담고, 굴을 파서 단지를 앉힌 다음, 큰 독으로 작은 항아리를 덮는다. 독 아구리가 닿은 부분을 토사로 막고 곧 샘물을 붓는다. 비 록 독은 물에 잠겨도 작은 항아리 안으로는 물이 들어가지 않는다. 익으면 꺼내 어 쓴다.

夏月水中釀酒法
小缸釀酒安於掘坎內以大瓮韜覆小缸就瓮口所着處用土炒(沙)埋塞之卽引泉
灌浸則水雖沒瓮不犯入於小缸待熟出用.

2. 수중양법 <임원십육지(林園十六志)>

1. 여름에 술을 빚어 술독을 관리하기가 어려우면, 작은 항아리에 술을 빚어 담아 안친 다음, 큰 항아리로 작은 항아리를 덮는다.
2. 큰 항아리의 주둥이가 작은 항아리의 어깨 부분에 걸치도록 한다.
3. 큰 항아리와 작은 항아리가 닿은 부분을 흙과 모래로 막아 물이 들어가지 않게 한다.
4. 술을 안친 항아리 주위에 구덩이를 파고 물을 붓는다.
5. 항아리가 물에 잠겨도 작은 항아리 안으로는 물이 들어가지 않는다.
6. 술이 익으면 꺼내어 쓴다.

水中釀法
夏月水中釀酒法掘地爲坎用小缸釀酒安坎掘坎內以大甕韜覆小缸就甕口着地處堆土沙塞瓮卽引浸水雖沒甕亦無害待熟取用. <增補山林經濟>.

3. 하월수중양주법 <증보산림경제(增補山林經濟)>

술 재료 : 아가리가 작은 술독의 어깨나 배 부분의 지름이 되는 큰 독, 진흙, 물

술 빚는 법 :
1. 작은 술독에 술밑을 빚어 담아 안친다.
2. 햇볕이 들지 않는 뒷마당이나 부엌, 뜰에 굴을 파서 그 안에 작은 술독을 앉힌다.
3. 큰 독은 아가리의 지름이 작은 술독의 어깨나 배 부분의 지름이 되는 크기로 골라 작은 술독을 덮어씌운다.
4. 큰 독의 아가리가 닿은 부분에 진흙을 발라서 틈이 없게 만든다.

5. 술독이 잠기도록 굴에 물을 가득 채운다.
6. 술이 익기를 기다려, 익었으면 꺼내서 사용한다.

夏月水中釀酒法

小缸釀酒安於掘坎內以大甕韜覆小缸就甕口所着處用土沙埋塞之卽引泉灌浸
則水雖沒甕不犯入於小缸待熟出用.

중원인양호주법 ·
중원인작호주법

'중원인양호주법(中原人釀好酒法)' 또는 '중원인작호주법(中元人作好酒法)'은 <감저종식법(甘藷種植法)>을 비롯하여 <고사신서(攷事新書)>, <군학회등(群學會騰)>, <농정회요(農政會要)>, <임원십육지(林園十六志)>, <주식방(酒食方, 高大閨壺要覽)>, <증보산림경제(增補山林經濟)>, <해동농서(海東農書)>, <후생록(厚生錄)>에 수록되어 있다. '중원인양호주법'이라는 주품명을 보아 알 수 있듯이 '중국 사람들의 술 잘 빚는 법'이란 뜻이다.

'중원인작호주법'이 언제부터 있었는지는 정확히 알 수 없으나, 우리나라에 유입된 시기는 조선 후기쯤으로 여겨진다. '중원인작호주법'을 수록하고 있는 문헌 가운데 시대적으로 가장 앞선 기록이 1767년에 저술된 <증보산림경제>이다. 오래지 않아 <후생록>과 <주식방(고대규곤요람)>이 저술되었는데, <후생록>에 "왕양명이 이르기를, '중원인이 빚는 좋은 술은, 술을 빚은 다음 진흙으로 독의 아구리를 밀봉하여 공기가 전혀 통하지 않도록 하면 몇 해를 두어도 술맛이 변하지 않고 좋다. 조금이라도 공기가 새어나가지 않게 한다.'고 하였다."고 하였고, 이와 동일한 내용이 <증보산림경제>와 <주식방(고대규곤요람)>을 비롯하여 이후의 다른 문헌에도 그대로 수록된 것을 볼 수 있다. <임원십육지>에는 '봉양법(封釀法)'이라고 하고, 부제로 '중원인작호주법'이라고 한 것을 볼 수 있으며, "<양명집(陽明集)>을 인용하였다."고 한 것으로 미루어, '중원인양호주법'의 유입 시기가 늦어도 18세기 중엽이라는 것을 짐작할 수 있다.

그리고 "중원인이 빚는 좋은 술은, 술을 빚은 다음 진흙으로 독의 아구리를 밀봉하여 공기가 전혀 통하지 않도록 하면, 몇 해를 두어도 술맛이 변하지 않고 좋다. 조금이라도 공기가 새어나가지 않게 한다."고 한 데서, 이 방법이 중국을 대표하는 '황주(黃酒)'를 빚는 방법이라는 것도 알 수 있다.

그러나 '중원인작호주법'은 우리나라에서 널리 보급되지 못하였던 것 같다. 그 이유는 중국의 술 빚는 법이 우리나라의 술 빚는 법과 다르기 때문이고, 술이 익으면 바로 채주하여 마시다가 떨어지면 다시 빚는 습관 때문이 아닌가 싶다. 또한 <주식방(고대규곤요람)>을 제외하면 <증보산림경제>를 비롯하여 대부분 한문 기록의 문헌에 수록되어 있다는 점도 결코 무관하지는 않을 것 같다.

어떻든 '중원인작호주법'은 주원료의 비율에 있어 '황주'처럼 물의 비율이 상대적으로 적은 주품이라야 가능하다는 것이고, 대부분의 전통주에서는 물의 양이 적지 않기 때문에 이 방법으로는 결코 좋은 맛과 향을 기대하기 힘들다.

1. 중원인양호주법 <감저종식법(甘藷種植法)>

술을 빚은 다음, 진흙으로 독의 아구리를 밀봉하여 공기가 전혀 통하지 않도록 하면, 몇 해를 두어도 술맛이 변하지 않고 좋다. 조금이라도 공기가 통하면 쓸수 없다.

中原人釀好酒
以泥封口莫今絲毫漏泄藏之數年其味轉佳纔漏泄便不中用.

2. 중원인양호주법 <고사신서(攷事新書)>

술을 빚은 다음, 진흙으로 독의 아구리를 밀봉하여 공기가 전혀 통하지 않도록 하면, 몇 해를 두어도 술맛이 변하지 않고 좋다. 조금이라도 공기가 통하면 쓸수 없다.

中原人釀好酒

以泥封口莫今絲毫漏泄藏之數年其味轉佳纔漏泄便不中用.

3. 중원인양호주법 <고사십이집(攷事十二集)>

술을 빚은 다음, 진흙으로 독의 아구리를 밀봉하여 공기가 전혀 통하지 않도록 하면, 몇 해를 두어도 술맛이 변하지 않고 좋다. 조금이라도 공기가 통하면 쓸수 없다.

中原人釀好酒

以泥封口莫今絲毫漏泄藏之數年其味轉佳纔漏泄便不中用.

4. 중원인작호주법 <군학회등(群學會騰)>

술을 빚은 다음 진흙으로 독의 아구리를 밀봉하여 공기가 전혀 통하지 않도록 하면 몇 해를 두어도 술맛이 변하지 않고 좋다. 조금이라도 공기가 통하면 쓸수 없다.

中原人作好酒法

釀酒以以泥封瓮口莫令絲毫漏泄藏之數年其味轉佳纔泄漏使不中用.

5. 중원인작호주법 <농정회요(農政會要)>

술을 빚은 다음, 진흙으로 독의 아구리를 밀봉하여 공기가 전혀 통하지 않도록 하면, 몇 해를 두어도 술맛이 변하지 않고 좋다. 조금이라도 공기가 통하면 쓸수 없다.

中原人作好酒法
釀酒以以泥封瓮口莫令絲毫漏泄泄藏之數年其味轉佳纔泄漏使不中用.

6. 중원인작호주법 <산림경제(山林經濟)>

중국 사람들은 좋은 술을 빚어 술병 주둥이를 진흙으로 봉하여 절대로 김이 새지 않게 하고서 여러 해를 갈무리해 두는데, 오히려 술맛이 더 좋아진다. 김이 조금이라도 새면 못쓴다.

中元人作好酒法
以泥封口 莫令絲毫泄漏 莊之數年 其味轉佳 纔泄漏 便不中用. <王陽明>.

7. 봉양법 <임원십육지(林園十六志)>

좋은 술을 빚으려면 진흙으로 술항아리의 주둥이를 밀봉하여 두면, 수년이 지날수록 더욱 맛이 좋다. <양명집>을 인용하였다.

封釀法(中元人作好酒法)
釀好酒以泥封口莫令絲毫漏洒藏之數年其味佳. <陽明集>.

8. 주식방 <주식방(酒食方, 高大閨壼要覽)>

1. 중원 사람은 좋은 술을 빚으려 하면 항 그릇을 정히 하여 술을 빚는다.
2. 항 부리를 흙을 이겨 봉하여 기운이 터럭만치도 새어나오지 아니하도록 한다.
3. 술항은 여러 해 넣어두어도 맛이 더욱 좋고, 공기가 조금이라도 새어나오면 쉬 맛이 변한다.
4. 대강 술을 많이 도청하여 김 내지 말고 음지의 서늘한 데 두거나 땅을 파고 묻거나 하면 오래 두고 쓸 수 있다.
5. 검은 찰기장술이 매우 좋고 중원 마지막 날 상준주를 하는 것이니, 덧술을 하되 밑술이 좋아야 한다.

듀식방

듕원 사름은 죠흔 슐을 비즈려 ᄒ면 항 그릇슬 뎡히 ᄒ여 슐을 비즌 후 항 브리를 흙 니겨 봉ᄒ여 긔운이 터럭만치도 누셜치 아니케 ᄒ여 여러 힝 너허 두어도 마시 더욱 됴코 됴곰도 누셜흔즉 쉬 변미ᄒᄂ니라. 디강 술을 마요 도청ᄒ여 김 닉디 말고 음지 셔늘흔 딕 두거나 짜흘 파고 뭇거나 ᄒ면 오릭 두고 쓰ᄂ니라. 거믄 출기장슐이 극히 죠으믹 중원죵날 샹쥰쥬를 ᄒ는 거시니 그려도 죠코 술 우 언져도 죠흐니라.

9. 중원인작호주법 <증보산림경제(增補山林經濟)>

중국 사람들은 좋은 술을 빚어 술병 주둥이를 진흙으로 봉하여 절대로 김이 새지 않게 하고서 여러 해를 갈무리해 두는데, 오히려 술맛이 더 좋아진다. 김이 조금이라도 새면 못쓴다.

中原人作好酒法

釀酒以以泥封瓮口莫令絲毫漏泄藏之數年其味轉佳纔泄漏使不中用.

10. 중원인양호주 <해동농서(海東農書)>

1. 술을 빚은 다음 진흙으로 독의 아구리를 밀봉하여 공기가 전혀 통하지 않도
  록 하면 몇 해를 두어도 술맛이 변하지 않고 좋다.
2. 조금이라도 공기가 통하면 쓸 수 없다.

中原人釀好酒
以泥封口. 莫令絲毫泄漏. 莊之數年. 其味轉佳. 纔泄漏. 便不中用.

11. 중원인작호주 <후생록(厚生錄)>

中原人作好酒
王陽明曰中原人釀好酒以泥封口莫令絲毫泄氣藏之數年其味轉佳纔泄漏便不
中用.

포양방

스토리텔링 및 술 빚는 법

술 마시는 문화를 향유하고 있는 나라는 민족성이나 국적에 관계없이 공통된 문화를 형성하게 되는 것이 아닌가 하는 생각을 갖게 된다.

어렸을 때에 시골에서 조모님이 밤새 술독을 끌어안고 계시던 모습이 사진처럼 선명하게 떠오르거니와, 1990년대 전국의 전승가양주를 찾아 채록과 사진 작업에 골몰 하던 시절에 가양주를 빚는 할머니들에게서 자주 듣곤 했던 얘기들이 다시금 아련하게 떠오르는데, 할머니들에게서 듣기로는 '술을 깨우는 방법'이라고 하였던 것으로 기억한다.

바로 그 모습이 '포양방(抱釀方)'이라는 사실을 알게 된 것은 그리 오래이지 않다. 조선시대 후기의 문헌인 <임원십육지(林園十六志)> '정조지편(鼎俎志篇)'에서 '포양방'이라는 주방문을 목격하게 된 것은 2002년이다. '포양방'은 <임원십육지>가 유일한 기록으로, 옛날 할머니들이 술이 잘못되는 것을 두려워한 나머지 동원했던 '주술적인 방법'인 줄로만 알았던 것이, 실제로 존재했던 술 빚는 방법의 한 가지였다는 사실을 기록을 통해서 알게 되어 놀랐고, 또 '포양방'이 기적처럼 술의 발효가 일어난다는 사실에 또 한 번 놀랐을 따름이다.

'포양방'은 술을 빚는 방법으로는 매우 독특한 방법이라고 할 수 있다. 마치 닭이나 새들이 알을 품어서 부화시키는 방법을 '포양방'에 비유할 수 있기 때문이다.

술을 빚는 사람들을 만나다 보면, 수십 년씩 술을 빚고 계시는 어른들에게서도 "갖가지 시행착오와 실패를 경험한다."는 말을 듣게 되는데, 처음에는 "수십 년이 되다 보면 소위 '눈 감고도' 할 수 있는 것 아니냐?"면서 이해할 수 없다는 표정을 짓곤 했었다. 그런데 정작 술 빚는 일을 업(業)으로 삼고 보니, 술을 떠나 살 수 없는 지경이 되었는데도 "술 빚는 일이 점점 더 어렵다."는 생각이 드는 것이 솔직한 고백이다. 알면 알수록 더 어려워지고 두렵기만 한 것이다. 시쳇말로 "몰랐을 때는 '용기'라도 갖고 덤벼들었지만, 지금은 사정이 다르다. 일을 시작하는 것 자체가 두렵다."는 얘기다.

'포양방'이라는 주방문을 대하고서 반신반의하면서도 직접 체험을 해보기로 한 것인데, 신기하게도 술이 잘 끓어오르는 것이고, 일반적인 방법보다는 빨리 발효되는 것을 알 수 있었다. 사람의 체온이 알코올 발효의 적정 온도와 유사하다는 사실을 깨닫게 된 것은 보다 먼 후일의 얘기이다.

'포양방'은 평소와는 다르게 시간이 되어서도 술이 제때에 끓어오르지 않을 때 할 수 있는, 그야말로 한 가지 '방법(方法)'이다.

술이 제시간이 되어서도 끓어오르지 못하는 이유 가운데 한 가지가, 술 빚을 쌀을 백세하여 침지할 때에 지나치게 오랜 시간 동안 불리기 때문이다. 이때 술독을 끌어안고 흔들다 보면, 사람의 체온을 통하여 술독은 인위적으로 따뜻해지고, 흔들리면서 산소가 보다 원활하게 공급되어 바로 기포가 형성되면서 발효가 활발해지는 것을 느낄 수 있다.

술독은 오랜 시간 끌어안고 있어야 하는데, 그 자세를 오랫동안 유지하고 있기가 여간 힘든 일이 아니다. 그러나 자연스럽게 몸을 좌우로 흔들다 보면, 다리의 혈액순환을 도와주어 견딜 수 있게 된다. 술독을 껴안고 몸을 좌우로 조금씩 그리고 아주 천천히 흔들다 보면, 술독이 조금씩 움직이게 되고 그때마다 술독에는 공기(산소)가 유입되어 효모의 발효 활동을 돕게 되는 것이다.

현대양주에서는 산소를 공급해 주는 방법으로, '도봉(棹棒)'이라 하여 막대기나 주걱, 방망이 등을 사용하여 술덧을 휘저어 주는 방법을 동원하고 있다. 산소를 공급해 주어 효모의 증식을 촉진시키는 한편, 침전된 누룩이나 고두밥 등이 고루 섞이도록 해주어서 발효가 원활하게 이루어지도록 하는 것이 그 목적인데, 투입된 쌀 양에 비해 알코올 도수가 높지 않고, 발효가 지나치게 빠른 기간에 종료되어 주질이 떨어지는 단점이 있다.

'포양방'이라는 방법이 술 빚기에 도입되었다는 사실은, 현대양주에서의 '도봉'과 같은 방법의 문제점을 옛사람들은 오랜 경험을 통해서 지득하고 있었다는 얘기이기도 하다.

'포양방'이 문헌에 수록된 것으로 미루어, 술 빚는 일이 두려웠던 조선 여인네들의 고민이 반영되었을 것이라는 생각과 함께 지금은 사라지고 없어졌지만, 그 흔적이나마 다시 확인할 수 있는 계기가 되었다는 점에서 '포양방'의 의미를 두고 싶다.

그런 까닭에 술 빚는 문화를 갖고 있는 나라에서는 민족성이나 국적에 관계없이 공통된 문화를 발견하게 되는 것이라는 생각을 하게 된 것이다

포양방 <임원십육지(林園十六志, 高麗大本)>

양치(羊琇, 진나라 태산 사람. 자는 치서稚舒)가 겨울에 술을 담글 때는 사람들로 하여금 술항아리를 잠시 동안 차례로 가슴에 안게 하면 술이 빨리 익고 맛 또한 좋다고 하였다. <어림(語林)>을 인용하였다.

抱釀方
羊稚舒冬日釀酒令人抱瓮須臾復易人速成而味好. <語林>.

상조법·수주법

스토리텔링 및 술 빚는 법

술 빚는 법을 '주방문(酒方文)' 또는 '양주법(釀酒法)'이라고 한다면, 술 거르는 방법을 '상조법(上槽法)' 또는 '수주법(收酒法)'이라고 한다. 술 빚는 방법 이외에 술을 거르는 방법이 무슨 의미가 있느냐고 할지 모르겠으나, '상조법'이나 '수주법'을 알고 나면 생각이 바뀔 것이다.

'상조법'과 '수주법'은 <임원십육지(林園十六志)>에 수록되어 있다. 필자도 최근까지 '상조법'과 '수주법'이라는 술 거르는 방법을 알지 못하다가, <임원십육지(대판본大板本)>를 입수하게 되면서 생각이 달라졌다. '상조법'과 '수주법'이 매우 중요하다는 생각을 갖게 된 것이다.

<임원십육지(대판본)>의 '상조법'과 '수주법'에는 우리가 이미 알고 있는 방법도 있지만, 그간 간과해 왔거나 인식조차 하지 못했던 내용들이 포함되어 있다는 것을 알게 될 것이다.

먼저, '상조법'은 단순히 술을 거르는 방법만이 아닌, 술을 빚는 방법에 대해서도 언급하고 있음을 볼 수 있다. 그런 의미에서 <임원십육지(대판본)>의 '상조법'

에 대하여 상세하게 검토해 볼 필요를 느낀다.

우선 주조(酒槽)는 '주자' 또는 '술주자'라고도 하는데, 술을 짜기 위해 만든 틀의 하나로 대개 직사각형의 '두부틀'이나 '뒤주'와도 같이 생겼다. 판자로 된 뚜껑이나 누름판이 있어, 그 위에 무거운 맷돌이나 돌멩이 등을 올려서 눌러 짜거나, 엿틀과 국수틀처럼 지렛대의 원리를 이용하여 눌러 짜는 형식과, 누름판이 없이 자연낙차에 의해 여과하는 방식으로 만들어진 것이다.

<임원십육지(대판본)>의 '상조법'에 첫째, "술을 빚을 때 날씨가 차면 과하게 익혀야 술이 맑고 많이 나오고, 표면에 흰 골마지가 적다."고 한 것은, 날씨가 추울 때 술덧의 품온이 충분히 올라와야 한다는 것이다. 날씨가 차면 외기의 낮은 온도 때문에 발효가 활발해지지 못하여 소위 '시름시름 끓는 술'이 될 소지가 많고, 그렇게 되면 술맛에 잡미가 많고 느끼하게 느껴지며, 음주 후 숙취를 유발할 수 있다.

둘째, "따뜻하거나 선선할 때와 더울 때는 적당히 익으면 바로 짜야 한다."고 한 것은, '따뜻하거나 선선할 때와 더울 때'는 주변의 온도 변화가 심할 때를 가리키는 것으로, 술의 발효가 끝날 즈음에 재발효나 변질될 소지가 많아지기 때문에 술의 안전을 위하여 일찍 걸러서 서늘한 곳에 보관하라는 뜻이다.

셋째, "재강이 과하게 익으면 안 되고, 또 술주자 안에서는 잘 뜨거워지므로, 쉬는 경우가 많다."고 하였는데, '재강(누룩과 고두밥 등 술찌꺼기)이 과하게 익으면 안 된다'는 것은, 과발효에 따른 것으로 고두밥을 비롯하여 술찌꺼기가 죽처럼 된 상태를 이른다. 고두밥이 죽처럼 된 상태의 술은 '농산농당(濃酸濃糖)' 상태를 가리키며, 알코올 도수가 비교적 낮아 상온에서 오랜 시간 방치하게 되면 재발효로 인해 다시금 술덧의 온도가 올라간다. 특히 술주자와 같이 개방된 용기 안에서의 오랜 시간 방치는 금물이다.

넷째, "대략 술을 빚어 익을 때까지는 추울 때는 24~25일, 따뜻하거나 선선할 때는 반달, 더울 때는 7~8일이면 바로 거를 수 있다."고 하였는데, 우리 술 빚기에 있어 술이 익기까지 기간은 짧게는 7~8일이면 되고 이양주(二釀酒)나 삼양주(三釀酒)라도 24~25일이면 익는다고 한 것은, 술덧의 품온이 상승하였다가 끓는 현상이 잦아들면서 품온이 다시 내려갔을 때를 가리키는 것으로, 대개는 이때가 술이 익었다고 판단한다. 즉, 용수를 박아 청주를 뜨거나 술을 거를 수 있는 상태가 된다는 얘기이다.

하지만, 이때는 술의 단맛도 비교적 많이 느껴지기 때문에 맛이 좋다고 할지 모르나, 과음하면 심한 숙취와 트림 등을 경험하게 된다. 따라서 술주자에 올려서 짜낸 다음, 다른 그릇에 담아서 며칠은 방치하여야 탈이 없다. 물론 서늘한 곳에 보관해야 한다.

다섯째, "술주자를 고르게 장치하여 펴고, 손으로 가마를 누르고, 모탕과 거적을 바르게 놓는다. 중요한 점은 압착할 때 고르고 마른 상태여야 하고, 튀어서 손실되는 부분이 없어야 한다."고 한 것은, 술주자에 올려 술을 째낼 때의 주의사항을 말하는 것인데, 술주자는 세척하여 반드시 건조된 상태에서 사용하고, 눌러서 압착할 때 부드럽게 천천히 눌러 짜야 한다는 것이다.

대개 급하게 힘껏 눌러 짜면 될 것 같은데, 힘만 들고 사방으로 튀어나가기 십상이며 잘 짜지지 않는다. 오히려 천천히 부드럽게 눌러 짜는 것이 요령이다. 조청을 만들 때나 식혜를 만들 때 엿밥을 제거하는 것과 같이 부드럽게 천천히 주물러 짜야 한다는 뜻이다.

여섯째, "술을 옮겨 항아리에 넣을 때는 손을 드리워 기울여 넣고, 씻겨서 술맛을 잃지 않도록 한다."고 하였다. 술을 옮겨 담을 때 '손을 드리워 넣어라.'는 말은 술을 쏟아 붓다 보면 담을 그릇의 바닥에 부딪치면서 되솟아오른 술이 그릇 밖으로 새어나가거나 튀기도 하는 것을 볼 수 있다. 이때 흘러내리는 술에 손이나 주걱을 대어 그 속도를 낮춰줌으로써, 담는 그릇의 바닥에 부딪쳐 튀어나가는 일이 없게 된다는 뜻이다.

또한 '씻겨서 술맛을 잃지 않도록 하라'는 말은, 손을 드리울 때 깨끗하게 하라는 말로, 깨끗하게 하기 위하여 물에 손을 씻은 후 바로 손을 드리우지 말고, 마른행주나 타월로 닦아서 물기를 없이 한 후에 하라는 얘기이다.

일곱째, "추울 때는 거적을 사용하여 밀기울로 덮개를 감싸며, 따뜻하거나 선선하면 제거하고 홑베로 덮어준다."고 하였는데, 술주자에 올려 술을 짜는 일은 술의 양이 많을 때 하는 일이다.

우리 술 빚기에서 술주자에 올려 짜야 할 정도의 분량인 술은, 특히 <산가요

록(山家要錄)>의 '삼해주'나 '향료', '송화천로주' 등과 <임원십육지>에 수록된 술들로 '백주', '분국상락주', '하동이백주'와 같이 열 말 이상씩 빚는 술에서 가능한 일이다.

그리고 양이 많다는 것은, 술을 거르는 데 걸리는 시간도 길어진다는 뜻이다. 따라서 외부 온도의 영향을 덜 받도록 주자의 뚜껑을 덮어 온도 변화를 억제해 줄 필요가 있다. 이때 밀기울로 덮고 거적을 씌워놓으라는 것이다. 밀기울이나 거적 대신 단열과 보온이 잘 되는 재료를 사용하면 더욱 좋다.

여덟째, "3~5일 지나면 청주를 걸러서 병에 넣는다."고 한 것은, 대량의 술을 한꺼번에 술주자에 올려 짤 경우에 소용되는 시간이다. 주자에서 떨어지는 술을 대개 땅을 파고 묻어둔 독으로 흘러내리도록 하는데, 독 안에 고인 술에서 앙금을 분리해야 술이 변질되지 않고 오랫동안 저장할 수 있다. 그러므로 맑아진 웃술만 떠내거나 따라서 다른 병에 담아두고 숙성시키거나 보관하여 두고 마셔야 한다.

다음은 '수주법'에 대해 살펴보기로 한다. '수주법'은 주자에 짠 술을 보관하는 방법에 대해 상세한 설명을 해놓은 것으로, 술의 보관 또는 저장법이라고 해도 무방할 것 같다.

첫째, "술주자에 얹어 그릇에 방울져 떨어질 때는 멀리 떨어져 술이 손실될까 염려하여 작은 대나무로 받아내도 좋다."고 한 것은, 술이 주자에서 처음 흘러내릴 때는 수기의 밑바닥과 멀리 떨어져 있기 때문에 술 방울이 튀기 마련이므로, 술의 손실도 초래하거니와 거품이 생기고 산소 유입이 많아질수록 술의 색깔이 변하기 때문에 대나무로 대롱을 만들어 주자의 주구에 받쳐두라는 것이다.

둘째, "술을 짤 때에는 끓는 물로 병과 그릇을 씻어 깨끗하게 한다. 거른 후에 2~3일간 지켜보고 맑게 가라앉힌다. 겨우 흰 실오라기 같은 것만 있을 때 바로 맑은 것만 걸러내면 술맛이 배가 된다."고 한 것은, 저장이나 정치를 위해 사용하는 술그릇의 청결을 언급한 것이고, 정치를 시킬 때는 한 번에 완전하게 정치시켜 맑은 술을 얻으려 하지 말고, 단기간에 1차 정치시킨 후에 앙금과 맑은 술을 분리하여 맑은 술만을 따로 보관하거나 재차 정치시키는 것을 말한다.

셋째, "바로 밀랍종이로 밀봉하고 가득 채워 넣되, 병이 클 필요는 없으나 뭔가로 받쳐줘야 한다."고 한 것은, 처음 앙금과 분리한 청주를 2차 정치시키는데, 이

때는 병을 밀봉하여 서늘한 곳에 받침대를 고여서 올려놓고 한 달 이상 두면 미세한 앙금이 가라앉게 되므로, 조심스럽게 상등액을 따로 분리하면 된다는 뜻이다.

넷째, "지기가 술을 발동시켜 술맛을 잃을까 걱정이다. 또 자주 이동해서는 안 된다. 대개 술을 맑게 하여 청주를 얻고 가득 채워놓으면 소주를 내리지 않아도 여름에 보존할 수 있다."고 한 것은, 2차 정치시킨 술을 담은 병이나 그릇을 맨땅에 바로 놓거나 자주 옮기지 말라는 뜻이다. 술은 온도에 민감하거니와 자주 옮기게 되면 출렁거리면서 공기와의 접촉으로 효모의 활성을 초래하게 되므로 술이 변질될 수 있기 때문이다. 이 때문에 공기(산소)의 양을 최소화 또는 접촉을 줄이기 위해 술을 병 주구까지 가득 채워서 공기의 유입이 최소화되도록 할 것을 가리킨 말이다.

이상 <임원십육지(대판본)>의 '상조법'과 '수주법'에 대하여 부족하지만 해설을 붙여보았는데, 한 가지 중요한 사실은 '상조법'에 따라 여과한 술은 '수주법'에 의해 정밀한 2차 여과를 할 필요가 있으며, 가능한 한 '숙성(熟成)'이라는 시간을 들여야 한다는 것을 배우게 된다. 숙성과정 없이 명주(名酒)는 만들어질 수도, 있을 수도 없다는 확신 때문이다.

끝으로, <임원십육지(고려대본)>와 <임원십육지(규장각본)>에는 '상조법'과 '수주법'이 빠져 있는데, <임원십육지(대판본)>에서 그 기록을 찾을 수 있었던 것은 행운이 아닐 수 없다.

1. 상조법 <임원십육지(林園十六志, 大板本)>
－술주자에 얹는 법

1. 술을 빚을 때 날씨가 차면 과하게 익혀야 술이 맑고 많이 나오고, 표면에 흰 골마지가 적다.
2. 따뜻하거나 선선할 때와 더울 때는 적당히 익으면 바로 짜야 한다.
3. 재강이 과하게 익으면 안 되고, 또 술주자 안에서는 잘 뜨거워지므로, 쉬는 경우가 많다.

4. 대략 술을 빚어 익을 때까지는 추울 때는 24~25일, 따뜻하거나 선선할 때
   는 반달, 더울 때는 7~8일이면 바로 거를 수 있다.

5. 술주자를 고르게 장치하여 펴고, 손으로 가마를 누르고, 모탕과 거적을 바
   르게 놓는다. 중요한 점은 압착할 때 고르고 마른 상태여야 하고, 튀어서 손
   실되는 부분이 없어야 한다.

6. 술을 옮겨 항아리에 넣을 때는 손을 드리워 기울여 넣고, 씻겨서 술맛을 잃
   지 않도록 한다.

7. 추울 때는 거적을 사용하여 밀기울로 덮개를 감싸며, 따뜻하거나 선선하면
   제거하고 홑베로 덮어준다.

8. 3~5일 지나면 청주를 걸러서 병에 넣는다.

上槽法

造酒上槽,寒須是過熟,卽酒淸數多,渾頭白醆少.溫涼時幷熱時,須是合熟便
壓.恐酒醅過熟,又槽內易熱,多致酸變.大約造酒自下腳至熟,寒時二十四五日,
溫涼時半月,熱時七八日,便可上槽.仍須均裝停鋪,手安壓鈒,正下砧簞.所貴壓得
均乾,並無滴失.轉酒入甕,須垂手傾下,免見濯損酒味.寒時用草薦,麥麩圍盖,溫
涼時去了,以單布盖之.候三五日,澄折清酒入甁.<居家必用>.

2. 수주법 <임원십육지(林園十六志, 大板本)>

1. 술주자에 얹어 그릇에 방울져 떨어질 때는 멀리 떨어져 술이 손실될까 염려
   하여 작은 대나무로 받아내도 좋다.

2. 술을 짤 때에는 끓는 물로 병과 그릇을 씻어 깨끗하게 한다. 거른 후에 2~3
   일간 지켜보고 맑게 가라앉힌다.

3. 겨우 흰 실오라기 같은 것만 있을 때, 바로 맑은 것만 걸러내면 술맛이 배가
   된다.

4. 바로 밀랍종이로 밀봉하고 가득 채워 넣되, 병이 클 필요는 없으나 뭔가로

반쳐줘야 한다.

5. 지기가 술을 발동시켜 술맛을 잃을까 걱정이다. 또 자주 이동해서는 안 된다.

6. 대개 술을 맑게 하여 청주를 얻고 가득 채워놓으면, 소주를 내리지 않아도 여름에 보존할 수 있다. <거가필용>을 인용하였다.

收酒法

上榨以器就滴,恐滴遠損酒,或以小竹子,引下亦可.壓下酒,須是湯洗瓶器令淨.控候二三日,次候折澄去盡腳.纔有白絲則渾,直候澄折得淸爲度,則酒味倍佳.便用蠟紙封閉,務在滿裝,瓶不在大,以物閣起.恐地氣發動酒腳,失酒味.仍不許頻頻移動.大抵酒澄得淸,更滿裝,雖不煮,夏月亦可存留. <居家必用>.

수주불손훼·수주불훼법

스토리텔링 및 술 빚는 법

 '수주불손훼(收酒不損毁)' 또는 '수주불훼법(收酒不毁法)'은 걸러서 떠놓은 술이 훼손되지 않게 보관하는 법을 뜻한다. 순우리말로는 '술맛 그르치지 않는 법'이라고 한다.

 '수주불손훼'는 <산가요록(山家要錄)>에 수록되어 있고, '수주불훼법'은 <임원십육지(林園十六志)>에 수록되어 있는 것을 볼 수 있으며, <주방문>에는 '술맛 그릇되디 아닌는 법'이라고 하여 '구산주법(救酸酒法)'과 혼돈되는 주방문을 찾아볼 수 있다. 이들 문헌의 주방문은 술을 오랫동안 보관하는 방법이라고도 할 수 있는데, "이러한 방법이 왜 생겨났을까?" 하는 궁금증에서 출발하여 그 원인을 분석하여 보면 어렵지 않게 답을 찾을 수 있을 것 같다.

 무엇보다 술이 그만큼 귀한 음식이었다는 사실이고, 귀하다는 것은 쉽게 구하거나 값싸게 살 수 있는 것이 아니라는 뜻이다. 특히 귀하고 어렵게 마련한 술인만큼 오랫동안 보관하여 두고 즐기고자 했다는 것을 짐작해 볼 수 있다.

 '수주불훼법'이나 '술맛 그르치지 않는 법'과 같은 방법은 <음식디미방>의 '순향주'를 비롯하여 여러 문헌과 주방문에서도 찾아볼 수 있는데, 이러한 고민을 하게 된 배경에는 과거 저장시설이 발달하지 못한 시대적 배경과 맥을 같이한다. 지금이야 냉장고를 비롯하여 저온저장고가 발달하였고, '와인셀러'와 같은 술 보관용 설비들이 다양하게 개발되어서 아무런 걱정이 없어졌지만, 옛날에는 사정이 사뭇 달랐다.

특히 술은 주식인 쌀로 빚는 데다, 쌀에 대한 특별한 생각과 정성을 쏟았던 우리 조상들로서는 쌀 한 톨 낭비하는 일이 죄악시되던 시절을 보내기도 하였던 만큼, 술이 변질되어 버리게 되면 곧 쌀을 버리는 일과 같이 인식되었던 것이다.

그리하여 술을 변질되지 않도록 오랫동안 보관해 두고 마실 수 있는 방법을 강구하게 되었는데, 그 방법이란 것이 <산가요록>을 비롯하여 <임원십육지>에서 언급하였듯이 "좋은 누룩을 항아리 밑에 놓은 다음 깨끗한 돌로 눌러 놓고, 그 위에 맑은 술을 천천히 기울여 술독에 붓는다."고 하였다. 어찌 보면 특별할 것이 없는 방법 같지만, 여기에 가장 자연친화적인 방법을 동원하고 있다는 점에서 눈여겨볼 필요가 있다.

주지하다시피 누룩은 그 집만의 술맛과 향기를 발현시키는 발효원이다. 이 누룩을 완성된 술독에 쑤셔 박아놓는 것인데, 이렇게 함으로써 효모를 추가해 넣어주는 결과로 나타난다. 효모의 추가 투입은 술을 오염시키고 변질시키는 잡균에 대한 대응 능력을 키워주는 것으로 이해할 수 있겠고, 잔당(殘糖)을 알코올로 바꾸어 술의 알코올 도수를 높이는 결과로 이어지므로 저장성이 좋아지는 것이다. 또한 "항아리 주둥이를 단단히 봉하여 두면, 그 맛이 오래 두어도 변하지 않는다."고 한 것은 추가적인 잡균의 침입을 막고자 한 조치인 셈이다.

현대양주의 관점에서 보면 원시적인 방법으로 비쳐질지도 모르겠다. 요즘은 술맛의 변질을 염려하여 아황산 처리나 살균조작법, 기타 여러 가지 식품첨가물이나 화학적인 처리를 통하여 술의 저장성과 유통이 한결 좋아졌다고는 하지만, 문제는 술을 마시는 애주가와 음주소비자들의 기호나 건강에 대한 배려 등을 고려한다면, 오히려 가장 자연친화적인 조치와 지혜로 받아들여진다는 것이 필자의 생각이다.

물론, 이러한 자연친화적인 방법에도 문제는 따른다. 현대 소비자들의 가장 큰 관심사는 특히 술의 향기와 기호 등 주질과 음주 후의 건강까지를 고려하고 있어, 누룩을 사용한 방법은 누룩 냄새를 피할 수 없거니와, "그 맛이 오래 두어도 변하지 않는다."고 한 것은, 사실 술이 쉽게 변질되지 않는다는 것이지, 기본적인 술맛이 변하지 않는다는 뜻은 아니기 때문이다.

그럼에도 불구하고, 이러한 방법이 음주자들의 건강 측면에서는 오히려 바람직한 방법이라고 말할 수 있다. 아황산 처리에 의한 후유증이나 살균 처리에 의한 향취를 잃어버린 죽은 술을 마시는 것보다는 훨씬 이상적이라는 판단 때문이다.

결론적으로 가장 이상적인 방법은 '수주불손훼' 또는 '수주불훼법'이나 '술맛 그르치지 않는 법'을 구할 것이 아니라. "발효주는 생주(生酒)로, '살아 있는 술(生酒)'은 시간이 경과하면 자연적으로 맛이 변한다."는 사실을 인식하는 것이다.

1. 수주불손훼 <산가요록(山家要錄)>
－훼손되지 않게 술 단속하기

술 재료 : 좋은 누룩 1근

술 빚는 법 :
1. 먼저 싱겁고 아주 맑은 술을 준비한다.
2. 술독 안에 좋은 누룩 1근을 넣고 깨끗한 물건으로 눌러놓는다(깨끗한 베주머니에 깨끗이 씻어 건조시킨 돌맹이와 함께 누룩을 담아 끈으로 묶어 술독에 넣는다).
3. 맑은 술을 천천히 기울여 술독에 붓고 밀봉해 두면, 맛이 오래도록 훼손되지 않는다.

收酒不損毁
收酒極清. 先於瓮底 安好麴一斤 以淨物壓之. 將淸酒款款傾入封閉. 味永不壞.

2. 수주불훼법 <임원십육지(林園十六志)>

술 재료 : 좋은 누룩 1덩이 혹은 1근

술 빚는 법 :
1. 좋은 누룩 1덩어리 혹은 1근을 항아리 밑에 놓고, 깨끗한 돌로 눌러서 그 위에 청주가 고이도록 기울여놓는다.
2. 항아리 주둥이를 단단히 봉하여 두면, 그 맛이 오래 두어도 변하지 않는다.

收酒不毁法
先以好麴一壞或一斤安瓮底用淨石鎭之將淸酒款款傾入堅封瓮口則其味久不變. <三山方>.

3. 술맛 그르치지 않는 법 <주방문(酒方文)>

술 재료 : 대추알 크기의 좋은 누룩 5덩이, 싱겁고 좋은 술 또는 술덧

술 빚는 법 1 :
1. 먼저 발효가 끝난 술덧을 준비한다.
2. 술독 안에 대추알 크기의 좋은 누룩 5덩이를 넣고 깨끗한 물건으로 눌러놓는다(깨끗한 베주머니에 깨끗이 씻어 건조시킨 돌멩이와 함께 누룩을 담아 끈으로 묶어 술독에 넣는다).

술 빚는 법 2 :
1. 술독 안에 대추알 크기의 좋은 누룩 5덩이를 넣고 깨끗한 물건으로 눌러놓

는다(깨끗한 베주머니에 깨끗이 씻어 건조시킨 돌멩이와 함께 누룩을 담아 끈으로 묶어 술독에 넣는다).

2. 발효가 끝나 용수를 박아 떠낸 맑은 술을 천천히 기울여 술독에 붓고 밀봉 해 두면, 맛이 오래도록 훼손되지 않는다.

술맛 그릇되디 아닌눈 법(救酸酒法)

됴흔 누록을 대죠마곰 무아 다숫 낫츨 독 미틱 녀흐라.

소로잡법 · 수로주법

　한 가지 사물에 대하여도 보는 사람과 느끼는 사람, 즐기는 사람의 생각이 다 각각이듯이, 술을 빚는 방법이나 마시는 법에 이르기까지 실로 다양한 사람들에 의해 저술된 다양한 기록들을 접하다 보니, 무언가 정리정돈이 필요하다는 생각을 가졌고, 또 누군가는 이 작업을 해야만 한다는 의무감 같은 것이 생기게 되었다.

　<임원십육지(林園十六志)>는 우리나라 술에 대한 기록 가운데 가장 방대한 양을 다루고 있다. <임원십육지>에서도 목격되는바. 똑같은 방문을 두고서도 다른 문헌과는 분류 방법이 다르거나 표기 방법이 다른 경우가 있다는 것이다.

　'소로잡법'과 '수로주법'의 경우가 그 예이다. '소로잡법'과 '수로주법'은 <임원십육지>에서만 찾아볼 수 있는데, 다른 문헌에서는 '노주소독방'이라고 하였으므로, '소로잡법'과는 전혀 다른 내용일 것이라는 생각되는데, 이 두 표현방식은 다르면서도 같은 내용이라는 사실에서, 문화적 공감대가 형성되지 않는 한 혼란의 소지가 있으므로, 이를 집약해서 공감대를 형성하여 나가고, 궁극에는 문화적 코

드를 만들어 나가야 한다는 것이고, 그런 의미에서 '공동이 공유할 수 있는 문화적 코드 작업'이 본 저술의 목적이라고 할 수 있다.

그렇다면 '소로잡법'과 '수로주법', '노주소독방' 또는 '소주소독방'은 차이가 있을까?

결론부터 말하자면, "소로잡법과 수로주법은 '노주소독방' 또는 '소주소독방'의 인용에 불과한 것이다."고 말할 수 있을 것 같다. 그것도 시대가 다소 앞선 <증보산림경제(增補山林經濟)>의 내용을 차용해 온 것으로, <군학회등(群學會騰)>의 '노주소독법'은 전혀 다뤄지지도 않았다.

참고로 <군학회등>의 '노주소독법'은, "① 맨 처음에 받은 '노주'는 너무 독해 사람의 몸을 몹시 손상시키고 맛도 좋지 않다. 정화수를 적당량 타서 조금 있다가 마시면 좋다. ② 맛이 좋지 않은 술로 '소주'를 받고자 할 경우에는 반드시 다른 '노주' 약간을 섞고 받아낸다. 그러면 맛도 제법 진하고 몹시 취하게 하지도 않는다. ③ '노주'를 받고 나서는 밀봉하여 기운이 새나가지 않게 하고, 항상 따뜻한 곳에 놓아둔다. ④ '노주'를 담은 병 주둥이는 날오이나 비름나물로 막지 말아야 한다. 하룻밤 지나면 맛이 싱거워진다. ⑤ 여름에 독한 '노주'에다 꿀과 얼음 조각을 넣고 급하게 저어 차게 해서 마시면 맛이 아주 맑고 시원하다. ⑥ '노주'에 초를 타서 마시면, 한 잔만 마셔도 대번에 몹시 취한다." 등이다.

<군학회등>의 '노주소독법'은 근본적으로 '소주', 곧 알코올 도수가 높은 '소주'는 몸에 해롭다는 사실에 근거하여 건강한 음주법과 '소주'를 관리하는 방법으로, 오히려 '노주소독법'보다 광의의 개념인 '소로잡법'과 '수로주법'에 해당한다고 볼 수 있다.

따라서 '소로잡법'과 '수로주법'이 오히려 '노주소독법'을 수용한 형식이라야 할 것인데, 주객이 전도된 느낌이 없지 않다. '소로잡법'과 '수로주법'을 한데 묶은 이유가 여기에 있다.

1. 소로잡법 <임원십육지(林園十六志)>

1. 좋은 꿀로 소주를 담는 항아리를 닦으면 독을 없애고 맛이 좋아진다. 꿀이 너무 많으면 술이 달기 때문에 적량을 넣어야 한다. <증보산림경제>를 인용하였다.
2. 소주를 담는 병 주둥이에 모시베를 깔고, 그 위에 계핏가루와 사탕 등을 놓고 술을 받으면 술맛이 달고 향기롭다. 술색을 붉게 하려면 모시 위에 자초, 노랗게 하려면 치자를 놓는다. <증보산림경제>를 인용하였다.
3. 생당귀를 썰어 병에 넣고 소주를 받으면 술이 독하지 않고 맛이 좋다. <증보산림경제>를 인용하였다.

燒露雜法

用好蜜塗承露缸底則毒消味佳蜜多則太甘少則無效斟量用之. <增補山林經濟>. 承露瓶口安苧片以桂皮末(沙/砂)糖屑置苧上則酒味甘香欲色紫則加紫草欲色黃則加梔子於苧片上. <同上>. 以新好當歸剉置瓶內而承露則烈性 稍緩味亦佳. <同上>.

2. 수로주법 <임원십육지(林園十六志)>

1. 소주는 항상 뚜껑을 꼭 닫아 김이 빠지지 않게 하여야 하며, 따뜻한 곳에 둔다.
2. 노주 항아리 주둥이를 생오이나 비름으로 마개를 막은 채 찬 데 두어 밤이 지나면 술맛이 순해진다.

收露酒法

取露酒堅封勿泄氣常置(湯/溫)處凡露酒瓶口勿以生瓜及莧菜塞之經夜味則淡矣. <增補山林經濟>.

고르지 않은 술맛 고치는 법
·수잡주서미법

명절이나 축일에는 여러 곳에서 선물이 들어오게 된다. 필자가 어렸을 때 기억
으로도 집안 어른들의 생신이나 설 차례 등의 명절이면 일가친척들이 저마다 손
에 선물을 사들고 오는 것을 보고 자랐다. 그리고 자식들 가운데서도 맏이이거나
제사와 차례에 참여하는 친척들은 술을 사들고 오시는 것이었는데, 소위 '정종
(正宗)'이거나 '수복(壽福)'이었다.

술이 상품으로 돌아다니지 않던 1900년대 이전에는 어땠을까? 그리고 방문하
는 집의 어른이 술을 좋아하였거나, 나이가 많은 부모를 둔 자식들이 부모를 위
해 해드릴 수 있는 가장 좋은 선물이 무엇이었을까?

술을 일컬어 '백약지장(百藥之長)'이라고 하였다. 술을 음식으로 여겼고, 어떤
약보다도 좋은 장수(長壽)의 약(藥)으로 인식했던 시대에 술은 가장 귀한 선물이
었을 것임에 틀림없다. 이런 때에는 그 종류가 다양하면서도 맛도 천차만별인 청
주를 비롯하여 약주와 탁주가 주를 이뤘을 것이고, 각각 따로 보관해야 하는 문
제가 발생할 것임에 틀림이 없다.

또한 저마다 정성을 들여 빚은 귀한 술이지만 주질이 저마다 다르다는 것이다. 마시는 사람의 기호가 다를 수밖에 없으므로, 선물로 받은 술을 갈무리해야 하는 주부의 입장에서는 자연스럽게 여러 가지 종류의 술을 한데 섞어서 맛을 좋게 살리고 싶고, 오랫동안 변하지 않게 보관할 수 있는 방법을 강구했을 법하다.

이러한 상황에 처하였을 때 강구한 방법이 '수잡주서미법(收雜酒湑味法)' 또는 '수잡주방(收雜酒方)'인데, <군학회등(群學會騰)>을 비롯하여 <농정찬요(農政纂要)>, <농정회요(農政會要)>, <산림경제촬요(山林經濟撮要)>, <임원십육지(林園十六志)>, <증보산림경제(增補山林經濟)> 등 한문 기록의 문헌에서만 찾아볼 수 있다.

이들 문헌에 등장하는 소위 '고르지 않은 술맛 맑고 맛있게 고치는 법'으로서의 '수잡주서미법' 또는 '수잡주방'은 매우 유사하여 큰 차이를 발견할 수 없다. 따라서 이들 문헌 가운데 시대적으로 가장 앞선 기록인 <산림경제촬요>의 주방문을 상고하면, "각지에서 술이 들어와 여러 가지 술이 맛이 다르면, 술을 담은 술병에 진피(陳皮) 3냥을 넣고 밀봉해 두었다가, 3일 뒤에 진피를 제거하고 여과하여 마신다."고 하고, 주방문 말미에 "향기롭고 술맛이 좋다."고 하였다. 진피를 곁들임으로써 주질을 고르게 하고 맛도 좋게 고칠 수 있다고 하였는데, 술의 양을 1병(1말)을 기준으로 할 때 진피의 양은 2~3냥이며, 술에 담가 3일 후에 건져낸다는 것을 알 수 있다.

<임원십육지>에도 "사람들이 여러 곳에서 보내온 순(醇), 박(薄), 미(美), 열(劣) 등 각기 다른 술을 한 병에 담아놓는다."고 하여, 술맛이 각각 다른 술을 한데 섞어 보관하는 방법을 보여주고 있음을 엿볼 수 있고, <증보산림경제>의 '수잡주방'에서도 "남들이 보내온 술이 맛이 고르지 않을 때, 이들 술을 맑은 술만을 취하여 한데 합쳐 술병에 담아놓는다."고 하였다.

따라서 '수잡주방'은 맑은 술(청주)를 사용하는 방법으로, 다양한 맛의 술을 한 가지 맛으로 고치는 방법이라는 것을 알 수 있으며, <산림경제촬요>와 <증보산림경제> 이후의 <농정회요> 등의 문헌에서는 진피의 양이 2냥으로 줄어든 것을 목격할 수 있다.

실제로 실험을 해본 결과 진피의 양에 따라 술맛이 다르다는 것을 알 수 있었는데, 진피 3냥으로 하였을 때보다 진피 2냥을 사용하였을 때가 술맛과 향기에 대한 거부감이 덜하였다.

특히 술맛이 좋아진다기보다는 술맛을 고르게 할 수 있다는 것을 경험하였는데, '수잡주서미법' 또는 '수잡주방'은 말 그대로 "방편(方便)에 불과할 뿐"이라는 것으로, "고르지 못한 술 또는 좋지 못한 술맛을 좋게 고치는 방법은 애당초 없다."는 결론에 이르렀다는 것이 솔직한 고백이다.

1. 수잡주서미법 <군학회등(群學會騰)>
－고르지 않은 술맛 맑고 맛있게 고치는 법

술 재료 : 고르지 않은 여러 가지 잡술, 진피 2냥, 베주머니 1장

고치는 법 :

1. 여러 곳에서 보내온 술이 맛이 고르지 않거나 맛이 나쁘고 맑지 않을 때, 이들 술을 맑은 것만을 취하여 한데 합쳐 술병에 담아놓는다.
2. 술을 담은 술병에 진피(陳皮) 4냥을 넣고 밀봉해 두었다가, 3일 뒤에 진피를 제거하고 여과하여 마신다.

* 주방문 말미에 "향기롭고 술맛이 좋다."고 하였다. <증보산림경제>에는 진피 2냥이라고 하였다.

收雜酒滑味法
人有各送酒而其味美惡不齊欲共一處擇淸者將陳皮二三兩入酒封固三日漉去陳皮其味香美.

2. 수잡주방 <농정찬요(農政纂要)>

고치는 법 :

1. 남들이 보내온 술이 맛이 고르지 않을 때, 이들 술을 맑은 술만을 취하여 한 데 합쳐 술병에 담아놓는다.
2. 술을 담은 술병에 진피(陳皮) 2냥을 넣고 밀봉해 두었다가, 3일 뒤에 진피를 제거하고 여과하여 마신다.

* 방문 말미에 "향기롭고 술맛이 좋다."고 하였다.

收雜酒法
人有各送酒而其味美惡不齊欲共一處擇淸者將陳皮二三兩入酒封固三日漉去
陳皮其味香美.

3. 수잡주법 <농정회요(農政會要)>
−고르지 않은 술맛 고치는 법

고치는 법 :

1. 사람들이 보내온 술이 맛이 고르지 않을 때, 이들 술을 맑은 술만을 취하고, 한데 합쳐 술병에 담아놓는다.
2. 술을 담은 술병에 진피(陳皮) 3~4냥을 넣고 밀봉해 두었다가, 3일 뒤에 진

피를 제거하고 여과하여 마신다.

* 방문 말미에 "향기롭고 술맛이 좋다."고 하였다. 다른 기록인 <증보산림경제> 등의 기록보다 진피의 양이 많다.

收雜酒法
人有各送酒而其味美惡不齊欲共一處擇淸者好陳皮三四兩入酒封固三日漉去陳皮其味香美.

4. 수잡주법 <산림경제촬요(山林經濟撮要)>

술 재료 : 맛이 고르지 않은 술, 진피 3냥

고치는 법 :
1. 각지에서 술이 들어와 여러 가지 술이 맛이 다르면 (맑은 술을 따로 취하여 한데 모아) 술병에 담아놓는다.
2. 술을 담은 술병에 진피(陳皮) 3냥을 넣고 밀봉해 두었다가, 3일 뒤에 진피를 제거하고 여과하여 마신다.

* 주방문 말미에 "향기롭고 술맛이 좋다."고 하였다. <증보산림경제>의 '수잡주법'에는 진피 2냥으로 되어 있다.

收雜酒法
人有各送酒而其味美惡不齊欲共一處擇將陳皮二三兩入酒封固三日漉去陳皮其味香美.

5. 수잡주법 <임원십육지(林園十六志)>

술 재료 : 맛이 고르지 않은 술, 진피 3~4냥

고치는 법 :

1. 사람들이 여러 곳에서 보내온 순(醇), 박(薄), 미(美), 열(劣) 등 각기 다른 술을 한 병에 담아놓는다.
2. 진피 3~4냥을 술병에 넣고 밀봉해서 3일간 두었다가, 진피를 꺼내면 술맛이 향기롭고 좋다.

收雜酒法

人有各送酒而醇薄美劣不齊欲共一處擇淸者將陳皮三四兩入酒封固三日漉去陳皮其味香美. <增補山林經濟>.

6. 수잡주법 <증보산림경제(增補山林經濟)>
－고르지 않은 술맛 고치는 법

술 재료 : 고르지 않은 여러 가지 잡술, 진피 2냥, 베주머니 1장

고치는 법 :

1. 남들이 보내온 술이 맛이 고르지 않을 때, 이들 술을 맑은 술만을 취하여 한데 합쳐 술병에 담아놓는다.
2. 술을 담은 술병에 진피(陳皮) 2냥을 넣고 밀봉해 두었다가, 3일 뒤에 진피를 제거하고 여과하여 마신다.

* 주방문 말미에 "향기롭고 술맛이 좋다."고 하였다.

收雜酒法

人有各送酒而其味美惡不齊欲共一處擇淸者將陳皮二三兩入酒封固三日漉去
陳皮其味香美.

변질되지 않는 보관법·
치다수주법

스토리텔링 및 술 빚는 법

'치다수주법(治多水酒法)'은 "많은 양의 술을 오랫동안 변질되지 않게 보관하는 방법"이라고 할 수 있다. 술을 빚어본 사람이라면 술을 오랫동안 보관할 수 있는 방법이 가장 큰 고민거리 중 한 가지라고도 할 수 있는데, 발효주 중심의 우리나라 전통주는 수명이 짧다는 문제가 대두되기 때문이다.

특히 현대인들에게서 나타나는 잘못된 인식 가운데 한 가지가 "전통주는 오랫동안 보관할 수 없다."는 것이다. 한때 명절에 부모나 일가친척들에게 드릴 선물로 구입해 간 전통주를 일반 주류처럼 아무 데나 두고 언제고 마실 수 있는 술로 인식, 진열장과 같은 데 보관했다가, 손님 접대나 특별한 때에 마시려고 개봉을 했는데 술이 변질되어 있는 것을 두고, "민속주는 쉽게 변질되는 것이 문제다." "변질되는 술을 팔았다."고 항의하는 소동이 잦았었다.

더러는 구매자가 생산자에게 "어떻게 변질되는 술을 팔 수가 있느냐?"고 항의하면서 "교환해 주지 않으면 인터넷에 올리겠다."고 으름장을 놓는 것을 목격하기도 했다. 소비자 자신이 선택한 술이 증류주인지 발효주인지, 그리고 보관 방법 등에 대해서도 확인하지 않고 진열장이나 상온에 보관하였다가 아무 때나 마실 수 있는 술로 인식하게 된 배경에는, 그간 절대 다수의 주류들이 멸균주와 희석식 소주 중심으로 유통되어 소비자들을 길들여 왔다는 문제가 도사리고 있다.

주지하다시피 사람이 먹고 마시는 정상적인 건강식품은 '수명'이란 게 있다. 사람이 먹을 수 있는 건강한 먹을거리는 예외 없이 언젠가는 맛이 변하게 되어 있다는 것이 '상식'인데, 유독 술에 관해서는 "오래 둘수록 맛이 좋아진다."거나 "술이 변할 줄 몰랐다."는 등 '수명'이나 '상식'이 무시되는 현상을 볼 수 있다.

그런 의미에서 '치다수주법'은 특별한 의미를 갖는다. '치다수주법'은 현대양주에서 현재 진행중인 '화입법(火入法)'과 같은 원리로 이루어진다고 할 수 있다. '화입법' 가운데 가장 일반적인 방법은, 술을 담은 병을 65℃ 이상의 뜨거운 물에 30여 분 담가두어 발효균인 효모가 사멸하게 함으로써 술의 변질 원인인 효모의 활동을 중지시키는 방법인 것이다.

이러한 '화입법'과 같은 원리가 '치다수주법'이라고 할 수 있는데, <임원십육지(林園十六志, 高麗大本)>에서 찾아볼 수 있을 뿐, 다른 문헌에서는 목격되지 않는다. 그만큼 일반화되지 않았다는 얘기이기도 하다. 하지만 <임원십육지(고려대본)>의 등장이 1823년인 사실로 미루어, '치다수주법'은 상당히 앞선 기술로 생각된다.

이미 세계화된 와인을 마셔 왔던 유럽인들이 '와인은 술'이라는 사실을 인식하게 된 것이 150년 정도밖에 되지 않는다고 하는데, 우리 조상들은 이미 180년 전부터 "발효식품인 술은 '수명'이 있어 변질된다."는 분명한 사실을 깨닫고, 그 수명을 늘리고자 개발해 낸 기술이 '치다수주법'이라는 사실에서, 한편 경외감이 들기도 한다.

사실, '치다수주법' 외에도 여러 가지 방법이 개발되어 이용되어 왔다는 것을 알 수 있는데, <산가요록(山家要錄)>의 '수주불손훼(收酒不損毁)'를 비롯하여 <임원십육지>의 '수주불훼법(收酒不毁法)', 그리고 <주방문(酒方文)>의 '술맛 그르치지 않는 법'이 그것으로, 같은 맥락에서 이해할 필요가 있다.

물론 '수주불손훼'를 비롯하여 '수주불훼법', 그리고 '술맛 그르치지 않는 법'이 '누룩취'와 술의 색깔이 나빠지는 단점과 '살아 있는 술'이라는 장점을 함께 갖고 있다면, '치다수주법'은 '저장성'은 좋아진 반면 '죽은 술'에 가깝고, 기왓장 특유의 '나쁜 냄새'와 함께 텁텁한 맛을 준다는 단점도 있다는 점에서 비교된다.

그러나 이미 '수주불훼법'에서 언급하였듯, '치다수주법'의 배경에는 "과거에는 무엇보다 술이 그만큼 귀한 음식이었다."는 사실이 자리하고 있다. 귀하다는 것은 쉽게 구하거나 값싸게 얻을 수 있는 것이 아니라는 뜻이다. 그리고 힘들게 마련한 가장 깨끗하고 신성한 음식으로 인식했던 만큼, "오랫동안 보관하여 두고 즐기고자 한 의식의 반영"이라고 할 수 있다.

그럼에도 불구하고, 이러한 방법은 21세기에 들어서면서 결코 바람직한 현상은 아니라는 인식으로 바뀌고 있는 실정이다. 즉, 음주자들의 건강 측면에서는 오히려 바람직한 방법이라고 말할 수 없다는 것이다.

건강한 마실거리는 '수명'이 있기 마련이고, 자연상태에서 보관기간이 짧을수록 건강에 좋은 식품으로, 또 특히 술(발효주)의 경우 효모 등의 미생물이 살아 있는 상태라야 건강과 기호에 부합된다고 할 수 있겠는데, '치다수주법'에서처럼 인위적인 살균조작에 의한 미생물의 멸균방식은 맛과 기호를 떨어뜨린다는 점에서도 좋은 방법은 아니라는 결론에 이른다.

물론, '와인'에서 보듯 무수아황산 처리에 의한 후유증이나 부작용을 생각하면, '치다수주법'과 같은 방식의 살균처리에 의한 '죽은 술'을 마시는 것이 차라리 더 나을지도 모른다는 생각을 하기에 이른다.

치다수주법 <임원십육지(林園十六志, 高麗大本)>

구운 기왓장을 항아리 속에 넣거나 또는 술을 거를 때 5~6차례 사용하면, 찌꺼기가 없고 탁한 것이 없어 오래 두어도 변하지 않는다. <산림경제보>를 인용하였다.

* 현대식 '화입멸균법'을 연상해 볼 수 있는 방문이다.

治多水酒法
燒瓦片納瓮又上槽倒淸五六次使無滓濁則久而不變. <山林經濟補>.

치주변미방

'치주변미방(治酒變味方)'은 유일하게 <임원십육지(林園十六志, 高麗大本)>에 수록된 주방문이다. 다른 문헌에서는 찾아볼 수 없는 주방문이라는 뜻이기도 하다.

'치주변미방'은 '맛이 나쁘거나 변한 술을 고치는 방문'이라는 의미를 담고 있어, '구산주법(救酸酒法)'이나 '치산박주작호주방(治酸薄酒作好酒方)', '변탁주위청주법(變濁酒爲淸酒法)'과 함께 술을 빚는 사람이라면 누구나 관심을 가질 법하다.

술을 빚는 사람이라면 예외 없이 맛과 향기가 좋은 술을 빚고자 할 것이나, 술이라는 것이 사람이 의도하는 그대로 빚어지는 것이 아니므로, 여러 가지 방법들을 강구하게 되고, 더러 바람직스럽지 못한 편법까지도 동원하는 것을 볼 수 있는데, '치주변미방' 역시 같은 맥락이라고 하겠다.

<임원십육지>의 '치주변미방'은 다른 문헌에서는 찾아볼 수 없는 독특한 방문이라고 할 수 있겠는데, '나뭇재'를 사용하는 방법이 그것이다. 나뭇재는 '숯'과는 다른 개념이다. 나무를 덜 태운 상태의 것이 숯인 반면, 나뭇재는 나무를 다 태우고 남은 부산물로, 물을 섞어서 잿물을 만들면 알칼리성을 띠게 된다.

결국 이러한 '잿물'은 '수산화나트륨'이나 '가성소다'와 같이 중화제로 사용할 목적으로 만든다는 것을 알 수 있다. 그 예로, 옛날에 나무를 완전히 연소시켜서 얻은 나뭇재를 물에 밭쳐서 '양잿물'을 만들고, 그것으로 빨래를 하거나 콩나물을 길렀다. 빨래를 할 때에 물이 산성을 띠게 되면 때가 분리되지 않고, 콩나물을 기를 때에도 물이 산성을 띠게 되면 미생물의 생육이 억제되는 사실에 착안하여, 알칼리성을 띤 잿물을 첨가함으로써 산성을 띤 물이 중화되어 효소를 갖고 있는 미생물의 생육이 활발해지도록 하는 원리인 것이다.

술의 산미(酸味)가 강하다는 것은 산도(酸度)가 높다는 것을 뜻하므로, 산성을 띤다는 뜻이 된다. 따라서 신맛이 강한 술에 알칼리성을 띤 잿물을 첨가하면 잿물의 알칼리 성분 때문에 산미가 중화되어 신맛이 덜하게 된다는 과학적 원리를 이용하여 작성된 주방문이 <임원십육지>의 '치주변미방'이다.

하지만 이 방법에 따른 단점도 나타나기 마련이다. 주방문 말미에 "다만, 술맛은 달지만……"이라고 하였는데, 실제 술에서는 단맛보다는 음주 후의 텁텁하고 떫은맛을 느낄 수 있었다. 또한 "재 냄새가 있는 것이 흠이다."고 한 것에서 알 수 있듯이, 정상적인 발효를 통해서 얻은 주질이라야 맛과 향이 좋아 술을 마시는 사람의 기호를 충족시킬 수 있다는 결론에 이른다.

치주변미방 <임원십육지(林園十六志, 高麗大本)>

> 술 재료 : 변했거나 쓰고 시어서 맛없는 술, 감탕나무·동백나무·느티나무 등
> 의 재

고치는 법 :
1. 술이 변하든가 쓰고 시게 된 술을 병이나 독이 담아놓는다.
2. 감탕나무나 동백나무, 느티나무 태운 재를 물에 하루 담가놓는다.
3. 다음날 나뭇재 불린 물을 고운체에 밭쳐서 잿물을 얻는다.

4. 잿물을 술을 담아놓은 술병이나 술독에 넣고, 시루 밑을 덮어 하룻밤을 재운다.

5. 다음날 술을 다시 고운체에 걸러 맑게 여과하면 본래 맛을 되찾는다.

治酒変味方

酒味變或苦或酸則投木灰. <本灰用櫨或海石榴欅木燒灰注水覆(○)宿節淸不令風日)卽治矣但其味甚恬而微有灰氣. <和漢三才圖會>.

탁한 술 맑게 하는 법
·변탁주위청주법

스토리텔링 및 술 빚는 법

술을 빚어본 사람들, 그것도 하루 이틀이 아니고 수년째 빚어와서 술 빚는 일이 몸에 밴 사람들로부터 "고생스럽게 빚어두었던 술이 어느 날 갑자기 뿌옇게 변해서 맛을 그르쳤다."거나, "도저히 손님 앞에 내놓을 수 없게 되었다."고 하소연 하는 경우를 당하게 된다. 그 잘못이 마치 필자에게 있다는 듯 "그 원인이 무어냐?"고 따져드는 경우, 참으로 황당하기도 했다.

이런 경우를 당하게 된 사람들은 대부분 "그 까닭을 알 수 없다."는 경우와 "전혀 잘못한 부분이 없다."는 식이다. "그 까닭을 알 수 없다."는 경우는 술을 빚는 사람 자신이 아직 발효에 관한 확실한 데이터를 갖지 못하여 계절이 바뀔 경우에 당하는 현상이 가장 많았고, "도무지 그 까닭을 알 수 없다."는 경우는 자신의 양주 기술에 대해 과신하는 경우의 사람들에게서 자주 나타나는 것을 목격할 수 있다.

이 문제에 대해서 <증보산림경제(增補山林經濟)>를 비롯하여 <군학회등(群學會騰)>과 <농정회요(農政會要)>, <임원십육지(林園十六志)> 등에서 자세하고 구체적으로 밝히고 있음을 볼 수 있다. 소위 '탁해진 술을 맑게 하는 법(變濁

酒爲淸酒法)'이 그것이다.

'변탁주위청주법'의 방문 머리에 "술이 익기 전에 손을 대어 퍼내어 마시게 되어 술이 온통 탁해져 맑은 술을 취할 수 없는 술"이라고 한 데서 그 원인을 찾을 수 있다. 이 경우는 술을 건드려서 맑았던 술이 단순히 흐려진 상태가 아닌, 술이 변질되어 가는, 다시 말해서 산패(酸敗)가 시작되는 단계를 뜻한다. 멀쩡했던 술이 손을 댔다고 해서 흐려질 수는 있을지언정 갑자기 맛이나 색깔이 변하지는 않는다.

이러한 문제는 술의 알코올 도수가 낮은 술에서 발생한다. 또 이러한 술은 건드리지 않아도 후숙 과정이나 채주(採酒) 중간에도 발생하게 된다. 이러한 문제가 술의 알코올 도수가 낮은 술에서 발생한다는 근거는 '변탁주위청주법'에 나타나 있는 조치법에서 찾을 수 있다. 탁한 술을 맑게 하는 조치법으로 "찹쌀 3되를 시루에 안쳐서 고두밥을 지어 고운 누룩가루 1되와 섞어 단자처럼 5~6개의 덩어리를 만들어 탁주를 담은 독에 넣어 안친다."고 한 방법이 그것이다.

술의 빛깔이 단순히 흐려진 것이라면, 시간을 두고 지켜보면 다시금 앙금은 가라앉고 맑은 술이 된다. 그러나 산패로 가는 술은 점점 탁도가 심해지고, 신맛과 함께 신 냄새도 진동하게 된다. 이때 다시금 술밑을 빚어 술에 넣어주는 방법으로 개선할 수가 있는데, 누룩과 고두밥을 활용하여 발효를 통한 알코올 생성을 도모하는 것이다. 여기에 사용되는 소량의 고두밥은 알코올 생성과 함께 탁해진 술을 맑은 술로 돌려주는 역할을 겸하게 된다.

따라서 조치법으로서 사용되는 찹쌀의 양이 많을수록 그 효과는 커질 수 있으므로 누룩의 양은 한정하더라도 쌀의 양은 많을수록 좋다. 또한 많은 양을 사용하여 술을 구할 목적이라면 굳이 찹쌀이 아니어도 좋다. 찹쌀을 소량 사용하는 데 따른 또 다른 목적은, 약간의 산미와 함께 '감칠맛'을 얻고자 하는 데 있으나, 많은 양의 멥쌀을 사용하면 보다 풍부하고 진한 맛과 향기를 느낄 수 있다.

단언컨대, '변탁주위청주법'에 나타나 있는 조치법을 익혀두는 것은 필요한 일이지만, 보다 궁극적인 방법과 해결책을 찾는 일이 더 중요하다. 다시 말해서 어느 날 갑자기 술이 탁해지고 술맛이 변하게 된 '근본적인 원인'을 밝히는 일과, 이러한 현상이 발생하지 않는 양주 방법을 터득하는 길이 궁극적인 해결책이 아닐까 생각한다.

　이에 따른 해결책은 <봉접요람>의 '변주법'에서 설명한 바가 있어 여기서는 생략하기로 한다.

1. 변탁주위청주법 <군학회등(群學會騰)>

> 술 재료 : 탁해진 술덧(1말 기준), 찹쌀 3되, 누룩가루 1되

고치는 법 :

1. 술이 익기 전에 손을 대어 퍼내어 마시게 되어 술이 온통 탁해져 맑은 술을 취할 수 없는 술독의 술덧을 준비한다.
2. 술덧(전내기, 물을 조금도 타지 아니한 술)을 체에 걸러 탁주를 만들어 준비한 술독에 담아 안쳐놓는다.
3. 찹쌀 3되를 (물에 백 번 씻어 새 물에 담가 불렸다가, 다시 씻어 말갛게 헹궈서 물기를 뺀 후) 시루에 안쳐서 고두밥을 짓는다.
4. 밥을 지어 고운 누룩가루 1되와 섞어 치대어 술밑을 빚는데, 이를 단자처럼 5~6개의 덩어리로 만들어 탁주를 담은 독에 넣어 안친다.
5. 술밑을 안친 독은 밀봉하여 (차지도 덥지도 않은 곳에 두고) 3일간 정치시킨다.
6. 술밑을 빚어 넣은 지 3일이면 술이 맑아진다.

＊ 방문 말미에 "이것은 쌀 1말을 빚어 전국을 만든 경우이다. 양이 많으면 이를 기준으로 추산한다."고 하였다.

變濁酒爲淸酒法
凡酒未熟而犯手取飮則全醅濃濁不能取淸矣卽篩其醅作濁酒還納甕中另用粘

米三升作飯和細麴一升作團五六箇納甕三日淸此是一斗米所釀爲醋者也其
多者推此計之.

2. 변탁주위청주법 <농정회요(農政會要)>

술 재료 : 탁해진 술덧(쌀 1말 기준), 찹쌀 3되, 누룩가루 1되

고치는 법 :

1. 술이 익기 전에 손을 대어 퍼내어 마시게 되어 술이 온통 탁해져 맑은 술을
   취할 수 없는 술독의 술덧을 준비한다.
2. 술덧(전내기, 물을 조금도 타지 아니한 술)을 체에 걸러 탁주를 만들어 준비
   한 술독에 담아 안친다.
3. 찹쌀 3되를 (물에 백 번 씻어 새 물에 담가 불렸다가, 다시 씻어 말갛게 헹궈
   서 물기를 뺀 후) 시루에 안쳐서 고두밥을 짓는다.
4. 밥을 지어 누룩 1되와 섞어 치대어 술밑을 빚는데, 이를 단자처럼 5~6개의
   덩어리로 만들어 탁주를 담은 독에 넣어 안친다.
5. 술밑을 안친 독은 밀봉하여 (차지도 덥지도 않은 곳에 두고) 3일간 정치시
   킨다.
6. 술밑을 빚어 넣은 지 3일이면 술이 맑아진다.

* 방문 말미에 "이것은 쌀 1말을 빚어 전국을 만든 경우이다. 양이 많으면 이를
  기준으로 추산한다."고 하였다.

變濁酒爲淸酒法
凡酒未熟而手犯取飮則全醅濃濁不能取淸臭卽篩其醅作濁酒還納甕中另用粘
米三升作飯和麴一升作團五六箇納甕三日淸此是一斗米所釀爲醅者也其多

者推此計之.

3. 변탁주위청주방 <임원십육지(林園十六志)>

술 재료 : 탁해져 맛이 변한 술덧 1말, 찹쌀 3되, 누룩 1되

고치는 법 :

1. 술이 익기 전에 손을 대어 퍼내어 마시게 되어 술이 온통 탁해져 맑은 술을 취할 수 없는 술독의 술덧을 준비한다.
2. 술덧(전내기, 물을 조금도 타지 아니한 술)을 체에 걸러 탁주를 만들어 준비한 술독에 담아 안친다.
3. 찹쌀 3되를 (물에 백 번 씻어 새 물에 담가 불렸다가, 다시 씻어 말갛게 헹궈서 물기를 뺀 후) 시루에 안쳐서 고두밥을 짓는다.
4. 밥을 지어 누룩 1되와 섞어 치대어 술밑을 빚는데, 이를 단자처럼 5~6개의 덩어리로 만들어 탁주를 담은 독에 넣어 안친다.
5. 술밑을 안친 독은 밀봉하여 (차지도 덥지도 않은 곳에 두고) 3일간 정치시킨다.
6. 술밑을 빚어 넣은 지 3일이면 술이 맑아진다.

* 주방문 말미에 "이것은 쌀 1말로 빚은 경우이다. 이보다 양이 많으면 이를 기준으로 늘린다."고 하였다.

變濁酒爲淸酒方
凡酒未熟而犯手取飲則全醅渾濁不能取淸矣卽篩其醅作濁酒還納瓮中另用粘米三升作飯和細麴一升作團五六箇納瓮三日淸(此是一斗米所釀爲醅者也其多者推此計之. <增補山林經濟>.

4. 변탁주위청주법 <증보산림경제(增補山林經濟)>

술 재료 : 탁해진 술덧(1말 기준), 찹쌀 3되, 누룩가루 1되

고치는 법 :

1. 술이 익기 전에 손을 대어 퍼내어 마시게 되어 술이 온통 탁해져 맑은 술을 취할 수 없는 술독의 술덧을 준비한다.
2. 술덧(전내기, 물을 조금도 타지 아니한 술)을 체에 걸러 탁주를 만들어 준비한 술독에 담아 안친다.
3. 찹쌀 3되를 (물에 백 번 씻어 새 물에 담가 불렸다가, 다시 씻어 말갛게 헹궈서 물기를 뺀 후) 시루에 안쳐서 고두밥을 짓는다.
4. 밥을 지어 고운 누룩가루 1되와 섞어 치대어 술밑을 빚는데, 이를 단자처럼 5~6개의 덩어리로 만들어 탁주를 담은 독에 넣어 안친다.
5. 술밑을 안친 독은 밀봉하여 (차지도 덥지도 않은 곳에 두고) 3일간 정치시킨다.
6. 술밑을 빚어 넣은 지 3일이면 술이 맑아진다.

* 주방문 말미에 "이것은 쌀 1말을 빚어 전국을 만든 경우이다. 양이 많으면 이를 기준으로 추산한다."고 하였다.

變濁酒爲淸酒法
凡酒未熟而犯手取飮則全醅濃濁不能取淸矣卽篩其醅作濁酒還納甕中另用粘米三升作飯和細麴一升作團五六箇納甕三日淸此是一斗米所釀爲醅者也其多者推此計之.

치산박주작호주방

스토리텔링 및 술 빚는 법

우리나라 전통 양주 관련 고식문헌에 수록된 전통주에 대한 주방문을 집성하면서 깨닫게 된 분명한 사실 가운데 한 가지는 "전통 양주가 어렵다."는 것이고, "양주는 반드시 주인(酒人)이 의도한 그대로 되지는 않는다."는 것이다.

그 이유를 들자면, 앞서 수차례 언급한 바와 같이 여러 가지 '비밀방문'이나 '별법(別法)', 또는 '구산주법(救酸酒法)', '변탁주위청주법(變濁酒爲淸酒法)' 등의 방법이 강구된 사실을 근거로 들 수 있다.

'치산박주작호주방(治酸薄酒作好酒方)'도 앞서 언급한 예에 해당한다고 할 수 있다. 주품명에 담긴 의미는 "시고 맛이 나쁜 술을 바꾸어 좋은 술맛이 되게 하는 방문"이라는 뜻이다.

'치산박주작호주방'은 <임원십육지(林園十六志)>에 수록된 유일한 주방문으로, 주품명에 담긴 의도를 생각해 보면, 목적이나 용도에 따른 술이 그 맛과 향기, 색깔 등에서 기대한 목표치에 도달하지 못하였다는 뜻이다. 즉, 맛이 시고 박한 술이 되었으므로 술맛을 고치려는 시도가 '치산박주작호주방'으로 반영된 것이다.

따라서 '치산박주작호주방'은 '감초·관계·계피·사인(砂仁)' 등을 사용하여 신 술맛을 고치는 '구산주법'이라는 방문과 유사하다는 것을 알 수 있다. '구산주법'이 단맛을 내는 감초를 비롯하여 향기 좋은 관계·계피·사인 등을 사용하여 비교적 간편하게 신맛만을 희석하는 개념의 주방문이라면, 술맛이 시고 맛이 박한 술에 여러 가지 다양한 맛과 향기를 부여하여 '구산주법'보다 좋은 술맛으로 바꾸려는 의도로 작성된 주방문이 '치산박주작호주방'이라는 것이다.

'치산박주작호주방'은 단물(엿물)과 감초·꿀 등 단맛이 나는 여러 가지 원료를 첨가하고, 관계·축사·백복령·진피·백지·생강·백단·침향·기름 등을 사용하여 여러 가지 맛과 향기를 불어넣는 방법이 동원되는 것을 볼 수 있으며, 특히 여러 차례 가열하여 부원료로 사용되는 약재에 없었던 새로운 맛을 부여하려는 노력을 볼 수 있다.

'치산박주작호주방'의 주방문을 요약하여 보면, "관계와 거피한 백복령·진피·백지·축사·좋은 생강 각각 1냥과 감초 5전, 백단 3전, 침향 약간 등 여러 가지 약재들을 비단 주머니 속에 넣고 단물(엿물) 5되와 같이 끓이되, 10번 끓어오르면 주머니에서 약재를 꺼낸 후 다시 꿀 6냥을 넣고 재차 2~3번 끓이고, 또다시 좋은 기름 4냥을 넣고 2~3번 더 끓여 자기에 담은 후, 술 적당량에 달인 약을 넣고 맛을 본다."고 하였다. 특기할 사실은, 감초와 단물·꿀 등 단맛을 부여하기 위한 원료를 한꺼번에 사용하지 않고 3차례에 걸쳐 나누어 사용하는 방법이 술의 신맛과 박한 맛을 고치는 비결이자, 중요한 요소라는 것을 알 수 있다.

또한 '치산박주작호주방'이 '구산주법'과 다른 것은, 3차례에 걸쳐 열처리를 한다는 사실이다. 그리고 이렇듯 여러 차례에 걸쳐 가열하는 방법은 불(火)을 사용하여 약재의 쓰고 달고 떫고 매운 성질을 바꾸려는 의도에서 비롯된 방법이라는 것이다.

'치산박주작호주방'을 경험한 바로는, 그 맛이 좋긴 하였으나 엄밀하게는 술맛인지 약인지 구별하기 힘들 정도로 약 냄새와 맛이 강하다는 느낌을 감출 수 없었다는 것이다.

민간에서 술을 빚을 때 '약재가 많이 들어가면 몸에 좋을 것'이라는 생각에 한 약재를 많이 넣고 빚는 것을 볼 수 있다. 그리하여 술이 갖는 기호성보다는 약재의 강한 향과 맛 때문이 술맛이 떨어지는 경향이 있어 권장할 바는 못 된다는 판단이다.

하기야 <임원십육지>의 '치산박주작호주방'을 비롯하여 '구산주법', '변탁주위청주법' 등의 주방문이 생겨난 배경은, 궁극적으로 목적과 용도에 맞춰 빚은 술이 잘못되어 사용할 수 없게 되었는데 시간이 촉박하여 다시 빚을 형편이 안 되고, 달리 술을 조달할 수 없었던 환경 때문일 것이다.

하지만 매번 잘못된 술을 고치려는 방법으로 술 빚기가 치닫게 되면, 한 번도 제대로 된 술맛을 알지 못할 뿐더러 술 빚는 기술은 결코 늘지 않을 것이다. 따라서 이러한 궁여지책에 의존하기보다는 차라리 술을 제대로 빚으려는 열정을 보여주었으면 하는 바람을 가져본다.

치산박주작호주방 <임원십육지(林園十六志)>

> 술 재료 : 관계, 거피한 백복령, 진피, 백지, 축사, 좋은 생강 각각 1냥, 감초 5전, 백단 3전, 침향 약간, 단물(엿물) 5되, 꿀 6냥, 좋은 기름 4냥

고치는 법 :

1. 관계, 거피한 백복령, 진피, 백지, 축사, 좋은 생강 각각 1냥, 감초 5전, 백단 3전, 침향 약간 등 준비한 분량의 약재들을 비단 주머니 속에 넣는다.
2. 준비한 약재를 단물(엿물) 5되와 같이 끓여 10번 끓어오르면 주머니에서 약재를 꺼낸다.
3. 약 달인 즙에 꿀 6냥을 넣고, 재차 2~3번 끓인다.
4. 좋은 기름 4냥을 달여 즙에 넣고, 또다시 2~3번 끓여 자기에 담은 후, 술 적당량에 약을 넣고 맛을 본다.

治酸薄酒作好酒方

方桂白茯笭去皮陳皮白芷縮砂良薑各一兩甘草五錢白檀三錢沉香少許右用生
絹帒一箇盛前藥味在內用甜水五大升煮十沸將絹帒藥取出(密/蜜)六兩熬去
蠟滓入前藥汁內滾二三沸又用好油四兩熬令香熟入前藥汁內再滾二三沸磁器
盛之量酒多少入藥嘗之. <居家必用>.

해백주산법

스토리텔링 및 술 빚는 법

술을 빚다 보면 발효가 시원찮거나 지나치게 왕성하였던 술에서 술 빛깔이 탁하고 희멀겋게 변한 경우를 당하거나, 멀쩡했던 술이 어느 순간 갑자기 술 색깔이 변하고 맛이 쉬는 경우를 당하게 된다.

소위 '산패(酸敗)'로 대변되는 이러한 현상은, 주원료나 누룩에 함유되어 있던 여러 가지 미량의 성분 가운데 단백질 때문에 일어난다. 주로 발효부진에서 오는 오염과 젖산균의 과다증식에 의한 경우가 많은데, 발효가 끝나 숙성 단계에 접어든 술에서 일어나기도 한다는 점에서 그 원인을 찾기가 쉽지 않다.

이렇듯 술의 변질이나 산패는 어느 순간 갑자기 찾아오는 경우가 많으므로, 술을 빚는 사람으로서는 결코 반갑지 않지만 항상 대비하고 있어야 할 일이다. 옛사람들도 이에 따른 고민이 많았던 것 같다.

다른 문헌에서는 '변탁주위청주법(變濁酒爲淸酒法)'을 비롯하여 '구산주법(救酸酒法)', '요산주법(拗酸酒法)', '신 술 고치는 법' 등 다양한 방문들이 등장하고 있음을 볼 수 있다. <임원십육지(林園十六志)>에 수록된 '해백주산법(解白酒酸

法)'도 예외는 아니나, '해백주산법'이란 술의 백탁현상과 함께 오는 산미(酸味)를 해소하는 방법이다.

　<언서주찬방(諺書酒饌方)>의 '신 술 고치는 법'을 비롯하여 <임원십육지> 등 여러 문헌에 등장하는 '구산주법'으로서, 가장 잦은 빈도를 나타내는 '구산주법' 또는 '요산주법'은 '감초·관계·계피·사인(砂仁)'과 '붉은팥'을 사용하는 방법이다. 이 밖에 '감주와 검은 엿' '납 조각' '생달걀과 석고' 등의 순으로 나타나는 것을 볼 수 있다.

　<임원십육지>에 '요산주법' 외에 '해백주산법'이 등장한다는 사실은, '해백주산법'이 '요산주법' 또는 '구산주법'과는 다른 목적과 용도가 있다는 것을 뜻하는 것이다.

　'해백주산법'은 무엇보다 백탁현상을 해소하고자 하는 것이 주목적이라는 결론이다. 앞서 예로 든 여러 가지 '요산주법' 또는 '구산주법'에 사용되는 재료들과는 다른 '석결명(石決明)'을 사용하고 있는 까닭이 여기에 있다고 할 것이다.

　'석결명'은 전복 껍질을 가리키는데, "성질은 평(平)하며 맛은 짜고 독성은 없다." 하였으며, 주로 청맹과니와 내장(內障), 간, 폐에 풍열(風熱)이 있어 눈에 장예(障翳)가 생긴 것을 치료하는 약재로 사용되고 있다. <동의보감(東醫寶鑑)>에 "밀가루 떡에 싸서 잿불에 굽거나, 소금물에 2시간 정도 삶아서 겉에 있는 검은색 주름을 벗기고 밀가루처럼 부드럽게 가루 내어 쓴다."고 하여 석결명을 가루로 만드는 방법을 소개하고 있다. 탄산칼슘을 비롯하여 마그네슘, 규산염, 인산염, 염화물, 요오드 성분이 다량 함유되어 있어, 이들 성분이 제산제 역할을 할 뿐만 아니라 응집작용이 강해 백탁현상을 해소해 주기 때문인 것으로 알려져 있다.

해백주산법 <임원십육지(林園十六志)>

술 재료 : 석결명(전복 껍질)

고치는 법 :

1. 신 술을 주병에 담아놓는다.

2. 석결명 여러 개를 불에 달구어서 가루로 빻는다.

3. 석결명 분말을 신 술에 넣고 (놋국자로) 저어 밀봉하면 신맛이 제거된다.

解白酒酸法

用石決明不拘多少數個以火煨過(研/碾)爲細末將酒湯火熱以決明末攪入酒
內盖佳一時取飮之其味卽不酸. <本草綱目>.

신 술 구하는 법 · 구산주법

　술 빚는 일의 어렵고 쉬움은 술을 빚어본 사람만이 알 수 있다. 그리고 술을 빚는 사람들이 가장 두려워하는 일 가운데 하나가 술이 시는 일이다. 술이 시다는 것은 어떤 이유에서 산패(酸敗)했다는 것을 뜻한다.

　필자는 특히 술이 산패하는 것을 경계하라고 강조하는 사람 가운데 속한다. 술을 오랜 세월 빚어왔던 사람도 자칫하면 쉬는 경우를 경험하는데, 심지어 초보자나 경험이 일천한 사람이 처음부터 술에 신맛이 있어도 주의를 기울이지 않거나 경계하지 않게 되면 세월이 흐를수록 술에서 산미가 강하게 나타나는 현상을 수십 명에게서 경험했기 때문이다.

　따라서 필자는 초보일수록 술에서 일체의 산미가 느껴지지 않도록 술을 빚는 훈련을 해야 한다고 가르친다. 술이 시다는 것은 사소한 부주의에서 시작되고, 그 부주의가 버릇으로 굳어지면 고치기 어렵기 때문이다.

　옛날에는, 옛날도 그리 오래지 않은 옛날인 불과 40~50년 전만 해도 집집마다 술을 빚는 일이 다반사였고, 가문이 번성한 집안이나 종가의 경우는 술 빚는 일이 대사(大事) 중의 대사로 여겨질 만큼 큰일이었다. 이런 집안에서는 술 빚는 일이 잦았다는 얘기이고, 술 빚는 일이 잦은 집안의 술일수록 그 맛과 향이 좋았을 것으로 생각된다. 이렇게 술 빚는 일이 일상사가 될 만큼 술을 자주 빚는, 다시 말해 경험이 풍부한 사람도 자칫 실수하게 되면 술이 시는 일이 잦았던지, 그 신 술 맛을 고치기 위해 갖가지 방법을 동원했던 것을 볼 수 있다. 이른바 '구산주법(救酸酒法)'이 그것이다. 이미 신 술을 고치는 방법인데, 한문 필사본이나 인쇄본의 고문헌에서는 '구산주법' 또는 '치산주방(治酸酒方)', '요산주법(拗酸酒法)'이라 하였고, 한글 필사본의 고문헌에서는 '술 신맛 구하는 법', '신 술 고치는 법', '술이 시면 고치는 법', '신 술 고치는 법' 등 다양하게 표현되어 있다.

'구산주법' 또는 '술 신맛 구하는 법'을 수록하고 있는 문헌은 <고사촬요(故事撮要)>를 시작으로 <고사신서(攷事新書)>, <감저종식법(甘藷種植法)>, <고려대규합총서(高麗大閨閤叢書, 異本)>, <군학회등(群學會騰)>, <규합총서(閨閣叢書)>, <농정찬요(農政纂要)>, <농정회요(農政會要)>, <산림경제(山林經濟)>, <산림경제촬요(山林經濟撮要)>, <술방>, <언서주찬방(諺書酒饌方)>, <임원십육지(林園十六志)>, <주방문(酒方文)>, <주방문조과법(造果法)>, <증보산림경제(增補山林經濟)>, <해동농서(海東農書)> 등이 있다. 이들 문헌 중 <임원십육지>에 9가지 방법, <언서주찬방>과 <증보산림경제>, 그리고 <농정회요>에 각각 4가지 방법, <산림경제촬요>와 <술방>, <주방문>에 각각 2가지 방법, 그리고 <고려대규합총서(異本)> 등 나머지 10개의 문헌에 각각 1가지 방법이 기록되어 있는 것을 볼 수 있다.

문헌마다의 방법이 다른가 하면 같은 방법이기도 하여 구체적으로 몇 가지인지 구분해 보았더니, '구산주법' 또는 '술 신맛 구하는 법'은 대략 9가지 방문으로 나누어졌다. <임원십육지>에 9가지 방법을 다 수록하고 있는데, 1법(검은콩 1되, 노랗게 볶은 석회 2되), 2법(붉은팥 1~2되), 3법(감주 5되, 검은 엿 1근), 4법(소분韶紛), 5법(생달걀 1개, 석고 반 냥, 축사인 7알), 6법(납 조각 1~2개), 7법(석회가루), 8법(두부 비지), 9법(감초 1냥, 관계 · 계피 5전, 사인砂仁 5전) 등이다.

이들 9가지 방법 가운데 가장 일반화되었던 '구산주법' 또는 '술 신맛 구하는 법'은 최초의 기록이라고 할 수 있는 <고사촬요>에 기록되어 있는데, "술 매 병마다 소두(팥) 2되를 볶아 비단 주머니에 담아 병에 넣어 두면 신맛이 없어진다." 고 하였다. '붉은팥'을 볶아 신 술에 넣는 방법으로, 16종의 문헌에서 13회나 수록되어 있는 것을 볼 수 있다.

이들 문헌의 기록 가운데 가장 효과적인 방법은 '3법'(감주 5되, 검은 엿 1근)과 '9법'(감초 1냥, 관계·계피 5전, 사인砂仁 5전)으로, 의도한 목적에 가장 가까운 술맛, 또는 전혀 다른 술맛으로 바꿀 수 있다는 결론에 도달했다. 그 목적이 신맛을 고치는 방법인데, '3법'은 단맛으로 신맛을 희석시키는 방법이고, '9법'은 감초와 계피, 사인 등의 약재에서 유리된 여러 가지 복잡한 맛으로 인해 신맛이 희석되는 그런 결과를 가져왔다. 그리고 더욱 중요한 것은 단지 신맛을 못 느낄 뿐, 술맛이 좋아지지는 않는다는 것이다.

또한 어떠한 방법을 쓰든 간에 신맛이 없어지지는 않고, 결국 시간이 오래 경과하면 다시 신맛이 돌아온다는 사실이다. 따라서 어떤 방법을 동원하든지 신맛을 영원히 제거하여 오래 두고 마실 수는 없으므로, 가능한 한 빠른 시일 내에 소비하는 방안을 강구해야 한다는 것이다.

그러기에 애당초 신맛이 나지 않는 술을 빚도록 해야 한다는 것이고, 신맛이 없던 술도 오랜 기간 숙성시키거나 세월을 묵히면 산미가 살아나면서 균형 잡힌 7미(七味 : 단맛, 신맛, 매운맛, 떫은맛, 쓴맛, 감칠맛, 시원한 맛)를 기대할 수 있을 것이다.

1. 술 신맛 구하는 법 <간본규합총서(刊本閨閤叢書)>

술 재료 : 술 1병, 붉은팥 1~2되

고치는 법 :

1. 술 1병을 병이나 단지에 담아놓는다.
2. 붉은팥 1~2되를 기름기 없는 프라이팬에 뛰게 볶은 다음, 베로 만든 자루

에 담아 끈으로 묶는다.

3. 술을 담은 병이나 단지에 넣어두면 신맛이 바로 없어진다.

술 신맛 구허는 법

젹두 한말을 튀게 복가 젼딕에 너허 슐 가온딕 너흐면 산미 곳 것치느니라.

2. 구산주법 <감저종식법(甘藷種植法)>

술 재료 : 신 술, 붉은팥 1되

고치는 법 :

1. 매 큰 독도 똑같이 하는데, 붉은팥 1되를 타지 않을 정도로 바싹 볶는다.

2. 볶은 팥은 부대에 넣어 빠지지 않도록 묶고, 술 속에 쑤셔 박아두면 신맛이 곧 없어진다.

救酸酒法

每大瓶赤小豆一升(一云 二升)炒燋帒盛浸於酒中酸味卽止.

3. 술이 시거든 <고려대규합총서(高麗大閨閣叢書, 異本)>

술 재료 : 신 술, 붉은팥 2되

고치는 법 :

1. 술을 큰 병이나 단지에 담아놓는다.

2. 붉은팥 2되를 (기름기 없는 프라이팬에 타지 않을 정도로 바싹) 볶는다.

3. 볶은 팥을 베로 만든 포대자루에 담아 끈으로 묶는다.

4. 술을 담은 병이나 단지에 쑤셔 박아두면 신맛이 바로 없어진다.

술이 시거든

팥 두어 되를 볶아 주머니에 넣어 더운 김에 술 가운데 잠그면 신맛이 없다.

4. 구산주법 <고사신서(攷事新書)>

－신 술을 살리는 법

술 재료 : 신 술 1병, 붉은팥 1되

고치는 법 :

1. 술을 큰 병이나 단지에 담아놓는다.

2. 붉은팥 1되(2되라고도 함)를 기름기 없는 프라이팬에 타지 않을 정도로 바 싹 볶는다.

3. 볶은 팥을 베로 만든 포대자루에 담아 끈으로 묶는다.

4. 술을 담은 병이나 단지에 쑤셔 박아두면 신맛이 바로 없어진다.

救酸酒法

每大瓶赤小豆一升(一云 二升)炒燋岱盛浸於酒中酸味卽止.

5. 구산주법 <고사촬요(故事撮要)>

술 재료 : 술 1병, 붉은팥 2되

고치는 법 :

1. 술을 큰 병이나 단지에 담아놓는다.

2. 붉은팥 2되를 기름기 없는 프라이팬에 타지 않을 정도로 바싹 볶는다.

3. 볶은 팥을 비단 주머니에 담아 끈으로 묶는다.

4. 술을 담은 병이나 단지에 쑤셔 박아두면, 신맛이 바로 없어진다.

救酸酒法

每瓶以小豆二升炒燋用絹帒盛浸於瓶中酸味卽止.

6. 구산주법 <군학회등(群學會騰)>

술 재료 : 술 1병, 붉은팥 1~2되

고치는 법 :

1. 술 1병을 병이나 단지에 담아놓고, 붉은팥 1~2되를 볶은 다음 자루에 담아 술을 담은 병이나 단지에 넣어두면 신맛이 바로 없어진다.

2. 술 한 단지당 납 조각 하나를 불에 달궈 뜨거울 때 술에 집어넣고 하루 동안 단단히 봉해 두면 신맛이 곧 없어진다.

救酸酒法

每一瓶赤小豆一二升炒焦帒盛浸於酒中酸味卽止. 每酒一壜用鉛一片令炙熱

投入酒中封固一日酸味卽去.

7. 신 술 고치는 법 <규합총서(閨閤叢書)>

술 재료 : 술 1병, 붉은팥 2~3되

고치는 법 :
1. 술을 큰 병이나 단지에 담아놓는다.
2. 붉은팥 2~3되를 기름기 없는 프라이팬에 타지 않을 정도로 바싹 볶는다.
3. 볶은 팥을 비단 주머니에 담아 끈으로 묶는다.
4. 술을 담은 병이나 단지에 쑤셔 박아두면, 신맛이 바로 없어진다.

* 붉은팥 두어 되(2~3승)를 볶아, 주머니에 넣어 더운 김에 술 가운데 담그면,
  신맛이 없어진다.

술이 시거든
팥 두어 되를 볶아 주머니에 넣어 더운 김에 술 가운데 잠그면 신맛이 없다.

8. 구산주법 <농정찬요(農政纂要)>

술 재료 : 신 술(1말), 감초 1냥, 좋은 계피 5돈, 사인(砂仁) 5돈

고치는 법 :
1. 술맛이 좋지 않거나 신 술을 술단지에 담아 안친다.

2. 술 한 단지(1말 정도)에 감초 1냥, 좋은 계피 5돈, 사인 5돈을 갈아 술에 넣는다.

3. 술단지를 단단히 밀봉하여 3~5일 두었다가, 약재를 건져내고 고운 집체나 모시베에 밭쳐서 찌꺼기를 제거한다.

4. 술이 맛이 변하여 신맛이 없어진다.

救酸酒法

每一瓶赤小豆一二升炒焦岱盛浸於酒中酸味卽止. 每酒一壜甘草一兩官桂五錢砂仁五錢破碎入酒封固三五日酸味卽去.

9. 구산주법 <농정회요(農政會要)>

술 재료 : 1법 : 붉은팥 1~2되
　　　　　2법 : 감초 1냥, 관계·계피 5전, 사인(砂仁) 5전
　　　　　3법 : 납 조각 1개
　　　　　4법 : 검은콩 1되, 노랗게 볶은 석회 2되

고치는 법 :

1법 : 술 1병당 붉은팥 1~2되를 볶은 다음, 자루에 담아 신 술에 담가두면 신맛이 바로 없어진다.

2법 : 술 한 단지에 감초 1냥, 관계·계피 5전, 사인 5전을 갈아 술에 넣고, 3~5일 단단히 봉해 두면, 신맛이 즉시 없어진다.

3법 : 술 한 단지당 납 조각 1개를 불에 달궈 뜨거울 때 술에 집어넣고, 하루 동안 단단히 봉해 두면 신맛이 곧 없어진다.

4법 : 겨울에 술을 빚고 늦게 꺼내어 맛이 쉬면, 곧 검은콩 1되와 노랗게 볶은 석회 2되를 술의 양을 감안하여 가감한다. 뜨거울 때에 항아리에 붓고 급하

게 휘저어 준다. 하루 이틀 뒤에 짜면 좋은 술로 변해 있다.

救酸酒法

每一瓶赤小豆一二升炒焦俗盛浸於酒中酸味卽止. 每酒一壜甘草一兩官桂五
錢砂仁五錢破碎入酒封固三五日酸味卽去. 每酒一壜用鉛一片令炙熱投入酒
中封固一日酸味卽去. 冬月造酒投扒遲而作酸卽炒黑豆一升石灰炒黃二升(量
酒多少而加減之)乘熱傾入缸內急將扒轉過一二日榨則全美矣.

10. 구주산법 <민천집설(民天集說)>
−신 술을 살리는 법

> **술 재료 : 술 1병, 붉은팥 1되**

술 빚는 법 :
1. 술을 큰 병이나 단지에 담아놓는다.
2. 붉은팥 1되(2되라고도 함)를 기름기 없는 프라이팬에 타지 않을 정도로 바
   싹 볶는다.
3. 볶은 팥을 베로 만든 포대자루에 담아 끈으로 묶는다.
4. 술을 담은 병이나 단지에 쑤셔 박아두면 신맛이 바로 없어진다.

* 큰 병 하나에 팥(赤小豆) 2되를 프라이팬이나 솥뚜껑에 올려 탈 정도로 볶
  아 포대에 채워 술항아리에 가라앉히면 신맛이 즉시 가신다.
* <고사신서> 등 다른 기록 대부분에는 '구산주법(救酸酒法)'으로 소개되어
  있다.

救酒酸法

每一瓶赤小豆二升燃炒入帒浸於瓶內酸味卽止.

11. 신 술 (고치는 법) <부인필지(夫人必知)>

신 술

적두 두어 되를 복가 쥼치에 너어 슐 가운듸 담그면 쉰 맛이 업ᄂᆞ니라.

12. 구산주법 <산림경제(山林經濟)>

술 재료 : 술 1병, 붉은팥 1되

고치는 법 :

1. 술을 큰 병이나 단지에 담아놓는다.
2. 붉은팥 1되(2되라고도 함)를 기름기 없는 프라이팬에 타지 않을 정도로 바싹 볶는다.
3. 볶은 팥을 베로 만든 포대자루에 담아 끈으로 묶는다.
4. 술을 담은 병이나 단지에 쑤셔 박아두면 신맛이 바로 없어진다.

救酸酒法

每大瓶 用赤小豆一升 <攷事>, 則曰二升 炒焦帒盛, 沈於酒中, 酸味卽止. <神隱> <纂要> <攷事>.

13. 구산주법 <산림경제촬요(山林經濟撮要)>

술 재료 : 1법 : 붉은팥 1~2되
          2법 : 납 조각 1개

고치는 법 :

1법 : 술 1병당 붉은팥 1~2되를 볶은 다음, 자루에 담아 신 술에 담가두면 신 맛이 바로 없어진다.

2법 : 술 한 단지당 납 조각 1개를 불에 달궈 뜨거울 때 술에 집어넣고, 하루 동안 단단히 봉해 두면 신맛이 곧 없어진다.

* 또 <증보산림경제>에는 "겨울에 술을 빚고 늦게 꺼내어 맛이 쉬면, 곧 검은 콩 1되와 노랗게 볶은 석회 2되를 술의 양을 감안하여 가감한다. 뜨거울 때에 항아리에 붓고 급하게 휘저어 준다. 하루 이틀 뒤에 짜면 좋은 술로 변해 있다."고 하였다.

救酸酒法
每一瓶赤小豆一二升炒焦帒盛浸於酒中酸味卽止. 每酒一壜用鉛一片令炙熱投入酒中封固一日酸味卽去.

14. 술이 시면 고치는 법 <술방>

술 재료 : 1법 : 붉은팥 1~2되
          2법 : 감초 1냥, 관계·계피 5전, 사인(砂仁) 5전

고치는 법 :

1법 : 술 1병당 붉은팥 1~2되를 볶은 다음, 자루에 담아 신 술에 담가두면 신
　　맛이 바로 없어진다.

2법 : 술 한 단지에 감초 1냥, 관계·계피 5전, 사인 5전을 갈아 넣고, 3~5일 단
　　단히 봉해 두면, 신맛이 즉시 없어진다.

* 빚어두었던 술이 시어진다는 것은 여러 가지 이유가 있다. 그 이유 가운데는,
　애당초 발효가 잘못된 경우가 첫째를 차지하고, 잘된 술이라도 보관을 잘못
　하여 신 경우가 두 번째에 해당된다고 할 수 있을 정도로 가장 빈도가 높다.
　우선, 발효가 잘못되어 술이 시어진 것은 누룩이 적었거나, 쌀이 덜 익었거
　나, 물이 지나치게 많았거나, 쌀이 덜 식어 뜨거운 상태로 빚었거나, 발효 온
　도가 지나치게 높아 빨리 끓었거나 하는 경우이다.
　다음으로, 멀쩡하던 술이 신 경우의 사례로는, 술의 보관 온도가 발효·숙성
　시의 온도보다 높았을 때, 애당초 도수가 낮은 술이었을 때, 술독에서 술을
　뜰 때 날물기가 있는 그릇(바가지, 국자 등)을 사용하였을 때, 초파리가 침입
　하였을 때이다.
　또한 빈도는 낮지만 이양주나 삼양주에서 밑술(주모)의 산도가 높았거나 산
　패한 밑술을 사용하였을 때가 이에 해당한다고 할 수가 있다.

술이 시면 곳치는 법
술이 시거든 미 병의 젹두 흔 되를 타게 복가 젼듸의 너어 슐의 담근즉 신맛
곳치고. 술이 시면 곳치는 법 쏘 흔 법은 슐 흔 방구리의 감쵸 흔 양 관계
스인 각 닷돈 쟉말ᄒᆞ여 너어 구지 봉ᄒᆞ여 삼일이ᄂ 오일이ᄂ 두면 신맛시 업
ᄂ니라.

15. 신 술 고치는 법 <언서주찬방(諺書酒饌方)>

술 재료 : 1법 : 신 술, 석회, 자루, 베주머니
　　　　　2법 : 신 술, 지바, 자루, 베주머니
　　　　　3법 : 신 술, 콩, 자루, 베주머니
　　　　　4법 : 신 술, 팥, 자루, 베주머니

고치는 법 :

1법 : 석회를 물에 말아 넓적하게 편을 만들어서 불에 구워, 벌겋게 달궈졌으
　　 면 술에 넣으면 좋다.
2법 : 지바(?)를 좋은 자루(?)에 넣어 독에 넣어도 좋다.
3법 : 콩을 볶아 베주머니에 넣어 술에 담는다.
4법 : 밑술 1병에 팥 2되씩 볶아 술에 넣는다.

* '지바'가 무엇인지 알 수가 없다.

싄 술 고티ᄂ 법―石灰 ○○ 赤豆
셕회를 믈에 무라 넙더겨 편 시어 단 블에 구어 벌거 ᄒ거든 술의 녀흐면 됸
ᄂ니라. 지바를 조흔 쟐릭 녀허 독의 녀흐면 그도 됴코 콩을 봇가 뵈주머니예
녀허 술의 드므라. 믹 술 ᄒ 병에 풋 두 되식 봇가 녀흐라.

16. 요산주법 <임원십육지(林園十六志)>

술 재료 : 1법 : 검은콩 1되, 노랗게 볶은 석회 2되
　　　　　2법 : 붉은팥 1~2되

3법 : 감주 반 말(5되), 검은 엿 1근

4법 : 소분(韶紛)

5법 : 생달걀 1개, 석고 반 냥, 축사인 7알

6법 : 납 조각 1개

7법 : 석회가루

8법 : 두부 비지

9법 : 감초 1냥, 관계·계피 5전, 사인(砂仁) 5전

고치는 법 :

1법 : 겨울에 술을 빚고 늦게 꺼내어 맛이 쉬면, 곧 검은콩 1되와 석회 2되를 각각 따로 노랗게 볶는다. 술의 양을 감안하여 가감하되, 뜨거울 때에 항아리에 붓고 급하게 휘저어 준다. 하루 이틀 뒤에 짜면 좋은 술로 변해 있다.

2법 : 술 1병당 붉은팥 1~2되를 볶은 다음, 자루에 담아 신 술에 담가두면 신맛이 바로 없어진다.

3법 : 신 술을 항아리에 담고, 감주 반 말(5되)과 검은 엿 1근을 뜨겁게 달여 술독에 붓고 저어준다. 반나절이 지나면 신맛이 없어진다.

4법 : 소분을 신 술에 넣으면, 술의 신맛을 제거할 수 있다.

5법 : 생달걀 1개, 석고 반 냥을 찧어서 축사인 7알을 자루에 담아 신 술 1말에 넣고 봉하여 3일이 지나면 맛이 좋아진다.

6법 : 술 한 단지당 납 조각 1개를 불에 달궈 뜨거울 때 술에 집어넣고, 하루 동안 단단히 봉해 두면 신맛이 곧 없어진다.

7법 : 석회가루를 회(떡 익반죽)같이 만든 다음, 불에 구워 빨갛게 달궈서 뜨거울 때 술독에 넣는다.

8법 : 두부를 만들고 남은 비지를 베로 만든 주머니에 담고 주둥이를 묶어 술독에 쑤셔 박아놓는다.

9법 : 술 한 단지에 감초 1냥, 관계·계피 5전, 사인 5전을 갈아 술에 넣고, 4~5일 단단히 봉해 두면, 신맛이 즉시 없어진다.

拗酸酒法

若冬月造酒投扒遅而作酸卽炒黑豆一二升石灰炒二升或三升量酒多少而加減
却將石灰另炒黄二(件/伴)乘熱傾入缸內急將扒打轉過一二日搾則全美矣.
<食經>. 每酒一大瓶用赤小豆一升炒焦帒盛放酒中酸味卽解. <上同>. 酒之
酸者可變使甘酒半斗黑錫一斤炙令極熱投中半日可去之矣. <皇甫松醉鄉日月
記>. 韶粉去酒中酸味. <物類相感志>. 每酒一斗用生鷄子一箇石膏半兩搗碎
砂仁七立封三日佳又以鉛二斤燒熱投之又以石灰和水爲小餠燒紅納之又以豆
腐滓帒盛納之. <三山方>. 每酒一壜甘草一兩官桂五錢砂仁五錢(硏/碾)碎入
酒封固四五日酸味卽去. <增補山林經濟>.

17. 신 술 고치는 법 <주방문(酒方文)>

술 재료 : 석회가루 또는 두부 비지

고치는 법 :

1법 : 석회가루를 회(떡 익반죽)같이 만든 다음, 불에 구워 빨갛게 달궈서 뜨
　　거울 때 술독에 넣는다.

2법 : 두부를 만들고 남은 비지를 베로 만든 주머니에 담고 주둥이를 묶어 술
　　독에 쑤셔 박아놓는다.

신 술 고티는 법

셕회ᄀᄅᆞᆯ 떡ᄀᆞ치 ᄆᆡᆫ드라 블의 구어 븕거든 술독의 녀흐라. 또 두부 비지를
주머니예 녀허 독의 녀흐라.

18. 술맛 그르치지 않는 법 <주방문(酒方文)>

> 술 재료 : 대추알 크기의 누룩 덩어리 5개

고치는 법 :

1. 좋은 누룩을 법제를 많이 하여 마련한 것으로, 매우 크고 거칠게 빻는다.
2. 대추알만 한 누룩 덩어리 5개 정도를 골라서 술밑을 안친 독 또는 발효가 끝
   난 독의 맨 밑바닥에 쑤셔 박아 넣는다.
3. 술독을 덮어 (외부 온도로부터 영향을 받지 않도록 보쌈하여) 놓는다.

술맛 그릇되디 아닌는 법(救酸酒法)
됴흔 누록을 대쵸마곰 무아 다숫 낫출 독 미틔 녀흐라.

19. 술이 시거든 <주방문조과법(造果法)>

> 술 재료 : 신 술(청주) 1병, 팥 2되, 명주 주머니 1장

고치는 법 :

1. 신 술 1병(말)을 큰 병이나 단지에 담아놓는다.
2. 붉은팥 2되를 기름기 없는 프라이팬에 타지 않을 정도로 바싹 볶는다.
3. 명주로 만든 자루에 (주먹만 한 돌멩이와 함께) 볶은 팥을 담아 끈으로 묶
   는다.
4. 술을 담은 병이나 단지에 쑤셔 박아두면 신맛이 바로 없어진다.

술이 싀거든(救酸酒法)

풋 두 되들 붓가 견듸예 담아 병소옥며 듬가두면 쉰 마시 즉시로 고치남다
(每瓶以小豆二升燋炒用絹帶 咸於流瓶內酸味卽止是老□□□).

20. 치산주법 <증보산림경제(增補山林經濟)>

술 재료 : 석회가루, 콩 또는 두부 비지

고치는 법 :

1법 : 석회가루를 회(떡 익반죽)같이 만든 다음, 불에 구워 빨갛게 달궈서 뜨
　　거울 때 술독에 넣는다.

2법 : 콩을 볶아 베주머니에 넣어 술에 담는다.

3법 : 두부를 만들고 남은 비지를 베로 만든 주머니에 담고 주둥이를 묶어 술
　　독에 쑤셔 박아놓는다.

治酸酒法

石灰和水作片火燒紅投酒中. 又方 大豆炒納囊佲浸酒中. 又方 泡滓納淨佲中
浸酒妙.

21. 구산주법 <증보산림경제(增補山林經濟)>

술 재료 : 1법 : 붉은팥 1~2되
　　　　　2법 : 감초 1냥, 관계·계피 5전, 사인(砂仁) 5전
　　　　　3법 : 납 조각 1개
　　　　　4법 : 검은콩 1되, 노랗게 볶은 석회 2되

고치는 법 :

1법 : 술 1병당 붉은팥 1~2되를 볶은 다음, 자루에 담아 신 술에 담가두면 신
　　맛이 바로 없어진다.

2법 : 술 한 단지에 감초 1냥, 관계·계피 5전, 사인 5전을 갈아 넣고, 3~5일 단
　　단히 봉해 두면 신맛이 즉시 없어진다.

3법 : 술 한 단지당 납 조각 1개를 불에 달궈 뜨거울 때 술에 집어넣고, 하루 동
　　안 단단히 봉해 두면 신맛이 곧 없어진다.

4법 : 겨울에 술을 빚고 늦게 꺼내어 맛이 쉬면, 곧 검은콩 1되와 노랗게 볶은
　　석회 2되를 술의 양을 감안하여 가감한다. 뜨거울 때에 항아리에 붓고 급하
　　게 휘저어 준다. 하루 이틀 뒤에 짜면 좋은 술로 변해 있다.

救酸酒法

每一瓶赤小豆一二升炒焦布盛浸於酒中酸味卽止. 每酒一墰甘草一兩官桂五
錢砂仁五錢破碎入酒封固三五日酸味卽去. 每酒一墰用鉛一片令炙熱投入酒
中封固一日酸味卽去. 冬月造酒投扒遲而作酸卽炒黑豆一升石灰炒黃二升(量
酒多少而加減之)乘熱傾入缸內急將扒轉過一二日榨則全美矣.

22. 구산주법 <해동농서(海東農書)>

술 재료 : 술 1병, 붉은팥 1되

고치는 법 :

1. 술을 큰 병이나 단지에 담아놓는다.
2. 붉은팥 1되(2되라고도 함)를 기름기 없는 프라이팬에 타지 않을 정도로 바
　싹 볶는다.
3. 볶은 팥을 베로 만든 포대자루에 담아 끈으로 묶는다.

4. 술을 담은 병이나 단지에 쑤셔 박아두면 신맛이 바로 없어진다.

救酸酒法

每大瓶 用赤小豆一升 <攷事>, 則曰二升 炒焦帒盛, 沈於酒中, 酸味卽止. <神
隱> <四時纂要> <故事撮要>.

제2부
탁주류

감저주

스토리텔링 및 술 빚는 법

'감저(甘藷)'란 고구마의 한자 표기인데. 전라도에서는 고구마를 '감자', 감자를 '북감자'라고도 한다. 따라서 '감저주(甘藷酒)'란 고구마로 빚은 술이라는 뜻이다. '감저주'는 <임원십육지(林園十六志)>와 <조선무쌍신식요리제법(朝鮮無雙新式料理製法)>의 기록이 전부이다. 언제부터 '감저주'가 빚어졌는지는 알 수 없으나, <임원십육지>의 간행 연대가 1800년대인 점과, 고구마의 국내 유입 시기가 영조 39년(1763년)경인 것을 감안하면, <임원십육지>의 등장 시기보다 훨씬 이전, 고구마 재배법의 대중화가 진행된 때부터 서민들 사이에서 이 술이 음용되었을 것이란 추측을 할 수 있다.

고구마의 주산지는 남부 지방의 해남, 무안군으로서 지금도 이들 지방에서는 고구마를 이용하여 막걸리를 빚어 마시고 있음을 볼 수가 있는데, 그 방법은 '감저주'에 대한 기록인 <임원십육지>나 <조선무쌍신식요리제법>의 주방문과 별차이가 없다. 즉, 해남과 무안 등지에서는 순수한 고구마만을 이용하는 단양주법(單釀酒法)의 술을 빚고 있기 때문이다.

한편, 고구마와 같은 원료를 이용하여 밑술을 만들고, 술이 익으면 다시 막걸리로 걸러 멥쌀고두밥만으로 덧술을 해 넣는 이양주법(二釀酒法)의 방문도 생각해 볼 수 있는데, 평창 지방의 민가에서 찾아볼 수 있는 '감자술'이 그 예이다. 평창 지방의 '감자술'은 고구마가 아닌, 이 지역의 특산물인 감자로 밑술을 빚고, 멥쌀고두밥으로 덧술을 해 넣어 마치 사과와인과 같은 맛과 향기를 자랑한다.

따라서 엄밀히 따지면 해남 등의 민가에서 이뤄지고 있는 '고구마술'은 <임원십육지>의 방문과 동일한 방문에 다름 아니라는 사실과, 평창 지방의 '감자술'은 '고구마술'과 같은 방법으로 빚어지고 있다는 점에서, 서민들 사이에서는 쌀이 귀했던 시절에 이와 같은 '고구마술'을 즐겨 마셨음을 알 수가 있다.

이후 고구마가 구황식으로 선호되고 그 재배가 활발해지면서 개량식 주방문도 등장하는 것을 엿볼 수 있는데, <조선무쌍신식요리제법>의 '감저주'가 그것이다. <임원십육지>의 '감저주'가 온전히 자연발효제인 곡자(麴子)를 사용하여 발효시킨 전통적인 방법이라면, <조선무쌍신식요리제법>의 '감저주'는 곡자 제조에 '건조효모(乾燥酵母)'를 사용하는 개량누룩을 차용하고 있다는 점에서, 보다 완전하고 안전한 발효 방법을 추구하고 있다는 사실이다. <조선무쌍신식요리제법>의 '감저주'가 누룩 제조법에서 차이를 보일 뿐, '감저주'를 빚는 주방문에서는 <임원십육지>나 해남과 무안 지방의 '고구마술'과 차이가 없다는 사실이 이를 뒷받침해 준다고 하겠다.

따라서 <조선무쌍신식요리제법>의 '감저주'는 빵 제조에 사용된 건조효모의 이용이 그만큼 확대되기 시작했다는 사실과 함께, 양주기술에도 미생물에 대한 연구와 이용이 시작되었다는 것을 짐작할 수 있게 해준다.

그도 그럴 것이, 고구마나 감자와 같은 원료는 전분도 많지만 섬유질이 풍부하여 발효가 용이하지 않다는 문제점을 지니고 있다. 그리하여 심한 숙취를 동반하는 경우가 많고, 특히 고구마와 같은 서류를 사용한 주품들의 알코올 도수가 높지 않아 저장성이 떨어지고 쉽게 재발효가 되는 등 제반 문제점을 지니고 있다.

따라서 이를 극복하려는 노력이 있었을 것으로 짐작되고, 그 연장선상에서 보다 강력한 발효제가 요구되었을 것으로 추측된다.

자연발효제인 누룩(麴子)만의 힘으로 발효시킬 수밖에 없었던 조선시대 양주기술의 한계 때문에 '고구마술'을 비롯한 서류를 사용한 전통주들은 탁주가 주류를 이룰 수밖에 없었을 것이고, 저장성과 재발효에 따른 산패를 극복하고자 증류주로 재가공되어 '감저소주'로 발전해 왔음을 목격할 수 있다.

어떻든 '감저주'는 주재료인 고구마의 독특한 냄새와 함께 약간 텁텁한 맛을 느낄 수 있는데, 맛을 들이게 되면 구수한 맛을 잊을 수가 없게 된다.

그러나 순후한 멋을 즐기는 애주가와 일반에서는 다시 멥쌀이나 찹쌀로 고두밥을 지어 덧술을 해 넣고 한 번 더 발효시킴으로써, 고구마 특유의 역한 냄새도 없애면서 맑은 술을 얻고 있음을 엿볼 수가 있다.

실제로 멥쌀로 덧술을 해 넣은 '감저주'는 상대적으로 은은한 고구마 냄새와 함께 매우 맑은 술을 얻을 수가 있고, 적잖은 풍미를 주었다. 따라서 우리나라도 '감저주'와 같은 다양한 전통주의 등장과 함께 와인처럼 블랜딩 기술을 도입, 보다 주질이 뛰어난 전통주 개발에 관심을 기울여야 할 것이다.

고구마와 쌀, 감자와 쌀을 혼용한 다양한 주품들의 개발과 등장은, 점차 개성화·다양화되는 애주가들의 욕구와 기호를 충족시킬 수 있을 것이라고 확신한다.

1. 감저주방 <임원십육지(林園十六志)>

> 술 재료 : 고구마(1말), 누룩(2되), 끓인 물(4~6되)

술 빚는 법 :

1. 고구마(1말)을 (물에 깨끗하게 씻어 흙과 이물질을 제거한 뒤) 잘게 썰어 하루 동안 햇볕에 내어 말려서 반건(半乾)한다.
2. 반건조시킨 고구마를 시루에 안쳐서 무르게 푹 찐 다음, 차게 식기를 기다린다.
3. 찐 고구마를 절구에 넣고, 오랫동안 찧어서 인절미처럼 만든다.
4. 고구마 찧은 것에 곱게 가루로 빻은 누룩(2되)과 끓여서 차게 식힌 물(2~3

되)을 합하고, 고루 버무려 술밑을 빚는다.

5. 술밑을 술독에 담아 안치고, 한가운데를 오목하게 파놓는다.

6. 술독은 예의 방법대로 하여 밀봉하여 발효시키고, 오목한 곳에 물기가 고이고 발효가 되었는지를 살핀다.

7. 방법대로 (끓여 식힌) 물(2~3되)을 술독 안 가장자리로 돌려가면서 붓는다.

8. 술을 명주 주머니로 걸러서 생주로, 혹은 끓여 익혀서 마신다.

* 주방문 말미에 "술독에 넣을 때의 (물의) 차거나 따뜻한 정도, 누룩을 둘로 나누어 넣거나, 물을 붓는 양, 누룩과 엿기름을 쓰기도 하고 약재 등을 넣는 것은 미주(米酒)와 같다."고 하였다. 따라서 '감저주'는 필요에 따라 양을 조절하여 빚고 계절에 따라 물의 온도를 조절하여 빚는 술로, 때에 따라서는 약재를 넣어 약용으로 사용하였다는 것을 알 수 있다.

甘藷酒方

藷根不拘多少寸截斷曬半乾甑炊熟取出揉爛入餠中用酒藥研細搜和按實中作小坎候漿到看老嫩如法下水用絹袋濾過或生或煮熟任用其入餠寒暖酒藥分兩下水升斗或用麴蘗或可藥物悉與米酒同法. <徐玄扈甘藷疏>.

2. 감저주 <조선무쌍신식요리제법(朝鮮無雙新式料理製法)>

술 재료 : 고구마(감자) 2말 5되, 약(누룩) 적당량(3되) 또는 건조효모(5g), 끓여 식힌 물(1말 5되)

술 빚는 법 :

1. 감자(고구마) 뿌리를 그 양이 얼마이든지 1치씩 잘게 썰어 햇볕에 내어 말

려서 반건한다.

2. 시루에 반건한 감자(고구마) 뿌리를 안쳐서 무르게 푹 쪄낸다.

3. 찐 감자(고구마) 뿌리가 식기 전에 절구에 넣고, 오랫동안 찧어서 인절미처럼 만들고, 하룻밤 재워 차게 식힌다.

4. 약(누룩) 적당량(3되) 또는 건조효모(5g)를 물 적당량(1말)에 넣고 불렸다가, 헝겊을 이용하여 짜서 찌꺼기를 없앤 누룩물(효모액)을 준비한다.

5. 고구마 찧은 반죽에 준비한 누룩물을 넣고, 고루 버무려 술밑을 빚는다.

6. 술밑은 두 번에 나누어 술독에 담아 안치는데, 이때 쓰고 남은 누룩가루를 임의대로 뿌려 켜켜로 안친다.

7. 술밑을 다 안친 후에 끓여 식힌 물을 적당량(5되) 부어준 후, 예의 방법대로 하여 발효시킨다.

＊ 주방문 말미에 "항아리에 넣을 때 차고 더운 기운과 술에 약을 두 번에 나누어 넣고 물을 붓나니, 혹 누룩을 쓰거나 약물을 더하는 것은 다 쌀물과 같이 하나니라."고 하여, 감저의 양에 따라 물과 약물의 양이 달라진다는 것을 알 수 있다. 여기서 '약'이라 하는 것은 누룩을 지칭한다. 통밀가루를 물에 반죽하여 치대는데, 이때 효모를 곱게 갈아 두 번에 나누어 섞고, 오랫동안 치대서 누룩밑을 만든다. 누룩밑은 한가운데가 오목하게 하여 예의 방법대로 띄우고, 더 이상 열이 오르지 않으면 발효가 끝난 것이니, 햇볕에 내어 법제하고, 절구에 짓찧어 가루로 만들어 사용한다.

감저주

감자쑤리를 얼마든지 한 치식 잘나 볏헤 반쯤 말려 시루에 쪄내여 물으게 하야 항아리에 느코 술에 약 넌는 것을 곱게 가라 함께 반죽하되, 가운데를 조금 옴옥하게 만드러 씌여 작말하야 물을 붓고 헌겁에 짜서 날게든지 삼든지 익히든지 임의대로 하고 항아리에 느을 제 차고 더운 거와 술에 약을 두 번에 난우어 넛코 물을 붓나니 혹 누룩을 쓰거나 약물(藥物)을 더하는 것은 다 쌀물과 가티하나니라. 약이라 하는 것은 무엇인지 모호하노라.

감점주·단점주

일반적으로 전통주는 술맛이나 향, 술 빚는 방법, 제조 시기, 심지어 재료 배합 비율에 이르기까지 매우 다양하다. '감점주(甘粘酒)'는 술의 여러 가지 맛 중에서 단맛 중심으로 제조되는 술로서, 감주류(甘酒類)의 한 가지로 분류할 수 있다. '감점주'는 특별히 단맛과 부드러운 맛을 강화시키기 위해 찹쌀로 빚는 술이라는 뜻이다.

'감점주'는 5가지 주방문이 전해 오는데, 1700년대 초기의 문헌으로 저자 미상의 한글 필사본인 <온주법(醞酒法)>에 처음 등장하고, 이후 <음식보(飮食譜)>에 '단점주'로, 이후 1920년대 문헌인 <주방문조과법(造果法)>에도 '단점주법'으로 수록되어 있는 것을 찾아볼 수 있다.

<온주법>과 <음식보>, <주방문조과법>에는 '감점주'와 '단점주'라는 우리말 술 이름으로 각기 다르게 수록되어 있음을 알 수 있는데, <온주법>에는 '감점주'와 '감점주 또 한 법'이라 하여 한문 표기 방식의 주품명인 '감점주(본법)'와 별법 3가지 방문이 수록되어 있다. 따라서 '감점주'의 주방문은 모두 이 5가지 방문이

있을 뿐이다.

'감점주'가 일반적인 감주류와 어떻게 다른지는 명확히 구분할 수 없겠으나, 지금까지 밝혀진 바로는 감주류는 주재료가 멥쌀과 찹쌀을 섞어 빚거나 멥쌀 또는 찹쌀로 빚는다는 사실이요, '감점주'는 찹쌀로만 빚는다는 점이다. 하지만 <온주법>의 '감점주'나 '단점주' 주방문과 똑같은 주방문을 감주류에서도 찾아볼 수 있어, 이들 감주류와 감점주류의 구분을 명확히 하기는 어렵다.

이러한 사실로 미루어, '감점주'와 '단점주'는 일반 감주류와 비교하여 차별화시키기 위한 차원에서, 특히 찹쌀로만 빚고 부드러운 단맛을 특징으로 하는 '감점주' 또는 '단점주' 주방문을 분류해 낸 것이 아닌가 생각된다. 이른바 차별화 전략으로서 보다 부드러운 고급술의 이미지를 표현해 낸 것이 '감점주'의 등장이 아닌가 생각되는 것이다.

이와 유사한 예로 <음식디미방>에 소주(杭米燒酒)와 밀소주(小麥燒酒), 찹쌀소주(粘米燒酒)가 있고, <수운잡방(需雲雜方)>의 하일약주(夏日藥酒, 멥쌀 청주)와 하일점주(夏日粘酒, 찹쌀술) 등을 들 수 있다.

'감점주' 또는 '단점주'의 특징은 다음과 같다.

첫째, 일반 감주류에 비해 술의 주성분이 되는 양주용수(물)의 양이 극히 적게 사용되거나, 아예 넣지 않는다는 점이다.

둘째, 이양주의 경우 밑술의 당화가 활발하게 진행되었을 무렵에 덧술을 하는데, 이때 사용되는 찹쌀의 양이 특히 많고, 찹쌀은 고두밥을 짓되 차게 냉각시키지 않고 따뜻할 때 술밑과 버무려 넣는다는 점이다.

셋째, 일부러 따뜻한 곳에서 발효시키는 방법으로 당화를 촉진시킴으로써, 발효 속도 보다 당화 속도가 빨라진 데 따른 발효 억지 방법이 이용되고 있다.

또 한 가지 주목할 사실은, <온주법>의 '감점주 또 한 법'의 주방문에서 볼 수 있듯이, 찹쌀고두밥이 따뜻할 때 소주를 섞고, 누룩을 넣어 버무린 술밑을 술독에 안쳐 따뜻한 곳에 둠으로써, 고온발효에 의한 당화는 빨리 진행시키는 대신 발효는 억제시키기 위한 또 다른 방법이 있다는 것이다. 즉, 효모 활동의 억지력을 갖는 증류주(소주)를 발효용매로 사용한다는 사실이다. 이렇게 되면 알코올 도수는 높고, 고온당화에 따른 단맛과 찹쌀술의 부드러운 맛을 간직한 감점주를 얻을 수 있게 되는 것이다. 따라서 <온주법>의 '감점주 또 한 법' 2가지 방문 가운데 한 주방문은 혼양주류에 포함시켰다는 것을 밝혀둔다.

결국 이상의 5가지 주방문에서 발효주로서의 '감점주' 또는 '단점주' 주방문 4가지와, 혼양주법 '감점주 또 한 법'으로 나눌 수 있다.

여하튼 '감점주' 또는 '단점주'를 통해서도 단맛이 강한 술을 얻기 위한 여러 가지 방법의 양주기법을 살펴볼 수 있었다는 점에서 옛 조상들의 뛰어난 식품가공 기술과 필요와 목적에 따라 넘나듦이 자유로운 전통주의 양주(釀酒) 실태를 엿볼 수 있다.

결국 '감점주' 또는 '단점주'는 이름 풀이 그대로 "찹쌀로 빚어 단맛이 나는 술"이라는 뜻에서 '단점주'라고 주품명을 지은 것으로 여겨지는데, 재료를 따뜻할 때 빚고, 더운 데서 발효시키는 방법으로 미루어 여름철 또는 겨울철에 온돌방에 앉혀서 익히는 술이라는 사실을 확인할 수 있다.

그런데 시대적으로 가장 앞선 기록인 <음식보>의 '단점주방문'을 살펴보면, 이와 같은 몇 가지 사실을 거듭 확인할 수 있다. 즉, 밑술을 빚는 재료가 찹쌀이고 범벅을 만들어 빚는 등 기존의 '감점주'와도 차이가 있다는 것이다.

'단점주'의 이러한 특징은 밑술을 '반생반숙(半生半熟)'의 '범벅'으로 하는 방문을 보여주고 있다는 점에서 찾을 수가 있다. 또한 덧술에서도, 감주류나 점주류에서도 그 흔적을 찾기 힘들 정도로 흔치 않은 방법, 즉 덧술을 빚을 때 밑술을 체에 걸러 누룩 찌꺼기를 제거한 방법을 취하고 있다는 점이다.

이와 같이 밑술을 체에 걸러 누룩 찌꺼기를 제거하여 덧술을 하는 방법은 <음식디미방>과 <양주방>* 등 두 문헌에 수록된 '점주(粘酒)'에서만 목격되기 때문이다.

이와 같은 방법의 목적은 누룩 냄새가 적고 상대적으로 좋은 향기의 술을 얻을 목적으로 하는 방법이면서, 동시에 쓴맛을 없애고 단맛을 부각시키기 위한 방법이라는 사실에서 매우 지혜로운 술 빚기라고 하겠다.

이러한 예는 '감향주'나 '하향주'에서도 쉽게 목격할 수 있는데, 주방문의 의도가 향기를 살리는 데 있는지, 아니면 단맛을 살리는 데 있는지를 파악해야만 술을 빚는 목적을 달성할 수 있다는 것을 명심해야 한다. 그러기 위해서는 '감향주'

나 '하향주' 주방문과 해설을 살펴볼 필요가 있다. 즉, '감점주' 또는 '단점주'는 '감향주'의 별법 또는 응용법에 그치기 때문이다.

<음식보>의 '단점주방문'에는 양주용수(끓는 물)의 양이 언급되어 있지 않지만, 밑술에 사용되는 양주용수가 적당량이 필요하므로, 편의상 밑술에 사용되는 끓는 물의 양을 3되로 한 것이다.

<음식보>에서 단맛을 높이기 위한 양주 방법으로 덧술의 시기를 빨리 가져가는 것인데, 밑술의 발효가 시작될 무렵 밑술의 맛이 단맛이 많을 때에 덧술을 하는 요령이 필요하다는 사실을 잊지 말아야 한다. 밑술의 발효가 활발해진 다음에 덧술을 하게 되면 상대적으로 알코올 도수는 높고 단맛이 적은 술이 얻어지기 때문이다.

'단점주'나 '감점주'는 한꺼번에 과음해서는 안 되는, 다시 말해서 혼사라든가 제사 등 대소사에 여러 사람을 대접한다든가 하는 일이 생겼을 때, 한꺼번에 많은 양의 술을 필요로 할 때, 맛은 좋으면서도 양이 많은 술을 얻기 위하 목적으로 양주되는 술이다.

이러한 양주법의 주품들은 과음하게 되면 반드시 숙취를 가져오기 쉽다는 사실을 명심해야 한다.

1. 감점주 <온주법(醞酒法)>

> 술 재료 : 밑술 : 멥쌀 1되, 누룩가루 3홉, 끓여 식힌 물(1사발)
>   덧술 : 찹쌀 2말

술 빚는 법 :

* 밑술 :

1. 멥쌀 1되를 백세하여 (말갛게 헹궈 다시 새 물에 담가 불렸다가, 소쿠리에 건져서 물기를 뺀 후) 작말한다.

2. 솥에 물을 팔팔 끓이다가 (물이 뜨거워지면 쌀가루에 2~3홉 정도를 섞고 고루 치대어 익반죽하고), 구멍떡을 빚는다.
3. 구멍떡을 끓고 있는 물에 삶아, (익어서 떠오르면 건져내고,) 그릇에 건져 낸다.
4. 구멍떡을 차게 식히지 말고 누룩가루 3홉, 끓여 식힌 물(1사발)을 섞고, 힘 껏 고루 치대어 술밑을 빚는다(차게 식기를 기다린다).
5. 술밑을 술독에 담아 안치고, 예의 방법대로 하여 1일간 발효시킨다.

* 덧술 :
1. 찹쌀 2말을 백세하여 (말갛게 헹궈서 다시 새 물에 담가 하룻밤 불린 다음, 다시 씻어) 건져서 물기를 뺀다.
2. 불린 쌀을 시루에 안치고, 고두밥을 무르게 쪄서 익었으면 퍼서 밑술에 뜨거 울 (따뜻할) 때에 섞고, 주걱으로 휘적여서 술밑을 빚는다.
3. 술밑을 담아 안친 술독은 더운 방(따뜻한 곳)에 두고, 단단히 싸매서 술독 이 식지 않게 하여 7일간 발효시킨다.

* 주방문에 "너무 다라(달아) 좋지 못하거든(잘 익지 않으면) 밑술 할 제 탕수 한 사발 넣으라."고 하였다.

감뎜듀

빅미 일승 빅셰작말ᄒᆞ야 구멍이쩍 슬마 치우지 말고 국말 서홉의 무이 쳐 너 헛다가 이튼날 뎜미 두 말 빅셰ᄒᆞ여 둠가 밤 잔 후 다시 씨져 닉게 씨고 항 을 쪄 쓰거울 제 젼술의 섯거 너허 더온 방의 주게로 섯거 단단히 싸 항이 씩 지 아니케 ᄒᆞ야 칠일 만의 너무 다라 됴치 못ᄒᆞ거든 밋술 ᄒᆞᆯ 제 탕슈 ᄒᆞᆫ 사 발 너흐라.

2. 감점주 또 <온주법(醞酒法)>

술 재료 : 밑술 : 멥쌀 1되, 누룩가루 3홉, 떡 삶은 물
　　　　덧술 : 찹쌀 1말, 누룩가루 2되, 탕수 1~2사발

술 빚는 법 :

* 밑술 :

1. 멥쌀 1되를 백세하여 (말갛게 헹궈 다시 새 물에 담가 불렸다가, 소쿠리에 건
　져서 물기를 뺀 후) 작말한다.

2. 솥에 물을 팔팔 끓이다가 (물이 뜨거워지면 쌀가루에 2홉 정도를 섞고 고루
　치대어 익반죽하고) 구멍떡을 빚는다.

3. 구멍떡을 끓고 있는 물에 삶아, 익어서 떠오르면 건져내지 말고 그대로 차
　게 식기를 기다린다.

4. 구멍떡에 누룩가루 3홉을 섞고, 힘껏 고루 치대어 술밑을 빚는다.

5. 술밑을 술독에 담아 안치고, 예의 방법대로 하여 2일간 발효시킨다.

* 덧술 :

1. 밑술 빚는 날 찹쌀 1말을 백세하여 (말갛게 헹궈서), 다시 새 물에 담가 2일
　동안 불린 다음, 다시 (씻어) 말갛게 헹궈 건져서 물기를 뺀다.

2. 불린 쌀을 시루에 안치고 고두밥을 쪄서, 익었으면 퍼서 그릇에 담아놓는다
　(주걱으로 헤쳐서 뜨거운 기운만 나가게 하여 식기를 기다린다).

3. 고두밥이 더울(따뜻할) 때 누룩가루 2되와 탕수(끓여 식힌 물) 1~2사발을
　한데 섞고, 고루 버무려 술밑을 빚는다.

4. 술밑을 술독에 담아 안치고, 뜨거운(따뜻한) 곳에 덮어두고 발효시키면 7일
　만에 열어보면 꿀같이 달다.

* 주방문 말미에 "7일 만에 꿀같이 다니 찬 곳으로 옮겨두고, 물 타 먹으라."고

하였다.

감뎜듀 쏘

빅미 일승 빅셰 작말ᄒᆞ야 구멍쎡 닉게 슬마 국말 일승의 ᄆᆞ이 쳐 쎡 슬문 물 노하 ᄆᆞ라지 아니케 ᄆᆞ이 쳐 그날 뎜미 일두 빅셰ᄒᆞ야 둠가 이튼날 밥을 무르게 짓거나 씨거나 한김 닉여 젼술 섯거 칠일 만의 쳥듀 되여 쓸긋(치 되ᄂᆞ)니 밥물 골늘 졔 뎜미 일두의 탕슈 ᄒᆞᆫ 사발을 타고 두 사발은 미오니라.

3. 단점주방문 <음식보(飮食譜)>

술 재료 : 밑술 : 찹쌀 1되, 가루누룩 1되, 물(3되)

　　　　　덧술 : 찹쌀 1말

술 빚는 법 :

* 밑술 :

1. 쌀 1말을 하는데, 찹쌀 1되를 백세하여 (말갛게 헹궈 다시 새 물에 담가 불렸다가, 소쿠리에 건져서 물기를 뺀 후) 작말한다.

2. 솥에 물(3되)을 팔팔 끓여 찹쌀가루에 붓고, 주걱으로 고루 저어 범벅을 갠다.

3. 쌀 되던 되로 가루누룩 1되를 가득히 계량하여 넣고, 고루 버무려 술밑을 빚는데 차게 식기를 기다린다.

4. 술밑을 술독에 담아 안치고 발효시키는데, 술밑이 달거든 덧술을 한다.

* 덧술 :

1. 밑술 빚는 날 찹쌀 1말을 백세하여 말갛게 헹궈서, 다시 새 물에 담가 하룻밤 불린다(다시 씻어 말갛게 헹궈 건져서 물기를 뺀다).

2. 불린 쌀을 시루에 안치고 고두밥을 무르게 쪄서, 익었으면 퍼서 돗자리에 고루 펼쳐서 차게 식기를 기다린다.

3. 밑술을 물을 치지 말고 고운체에 죄다 걸러서 찌꺼기를 제거한 탁주를 거른다.

4. 고두밥에 거른 밑술을 합하고, 고루 버무려 술밑을 빚는다.

5. 술밑을 술독에 담아 안치고, (따뜻한 곳에 5~6일 두었다가) 술이 익으면 서늘한 곳으로 옮겨두고 15일 정도 숙성시켜 채주한다.

* 밑술을 빚는 데 따른 물의 양이 나와 있지 않으나, '술밑이 달거든 (덧술한다.)'라고 하였으므로 물의 양을 3되로 산정하였다. 또 "맛이 비상하니 객물을 조심하되, 여름서 두고 쓰라."고 하여 '단점주'가 찹쌀로 빚는 여름철 술임을 알 수 있다.

돈점쥬방문

흔 말 흐는 되 졈미 흔 되롤 작말흐여 늑게 범벅 기여 フ른누룩 밋 되던 되로 흔 되 フ득 츠거든 너허 두엇다 막 돌거든 졈미 흔 말 미리 둠가 무르 쪄 밋슐을 체예 물 주지 말고 죄 파질너고 밥 시여 츠거든 쳐 너허 세이레 후 먹으면 맛시 비상비상하니 긱물을 조심조심흐되 여름서 주고 쓰라.

4. 단점주법 <주방문조과법(造果法)>

> 술 재료 : 밑술 : 멥쌀 2되, 누룩 1되 3홉, (떡 삶은 물)
>   덧술 : 찹쌀 2말

술 빚는 법 :

* 밑술 :

1. 멥쌀 2되를 백세하여 (물에 담가 불렸다가, 다시 씻어 헹궈 건져서) 세말한다.
2. 물을 넉넉히 붓고 끓이다가, 뜨거워지면 물을 뿌려가면서 치대어 익반죽한다.
3. 익반죽을 한 주먹씩 떼어 구멍떡을 빚어, 끓는 물에 구멍떡을 넣고 삶아서 익어 수면 위로 떠오르면 (매우 치대어 죽같이 만들어) 차게 식기를 기다린다.
4. 차게 식은 떡(죽)에 누룩 1되 3홉을 합하고, (떡이 말랐거나 힘들면 떡 삶은 물을 적당량 뿌려가면서) 고루 치대어 술밑을 빚는다.
5. 술밑을 술독에 담아 안치고, 예의 방법대로 하여 1일간 발효시킨다.

* 덧술 :
1. 밑술 빚은 이튿날 낮에 찹쌀 2말을 백세하여 물에 담가 하룻밤 재웠다가 다시 씻어 헹궈서 물기를 뺀 후, 시루에 안쳐서 고두밥을 짓는다.
2. 술독을 물솥 위에 엎어 올려서 수증기로 찌는데, 술독이 불같이 뜨겁거든 이불로 싸매서 따뜻한 구들방에 앉혀놓는다.
3. 고두밥이 익었으면 퍼내어 한김 나가게 식힌 다음, 밑술과 합하고 죽처럼 되더라도 고루 버무려 술밑을 빚는다.
4. 술밑을 술독에 안칠 때 단단히 다져서 안치고, 예의 방법대로 이불로 단단히 싸매고 덧술한 지 7일 만에 이불을 벗겨 찬 곳에 두었다가 7일 후에 사용한다.

단점주법
백미 두되 시서 구무떡하여 차거든, 누록 한되 서홉을 그 떡의 가장 고로 쳐 큰 사발이나 항이나 듕의 다마 돗다가 잇튼날 나제 졍한 졈미 두말 백셰하여 밤자여 잇튼날 다시 시서 닉게 쪄 그 비즐 항을 솟헤 쪄 불 갓거든 짜 자바 더운 구들에 노코 덥게 싸고 그 밥을 물 말고 한김 나거든 손 다흴문하거나 더워 못다 혀도 죽으노 셧거도 조흐니 가장 고로 버므려 더운 항의 녀코 찬 찬 누로고, 마조 싸 둣다가 칠일만의 싼 거슬 벗겨 둣다가 또 칠일 후의 쓰라.

감주

스토리텔링 및 술 빚는 법

'감주(甘酒)'는 1450년대에 발간된 <산가요록(山家要錄)>에 3가지 주방문이 수록된 것을 시작으로, <농정회요(農政會要)>, <술 만드는 법>, <시의전서(是議全書)>, <양주(釀酒)>, <주방문(酒方文)>, <주방(酒方)>*, <주방문(酒食方, 高大閨壺要覽)>, <증보산림경제(增補山林經濟)>, <침주법(浸酒法)>, <언서주찬방(諺書酒饌方)>, <임원십육지(林園十六志)>, <조선무쌍신식요리제법(朝鮮無雙新式料理製法)> 등 13권의 문헌에 다양한 주방문이 등장한다.

'감주'는 어떤 방법으로 빚든지 그 맛에서 감미가 두드러져야 한다는 사실과 함께, 비교적 단기간에 양주된다는 공통점을 갖고 있다. 따라서 '감주'를 빚을 때는 갖가지 방법을 동원하여 감미를 높이려는 수단이 동원되며, 비교적 찹쌀 중심에 멥쌀을 섞어 사용하기도 한다.

<산가요록> 등 고식문헌에 수록된 전통적인 감주류(甘酒類)는 단양주(單釀酒) 8종과 이양주(二釀酒) 10종인데, 엄밀하게는 총 15종이다. <산가요록>과 <시의전서>, <조선무쌍신식요리제법>에서 주류가 아닌 음료로서 식혜(食醯) 만드

는 법을 볼 수 있기 때문이다.

<활인심방(活人心方)>을 제외하면 국내 최고(最古)의 양주 관련 문헌이라고 할 수 있는 <산가요록>의 '감주' 주방문은 단양주법과 이양주법이 나란히 등장하는데, 엄밀하게는 '감주 우방(又方)'에 속하는 것으로 볼 수 있다. 단양주방문은 멥쌀과 찹쌀 각 2되를 작말하여 죽을 쑨 후, 누룩 2홉, 냉수 1홉을 섞어 빚는 방법이고, 이양주법은 멥쌀 1말을 작말하여 구멍떡을 빚어 삶은 후, 따뜻할 때 누룩가루 2되를 섞어 밑술을 빚고, 멥쌀 1말과 찹쌀 1말로 고두밥을 지어 밑술과 섞어 발효시키는 전형적인 속성주 빚는 법을 이용하고 있음을 볼 수 있다.

<술 만드는 법>의 '감주법'은 다른 문헌의 '감주' 빚는 법과 많이 다른 것을 볼 수 있는데, 수곡을 만들어 찌꺼기를 제거한 누룩물을 사용하고, 고두밥도 시루밑 물과 합하여 만든 진고두밥을 사용하는 등, 지금까지의 감주류와는 차별화된다.

<주방>*의 '감주' 주방문은 흰찹쌀 1말을 고두밥 지어 흰누룩가루 5홉과 청주 1병 반을 한데 합하여 술밑을 빚는데, "술이 숙성되면 그 맛이 달기가 꿀 같다."고 하였다. <침주법>의 '감주 한 말 빚이'는 멥쌀 2되로 흰무리떡을 찌고 식기 전에 누룩 1되와 끓여 식힌 물 1바리로 술밑을 빚고, 술밑이 괴어오르면 찹쌀 1말을 고두밥을 찌되 무르게 지어 덧술을 하는 방법으로 술 빚기가 이루어진다.

<언서주찬방>의 '감주' 주방문은 찹쌀 1말을 백세작말하여 구멍떡을 빚고 삶아, 누룩가루 2되를 섞고, 술밑을 빚어 발효시킨 후, 찹쌀 2말을 백세하여 불렸다가, 고두밥을 짓고, 밑술과 합하고, 술밑을 빚는다. 술독은 독부리를 단단히 두텁게 싸매어 발효시켜 익으면 채주하는 것으로 되어 있어, <산가요록>의 이양주법과는 덧술 빚는 법에서 차이가 난다는 것을 알 수 있다.

<농정회요>를 비롯하여 <임원십육지>, <조선무쌍신식요리제법>, <증보산림경제>에 수록된 '감주' 주방문은, 찹쌀 2되로 구멍떡을 빚고 삶아 누룩가루 2되와 섞어 밑술을 빚고, 덧술도 전량 찹쌀 2말로 고두밥을 지어 술을 빚는 공통점을 나타낸다. 따라서 <언서주찬방>의 '감주' 주방문과 비교했을 때 밑술을 구멍떡으로 한다는 점에선, 동일하지만 쌀의 양에서 차이를 나타내고 있다.

그리고 <주방문>의 '감주'는 멥쌀 1되를 백세작말하여 구멍떡을 빚고 삶아 누룩 1되와 떡 삶았던 물과 함께 고루 버무려 술밑을 빚고, 더운 방에 싸서 두고 발효시킨다. 덧술은 찹쌀 1말을 백세하여 물에 담가 불렸다가 고두밥을 짓고, 고두밥에 찬물 2되를 고루 뿌려가면서 무르게 찐 다음, 한김 나가게 식혀 밑술을 합하고, 고루 버무려서 술밑을 빚어 더운 곳에 싸매어 두고 2일 밤 발효시킨다는 점에서 <언서주찬방>을 비롯한 다른 문헌과 공통점을 나타내지만, 주원료의 종류와 양에서 차이가 있음을 볼 수 있다.

<침주법>의 '감주법'은 밑술 쌀 1말로 흰무리떡을 쪄서 누룩 2되를 섞어 밑술을 빚고, 덧술은 찹쌀 2말로서, 본법과는 쌀 양과 술 빚는 법 등에서 차이가 많다.

<주식방(고대규곤요람)>의 '감주' 주방문은 술독을 싸매서 발효시킨 후, 밥이 다 삭았으면 즉시 찬 곳에 놓아두었다가 중탕하여 사용한다는 점에서 자주법을 연상케 한다.

<주방문>의 '감주 우일법(又一法)'은 멥쌀 1되를 백세작말하여 흰무리떡을 찌고, 끓인 물 1사발을 합하여 죽처럼 만들어 식기를 기다렸다가 밀기름(엿기름) 두 숟가락을 합하고, (더욱 좋은 술을 빚으려면 누룩 반 숟가락을 넣고) 고루 버무려서 더운 방에 싸서 두고 하룻밤 발효시킨 뒤, 다음날 채주한다.

이상으로 다양한 '감주' 주방문을 살펴보았는데, '감주'를 빚는 데 따른 주원료의 가공 방법에서 그 특징을 찾아볼 수 있다. 즉, 단양주의 경우 주원료를 '백설기(흰무리떡)'와 '죽', '고두밥' 등 각기 다른 가공 형태로 하여 술을 빚고, 이양주의 경우 밑술은 '구멍떡'으로 빚고, 덧술은 고두밥 형태로 하는 공통점을 갖고 있다.

또한 이양주법 감주류를 수록하고 있는 <임원십육지>와 <농정회요>, <증보산림경제>, <조선무쌍신식요리제법>의 주방문이 동일하다 또 이양주류 중 <산가요록>과 <언서주찬방>, <침주법>의 주방문이 동일하다는 공통점을 띠고 있다.

이로써 감주류는 찹쌀 중심의 '구멍떡'을 비롯한 '죽', '백설기', '고두밥' 등 크게 4가지 가공방법으로 다양하게 이루어진다는 것을 확인할 수 있었다.

또한 감주류의 특성상 당화 촉진을 통하여 상대적으로 발효를 억지시키려는 노력을 보이고 있음을 알 수 있는데, 당화를 촉진하기 위한 방법으로 '엿기름'을 비롯하여 '술(청주)'이 이용되기도 한다는 것을 알 수 있다.

1. 감주법 <농정회요(農政會要)>

술 재료 : 밑술 : 찹쌀 2되, 누룩가루 2되
　　　　　덧술 : 찹쌀 2말

술 빚는 법 :

＊밑술 :

1. 찹쌀 2되를 백세하여 (물에 담가 불렸다가, 다시 씻어 건져서 물기를 뺀 후) 작말한다.

2. 가마솥에 물을 붓고 끓이다가 (미지근할 때 4홉 정도를 떠서) 쌀가루에 합하고, 매우 고루 치대서 익반죽하여 구멍떡을 빚는다.

3. 물이 끓거든 구멍떡을 넣고 삶아, 익어서 떠오르면 건져서 (구멍떡이 식기 전에 주걱으로 으깨서 멍울 없이 풀고) 차게 식기를 기다린다.

4. 건져(풀어) 놓은 떡이 식었으면, 누룩가루 2되를 섞고, 고루 버무려 술밑을 빚는다.

5. 소독한 항아리에 버무린 술밑을 담아 안치고, 예의 방법대로 하여 (덥지 않은 방에 자리를 잡아 앉히고) 여름은 5일, 봄·가을은 7일간 발효시킨다.

＊덧술 :

1. 찹쌀 2말을 백세하여 물에 담가 불린다(다시 씻어 건져서 물기를 뺀다).

2. 찹쌀을 시루에 안쳐서 고두밥을 짓는다(김이 한창 오르면 찬물 2되를 뿌려서 무르게 익힌다).

3. 고두밥이 익었으면 퍼내고, 넓게 펼쳐서 차게 식기를 기다린다.

4. 고두밥에 밑술을 합하고 고루 버무린 후 힘껏 치대어 술밑을 빚는다.

5. 술밑을 소독한 술독에 담아 안치고, 예의 방법대로 하여 발효시킨 후, 익기를 기다린다.

* 주방문 말미에 "독에 물기를 없이 하라."고 하였다.

甘酒法

粘米二升百洗作末作孔餅烹熟麴末二升相和夏五日春秋七日後粘米二斗百洗
浸潤蒸熟候冷如前本調和納瓮 瓮內拭淨(忌)生水氣待熟用之.

2. 감주 <산가요록(山家要錄)>
−쌀 1말 또는 2말 빚이

술 재료 : 멥쌀 1말, 맥아가루 3숟가락, 끓는 물(1말)

술 빚는 법 :

* 맥아 :

1. 진맥(참밀, 겉보리)을 물에 깨끗하게 여러 번 씻어 (흙과 모래, 쭉정이 등 이
   물질을 제거한 후) 그릇에 담아놓는다.
2. 겉저고리나 얇은 이불로 덮어서 온돌방에 두었다가, 싹이 나서 보리 길이만
   큼 자랐으면, 햇볕에 내어 바짝 말린다.
3. 말린 보리를 맷돌에 갈거나 절구에 넣고 찧어, 껍질을 벗기고 체에 쳐서 엿
   기름가루를 내린다.

* 술밑 :

1. 멥쌀 1말을 여러 번 씻어 (백세하여 물에 담가 불렸다가, 다시 씻어 건져서
   물기를 뺀 후) 가루를 만든다.
2. 쌀가루를 고운체에 쳐서 가루를 내린다.
3. 물(1말)을 끓이다가, 쌀가루를 풀어 넣고 팔팔 끓여 된죽을 쑨 후 (한김 나
   가게 식혔다가, 뜨거울 때) 맥아 3숟가락을 섞고, 고루 섞어 술독에 담아 안

친다.

4. 술밑은 예의 방법대로 하여 추울 때는 따뜻한 곳에 두고, 더울 때는 찬 곳에 두어 하룻밤 동안 삭힌다.

* 주방문에 '진맥(眞麥)'이라고 하였는데, 방문에 따른 '감주' 양주 과정을 보면 술이 아닌 식혜이기 때문에 겉보리(대맥大麥)이라야 할 것 같다.

甘酒

米一斗 又二斗. 眞麥 百洗 盛器 以襦衣覆之 置溫突上 待牙生米長許 晒乾 春正去皮 作末細篩. 白米一斗 百洗細末篩細 以沸湯水和作粥 以前麴三匙 和匀入缸. 寒置溫處 熱置冷處 經宿用之.

3. 감주 우방 <산가요록(山家要錄)>
－쌀 3말 빚이

> 술 재료 : 밑술 : 멥쌀 1말, 누룩가루 2되
>   덧술 : 멥쌀 1말, 찹쌀 1말

술 빚는 법 :

* 밑술 :

1. 찹쌀 1말을 (백세하여 물에 담갔다가, 다시 씻어 건져서 물기를 뺀 뒤) 작말 한다.
2. 쌀가루를 따뜻한 물로 익반죽하여 (둥글납작한) 구멍떡을 빚는다.
3. 구멍떡을 끓는 물에 넣고 삶아 (떡이 익어 물 위로 떠오르면 건져서 넓은 그릇에 담고 뚜껑을 덮어서) 뜨거운 기운이 나가게 식기를 기다린다.
4. 떡이 차게 식기 전에 누룩가루 2되를 합하고, 매우 쳐서 술밑을 빚는다.

5. 술독에 술밑을 담아 안치고, 가을은 7일, 여름은 5일 동안 발효시킨다.

* 덧술 :
1. 멥쌀 1말과 찹쌀 1말을 (백세하여) 물에 담가 하루 동안 불렸다가 (다시 씻어 건져서 물기를 뺀 뒤) 시루에 안쳐 고두밥을 짓는다.
2. 고두밥은 (한김 나면 찬물을 많이 뿌려서) 무르게 익히고, 고두밥이 익었으면 퍼내고 고루 펼쳐서 차게 식기를 기다린다.
3. 고두밥에 밑술을 합하고, 고루 힘껏 버무려 술밑을 빚는다.
4. 술밑을 술독에 담아 안치되 물기를 조심하고, 예의 방법대로 하여 발효·숙성시켜 익기를 기다린다.

* <산가요록> '감주 우방'의 특징은 밑술 쌀의 양이 매우 많다는 것과 술 빚는 물이 사용되지 않는다는 사실이다. 이렇게 되면 밑술만으로도 매우 단맛이 많은 술을 얻을 수 있는데, 다시 2배의 쌀이 고두밥 형태로 추가되어 '하향주'나 '감향주' 등과 같은 맛을 나타내고 있음을 볼 수 있다.

甘酒 又方

粘白米一斗 作末 作孔餠烹熟 待冷 匊末二升 相和 納瓮 春秋則七日 夏則五日 粘白米二斗 浸水一日 全蒸 待冷 與前醅无匊和入 待熟用.

4. 감주 우방 <산가요록(山家要錄)>

술 재료 : 멥쌀 2되, 찹쌀 2되, 누룩 2홉, 물(5되), 냉수 1홉

술 빚는 법 :
1. 멥쌀 2되와 찹쌀 2되를 (백세하여 물에 담가 하룻밤 불렸다가, 다시 7~8차

례 씻어 건져서 물기를 뺀 후) 작말한다.

2. 물(5되)을 끓이다가, 물이 뜨거워지면 쌀가루를 풀어 넣고 주걱으로 고루 저어주면서 팔팔 끓여 된죽을 쑨다.

3. 된죽이 퍼지게 익었으면 (넓은 그릇에 퍼서) 온기가 남게 식기를 기다린다.

4. 온기가 남게 식힌 죽에 누룩 2홉과 냉수 1홉을 섞고, 고루 버무려 술밑을 빚는다.

5. 술독에 술밑을 담아 안치고, 예의 방법대로 하여 천으로 덮어 이튿날까지 익힌다.

* <산가요록>의 '감주 우방'은 얼핏 '하향주'나 '감향주' 등과 같은 방문을 보여주고 있음을 볼 수 있다. 주방문 말미에 "오늘 빚으면 이튿날 먹을 수 있다. 분량에 따라 이 비율로 짐작하여 만든다."고 하였다.

甘酒 又方

粘白米二升 作末烹粥 米冷時 匊二合 冷水一合 又抹之納缸 以布冪之. 今日釀之 明日可用 多少 以此推之.

5. 감주법 <술 만드는 법>

술 재료 : 찹쌀 3되, 누룩 2되, 물 6되, 시루밑물 3되(쌀되)

술 빚는 법 :

1. 좋은 찹쌀 3되를 옥같이 쓿어(도정을 많이 하여) 정히 씻는다(백세하여 하룻밤 담가 불렸다가, 다시 씻어 헹궈서 물기를 뺀다).

2. 누룩 2되를 여름은 찬물(겨울, 봄, 가을은 끓여 미지근하게 식힌 물) 6되에 담가 하룻밤 불렸다가, 체에 밭쳐서 찌꺼기를 제거한 누룩물을 만들어놓는다.

3. 불린 쌀을 시루에 안쳐서 고두밥을 짓고, 고두밥이 익었으면 퍼내어 그릇에
   담아놓는다.

4. 고두밥을 찔 때 시루밑물을 쌀 되는 되로 3되를 계량하여 고두밥에 붓는다.

5. (고두밥이 물을 다 먹기를 기다린다.)

6. 고두밥이 더울 때 걸러놓은 누룩물과 함께 항아리에 담아 안치고, 고루 저
   어서 고두밥 덩어리가 없게 풀어놓는다.

7. 술독은 예의 방법대로 하여 더운 방에 두텁게 덮어두었다가, 반일(12시간)
   만에 열어보면 술이 익어서 꿀맛 같다.

* 고두밥을 따뜻할 때 버무려 넣는데다, 물 대신 시루밑물을 사용하고, 특히 더
  운 곳에서 발효시키기 때문에 발효에 따른 술맛이라기보다는 단시간에 고온
  당화시켜 단맛을 강화시키는 방법이라고 볼 수 있다.

감쥬법

죠흔 춥쌀 셔 되를 옥갓치 쓸어 졍히 삐셔 담으고 죠흔 누룩 두 되를 물 엿
되에 담으되 겨울 봄 가을은 밍근ᄒ게 데우고 여름은 찬물에 담가 두엇다가
잇튼날 누룩물를 쳬에 밧타 그 밥을 익게 쪄 시루물 쓰린 거슬 셔 되는 되로
되야 붓고 그 밥을 더운 김에 항아리에 너흐되 덩이 업시 푸러지게 져어 더
운 방에 덥게 덥게 덥헛다가 반일만 되거던 열어 보면 익어셔 쑬갓치 다니라.

6. 감주하는 법 <시의전서(是議全書)>

술 재료 : 찹쌀 3되, 엿기름가루 3되, 물 6되

술 빚는 법 :

1. 좋은 찹쌀 1말을 깨끗하게 씻어(백세하여 물에 담가 불렸다가, 다시 씻어 헹

귀서 물기를 뺀 후) 밥을 짓는다(시루에 안쳐 고두밥을 짓는다).

2. 솥에 물을 붓고 끓이다가, 엿기름가루를 자루에 담아 끓인 물에 넣고 주물러 짜서 찌꺼기를 제거한 엿물을 만든다.

3. 고두밥이 익었으면 시루에서 퍼내고, 한두 차례 뒤적여서 뜨거운 김만 나가게 식힌다.

4. 걸러놓은 엿물의 양보다 많은 양의 물을 붓고, 고두밥이 더울 때(따뜻하게 식었으면) 함께 솥에 넣고 엿을 달이듯 하여 삭힌다(항아리에 담아 안치고, 고루 저어 덩어리가 없게 풀어 더운 방에 두텁게 덮어두었다가, 10~12시간 정도 후에 열어보면 술이 익어서 꿀맛 같다).

5. 감주(식혜)가 다 되었으면 차게 식혀서 마신다.

* '감주'라고 하였으나 '식혜' 만드는 법이다.

감쥬ᄒ난 법
조흔 찰쌀 졍히 쓸어 밥을 지으되 물을 먼져 부어 쓰리며 안쳐 되게 지어 엿기름ᄀ로 물에 너코 무거리ᄂ 물에 담가 색라. 엿물보다 만히 부어 엿과 갓치 삭혀 폭폭 오리 다려 퍼셔 식혀 먹으라. 흔 말 ᄒ랴면 엿기름ᄀ로 쳬에 쳐셔 흔 되 셔 되 너ᄂ니라.

7. 감주 <양주(釀酒)>

술 재료 : 밑술 : 멥쌀 1되, 가루누룩 1되, 떡 삶은 물(2~3되)
　　　　　 덧술 : 찹쌀 1말

술 빚는 법 :
* 밑술 :

1. 멥쌀 1되를 백세하여 (물에 담가 불렸다가, 다시 씻어 헹궈 건져서) 작말한다.
2. 솥에 (2~3되 정도) 물을 붓고 끓이다가, 쌀가루에 (따뜻한) 물 2~3홉 정도를 뿌려 섞고, 고루 치대어 익반죽하여 구멍떡을 빚는다.
3. 끓는 물솥에 구멍떡을 넣고 삶아, 익어서 떠오르면 제 물에 둔다(차게 식기를 기다린다).
4. 구멍떡에 햇볕에 여러 날 희게 바랜 누룩가루 1되를 합하고, 고루 버무려 술밑을 빚는다.
5. 술밑을 술독에 담아 안치고, 예의 방법대로 하여 가장 더운 방에 앉히고 두텁게 싸매어 놓는다(2~3일간 발효시킨다).
6. (밑술의 맛이 달고 빛이 누렇게 되기를 기다린다.)

* 덧술 :
1. (밑술을 빚는 그날로) 찹쌀 1말을 백세하여 물에 담가 밤재워 불린다(다시 씻어 헹궈서 물기를 빼놓는다).
2. (불린 쌀을 시루에 안쳐서 무른 고두밥을 찌고, 익었으면 넓은 그릇에 퍼내어 차게 식기를 기다린다.)
3. 밑술에 불린 쌀(고두밥)을 합하고, 고루 버무려 술밑을 빚는다.
4. 술밑을 술독에 담아 안치고, 예의 방법대로 하여 이불로 싸매어 더운 곳에 앉혀서 발효시킨다(익기를 기다린다).
5. 덧술 빚은 지 2일 밤 지나면 술독을 (이불 벗겨서) 찬 곳에 두고 익기를 기다린다.

* '하향주'와 유사한 방문으로, 2일 만에 익는다 하므로, 덧술의 발효기간이 다르다.

감쥬
빅미 흔 되 빅셰작말ᄒ야 구무썩 비저 슬마 그 물 둣다가 ᄀ장 바뢴 국말 노외여 흔되 교합ᄒ야 ᄀ장 더온 방의 싸 두고 ᄎᆞᆸ쌀 ᄒᆞᆫ 말 빅셰ᄒ야 밤재여 및 술의 교합ᄒ야 돌고 빗시 누로거든 더온되 싸 두다가 잇ᄯᆞᆯ밤 지내거든 츤되 두고 쓰ᄂᆞ니라.

8. 감주 <언서주찬방(諺書酒饌方)>

> 술 재료 : 밑술 : 찹쌀 1말, 누룩가루 2되
>   덧술 : 찹쌀 2말

술 빚는 법 :
* 밑술 :
1. 찹쌀 1말을 백세하여 (물에 담가 불렸다가, 다시 씻어 헹궈 건져서 물기를 뺀 후) 작말하여(가루로 빻아) 자배기에 담아놓는다.
2. 쌀가루를 뜨거운 물로 익반죽하여 구멍떡을 빚는다.
3. 솥에 물을 넉넉히 붓고 끓여서 구멍떡을 넣고 삶아, 떡이 익었으면(수면으로 떠오르면) 건져서 (뚜껑을 덮어) 차게 식기를 기다린다.
4. 식은 구멍떡에 누룩가루 2되를 섞고, 다시 치대어 술밑을 빚는다.
5. 술밑을 술독에 담아 안치고, 예의 방법대로 하여 겨울은 7일, 여름은 5일간 발효시킨다.

* 덧술 :
1. 찹쌀 2말을 백 번 씻어 물에 담가 밤재워 불렸다가 (다시 씻어 헹궈 건져서 물기를 뺀 후) 시루에 안쳐서 고두밥을 짓는다.
3. 고두밥이 익었으면 퍼내고, 고루 펼쳐서 차게 식기를 기다린다.
4. 고두밥에 밑술을 합하고, 고루 치대서 술밑을 빚는다.
5. 술독을 날물기를 없이 하여 술밑을 담아 안치고, 다시 독부리를 단단히 두

텁게 싸매어 (27~35일간) 발효시켜서 익으면 채주한다.

* <양주>의 '점주(粘酒)'나 다른 주품인 '하향주'와 유사한 방문으로, 밑술의
  쌀 양이 다를 뿐이다. 따라서 '감주'가 후기에 '점주'나 '하향주'로 바뀌었을
  수도 있다.

감쥬—粘米三斗 麴二升

졈미 흔 말을 빅셰작말ᄒᆞ야 구무쎡 믄ᄃᆞ라 닉게 솔마 식거든 누록ᄀᆞᄅ 두 되
를 섯거 독의 녀허 ᄀᆞ을 봄이어든 닐웨를 두고 녀름이어든 닷새를 둣다가 졈
미 두 말을 빅 번 시서 둠갓다가 밤 자거든 닉게 쪄 츠거든 젼 미틱 버므려 독
을 늘믈긔 업시 ᄒᆞ야 녀코 둔ᅌᅵ 두터이 싸믹야 닉거든 쓰라.

9. 감주방 <임원십육지(林園十六志)>

> 술 재료 : 밑술 : 찹쌀 2되, 누룩가루 2되, (떡 삶은 물 4~5되)
>
>   덧술 : 찹쌀 2말

술 빚는 법 :

* 밑술 :

1. 찹쌀 2되를 백세하여 (물에 담가 불렸다가, 다시 씻어 헹궈서 물기를 뺀 후)
   작말한다.
2. 쌀가루에 뜨거운 물을 뿌려서 익반죽을 만들고, 많이 치대어 구멍떡을 빚
   는다.
3. 끓는 물솥에 구멍떡을 넣고 삶아서, 물 위로 떠오르면 건져낸다(그릇에 담
   아놓고 차게 식기를 기다린다).
4. 구멍떡에 누룩가루 2되와 (떡 삶은 물을 차게 식혀 적당량) 섞고, 고루 치대

어 술밑을 빚는다.

5. 술밑을 술독에 담아 안친 후, 예의 방법대로 하여 (서늘한 곳에서) 여름에는 5일, 봄·가을에는 7일간 발효시킨다.

* 덧술 :

1. 찹쌀 2말을 백세하여 물에 담갔다가 쌀이 윤이 나게 불었으면 (다시 씻어 헹궈서 물기를 뺀 후) 시루에 안쳐서 고두밥을 짓는다.

2. 고두밥이 익었으면 퍼낸 후, 고루 펼쳐서 차게 식기를 기다린다.

3. 고두밥에 밑술을 합하고, 고루 버무려 술밑을 빚는다.

4. 소독하여 날물기를 제거한 술독에 술밑을 담아 안치고, 예의 방법대로 하여 발효시킨다.

5. 술이 익기를 기다려 채주하여 사용한다.

甘酒方

粘米二升百洗作末作孔餠烹熟麴末二升相和夏五日春秋七日後粘米二斗百洗浸潤丞蒸熟候冷如前本調和納甕內拭淨勿令有生水氣待熟飮之. <增補山林經濟>.

10. 감주 <조선무쌍신식요리제법(朝鮮無雙新式料理製法)>

감주는 쌀과 엿길금(맥아)을 사용하여 당화 과정을 거쳐 만들어 마시는 고유의 당화 음료인 식혜(食醯)를 만들듯이 하여 엿밥을 제거하여 마시는데 맛이 달아서 술 못 마시는 사람과 노인이 마신다.

* 주방문으로 미루어 술이 아닌, 식혜 제조법이란 것을 알 수 있다.

감주

감주는 식혜하듯 하야 짜서 마시면 마시 달기로 술 못 먹는 사람과 로인이 마시나니라.

11. 감주 또 한 법 <조선무쌍신식요리제법(朝鮮無雙新式料理製法)>

술 재료 : 밑술 : 찹쌀 2되, 누룩가루 2되, (떡 삶은 물 1주발)
　　　　　덧술 : 찹쌀 2말

술 빚는 법 :

* 밑술 :

1. 찹쌀 2되를 백세하여 (물에 담가 불렸다가, 다시 씻어 건져서 물기를 뺀 후) 작말한다.

2. 가마솥에 물을 붓고 (끓여 뜨거울 때 2홉 정도를 떠서 쌀가루에 합하고, 매우 고루 치대서 익반죽한 뒤) 구멍떡을 빚는다.

3. 물이 끓거든 구멍떡을 넣고 삶아, 익어서 떠오르면 건져서 (구멍떡이 식기 전에 주걱으로 으깨서 멍울 없이 풀고) 차게 식기를 기다린다(떡이 식어 풀어지지 않으면 떡 삶았던 물을 1주발 정도 합하여 멍울 없이 풀어놓는다).

4. 풀어놓은 떡이 식었으면, 누룩가루 2되를 섞고 고루 버무려 술밑을 빚는다.

5. 소독한 항아리에 버무린 술밑을 담아 안치고, 예의 방법대로 하여 (덥지 않은 방에 자리를 잡아 앉히고) 여름은 5일, 봄가을은 7일간 발효시킨다.

6. 술을 빚은 지 7일이 되어 술 빛깔이 누렇게 되고 맛이 달면 덧술을 담는다.

* 덧술 :

1. 찹쌀 2말을 백세하여 (하룻밤 불렸다가, 다시 씻어 건져서) 물기를 뺀다.

2. 찹쌀을 시루에 안쳐서 고두밥을 짓는다(김이 한창 오르면 찬물 2되를 뿌려서 무르게 익힌다).

3. 고두밥이 차게 식기를 기다렸다가, 밑술과 합하고 고루 버무려 술밑을 빚는다.
4. 버무린 술밑을 소독한 술독에 담아 안치고, 예의 방법대로 하여 발효시키고 익기를 기다린다.
5. 맑은 술이 치솟고 맛이 매우 달면, 술독을 찬 데로 옮겨두고 채주하여 마신다.

* 주방문 머리에 "감주는 식혜 하듯 하여 짜서 마시면 맛이 달기로, 술을 못 먹는 사람과 노인이 마시나니라."고 하여 그 맛과 용도에 대해 언급하고 있다. 또 변하지 않게 하려면 "독에 물기를 없이 하라."고 하였다. 또 다른 방법으로 알맞게 끓여두면 쉬이 상하지 않는다.
* <증보산림경제>, <술 만드는 법>, <임원십육지>, <해동죽지(海東竹枝)>, <조선고유색사전(朝鮮固有色辭典)>에 술 이름과 술 빚는 법이 수록되어 있는데, 감주는 단시일 안에 속성으로 끝낸 술을 가리킨다. 흔히 찹쌀이 쓰이고 물이 쓰이지 않는 것이 공통점이다. 또 숙성 기간이 짧고 1차 담금이 주로 행해지나, 2차 담금한 경우도 있는데, 용수의 양을 적게 사용한다. '청감주', '점감청주', '감향주', '점감주', '건조향주' 등이 이에 속한다.
* 단술은 발효가 덜 된 상태의 술, 즉 곡식을 원료로 빚는 술은 누룩의 힘으로 녹말을 분해하면 당(포도당)이 만들어져 단맛을 갖게 되는데, 단맛이 날 때는 발효 중으로 술이 덜 된 상태이다. 따라서 단맛이 나는 이와 같은 경우가 아니라, 속성으로 발효를 끝낸 술을 가리킨다.

감주 쏘 훈 법
찹쌀 두 되를 백 번 씨서 가루 만드러 구무썩 지여 삶아서 식거든 누룩가루 두 되를 한테 주물러 밋줄 만드러 여름에는 닷세요, 봄·가을에는 니레 후에 찹쌀 두 말을 백 번 씨서 물에 당갓다가 물으게 쩌서 식거든 전에 밋과 합하야 독에 물끼 업시 하고 느어서 익기를 기다려 마시나니라.

12. 감주법 <주방(酒方)>*

술 재료 : 흰찹쌀 1말, 흰누룩가루 5홉, 청주 1병 반

술 빚는 법 :

1. 흰찹쌀 1말을 (백세하여) 물에 담가 불렸다가 (다시 씻어 건져서 물기를 뺀 후) 시루에 안쳐서 고두밥을 짓는다.

2. 고두밥이 익었으면 퍼낸다(시루에서 퍼내고, 고루 펼쳐서 차게 식기를 기다린다).

3. 고두밥에 흰누룩가루 5홉과 청주 1병 반을 한데 합하고, 고루 버무려 술밑을 빚는다.

4. 술밑을 술독에 담아 안치고, 예의 방법대로 하여 발효시킨다.

5. 술이 숙성되면 그 맛이 달기가 꿀 같다.

* 양주용수 대신 '청주'를 사용하는 방법이다. '감주' 주방문 가운데 술을 사용하는 방법은 <주방>*이 유일한 기록이다. 추측하건대 속성주법 '급청주'나 '삼일주'이지만 단맛이 많은 까닭에 '감주'라고 하였을 가능성이 높다. '급청주', '삼일주' 등 속성주편 참고.

감듀법

흰 춥뿔 흔말 물의 둡갓다가 닉게 쪄 죠흔 누룩ㄱ로 다숩 물 말고 쳥듀 병 반의 버무려 비즈면 그 둘기 꿀 ㄱ트니라.

13. 감주 <주방문(酒方文)>

> 술 재료 : 밑술 : 멥쌀 1되, 누룩 1되, 물(3되 정도)
>   덧술 : 찹쌀 1말, 물 2되

술 빚는 법 :

* 밑술 :

1. 멥쌀 1되를 백세하여 (물에 담가 불렸다가, 다시 씻어 건져서 물기를 뺀 후) 작말한다.

2. 쌀가루를 뜨거운 물로 익반죽하여 구멍떡을 빚는다.

3. 솥에 물(3되 정도)을 붓고 팔팔 끓이다가, 물이 끓으면 구멍떡을 넣고 삶아 (익어서 떠오르면) 떡 삶았던 물과 (함께 다른 그릇에 퍼서) 차게 식기를 기다린다.

4. 떡에 곱게 빻아 오랫동안 바랜(법제한) 누룩 1되를 합하고, 떡 삶았던 물과 함께 고루 버무려서 술밑을 빚는다.

5. 술밑을 술독에 담아 안치고, 예의 방법대로 하여 더운 방에 싸서 두고 발효시킨다.

* 덧술 :

1. 찹쌀 1말을 백세하여 물에 담가 하룻밤 불렸다가 건져서 (물기를 뺀 후) 시루에 안쳐서 고두밥을 짓는다.

2. 시루에서 한김 나면 (고두밥에 찬물 2되를 고루 뿌려가면서 무르게 찐 다음) 고루 펼쳐서 한김 나가게 식혀 더운 고두밥을 준비한다.

3. 더운 고두밥에 밑술을 합하고, 고루 버무려서 술밑을 빚는다.

4. 술독에 술밑을 담아 안치고, 예의 방법대로 하여 더운 곳에 싸매어 두었다가, 2일 밤 발효시킨다.

5. 술 빚은 지 2일 밤 지내어, 술덧에서 맑은 구기(浮蟻) 떠 있고 가장 맛이 달

면, 술독을 찬 곳으로 옮겨두고 사용한다.

감쥬

빅미 흔되 빅셰 작말 구무떡 비저 슓고 그 믈 둧다가 ᄀ장 바ᄅᆫ 누록 흔되 되여 믈조차 쎡을 마존 그롯싀 녀허 더운 방의 싸 두고 초볼 흔말 빅셰 ᄒ룻밤 자여 이틀날 보아 둘고 빗치 누ᄅ거든 그 밥 뜔 제 믈 두되 쓰려 ᄀ장 더워셔 미틔 셗거 더운 듸 쌰 둧다가 이틀 밤 디나거든 보아 믈근 구기 티둧고 ᄀ장 둘거든 춘 듸 두고 쓰라. 여ᄒ여도 일로 알마초 조리면 됴ᄒ니라.

14. 감주 또 한 방문 <주방문(酒方文)>

> 술 재료 : 멥쌀 1되, 밀기름(엿기름) 2숟가락, 누룩 반 숟가락, 물(1사발)

술 빚는 법 :

1. 멥쌀 1되를 백세하여 (물에 담갔다가 건져서) 작말한다.
2. 쌀가루를 시루에 안쳐 떡을 찌고, 물 1사발을 팔팔 끓인다.
3. 떡이 익었으면 넓은 그릇에 퍼내고, 끓고 있는 물 1사발을 합하여 죽처럼 만들어 차게 식기를 기다린다.
4. 죽에 밀기름(엿기름) 2숟가락을 합하고 (더욱 좋은 술을 빚으려면 누룩 반 숟가락을 넣고,) 고루 버무려서 술밑을 빚는다.
5. 술밑을 술독에 담아 안치고, 예의 방법대로 하여 더운 방에 싸서 두고 하룻밤 발효시킨 뒤, 다음날 채주한다.

* 방문에 "떡으로 만든 죽과 엿기름을 합하여 삭히는 방법"인 것으로 미루어 술이 아닌 식혜라는 것을 알 수 있는데, 방문 말미에 "누룩 반 술 넣으면 더 좋으리라."고 하였으므로, 비로소 감주가 되는 것을 알 수 있다.

감쥬 쏘 흔 방문

빅미 흔 되 빅셰작말ᄒ여 니기 뼈 탕슈 흔 사발 교합 디링 밀기름 작말 두 술 교합ᄒ여 ᄃ스ᄂ 방의 빠 둣다가 ᄒ로밤 디나거ᄃ 쓰라. 누룩 반 술 녀흐면 더 됴흐리라.

15. (감주) <주식방(酒食方, 高大閨壼要覽)>

술 재료 : 찹쌀 3되, 엿기름가루 4홉, 누룩가루 2홉, 물(1되 5홉)

술 빚는 법 :

1. 찹쌀 3되를 (백세하여 물에 담가 불렸다가, 다시 씻어 헹궈서) 물기를 빼놓는다.
2. 불린 쌀을 솥에 안치고 끓여서 밥을 짓고, 고루 펼쳐서 차게 식기를 기다린다.
3. 밥에 엿기름가루 4홉과 누룩가루 2홉을 한데 합하고, 고루 버무려 술밑을 빚는다.
4. 술밑을 술독에 담아 안치고, 예의 방법대로 더운 곳에 두고 술독을 싸매서 발효시킨다.
5. 술독을 열어보아 밥이 다 삭았으면 즉시 찬 곳에 놓아두었다가 (차게 식었으면) 솥에 넣고 달여서 사용한다.

* '감주'는 <주식방(고대규곤요람>의 '과하주' 주방문 말미에 수록되어 있다. '과하주'라고 하였지만, 방문에 엿기름가루가 누룩가루와 같이 사용되고, 밥을 지어 빚는 것으로 미루어 '감주'라고 여겨져, 주품명 과하주(감주)는 '감주' 편에 수록하였다.

과하쥬(감주)

흰 출쌀 서 되를 밥 지어 더워서 엿기름 가로 너 홉과 국말 두 홉의 버므려 마이 덥게 흐여 싸 더운 듸 두엇다가 삭거든 즉시 찬 듸 잠간 노하다가 솟칙 달혀 쓰라.

16. 감주법 <증보산림경제(增補山林經濟)>

> 술 재료 : 밑술 : 찹쌀 2되, 누룩가루 2되, (떡 삶은 물 1주발)
>   덧술 : 찹쌀 2말

술 빚는 법 :

* 밑술 :

1. 찹쌀 2되를 백세하여 (물에 담가 불렸다가, 다시 씻어 건져서 물기를 뺀 후) 작말한다.

2. 가마솥에 물을 붓고 (끓여 뜨거울 때 3홉 정도를 떠서 쌀가루에 합하고, 매우 고루 치대서 익반죽한 뒤) 구멍떡을 빚는다.

3. 물이 끓거든 구멍떡을 넣고 삶아, 익어서 떠오르면 건져서 (구멍떡이 식기 전에) 주걱으로 으깨서 멍울 없이 풀고, 떡이 식어 풀어지지 않으면 떡 삶았던 물을 1주발 정도 합하여 멍울 없이 풀어놓는다.

4. 풀어놓은 떡이 차게 식기를 기다렸다가, 누룩가루 2되를 섞고, 고루 버무려 술밑을 빚는다.

5. 소독한 항아리에 버무린 술밑을 담아 안치고, 예의 방법대로 하여 (덥지 않은 방에 자리를 잡아 앉히고) 여름은 5일, 봄가을은 7일간 발효시킨다.

6. 술을 빚은 지 7일이 되어 술 빛깔이 누렇게 되고 맛이 달면 덧술을 한다.

* 덧술 :

1. 찹쌀 2말을 백세하여 물에 담가 불렸다가 (다시 씻어 건져서) 물기를 뺀다.
2. 찹쌀을 시루에 안쳐서 고두밥을 짓는다(김이 오르면 찬물 2되를 뿌려 익힌 다).
3. 고두밥이 차게 식기를 기다렸다가, 밑술과 합하고 고루 버무려 술밑을 빚 는다.
4. 버무린 술밑을 소독한 술독에 담아 안치고, 예의 방법대로 하여 발효시킨 후, 익기를 기다려 (맑은 술이 치솟고 맛이 매우 달면) 술독을 찬 데로 옮겨 두고 채주하여 마신다.

甘酒法
粘米二升百洗作末作孔餠烹熟麯末二升相和夏五日春秋七日後粘米二斗百洗
浸潤蒸熟候冷如前本調和納甕甕內拭淨生水氣待熟用之.

17. 감주 <침주법(浸酒法)>
－한 말 빚이

술 재료 : 밑술 : 멥쌀 2되, 누룩 1되, 끓여 식힌 물 1바리
　　　　덧술 : 찹쌀 1말

술 빚는 법 :
* 밑술 :
1. 멥쌀 2되를 백세하여 (물에 담가 하룻밤 불렸다가, 다시 씻어 건져서) 작말 한다(가루로 빻는다).
2. 솥에 물을 붓고, 시루를 올린 뒤, 끓여서 김이 나면 쌀가루를 안치고, 무리 떡을 찐다.
3. 솥에 물 1바리를 팔팔 끓여 차게 식힌 뒤, 누룩 1되를 담가 불렸다가, 체에

걸러 찌꺼기를 제거한 누룩물을 만들어놓는다.

4. 무리떡이 익었으면 퍼내고, 덩어리를 잘게 쪼개어 차디차게 식기를 기다린다.

5. 무리떡에 누룩물을 골고루 합하고, 고루 버무려 술밑을 빚는다.

6. 술밑을 술독에 담아 안친 후, 예의 방법대로 하여 술밑이 괴어오르면, 덧술을 준비한다.

* 덧술 :

1. 찹쌀 1말을 백세하여 (물에 담가 하룻밤 불렸다가, 다시 헹궈 건져서) 물기를 빼놓는다.

2. 불린 쌀을 시루에 안치고 쪄서, 가장 무른 고두밥을 짓는다.

3. 고두밥이 익었으면 퍼내고, 고루 펼쳐서 차디차게 식기를 기다린다.

4. 고두밥을 밑술과 합하고, 고루 버무려 술밑을 빚는다.

5. 술독을 예의 방법대로 하여 (따뜻한 곳에서) 발효시킨다.

감쥬(甘酒)―흔 말

뿔 두 되 그릇지허 뼈 누록 흔 되롤 글흔 믈 흔 바리에 걸어 비젓더가 괴거든
츕뿔 흔 말을 빅세ᄒᆞ야 그장 닉게 뼈 더트라.

18. 감주 <침주법(浸酒法)>
−서 말 빚이

술 재료 : 밑술 : 멥쌀 1말, 누룩 2되, (떡 삶은 물 2~1되)
　　　　　 덧술 : 찹쌀 2말

술 빚는 법 :

* 밑술 :

1. 찹쌀 1말을 백세하여 (하룻밤 물에 담가 불렸다가, 다시 씻어 건져서 물기를 뺀 후) 가루로 빻는다.
2. 솥에 물을 넉넉히 붓고 끓이다가, 뜨거워지면 쌀가루에 골고루 뿌려 익반죽을 만든 뒤, 한 주먹씩 떼어 구멍떡을 빚는다.
3. 솥의 물이 끓으면 구멍떡을 넣고 삶아, 익어서 물 위로 떠오르면 건져서 (주걱으로 많이 짓이겨서) 차게 식기를 기다린다.
4. 구멍떡에 누룩 2되를 섞고 (떡 삶은 물을 쳐서) 고루 치대어 술밑을 빚는다.
5. 술독에 술밑을 담아 안친 후, 예의 방법대로 하여 여름은 5일, 봄가을엔 7일, 겨울엔 9일간 발효시켜 익기를 기다린다.

* 덧술 :
1. 찹쌀 2말을 백세하여 물에 담가 하룻밤 불렸다가 (다시 씻어 헹궈서 물기를 빼고) 시루에 안치고 쪄서 고두밥을 짓는다.
2. 고두밥이 무르게 익었으면 고루 펼쳐서 차게 식기를 기다린다.
3. 고두밥에 밑술을 합하고, 고루 버무려 술밑을 빚는다.
4. 술밑을 독에 담아 안치고, 예의 방법대로 하여 술이 익기를 기다린다.

* 주방문 말미에 "이 술과 목욕주 만드는 법 없으니, 쌀 한 말에 물 한 말씩 넣어도 좋고, 익은 후에 죽 하여도(죽을 쑤어서 넣어도) 좋다."고 하여, 필요에 따라 삼양주를 빚는다는 것을 알 수 있다.

감쥬(甘酒)—서 말

춥쌀 흔 말을 빅셰ᄒᆞ야 ᄀᆞᄅᆞ빗아 구무 떡 밍그라 닉게 술마 츠거든 누록 두 되 섯거 녀허 녀름이오든 닷쇄오 ᄀᆞ을이어든 닐웨오 겨을이어든 아흐래 만의 춥쌀 두 말을 빅셰ᄒᆞ야 ᄒᆞ룻밤 재여 닉게 쪄 츠거든 젼례 비젓더가 닉거든 쓰라. 이 술과 목욕쥐믈 ᄃᆞᄂᆞᆫ 법 업스니 뿔 흔 말의 믈 흔 박식 녀허도 죠코 니근 후에 죽 ᄒᆞ여도 죠ᄒᆞ니라.

계명주

 '계명주(鷄鳴酒)'는 "저녁에 빚으면 다음날 새벽닭이 울 때까지는 다 익는다."고 하여 붙여진 술 이름이다. <동의보감(東醫寶鑑)>을 비롯하여 <임원십육지(林園十六志, 高麗大本)>에 '계명주' 주방문이 수록된 것으로 미루어, 이미 1500년대 이전부터 빚어 마셔왔던 것으로 여겨진다.

 <동의보감>과 <임원십육지(고려대본)>에 주방문을 엿볼 수 있는데, 두 문헌에서 보듯 매우 단기간에 걸쳐 이뤄지는 속성주로, 크게 두 가지 방문이 전해지고 있다. <동의보감>에 두 가지 방문이 수록되어 있고, <임원십육지(고려대본)>에도 세 가지 주방문이 수록되어 있음을 볼 때, 후기로 내려오면서 여러 가지 변용된 주방문이 생겼을 것이라는 추측을 할 수 있다.

 한편, 현존하는 가양주 형태의 '계명주'가 남양주의 결성장씨 가문에 전해 오고 있다. 황해도 지방에 살던 결성장씨 가문의 고(故) 장기항 씨가 월남하여 경기도 남양주시 수동면에 터를 닦게 되었는데, 고 장기항 씨의 부인 최옥근 여사가 그 기능을 보유하게 되었고, 경기도 무형문화재로 지정되어 오늘에 이르고 있

다. 장씨 가문의 전승비주였던 '남양주 계명주'는 두 문헌에 수록된 방문과는 다른 방법으로 빚어지고 있음을 볼 수 있다.

'남양주 계명주'의 전승은, 우리나라의 양조학적 관점에서 매우 큰 의미를 담고 있다고 할 수 있다. 즉, '남양주 계명주'의 주방문을 보면, <동의보감>이나 <임원십육志(고려대본)>, <오주연문장전산고(五洲衍文長箋散稿)>에도 나와 있듯이 '엿기름(맥아)'을 사용한 양주의 역사가 고려 이전으로 거슬러 올라간다고 하는 사실에서 '계명주'의 가치는 매우 크다고 할 수 있다.

사실, 전승가양주로서 '남양주 계명주'는 일찍이 황해도지방의 토속주(土俗酒)로 자리매김되어 왔고, 황해도 지방이 고려 이전에는 고구려 영역이었던 만큼, 삼국시대의 양주 형태를 답습하고 있었을 것이라는 추측이 가능한 것이다. 그간 우리나라의 양주기술은 조선시대 기록을 근거로 할 수밖에 없었으므로 그 역사가 일천한 것으로 생각해 왔던 것인데, '남양주 계명주'의 등장으로, 맥아를 사용한 양주기술의 원형과 근거를 찾을 수 있게 된 것이라고 할 것이다.

국내의 '계명주'에 대한 기록 중 시대가 앞선 <동의보감>의 '계명주' 주방문을 보면, 찹쌀 3되와 누룩(5홉), 엿기름가루(2홉), 조청(1/2근), 물 6되가 사용되는 것으로, 엿기름이나 조청이 사용되는 것을 제외하고는 여느 가양주 주방문과 별반 차이가 없다는 것을 알 수 있다. 또 우방(又方)으로 기록되어 있는 주방문 역시 찹쌀 3되와 백곡 (1/2근), 엿기름가루 1줌, 단샘물 6되가 주재료로, 본법과 비교했을 때 조청이 들어가지 않을 뿐 술 빚는 과정은 동일하다.

<동의보감>보다 212년 뒤에 발간된 <임원십육지(고려대본)>의 '계명주' 주방문은 두 가지가 수록되어 있는데, 차조쌀 2되를 주재료로 누룩가루 2근과 죽 쑨 물, 날물 5말이 사용되고 있어, 다른 기록에는 찹쌀이던 것이 차조쌀로 바뀌었고, 엿기름이나 조청 등은 사용되지 않는 전형적인 속성주 방문을 보여주고 있다.

그리고 <임원십육지(고려대본)>에는 '가괄법(歌括法,)'이라 하여 노래 묶음집의 기록을 토대로 작성된 주방문을 엿볼 수 있는데, 찹쌀 3되를 주재료로 누룩 반 근과 사탕 2냥, 효모 1초(鈔, 1되의 천분의 일 혹은 소량), 엿기름(2홉 정도), 물 6되가 사용된다.

<임원십육지(고려대본)>의 '가괄법'을 <동의보감>의 주방문과 비교하면, 조

청 대신 사탕이 사용되고, 처음으로 효모가 사용되고 있어, 근대식 양주기법의 시작을 알려주고 있다고 하겠다.

또 <임원십육지(규장각본, 대판본)>와 <오주연문장전산고>에는 '계명주 우법(又法)'이라고 하여 '약계명주법(藥鷄鳴酒法)'이 병기(竝起)되어 있는데, 찹쌀 3되를 주재료로 누룩 반 근과 사탕 2냥, 효모 1초, 엿기름 외에 계피·후추(천초)·좋은 생강·세신·감초·천오·포(炮)·천궁·정향 각각 반 전(錢), 물 6되가 사용되어 '약계명주'로 지칭하였다는 것을 알 수 있다.

한편, <오주연문장전산고>는 약재의 종류와 사용량이 <임원십육지>와는 사뭇 다르다는 것을 알 수 있다. 특히 <오주연문장전산고>는 저자가 직접 양주를 해보고 경험에 따른 의견을 제시하고 있는데, "내 생각에 천궁은 냄새가 매우 아름답지 않으니 그 냄새를 싫어하는 자는 구역질이 나려고 한다. 축사, 행인, 곽향, 오수유, 당귀로서 대신하는 것이 좋다."고 하여 자신의 의견을 달고 있다는 점에서 '약계명주'의 변화된 주방문을 엿볼 수 있다.

따라서 '계명주'는 크게 누룩으로만 빚는 일반적인 속성주법을 기본으로 엿기름이나 조청, 사탕을 넣어 당화를 촉진하는 방법과 효모를 이용한 속성주법 등두 가지 주방문이 존재하며, 특별한 목적에 따라 여러 가지 약재를 첨가한 '약계명주'가 빚어졌을 것이라는 추측을 할 수가 있다.

그리고 또 다른 특징은, 어떠한 방법으로 빚든 '계명주'는 주재료의 당화와 발효를 촉진시키기 위한 목적에서 죽(粥) 형태로 가공하여 술을 빚는다는 사실과 함께, <동의보감>과 <임원십육지> 두 문헌의 기록에서 또 "겨울은 5일, 봄가을은 3일, 여름은 2일이면 좋은 술이 된다."고 되어 있다는 사실이다.

특히 간과할 수 없는 점은, 효모나 조청, 사탕이 들어가지 않는 주방문에서는 "다음날 아침 닭이 울 때 익는다."고 하고, 오히려 효모나 조청, 사탕이 들어가는 주방문에서는 "겨울은 5일, 봄가을은 3일, 여름은 2일이면 좋은 술이 된다."고 하여, 실제로는 하룻밤 만에 익는 술이 아님을 알 수 있다.

주지하다시피, 속성주의 전형은 주원료의 당화와 발효를 촉진시키기 위하여 죽을 쑤어 빚는가 하면, 그 외에도 여러 가지 방법이 동원되고 있다. '계명주'와 '약계명주' 역시 엿기름가루나 조청, 사탕, 심지어 효모(드라이이스트)의 사용 외에도 주재료를 차게 식히지 않고 따뜻한 상태에서 누룩을 혼합하여 당화와 발효 촉진을 도모하고 있음을 알 수 있다.

따라서 '계명주'를 빚을 때 유의할 사항은, 술의 주발효 시 품온이 지나치게 상승하여 과발효에 따른 산패가 일어나지 않도록 온도 관리를 잘 해주어야 한다는 것이다. 특히 '계명주'와 같이 속성으로 빚는 술의 특징은 알코올 발효가 주목적이라고 하기보다는 알코올 발효가 끝나기 전에 술의 발효를 중단하거나 인위적으로 당화 속도를 촉진시킴으로써 극히 짧은 시간에 농당(濃鏞) 상태에 이르도록 하는 것이다. 농당 상태를 유도함으로써 오히려 효모 활동을 억지시키는 방법이 그것이다.

때문에 속성주류의 특성상 과음할 경우, 지나친 숙취를 초래할 수 있다는 사실에 유념해야 한다.

1. 계명주 <동의보감(東醫寶鑑)>

술 재료 : 찹쌀 3되, 누룩(5홉), 엿기름가루(2홉), 조청(1/2근), 물 6되

술 빚는 법 :

1. 찹쌀 3되를 깨끗하게 일어 (새 물에 담가 불렸다가, 다시 씻어 건져서) 준비한다.
2. 불린 쌀을 물 6되와 함께 끓여 죽을 쑨 다음, 여름에는 차게 식히고, 봄가을에는 약간 따뜻하게 식히고, 겨울에는 약간 더 따뜻하게 식힌다.
3. 누룩(2홉)과 엿기름가루를 곱게 찧어 엿(1/2근)에 넣어 당국을 만들어놓는다(삭기를 기다렸다가).
4. 죽에 당곡을 합하고, 고루 버무려 술밑을 빚는다.
5. 술밑을 술독에 담아 안치고, 예의 방법대로 하여 겨울에는 5일, 봄·여름·가을에는 3일이면 맛있게 익는다.

鷄鳴酒

右先將粘米三升淨淘, 水六升, 同下鍋, 煮作粥, 下攔冷, 春秋溫, 冬微熟, 麴酵, 麥芽, 皆擣細末同餳餹, 下在粥內, 拌勻釀之, 冬五日, 春秋夏各三日, 卽爲美醍矣.

歌曰, 甘泉六椀米三升, 做粥, 溫和麴半斤, 三兩餳餹二兩酵, 一抄麥芽要調勻, 黃昏時候安排了, 來朝便飮瓮頭春. <必用>.

2. 계명주 <동의보감(東醫寶鑑)>
－가왈(歌曰)

> 술 재료 : 찹쌀 3되, 백곡 반 근, 엿(조청) 3냥, 술밑 2냥, 엿기름가루 1줌, 감천수
>   (단샘물) 6사발

술 빚는 법 :

1. 찹쌀 3되를 깨끗하게 일어 (새 물에 담가 불렸다가, 다시 씻어 건져서) 준비한다.
2. 단샘물 6되에 불린 찹쌀을 함께 끓여 죽을 쑨 다음, 따뜻하게 식힌다.
3. 따뜻한 죽에 백곡(누룩) 1/2근과 엿(조청) 3냥, 술밑 2냥, 엿기름가루 1줌을 넣고, 고루 버무려 술밑을 빚는다.
4. 술밑을 술독에 담아 안치고 예의 방법대로 하여 발효시키는데, 황혼에 놓아두면 이튿날 아침에 독을 열어 마실 수 있는데, 뛰어난 춘주가 된다.

鷄鳴酒 歌曰

甘泉六椀米三升, 做粥, 溫和麴半斤, 三兩餳餹二兩酵, 一抄麥芽要調勻, 黃昏時候安排了, 來朝便飮瓮頭春. <必用>.

3. 계명주 <오주연문장전산고(五洲衍文長箋散稿)>

─노래(가괄歌括) 묶음

> 술 재료 : 찹쌀 3되 또는 6되, 누룩 반 근 3냥, 묽은 엿 2냥, 엿길금 한 움큼, 좋
> 은 샘물 6되

술 빚는 법 :

1. 찹쌀 3되 또는 6되를 백세하여 물에 담가 불렸다가 (다시 씻어) 깨끗하게
   일어 건져낸다.
2. 솥에 좋은 샘물 6되를 끓이다가 불린 쌀을 넣고 끓여서 된죽을 쑨 다음, 넓
   은 그릇에 퍼 담아놓는다.
3. 죽은 여름은 온기가 남지 않게 식히고, 봄가을은 따뜻하게, 겨울은 조금 뜨
   겁게 식기를 기다린다.
4. 준비한 분량의 누룩 반 근 3냥, 엿길금 한 움큼(1홉 정도)을 절구에 찧어 가
   루로 빻는다.
5. 죽에 누룩 등의 준비한 가루와 묽은 엿 2냥을 합하고, 고루 버무려 술밑을
   빚는다.
6. 술밑을 술독에 담아 안치고, 예의 방법대로 하여 겨울은 5일, 봄가을은 3일,
   여름은 2일간 발효시킨다.

* 주방문 말미에 "겨울은 5일, 봄가을은 3일, 여름은 2일이면 좋은 술이 된다.
  더불어 노래집(歌括)에 '황혼녘에 빚어서 다음날 새벽에 옹두춘을 마셨다.'
  고 했으니, 어찌 모순이 아니겠는가?"고 하였다. 따라서 계명주는 "저녁에 빚
  으면 다음날 새벽닭이 울 때까지는 다 익는다."고 하여 붙여진 술 이름이나,
  실제로는 하룻밤 만에 익는 술이 아님을 알 수 있다.

鷄鳴酒 辨證說

계명주는 예부터 또한 그것이 있었으니, 집집마다 반드시 빚어서 썼다. 다시 계명주가 있는데, 이 방문 또한 다른 것으로 두 가지가 있다. 이는 저녁에 빚어서 새벽에 마시는 것을 이르는 것이다. 주(注)에 보면, "봄가을에는 3일, 겨울에는 5일, 여름에는 이틀이면 익는다."고 한다. 더불어 노래집(歌括)에 '황혼녘에 빚어서 다음날 새벽에 옹두춘을 마셨다.'고 했으니, 어찌 모순이 아니겠는가? 또 한 가지 방문을 생각해 본즉, 약재를 쓰는 비결과 고금에 비원의 준순주방과 서로 우열을 다툰다. 이와 같이 빚어서 익히는 것이 더딘 것은, 저간에 반드시 그릇된 말이 있어서 그런 것 같다. 그래서 대략 기이한 것을 변론하노라.

이 계명주는 노래집에 의하면, 좋은 샘물 6사발에 쌀 3되로 죽을 쒀서 따뜻할 때 누룩 반 근 3냥과 묽은 엿 2냥을 넣고 엿길금 한 웅큼을 넣어 고르게 하고 날이 저물 때쯤에 빚어서 아침에 마실 수 있으니 '옹두춘'이다. (주 : 오른쪽 설명을 보면 찹쌀 6되를 깨끗이 씻고 물 6되를 같이 얇은 솥에 넣고 끓여서 된죽을 쏜다. 여름에는 헤쳐서 차게 하고, 봄가을에는 따뜻하게 하고, 겨울에는 약간 뜨겁게 해서 누룩을 넣고 빚는다. 누룩과 엿길금은 모두 찧어서 곱게 가루를 내어 묽은 엿과 같이 죽 안에 넣고, 고루 저어서 겨울에 5일, 봄가을 3일, 여름 2일에 다 익으면 좋은 술이 된다.)

4. 계명주방 <임원십육지(林園十六志, 高麗大本)>

술 재료 : 차조쌀 2되, 누룩가루 2근, 물(2되), 날물 5말

술 빚는 법 :

1. 아침에 차조쌀 2되를 (백세하여 물에 담가 불렸다가, 저녁에 다시 씻어 건져서) 물기를 뺀다.
2. 솥에 물(2되)을 끓이다가 불린 차조쌀을 합하고, 고루 저어가면서 죽을 쏜다.

3. 죽은 뭉근한 불에 뜸을 들이고, 퍼지게 익었으면 넓은 그릇에 퍼 담는다(온기가 남게 식기를 기다린다).

4. 죽에 누룩 2근을 가루로 빻아 한데 합하고, 고루 버무려 술밑을 빚는다.

5. 술밑을 술독에 담아 안치고, 물 5말을 합하여 고루 저어준 후, 예의 방법대로 하여 밀봉한다.

6. 술독은 (차지도 덥지도 않은 곳에 앉혀두고) 3일간 발효시키면 술이 익는다.

＊ 주방문 말미에 "다음날 아침 닭이 울 때 익는다."고 하였다.

鷄鳴酒方

秫米二升煮作糜麴二斤擣合米和令調以水五斗漬之封頭今日作明朝鷄鳴更熟. <齊民要術>.

5. 계명주 <임원십육지(林園十六志, 高麗大本)>
—가왈법(歌曰法)

> 술 재료 : 찹쌀 3되, 누룩 반 근, 사탕 2냥, 효모 1초(鈔, 1되의 천분의 일 혹은 소량), 엿기름(2홉 정도), 물 6되

술 빚는 법 :

＊ 밑술 :

1. 찹쌀 3되를 백세하여 물에 담가 불렸다가 (다시 씻어) 깨끗하게 일어 건져낸다.

2. 솥에 맑은 물 6되를 끓이다가, 불린 쌀을 넣고 끓여서 된죽을 쑨 다음, 넓은 그릇에 퍼 담아놓는다.

3. 죽은 여름은 차게 식히고, 봄가을은 따뜻하게, 겨울은 조금 뜨겁게 식기를

기다린다.

4. 준비한 분량의 누룩 반 근, 사탕 2냥, 효모 1초, 엿기름(2홉 정도)을 절구에 찧어 가루로 빻는다.

5. 죽에 누룩 등의 준비한 가루를 합하고, 고루 버무려 술밑을 빚는다.

6. 술밑을 술독에 담아 안치고, 예의 방법대로 하여 겨울은 5일, 봄가을은 3일, 여름은 2일간 발효시킨다.

* 주방문 말미에 "겨울은 5일, 봄가을은 3일, 여름은 2일이면 좋은 술이 된다." 고 하였다. 계명주는 "저녁에 빚으면 다음날 새벽닭이 울 때까지는 다 익는 다."고 하여 붙여진 술 이름이나, 실제로는 하룻밤 만에 익는 술이 아님을 알 수 있다.

鷄鳴酒方

<歌曰>云, 甘泉六椀米三升做粥溫和麴半斤三兩餳糖二兩酵一鈔麥芽要調勻 黃昏時候安排了來朝使飮瓮頭春其法先將糯米三升淨淘水六升同下鍋煮成 稠粥下攤冷春秋溫冬微熱麴酵麥糵皆搗爲細末同餳糖下在粥內拌勻冬五日 春秋三日夏二日成熟爲好酒矣.

곡미주

‘곡미주(麯米酒)’는 보리쌀로 밑술을 빚고 발효되어 술이 익으면 걸러서 탁주로 마시기도 하고, 날씨가 더워져서 술이 변질되거나 오래되어서 맛이 없어지면 필요에 따라 증류하여 소주를 내려서 마시는 방법의 술이다.

이러한 예는 그리 흔치 않은 방법이나 멥쌀술이 보리쌀술보다는 맛이 부드럽고 향이 좋다는 사실에 기인한다. 이러한 방법으로 빚어진 ‘곡미주’는 보리소주(麯米燒酒)라고 할 수 있으며, 이른바 ‘한국식 위스키’와 다를 바 없다고 할 것이다.

그러나 술이 발효되는 관점에서 보면, 가히 옳은 방법도 좋은 술도 아니라고 할 수 있다. 증류한 소주보다는 발효주인 청주나 탁주가 한국인의 체질에 더 잘 어울리는 술이기 때문이다.

그런데도 보리로 술을 빚고 증류하여 소주를 마시게 된 까닭은 보리술의 알코올 도수가 낮은 관계로 쉽게 변질되기 때문이다. 따라서 ‘곡미주’와 같이 보리나 잡곡으로 빚는 술의 경우, 그 실제에 있어서는 이양주(二釀酒)나 삼양주(三釀酒)를 선호하게 되는 경향이 있다. 밑술이 본술(덧술)의 바탕이 되므로, 보리와 같은 잡곡으로 밑술을 하고, 알코올 도수가 높아지는 멥쌀이나 찹쌀로 덧술을 하는 것을 원칙으로 한다.

<조선무쌍신식요리제법(朝鮮無雙新式料理製法)>에 유일하게 수록되어 있는 '곡미주'는 단양주로서, 알코올 도수가 낮은 대신 술의 풍미를 좋게 하기 위하여 급수(양주용수) 양을 적게 가져가는 편이 좋고, 주원료 자체가 당화가 용이하지 않은 까닭에 누룩의 양이 상대적으로 많은 비율(30~40%)을 차지하는 것으로 이해하면 될 것이다.

<조선무쌍신식요리제법>의 '곡미주'와 같이 보리쌀을 사용하여 빚은 술은 공통적으로 증류주가 많은데, '곡미주'라는 명칭보다 '모미주(麰米酒)' 또는 '모미소주(麰米燒酒)', 그리고 더러 '피모소주(皮麰燒酒)'로 표기하는 경우가 더 많다는 것을 염두에 둘 필요가 있다. 국내 최초의 양조 전문 기록인 <산가요록(山家要錄)>을 비롯하여 <언서주찬방(諺書酒饌方)>과 <(양주집(釀酒集)>, <농정회요(農政會要)>에서는 '모미주', <주방문(酒方文)>에는 '보리주(麰酒)', <주식방(酒食方, 高大閨壺要覽)>에는 '보리술법' 등 다양한 명칭으로 수록되어 있는 것을 찾아볼 수 있다.

이와 같이 보리쌀을 이용하여 빚는 술의 예는 그리 흔치 않은 방법이나, 쌀술보다는 보리쌀로 빚은 술의 맛이 부드럽고 구수한 맛과 향이 좋다는 사실에 기인한다. 따라서 술에 적당량의 물을 사용하는 대신 누룩의 양을 줄이면 보다 감미롭고 향기가 좋은 술을 얻을 수가 있다.

'곡미주'에서 밑술을 증류한 결과, 25%의 소주 3되 5홉을 얻을 수 있었다.

곡미주 <조선무쌍신식요리제법(朝鮮無雙新式料理製法)>

술 재료 : 보리쌀 1말, 누룩 3~4되, 물(5되~1말)

술 빚는 법 :

1. 보리쌀을 물에 깨끗이 씻어 돌확에 갈아 하얗게 대껴서 까불어놓는다.
2. 까분 쌀을 솥에 안치고 끓여서 밥을 짓고, 익었으면 냉수에 담가 3일간을 불려둔다.
3. 보리밥을 건져서 볕에 바짝 말린 뒤, 절구에 찧어 (가루가 되지 않도록) 껍질을 없이 하여 준비한다.
4. 준비한 보리쌀 1말을 (물에 깨끗이 씻어 하룻밤 담갔다가, 다시 씻어 불린 뒤 건져서) 시루에 안쳐서 찐다.
5. 고두밥은 시루밑물을 넉넉히 붓고, 불을 세차게 때서 무르익게 쪄내고, 익었으면 고루 펼쳐서 차게 식기를 기다린다.
6. 고두밥에 준비한 분량의 누룩가루 3되(증류 목적이면 4되)를 혼합하고, 절구에 인절미처럼 찧어 술밑을 빚는다.
7. 술밑에 물(5되~1말)을 합하고, 다시 고루 버무려서 술독에 담아 안친다.
8. 술독은 예의 방법대로 하여 발효시키고, 술이 익는 대로 밥알이 동동 떠오르면 채주한다.
9. 채주한 술은 그대로 마시면 구수한 탁주 형태의 부드러운 보리술이 된다.
10. 소주를 빚으려면 채주한 술을 가마솥에 담아 안치고, 소줏고리를 얹어 예의 방법대로 증류하여 소주를 얻는다.

* 주방문 말미에 "소주를 고으려면 누룩을 넉 되 쓰라."고 하였다.

麴米酒(麴米酒)

보리쌀을 밥을 지여 내여 랭수에 당근 지 사흘 만에 건저내여 말려서 절구에 찌여 껍질을 다 업시 하고 당그기는 쌀술과 가티 하는 것이 조코 고와서 소주도 만들되 소주에는 쌀 한 말에 누룩가루 넉 되를 늣나니라.

과동감백주

스토리텔링 및 술 빚는 법

'과동감백주(過冬甘白酒)'는 빛깔이 매우 깨끗하고 하얀색을 띠는 단맛의 탁주이다. 그 근거는 '감백주'라는 단어가 암시하고 있다. 따라서 '과동감백주'는 "겨울에 빚어 마시기 시작하는 술로, 겨울이 지나 날씨가 따뜻해지면 술이 변패하거나 맛이 변한다."는 뜻에서 이름 붙여진 술이다.

술을 빚어두고 날씨가 따뜻해지면 변패나 산패하기 쉽고, 특히 맛이 변한다는 것은 당연한 사실이긴 하나, '과동감백주'는 술을 빚는 과정에서 '삶은 떡'의 하나인 '구멍떡'으로 이루어지는 까닭에 알코올 도수가 낮은 탁주가 될 수밖에 없는 술이다.

전통주의 술 빚는 과정은 여러 유형으로 나누어지는데, 전분의 호화도가 높을수록 알코올 도수가 낮아지는 특성과 함께, 발효에 관여하는 양주용수(물)의 양이 적을수록 단맛은 많아지는 반면, 높은 당도 때문에 알코올 발효가 억지되는 특성이 있다.

'과동감백주'는 1450년경에 저술된 것으로 알려지고 있는 <산가요록(山家要

錄)>에 유일하게 수록된 주품으로, 다른 어떤 기록에서도 '과동감백주'를 찾아볼 수 없다.

'과동감백주'는 <산가요록>에 기록된 주방문의 주원료 배합비율에서 보듯, 찹쌀 2말에 대하여 누룩 양은 1되로 5%에 불과한데, 여기에 발효를 돕는 양주용수의 양은 누룩물을 만들 때 사용하는 1사발(700~800㎖)과 떡을 삶고 남은 물(대략 3ℓ 미만)에 불과하다. 따라서 호화도가 높은 전분의 당화는 빠른 속도로 진행되어 농당(濃糖) 상태가 되므로, 효모의 발효 활동이 둔해지게 되고, 당(糖)이 많이 남게 되어 결국 단맛이 많은 술이 된다. 물론, 주원료가 멥쌀이 아닌 찹쌀이라는 이유에서도 단맛이 많은 술이 되는 원인을 찾을 수 있다.

또한 '과동감백주'는 쌀을 가루 형태로 만들어 술을 빚기 때문에 맑은 술이 될 수 없거니와, 극히 적은 양주용수를 사용하는데다, 그것도 떡을 삶고 남은 희뿌연 물을 사용하게 되므로, 구조적으로 맑은 술(청주淸酒)을 얻기 힘들게 되어 있다. 따라서 '과동감백주'는 특히 술 빛깔이 밝은 하얀색을 띠면서 단맛이 많은 탁주라고 할 수 있는데, 주방문에서 보아 알 수 있듯 5%밖에 안 되는 누룩을 물누룩(水麴) 상태로 만들었다가, 다시 체에 밭쳐 누룩 찌꺼기를 제거한 누룩물로 술을 빚게 되면 누룩의 색깔이 빠지게 되어 술 빛깔은 더욱 하얗게 바뀌게 되는 것이다.

이 주방문에서 보듯, '과동감백주'는 상당히 고급스럽고 사치스러운 술이라고도 할 수 있다. 이러한 이유로 '과동감백주'가 일반화되지 못하고 한 가문의 가양주로만 전승될 수밖에 없었던 것으로 여겨진다. 오직 <산가요록>에만 수록되어 있을 뿐, 이후의 다른 어떤 문헌이나 기록에서도 '과동감백주'라는 주품명이나 주방문을 찾아볼 수 없다는 사실이 이를 뒷받침한다.

'과동감백주'가 다른 주품들처럼 대중화되지 못한 또 다른 이유는, 제조 방법이 너무나 힘들기 때문이다. '과동감백주'의 주방문을 보아 알 수 있듯이, 찹쌀 2말에 대하여 누룩의 양은 1되이고, 사용되는 양주용수의 양은 주원료를 구멍떡으로 빚어 삶아 익히는 과정에서 쌀가루 반죽이 흡수하는 수분과 누룩물 1사발, 떡 삶았던 물이 전부라고 할 수 있으므로, 2말의 구멍떡을 혼화시켜야 한다는 부담감이 술 빚기를 꺼리게 되었을 것이란 추측을 하게 된다.

'과동감백주'를 실수 없이 잘 빚을 수 있는 요령은, 우선 찹쌀을 씻어 불렸다가 가루로 빻을 때 가능한 한 여러 차례 빻아서 고운 가루를 만들어 뜨거운 물로 익반죽하여 무른 구멍떡을 빚도록 하는 데 있다. 특히 끓는 물에 떡을 삶을 때 주방문에서처럼 '구멍떡이 익어서 물 위로 떠오르는 대로' 건지지 말고, '물 위로 완전히 떠올라 다시 내려가지 않고 한동안 떠 있을 때' 건져내야 실수가 없다. 그리고 구멍떡과 떡을 삶았던 물은 가능한 한 차디차게 식혀서 누룩물과 혼화하도록 해야 한다.

이상의 세 가지 방법만 잘 지킨다면 상상하기 어려운 맛과 향의 '과동감백주'를 즐길 수 있을 것이라 확신한다.

과동감백주 <산가요록(山家要錄)>
－쌀 2말 빚이

술 재료 : 찹쌀 2말, 누룩가루 1되

술 빚는 법 :

1. 찹쌀 2말을 깨끗이 씻어(백세하여) 물에 담가 불렸다가 (다시 씻어 건져서 물기를 뺀 뒤) 작말한다(가루로 빻는다).

2. 쌀가루를 뜨거운 물로 익반죽하여 구멍떡을 빚어, 끓는 물에 넣고 삶는다.

3. 구멍떡이 익어서 물 위로 떠오르면, 떠오르는 대로 건져서 차게 식기를 기다린다.

4. (떡 삶았던) 물 1사발에 좋은 누룩(1되)을 곱게 빻아 가루 내어 섞어서 물누룩을 만들어놓는다.

5. 물누룩을 주물러 체에 밭쳐서 찌꺼기를 제거한 누룩물에 구멍떡을 한데 합하고, 고루 버무려서 술밑을 빚는다.

6. 떡을 삶고 남은 물도 차게 식힌 후, 한데 합쳐 술독에 담아 안치고, 예의 방

법대로 하여 찬 곳에 두었다가, 술이 맑아지기를 기다려 채주한다.

* 주방문에 "쌀 2말에 누룩 1되를 기준으로 한다."고 하고, 말미에 "날씨가 추울 때는 오래 두어도 변하지 않지만 술을 빚을 때 날씨가 따뜻하면 완성되지 않는다."고 하였다.

過冬甘白酒

米二斗. 米一斗 曲一升爲準. 粘白米二斗 洗浸爲末. 作孔餠 待冷. 好麴細末 水一鉢 和合 篩水汁. 按孔餠 交合 令匀納瓮. 置寒處. 待淸用之. 日寒時 雖久不變. 釀時 若日溫 則不成.

과하백주

'과하백주(過夏白酒)'는 "여름을 지내도록 변하지 않는 탁주"라는 뜻의 주품명이다. 1450년대 출간된 것으로 알려진 <산가요록(山家要錄)>에 처음 등장하는데, 이후의 다른 문헌에서는 찾아볼 수 없다. '과하백주'는 특히 "여름을 지내도록 변하지 않는데다 하얀 술 빛깔이 아름답다."는 것을 특징으로 꼽을 수 있는데, 그 이유는 다음과 같은 사실에 기인한다.

'과하백주'는 누룩을 곱게 찧어 찌꺼기(밀기울)를 없앤 흰누룩과 밀가루를 함께 넣어 빚는데다, 밑술에 사용되는 찹쌀 양의 10배인 10말의 멥쌀고두밥을 덧술로 사용한다는 점에서 우선 술 빛깔이 밝을 수밖에 없다.

또한 덧술에 사용되는 흰누룩도 그 양을 알 수 없으나, 밑술에 사용되는 누룩의 비율보다 많지 않은 양을 사용하는 것이 이양주(二釀酒)를 비롯한 중양주(重釀酒)의 주방문이라는 사실을 고려하면, 덧술 쌀 10말에 대하여 흰누룩의 양은 2되 5홉~3되를 넘지 않을 것으로 여겨진다.

특히 '과하백주'에 사용되는 양주용수의 양도, 찹쌀 1말을 가루로 빻았을 때 일반적인 죽을 쑬 수 있는 3말이 고작인 까닭에, 술 빛깔은 더욱 희어질 수밖에 없다.

그런데 과하주가 아닌, 발효주인 탁주로서 '과하백주'가 여름을 지낼 수 있게 된 배경은 무엇일까?

궁금증이 생기는 것은 당연했다. '과하백주'의 주방문을 아무리 들여다보아도 그 까닭을 알 수 없었다. 그 이유를 찾기 위해서는 직접 '과하백주'를 빚어볼 수밖에 없었는데, 그 비밀은 다름 아니었다. '과하백주'의 덧술 주방문을 찬찬히 들여다보면 알 수 있듯, 고두밥을 찔 때 쌀을 5말씩 둘로 나누어 찌고, 찬물을 뿌려가며 무르게 쪄 낸 후, 주자에 올려 3일간 차게 식히는데, 3일 후의 고두밥은 부패되어 쉰 냄새가 진동하게 된다. 고두밥을 인위적으로 부패시켜 술을 빚는다는 사실은 '감향주' 등 몇몇 주품에서도 목격되는데, 여기에 그 비밀이 담겨져 있는 것이다.

'과하백주'는 복숭아꽃이 피기 시작하는 봄에 빚기 시작하므로, 날씨는 점차 따뜻해지는 시기인데다 고두밥을 찔 때 다른 술보다 물을 많이 뿌려 찌고, 자연 상태의 주자에 담아 3일을 지내게 되면 부패가 촉진된다.

결론을 말하자면, '과하백주'처럼 부패된 고두밥을 사용하여 빚는 술은 자연적으로 당화가 빨라지게 되고, 당화 속도가 발효 속도보다 빨리 진행되면 발효는 억지되는 상태가 되기 마련인데, 양주용수의 양이 적고 서늘한 곳에서 발효시키게 되므로, 발효는 전체적으로 늦어지지만 정상적으로 이루어진다. 이것이 발효주인 '과하백주'가 여름철에도 산패하지 않고 정상적인 술이 될 수 있는 이유라고 할 수 있으며, 또 한편으로는 밑술과 덧술에 두 차례 사용되는 밀가루의 역할이 크다는 사실 또한 간과할 수 없다.

그리고 덧술에 사용되는 누룩 양이 언급되어 있지 않은데, 그 양을 2되 5홉으로 산정하게 된 배경은, 밑술에 사용된 누룩의 양을 초과하지 않는 법칙에 따르는 한편으로, '과하백주'의 발효기간이 2개월 정도임을 고려할 때 최소량을 사용해야 한다는 사실에 근거했음을 밝혀둔다.

<산가요록>은 지금으로부터 600여 년 전의 양주기술을 기록한 문헌이다. 따라서 '과하백주'를 통하여 지금처럼 냉장고나 저온저장고와 같은 시설이 없었던 조선시대의 양주기술이 어느 수준에 이르렀는지를 살필 수 있는데, 현대의 양주

기술과 비교하여 오히려 기술적 측면에서 앞서 있다고 할 수 있겠다.

하지만 현실은, '과하백주'와 같은 고급 주품은 찾아볼 수 없을 뿐만 아니라, 수백 년을 이어온 몇 안 되는 전통민속주는 국적도 없는 '싸구려' 막걸리와 와인, 사케에 밀려 그 위상을 찾기 어렵게 되어가고 있어, 우리 전통주의 미래를 어떻게 이끌어 나가야 할지 그저 막막하기만 하다.

과하백주 <산가요록(山家要錄)>
－쌀 11말 빚이

> 술 재료 : 밑술 : 찹쌀 1말, 흰누룩가루 2되 5홉, 밀가루 7홉, 끓는 물(3말)
> 덧술 : 멥쌀 10말, 흰누룩(2되 5홉~3되), 밀가루 3홉

술 빚는 법 :

* 밑술 :

1. 복숭아꽃이 필 때 찹쌀 1말을 씻어(백세하여) 물에 담가 불렸다가 (다시 씻어 건져서 물기를 뺀 뒤) 고운 가루로 빻는다.

2. 쌀가루에 끓는 물(3말)을 붓고, 주걱으로 고루 개어 죽(범벅)을 쑨 뒤, 넓은 그릇 여러 개에 나눠 담고 차게 식기를 기다린다.

3. (누룩을 분쇄하여 가는체에 쳐서) 거친 찌꺼기(기울)을 제거한 흰누룩가루 2되 5홉, 밀가루 7홉을 넣고, 고루 버무려 술밑을 빚는다.

4. 술밑을 술독에 담아 안치고, 예의 방법대로 1일간 발효시킨다.

* 덧술 :

1. 밑술 빚은 다음날 멥쌀 10말을 (백세하여) 물에 담가 불렸다가, 다시 씻어 건져서 (물기를 뺀 뒤) 시루에 안쳐 고두밥을 짓는다.

2. 고두밥을 찔 때 쌀을 둘로 나누어 5말씩 찌도록 하고, 찬물을 뿌려 밥처럼 무

르게 쪄졌으면 시루에서 퍼내어 주자에 담고, 3일 동안 차게 식기를 기다린다.

3. 고두밥에 밑술과 흰누룩(2되 5홉~3되)을 한데 합하고, 고루 버무려 술밑을 빚는다.

4. 술밑을 술독에 담아 안치고, 예의 방법대로 하여 (서늘한 곳에서 30일가량) 발효시킨다.

5. 4월 15일에 새로 만든 바가지로 술독을 열어 술 위를 휘젓고, 다시 덮어두었다가 8~9일 또는 10일 간격으로 거듭 술 위를 휘저어 놓는다.

6. 복숭아꽃이 필 때 술을 빚기 시작하여 50~60일 만인 5월 15일에 채주해 마신다.

* 주방문에서는 밑술에 사용되는 물의 양과 덧술에 사용되는 흰누룩의 양을 알 수 없다. 하지만 "7~8월이 되어도 그 맛이 특히 좋다. 비록 8월(여름)이 지나더라도 맛이 변하지 않고, 흰색이 아주 보기 좋다."고 한 것으로 미루어 당도가 높고 진한 술이라는 것을 짐작할 수 있으므로, 물의 양과 누룩의 양을 반영하여 주방문을 작성하였다. 또 "술을 뒤섞을 때 침전물이 없는 것이 귀하다. 염색공을 삼간다. 만약 술을 많이 빚으려면 복숭아꽃이 피려 할 때와 반쯤 피었을 때, 또 무성하게 피었을 때로 세 번에 나누어 빚는다."고 하였는데, 본 방문을 보면 이양주라는 사실과 관련하여, 삼양주법이 있었음을 알 수 있다. 그리고 그 방법은 덧술의 쌀 양을 등분하여 사용하고 덧술에 물도 추가되었을 것으로 추측해 볼 수 있으나, 확실하지는 않다.

過夏白酒

米十一斗. 桃花開時 粘米一斗 洗浸細末. 湯水和 作粥待冷. 去滓白麴末二升五合. 眞末七合 和入. 翌日. 白米十斗 洗浸 兩度熟蒸. 時以冷水洒之. 蒸如飯出 置槽中 待冷. 三日. 本酒盡出 白菊和合 入甕. 四月望時 始以新瓢 入甕. 麾於酒上 每八九日 或十日. 一麾下之. 五月望時 待熟始用. 七八月 其味尤好. 雖八月不改 白色甚佳. 又洗時 以無石爲貴 深忌染人. 若欲多造 則桃花欲開半開盛開時 分三運 釀之.

구가주

'구가주'라는 주품이 기록으로 나타난 것은, 1700년대 후기의 기록인 <온주법 (醞酒法)>이 처음이고, 1800년대 초기의 <주방(酒方)>*이라는 문헌에서만 목격된다.

'구가주'라는 주품명과 주방문이 모두 한글로 쓰여진 문헌에만 수록되어 있어, 구체적으로 어떤 의미를 담고 있는 술인지 짐작하기도 어렵다. 또한 두 문헌 다 주원료의 양이나 술 빚는 방법이 다르기 때문이다.

먼저, 시대가 앞선 <온주법>의 '구가주' 주방문을 보면, 멥쌀 7홉을 백세작말하여 익반죽한 뒤 구멍떡을 만들어 물 2사발에 삶고, 식으면 구멍떡을 삶았던 물과 함께 누룩가루 7홉을 섞어 밑술을 빚는다. 밑술이 익으면 찹쌀 1말을 백세하여 3일간 불렸다가 고두밥을 짓는데, 물을 뿌려서 뜸을 들인 고두밥을 온기가 남게 식혀서 덧술을 해 넣는다.

<온주법>의 '구가주'는 밑술의 쌀 양이 상대적으로 적게 사용되었을 뿐, 덧술의 과정과 방법을 보면 <음식디미방>의 '감향주(甘香酒)' 주방문과 너무나 흡사

하다는 것을 알 수 있다.

그리고 <주방>*의 '구가주' 주방문은, "빅미 흔 되 빅세작말ᄒᆞ야 탕슈 흔 사발의 쥭 기여 채 식거든 누록ᄀᆞ릭 흔 되 섯거 녀허 나흘 닷쇄 리ᄂᆞᆫ 양 보와 모호뽈 서기지 아니흔 ᄎᆞᆸ뽈 흔 말 빅셰ᄒᆞ야 ᄒᆞᄅᆞᆷ밤 둠과 우려 씰 제 믈 닐곱 복ᄌᆞ 쎅혀 뼈 시겨 밋슐을 (히)여 밧타셔 더틔긔룰 믈과 쇠그룻슬 ᄀᆞ쟝 멀리ᄒᆞ라. 믈을 이 규식으로 ᄒᆞ면 ᄀᆞ쟝 쓰ᄂᆞ니라 더이면 소쥬 맛 ᄀᆞᄐᆞ니라. 둘게 ᄒᆞ려 ᄒᆞ거든 믈도 흔 말의 두 복ᄌᆞ 반식 쎅려 씨면 ᄀᆞ쟝 죠ᄒᆞ니라. 사ᄀᆞ면 어름 고ᄌᆞ면 마시 놀라오니라 여름의ᄂᆞᆫ 항을 ᄎᆞᆫ믈의 둠과 두고 쓰면 ᄀᆞ쟝 죠ᄒᆞ니라."고 하여, 덧술 방문은 <양주방>*의 '졈주'와 같고, 술독을 관리하는 측면에서는 수중양법(水中釀法)의 '청서주' 주방문을 병행하고 있다.

따라서 이 두 문헌의 주방문을 통해서는 어떤 공통점도 찾을 수 없거니와, 동일한 주품이라고 보기에도 문제가 있다. 그런데 두 문헌의 주방문이 다르면서도 '구가주'라는 주품명이 붙게 된 원인을 곰곰 생각해 보면, '구가(求暇)'나 '구가(口嘉)'의 뜻을 담은 술이라는 의미에서 '구가주'로 명명하게 된 것이 아닐까 하는 추측을 하게 된다.

그 배경은 방문 말미의 "달게 하려 하거든 물도 한 말에 두 복자 반씩 뿌려 찌면 가장 좋으니라. 삭으면 아름답고 마시면 놀라우리라."고 한 첨부의 말 때문이다. 특히 "삭으면 아름답고 마시면 놀라우리라."고 한 내용은, '구가주'라는 주품명의 '구가'가 "입이 즐겁다."나 "입이 기쁘다."라는 의미의 '구가(口嘉)'나 '구가(求暇)'의 의미를 사실적으로 반영한 것이 아닌가 생각된다.

결국 '구가주'는 '하향주'나 '감향주', '졈주' 방문과 유사하다는 점에서 술 빚는 데 따른 요령을 참고할 필요가 있고, 그 맛과 향은 이들 술과 견주어 오히려 낫지 않을까 하는 생각에 이른다.

1. 구가주 <온주법(醞酒法)>

> 술 재료 : 밑술 : 멥쌀 7홉, 누룩가루 7홉, 물 2사발
> 덧술 : 찹쌀 1말, 쌀 담근 물(2복자)

술 빚는 법 :

* 밑술 :

1. 멥쌀 7홉을 백세한다(물에 담갔다가, 다시 씻어 건져서 물기를 뺀 뒤 작말한다).
2. (쌀가루에 뜨거운 물을 뿌리고 익반죽하여 둥글납작하고) 무르게 구멍떡을 빚는다.
3. 구멍떡을 끓는 물 2사발에 넣고 삶아 (떡이 익어 물 위로 떠오르면) 물과 함께 넓은 그릇에 담아 그 물에 풀고 뚜껑을 덮어서 차게 식기를 기다린다.
4. 구멍떡에 누룩가루 7홉을 합하고, 매우 힘껏 치대어 술밑을 빚는다.
5. 술독에 술밑을 담아 안치고, 예의 방법대로 하여 3일간 발효시킨다.

* 덧술 :

1. 밑술 빚는 날 찹쌀 1말을 백세하여 물에 담갔다가 (3일 후에 다시 씻어 건져서 물기를 뺀 뒤) 시루에 안쳐 고두밥을 짓는다.
2. 시루의 고두밥에 찬물을 뿌려서 무르게 익히고, 고두밥이 익었으면 퍼내어 고루 펼쳐서 차지 않고 온기가 남게 식힌다.
3. 고두밥에 밑술을 합하고, 매우 힘껏 치대고 고루 버무려 술밑을 빚는다.
4. 술밑을 술독에 담아 안치고, 날물이 들어가지 않게 하여 예의 방법대로 21일간 발효·숙성시킨다.

* 방문의 덧술 하는 법을 보면, "밑술 하는 날 점미 1말을 백세하여"라고 하였으므로 찹쌀의 침지 기간은 3일이라는 것을 알 수 있고, 말미에 "삼칠(일) 후

에 날물기 금하면 신맛이 없고 기특하니라."고 하였다.

구가듀

빅미 칠 홉 빅셰흐야 구멍썩 눅게 무라 싈는 물 두 사발의 슬마 더울 적의 구
멍썩을 그 물에 푸럿다가 무이 츠거든 국말 칠 홉 섯거 삼일 만의 밋술 흐둔
날 뎜미 일 두 빅셰흐여 듬가다가 그 물의 쏙려 무이 쪄 더울 적의 밋술에 섯
거 삼칠일에 먹으듸 늘물긔운 금흐면 마시 뎜뎜 긔특흐니라.

2. 구가주방문 <주방(酒方)>*

술 재료 : 밑술 : 멥쌀 1되, 누룩가루 1되, 끓는 물 1사발
　　　　　덧술 : 찹쌀 1말, 찬물 2복자 반

술 빚는 법 :
* 밑술 :
1. 멥쌀 1되를 백세하여 (물에 담가 불렸다가, 다시 씻어 물기를 뺀 뒤) 작말
   한다.
2. 솥에 물 1사발을 넣고 끓여 쌀가루에 합하고, 주걱으로 고루 개어 죽(범벅)
   을 쑨 뒤, 넓은 그릇에 퍼서 차게 식기를 기다린다.
3. 식은 죽(범벅)에 누룩가루 1되를 합하고, 고루 버무려 술밑을 빚는다.
4. 술독에 술밑을 담아 안치고, 예의 방법대로 하여 4~5일간 발효시킨다.

* 덧술 :
1. 묵은 쌀이 섞이지 않은 찹쌀 1말을 백세하여 물에 담가 하룻밤 불렸다가 (다
   시 씻어 헹궈서 물기를 뺀 뒤) 시루에 안쳐 고두밥을 짓는다.
2. 고두밥을 찔 때 찬물 2복자 반을 뿌려 쪄서, 무르게 익었으면 퍼내고 고루

펼쳐서 차게 식기를 기다린다.

3. 밑술을 체에 밭쳐서 찌꺼기를 제거한 탁주를 거른 후, 고두밥에 합하고 고루 버무려 술밑을 빚되, 날물과 쇠그릇을 사용하지 말고 술밑을 빚는다.

4. 술독에 술밑을 담아 안치고, 예의 방법대로 하여 발효시켜서 익기를 기다 린다.

* 주방문에 "달게 하려 하거든 물도 한 말에 두 복자 반씩 뿌려 찌면 가장 좋으 니라. 삭으면 아름답고 마시면 놀라우리라."고 하고, 또 "여름에는 항을 찬물 에 담가두고 쓰면 가장 좋으니라."고 하여 여름철에는 술독을 차게 하여 보 관할 것을 강조하였다.

구가듀방문(이씨소장본)

빅미 흔 되 빅셰작말ㅎ야 탕슈 흔 사발의 쥭 기여 채 식거든 누록ㄱ리 흔 되 섯거 녀허 나흘 닷쇄 되는 양 보와 모호뿔 서기지 아니흔 츕뿔 흔 말 빅셰ㅎ 야 흐ㄹ밤 듐과 우려찔 제 물 닐곱 복ㅈ 쑈혀 쪄 시겨 밋슐을 (히)여 밧타셔 더틔긔를 믈과 쇠그릇슬 ㄱ쟝 멀리ㅎ라 물을 이 규식으로 ㅎ면 ㄱ쟝 쓰느니라 더이면 소쥬 맛 ㄱ튼니라 들게 ㅎ려 ㅎ거든 믈도 흔 말의 두 복ㅈ 반식 쑈려 찌면 ㄱ쟝 죠ㅎ니라. 사그면 어름 고ㅈ면 마시 놀라오니라 여름의는 항을 츤물 의 듐과 두고 쓰면 ㄱ쟝 죠ㅎ니라.

구과주

스토리텔링 및 술 빚는 법

조선시대 양주 관련 문헌의 종류는 상당히 많은 편이다. 본 저서에서 다룬 문헌만도 80여 권에 이르고, <주정(酒政)>을 비롯하여 <유원총보(類苑叢寶)>, 그 밖에 다루지 못한 문헌이나 미공개된 문헌도 있을 것이라는 전제를 고려한다면, 100여 권은 되지 않을까 생각된다.

이렇듯 많은 문헌에 수록된 수백 종의 전통주를 살펴건대, 주품명만도 500여 종에 이르고, '별법(別法)'이나 '일법(一法)', '우방(又方)', '우법(又法)', '일운(一云)' 등 재료의 가감 등의 변화나 가공방법의 변화 등을 통하여 보다 다양한 주품들이 등장하고 있음을 볼 때, 한국의 전통주는 대략 1천여 가지가 넘는 것으로 판단된다.

조선시대인 1700년대 후기에 쓰여진 것으로 알려지고 있는 <온주법(醞酒法)>의 '구가주'와 1800년대 초기의 문헌인 <주방(酒方)>*의 '구가주방문' 그리고 연대와 저자 미상의 <침주법(浸酒法)>에 수록되어 있는 '구과주(構過酒)'가 그 예이다. 이 두 가지 문헌 모두 한글 필사본으로 '구가주'를 싣고 있는데, <침주법>

에는 '구과주'로 되어 있어 처음에는 이들 주방문이 동일한 것으로 여겼었다. 그러나 주방문을 비교한 결과 '구가주'와 '구과주'는 동일한 방문이면서 서로 다른 주품이란 결론을 내리게 되었다.

'구가주'는 한글로만 되어 있어 그 의미를 제대로 알지 못하다가, <침주법>의 '구과주'가 닥나무 잎과 관련 있는 술이라는 사실에 착안하여 '저주(楮酒)' 또는 '닥잎술'과 비교하여 본바, 이들 술이 유사성을 갖고 있다는 사실을 발견할 수 있었다. 또 '구가주'는 '하향주'나 '절주'와도 유사한 방문으로 이루어져 있다고 하는 사실이다.

하지만 <침주법>에는 '닥주(저주楮酒)'라고 하여 닥나무 잎을 사용하여 빚는 주방문이 등장하는 만큼 동일한 술로 치부하기에는 문제가 있었다. 그리하여 이들 술의 차이점을 살펴보았는데, <침주법>의 '닥주' 주방문을 분석하여 비교하는 것으로 그 차이를 설명코자 한다.

<침주법>의 '닥주'는 '구가주'와 비교했을 때, 밑술 방문에서는 차이를 발견할 수 없고, 덧술 방문에서 "고두밥이 무르게 익었으면 퍼내어 차디차게 식기를 기다리고, 물 1/2사발도 팔팔 끓여 차디차게 식힌 다음 밑술과 합하여 빚은 술밑을 술독에 담아 안친 후, 식혀둔 물로 술그릇을 깨끗하게 씻어낸 다음, 술독에 부어준다."고 하였고, 이들 술이 다 같이 "술밑을 안친 술독은 닥나무 잎으로 주둥이를 싸매어 두고, 발효시켜 술이 익기를 기다린다."고 하였으므로, 닥나무 잎의 사용 방법에서의 차이가 아닌, 술밑을 빚는 방법에서 차이를 발견할 수 있다.

즉, '구과주'는 쪄낸 고두밥에 끓는 물을 합하는 방법이고, <온주법>과 <주방>*의 '구가주'는 고두밥을 찔 때 살수를 하는 방법으로 각각 다르다는 것을 알 수 있고, 닥잎과는 무관한 술임을 알 수 있다.

결국, '구가주'와 '구과주'는 술 재료의 양이나 술 빚는 방법에서는 동일하지만, 닥나무 잎의 사용 여부에서 차이를 나타내고 있다는 것을 알 수 있다.

'구과주'를 빚을 때 주의할 사항을 군이 설명하자면, 첫째는 여름에 빚는 술이기 때문에 밑술과 덧술을 빚을 때 구멍떡이나 고두밥 등 술 재료를 완전히 차게 식혀서 사용해야 한다.

둘째는 덧술의 경우 술밑을 안친 독은 주둥이를 닥잎으로 싸매서 서늘한 곳에 앉혀두고 발효시킴으로써 효모 등 닥잎의 자연균을 접종함과 동시에 닥잎의 향취를 술에 배이도록 하는 것이므로 닥잎은 두툼하게 덮어주어야 한다는 것이다. 닥잎의 크기가 작아서 술독 주둥이를 덮을 수 없을 것이므로, 먼저 망사나 삼베 같은 천으로 한 겹 덮은 후, 그 위에 닥잎을 겹쳐 덮으면 된다.

셋째는 발효가 일어나면 그 열에 의해 닥잎이 마르기도 할 것이므로, 그대로 방치하였다가 술이 다 익었을 때 걷어내면 된다.

구과주 <침주법(浸酒法)>
－한 말 두 되 빚이

술 재료 : 밑술 : 멥쌀 2되, 가루누룩 1되
　　　　　덧술 : 찹쌀 1말, 끓는 물 4사발

술 빚는 법 :

＊밑술 :

1. 멥쌀 2되를 백세하여 (물에 담가 불렸다가, 다시 씻어 건져서 물기를 뺀 다음) 가루로 빻는다.

2. 솥에 물을 팔팔 끓이다가, 뜨거워지면 물 5~6홉을 쌀가루에 골고루 뿌려가면서 고루 치대어 익반죽한 다음, 구멍떡을 빚는다.

3. 솥의 나머지 물이 끓는 김에 구멍떡을 넣고 삶아, 떡이 익어서 떠오르면 건져내어 (주걱으로 많이 짓이겨서) 차게 식기를 기다린다.

4. 구멍떡에 가루누룩 1되를 합하고, 고루 버무려 술밑을 빚는다.

5. 술밑을 술독에 담아 안치고, 예의 방법대로 하여 (2~3일간) 발효시키되 한창 괴어오를 때 덧술을 준비한다.

＊덧술 :

1. 찹쌀 1말을 백세하여 (물에 담가 하룻밤 불렸다가, 다시 헹궈서) 물기를 빼 놓는다.
2. 불린 쌀을 시루에 안쳐서 고두밥을 짓되, 익게(무르게) 쪄낸다.
3. 솥에 물 4사발을 팔팔 끓이다가, 고두밥이 무르게 익었으면 퍼내고, 끓는 물을 골고루 뿌려서 고두밥이 물을 다 먹으면 고루 펼쳐서 차게 식힌다.
4. 고두밥에 밑술을 섞어 한데 합하고, 고루 버무려 술밑을 빚는다.
5. 술밑을 술독에 담아 안친 후, 예의 방법대로 하여 닥잎이나 모롭잎으로 주둥이를 싸매어 두고, 발효시켜, 술이 익기를 기다린다.

구과쥬(枸過酒)—흔 말

미빅미 두 되 일빅 믈 시서 구루 브아 구뭇덕 밍그라 식거든 구루누록 너 홉을 섯거듯더가 구장 닉거든 출빅미 흔 말 일빅 믈 시서 밥 닉게 쪄 믈 네 사발 쓸혀 바배골라 식거든 누록 업시 몬져 미틔 섯거 두디 싸미기란 닥닙피거나 모롭닙피거나 싸미라. 녀름의 맛당ᄒ니라.

구작양주 잡주

스토리텔링 및 술 빚는 법

　'구작양주 잡주(口嚼釀酒 咂酒)'라는 다소 어려운 이름의 주품이 이규경의 <오주연문장전산고(五洲衍文長箋散稿)>에 수록되어 있다. '구작양주 잡주'는 두 가지 의미의 합성어로 생각된다. '구작양주'는 술을 빚는 방법을 뜻하고, '잡주'는 주품명이라는 것이 필자의 견해이다.

　즉, '구작양주(口嚼釀酒)'는 입으로 씹어서 빚는다는 뜻으로 술 빚는 방법을 가리키고, '잡주(咂酒)'는 '빨아먹는 술'이라는 뜻의 마시는 방법을 지칭하는 술 이름이라고 할 수 있겠다.

　이렇게 주품명에 대한 풀이를 통해 떠오르는 술 이름이 '입으로 씹어서 빚는 술'이라는 뜻을 가진 '구작주(口嚼酒)'이다. 그런 의미에서 '잡주'라는 주품명보다는 '구작주'라는 주품명이 한결 편하게 다가온다.

　'구작양주 잡주'에 대하여는 <오주연문장전산고>에서 저자 이규경이 자세하게 언급하였고, 그 연원이나 관련 문헌을 상고하여 제시하고 있는바, "<물리소지>에 섭음생이 말하기를, '하북 잡주'는 오두(부자의 별칭. 천옹, 샘부, 염부, 오두, 식자 등으로 불림)로 누룩을 만든다. '잡주'의 뜻은, 입으로 씹어서 빚는 술과 같다."고 하였고, "장상 임경광이 지은 <지미 대만기>에 대략 기록하였는데, '대만인이 이 술을 마시기를 좋아하였다. 이 술은 쌀을 입 안에 넣고 삭아지도록 씹어서 대나무 통에 넣으면, 수일이 지나지 않아 술이 익는다.'고 한다."고 하였다.

따라서 '구작양주 잡주'는 우리나라에서 이루어졌던 술이 아닌, '유구국(류큐제도)'과 '대만(타이완)' 등지에서 빚어 마셨던 술이 한때 우리나라에 유입되었을 지도 모르겠으나, '구작양주 잡주'나 '구작주'의 흔적이 남아 있다는 증거는 없다.

다만, <오주연문장전산고>의 '구작양주 잡주 변증설(辨證說)'에서 "우리나라 역사책에 기록한 바에 의하면, 성종조 8년 정유에 제주인 김비의 등이 유구국과 규이 땅에 표류해 간 곳이 마도라는 곳인데, 이 <마도방>에 의하면, '이 술은 유탁무청(탁주만 있고 청주는 없음)하니 쌀을 물에 담가서 여자들로 하여금 씹어서 된죽처럼 만들어서 나무통에 넣고, 누룩을 사용하지 않는다. 많이 마셔야 조금 취한다. 술잔은 표주박을 썼으며, 서로 잔을 주고받는 '주작지례(酒酌之禮)'는 없었다. 그 술이 매우 담담해서(심심해서) 빚은 후 3~4일이 되면 문득 익고, 오래되면 쉬게 된다.'고 하였다."는 기록으로 미루어 짐작할 수 있다.

또한 고구려 때에 물길국(고구려의 북쪽에 있었던 옛날의 숙신국)에서도 입으로 쌀을 씹어서 술을 빚어 마시는데, 이 술을 '미인주(美人酒)'라고 했다고 한다. 물길국은 땅이 몹시 습하기 때문에 성을 쌓고 그 안에서 굴을 파고 산다. 이 굴 집의 모양은 마치 무덤과 같은데, 위에다가 문을 뚫어놓고 사다리를 타고 출입한다. 물길국 사람들의 풍습에 "쌀로 빚어 술을 만들어 마시는데, 이것을 마실 때는 취하도록 마신다."고 하였는데, 이 술이 입으로 씹어서 빚은 '미인주'가 아니었을까 싶다.

한편, 중국의 풍습 가운데, 딸을 낳으면 술을 빚어 땅에 묻어두었다가 시집가는 날 '교합주'로 사용하는데 이를 '여아주'라 하며, 신부가 입으로 '구작주'를 빚어 땅에 묻어두었다가 남편이 죽으면 저승길에 가져가게 한다는 습속이 있었다고 하는데, 사실인지는 확인할 수가 없다. '구작주'는 도수가 낮아 오래지 않아 쉬게 되기 때문에 땅에 묻어두고 몇 십 년을 묵힐 수 있는지는 알 수가 없기 때문이다.

또 근대까지도 류큐제도의 유구(琉球)에서는 처녀들이 모여 사탕수수로 입을 닦고 바닷물로 입을 헹군 다음 쌀을 씹어 빚은 술을 '미인주'라 불렀다고 한다. 그런데 이 역시 이상하다. 사탕수수를 짓찧어서 그냥 방치해 두거나, 입으로 씹어서 그릇에 뱉어두어도 쌀로 빚은 술 못지않은 술이 되었을 것인데, 굳이 '구작주'를 빚었다는 것은 아이러니이기 때문이다.

사실 여부야 어떻든 '구작양주 잡주'는 원시 형태의 양조 방법으로 생각된다. 동양문화권의 '죽유의 새에 관한 전설'에서 새가 볍씨를 먹고 배설한 것이 대나무 그루터기에 떨어지고 거기에 빗물이 고여서 발효된 것을 우연히 발견하고 곡물을 사용하여 술을 빚게 되었다는 설이 있고 보면, '구작주'나 '구작양주 잡주'는 같은 원리에 의해 발효가 일어나는 것으로 이해할 수 있기 때문이다.

'구작양주 잡주'는 '미인주'로 불리면서 여러 나라에서 양주가 이루어졌다는 것을 알 수 있는데, 후일에 이르러서는 한 단계 진척을 보였던 것 같다. 즉, "쌀을 반만 익혀서, 동정(童貞)을 간직한 어린 처녀들로 하여금 대나무 통을 중심으로 빙 둘러앉아서 반쯤 익힌 쌀을 입에 한 모금씩 물고 단맛이 날 때까지 씹어서 침으로 삭히는 인위적인 당화 작용를 거친 후에 대나무 통에 뱉어내도록 하였다."고 한다.

이렇게 입으로 씹어서 뱉어낸 쌀당화액이 발효되고, 사람이 마셔서 취하는 술이 '잡주'이고 보면, 원시시대부터 곡물을 사용한 발효의 원리를 정확히 이해하고 있었다고 볼 수 있을 것이다.

필자는 호기심과 심심파적으로 '구작양주 잡주'를 빚어보았는데, 그 결과는 썩 만족스럽지 못하였다. 한 시간에 1되 분량의 불린 쌀을 씹을 수 있을 뿐, 입이 굳어지고 턱이 아파서 견딜 수 없기도 하거니와, 침이 말라서 계속 진행할 수가 없었다. 부득이 제자들과 함께 '구작(口嚼)'을 열심히 했는데, 3되 정도 분량의 쌀을 술밑으로 빚을 수 있었다.

자그마한 밑술용 술독에 술밑을 담아 안치고, 실내온도 25℃ 정도 되는 곳에 술독을 앉혀놓고 술이 되기를 기다렸다. 하루가 지나자 거품이 하나 둘 수면 위로 올라오기 시작하더니, 2일째는 기포가 주면을 가득 채웠다. 술밑이 기포로 인하여 흐리멍덩해져 있었고, 식혜와 같은 냄새와 함께 약간의 단맛도 있었다. 술밑이 끓는 현상이 여느 술과 같지 않고, 술독이 따뜻해진다는 느낌도 없었다. 3일째는 말갛게 가라앉은 술밑을 볼 수 있었다.

대략 알코올 도수 3~4%인 싱거운 막걸리 정도의 술을 맛볼 수 있었는데, 약간의 산미가 있었다. 4일째가 되자 술이 탁주처럼 뿌옇게 변하기 시작하더니, 저녁때가 되자 신맛이 점점 더 강해져서 발효를 중지하고 체에 걸러 탁주를 만들었다.

술이 다 되었으므로 실습에 동참했던 제자들을 불러 모았으나, 아무도 마시려 들지 않았다. 한결같이 "더럽다."는 것이 그 이유였다. 부득이 필자 혼자서 시음해 볼 수밖에 없어 거푸 서너 잔을 마셨는데, 약간 취기가 오르는 듯하더니 이내 술기운이 사라지고 말았다. 술독 밑에는 삭지 않은 쌀가루와 함께 쓰고 떫은맛이 나는 찌꺼기를 볼 수 있었다.

'구작양주 잡주'를 맛보면서 가졌던 느낌은, 생쌀을 씹어 침 속의 소화효소를 통한 당화작용을 도왔던 원시 형태의 '구작양주 잡주'가, 후일에 이르러 반쯤 익힌 쌀을 사용하고, 동정을 간직한 처녀들로 하여금 빚게 하였던 까닭을 이해할 수 있었다는 것이다. 사람이 나이를 먹게 되면 침샘의 분비 활동도 씹는 작업도 여의치 않을 뿐만 아니라, 그 일이 혼자 감당하기에는 버거울 것이기 때문이다.

한편으로는, 나이 든 남자와 동정을 간직한 처녀의 구작 활동이 어찌 다르겠는가마는 여러 사람의 다양한 침샘 속에서 분비되는 효소와 공기 중의 효모에 의한 발효에서 훨씬 다양한 맛과 향기의 술을 얻고자 함이었을지도 모른다는 생각도 해보게 되었다.

구작양주 잡주 <오주연문장전산고(五洲衍文長箋散稿)>
−<지미 대만기>, <마도방> 수록

술 재료 : 쌀, 나무통

술 빚는 법 :
1. 쌀을 (백세하여) 물에 담가서 (다시 씻어 헹궈서 물기를 뺀다) 건진다.

2. 한가운데에 항아리처럼 파서 만든 나무통을 놓고 여자들을 빙 둘러앉힌다.

3. 여자들로 하여금 불린 쌀을 한 주먹씩 입에 넣고 씹어서 된죽처럼 만들어 나무통에 뱉도록 한다.

4. 입으로 씹어 뱉어서 쌀죽처럼 다 만들어졌으면, 밀봉하여 따뜻한 아랫목에 놓아두고 3~4일간 발효시킨다. 누룩을 사용하지 않는다.

* 주방문 말미에 "빚은 후 3~4일이 되면 문득 익고, 오래되면 쉬게 된다. 그 술이 매우 담담해서(심심해서) 많이 마셔야 조금 취한다. 술잔은 표주박을 썼으며, 서로 잔을 주고받는 '주작지례'는 없었다."고 하였다.

口嚼釀酒 哑酒 辯證說

<물리소지>(물리에 대한 기록을 한 책)에 하북에 '잡주'가 있고, 임경광이 <대만기>에 대략 기록하였고, 우리나라 역사책에 '구작주'를 빚는 법이 있는데 잘 알 수 없다. <물리소지>에 섭음생이 말하기를, "하북 '잡주'는 오두(부자의 별칭. 감자 같은 구근식물로 약효가 제대로 된 것은 까마귀 대가리 모양으로 생겼음. 천옹, 샘부, 염부, 오두, 식자 등으로 불림)로 누룩을 만든다. '잡주'의 뜻은, 입으로 씹어서 빚는 술과 같다."고 하였고, 장상 임경광은 <지미 대만기>에 대략 기록하였는데, "대만인이 이 술을 마시기를 좋아하였다. 이 술은 쌀을 입 안에 넣고 삭아지도록 씹어서 대나무 통에 넣으면, 수일이 지나지 않아 술이 익는다."고 한다. 우리나라 역사책에 기록한 바에 의하면, 성종조 8년 정유에 제주인 김비의 등이 유구국과 규이 땅에 표류해 간 곳이 마도라는 곳인데, 이 <마도방>에 의하면 "이 술은 유탁무청(탁주만 있고 청주는 없음)하니 쌀을 물에 담가서 여자들로 하여금 씹어 된죽처럼 만들어서 나무통에 넣고 누룩을 사용하지 않는다." 하였다. 많이 마셔야 조금 취한다. 술잔은 표주박을 썼으며, 서로 잔을 주고받는 '주작지례(酒酌之禮)'는 없었다. 그 술이 매우 담담해서(심심해서) 빚은 후 3~4일이 되면 문득 익고, 오래되면 쉬게 된다.

청나라 주황이라는 사람이 유구 땅에 사신으로 가서 대략 기록을 했는데,

유구 나라 여자들이 구작생미(입으로 생쌀을 씹음)하여 술을 빚었다고 하자, 중국인이 그 말을 듣고 (더러워하는 마음에) 마시지 않았다고 하니 황당한 애기 같다.

우리나라 동쪽에서는 갓난아이가 젖이 부족하면 어미가 멥쌀을 씹어서 즙을 취해 화로 가운데 올리면 절로 단맛이 나고, 단술이나 우유죽처럼 된 국물을 아이 입에 대면 아이가 삼켜서 목숨을 연명했다고 한다.

유구 땅에서는 '쌀만 씹고 누룩 없이 술이 되었다.'고 하니, 역시 하나는 특이한 일이다. 내가 일찍이 중국과 우리나라에 <삼재도회>(갖가지 회합을 그림으로 만든 책자)를 열람해 보면, 유구국과 일본에 보휘도(섬 이름)의 소주 명칭을 아울러 '포성주(泡盛酒)'라고 했다. 그런즉, 어찌 쌀을 씹어 술을 빚어서 소주를 만들었겠느냐? 저 같은 허다한 외국의 일들은 비록 알지 못하더라도 역시 해 될 게 무엇이겠는가(몰라도 상관없다)마는, 이미 문자로 가히 상고할 만한 것이 있고, 이것저것 믿을 만한 실적이 있으니, 변증을 해서 해외에서 들은 기이한 것들은 자료로 갖추었다.

급시주

스토리텔링 및 술 빚는 법

'급시주(急時酒)'는 '시급주(時急酒)'라고도 불리고, 더러는 발효기간에 따른 명
칭인 '삼일주(三日酒)'로도 불린다. '급시주'는 1600년대 말엽에 저술된 한글 조리
서 <주방문(酒方文)>에 처음 등장하는데, 양조 관련 문헌인 <음식디미방>이나
<주찬(酒饌)>의 '시급주'와는 다른 주방문을 보여주고 있다. 또 다른 문헌의 '삼
일주'와는 다른, 비교적 고급 탁주라는 것을 알 수 있다.

예를 들면, <주방문>보다 시대가 앞선 <음식디미방>의 '시급주'는 "좋은 탁주
를 찬물에 정히 걸러 항에 넣고, 찹쌀 닷 되를 밥 무르게 지어 식히고, 진말 5홉,
누룩 5홉 섞어 넣어두면 사흘 만에 청주 세 병이나 나느니라."고 하여, 탁주와 진
말이 사용된 것을 볼 수 있다.

그리고 <주방문>보다 시대가 늦은 <고사신서(攷事新書)>의 '삼일주'는 "끓는
물 1말을 식혀서 누룩가루 4되를 그 물에 담가 하룻밤을 묵힌다. 백미 1말을 백
번 씻어서 밥을 쪄서 푹 익힌 뒤 식기를 기다려, 가라앉은 누룩을 걸러 물을 취
하고 찌꺼기는 버린다. 그 누룩 거른 물을 밥과 고르게 섞어 술을 빚는다. 3일 뒤

면 먹을 수 있다. 다시 좋은 술 1사발을 넣으면 더욱 맛있다."고 하여, 누룩을 걸러서 사용하고, 멥쌀고두밥을 지어 술을 빚되, 더욱 맛있게 하기 위하여 좋은 술 1사발을 넣는다고 하였다.

따라서 <주방문>의 '급시주'는 <음식디미방>의 '시급주'나 <고사신서>의 '삼일주'와는 다른 술이라는 사실을 알 수 있으며, 이들 주품들은 발효기간이 '3일'이라는 공통점을 갖고 있다는 사실이다. 따라서 주로 '3일' 이내에 익혀서 마시는 술에 '급(急)' 자를 붙인다는 것을 생각하게 해준다.

<주방문>의 '급시주'를 빚을 때 주의할 사항은, 백설기를 잘 익히고 식기 전에 물누룩에 풀어서 덩어리를 없앤 후에 술독을 베보자기로 여러 겹 덮어 발효에 들어가야 한다는 것이다. 이를테면, 술을 빚어 발효에 들어간 지 하루쯤 지나거나 이틀째가 되면 술이 끓어오르게 되는데, 이때 덮어두었던 베보자기를 벗겨내고 술독을 서늘한 곳으로 옮겨놓았다가, 술덧이 잠잠하게 가라앉으면 용수를 박아 떠내거나, 체에 걸러 탁주를 마신다.

이렇게 하여 완성된 <주방문>의 '급시주'는 숙성주가 아닌, 미숙성주(未熟性酒) 또는 미숙주(未熟酒)라고 할 수 있다. 맛을 보면 약간의 단맛과 함께 산미가 있어 시원하면서도 백설기로 빚는 술 특유의 감칠맛을 자랑하는데, 채주 시기를 놓치면 맛은 점점 엷어지고 산미가 강하게 나타난다.

따라서 술 빚은 지 2일이 경과했거나 3일째 되는 날이 채주하기에 적기이므로, 때를 잘 맞추어 채주하도록 해야 한다.

급시주 <주방문(酒方文)>

술 재료 : 멥쌀 1말, 누룩 1되 5홉, 정화수 5되

술 빚는 법 :

1. 새벽에 우물에서 길어 온 정화수 5되에 누룩 1되 5홉을 풀고, 하룻밤 재워

물누룩을 만들어놓는다.

2. 멥쌀 1말을 백세하여 (물에 깨끗이 씻어 담가 불린 뒤, 건져서 물기를 뺀 후) 작말한다(가루로 빻는다).

3. 쌀가루를 체에 한 차례 내린 후, 시루에 안쳐서 백설기를 짓는다.

4. 백설기가 익었으면 한김 나간 후에 따뜻한 떡을 불려둔 물누룩과 합하여 고루 버무려 술밑을 빚는다.

5. 술독에 술밑을 담아 안치고, 예의 방법대로 하여 발효시키면 3일 후에 술이 익는다.

* 주방문 말미에 "술 빚은 지 3일 만에 술을 뜰 수 있다."고 하였으므로, '삼일주'라고도 할 수 있다.

급시쥬

누록 흔 되 닷 곱을 졍화슈 반 동희예 프러 흐릇밤 자여 빅미 흔 말 빅셰작말 ᄒᆞ여 ᄧᅧ 더운 김의 잠간 식거든 그 믈의 화ᄒᆞ여 비저 사흘 후의 쓰라.

급용주법

'급용주'는 <양주방(釀酒方)>에 수록된 것이 유일한 기록이다. <양주방>은 1700년대 말엽에 간행된 저자 미상의 문헌으로, '연민 선생 소장본'으로 되어 있다. 한글 붓글씨본으로 42종의 주품과 누룩 2종의 주방문이 수록되어 있으며, 전라도 지방의 문헌으로 알려져 있는 <양주방>*과는 다른 문헌이라는 의미에서 필자가 <양주방>과 <양주방>*으로 구분하여 표기하였음을 밝혀둔다.

<양주방>에는 '급용주' 외에도 '일해주법', '별향주법', '노송주법', '향감주법', '백점주법(여름에 쓰느니라)', '향노주법', '작주법', '뉴직주법', '속주법', '가로밀 아니하고 빚는 약주법' 등 다른 문헌에 없는 주품들이 수록된 것을 볼 수 있다.

<양주방>의 '급용주'는 단양주이자 속성주이면서도 밀가루를 사용하고 있다는 점에서 우선 눈에 띈 주품이었다. 다른 문헌에서는 이와 같은 예를 찾아보기 힘든 방문이기 때문이다.

'급용주'의 특징으로 밀가루를 사용하는 것 외에는 다른 속성주와 별반 다를 것이 없으며, 단지 다른 단양주법(單釀酒法)의 속성주와는 다르게 쌀을 작말하

지 않고 그대로 물과 함께 끓여 된죽을 쑨다는 것인데, 물의 양이 언급되어 있지 않아 확신할 수 없지만 상식적인 방법으로 쌀 양의 2~3배 되는 물과 함께 끓여서 된죽을 쑤는 것으로 하였다.

쌀을 작말하지 않고 끓인 죽으로 빚는 술의 특징을 말하자면, 죽으로 빚는 술치고는 맑은 술 색깔을 얻을 수 있다는 것인데, 방문의 말미에도 언급되어 있다. 방문 말미에 "사나흘 만에 뜨면 '삼해주(三亥酒)' 같으니라."고 한 내용이 그것이다.

물론, '삼해주'는 그 빛깔이 맑고 밝으며 아름다운 방향과 함께 특히 알코올 도수가 높으면서도 부드러운 맛을 주는 말 그대로의 명주(名酒)를 가리키는데, 방문 말미에 언급된바, 여기서의 '삼해주'는 맑은 술이라는 의미와 알코올 도수가 비교적 높게 느껴진다는 의미로 해석해야 옳을 것 같다.

'급용주'의 주방문에서 보듯 단양주이면서 속성주법에서 나타나는 밀가루를 사용하게 된 배경을 추적해 보았다. 그 결과, 주원료인 쌀을 고두밥이 아닌 죽을 쑤어 술을 빚는 데 따른 문제점은 도수가 낮고 술 빛깔이 흐린 술이 얻어진다는 것인데, 밀가루를 사용함으로써 밀가루의 응집 작용으로 비교적 맑은 술을 얻기 위한 방법이라는 결론에 이르게 된 것이다.

또한 단양주이면서도 알코올 도수가 높게 느껴지는 까닭은, 죽을 쑤되 물의 양을 적게 하여 된죽을 만들어 술을 빚는다는 점에 기인한다. 그렇게 함으로써 상법(常法)의 죽으로 빚는 술보다는 높은 알코올 도수를 간직한 '급용주'를 얻고 있는 것이다.

'급용주'는 죽을 가능한 한 차게 식혀서 사용하고, 술독은 비교적 따뜻한 곳에서 발효시켜야 목적한 바대로 3~4일 만에 채주를 할 수 있다.

다만, 보다 맑은 청주를 얻고자 한다면, 7일 이상의 후숙 기간을 거쳐 완전발효를 도모하는 것이 마땅하다.

급용주법 <양주방(釀酒方)>

술 재료 : 쌀 5~6되, 물(1말~1말 5되), 누룩 5홉, 진가루(밀가루) 5홉

술 빚는 법 :

1. 멥쌀 5~6되를 준비한다(백세하여 물에 담가 불렸다가, 다시 씻어 헹궈서 건 져내어 물기를 뺀다).
2. 솥에 물(1말~1말 2되)을 붓고, 끓으면 (씻어 불린) 쌀을 넣고 죽을 쑤되, 되 지도 묽지도 아니하게 쑨다.
3. 죽이 끓어서 익었으면, 넓은 그릇에 퍼서 차게 식기를 기다린다.
4. 죽에 누룩 5홉과 밀가루 5홉을 넣고, 고루 버무려 술밑을 빚는다.
5. 소독하여 준비한 술독에 술밑을 담아 안치고, 예의 방법대로 하여 (따뜻한 곳에서) 3~4일간 발효시킨다.

* 주방문 말미에 "사나흘 만에 뜨면 '삼해주' 같으니라."고 하였다. 물 양이 나와 있지 않다. 통상 쌀 분량의 2배로 계량하여 되지도 묽지도 않은 죽을 만든다.

급용쥬법

뿔 대엿 되를 죽을 뿌되 (디)도 눅도 아니ᄒᆞ게 죽 쑤어 식거든 누록 닷 홉 진 ᄀᆞᄅᆞ 닷 홉 고로 셧거 너헛다가 ᄉᆞ나흘 만의 ᄠᅳ면 삼ᄒᆡ쥬 ᄀᆞᆺᄐᆞ니라.

급주

'급주(急酒)'는 말 그대로 "급하게 빚는 술"이라는 뜻이다. 이러한 용도의 술은 초상이 났거나 갑작스런 경사가 생겼을 때, 그리고 농사일에 따른 품앗이 등 한꺼 번에 많은 양의 탁주가 필요할 때 빚는 것이 상례로 되어 있다.

'급주'는 1680년경의 저술인 <요록(要錄)>에 처음 등장하고, 보다 후기인 1700 년대의 기록으로 알려진 <온주법(醞酒法)>에서 볼 수 있을 뿐, 다른 문헌에서는 찾아볼 수 없다. 다만, '급청주'나 '급시청주'라는 주품이 있어 그 관련성이 있을까 하고 조사 분석하여 보았는데, '빠르게 빚는 술'이라는 의미는 같지만 그 용도나 술을 빚는 방법에서 많은 차이를 나타내고 있었다.

여기서 한 가지 염두에 두어야 할 사실은, 1680년경의 저술인 <요록>에 수록 된 '급주'가 <온주법>에만 수록되어 있을 뿐, 다른 문헌에서는 전혀 목격되지 않 는다는 점이다.

그리고 '왜 급청주는 다른 주품처럼 변화되거나 보급되지 못한 채 맥이 끊기게 되었을까' 하는 의문을 떨칠 수 없다.

<요록>과 <온주법>의 '급주' 주방문을 상고하면, "냉수 3사발에 누룩가루 5홉을 풀고 술독에 담아 밤재운 후, 멥쌀 1말을 가루로 빻아 (흰무리를 찐다) 아직 덜 식었을 때 술독의 수곡과 섞어 2일가량 발효시키면 술을 뜰 수 있다"고 하였다.

　　그런데 두 문헌의 방문에는 "멥쌀 1말을 백세작말하라."고만 되어 있지, 쌀을 어떻게 하라는 언급이 없다. 따라서 물과 누룩을 섞어 수곡을 만들어놓은 만큼, 쌀가루는 '쪄서 익히는 방법'밖에 없다고 판단되어, 백설기를 쪄서 술을 빚는 방문을 작성하였다. 이렇게 해놓고 보니, <요록>보다는 훨씬 늦게 간행된 <온주법>의 주방문과 유사하다는 것을 확인할 수 있었다.

　　'급주'의 주방문이 등장한 이후 조금도 발전이나 변화를 보이지 못한 데에는, '주방문의 기록이 정확하지 못하다.'는 한 가지 분명한 사실과 함께 '급하게 빚은 탁주가 맛이 썩 좋지 못하였다.'거나, 아니면 '술 빚기가 너무 까다로웠기 때문'이었을 수도 있겠다는 생각이 들었다.

　　하여, 두 문헌의 주방문대로 직접 술을 빚어본 결과 '술 빚는 과정이 까다로웠기 때문'이라는 결론을 내리게 되었다.

　　우선, 두 문헌의 주방문을 보면 알 수 있듯, 멥쌀 1말을 백설기로 쪄서 정화수 3사발로 만들어놓은 물누룩(水麴)과 버무려야 하는데, 백설기가 물누룩에 쉽게 풀리지 않고 덩어리 형태로 남는다는 것이다.

　　따라서 백설기를 쉽게 풀려면 떡이 뜨거울 때 물과 합하고 덩어리를 풀어야 하는데, 누룩을 정화수에 풀어놓은 상태이므로 뜨거운 상태의 떡을 넣을 수 없게 된다. 결국 백설기떡이 어느 정도 식었을 때 물누룩과 합하고 버무리는 과정에서 덩어리가 남지 않게 풀어야 하는데, 그 과정이 결코 쉽지가 않다는 것이다.

　　또 백설기떡의 덩어리가 남은 상태에서 발효에 임하게 되면 발효가 원활하지 못하게 되고, 결국 2차 발효를 초래하게 되어 산패하는 경우가 허다하게 발생된다는 것이다.

　　이렇게 되면 술이 산패하지 않는다고 하더라도 쓴맛과 떫고 텁텁한 맛이 남게 되어 좋은 반응을 얻지 못했을 것이라는 추측에 확신을 갖게 되었다.

　　따라서 '급주'를 대신할 수 있는 다른 속성주법(速成酒法)이 개발되었을 것이라는 전제 하에 '급주'와 유사한 주방문을 찾아보게 되었는데, 그것이 '삼일주'라고 여겨진다. '삼일주'에서는 필자가 제시한 '술 빚는 과정이 까다로웠기 때문'이라는 문제의 해결 방법이 등장하고 있음을 알 수 있다.

한 예를 보면, <고려대규합총서(高麗大閨閤叢書, 異本)>에 "겨울에는 정화수, 여름에는 끓인 물을 채워 (차게 식혀) 한 말에 누룩가루 두 되를 섞어 항아리 속에 넣고, 쓿은(도정한) 멥쌀 한 말을 씻고 또 씻어 죽 쑤어 다른 누룩 (더) 섞지 말고 그 누룩 탄 물에 섞어 (익히면) 사흘 만에 맑은 술이 된다."고 하였다.

주방문에서 보듯 '백설기떡'이 아닌, '죽' 형태로 쌀의 가공방법을 달리함으로써 원활한 발효를 도모하고 있음을 볼 수 있다.

또 다른 예로서 <고사촬요(故事撮要)>에 "끓는 물 1말을 식혀, 누룩가루 4되를 그 물에 담가 하룻밤 재운다. 깨끗이 쓿은 쌀 1말을 매 씻어 폭 쪄서 식힌 뒤, 물에 담근 누룩을 걸러 건더기는 버리고 그 즙으로 지에밥에 섞어 빚으면, 사흘이면 마실 수 있다. 여기에 좋은 술 1사발을 부어 넣으면 더욱 좋다."고 하였다.

<고사촬요>에서는 '죽'이 아닌, '고두밥' 형태로 쌀의 가공방법을 달리함과 동시에 빠른 시간에 발효를 일으키기 위하여 '좋은 술 1사발'을 추가함으로써, 발효도 잘 일어나고 맛도 좋은 술을 얻고 있음을 목격할 수 있다.

따라서 소위 '빠르게 빚는 술'이나 '급주'와 같은 속성 단양주가 그 과정은 간단하게 보여도, 결코 좋은 맛의 술을 얻기란 어렵다는 사실을 새삼 깨닫게 된 계기가 되었다. "초보자일수록 이양주(二釀酒) 빚기에 도전하여 차근차근 술 빚는 법을 터득하라."고 권하는 까닭이 여기에 있다.

1. 급주 <온주법(醞酒法)>

술 재료 : 멥쌀 1말, 누룩가루 5홉, 냉수 3사발

술 빚는 법 :
1. 냉수 3사발에 누룩가루 5홉을 풀고 술독에 담아 밤재워 수곡(水麴, 물누

룩)을 만들어놓는다.

2. 다음날 멥쌀 1말을 (백세하여 새 물에 담가 불렸다가, 다시 씻어 건져서 물기를 뺀 다음) 가루로 빻는다.

3. (쌀가루를 시루에 안치고 쪄서 흰무리를 찐다.)

4. (흰무리가 익었으면, 뜨거운 김이 다 빠지고) 아직 덜 식었을 때 술독의 수곡과 섞어 술밑을 빚는다.

5. 술독에 술밑을 담아 안치고, 예의 방법대로 하여 2일가량 발효시키면 술을 뜰 수 있다.

* <요록>의 '급주'와 비슷한 방문인데 누룩의 양과 물의 종류가 다를 뿐이다. 주방문에는 멥쌀을 백세작말하되 쌀을 어떻게 하라는 언급이 없으나, 물과 누룩을 섞어 수곡을 만들어놓은 만큼, 쌀가루는 쪄서 익히는 방법밖에 없다고 판단되어 방문을 작성하였다.

급듀

닝슈 세 사발의 국말 다습 너허 이튿날 빅미 일두 작말ᄒ여 누록 물어 섯거 이틀 후 쓰라.

2. 급주 <요록(要錄)>

술 재료 : 멥쌀 1말, 누룩가루 2되, 정화수 3사발

술 빚는 법 :

1. 정화수 3사발에 누룩가루 2되를 풀고 술독에 담아 밤재워 수곡을 만들어놓는다.

2. 멥쌀 1말을 백세하여 (새 물에 담가 불렸다가, 다시 씻어 건져서 물기를 뺀

다음) 고운 가루로 빻는다.

3. 쌀가루를 시루에 안치고 쪄서 흰무리를 짓는다.

4. 흰무리가 뜨거운 김이 다 빠지고 아직 덜 식었을 때, 술독의 수곡과 섞어 술밑을 빚는다.

5. 술독에 술밑을 담아 안치고, 예의 방법대로 하여 2일가량 발효시키면 술을 뜰 수 있다.

急酒

井花水三鉢麴末二升納瓮翌日白米一斗百洗細末熟蒸乘溫和前麴水納瓮一日後用.

기주

스토리텔링 및 술 빚는 법

'기주(起酒)'라는 주품은 <산가요록(山家要錄)>에만 수록되어 있는 유일한 방문이다. '기주'는 우리나라 전통 양조 방식의 '과학화', '합리화'를 입증해 주는 중요한 술이라는 것이 필자의 견해이다.

'기주'는 본격적인 양주를 위해 미리 빚어둔 본주(本酒 : 단양주의 경우에는 술밑, 이양주의 경우에는 밑술)와 합하여 사용하는데, 이른바 '보조술'로 현대양주에서는 '주모(酒母)'라고 한다.

술을 빚어서 1~2일이 되면 발효가 가장 활발하게 일어나는 것을 볼 수 있는데, 이때가 누룩 속의 효모와 누룩곰팡이, 젖산균의 활동이 왕성해지는 시기이다. 특히 효모는 '아밀라아제'의 도움으로 당(糖)을 사용하여 증식과 발효를 동시에 진행하게 되는데, 무엇보다 증식을 통해 세력을 확장하여 술밑을 지배하게 되고, 보다 안전한 발효를 진행할 수 있는 환경을 조성하게 된다.

효모균이 당을 사용하여 발효보다 증식에 주력하게 되는 까닭은, 효모 수에 비해 주어진 당의 양이 적다는 데 기인한다고 생각된다.

따라서 증식을 통하여 박테리아를 비롯한 여러 가지 잡균이나 특히 초산균으로부터 식량인 당을 지켜내기 위한 활동이 증식 활동이라는 것이다.

이렇게 증식된 효모를 본격적인 양조에 투입하여 주게 되면, 적은 양의 누룩을 사용하면서도 안전한 발효를 도모할 수 있게 되고, 누룩의 양이 적게 사용된 만큼 술에서 누룩(곰팡이) 냄새가 적으면서 발효를 통한 '방향(芳香)'은 강하게 나타나, 향취가 좋은 술이 된다.

이처럼 '주모'를 이용한 양주기술은 근대에 들어 일본에서부터 체계적으로 확립되었으며, 특히 일본의 현대식 사케 제조 공정에서는 빼놓을 수 없는 중요한 과정이라고 할 수 있다.

이러한 기술은 우리나라를 비롯한 동양권으로 보급, 확산되기 시작하였는데, 유감스럽게도 우리나라의 양주 산업은 철저하게 일본의 사케 제조기술을 바탕으로 하고 있다고 보아도 무방할 정도로 일본식 양주기법이 주류를 이루고 있다. 그래서 '기주'의 중요성이 더욱 강조되는 것이다.

중요한 것은, 1450년대에 개발된 양조기술의 하나로 <산가요록>에 수록되어 있던 '기주'가 이후의 다른 문헌에서는 발견되지 않는다는 점이다. 그렇다면 '기주'는 보급, 확산되지 못한 채 사라져버린 것일까?

<산가요록>은 어의(御醫)를 지낸 전순의에 의해 저술된 문헌으로, 현재로선 국내 최고(最古)의 양주 관련 저술이라고는 하지만, 대중에게 전파되지 못하였던 것으로 여겨진다. 그 이유는 <산가요록>의 주방문이 전문적으로 술을 빚어보지 않은 일반인이 따라 하기에는 너무 어렵다는 데 있었던 것으로 생각된다.

그 예로 <산가요록>에 수록된 탁주의 하나인 '소곡주' 주방문을 예로 들면, "멥쌀 7말 5되를 씻어 물에 담갔다가 곱게 가루를 내고 끓는 물로 죽을 쑨다. 식으면 누룩가루 7되, 밀가루 5되를 섞어 술을 빚는다. 익으면 멥쌀 7말 7되를 씻어 물에 담갔다가 푹 찐 다음에 식혀서 누룩가루 3되와 섞어 먼저 빚은 밑술로 덧술하여 만든다."고 하였다. 그런데 술에 관한 기초지식이 없는 사람이 이 주방문대로 하였을 경우, 술이 끓어오르지 않는 등 실패율이 지나치게 높다는 것이 문제이다.

우리나라의 술이 체계적인 주방문 형태를 갖추어 본격적으로 보급되기 시작한 때는 1450년간으로 알려진 전순의의 <산가요록(山家要錄)>과 1500년대의 기록인 어숙권의 <고사촬요(故事撮要)>의 등장 이후라고 생각된다.

<고사촬요>에 수록된 소국주(少麴酒)는 "깨끗이 쓿은 멥쌀 1말을 매 씻어 가루를 만들어 질그릇 동이에 담고, 깨끗한 물 2병을 무거리에 붓고 끓인다. 이것을 쌀가루에 골고루 타서 식은 뒤에 빻은 누룩 1되 5홉과 버무린다. 7일째가 되거든 깨끗이 쓿은 쌀 2말을 전과 같이 매 씻어두고, 쌀 1말에 팔팔 끓는 물 2병을 고루 뿌려, 식거든 먼저 빚은 술밑과 뒤섞어 독에 넣는다. 세이레가 되어 맑게 가라앉은 뒤에 쓴다."고 하여, 동일한 주품에 대하여 술 빚는 방법이 비교적 세밀하고 구체적으로 언급되어 있어 일반인들이 따라 하기가 수월했을 것으로 추측된다.

이후 <고사촬요>를 인용한 문헌들이 속속 등장하는데, 양주 관련 문헌과 기록으로 1611년에 간행된 것으로 밝혀진 <동의보감(東醫寶鑑)>을 비롯하여 <음식디미방>, <주방문(酒方文)>, <산림경제(山林經濟)>, <민천집설(民天集說)>, <감저종식법(甘藷種植法)>, <주찬(酒饌)> 등 여러 문헌에 '주본(酒本)', '부본(腐本)' '작주부본(作酒腐本)', '서김(腐本)'이라 하여 '기주'와 같은 용도의 주방문이 18회나 등장한다.

<고사촬요>의 직접적인 영향을 받아 저술된 것으로 알려진 <산림경제>에 수록된 '작주부본법'을 보면, "멥쌀 1말을 깨끗이 씻어 겨울에는 10일, 봄가을에는 5일, 여름에는 3일 동안 물에 담가 쌀알 속속들이 불려, 건져서 폭 찐다. 여기에 약간의 누룩을 넣고 손으로 비벼 골고루 섞어 항아리에 넣고 주둥이를 봉하여, 겨울에는 따뜻한 데 두고, 여름에는 서늘한 데 두어 삭아서 술이 되거든 떠 쓴다. 그 맛이 약간 시금털털하면서도 살살 녹아 좋다."고 하여 '기주'와 같은 용도로 사용되는 것임을 알 수 있다.

<산가요록>의 '기주'는 후기에 이르러 '주본', '부본', '서김'으로 보다 발전되고 다양한 형태로 나타나는데, 체계적인 양주기술의 확립을 엿볼 수 있는 단초가 된다는 점에서 <산가요록>의 '기주'는 역사적인 가치를 지닌 주품이요, 주방문이라고 할 수 있겠다.

기주법 <산가요록(山家要錄)>

술 재료 : 멥쌀 2되, 누룩 2되

술 빚는 법 :

1. 멥쌀 2되를 (백세하여 물에 담가 하루 동안 불렸다가, 다시 씻어 건져서 물기를 뺀 뒤) 시루에 안쳐 고두밥을 짓는다.
2. 고두밥이 익었으면 시루에서 퍼낸다(고루 펼쳐서 식히는데, 겨울에는 온기가 남게, 여름에는 차디차게 식기를 기다린다).
3. 고두밥과 누룩 2되를 섞어 술독에 담아 안친다.
4. 술독은 예의 방법대로 하여 겨울에는 2~3일, 여름에는 1일쯤 두었다가 익기를 기다려 술 빚을 때 사용한다.
5. 술이 익으면 본주(밑술)에 합하고, 고루 버무려 술독에 담아 안치고 발효시킨다.

* '기주'는 마시기 위한 술이 아닌, 본주(本酒)를 빚기 위한 밑술 또는 술의 발효를 돕기 위한 목적으로 빚는 술이다.

起酒法
白米二升. 匊末二升 本酒交合納瓮. 冬則二三日 夏則一日. 乃熟 用之.

녹하주

스토리텔링 및 술 빚는 법

'녹하주(綠霞酒)'는 저자와 저술 연대 미상의 <침주법(浸酒法)>이란 문헌에 처음 등장한다. <침주법>은 최근 발굴된 문헌으로, 복사본을 입수한 궁중음식 연구원장 한복려 선생이 필자에게 재복사하여 건네준 덕분에 본 저서에 수록하게 되었다.

<침주법>에는 '녹하주'를 비롯하여 총 50종의 주품과 누룩 1종의 주방문이 수록되어 있다. 주방문이 매우 특징적이거나 <침주법>에만 수록되어 있는 술도 여럿 있는데, '세향주'를 비롯하여 '처화주(처하주)', '구과주', '부점주', '일두주', '산주', '삼칠주', '청하주', '뫼속주(매속주)', '무시절주' 등이 그 예이다.

'녹하주'는 일곱 말 빚이로, 양조 규모가 결코 작은 술이 아님을 알 수 있는데, 술 빚는 과정이 매우 까다롭고 힘들다는 것을 실습을 통하여 확인할 수 있었다.

'녹하주' 주방문을 보면, "백미 두 말 일백 번 물에 씻어 하룻밤 재워 가루 만들어라. 물 3말 끓여 담 개되, 반은 설고 반은 익게 개어 식거든 가루누룩 2되와 진가루 2되를 섞었다가, 익거든 찰백미 닷 말 일백 번 물에 씻어 하룻밤 재워 밥 익게 쪄, 물 5말 끓여 밥에 골화 누룩 없이 섞으라. 가장 좋으니라.”고 하였다.

주지하다시피 ‘녹하주’는 밑술의 쌀 2말을 백세작말하여 끓는 물 3말로 반생반숙(半生半熟)의 범벅을 만들어야 하는데, 그 과정이 쉽지가 않다. 이와 같이 많은 양의 쌀가루를 범벅으로 만들 때 주의할 점은, 그 양을 한꺼번에 하지 말고 2~3등분하여 범벅이 골고루 익도록 하여야 한다는 것이다. 한꺼번에 그 양을 하게 되면 범벅을 이기는 일이 매우 힘들기도 하거니와, 절대로 균일하게 익지 않는다는 데 문제가 있다.

거듭 강조하거니와, 특히 범벅은 ‘반생반숙’ 형태로서 죽이나 떡 등 다른 방법에 비해 결코 당화가 용이하지 않은 만큼, 덜 익은 쌀가루는 술독 밑에 침전되어 2차 발효를 일으켜 산패를 초래하는 원인이 되기도 하므로, 시간이 더 걸리더라도 쌀가루와 물 양을 등분하여 균일하게 익히는 방법을 강구해야만 실패하는 일이 없다.

이렇게 하여 만들어진 범벅은 투명한 상태가 되어야 좋고, 그릇의 뚜껑을 덮어 저절로 식기를 기다리는 것이 누룩과 섞어 술밑을 빚을 때 힘들지 않고 비교적 짧은 시간 안에 끝낼 수 있는 비결이 된다.

밑술의 발효기간이 며칠이 걸리더라도 술밑이 끓어올랐다가 차분히 가라앉은 후에 덧술을 하는데, 고두밥 역시도 그 양이 많으므로 2등분이나 4등분하여 끓는 물과 골고루 합하고, 물이 다 잦아들 동안 주걱으로 자주 젓지 말고 저절로 차디차게 식기를 기다려야 한다.

‘녹하주’를 수차례 빚어보았지만, 어떤 연유에서 주품명이 ‘녹하주’인지를 알 수 없었다. 그리하여 주품명이 유사한 ‘백하주’ 가운데 술 빚는 방법이 유사한 주방문과 비교해 보았으나, 밑술의 쌀 양이 많다는 점 외에는 ‘녹하주’의 특징이나 주품명에 따른 의미를 알 수 없었다.

또한 주방문을 고려하면 ‘녹파주’의 이법(異法)이거나 ‘녹파주’를 ‘녹하주’로 잘못 이해하였을 가능성도 있는데, ‘녹파주’ 주방문의 주류를 이루고 있는 주원료의 배합비율과는 차이가 많으므로 단언할 수는 없다.

다만, 완성된 술맛을 고려하여 ‘녹하주’의 이름 유래를 추측해 볼 수 있었다. 용수를 박아 채주한 청주는 그 빛깔이 매우 엷고 맑았으며, 탁주로 걸렀을 경우에는 매우 밝은 술 색깔을 자랑하면서 오히려 청주보다 맛이 담백하고 깔끔한 느낌을 주었다. 따라서 탁주로 마신다는 뜻에서 노을 '하(霞)' 자를 붙이게 되었을 것이라는 생각을 하게 되었다. 청주보다는 탁주로 사용하는 것이 좋을 것으로 판단되었다.

녹하주 <침주법(浸酒法)>
–일곱 말 빚이

술 재료 : 밑술 : 멥쌀 2말, 가루누룩 2되, 밀가루 2되, 물 3말
　　　　 덧술 : 찹쌀 5말, 물 5말

술 빚는 법 :
* 밑술 :
1. 멥쌀 2말을 백세하여 물에 담가 하룻밤 불렸다가, 다시 씻어 헹궈서 물기를 빼놓는다.
2. 불린 쌀을 가루로 빻아 넓은 그릇에 담아놓는다.
3. 가마솥에 물 3말을 팔팔 끓여 쌀가루에 골고루 나눠 붓고, 주걱으로 골고루 개어 반은 익고 반은 설익은 담/범벅을 만든다.
4. (담/범벅을 개었던 그릇과 똑같은 크기의 그릇으로 뚜껑을 덮어) 차디차게 식기를 기다린다.
5. 차게 식은 담/범벅에 가루누룩 2되와 밀가루 2되를 합하고, 고루 버무려 술밑을 빚는다.
6. 술밑을 술독에 담아 안치고, 예의 방법대로 하여 술이 익기를 기다린다.

* 덧술 :
1. 찹쌀 5말을 백세하여 물에 담가 하룻밤 불렸다가, 다시 헹궈서 물기를 빼놓

는다.

2. 불린 쌀을 시루에 안치고 쪄서 고두밥을 짓고, 솥에 물 5말을 끓인다.

3. 고두밥이 무르게 익었으면 퍼내어 넓은 그릇에 담고, 팔팔 끓고 있는 물을 고두밥에 골고루 끼얹은 뒤, 고두밥이 물을 다 먹으면 차디차게 식기를 기다린다.

4. 고두밥과 밑술을 한데 합하고, 고루 버무려 술밑을 빚는다.

5. 술밑을 술독에 담아 안친 후, 예의 방법대로 하여 (차지도 덥지도 않은 곳에서) 발효시키고, 술이 익기를 기다린다.

녹하쥬(綠霞酒)─닐곱 말

빅미 두 말(白米二斗) 일빅 믈 시서 ᄒᆞᄅ 밤 재여 ᄀᆞ른 밍그라 믈 서 말(水三斗) ᄭᅳᆯ혀 듐 기되 반으란 설고 반으란 닉게 기여 식거든 ᄀᆞ른 누록 두되(曲二升) 진ᄀᆞ른 두 되(眞末二升)를 섯거더가 닉거든 춭빅미 닷 말 일빅 믈 시서 ᄒᆞᄅ 밤 재여 밥 닉게 쪄 믈 닷 말 ᄭᅳᆯ혀 바배 골라 누록 업시 섯그라. ᄀᆞ장 죠ᄒᆞ니라.

동파삼일주

스토리텔링 및 술 빚는 법

　<홍씨주방문>의 '동파삼일주'는 "동파(東坡)에 의해 작성된 주방문으로, 3일
만에 익히는 방법의 술 빚기"라는 뜻에서 유래한 주품명이다. 그런 까닭에 <홍씨
주방문>의 '동파삼일주'는 전형적인 속성주 빚는 법을 보여주고 있다.

　속성주를 빚는 방법은 여러 가지가 있지만, '삼일주'라고 하여 술을 익히는 기
간에 따른 주품명임을 감안하여, 다른 기록의 '삼일주'와 비교해 보면서 그 차이
를 찾고자 하였다.

　<홍씨주방문>의 '동파삼일주'는 "점미 한 말 백세하여 담그고, 좋은 섬누룩 서
되를 물 끓여 담갔다가, 하룻밤 재워 담근 쌀을 건져 익게 찌되, 약간 물 뿌려 채
우고 담은 누룩을 주물러 다시 거아로 크되, 날물 조심하여 걸러 즈에 버리고 물
만 밥에 버무려, 항에 넣어 삼일 만에 드리워 쓰거니와, 오륙일이나 더 두면 맑고
좋으니라."고 하였다.

　한편, 다른 문헌에도 45종 이상의 '삼일주' 주방문이 수록되어 있는 것을 볼 수
있는데, 가장 유사한 주방문인 <양주방>*의 기록을 보면 "물 1말을 팔팔 끓여서

넓은 그릇에 담아두고 차게 식힌 후에 누룩가루 2되를 섞어 하룻밤 재워놓는다. 희게 슳은 멥쌀 1말을 깨끗이 씻고 또 씻어 물에 담가 하룻밤 불렸다가, 세말한 다음날 물누룩을 체에 밭쳐 찌꺼기를 제거한 누룩물을 만들어놓는다. 쌀가루는 흰무리떡을 익게 쪄낸 다음, 누룩물에 흰무리떡을 넣고 고루 힘껏 치대어 덩어리가 없는 술밑을 빚어 3일간 발효시킨다."고 하여, 주원료의 양에서 차이가 날 뿐, 술 빚는 과정은 같다는 것을 알 수 있다.

그런데 같은 기록인 <양주방>*에 "섬누룩 3되를 물 3사발의 물에 담가 하룻밤 불렸다가, 제 물에 체에 걸러 찌꺼기를 제거한 누룩물을 만들고, 찹쌀 1말을 일어 건져낸 후 고두밥을 짓는데, 꽤 찌고 익었으면 퍼내고, 식기를 기다린다. 걸러둔 누룩물에 차게 식힌 고두밥을 섞고, 고루 버무려서 술밑을 빚고 3일간 발효시킨다."고 하여 '동파주'를 수록하고 있으므로, '동파삼일주'와 '삼일주'는 다른 술임을 알 수 있다.

결국 <홍씨주방문>의 '동파삼일주'와 <양주방>*의 '동파주'는 주품명에서는 다르지만, 그 과정이 동일한 것으로 미루어 한 가지 주방문임을 알 수 있다. 이들 두 가지 주품은 한 기록에서 유래되어, 전파되는 과정에서 각기 다른 표현 방식을 빌어 기록된 것이라고 할 수 있다.

<홍씨주방문>의 '동파삼일주'는 그 특징이 수곡(물누룩)을 만들어두었다가 고두밥을 투입하여 단기간에 발효시키는 고급 탁주류의 하나라고 할 수 있다. 술 빚는 과정을 보아 알 수 있듯, 수곡을 만들어 하룻밤 불렸다가 주물러 짜서 누룩 찌꺼기를 제거한 누룩물을 만들고, 여기에 찹쌀로 고두밥을 지어 술밑을 빚게 된다. 3일이라는 비교적 짧은 시간에 술을 익히기 위해 누룩의 양이 30%나 사용되는 것을 볼 수 있다.

따라서 <홍씨주방문>의 '동파삼일주'는 술 빛깔이나 향기가 좋지 못하다는 것을 감수해야 한다. 하지만 쌀 양의 30%에 이르는 비교적 많은 양의 누룩을 사용했음에도 불구하고, 누룩 냄새는 덜 나고 향기가 좋아지며, 술 빛깔도 밝은 누런색을 띠게 되므로 상품의 술이 된다.

또한 3일 만에 익혀서 써야 하므로 탁주를 빚기 위한 방문임을 짐작할 수 있으며, 방문 말미에도 언급되어 있거니와 "항에 넣어 삼일 만에 드리워 쓰거니와,

오륙일이나 더 두면 맑고 좋으니라.”고 한 것은, 이 술이 7일 정도는 되어야 발효가 어느 정도 끝이 나고, 더불어 청주도 얻을 수 있다는 사실을 말해 주고 있다.

<홍씨주방문>의 ‘동파삼일주’가 <양주방>*을 비롯한 유사한 방문의 ‘삼일주’와 다른 점은, 누룩과 물의 양 외에 심지어 쌀의 종류도 다르긴 하지만, <홍씨주방문>의 ‘동파삼일주’는 3할의 누룩과 3사발의 끓여 식힌 물로 만든 누룩물에 찹쌀고두밥으로 빚는 까닭에 일반 ‘삼일주’보다 발효가 더뎌지는 것이라고 할 수 있다. 즉, 일반 ‘삼일주’에 비해서 누룩의 양은 많지만 양주용수가 적게 사용된 데서 발효가 늦어지고, 아울러 발효 종료 시간도 늦어질 수밖에 없다는 것이다.

이렇듯 우리의 양주기법은 재료의 가감과 원료의 처리 과정 등에 따라 각각 다른 맛과 향기의 다양한 주품과 주방문이 생겨날 수 있거니와, 오히려 일반 이양주(二釀酒)나 삼양주(三釀酒)에 비해 ‘동파삼일주’와 같은 속성주가 더 까다롭고 힘들다는 애기의 배경을 짐작할 수 있을 것이다.

동파삼일주 <홍씨주방문>

술 재료 : 찹쌀 1말, 섬누룩 3되, 끓여 식힌 물(3사발)

술 빚는 법 :

1. 물(3사발)을 팔팔 끓여서 차게 식힌 뒤에, 좋은 섬누룩 3되를 담가 하룻밤 불려 수곡을 만들어놓는다.
2. 찹쌀 1말을 백세하여(백 번 씻어 매우 깨끗하게 하여 말갛게 헹궈 건졌다가) 물에 담가 하룻밤 불려놓는다.
3. 다음날 불린 찹쌀을 (다시 씻어 말갛게 헹궈서 물기를 뺀 뒤) 시루에 안쳐서 고두밥을 짓는다.
4. 고두밥이 익었으면 퍼낸다(고루 펼쳐서 차게 식기를 기다린다).
5. 수곡을 체에 밭쳐 주물러 짜서 누룩 찌꺼기를 버리고, 누룩물을 만들어놓

는다.

6. 고두밥과 누룩물을 합하고, 고루 버무려 술밑을 빚는다.

7. 술밑을 술독에 담아 안치고, 예의 방법대로 하여 3~5일간 발효시킨다.

* 급수 양이 나와 있지 않으나 <양주방>*의 '동파주'를 참고하여 3사발로 산
  정하여 주방문을 작성하였다.

* 거아 : 꼭 주무르다.

* 크되 : 찌꺼기 없이 거르되.

* 즈에 : 찌꺼기.

* 물 : 누룩물.

동파삼일주

점미 한 말 백세하여 담그고, 좋은 섬누룩 서 되를 물 끓여 담갔다가, 하루밤
재워 담근 쌀을 건져 익게 찌되, 약간 물 뿌려 채우고 담은 누룩을 주물러 다
시 거아로 크되, 날물 조심하여 걸러 즈에 버리고 물만 밥에 버무려, 항에 넣
어 삼일 만에 드리워 쓰거니와, 오륙일이나 더 두면 맑고 좋으니라.

두강주

스토리텔링 및 술 빚는 법

동양에서 곡식으로 빚는 술의 기원(起原)과 관련하여 "오랜 옛날 중국에 사는 두강(杜康)이란 사람이 술을 잘 빚었는데, 그의 이름을 따르게 되어 '두강주(杜康酒)'라고 부르게 되었다."고 하는 말이 전해지고 있다.

두강의 양주 기원과 관련하여 <임원십육지(林園十六志)>의 '연기(緣起)'에 "세상에서 말하는 술의 기원은 5가지다."고 하는 설명 가운데, "두강이 술을 빚었다고 한다. ……두강에 대해서는 위무제의 <악부(樂府)>(조조의 단가행)>에 나오지만, 두씨는 본래 유루(劉累)한테서 나왔고, 상나라 때에는 시위씨가 되었으며, 무왕이 두 땅에 봉하여 나라를 계승하도록 하였다. <진어>의 위주에는 '주나라 성왕이 당을 멸망시키고, 아우인 당숙우를 봉하여 당을 두로 옮기게 한 뒤, 이를 두백이라 하였다.'고 한다. 두백이 주나라 선왕에게 죽임을 당하자 자손들이 진나라로부터 달아나 마침내 두씨를 성씨로 삼은 사람이 있게 되었다. 어떤 사람은 강이 술을 잘 빚는 사람이었을 것이라고 하나, 이것은 잘못된 것이다. 두강이라는 지혜로운 사람이 후세에 술을 빚었는데, 그 이름을 그대로 따르게 되었다. 그러므로 술이 누구로부터 시작되었는지 명확히 알 수 없다. 옛날부터 제수에서 술은 빠져서는 안 되는 것이지만, 제사에 처음으로 술을 쓴 사람은 알 수 없다."고 하여, 두강과 관련된 기록의 단면을 엿볼 수 있다.

한편, <증보산림경제(增補山林經濟)>와 <조선무쌍신식요리제법(朝鮮無雙新式料理製法)> 등 여러 문헌에서 "무자(戊子)·갑진(甲辰)일과 멸몰일(滅沒日)을 금기하고, 또 정유(丁酉)일을 금기한다. 정유일은 두강이 죽은 날이다."고 하여 두강과 관련된 기록을 찾아볼 수 있다.

두강과 관련한 '두강주'는 <군학회등(群學會騰)>을 비롯하여 <농정회요(農政會要)>, <민천집설(民天集說)>, <산가요록(山家要錄)> <수운잡방(需雲雜方)> <술방>, <시의전서(是議全書)>, <언서주찬방(諺書酒饌方)>, <역주방문(曆酒方文)>, <음식디미방>, <음식보(飮食譜)>, <임원십육지(고려대본)>, <주방(酒方)>*, <주찬(酒饌)>, <증보산림경제>, <홍씨주방문> 등 16종의 문헌에 19차례나 등장하는 것으로 미루어, 우리나라에서도 널리 빚어졌다는 것을 확인할 수 있으며, '두강주' 주방문을 통하여 원시 형태의 양주기법의 단면을 엿볼 수 있다는 측면에서 매우 중요한 자료가 된다는 것이 필자의 견해이다.

우선, '두강주'는 이양주법(異釀酒法)과 삼양주법(三釀酒法)으로 크게 나눌 수 있고, 청주(淸酒) 주방문과 탁주(濁酒) 주방문으로 분류할 수 있으며, 속성주류(速成酒類)와 일반주류(一般酒類)로 나눌 수 있다는 점에서 주목할 필요가 있다.

또한 양주기법으로 보면, 범벅과 범벅, 고두밥으로 3차례 빚는 삼양주법에서 이양주법으로 간소화되면서, 밑술을 죽으로 빚는 경우가 가장 높은 비율을 나타내고, 범벅으로 빚는 경우가 그 다음으로 나타나고 있다.

그 외에도 <주찬>과 <홍씨주방문>의 경우처럼 '구멍떡'이나 '백설기떡', 고두밥으로 하는 이양주법 등 밑술 빚는 법에서 다양한 변화와 덧술의 간소화 경향을 띠고 있음을 알 수 있다.

특히 <주찬>의 '두강주'에서는 "맛이 꿀과 같아 술을 좋아하는 사람은 맛이 달아서 싫어하는데, 소주를 타 마시면 매우 좋다."고 하였으므로, '과하주법'의 '두강주'가 존재한다는 것을 알 수 있다.

시대적으로 가장 앞선 기록인 <산가요록>과 <언서주찬방>, <수운잡방>의 '두강주'는 삼양주법이고, <수운잡방> 이후의 다른 문헌에서는 모두 이양주법을 수록하고 있음을 볼 수 있다. 단양주법(單釀酒法)이 없다는 것도 특기할 만하다.

술의 발효에 필요한 시간과 관련하여, <산가요록>과 <수운잡방>, <언서주찬방>, <임원십육지(고려대본)> 등 삼양주법 '두강주'를 수록하고 있는 문헌들에서는 20~24일 정도로 보고 있다.

반면, <증보산림경제> 등 이양주법은 6~10일 사이가 가장 높은 비율을 차지하고 있는데, 이처럼 비교적 단기간에 빚어지는 주품은 속성주이자 탁주로 분류하는 것이 옳을 것 같다.

또한 <민천집설>의 경우는 '14~15일', <역주방문>과 <음식디미방>, <홍씨주방문>에서는 '익는 대로', <음식보>에서는 '23일' 등으로 나타나는데, 발효기간이 10일 이상인 주품에 대하여는 일반주류로서 청주로 분류하는 것이 타당할 것이라 생각된다.

결국, '두강주'라는 주품명의 유래나 양주기법과 관련하여 추정할 수 있는 몇 가지 사실에 대해 생각해 볼 수 있겠다.

첫째, 쌀가루를 끓는 물로 설익히는 '반생반숙(半生半熟)'의 범벅(죽)으로 밑술을 빚기 시작하던 것에서 좀 더 호화도를 높인 죽을 쑤어 술을 빚는 등 완전한 발효를 추구하는 방법으로의 변화이다.

특히 '반생반숙'은 쌀가루가 고루 익지 않으면 자칫 산패나 끓어넘침 등 여러 가지 문제를 야기하기 쉽다는 것이 단점이다. 그렇기 때문에 실패를 줄이려는 노력이 호화도를 높이는 '죽'으로의 변화를 가져오게 되었을 것이라는 판단이다. 이는 술을 빚어 본 사람만이 알 수 있는 경험론이다.

실제로 '두강주' 외에도 우리나라의 술 빚기 가운데 가장 오랜 역사를 간직한 술의 절대다수가 조선 후기로 내려올수록 밑술을 반생반숙의 '범벅'과 '죽'으로 빚는 것을 볼 수 있다는 사실이 이를 뒷받침해 준다고 하겠다.

밑술을 죽으로 하여 경우는 <농정회요> '우방', <민천집설>, <시의전서> '우일방', <증보산림경제> '속성법', <임원십육지>, <음식보>, <음식디미방>, <주방>* 등 8종의 문헌을 들 수 있고, 범벅으로 하는 '두강주'는 <군학회등>을 비롯하여 <농정회요>, <술방>, <시의전서>, <증보산림경제>, <역주방문> 등에서 찾아볼 수 있다.

둘째, 양주기법의 가장 큰 변화로서 삼양주법에서 이양주법으로 간소화되는 경향을 들 수 있다. 이와 같은 경향을 여러 문헌에서 찾아볼 수 있는데, 이러한 변화의 배경을 살필 필요가 있다는 것이다.

일반적으로 조선시대를 '전통주의 전성기'라고 지칭하는데, 여기에는 이견이 있을 수 없다. 특히 조선 중기와 후기는 '전통주의 르네상스 시대'라고 해도 과언이 아닐 정도로 다양한 주품들이 등장하는데, 우연하게도 이 시기의 전통 주품들과 주방문은 이양주법이 중심을 이루고 있고, '호산춘'이나 '소곡주', '백일주' 등과 여타의 주품에서도 삼양주법의 전통 주품들이 이양주법으로 간소화된 경향을 엿볼 수 있다.

심지어는 '삼해주'까지도 이양주법인 '해일주(亥日酒)'로 변화하는 양상을 목격할 수 있다.

그리고 이러한 배경을 발효제인 누룩(麴子, 麵子)의 발달과 '백세(百洗)' 등 주원료의 세척(洗滌)이나 침지(浸漬), 석임(酒本) 사용 등 기본적인 양주법의 발달로 미루어 생각할 수 있다는 것이다.

'두강주'처럼 주품명 한 가지를 두고도 이렇듯 많은 이야기를 할 수 있는 술은 그리 많지 않다.

비록 중국으로부터 유입된 주방문이지만, 이 땅에 정착되면서부터는 이 땅에서 생산되는 쌀과 우리 고유의 방식으로 정착한 누룩, 윤수(潤水)로 우리네 여인들의 손맛을 들여 빚어 우리 술이 되었으니, 그 가치를 다시 조명해 보아야 할 필요가 있다는 것이다. 그리고 이것은 우리 술의 뿌리를 찾는 일이기도 하다.

다만, 여기서는 이양주법 '두강주' 18품에 대해서만 다루기로 하고, 삼양주법 '두강주'는 '두강춘(杜康春)'으로 분류하여 별도로 다루었음을 밝혀둔다.

1. 두강주방 <군학회등(群學會騰)>

－육일약주(六日藥酒)

> 술 재료 : 밑술 : 멥쌀 1되, 고운 가루누룩 5홉, 밀가루 5홉, 물(2되)
>
> 덧술 : 찹쌀 1말, 끓여 식힌 물 1말

술 빚는 법 :

* 밑술 :

1. 멥쌀 1되를 (백세하여) 물에 담갔다가 (다시 씻어 건져서 물기 뺀 후) 작말
한다.

2. 물(2되)을 끓여 쌀가루에 골고루 합하고, 주걱으로 개어 죽(범벅)을 만든
후, 차게 식기를 기다린다.

3. 차게 식은 죽(범벅)에 고운 누룩가루 5홉, 밀가루 5홉을 한데 섞고, 고루 힘
껏 치대어 술밑을 빚는다.

4. 술밑을 술독에 담아 안친 뒤, 따뜻한 곳에서 2일간 발효시킨다.

* 덧술 :

1. 찹쌀 1말을 (백세하여) 물에 담갔다가 (다시 씻어) 건져서 물기를 뺀 후, 시
루에 안쳐서 고두밥을 짓는다.

2. 물 1말을 끓여서 넓은 그릇에 퍼서 차게 식힌다.

3. 고두밥이 익었으면, 퍼내고 돗자리에 펼쳐서 차게 식기를 기다린다.

4. 고두밥에 끓여 식힌 물 1말과 밑술을 한데 합하고, 고루 버무려 술밑을 빚
는다.

5. 술밑을 술독에 담아 안친 후, 예의 방법대로 하여 (따뜻한 곳에서) 4~5일
간 발효시킨다.

6. 술이 익으면 주조에 올려 거른다.

* 방문 말미에 "모든 육일약주는 이 방법이 가장 좋다."고 한 것으로 미루어 '육
  일주'라는 술이 존재하였다는 것을 알 수 있다.

杜康酒方

白朮一升浸過作末作稠粥候冷以細麴末五合眞末五合與粥共打納缸置溫處二
日以粘米一斗浸出蒸飯候冷又以沸湯一斗候冷傾粥本同和於飯中納於缸中四
五日上槽可飮. 凡六日藥酒此方最好.

2. 두강주방 <농정회요(農政會要)>

－육일약주(六日藥酒)

> 술 재료 : 밑술 : 멥쌀 1되, 고운 누룩가루 5홉, 밀가루 5홉, 물(2되)
>   덧술 : 찹쌀 1말, 끓여 식힌 물 1말

술 빚는 법 :
* 밑술 :
1. 멥쌀 1되를 (백세하여) 물에 담갔다가 (다시 씻어 건져서 물기를 뺀 후) 작
   말한다.
2. 물(2되)을 끓여 쌀가루에 골고루 합하고, 주걱으로 개어 죽(범벅)을 만든
   후, 차게 식기를 기다린다.
3. 차게 식은 죽(범벅)에 고운 누룩가루 5홉, 밀가루 5홉을 한데 섞고, 고루 힘
   껏 치대어 술밑을 빚는다.
4. 술밑을 술독에 담아 안친 뒤, 따뜻한 곳에서 2일간 발효시킨다.

* 덧술 :
1. 찹쌀 1말을 (백세하여) 물에 담갔다가 (다시 씻어 건져서 물기를 뺀 후) 시

루에 안쳐서 고두밥을 짓는다.

2. 물 1말을 오랫동안 끓여서, 넓은 그릇에 퍼서 차게 식힌다.

3. 고두밥이 익었으면, 퍼내고 돗자리에 펼쳐서 차게 식기를 기다린다.

4. 고두밥에 끓여 식힌 물 1말과 밑술을 한데 합하고, 고루 버무려 술밑을 빚는다.

5. 술밑을 술독에 담아 안친 후, 예의 방법대로 하여 (따뜻한 곳에서) 4~5일간 발효시킨다.

* 방문 말미에 "모든 육일약주는 이 방법이 가장 좋다."고 한 것으로 미루어 '육일주'라는 술이 존재하였다는 것을 알 수 있다.

杜康酒方

白米一升浸過作末作稠粥候冷以細麴末五合眞末五合與粥共打納缸置溫處二日以粘米一斗浸出蒸飯候冷又以沸湯一斗候冷傾粥本同和於飯中納於缸中四五日上槽可飮. 凡六日藥酒此方最好.

3. 두강주 우방 <농정회요(農政會要)>
－속성법

> 술 재료 : 밑술 : 찹쌀 1되, 누룩가루 1되, 끓인 물 9대접
>
> 　　　　　덧술 : 찹쌀 1말

술 빚는 법 :

* 밑술 :

1. 찹쌀 1되를 (백세하여) 물에 담가 불렸다가 (다시 씻어 물기를 뺀 뒤) 작말한다.

2. 솥에 물 9대접을 넣고 끓이다가, 쌀가루를 합하고 주걱으로 고루 개어 죽을 쑨 뒤, 말갛게 익으면 (넓은 그릇에 퍼서) 차게 식기를 기다린다.
3. (식은 죽에) 좋은 누룩 가루 1되를 합하고, 고루 버무려 술밑을 빚는다.
4. 술독에 술밑을 담아 안치고, 예의 방법대로 하여 따뜻한 곳에서 2일간 발효시킨다.

* 덧술 :
1. 멥쌀 1말을 (백세하여) 물에 담가 불렸다가 (다시 씻어 헹궈서 물기를 뺀 뒤) 시루에 안쳐 고두밥을 짓는다.
2. 고두밥이 익었으면, 퍼내고 고루 펼쳐서 차게 식기를 기다린다.
3. 고두밥에 밑술을 합하고, 고루 버무려 술밑을 빚는다.
4. 술독에 술밑을 담아 안치고, 예의 방법대로 하여 4~5일간 발효시키면 마실 수 있다.

杜康酒 又方
粘米一升以水九椀作粥候冷入好麴末一升納缸埋溫處二日以白米一斗浸過蒸
飯候冷傾出熟本與飯和匀納缸四五日飮.

4. 두강주 <민천집설(民天集說)>

술 재료 : 밑술 : 멥쌀 1말, 누룩 2되, 물(2말)
　　　　　덧술 : 찹쌀 1말, 끓여 식힌 물 1말

술 빚는 법 :
* 밑술 :
1. 멥쌀 1말을 (백세하여 물에 담갔다가, 다시 씻어 건져서 물기를 뺀 후) 작말

한다(가루로 빻는다).

2. 물(2말)을 끓이다가 따뜻해지면 쌀가루와 합하고, (고루 개어 아이죽을 만든 후)팔팔 끓여서 흰죽을 쑤어 차게 식기를 기다린다.

3. 차게 식은 죽에 누룩 2되를 한데 합하고, 고루 치대어 술밑을 빚는다.

4. 술밑을 술독에 담아 안친 뒤, 따뜻한 곳에서 4~5일간 발효시킨다.

* 덧술 :

1. 찹쌀 1말을 세수하여(백세하여) 물에 담갔다가 (다시 씻어 건져서 물기를 뺀 후) 시루에 안쳐서 고두밥을 짓는다.

2. 물 1말을 끓여서 넓은 그릇에 퍼서 차게 식힌다.

3. 고두밥이 익었으면 끓여 식힌 물 1말을 한데 합하고, 고두밥이 물을 다 먹고 차게 식기를 기다린다.

4. 고두밥에 밑술을 합하고, 고루 버무려 술밑을 빚는다.

5. 술밑을 술독에 담아 안친 후, 예의 방법대로 하여 춥지도 덥지도 않은 곳에서 10일간 발효시킨다.

* 주방문 말미에 "10일 후 맛이 맵고 독하고 달면서 맑게 익었으면 변하지 않는다."고 하였다.

5. 두강주 <술방>

술 재료 : 밑술 : 멥쌀 1되, 누룩 5홉, 진말 5홉, 물(3되)
　　　　　덧술 : 찹쌀 1말, 끓는 물 1말

술 빚는 법 :

* 밑술 :

1. 멥쌀 1되를 백세하여 물에 하룻밤 담가 불렸다가, 새 물에 다시 헹궈서 작말한다.
2. 솥에 물 3되를 계량하여 붓고, 불을 지펴 끓인다.
3. 쌀가루를 물솥에 담고, 주걱으로 저으면서 팔팔 끓여 죽을 익힌 다음, 하룻밤 방치하여 차게 식힌다.
4. 차게 식힌 죽에 누룩과 진말 각 5홉을 넣고, 고루 버무려 술밑을 빚는다.
5. 술밑을 술독에 담아 안치고, 예의 방법대로 하여 더운 방에 두어 하루 동안 발효시킨다.

* 덧술 :
1. 밑술이 다 익은 후, 찹쌀 1말을 백세하여 하룻밤 불린다.
2. 쌀을 다시 새 물에 헹군 후, 소쿠리에 밭쳐서 물기를 뺀다.
3. 쌀을 시루에 안쳐서 고두밥을 짓고, 다른 솥에 물 1말을 팔팔 끓인다.
4. 고두밥이 익었으면 퍼서 자배기에 담고, 끓는 물을 한데 합한다.
5. 주걱으로 고두밥을 고루 섞어준 후, 고두밥이 물을 다 빨아들였으면, 펼쳐서 차게 식힌다.
6. 밑술에 고두밥을 섞고, 고루 버무려 술밑을 빚는다.
7. 술독에 술밑을 담아 안치고, 예의 방법대로 하여 4~5일간 발효시킨다.

* 주방문 말미에 "육일 만의 먹는 약주는 이 법이 좋으니라."고 하였다.

두강쥬
빅미 흔 되 담가 작말ᄒ여 쥭 쑤어 식혀 곡말 진말 각 다솝을 쥭의 버무려 항의 너어 더운 방의 두엇다가 잇튼날 찹쌀 흔 말 담가 지어 밥 쪄 식혀 쓸ᄂ 물 흔 말 식혀 밋ᄒ 흔듸 부어 버무려 항의 너어 ᄉ오일 만의 먹ᄂ니, 육일 만의 머ᄂ 약쥬ᄂ 이 법이 죠흐니라.

6. 두강주 또 한 법 <술방>

술 재료 : 밑술 : 찹쌀 1되, 누룩 1되, 물 9사발
　　　　 덧술 : 찹쌀 1말

술 빚는 법 :

* 밑술 :

1. 찹쌀 1되를 백세하여 물에 하룻밤 담가 불렸다가, 새 물에 다시 헹궈서 작
   말한다.
2. 솥에 물 9사발을 계량하여 붓고, 불을 지펴 끓인다.
3. 쌀가루를 물솥에 담고, 주걱으로 저으면서 팔팔 끓여 죽을 익힌 다음, 하룻
   밤 방치하여 차게 식힌다.
4. 차게 식힌 죽에 누룩 1되를 넣고, 고루 버무려 술밑을 빚는다.
5. 술밑을 술독에 담아 안치고, 예의 방법대로 하여 더운 방에 두어 2일 동안
   발효시킨다.

* 덧술 :

1. 밑술이 다 익은 후, 찹쌀 1말을 백세하여 하룻밤 불린다.
2. 찹쌀을 다시 새 물에 헹군 후, 소쿠리에 밭쳐서 물기를 뺀다.
3. 찹쌀을 시루에 안쳐서 고두밥을 짓고, 고두밥이 익었으면 펼쳐서 차게 식힌다.
4. 밑술에 고두밥을 섞고, 고루 버무려 술밑을 빚는다.
5. 술독에 술밑을 담아 안치고, 예의 방법대로 하여 4~5일간 발효시킨다.

두강쥬 쏘 흔 법
찹쓸 흔 되 물 아홉 스발 죽 쑤어 식혀 됴흔 곡말 흔 되 너허 더운 곳의 두
어다가, 잇틀 만의 찹쓸 흔 말 담가 밥 져 식혀 밋과 버물여 스오일 만의 먹
느니라.

7. 두강주 <시의전서(是議全書)>

술 재료 : 밑술 : 멥쌀 1되, 누룩가루 7홉, 밀가루 5홉, 물(2~3되)
　　　　　덧술 : 찹쌀 1말, 백비탕 1말

술 빚는 법 :

* 밑술 :

1. 멥쌀 1되를 (물에 깨끗이 씻어 담가 불렸다가, 다시 씻어 헹궈 건져서 물기를 뺀 뒤) 작말한다.

2. 물(2~3되)을 끓이다가 (따뜻해지면 물 1되를 퍼서) 쌀가루를 합하고, 고루 개어서 (아이죽을 만든 다음, 솥의 남은 물이 팔팔 끓을 때 아이죽을 합하고) 천천히 저어가면서 퍼지게 죽을 쑨다.

3. 죽을 넓은 그릇에 퍼 담고 차게 식기를 기다린다.

4. 누룩을 곱게 빻아 고운 가루를 만들어 (체에 내려서) 7홉과 밀가루 5홉을 한데 합하고, 고루 버무려 술밑을 빚는다.

5. 소독하여 준비한 술독에 술밑을 담아 안치고, 예의 방법대로 하여 더운 곳에 싸매어 두고 2일 동안 발효시킨다.

* 덧술 :

1. 밑술을 담근 다음날, 찹쌀 1말을 백세하여 물에 담가 불려놓는다.

2. 물 1말을 매우 오랫동안 끓여 백비탕(白沸湯)을 만들어 (하룻밤 재워) 차게 식힌다.

3. 불린 쌀을 (다시 씻어 건져서 물기를 뺀 뒤) 시루에 안쳐서 고두밥을 짓는다.

4. 고두밥이 익었으면, 돗자리에 퍼내고 고루 헤쳐서 차게 식기를 기다린다.

5. 차게 식힌 백비탕에 고두밥과 밑술을 한데 합하고, 고루 버무려 술밑을 빚는다.

6. 술밑을 술독에 담아 안친 다음, 예의 방법대로 하여 6일가량 발효시킨다.

* 주방문 말미에 "엿새 만에 먹는 약주는 이 법이 좋다."고 하였다.

두강쥬

빅미 흔 되 담갓다가 작말ᄒ여 죽 쑤어 ᄎ거든 누룩가로 가늘게 ᄒ여 닷 홉과 진말 닷 홉을 죽에 너허 더운 ᄃᆡ 무덧다가 잇틀 만에 찰쌀 흔 말 담갓다가 익게 ᄶᅧ ᄎ거든 빅비탕 흔 말 식혀 밋슐과 셕거 너허 사오 일 후 드리우라 엿시 만에 먹ᄂᆞᆫ 약쥬가 이 법이 조흐리라.

8. 두강주 우일방 <시의전서(是議全書)>

> 술 재료 : 밑술 : 찹쌀 1되, 누룩가루 1되, 물 9사발
> 　　　　 덧술 : 찹쌀 1말

술 빚는 법 :

* 밑술 :

1. 찹쌀 1되를 (물에 깨끗이 씻어 담가 불렸다가, 다시 씻어 헹궈 건져서 물기를 뺀 뒤) 작말한다.

2. 물 9사발을 끓이다가 (따뜻해지면 물 3사발을 퍼서) 쌀가루를 합하고, 고루 개어서 (아이죽을 만든 다음, 솥의 남은 물이 팔팔 끓을 때 아이죽을 합하고) 천천히 저어가면서 퍼지게 죽을 쑨다.

3. 죽을 넓은 그릇에 퍼 담고 차게 식기를 기다린다.

4. 차게 식은 죽에 누룩가루 1되를 한데 합하고, 고루 버무려 술밑을 빚는다.

5. 소독하여 준비한 술독에 술밑을 담아 안치고, 예의 방법대로 하여 더운 곳에 싸매어 두고 2일 동안 발효시킨다.

* 덧술 :

1. 밑술을 담근 다음날, 찹쌀 1말을 백세하여 물에 담가 불려놓는다.
2. 불린 쌀을 (다시 씻어 건져서 물기를 뺀 뒤) 시루에 안쳐서 고두밥을 짓는다.
3. 고두밥이 익었으면, 돗자리에 퍼내고 고루 헤쳐서 차게 식기를 기다린다.
4. 차게 식힌 고두밥과 밑술을 한데 합하고, 고루 버무려 술밑을 빚는다.
5. 술밑을 술독에 담아 안친 다음, 예의 방법대로 하여 (7일가량) 발효시킨다.

두강쥬 쏘 일방
졈미 흔 되 물 아홉 사발 죽 쑤어 츠거든 누룩가로 흔 되 너허 더운 듸 믓
엇다가 이틀 만에 졈미 흔 말 담갓다가 익게 쪄 식거든 밋슐과 셕거 너흐라.

9. 두강주방 <역주방문(曆酒方文)>

> 술 재료 : 밑술 : 멥쌀 2말, 누룩가루 3되 5홉, 끓는 물 3말
>   덧술 : 멥쌀 3말, 누룩가루(1되)

술 빚는 법 :
* 밑술 :
1. 멥쌀 2말을 백세하여(물에 백 번 씻어 매우 깨끗하게 헹군 뒤, 새 물에 담가
   불렸다가 다시 씻어 말갛게 헹궈서 물기를 뺀 뒤) 작말한다(가루로 빻는다).
2. 쌀가루를 넓은 그릇에 퍼 담고, 물 3말을 팔팔 끓여 쌀가루에 골고루 붓고,
   주걱으로 헤쳐서 범벅을 만들어놓는다.
3. 범벅을 그릇 여러 개에 퍼서 차게 식기를 기다린다.
4. 범벅에 누룩가루 3되 5홉을 한데 합하고, 고루 버무려서 술밑을 빚는다.
5. 술밑을 술독에 담아 안치고, (술독 주둥이에 묻은 것을 깨끗하게 씻어내고
   베보자기와 뚜껑을 덮어) 발효시켜 익기를 기다린다.

* 덧술 :

1. 멥쌀 3말을 물에 백 번 씻어 매우 깨끗하게 헹군 뒤, 새 물에 담가 하룻밤 불렸다가 (다시 씻어 말갛게 헹궈서) 물기를 빼놓는다.

2. 불린 쌀을 시루에 안쳐서 무른 고두밥을 찌고, 고두밥이 익었으면 넓은 그릇에 퍼내고, 주걱으로 헤쳐서 차게 식기를 기다린다.

3. 고두밥에 밑술과 누룩가루(1되)를 합하고, 고루 버무려서 술밑을 빚는다.

4. 술밑을 술독에 담아 안치고 (술독 주둥이에 묻은 것을 깨끗하게 씻어내고 베보자기와 뚜껑을 덮어 싸매 두고) 발효시킨 다음 익는 대로 채주한다.

杜康酒方

白米二斗百洗作末三斗和勻作粥熟後以曲末三升五合和合納于甕中待熟又將
白米三斗淨洗經宿濃作飯出盛器後勿更入曲末勻勻調和囊置待熟用.

10. 두강주 <음식디미방>

술 재료 : 밑술 : 멥쌀 3말, 누룩가루 5되 4홉, 더운 물 3말 5되
　　　　　덧술 : 찹쌀 3말

술 빚는 법 :

* 밑술 :

1. 멥쌀 3말을 백세하여 (물에 담가 불렸다가, 다시 씻어 헹궈서 물기를 뺀 후) 작말한다(가루로 빻는다).

2. (더운) 물 3말 5되를 쌀가루에 골고루 붓고 (주걱으로 고루 개어 아이죽을 만든 다음) 끓여서 죽을 쑨다(차게 식기를 기다린다).

3. 죽에 누룩가루 5되 4홉을 넣고, 고루 버무려 술밑을 빚고 차게 식힌다.

4. 술독에 술밑을 담아 안치고, 예의 방법대로 하여 5일간 발효시킨다.

* 덧술 :

1. 찹쌀 3말을 백세하여 (물에 깨끗하게 씻어 담가 불렸다가, 다시 씻어 헹궈서
   물기를 뺀 후) 시루에 안쳐서 고두밥을 짓는다.

2. 고두밥이 무르게 익었으면, 고루 펼쳐 온기가 남게 식기를 기다린다.

3. 고두밥에 밑술을 한데 섞고, 고루 버무려 술밑을 빚는다.

4. 술밑을 술독에 담아 안치고, 예의 방법대로 하여 발효시키고 익기를 기다
   린다.

두강쥬

빅미 서 말 빅셰작말ᄒ여 믈 서 말 닷 되로 쥭 수어 누룩 닷 되 너 홉 섯거 시
겨 독의 녀코 닷쇄 지내거든 춥쌀 서 말 빅셰ᄒ여 닉게 쎠 믈긔 업고 더운 긔
운이 져기 잇게 ᄒ여 녀헛다가 쓰라.

11. 두강주법 <음식보(飮食譜)>

술 재료 : 밑술 : 멥쌀 1말, 가루누룩 1되, 밀가루 5홉, 물(탕수) 3말
          덧술 : 찹쌀 2말

술 빚는 법 :

* 밑술 :

1. 멥쌀 1말을 백세하여 (물에 담가 불렸다가, 다시 씻어 헹궈서 물기를 뺀 후)
   작말한 다음, 체에 내려서 넓은 그릇에 담아놓는다.

2. 솥에 물 3말을 (끓이다가, 물이 뜨거워지면 1말 정도를 떠서) 쌀가루와 합하
   고, (주걱으로 고루 개어서 멍우리 없는 아이죽을 만들어놓는다).

3. (솥의 물이 팔팔 끓으면, 아이죽을 퍼 붓고) 주걱으로 저어가면서 팔팔 끓여
   죽을 쑨 뒤, 그릇 여러 개에 나눠 서늘하게 식기를 기다린다.

4. 차게 식은 죽에 가루누룩 1되와 밀가루 5홉을 합하고, 고루 버무려 술밑을 빚는다.

5. 술밑을 술독에 담아 안치고, 예의 방법대로 하여 3일간 발효시킨다.

* 덧술 :

1. 찹쌀 2말을 백세하여 (물에 담가 불렸다가, 다시 헹궈서) 물기를 뺀다.

2. 불린 찹쌀을 시루에 안쳐서 고두밥을 짓고, 익었으면 돗자리에 고루 펼쳐서 차게 식기를 기다린다.

3. 고두밥에 밑술을 합하고, 고루 버무려 술밑을 빚는다.

4. 술밑을 술독에 담아 안치고, 예의 방법대로 하여 20일간 발효시켜서 익으면 채주한다.

두강듀법

빅미 흔 말 빅셰작말ᄒᆞ야 ᄯᅳᆯ한 믈 서 말로 쥭 쑤어 식거든 ᄀᆞᄅᆞ누록 흔 되 진ᄀᆞᄅᆞ 닷 홉 흔데 석거 녀혀 사흘 만의 ᄎᆞᆸ쌀 두 말 빅셰ᄒᆞ야 쪄 ᄎᆞ거든 젼슐의 섯거 녀혀 스므 날 후의 쓰며 ᄀᆞ쟝 조흡니라.

12. 두강주방 <임원십육지(林園十六志, 高麗大本)>

> 술 재료 : 밑술 : 멥쌀 1되, 고운 누룩가루 5홉, 밀가루 5홉, 물(2~3되)
>
> 　　　　 덧술 : 찹쌀 1말, 백비탕 1말

술 빚는 법 :

* 밑술 :

1. 멥쌀 1되를 (백세하여) 물에 담가 불렸다가 (다시 씻어 헹궈서 물기를 뺀 후) 작말한다(가루로 빻는다).

2. 솥에 물(2~3되)을 붓고 끓이다가, 쌀가루를 풀고 고루 저어가면서 팔팔 끓여 (된)죽을 쑨다.

3. 죽이 퍼지게 끓었으면, 넓은 그릇에 퍼 담고 차게 식기를 기다린다.

4. 차게 식힌 죽에 고운 누룩가루 5홉과 밀가루 5홉을 한데 섞고, 고루 치대어 술밑을 빚는다.

5. 소독하여 준비한 술독에 밑술을 담아 안치고, 예의 방법대로 하여 습한 곳에 앉혀두고, 2일 동안 발효시킨다.

* 덧술 :

1. 찹쌀 1말을 (백세하여) 물에 담가 불렸다가 (다시 씻어 말갛게 일어서 물기를 뺀 후) 시루에 안쳐서 고두밥을 짓는다.

2. 물 1말을 매우 오랫동안 끓여 백비탕(白沸湯)을 만들어 차게 식힌다.

3. 고두밥이 익었으면 퍼내고, 고루 펼쳐서 차게 식기를 기다린다.

4. 차게 식힌 백비탕에 고두밥을 한데 섞고, 고루 버무려 술밑을 빚는다.

5. 발효 중인 밑술에 술밑을 함께 섞어 버무려준다.

6. 술독은 예의 방법대로 하여 4~5일가량 발효시켜 익으면 주조에 올려 거른다.

杜康酒方

白米一升浸過作末作稠粥候冷以細麴末五合眞麴五合與粥共打納缸置濕處二日以粘米一斗浸淘烝飯候冷又以沸湯一斗候冷傾入粥本中同和於粘米飯納缸四五日可上槽. <增補山林經濟>.

13. 두강주 우방 <임원십육지(林園十六志, 高麗大本)>

> 술 재료 : 밑술 : 찹쌀 1말, 좋은 누룩가루 1되, 끓인 물 9대접
> 덧술 : 멥쌀 1말

술 빚는 법 :

* 밑술 :

1. 찹쌀 1말을 (백세하여) 물에 담가 불렸다가 (다시 씻어 물기를 뺀 뒤) 작말 한다.

2. 솥에 물 9대접을 붓고 끓이다가, 따뜻해지면 쌀가루를 합하고, 주걱으로 고루 개고 끓여 죽을 쑨 뒤 (말갛게 익으면 넓은 그릇에 퍼서) 차게 식기를 기다린다.

3. 식은 죽에 좋은 누룩 가루 1되를 합하고, 고루 버무려 술밑을 빚는다.

4. 술독에 술밑을 담아 안치고, 예의 방법대로 하여 뚜껑을 덮어 따뜻한 곳에서 2일간 발효시킨다.

* 덧술 :

1. 멥쌀 1말을 (백세하여) 물에 담가 불렸다가 (다시 씻어 헹궈서 물기를 뺀 뒤) 시루에 안쳐 고두밥을 짓는다.

2. 고두밥이 익었으면, 퍼내고 고루 펼쳐서 차게 식기를 기다린다.

3. 고두밥에 밑술을 합하고, 고루 버무려 술밑을 빚는다.

4. 술독에 술밑을 담아 안치고, 예의 방법대로 하여 4~5일간 발효시킨다.

* 주방문 말미에 "이상의 두 가지 방법은 모두 '육일주(六日酒)'로서 약주를 빨리 만드는 방법인데, 날짜가 길지 않기 때문에 진하고 매운맛은 덜하나, 여느 술보다는 백 배 낫다."고 하였다. <증보산림경제>를 인용하였으나 원료의 양에서 차이가 있다.

杜康酒 又方

粘米一斗以水九椀作粥候冷入好麴末一升納缸埋溫處二日以白米一斗浸過蒸
飯候冷傾出粥本與飯和勻納缸四五日飮. 以上兩方皆六日酒方兩日子不久故似
少釀烈之氣然百勝於常酒矣. <增補山林經濟>.

14. 두강주방문 <주방(酒方, 임용기소장본)>

술 재료 : 밑술 : 멥쌀 2되, 섬누룩 1되 5홉, 물 10사발(동이)
　　　　　덧술 : 찹쌀 1말

술 빚는 법 :

* 밑술 :

1. 멥쌀 2되를 준비한다(백세하여 물에 담갔다가, 다시 씻어 건져서 물기를 뺀
　다).

2. 물 10사발(동이)을 끓이다가 쌀을 합하고, 주걱으로 저어가면서 팔팔 끓여
　죽을 쑨 후, 차게 식기를 기다린다.

3. 차게 식은 죽에 섬누룩 1되 5홉을 한데 섞고, 고루 힘껏 치대어 술밑을 빚
　는다.

4. 술밑을 술독에 담아 안친 뒤, 따뜻한 곳에서 3일간 발효시킨다.

* 덧술 :

1. 찹쌀 1말을 (백세하여 물에 담갔다가, 다시 씻어 건져서 물기를 뺀 후) 시루
　에 안쳐서 고두밥을 짓는다.

2. 고두밥이 익었으면, 퍼내고 돗자리에 펼쳐서 차게 식기를 기다린다.

3. 밑술을 체에 걸러서 찌꺼기를 제거한다.

4. 고두밥에 밑술을 한데 합하고, 고루 버무려 술밑을 빚는다.

5. 술밑을 술독에 담아 안친 후, 예의 방법대로 하여 봄가을에는 5일, 겨울에는 6~7일, 여름에는 3일간 발효시킨 후 채주하여 마신다.

두강쥬방문

백미(白米) 두 되(二升)론 물(水) 열 스발(十盆)의 죽(粥) 쑤어 츠계 식혀 셥누룩(凡麯) 되가웃(一升 五合)의 버무려 삼일(三日) 만의 졈미(粘米) 흔 말(一斗) 익게 쪄 원술밋 걸러 흔가지로 버무려 너어 츈추(春秋)의 오일 겨을(冬)의 눈 뉵칠일 여름(夏)의눈 삼스일(三四日)의 먹너니라.

15. 두강주 <주찬(酒饌)>

> 술 재료 : 밑술 : 찹쌀 1되, 분곡(가루누룩) 1되
> 덧술 : 찹쌀 1말, 물 1사발

술 빚는 법 :

* 밑술 :

1. 찹쌀 1되를 백세하여 (물에 담가 불렸다가, 다시 씻어 헹궈 건져서 물기를 뺀 뒤) 작말한다.
2. 쌀가루를 뜨거운 물로 익반죽한 다음, 구멍떡을 빚고 끓는 물에 넣어 삶는다.
3. 구멍떡이 떠오르면 건져내어 주걱으로 짓이겨서 멍우리진 것 없이 풀고, 차게 식기를 기다린다.
4. 풀어놓은 떡에 가루누룩 1되를 합하고, 고루 치대어 술밑을 빚는다.
5. 술밑을 술독에 담아 안치고, 예의 방법대로 하여 4일간 발효시킨다.

* 덧술 :

1. 찹쌀 1말을 백세하여 (물에 담가 불렸다가, 다시 씻어 헹궈 건져서 물기를 뺀 뒤) 시루에 안쳐서 고두밥을 짓는다.
2. 고두밥에서 한김 나면 냉수 1사발을 붓고, 다시 쪄서 무르게 익힌 다음, 퍼내고 고루 펼쳐서 온기가 남게(차게) 식기를 기다린다.
3. 고두밥이 따뜻할 때(차게 식었을 때) 밑술과 합하고, 고루 치대어 술밑을 빚는다.
4. 술독에 술밑을 담아 안치고, 예의 방법대로 하여 7일간 발효시키는데, 아침저녁으로 죽봉으로 휘저어 준다.

杜江酒
粘米一升百洗作末作孔餠烹之待冷末曲一斗合調四日後粘米一斗百洗烝之而水一碗灑之烝出只去大熱氣方溫時調釀於本酒置于太熱處多擁裹覆而朝夕以竹木揮攪七日後用味如蜜嗜酒人則厭其甘也 燒酒和飮太好.

16. 두강주방 <증보산림경제(增補山林經濟)>

술 재료 : 밑술 : 멥쌀 1되, 고운 누룩가루 5홉, 밀가루 5홉, 물(2되)
　　　　　 덧술 : 찹쌀 1말, 끓여 식힌 물 1말

술 빚는 법 :
* 밑술 :
1. 멥쌀 1되를 (백세하여) 물에 담갔다가 (다시 씻어 건져서 물기를 뺀 후) 작말한다.
2. 물(2되)을 끓여 쌀가루에 골고루 합하고, 주걱으로 개어 죽(범벅)을 만든 후, 차게 식기를 기다린다.
3. 차게 식은 죽(범벅)에 고운 누룩가루 5홉, 밀가루 5홉을 한데 섞고, 고루 힘

껏 치대어 술밑을 빚는다.

4. 술밑을 술독에 담아 안친 뒤, 따뜻한 곳에서 2일간 발효시킨다.

* 덧술 :

1. 찹쌀 1말을 (백세하여) 물에 담갔다가 (다시 씻어 건져서 물기를 뺀 후) 시루에 안쳐서 고두밥을 짓는다.

2. 물 1말을 끓여서, 넓은 그릇에 퍼서 차게 식힌다.

3. 고두밥이 익었으면, 퍼내고 돗자리에 펼쳐서 차게 식기를 기다린다.

4. 고두밥에 끓여 식힌 물 1말과 밑술을 한데 합하고, 고루 버무려 술밑을 빚는다.

5. 술밑을 술독에 담아 안친 후, 예의 방법대로 하여 4~5일간 발효시킨다.

* 주방문의 '백출(白朮)'은 '백미(白米)'의 오기인 듯하다.

杜康酒方
白朮(白米)一升浸過作末作稠粥候冷以細麴末五合眞末五合與粥共打納缸置溫處二日以粘米一斗浸出蒸飯候冷又以沸湯一斗候冷傾粥本同和於飯中納於缸中四五日上槽可飮. 凡六日藥酒此方最好.

17. 두강주방 우방 <증보산림경제(增補山林經濟)>
−속성법

> 술 재료 : 밑술 : 찹쌀 1되, 누룩가루 1되, (끓인 물 9대접)
> 　　　　　 덧술 : 찹쌀 1말

술 빚는 법 :

* 밑술 :

1. 찹쌀 1되를 (백세하여) 물에 담가 불렸다가 (다시 씻어 물기를 뺀 뒤) 작말한다.

2. (솥에 물 9대접을 넣고 끓이다가, 따뜻해지면 쌀가루를 합하고, 주걱으로 고루 개어 죽을 쑨 뒤, 말갛게 익으면 넓은 그릇에 퍼서 차게 식기를 기다린다.)

3. (식은 죽에) 좋은 누룩 가루 1되를 합하고, 고루 버무려 술밑을 빚는다.

4. 술독에 술밑을 담아 안치고, 예의 방법대로 하여 따뜻한 곳에서 2일간 발효시킨다.

* 덧술 :

1. 찹쌀 1말을 (백세하여) 물에 담가 불렸다가 (다시 씻어 헹궈서 물기를 뺀 뒤) 시루에 안쳐 고두밥을 짓는다.

2. 고두밥이 익었으면, 퍼내고 고루 펼쳐서 차게 식기를 기다린다.

3. 고두밥에 밑술을 합하고, 고루 버무려 술밑을 빚는다.

4. 술독에 술밑을 담아 안치고, 예의 방법대로 하여 4~5일간 발효시킨다.

* 주방문 말미에 "이상의 두 가지 방법은 모두 약주를 빨리 만드는 방법인데, 날짜가 길지 않기 때문에 진하고 매운맛은 덜하나, 여느 술보다는 백 배 낫다."고 하였다.

杜康酒方 又方

粘米一升以水九椀作粥候冷入好麴末一升納缸埋溫處二日以粘米一斗浸過蒸飯候冷傾出粥本與飯和勻納缸四五日飮 以上兩方皆速成藥酒方 以盖日字不久故似少濃烈之味然百勝於常酒矣.

18. 두강주 <홍씨주방문>

술 재료 : 밑술 : 멥쌀 2말, 섬누룩 2되, 석임 7홉, 우물물(끓는 물) 6병
　　　　 덧술 : 찹쌀 6~8되, 누룩 1홉, 끓는 물 2병 반

술 빚는 법 :

* 밑술 :

1. 멥쌀 2말을 백세하여(백 번 씻어 매우 깨끗하게 하여 말갛게 헹궈 불렸다가, 다시 씻어 건져서 물기를 뺀 다음) 작말한다(가루로 빻는다).
2. 시루에 쌀가루를 안치고 쪄서 백설기를 짓고, 솥에 우물물 6병을 끓인다.
3. 설기떡이 익었으면 퍼서 넓은 그릇에 담아놓고, 끓는 우물물을 골고루 퍼 붓고, 주걱으로 개어 죽같이 만들어 차게 식기를 기다린다.
4. 떡에 섬누룩 2되, 석임 7홉을 한데 섞고, 고루 버무려 술밑을 빚는다.
5. 소독하여 물기 없는 술독에 술밑을 담아 안치고, 예의 방법대로 하여 3일가량 발효시킨다.

* 덧술 :

1. 찹쌀 6~8되를 백세한다(매우 깨끗하게 하여 말갛게 헹궈 불렸다가, 다시 씻어 건져서 물기를 뺀다).
2. 물 2병 반을 끓이다가, 불린 찹쌀을 합하고 끓여 죽을 퍼지게 쑨 후, 넓은 그릇에 퍼서 차게 식기를 기다린다.
3. 식은 찹쌀죽에 밑술과 누룩 1홉을 섞고, 고루 버무려 술밑을 빚는다.
4. 소독한 술독에 술밑을 담아 안치고, 예의 방법대로 하여 발효시킨다.

두강주

백미 두 말 백세하여 작말하여 쪄 한 말에 우물 세 병씩 섬누룩 두되, 석임 칠 홉 식혀 한데 섞어 넣었다가 사흘 만에 백미 한 말에 찹쌀 서너 되씩 넣어

물 두 병 반에 죽 쑤어 누룩 한 홉씩이나 더하면 괴는 대로 보아가며 익는 대로 쓰라. 밥과 죽을 다 식혀라.

두광주

스토리텔링 및 술 빚는 법

<술 만드는 법>이라는 문헌에 수록되어 있는 전통주의 종류는 총 19종으로 그리 많지는 않으나, 조선시대 후기의 주방문의 변화를 읽을 수 있다는 점에서 간과해서는 안 된다.

그 가운데 '두광주'라는 주품명은 처음 등장하는 것으로 여겨지는데, 주품의 명칭에 대한 언급이 없는 까닭에 그 특징이나 유래를 확신할 수 없다는 점이 아쉬움으로 남는다.

그리하여 다른 문헌을 찾아보았는데, 그 결과 <음식디미방>이나 <임원십육지(林園十六志)>, <역주방문(曆酒方文)>, <시의전서(是議全書)> 등의 기록에 보이는 유사한 이름의 '두강주(杜康酒)'와 어떤 관련성이 있지 않을까 하는 생각을 갖게 되었다.

<임원십육지>에 의하면 "오랜 옛날 중국에 술을 잘 빚는 두강이라는 이가 있어, 두강이 빚는 방문을 좇아 빚은 술이라고 해서 두강주라는 술 이름을 얻게 되었다."고 하였는데, 혹시 '두강주'를 '두광주'로 잘못 표기하였거나 방언을 그대로

옮겨 쓴 것이 아니었을까 하는 추측을 하게 되었던 것이다.

그런데 <음식디미방>이나 <임원십육지>, <역주방문>, <시의전서>에 수록된 '두강주'의 방문과 비교해 보았지만, 그 어떤 공통점도 찾을 수 없었다. 왜냐하면 이들 문헌의 '두강주'에서조차 통일성이나 공통점을 찾기에는 무리가 따르기 때문이었다. 그럼에도 불구하고 '두광주'가 '두강주'일 것이라는 생각에 대한 미련을 버리지 못하는 것은 다음의 두 가지 이유 때문이다.

첫째, <음식디미방>이나 <임원십육지>, <역주방문>, <시의전서> 등 여러 문헌에 수록되어 있는 '두강주'는 재료 배합비율의 차이는 있지만, 밑술을 '죽' 또는 '범벅'(죽으로 표기함)으로 하여 빚는 방법이 주류를 이룬다는 사실이다.

둘째, 밑술의 재료 중 물의 양이 나와 있지 않는 사실과 관련하여, 전파 과정이나 수록 과정, 또는 술을 직접 빚는 과정에서 술 빚는 이의 성품이나 형편에 따라 임의대로 해왔음을 보여주는 사례가 아닐까 하는 생각이다.

우리 전통주는 본디 가양주라는 사실과 함께, 가문마다 술 빚는 이의 성격이나 솜씨에 의존해 왔다는 명백한 사실을 상기할 필요가 있다. 이는 '두강주'라는 한 가지 주품명을 두고 여러 가지의 방문, 즉 어떤 공식이나 특징이 없이 저마다의 주방문이 존재한다는 것인데, 매우 다양성을 띤다는 점으로 이해해야 할 것 같다.

이런 점을 전제하지 않고서는 '두강주'나 '두광주'에 대한 어떤 해석도 내리기 힘들게 될 것이기 때문이고, 특히 기록에서 언급되었듯 "두강이 빚는 방문을 좇아 빚은 술"이라는 '두강주'의 본디 의미는 퇴색되고 말기 때문이다.

또한 '두강주'의 유래가 "두강이 빚는 방문을 좇아 빚은 술"이라고 한다면, 후대에 와서는 저마다 모방을 하다가 나중에는 어떤 것이 원래의 방문인지를 알 수 없게 되는 것은 당연한 일일 것이고, 동시대의 문헌과 기록에서조차 각각 다른 방문을 싣고 있다는 사실을 설명할 수 있는 길이 없기 때문이기도 하다.

다만, <술 만드는 법>의 '두광주'는 여러 문헌에 수록된 '두강주'와는 달리, 밑술이 아닌 덧술에 밀가루를 포함시키고 있어 차별성을 띠고 있다고 하겠다.

'두강주'의 경우 밑술에 누룩과 함께 밀가루를 사용하는 경우가 주류를 이루고, 덧술에서도 누룩을 사용하는 예가 있기는 하지만, 밀가루를 덧술에 사용한 예는 없다는 사실이 '두광주'를 분류하게 된 배경이자 분명한 이유라고 하겠다.

'두광주'처럼 밑술에 사용하지 않던 밀가루를 덧술에 누룩 없이 밀가루만을 사용하는 예는 흔치 않은 것으로, 다른 술에서 이미 여러 차례 언급한 바 있어 더 이상의 설명을 피하기로 한다.

'두광주'를 빚을 때 특별히 주의할 일은 없겠으나, 밑술에 사용된 물의 양이 나와 있지 않으니, 덧술로 사용되는 쌀의 양을 감안하여 그 양을 조절할 일이다.

<술 만드는 법>의 '두광주'를 재현하면서 물의 양을 5되로 계량하여 빚어보았더니, <음식디미방>이나 <임원십육지>의 '두강주'와 견줄 만큼 그 맛이 매우 산뜻하고 상쾌하였다.

그리고 주방문의 후기에 "덧술의 찹쌀을 멥쌀과 반반씩 섞어 빚어도 좋다."고 하였듯, 찹쌀과 멥쌀을 섞어 빚고자 할 때에는 멥쌀과 찹쌀을 각각 쪄서 사용하는 것이 안전한 발효를 도모할 수 있다는 사실에 유념할 일이다.

두광주 <술 만드는 법>

> 술 재료 : 밑술 : 찹쌀 2되가웃(2되 5홉), 섬누룩 2되가웃(2되 5홉), 물(5되)
> 덧술 : 찹쌀 1말, 밀가루 3홉

술 빚는 법 :

* 밑술 :

1. 찹쌀 1말 하려면, 찹쌀 2되가웃(2되 5홉)을 백세하여 (하룻밤 불렸다 다시 헹궈서 물기를 뺀 뒤) 작말한다.

2. 솥에 물(5되)을 붓고 따뜻해지면 찹쌀가루를 넣고 (주걱으로 천천히 저어가면서) 묽은 죽을 쑨다.

3. 죽이 충분히 끓었으면 넓은 그릇에 퍼서 차게 식기를 기다린 다음, 섬누룩 2되가웃(2되 5홉)을 넣고, 고루 버무려서 술밑을 빚는다.

4. 술밑을 술독에 담아 안치고, 예의 방법대로 하여 3일간 발효시킨다.

* 덧술 :

1. 찹쌀 1말을 (백세하여) 하룻밤 불렸다가 (다시 헹궈서) 고두밥을 짓는다.

2. 고두밥이 (무르게) 익었으면, 고루 펼쳐서 차게 식기를 기다린다.

3. 밑술을 퍼내어 체에 밭쳐서 찌꺼기를 제거한다.

4. 고두밥에 밀가루 3홉과 걸러둔 밑술을 합하고, 고루 버무려 술밑을 빚는다.

5. 술밑을 술독에 담아 안치고, 예의 방법대로 하여 발효시키고 술이 익기를 기다린다.

* 주방문에 죽을 묽게 쑤라고만 하였지, 밑술에 사용된 물의 양이 언급되어 있지 않다. 방문 말미에 "많이 하려면 (덧술 쌀을) 찹쌀과 멥쌀을 반반 섞어서 하여도 해가 없다."고 하였다. 따라서 경험에 따라 2배의 비율로 물의 양을 산정하였다. 술 이름을 '두광주'라고 하였는데, '두강주'로 보아야 할지 확신이 서지 않는다. 다른 문헌의 '두강주'와 차이가 많다고 판단하였기 때문에 따로 수록한 것이다.

두광쥬

찹쌀 흔 말 흐랴면 슐밋 쌀 두 되가옷 희게 쓰러 죽을 물쎄 뿌어 츠게 식거든 셤누룩 두 되가옷 물에 셕거 항아리에 너허 숨일 만에 졈미 흔 말 흐로밤 당갓다가 익게 쪄셔 밋슐를 걸너 버무리고 진말 셔너 홉을 너허야 죠흐니라. 만이 흐랴면 졈미와 빅미를 반반 흐야도 히 업느니라.

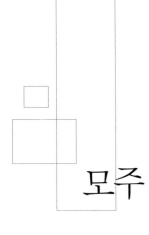

모주

스토리텔링 및 술 빚는 법

  <조선무쌍신식요리제법(朝鮮無雙新式料理製法)>에 비로소 '모주(母酒)'에 대한 설명을 찾아볼 수 있다. '모주'는 주방문이 수록되어 있는 기록을 찾을 수는 없고, 개략적으로 "술을 거르고 남은 술지게미를 얻어다 물을 타서 거른 희멀건 막걸리" 정도로 소개하고 있을 뿐이다.

  또한 '모주'의 유래에 대하여 언급한 기록들을 찾아볼 수 있는데, "선조의 비(妃) 였던 인목대비가 광해군에 의해 폐위되자, 인목대비의 어머니요 아버지 연흥부 원군 김제남의 부인이었던 노씨도 제주도로 귀양을 가게 되었는데, 귀양지의 노 씨 부인은 관에서 배급해 주는 식량만으로는 도저히 연명을 할 수가 없게 되자, 동네에서 술을 거르고 남은 술지게미를 얻어다 물을 타서 거른 희멀건 '막걸리'를 팔아 생활했다."는 설화가 <용재총화(慵齋叢話)>에 수록되어 있다.

  이와 같은 사실로 미루어 '모주'는 '술지게미에 물을 타서 거른 슴슴하고 맛이 매우 박한 막걸리였다.'는 것을 알 수 있다. 그러니까 청주를 떠내고 나서 술덧에 물을 타서 거른 것이 막걸리인데, 이 막걸리를 거르고 남은 술찌끼(주박)에 다시 물을 탄 막걸리였으니, 그 맛을 말해 무엇하랴. 제주도 사람들은 대비의 어머니가 파는 이 술을 '대비모주(大妃母酒)'라 하여 사주었던 것이다.

이리하여 처음에는 '대비모주'였던 것이 나중에는 '대비' 두 자를 빼버리고 그냥 '모주'라고 부르게 되었던 것이다. 아직도 제주에서는 '막걸리'를 '모주'라고 하는데, 사실 술이라기에는 맹물을 겨우 면한 상태이다.

모주는 본디 고려시대 때부터 탁주라는 이름으로 마셨던 것으로 전해지는데, <송남잡식(松南雜識)>, <조선무쌍신식요리제법>, <조선문화총화>에도 주품명이 수록되어 있다. <조선문화총화>에 "한말의 서울에 모주집이 있었다. 술지게미에 물을 타서 거른 막걸리를 뜨끈뜨끈하게 끓여 내는데, 맹물을 겨우 면할 정도로 알코올 도수가 낮았으며, 겨울철 새벽에 날품팔이 노동자들이 해장 겸 아침 겸 해서 마셨다."는 것이다.

<조선무쌍신식요리제법>의 기록에도 "이것은 술찌꺼기를 걸러 마시는 것인데, 술 중에 천품(賤品)이요, 빈한한 자와 노동자의 반(飯) 양식이라 없애지는 못할 것이며, 추운 새벽과 해질 때에 이런 사람의 일등 가는 큰 요리라 할 것이니라. 무청김치에 비지전골이 상등이요, 고춧가루 섞은 소금은 쇠바닥에 칠하는 안주니라."고 하여 술에 사용되는 재료나 술을 빚는 구체적인 방법이 전혀 언급되어 있지 않다.

따라서 현재까지 전승되고 있는 가양주법의 '모주' 주방문을 살펴봄으로써 '모주'의 원형을 살필 수 있을 것으로 생각된다.

전라도 전주시를 비롯하여 완주군 구의 지방에 전승되고 있는 '모주' 제조법을 참고하면, "진한 막걸리 3되에 흑설탕과 생강 10g, 대추 50g, 감초 50g, 계핏가루 10g, 인삼 50g, 갈근 50g 등을 넣고 약한 불로 오랜 시간 푹 끓인 후, 약재 찌꺼기를 제거하여 따뜻하게 해서 마신다."고 한다. 이러한 전주 지방의 '모주'는 과거와는 달리 귀한 약재들이 많이 사용하는 방법으로 바뀌었음을 알 수 있으며, 현대에 접어들면서 기능성 음료이자 반양식으로 승화된 문화 양상으로 나타나고 있음을 엿볼 수 있다. 특히 술에 사용된 약재들을 보면, 전주 지방의 모주는 소위 '속풀이술'이자, '해장술'로도 손색이 없다고 할 것이다.

이러한 모주는 예나 지금이나 서민층과 애주가들의 '아침 반주(朝飯酒)'로 널리 애음되고 있는데, 알코올 도수가 낮아 따뜻하게 하여 한잔 마시고 나면 속 확 풀린다 하여 즐겨 마신다.

한편, '약식(略式) 모주'도 있는데, 양조장 막걸리에 계피와 흑설탕을 넣고 끓여 만든 것으로, 우선 마시기에는 좋으나 본래의 '모주'에 비해 깊은 맛이나 풍미에 있어서는 많이 떨어진다.

모주 <조선무쌍신식요리제법(朝鮮無雙新式料理製法)>

모주는 술찌꺼기를 물에 타서 체나 술자루에 걸러서 마시는데, 술 가운데는 가장 질이 낮아서 가난한 사람과 노동자의 반양식이 되므로 없애지는 못할 것이다. 추운 새벽과 해질 때에 가난한 사람과 노동자에게는 제일 가는 요리(음식)이라고 할 수 있다. 모주의 안주로는 무청김치나 비지로 끓인 전골이 제일 좋고, 고춧가루를 섞은 소금을 혓바닥에 발라서 안주를 대신한다.

모주 사루 재강

이것은 술찍기를 걸러 마시는 것인데 술중에 천품이요, 빈한한 자와 로동자의 반양식이라 업지는 못할 것이며, 치운 새벽과 해질 째에 이런 사람의 일등 가는 큰 료리라 할 것이니라. 무청김치에 비지전골이 상등이요, 고초가루 석근 소곰은 쇠바닥에 칠하는 안주니라.

목맥주

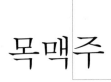

'목맥주(木麥酒)'는 국내 최고(最古)의 양조 관련 기록인 <산가요록(山家要錄)>에 처음 등장한다. <산가요록>의 등장시기가 1400년대 중엽인 점을 감안하면, '목맥주'처럼 메밀이나 수수 등 잡곡을 사용하여 빚는 술이 의외로 많고 다양했을 것으로 짐작되는데, 술을 기록하고 있는 문헌을 중심으로 보면 그렇게 많지도 다양하지도 않다는 것을 알 수 있다.

<산가요록>의 '목맥주' 주방문을 보면 그 이유를 짐작할 수 있다. 주방문에 "메밀을 3~4일 동안 물에 담갔다가 씻어 건져서 푹 무르도록 찐 뒤, 식으면 일반 술 담그는 방법대로 누룩가루와 섞어서 떡처럼 만들고, 다시 문드러지게 찧어서 항아리에 담는다. 숙성이 되면 수수로 풀을 쑤어 누룩처럼 만들어놓는다."고 하였다.

그런데 주방문에서 보다시피 주재료인 메밀의 양이나 누룩의 양에 대한 언급이 없다. 또한 덧술로 죽을 쑤고 누룩을 넣으라고 하였는데, 그 양에 대해서도 전혀 언급되어 있지 않다는 것을 알 수 있다.

이와 같은 사실로 미루어 짐작하건대, 당시에는 '목맥주'와 같은 술이 가장 일반화되어 있어 굳이 원료의 양을 언급하지 않더라도 누구나 빚을 줄 아는 그런 술이었을지도 모른다는 것이 필자의 견해이다.

조선시대의 식생활사와 식량 사정으로 미루어 짐작할 때, 지금처럼 멥쌀이나 찹쌀의 수확량이 풍부했던 것도 아니고, 특히 빈한한 일반 서민들의 식량 사정은 궁핍하기 그지없었을 것이므로, 메밀과 보리·수수·기장·조·옥수수 등 잡곡 중심으로 식생활을 영위했을 것이고, 이들 잡곡이 술의 주재료로도 자리 잡았을 것이기 때문이다.

특히 메밀이나 보리와 같은 곡물은 다양한 영양성분을 함유하고 있어 건강에는 좋지만 술로 발효시키기는 워낙 까다로운 원료였으므로, 당화를 용이하게 하기 위하여 침지시간을 길게 하여 전분을 부식(腐蝕)시키고, 불필요한 영양소들을 제거하는 방법을 찾게 되었던 것을 알 수 있다.

여러 문헌에서도 목격되듯, 메밀이나 보리와 같은 잡곡으로 빚는 술은 대개가 물에 오랫동안 담가 부식시키는 방법이 일반화되어 있었고, 그래도 발효가 용이하지 않아 호화도를 가장 높일 수 있는 방법으로 죽을 쑤어 술을 빚는 방법을 도모하게 되었던 것이다.

당시의 도정(搗精) 기술로 미루어 술을 빚기에 적합한 상태의 도정이 불가능했고, 멥쌀이나 찹쌀같이 좋은 원료는 경제적으로 여유가 있는 집안에서나 빚을 수 있었을 것이다.

따라서 일반 서민들의 술 빚기에는 주로 잡곡이 이용되었을 터인데, 잡곡을 이용한 양주는 품이 많이 든 것에 비해 알코올 도수가 낮고 수율도 많지 않았던 까닭에, 탁주 형태로 즐기거나 소주를 만들어두고 여름철과 한겨울에 주로 사용하였을 것이라는 생각을 해볼 수 있다.

'목맥주'는 메밀을 물에 담가 3~4일간 불렸다가, 다시 깨끗하게 씻어 무르게 쪄서 식은 후, 누룩가루와 섞고 절굿공이 같은 방망이로 찧어 술독에 담아 안치는 것으로 되어 있다.

당시의 양주기술로 미루어 메밀의 성분 조성에 대해서도 충분히 알고 있었을 것이고, 알코올 발효가 용이하지 않다는 사실도 간파하고 있었을 것이므로, 절굿공이로 짓찧는 방법으로 당화와 발효를 도왔으리라는 것을 알 수 있다.

'목맥주'에는 수수가 사용된다. 수수를 '당서미(唐黍米)'라고도 하는데, 중국(당나라)에서 들여왔다는 뜻을 담고 있다. 수수 역시도 술을 빚으려면 도정과 세미(洗米)를 많이 하여야 하는 것이 기본이므로, 원료의 전처리에 신경을 써야 한다. 특히 세미 과정에서 붉은 물이 나오지 않을 때까지 철저히 씻고, 오랫동안 끓여서 퍼지도록 죽을 쑤어야 한다.

'목맥주'와 유사한 주품명으로 같은 문헌에 '목맥소주(木麥燒酒)'가 있는데, 재료의 종류와 비율이 다를 뿐 술 빚는 방법은 같다고 할 수 있다. '목맥주'는 매우 구수한 맛과 독특한 향을 갖는데, 우리 술이 지향해야 할 방향이기도 하다.

'목맥주'를 보면, 바로 '블랜딩'이란 것을 연상케 된다. 메밀과 수수, 보리와 수수, 조와 수수가 어울리면 멥쌀이나 찹쌀술과는 또 다른 향을 얻을 수 있기 때문에 앞으로는 보다 다양한 시도와 연구가 필요하다.

목맥주 <산가요록(山家要錄)>

> 술 재료 : 밑술 : 메밀(1말), 누룩가루(2되), (물 1말)
> 　　　　　덧술 : 수수(3말), 누룩(1되), 물(5말)

술 빚는 법 :

* 밑술 :

1. 메밀(1말)을 (백세하여) 물에 담가 3~4일간 불렸다가, 다시 씻어 건져서 (물기를 뺀 후) 시루에 안쳐 고두밥을 짓는다.

2. 메밀고두밥은 푹 무르도록 찐 뒤, 익었으면 시루에서 퍼내고 고루 펼쳐서 차게 식기를 기다린다.

3. 메밀고두밥에 누룩가루(2되)와 물(1말)을 한데 합하고, 매우 힘껏 치대어 술밑을 빚는다.

4. 술밑을 술독에 담아 안친 다음, 예의 방법대로 하여 발효, 숙성시켜 익기를
   기다린다.

* 덧술 :

1. 밑술이 익으면 수수(3말)를 (백세하여) 물에 담가 불렸다가, (다시 씻어 건
   져서) 물기를 뺀다.
2. 수수쌀에 물(5말)을 붓고 오랫동안 끓여서 죽을 쑤고, 넓은 그릇에 퍼서 차
   갑게 식기를 기다린다.
3. 수수죽에 밑술과 누룩(1되)을 함께 섞고, 고루 버무려 술밑을 빚는다.
4. 술밑을 술독에 담아 안치고 예의 방법대로 하여 2~3일간 발효시킨 후 익기
   를 기다린다.

* 방문에 메밀의 양이나 누룩의 양에 대한 언급이 없다. 또한 덧술로 죽을 쑤고
  누룩을 넣으라고 하였는데, 그 양을 언급하지 않았다. 따라서 '잡곡주'를 비
  롯한 다른 기록의 잡곡을 이용한 주방문을 참고하여 주방문을 작성하였다.

木麥酒

米浸水三四日. 淨洗爛蒸待冷. 如常酒例. 和麴末. 如餠棒 更爛搗. 入瓮 待熟.
以糖黍米爲糊. 如麴注之.

무국주·무곡주

스토리텔링 및 술 빚는 법

'무국주(無麴酒)'는 자전풀이 그대로 "누룩을 사용하지 않은 술" 또는 "누룩을 최소한 사용하여 빚는 술"이란 의미로 생각된다. '무국주'는 <주방문(酒方文)>에서 찾아볼 수 있을 뿐 다른 문헌이나 기록에서는 목격하지 못하였다.

그러다가 <산가요록(山家要錄)>이 발굴되어 학계에 보고되면서, 우리의 양주 문화에 대한 역사적 기록과 근거를 한 단계 끌어올릴 수 있게 되었는데, 이 <산가요록>에도 '무국주'가 수록되어 있어, 두 문헌의 '무국주'를 비교하여 볼 수 있게 되었다.

물론 <산가요록>과 <언서주찬방(諺書酒饌方)>에 수록된 '연화주'에 대하여 이들 문헌에서 공통적으로 '일명 무국주'라고 한 부제(副題)를 엿볼 수 있으나, 술 빚는 방법이나 의미가 전혀 다른 주품이라는 점에서 차별화된다고 하겠다.

그런데 <주방문>의 '무국주' 주방문을 살피다가 <산가요록>의 '무국주' 주방문을 보고 나면, 우리의 전통 양주기법에 대해 호기심이 증폭되거나 의구심과 회의감을 갖기도 하는 것 같다.

먼저, <산가요록>의 '무국주' 주방문을 보면, "멥쌀 10말 5되를 깨끗이 씻되, 씨 눈(쌀눈)이 섞이지 않게 하여 곱게 가루를 내고, 술(술거리)을 빚어 하룻밤 밖에 내놓는다. 누룩가루 1되, 밀가루 3홉을 섞어 항아리에 넣는다. 7일 후에 멥쌀 5말을 깨끗이 물에 씻어 푹 찐 다음에 하룻밤 밖에 내놓았다가, 밑술을 으깨어 (체에 걸러서) 덧술하여 항아리에 넣는다."고 하여 누룩이 사용된 이양주법(二釀酒法)이라는 것을 알 수 있는데, 쌀가루를 어떻게 처리하는지를 알 수 없다.

특히 주품명이 '무국주'인데도 밑술에 '누룩가루 1되'와 '밀가루 3홉'이 사용되는 전형적인 양주 방법의 한 가지라는 것을 알 수 있다. 따라서 엄밀한 의미에서는 '무국주'라고 할 수 없겠으나, 술 빚기에 사용되는 쌀 양이 15말 5되나 되는데도 누룩가루 양은 1홉으로 0.65%에도 미치지 못하는 비율이라는 점에서 '무국주'라는 명칭을 붙이게 된 것으로 추측된다.

필자가 국내 양주 관련 고식문헌 76종에 수록된 500여 종의 주품별 1천여 가지의 주방문과 전승가양주 133종을 대상으로 살펴본 결과, 이처럼 누룩의 양이 1%에도 미치지 못할 정도로 적은 양을 사용하는 주방문을 아직까지 목격하지 못했다. 따라서 국내 전통주 가운데 0.65%밖에 안 되는 최소량의 누룩으로 발효시키는 전통주는 '무국주'가 유일하다고 할 수 있으며, '무국주'의 주방문에 따른 양주기술을 체득할 수 있다면 국내를 넘어서 세계 최고의 양주기술자라고 단언할 수도 있을 것 같다는 생각이 든다.

그런 의미에서 <산가요록>의 '무국주' 주방문을 유심히 살펴보았는데, 별다른 특징이나 다른 주방문과 비교했을 때 차별화되는 과정이 있는 것도 아니다.

'무국주'는 어쩌면 너무나 평범한 주방문이라고 할 정도로 특징이 없는 술 빚기 과정을 보여주고 있다는 점에서, 오히려 '무국주'가 어려운 양주기술을 필요로 하는 것인지도 모른다.

필자가 경험한바, '무국주'는 무엇보다 주원료의 전처리 과정에 그 비법이 담겨있다고 해도 과언이 아니라고 생각한다. 주방문에 주원료인 쌀의 전처리 과정에 대해 매우 구체적으로 묘사한 것을 볼 수 있는데, "白米十斗五升 洗淨. 勿犯染眼 細末 作醋. 經宿擲露(멥쌀 10말 5되를 깨끗이 씻되, 씨눈(쌀눈)이 섞이지 않게 하여 곱게 가루를 내고, 술(술거리)을 빚어 하룻밤 밖에 내놓는다."가 그것이다.

다만, 여기서 '세정(洗淨)'은 백세(百洗)를 의미하는 것으로, "가능한 한 깨끗하게 씻으라."는 뜻이고, '물범염안(勿犯染眼)'은 "쌀눈이 남지 않게"의 뜻이다. 그리고 '세말(細末)'은 "쌀가루를 곱게 빻아 고운 집체에 내려서"의 뜻이고, '작배(作醅)'는 "쌀가루를 익혀서 술거리를 만들라."는 뜻이다.

이를 다시 설명하면 다음과 같다.

'무국주'는 쌀 15말 5되에 대하여 누룩을 0.64%인 1되를 사용하는 만큼 발효력이 낮을 수밖에 없다. 따라서 술 빚을 쌀은 특별히 도정(搗精)을 많이 한 쌀을 선택하고, 쌀눈이 남지 않도록 가능한 한 많이 씻어야 한다. 또 쌀눈과 쌀뜨물이 전혀 남지 않도록 깨끗하고 말갛게 헹궈서 불렸다가, 다시 쌀눈과 쌀뜨물, 부유물이 남지 않게 말갛게 헹궈서 고운 가루로 빻는데, 집체에 두 번 정도 내려서 무거리가 남지 않게 해야 한다.

그리고 '무국주' 주방문에는 쌀가루를 어떻게 하여 익히라는 말이 없지만, 누룩의 사용 양을 감안하면 흰무리떡이나 범벅보다는 죽을 쑤어서 사용하는 것이 옳을 것으로 생각된다.

죽을 쑤는 것이 힘들면 범벅을 쑤어도 괜찮고 백설기를 쪄도 좋다. 백설기를 쪄서 할 경우, 끓여서 식힌 물이나 끓는 물을 설기와 합한 다음 차게 식혀서 사용한다.

만약 물을 사용하지 않고 백설기를 쪄서 술을 빚고자 하면 쪄낸 떡을 그릇에 담아 한김 나가게 식힌 후, 누룩가루와 밀가루를 한데 버무려서 서늘한 곳에 내어 밤이슬을 맞혀야 한다. 이슬은 흠뻑 맞혀야 발효 시 떡이 삭는다. 이러한 방법은 술 빚기가 힘들고 떡이 말라서 굳어지면 삭지 않으므로 실패하기 십상이거니와, 너무 힘들어서 술 빚는 일이 후회스러워진다.

특히 양주용수를 사용하지 않고 빚는 밑술은 7일간의 발효기간으로도 다 삭지 않아서 덧술을 할 수가 없거니와 덧술도 힘들어진다.

따라서 앞서의 경우처럼 된죽이나 범벅을 쑤어 사용하는 것이 합리적일 것으로 생각된다.

덧술에서의 '전주연출(前酒碾出)'은 밑술을 맷돌이나 돌확에 넣고 갈아서 사용하라는 의미이나, 누룩찌꺼기를 제거하지 않으려면 별 의미가 없다.

따라서 '밑술을 걸러서 고두밥과 힘껏 치대어'로 해석하여 덧술을 빚는 것으로 방법을 구체화시켰다.

죽이 퍼지게 끓었으면, 넓은 그릇 여러 개에 나눠 담고, 그릇마다 뚜껑을 덮어서 김이 새지 않게 하여 서늘한 곳에 두고 하룻밤 동안 식기를 기다린다. 이때 죽을 자주 뒤적이거나 절대로 강제로 식혀서는 안 된다. 또 누룩가루는 가능한 한 고운 가루를 사용하도록 하고, 밀가루와 먼저 섞은 후에 죽에 넣어 버무리는데, 꽈리가 일도록 치대어 술독에 담아 안치면 더욱 좋다.

특히 '무국주'의 밑술은 주원료인 죽을 차게 식혀서 사용하되, 술을 빚은 후의 술밑을 안친 술독은 차지도 덥지도 않은 곳에 두고 7일간 발효시키는 것이 요령이다.

'무국주'의 덧술은 고두밥도 밑술과 같이 하룻밤 재워 차디차게 식혀서 사용하되, 바람이 들지 않도록 하여야 한다. 고두밥은 차게 식히는 것이 목적이지, 말리는 것이 아니기 때문이다. 또 밑술과 고두밥을 한데 합한 후에는 버무리는 것이 아니라, 고두밥을 으깬다는 기분으로 치대어주어야 한다.

이상의 과정을 유의하여 술밑이 저절로 맑게 가라앉기를 기다렸다가 채주하면, 매우 부드럽고 감미가 좋은 '무국주'를 얻을 수 있는데, 기대하지 않았던 풍부한 과실 향기를 느낄 수 있을 것이다. 그리고 그 향기가 결코 와인 못지않다는 것도 새삼 깨닫게 될 것이다.

그러나 '무국주'는 필자가 설명한 것처럼 그렇게 쉬운 술은 결코 아니다. 그러니 특히 밑술 빚기에 온 정성을 기울여야 하고, 특히 좋은 누룩을 장만하는 노력도 아끼지 말아야 한다,

<산가요록>보다 250여 년 뒤늦게 저술되고 대중에 보급된 것으로 알려진 <주방문>의 '무국주'는 <산가요록>의 '무국주'와는 분명하게 차별화되는 진정한 의미의 '무국주'라고 할 수 있다.

주방문을 보면 알 수 있듯, 누룩이 사용되지 않고 콩가루와 밀가루가 발효제로 사용되고 있다는 것을 짐작할 수 있을 뿐인데, <산가요록>이나 <언서주찬방>, <역주방문(曆酒方文)> 등에 수록된 '연화주'와도 차별된다.

'연화주'는 초재의 자연균을 활용한 방법이라는 점에서 유사성을 찾을 수가 있

지만, 콩가루와 밀가루를 사용한다는 점에서 의구심을 갖게 한다.

하지만 주원료로 사용되는 콩가루가 생것인지에 대해서는 알 수 없다. 다만, 실험 양주를 통해서 생콩가루라야 한다는 사실을 깨닫게 되었을 뿐이다.

'무국주' 빚는 방법을 찾기 위해 여러 가지로 시도를 하였으나 매번 실패를 거듭하다가, 여러 문헌 속의 속성주 기법을 응용하여 양주를 시도해 보았는데, 그 결과 주질은 떨어지지만 심심한 탁주를 얻을 수 있었다. 신맛이 센데다가 특별한 향기나 방향을 느낄 수 없어서 성공한 것인지는 확신할 수는 없었다.

'무국주'를 빚을 때 죽은 가능한 한 푹 익혀야 하고, 약간 온기가 남게 식혀야 한다. 그런 다음 콩가루와 밀가루를 고루 섞어 가는체에 담고, 주걱을 사용하여 죽을 한 방향으로 빨리 젓는데, 이때 체를 흔들어 콩가루와 밀가루를 조금씩 뿌려준다. 이와 같은 방법은 밀가루가 엉키지 않도록 하기 위함이고, 죽을 꾸준히 한 방향으로 저어주기 위함이다.

'무국주'를 빚는 데 있어 특히 주의할 일은, 죽을 처음부터 끝까지 한 방향으로만 저어야 한다는 것이고, 젓다가 방향을 바꾸어서는 절대 안 된다는 것이다.

이것이 필자가 경험한 '무국주'의 성공 방법이다. 문헌 속의 주방문을 통해서는 성공할 수가 없었으므로, 다른 방법이 있는지는 알 수 없다.

1. 무국주 <산가요록(山家要錄)>
−쌀 15말 5되 빚이

> 술 재료 : 밑술 : 멥쌀 10말 5되, 누룩가루 1되, 밀가루 3홉, 물(15∼20말)
>
> 덧술 : 멥쌀 5말

술 빚는 법 :
* 밑술 :
1. 멥쌀 10말 5되를 깨끗이 씻어(씨눈이 남지 않도록 백세하여 물에 담가 불렸

다가, 다시 씻어 건져서 물기를 뺀 뒤) 작말한다(가루로 빻는다).
2. 쌀가루에 물(15~20말)을 붓고 끓여서 죽을 쑨 뒤, 넓은 그릇에 퍼 담고 이슬을 맞혀가면서 하룻밤 재워 차게 식기를 기다린다.
3. 차게 식은 죽에 누룩가루 1되와 밀가루 3홉을 넣고, 고루 버무려 술밑을 빚는다.
4. 술독에 술밑에 담아 안치고, 예의 방법대로 하여 7일간 발효시킨다.

* 덧술 :
1. 멥쌀 5말을 깨끗이 씻어(씨눈이 남지 않도록 백세하여 물에 담가 불렸다가, 다시 씻어 건져서 물기를 뺀 뒤,) 시루에 안쳐서 고두밥을 짓는다.
2. 고두밥이 익었으면 시루에서 퍼내어 고루 펼쳐서 하룻밤 밖에 내놓아 이슬을 맞혀가면서 차게 식기를 기다린다.
3. 밑술을 체에 걸러서 고두밥에 한데 합하고, 고루 힘껏 치대어 술밑을 빚는다.
4. 술독에 술밑을 담아 안치고, 예의 방법대로 하여 발효시킨다.

* '무국주(無麴酒)'는 누룩을 사용하지 않는 술인데, 누룩가루를 1되씩이나 사용하였다. 술 빚는 데 '세말작배(細末作醅)'를 "쌀가루를 곱게 빻아 술거리(죽, 떡 등)를 만들라."고 하여, '죽을 쑤는 것(作粥)'으로 방문을 작성하였다.
죽을 쑤는 것이 힘들면 범벅을 쑤어도 괜찮고 백설기를 쪄도 좋다. 백설기를 쪄서 할 경우, 끓여서 식힌 물이나 끓는 물을 설기와 합한 다음 차게 식혀서 사용한다. 만약 물을 사용하지 않고 백설기를 쪄서 술을 빚고자 하면 쪄낸 떡을 그릇에 담아 한김 나가게 식힌 후, 누룩가루와 밀가루를 한데 버무려서 서늘한 곳에 내어 밤이슬을 맞혀야 한다. 이슬은 흠뻑 맞혀야 발효시 떡이 삭는다.
이러한 방법은 술 빚기가 힘들고 떡이 말라서 굳어지면 삭지 않으므로 실패하기 십상이다. 따라서 앞서의 경우처럼 된죽이나 범벅을 쑤어 사용하는 것이 합리적일 것이다. 덧술에서의 '전주연출(前酒碾出)'은 밑술을 맷돌이나 돌확에 넣고 갈아서 사용하라는 의미이나, 누룩찌꺼기를 제거하지 않으려면 별 의미가 없다. 따라서 '밑술을 걸러서 고두밥과 힘껏 치대어'로 해석하여 덧술을 빚는 것으로 방법을 구체화시켰다.

無麴酒
米十五斗五升. 白米十斗五升 洗淨. 勿犯染眼 細末作醋. 經宿攪露. 匊末一升
眞末三合. 和入瓷. 七日. 以白米五斗 洗淨全蒸. 一宿攪露. 前酒碾出 和入瓷.

2. 무곡주 <주방문(酒方文)>

> 술 재료 : 멥쌀 1말, 콩가루 1되, 밀가루 1홉, 물(1~2말)

술 빚는 법 :

1. 멥쌀 1말을 백세하여(물에 깨끗이 씻어 담가 불린 뒤, 건져서 물기를 뺀 후) 작말한다(가루로 빻는다).
2. 솥에 물 1~2말을 붓고 쌀가루를 넣어 죽을 쑨 뒤, 넓은 그릇에 퍼서 차게 식기를 기다린다.
3. 차게 식힌 죽에 콩가루 1되와 밀가루 1홉을 넣고, 고루 버무려서 술밑을 빚는다.
4. 술독에 술밑에 담아 안치고, 예의 방법대로 하여 발효시켜 술이 익으면 채주한다.

* 누룩을 사용하지 않는다고 하여 '무곡주(無麴酒)'라는 술 이름을 얻었다. 콩가루는 날콩을 바짝 말려서 곱게 빻아 깁체로 쳐서 고운 가루만을 사용한다. 또 죽을 쑬 때 물의 비율은 임의로 하되, 물의 양은 쌀 양과 동량으로 하고, 힘껏 고루 치대어주었을 때 발효 상태가 좋았다.

무국쥬

빅미 흔 말 빅셰작말 쥭쑤어 식거든 콩구론 흔 되 진구로 흔 홉 녀허 비저 닉
거든 쓰라.

백료주

'백료주(白醪酒)'는 <임원십육지(林園十六志)>와 <조선무쌍신식요리제법(朝鮮無雙新式料理製法)>에서 찾아볼 수 있다. 이들 문헌 외에서는 '백료주'를 찾아볼 수 없는데, 중요무형문화재로 지정되어 우리에게 익히 알려진 '문배주'나 '잡곡주'처럼 차조 등의 재료로 빚는 주품과는 또 다른 방문이다.

우선 '백료주'는 탁주라는 것을 알 수 있다. 주품명에 '흰 백(白)' 자 외 '탁주 료(醪)' 자가 사용된 것으로도 미루어 알 수 있거니와, <임원십육지>에서는 차조 고두밥과 누룩물을 합하여 밑술을 빚는 것으로 되어 있는데, 누룩물에 사용된 물의 양이 나와 있지 않다.

그런데 <조선무쌍신식요리제법>에서는 "차조쌀 1섬을 물에 담가 불렸다가, 모진 누룩(거친 밀누룩) 2근과 함께 절구에 넣고 곱게 찧되, 물에 축여 그릇에 담고, 꼭 덮어두면 누룩이 뜰 것이니 덧술을 준비한다."고 하였으므로, 사용되는 양조용수의 양이 그리 많지는 않을 것으로 여겨진다. 여기에 다시 멥쌀고두밥을 합하여 발효시키는데, 그 양이 3말이나 된다.

그리고 주방문에 "5일 이내에 좋은 술이 된다."고 한 것은, 술덧의 발효가 완전히 끝났을 때의 형태를 짐작할 수 있는 단서가 되는데, 5일 후 발효된 술의 양은 극히 적을 것이다. 또한 "단맛이 마치 젖과 같다."고 한 것은, 발효된 술을 체에 걸렀을 때의 상태와 맛을 가리키는 것으로 생각된다.

얼핏 보면 일반 술 빚는 법과 차이가 없지만, 주방문의 전체적인 과정을 고려하면 탁주를 얻기 위한 방문이라는 것을 알 수 있다.

한편, <조선무쌍신식요리제법>의 주방문은 애매한 부분이 없지 않다. 아마도 '백료주'가 처음 수록된 <임원십육지>의 기록을 옮겼을 것으로 생각되고, 그 과정에서 잘못 옮겼을 것으로 추측된다. <조선무쌍신식요리제법>의 주방문 기록대로라면 생차조를 불려서 가루로 빻은 후 물을 축여 누룩을 띄우는 것으로 되어 있는데, 주방문에는 이미 '모진 누룩 2근'을 사용하는 것으로 되어 있기 때문이다.

한편, 주품명과 관련하여 '료(醪)' 자를 '막걸리 료'로 해석하는 것을 볼 수 있으나, 이는 <국어사전>과 <옥편>의 오류라고 할 수 있다. 일제강점기 이전의 <국어사전>과 <옥편>에서는 음과 훈을 '탁주 료'로 번역하고 있기 때문이다.

또한 '막걸리'는 전통적인 주류 분류 기준도 아니거니와, 일제강점기 이전에는 없었던 명칭이다. 일제강점기에 조선총독부가 출간한 <조선주조사(朝鮮酒造史)>에도 '막걸리'라는 구분이나 표기법을 찾아볼 수 없을 뿐 아니라, 주종 분류를 '청주'와 '약주', '탁주', '소주'로 명기하고 있다.

주세법 도입 이후, '정종(定宗, 마사무네)'과 같이 주정(酒精)을 첨가하여 알코올 도수를 높인 일본 주류와 달리, 조선의 '탁주'는 급수(給水)의 양을 늘려 알코올 도수를 낮춘 저급 '막걸리'로 유통되기 시작하였던 것이다.

또한 <임원십육지>와 <조선무쌍신식요리제법>에서도 주방문 말미에 "9월 중순 이후에 담근다."고 하여, 차조와 같은 잡곡으로 빚는 술은 알코올 도수가 낮아 여름철에는 발효주로 마시기 곤란하다는 사실을 역으로 설명해 주고 있음을 엿볼 수 있다. 즉, '백료주'는 초가을로 접어드는 시기가 적기라는 사실을 확인할 수 있는 것이다.

'백료주'는 감칠맛과 구수한 맛을 자랑한다. 과거 30년 전만 하더라도 차조를 사용한 술은 제주도와 전라남도, 함경도를 중심으로 많이 빚어져 왔고, 여유 있는 가정에서는 이 술을 증류하여 소주를 즐겼던 사실을 필자의 전통주 조사 과정에서 확인할 수 있었다.

특히, 곡창지대로 알려진 전라남도 지방에서조차 차조와 멥쌀을 사용한 가양주가 일반화되었던 배경은, 당시의 식량 사정이 그리 넉넉지 못했다는 사실의 반증이기도 하거니와, 보리쌀로 빚은 술보다 차조를 사용한 술이 수율이 높고 감칠맛이 뛰어났기 때문이었다.

1. 백료주방 <임원십육지(林園十六志, 高麗大本)>

> 술 재료 : 밑술 : 생차조 1석, 방국(네모난 누룩) 2근, 샘물(3말)
>   덧술 : 멥쌀 3말

술 빚는 법 :

* 밑술 :

1. 생차조 1석을 (백세하여 물에 담가 불렸다가) 새 물에 씻어 헹궈서 물기를 빼놓는다.
2. 불린 차조를 시루에 안쳐서 고두밥을 짓고, 익었으면 퍼내고 고루 펼쳐서 차게 식기를 기다린다.
3. 방국 2근을 고운 가루로 빻아 샘물(3말)과 함께 차조고두밥에 합하고, 고루 버무려 술밑을 빚는다.
4. 술밑을 술독에 담아 안치고, 예의 방법대로 하여 밀봉한 후 2일간 발효시킨다.
5. 술밑이 삭고 누룩 찌꺼기가 떠오르면 덧술을 해 넣는다.

* 덧술 :

1. 밑술 빚은 다음날 멥쌀 3말을 (백세하여 물에 담가 불렸다가, 다시 새 물에 씻어 건져서 물기를 뺀 후) 시루에 안쳐서 고두밥을 짓는다.
2. 고두밥이 익었으면 퍼내고, 고루 펼쳐서 차게 식기를 기다린다.
3. 고두밥을 누룩(밑술)과 합하고 고루 버무려 술밑을 빚는다.
4. 술독에 술밑을 담아 안치고, 예의 방법대로 하여 5일간 발효시킨다.

* 주방문 말미에 "5일 이내에 좋은 술이 된다. 단맛이 마치 젖과 같다. 9월 중순 이후에 담근다."고 하였다.

白醪酒方
生秫米一石方麴二斤細剉以泉水漬麴密盖再宿麴浮起炊米三斗酘之使和調盖
滿五日乃好酒甘如乳九月半後可作也 <食經>.

2. 백료주 <조선무쌍신식요리제법(朝鮮無雙新式料理製法)>

술 재료 : 밑술 : 차조쌀 1섬, (모진) 누룩 2근, 물(3말)
　　　　　덧술 : 멥쌀 3말

술 빚는 법 :
* 밑술 :
1. 차조쌀 1섬을 (백세하여 물에 담가 하룻밤 불렸다가, 다시 씻어 건져서 물기를 뺀 후) 준비한다(시루에 쪄서 고두밥을 지어 차게 식혀놓는다).
2. 모진 누룩(거친 밀누룩) 2근을 준비한다.
3. 불린 차조쌀(쪄낸 고두밥)과 누룩을 절구에 한데 넣어 곱게 찧고, 물(3~5말)에 담가(물을 축여) 그릇에 담고, 꼭 덮어 술밑을 빚어놓는다.
4. 술밑을 빚은 지 2일이면 누룩(술밑)이 뜰 것이니 덧술을 준비한다.

* 덧술 :

1. 다음날 멥쌀 3말을 준비한다(백세하여 하룻밤 담가 불렸다가, 다시 씻어 물
   기를 뺀다).
2. 불린 쌀을 시루에 안치고 쪄서 무른 고두밥을 짓는다.
3. 고두밥이 익었으면, 퍼내고 고루 펼쳐 차게 식기를 기다린다.
4. 밑술에 고두밥을 넣고, 고루 저어 술밑을 안친다.
5. 술독은 예의 방법대로 하여 5일간 발효시킨다.
6. 5일 후에 우유와 같이 감미로운 술이 된다.

* <조선무雙신식요리제법>의 주방문은 애매한 부분이 없지 않다. 사실, '백료
   주'가 처음 수록된 문헌은 <임원십육지>이고, 이후 다른 문헌에서는 '백료
   주'를 찾을 수 없다. 따라서 <임원십육지>의 기록을 옮기는 과정에서 잘못
   옮겼을 것으로 추측된다. <조선무雙신식요리제법>의 주방문 기록대로라면
   생차조를 불려서 가루로 빻은 후 물을 축여 누룩을 띄우는 것으로 되어 있
   는데, 이미 '모진 누룩 2근'을 사용하는 것으로 되어 있기 때문이다.
* 주방문 말미에 "위 덮고 고르게 하여 닷새만 두면 좋은 술이 되어서 달고 젖
   같이 되나니, 9월 보름이 넘은 후에 만들 것이니라."고 하여 덧술 해 넣는 법
   과 술 빚는 시기에 대해 언급하고 있음을 볼 수 있다.

백료주

차좁쌀 한 섬과 모진 누룩 두 근을 잘게 찌어 샘물에 당그고 꼭 더퍼둔 지
이틀이면 누룩이 쓰리니 쌀 서 말을 밥 지여 우 덥고 고루게 하야 닷세만 두
면 조흔 술이 되야서 달고 젓가티 되나니 구월 보름이 넘은 후에 가이 만들
것이니라.

백점주

'백점주'는 '청서주(淸暑酒)'와 같은 이양주류(異釀酒類)의 하나로 여겨진다. 이양주란 술독이 아닌 다른 용기를 사용하여 술을 빚는 경우를 가리키거나 술독을 찬 물그릇에 담가놓고 발효시키는 방법 등을 말한다.

예를 들면, 대표적인 이양주로 지칭되는 '와송주(臥松酒)'를 빚는 방법으로 <임원십육지(林園十六志)>를 보면 "누운 소나무의 몸통 부분을 구유처럼 긴 원통형으로 둥그렇게 판 다음, 그곳에 술밑을 담아 안치고 파낸 소나무 껍질로 뚜껑을 덮는다. 황토를 되게 개어 뚜껑 부분에 두텁게 바른다. 다시 기름종이로 싸매고 새끼로 단단히 동여 맨 다음, 풀을 뜯어다 위를 덮어 비가 들어가지 않게 한다. 술이 익기를 기다렸다가 밀봉한 종이와 흙을 벗겨내고 채주한다."고 하였다.

또 <고사촬요(故事撮要)>의 '청서주' 빚는 법은, "찹쌀 1말을 곱게 찧어 아침에 흐르는 물에 담가둔다. 따로 누룩가루 2되를 물에 담가둔다. 저녁에 밥을 쪄서 서늘해질 때까지 우물물에 씻는다. 물기를 없애고 물에 담가두었던 누룩가루를 체에 밭쳐 찌꺼기를 없애고 고르게 섞는다. 다음날 저녁에 냉수를 큰 그릇에 담아 술 빚는 항아리 가운데에 놓고, 날마다 물을 바꾼다. 다시 36일이나 37일이 지나면 항아리 위에 맑게 된 것을 병에 넣고, 항상 술병에 술을 넣고는 물에 채운다. 이 처방은 여름에만 쓸 수 있다."고 하였다.

<양주방(釀酒方)>의 두 말 빚이 '백점주법'은 '여름에 쓰는 법'이라 하여, 청서주와 같은 방법으로 빚는 술임을 암시하고 있다. 주방문을 보면, "시루의 고두밥에 구멍을 많이 뚫어놓고, 냉수를 골고루 뿌려서 고두밥을 차게 식힌 다음, 뿌린 냉수가 시루 밑으로 다 빠지길 기다렸다가, 고두밥에 가루누룩 1되, 끓여 식힌 물 적당량(?)을 섞고, 고루 버무려 술밑을 빚는다."고 하였다. 그리고 방문 말미에 "술독을 찬 데 놓고, 찬물을 그릇 밖에 헛트라(뿌려라)"고 되어 있어, '청서주'와는 또 다른 방문을 보여주고 있는데, 이와 같은 방문은 <양주방>이 처음으로 생각된다.

이상의 '백점주' 빚는 법을 통해서 알 수 있는 것은, 고두밥을 찬물로 씻어 냉각시킴과 동시에 끓여 식힌 물을 양주용수로 사용한다는 것인데, '청서주'에 비해 누룩을 적게 쓰는 대신 발효를 촉진시킬 목적으로 보인다는 것이다. 그리고 더운 여름철에 빚는 만큼 술독의 품온이 과도하게 상승하는 것을 막기 위하여 술독의 겉면에 찬물을 뿌려줌으로써 냉각효과를 유도하기 위한 방법임을 알 수 있다.

'백점주'라는 주품명이 암시하고 있듯, 술 색깔이 희고, 찹쌀로 빚는 만큼 점성이 놓은 술이라는 뜻을 담고 있다고 하겠다.

따라서 '백점주'를 빚을 때 가장 중요한 일은 찹쌀고두밥을 찬물로 식히는 과정으로, 시루를 떼어다 우물가에 가져다 놓고, 재빨리 주걱으로 고두밥을 찔러서 몇 군데 구멍을 뚫은 다음, 즉시 찬물을 퍼부어서 차게 식혀야 한다는 것이다.

이때 수돗물은 사용을 해서는 안 되고 우물물이나 지하수를 사용하는데, 여의치 않으면 수돗물을 미리 받아서 냉장고에 넣어 차게 식혀두었다가 사용하는 것이 바람직하다.

또 술 빚을 때 사용하는 양주용수(끓여 식힌 물)의 양을 짐작하여 넣어야 한다. 통상적으로는 1말~2말 정도가 사용되나, 여름철 술로서 특히 '백점주'가 되기 위해서는 5되~1말의 단위를 넘어서는 안 된다.

또한 술독은 여름철이라도 바람이 잘 통하고 그늘지고 찬 곳에 두어야 하는데,

마땅치 않으면 기다란 호수를 사용하여 술독을 칭칭 감고, 수돗물을 조금씩 흘려주는 방법도 좋다.

백점주법 <양주방(釀酒方)>
―두 말 빚이, 여름에 쓰는 법

술 재료 : 찹쌀 2말, 가루누룩 1되, 냉수 적당량, 끓여 식힌 물 적당량

술 빚는 법 :

1. 찹쌀 2말을 백세하여 (물에 담가 불렸다가, 다시 씻어 건져서 물기를 뺀 후) 시루에 안치고 익게 찐다.
2. 고두밥이 익었으면, 시루째 떼어 넓은 그릇에 쳇다리를 걸치고, 그 위에 올려놓는다.
3. 시루의 고두밥에 구멍을 많이 뚫어놓고, 고두밥에 냉수를 골고루 뿌려서 고두밥을 차게 식힌다.
4. 고두밥이 식고 뿌린 냉수가 시루 밑으로 다 빠지길 기다린다.
5. 고두밥에 가루누룩 1되, 끓여 식힌 물 적당량(?)을 섞고, 고루 버무려 술밑을 빚는다.
6. 술밑을 독에 담아 안치고, 예의 방법대로 하여 찬 곳에 앉힌 후, 찬물을 술독 외벽에 뿌려 독을 차게 식혀가면서 두고 익기를 기다린다.

* 주방문 말미에 "술독을 찬 데 놓고, 찬물을 그릇 밖에 헛트라(뿌려라)."고 되어 있어, '청서주'와는 또 다른 방문을 보여주고 있는데, 이와 같은 방문은 <양주방>이 처음으로 생각된다.

빅졈쥬법 (두 말 비지 여룸의 쓰느니라)

찹쌀 두 말 빅세ᄒ야 닉게 ᄣᅧ 시로지 내여 노코 그 밥을 궁글 만히 뿌로고 찬 물을 헛흐며. 그 밥이 츳거든 그 부은 물이 그친 후 ᄀ르누룩 한 되 닷 홉 ᄢᅳᆯ혀 식인 물 ᄒ야 빗고 그릇슬 찬대 노코 찬물을 그릇 밧긔 헛트라.

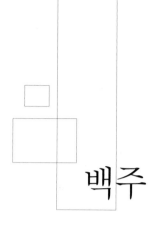

백주

스토리텔링 및 술 빚는 법

'백주(白酒)'에 대한 기록은 우리나라를 비롯하여 중국과 일본의 문헌에도 등장하는데, 이로 미루어 동양 3국에서 다 같이 빚어 마셨던 술임을 알 수 있다.

'백주'란 주품명의 자전 풀이 그대로 '흰 술', 곧 탁주라는 것을 알 수 있는데, 다만 조곡을 사용해서 빚은 탁주와 달리 분곡을 사용해 빚는 까닭에 여느 탁주에 비해 술 빛깔이 보다 흰색을 띠며, 발효·숙성 기간도 일반 탁주에 비해 길다.

'백주'를 더러 합주(合酒)라고도 하는바, 약주와 탁주의 중간 형태라고 할 수 있으며, 고려시대부터 빚어졌던 술로 전한다. 고려시대 문장가였던 이규보의 시문집 <동국이상국집(東國李相國集)>을 비롯하여 <농가월령가(農家月令歌)>와 조선시대의 여러 문헌과 시문집에도 수록되어 있으며, 중국의 <거가필용(居家必用)>을 비롯, 일본의 <화한삼재도회(和漢三才圖會)>에도 등장한다.

고려 때 원나라에서 들어왔다는 기록이 있는 것으로 미루어, 중국의 '백주'가 국내에 들어왔으며, 이후 중부지방과 서울 지방에서 빚어졌을 것으로 추측할 수 있다.

조선시대 기록으로는 <고사신서(攷事新書)>, <고사십이집(攷事十二集)>, <산림경제(山林經濟)>, <임원십육지(林園十六志)>, <해동농서(海東農書)>가 있고, 일제강점기에 일본인에 의해 저술된 <조선고유색사전(朝鮮固有色辭典)>에서도 '백주'를 찾아볼 수 있다.

'백주'는 술을 거르는 방법에서 따온 이름으로, 술밑을 체에 밭쳐 고두밥알을 뭉개어 탁주처럼 거를 때 시각적으로 느껴지는 술 빛깔을 표현한 명칭이며, 우리나라와 비교해 중국과 일본의 술 빚는 법이 서로 비슷하면서도 다르다는 것을 알 수 있다.

조선시대의 문헌에서 공통적으로 나타나는 현상은, 이들 문헌 모두가 <산림경제>를 기초로 한 계열의 문헌들이고, 모두가 한문 기록이라는 사실이다.

따라서 문헌 모두의 주방문이 거의 동일하다. 다시 말하면 <산림경제>를 베꼈기 때문이라는 것이다.

한편, 한글 붓글씨본의 문헌에는 '백주'가 등장하지 않는다는 데 주목할 필요가 있다. 한글 붓글씨본의 경우 대개는 부녀자들에 의한 기록으로, '백주'와 같은 주방문은 '난독(難讀)' 그 자체였을 것이고, 특히 이들 한문 기록에서 공통적으로 나타나는 '백주'의 발효제, 곧 '백주국(白酒麴)'의 제조 방법이 너무나 복잡하고 까다롭다는 데에서 그 이유를 찾을 수 있을 것이다.

그리고 무엇보다 '백주국'의 제조가 용이하지 않아 조선 후기에 이르러 '백주'의 보편화가 이루어지지 못했을 것이라는 단서를 찾을 수 있을 것 같다.

조선 중기의 시문집을 살펴보면 시인묵객(詩人墨客)들 사이에서 '백주'가 얼마나 칭송의 대상이었는지를 짐작할 수가 있는데, 몇 사례를 들면 다음과 같다.

조선 중기 문신이었던 이산해(1539~1609)의 <아계유고(鵝溪遺稿) 권4(구포록)에 '重陽翌夕 鄰居張生攜酒來慰 對菊成小酌(중양 다음날 저녁, 이웃에 사는 장생이 술을 가지고 위로하러 왔기에 국화를 보며 간소한 주연을 베풀다.)'라는 시가 있는데, 그 내용인즉,

去歲陶盆對落英(지난 해에 옹기 항아리에 꽃잎을 띄웠는데)
卽今南浦滿籬馨(지금은 남포 울타리 밑에 꽃이 가득 향기롭네.)

黃花白酒年年事(국화꽃 띄운 '백주' 마시는 일은)

又得氷輪分外明(해마다의 일이지만, 또 과분하게 맑은 달이 밝네.)

―是夜月甚明(이날 밤 달이 매우 밝았다.)

고 하였다. '백주'는 그 자체의 향기도 좋지만, 선비들 사이에서 완상(玩賞)의 대상이자 중양절에 마시는 국화주의 기주(起酒)로도 사용되었다는 것을 알 수 있다.

또 조선 전기의 시인으로 명성을 떨쳤던 최경창(1539~1583)의 <고죽유고(孤竹遺稿)> 오언절구 가운데 '중양(重陽)'이란 시에서

左手持黃花(왼손으로 국화꽃을 잡고)

右手酌白酒(오른손으로 '백주'를 따르네.)

落帽龍山西(용산 서쪽에서 낙모하니)

佳辰九月九(9월 9일 좋은 날이네.)

라고 하여 '백주'가 중양절의 절기주라는 사실과 함께, 구색 안주로 어린 황계(黃鷄)가 적격이라는 사실을 알려주고 있다.

이렇듯 '백주'가 사대부와 시인묵객들 사이에서 완상의 대상이 되었던 것은, 그 맛과 향이 뛰어났기 때문일 것이고, 결코 허튼 술이 아니었다는 증거일 것이다. 그 배경으로 '백주' 주방문을 들 수 있는데, 실제로 '백주국'의 방문은 매우 까다롭고 복장한 과정을 거쳐야 얻을 수 있는 누룩이다.

'백주국'의 제조 과정을 요약하면, "당귀(當歸)·축사(縮砂)·목향(木香)·곽향(藿香)·영영향(苓苓香)·천초(川椒)·백출(白朮) 각각 1냥, 관계(官桂) 3냥, 단향(檀香)·백지(白芷)·오엽경(吳葉莖)·감초(甘草) 각 1냥, 행인(杏仁) 1냥 등을 가루로 빻는다. 찹쌀 1말을 씻어 가루로 빻아 약재가루와 섞고, 풋고추즙으로 반죽하여 수백 번 찧어서 달걀 크기로 나눈다. 한 개마다 단단히 뭉쳐서 중앙 부분에 구멍을 하나 뚫고 백약(白藥)을 박고 볏짚으로 덮어서 띄운다."고 하였다.

당시의 사정으로 미루어 누룩에 사용된 약재는 귀하고 값도 비싸서 일반에서

는 여의치 못했을 것이라는 짐작을 할 수 있거니와, 술을 빚는 과정도 복잡하고 까다로우면서 손이 많이 간다는 것을 알 수 있다.

한편, 일본인 무라야마 지준에 의해 저술된 1932년간 일어판 <조선고유색사전>에도 '백주'가 등장하는데, "백주라고 불리지만 내지(內地, 일본)의 추절구(雛節句, 히나세쿠, 3월 3일 여자아이들의 무병장수를 기원하는 일본의 기념일)의 '백주'(시로자케)와는 재료가 다르다. 밀누룩과 맥아, 찹쌀을 혼합하여 소주를 가미한 약주이다. 주정분은 10~18%이다. 다른 술들에 비하여 수요는 적다."고 하여 이법(異法)의 '백주'를 소개하고 있는데, 추측컨대 조선 후기에 성행했던 탁주 '과하주(過夏酒)'를 지칭하는 것이 아닌가 생각된다.

'백주'를 빚는 방법은 두 가지가 있다. 단양주(單釀酒)와 이양주(二釀酒)가 있는데, 이양주는 <임원십육지>에만 등장한다. 따라서 '백주'는 단양주가 주류였다는 것을 알 수 있으며, 전용 누룩(백주국)으로 빚는 술이라는 것을 알 수 있다.

'백주'를 빚는 방법은 다음과 같다. 고두밥을 무르게 익혀 쪄낸 후, 찬 우물물을 거듭 부어 식히되, (겨울엔 더워진 동이의 물로 고두밥을 한차례 헹궈 미지근하게 만들어놓는다.) 고두밥을 쌀 담갔던 항아리에 퍼 담고, '백주국' 5~9알을 곱게 갈아 고두밥 위에 뿌린 다음, 손으로 주물러 술밑을 빚는다. 술밑은 다져 안치되 한 가운데를 우물처럼 파서 술이 고이도록 한다. 다음날부터 술이 고이면 떠서 술덧 위에 뿌려준 다음 7일반 발효시켜 채주하여 마신다.

<임원십육지>의 이양주법은, 다른 기록의 단양주법과 동일한 방법으로 하여 밑술을 빚고, 묽은 찹쌀죽을 쑤어 차게 식혔다가, 이 찹쌀죽을 둘로 나누어 한 차례만 사용하면 독한 술이 되고, 두 차례에 걸쳐 다 사용하면 묽은 술이 된다는 것이다. 이른바 후주(後酒)를 하는 방법을 취하고 있다.

따라서 '백주'는 단양주나 이양주 모두가 단양주법을 기본으로 하는 방법을 취하고 있으며, 당귀·축사·목향·곽향·영령향·천초 등 주로 향기가 좋은 약재를 넣어 만든 누룩으로 빚는 술로서, 매우 고급술에 해당된다고 할 수 있다.

특히 누룩을 소량 사용한 데서 오는 희고 밝은 술 빛깔과 특수누룩을 사용한 데서 오는 특수한 방향은 이루 다 말할 수 없을 정도이다.

'백주'가 이 땅에서 사라졌다고 하는 사실은, 막대한 관광자원을 잃어버린 결과에 다름 아니다. 그런데도 작금의 양주현실은 저가주와 외국 술의 흉내 내기에 급급해 있으니, 그 안타까움을 이루 말할 수 없다.

1. 백주 <고사신서(攷事新書)>

술 재료 : 찹쌀 2~3말, 백주곡 5~9알(덩이), 우물물

술 빚는 법 :

1. 봄이나 여름에 찹쌀 2말(겨울에는 3말)을 (백세하여) 소독하여 준비한 항아리에 담아 안친 후, 새 우물물을 길어다 붓고 하룻밤 담가 불린다.
2. 이튿날 불린 쌀을 건져내고, 새 물을 길어다 다시 씻어 매우 말갛게 헹궈서 물기를 뺀다.
3. 쌀을 등분하여 한 켜씩 안쳐서 찌고, 김이 올라오면 또 안치는 방법으로 쌀을 다 안치고, 시루방석으로 덮어서 무르익게 푹 쪄낸다.
4. 동이 위에 쳇다리를 걸치고 시루를 떼어 그 위에 놓고, 주걱으로 뒤적여 헤쳐놓고 고두밥에 찬 우물물을 거듭 부어 식히되, (겨울엔 더워진 동이의 물로 고두밥을 한차례 헹궈) 미지근하게 만들어놓는다.
5. 고두밥을 쌀 담갔던 항아리에 퍼 담고, 백주국 5~9알을 곱게 갈아 고두밥 위에 뿌리고, 손으로 주물러 술밑을 빚는다.
6. 술밑의 한가운데를 파서 우물처럼 만들어놓고, 키를 덮어놓는다(겨울에는 거적으로 술독을 덮고 위도 거적으로 꼭 둘러 항아리가 차지 않게 한다).
7. 술 빚은 다음날 우물처럼 파놓은 곳에 술이 괴이면, 퍼서 술독 가장자리로 뿌려주고, 다시 덮어놓는다.
8. 7일 후에 술이 익는데, 날씨가 더워서 술이 괴지 않으면, 끓는 물을 유리병에 담아 우물처럼 파놓은 곳에 쑤셔 박아놓으면 술이 괴어오른다.

白酒

春夏用糯米二斗(冬用三斗)放缸內浸水一夜淸晨用新水淘洗數次務要潔淨漉出控乾上甑蒸之待氣上又加一層如此數次 米盡用甑蓬盖上候其糜熟將大盆一箇放水架於盆上攧甑架上用井水淋過務要糜冷(冬則用井水淋過數次復用盆內熟水淋一次今糜溫却)放入缸內每米二斗用白酒麴五丸(三斗則用九丸)研細糝於糜上用手拌勻中間開井四邉撲緊着以簸箕冬用甑蓬盖缸口(冬用草薦四圍定上面亦盖草薦勿令缸冷)來日酒出用 盞舀酒澆淋四邉如此七日取酒用之(冬月缸冷酒酵不來則用瓶盛熱水放缸內酒酵自來).

2. 백주 <고사십이집(攷事十二集)>

술 재료 : 찹쌀 2말(겨울 3말), 백주국 5~9알(덩이), 우물물

술 빚는 법 :

1. 봄이나 여름에 찹쌀 2말(겨울에는 3말)을 (백세하여) 소독하여 준비한 항아리에 담아 안친 후, 새 우물물을 길어다 붓고 하룻밤 담가 불린다.

2. 이튿날 불린 쌀을 건져내고, 새 물을 길어다 다시 씻어 매우 말갛게 헹궈서 물기를 뺀다.

3. 쌀을 등분하여 한 켜씩 안쳐서 찌고, 김이 올라오면 또 안치는 방법으로 쌀을 다 안치고, 시루방석으로 덮어서 무르익게 푹 쪄낸다.

4. 동이 위에 쳇다리를 걸치고 시루를 떼어 그 위에 놓은 다음, 주걱으로 뒤적여 헤쳐놓고 고두밥에 찬 우물물을 거듭 부어 차디차게 식힌다.

5. 고두밥을 쌀 담갔던 항아리에 퍼 담고, 백주국 9알을 곱게 갈아 술 위에 뿌리고, 손으로 주물러 술밑을 빚는다.

6. 술밑의 한가운데를 파서 우물처럼 만들어놓고, 키를 덮어놓는다(겨울에는 거적으로 사방을 꼭 두르고 위도 거적으로 덮어 항아리가 차지 않게 한다).

7. 술 빚은 다음날 우물처럼 파놓은 곳에 술이 괴이면, 퍼서 술독 가장자리로 뿌려주고 다시 덮어놓는다.

8. 7일 후에 술이 익는데, 날씨가 더워서 술이 괴지 않으면, 끓는 물을 유리병에 담아 우물처럼 파놓은 곳에 쑤셔 박아놓으면 술이 괴어오른다.

* 주방문에 "봄이나 여름에 찹쌀 2말(겨울에는 3말)을 항아리에 넣고 불려 하룻밤을 재우고, 이튿날 새벽에 새 물로 여러 번 일어 씻어 될 수 있는 대로 깨끗하게 한다. 건져서 물기를 없애 일부를 시루에 넣고 찌는데, 김이 올라오거든 한 켜씩 더 넣으면서 쩌서 쌀이 다 떨어질 때까지 여러 차례 이렇게 한 뒤에 시루 덮는 타래방석[甑蓬]으로 꼭 덮어 말씬말씬할 때까지 폭 익거든 큰 동이 위에 막대를 걸치고 시루를 그 위에 앉혀놓고 식을 때까지 우물물을 붓는다. 이것을 항아리에 넣고 쌀 2말에 백주국 5알(3말이면 9알)을 곱게 갈아 고두밥 위에 뿌리고, 손으로 고루 버무려 가운데에 우물을 파고 사방을 꼭꼭 토닥거려, 키(箕, 겨울에는 시루 뚜껑)로 항아리 주둥이를 덮는다(겨울에는 거적으로 사방을 꼭 두르고 위도 거적으로 덮어 항아리가 차지 않게 한다). 이튿날이면 술이 괴니 잔으로 술을 퍼서 사방으로 적신다. 7일이 지나면 술을 떠서 쓴다(겨울철에 항아리가 차서 술이 괴지 않으면, 끓는 물을 병에 담아 항아리 안에 넣으면 술이 괴어오른다)."고 하였다.

* <고사촬요>와 동일한 방문이다.

白酒

春夏用糯米二斗(冬用三斗)放缸內浸水一夜淸 晨用新水淘洗數次務要潔淨漉出控乾上甑蒸之待氣上又加一層如此數次候其 靡熟將大盆一箇放水架於盆上攣甑架上用井水淋過務要靡冷(冬則用井水淋過數次復用盆內熟水淋一次今靡溫却)放入缸內每米二斗用白酒麴五丸(三斗則九丸)研細糝於靡上用手拌勻中間開井四邊撲緊着以簁箕冬用甑蓬盖缸口(冬用草薦四圍上面亦盖草薦勿令缸冷)來日酒出用盞舀酒澆淋四邊如此七日取酒用之(冬月缸冷酒酵不來則瓶盛熱水放缸內酒酵自來).

3. 백주 <산림경제(山林經濟)>

술 재료 : 찹쌀 2말(겨울 3말), 백주곡 5~9알(덩이), 우물물

술 빚는 법 :

1. 봄이나 여름에 찹쌀 2말(겨울에는 3말)을 (백세하여) 소독하여 준비한 항아리에 담아 안친 후, 새 우물물을 길어다 붓고 하룻밤 담가 불린다.

2. 이튿날 불려두었던 쌀을 새 물을 길어다 다시 씻어 말갛게 헹궈서 물기를 뺀 후, 시루에 안쳐서 고두밥을 짓는다.

3. 고두밥은 쌀을 등분하여 한 켜씩 안쳐서 찌고, 김이 올라오면 또 안치는 방법으로 쌀을 다 안치고, 시루방석으로 덮어서 무르익게 푹 쪄낸다.

4. 동이 위에 쳇다리를 걸치고 시루를 떼어 그 위에 놓고, 주걱으로 뒤적여 헤쳐놓고 고두밥에 찬 우물물을 거듭 부어 차디차게 식힌다.

5. 고두밥을 수곡을 만들어놓은 항아리에 퍼 담고, 백주곡 5~9알을 곱게 갈아 술 위에 뿌리고, 손으로 주물러 술밑을 빚는다.

6. 술밑의 한가운데를 파서 우물처럼 만들어놓고, 키를 덮어놓는다(겨울에는 거적으로 사방을 꼭 두르고 위도 거적으로 덮어 항아리가 차지 않게 한다).

7. 술 빚은 다음날 우물처럼 파놓은 곳에 술이 괴이면, 퍼서 술독 가장자리로 뿌려주고 다시 덮어놓는다.

8. 7일 후에 술이 익는데, 날씨가 더워서(날씨 더울 때 쌀을 오랫동안 불려서) 술이 괴지 않으면, 끓는 물을 유리병에 담아 우물처럼 파놓은 곳에 쑤셔 박아놓으면 술이 괴어오른다.

白酒

春夏用糯米二斗 冬用三斗 放缸內水浸一夜 淸晨用新水 淘洗數次 務要潔淨
漉出控乾 上甑蒸之 待氣上 又加一層 如此數次米盡 用甑蓬蓋岩 候其糜熟
將大盆一箇 放木架於盆上 擡甑架上 用井水淋過 務要糜冷 冬則用井水淋過

數次 復用盆內熱水淋一次 令糜溫和 放入缸內 每米二斗 用白酒麴五丸 三斗
則用九丸 研細 糝於糜上 用手拌勻 中間開井 四邊撲緊 着以篲箕 冬用甀蓬
蓋缸口. 冬用草薦 四邊圍定 上面亦蓋草薦 勿令缸冷 來日酒出 用盞舀酒 澆
淋四邊 如此七日 取酒用之. 冬月缸冷 酒醅不來 則用瓶盛熱水 放缸內 酒醅
自來. <神隱>.

4. 백주방 <임원십육지(林園十六志)>

> 술 재료 : 밑술 : 찹쌀 9말 5되, 누룩(백주국)가루 5말, 밀가루 약간
>
> 덧술 : 찹쌀 5되, 고두밥 식힌 물 8말 5되

술 빚는 법 :

* 밑술 :

1. 햇찹쌀 1석 가운데 9말 5되를 백세하여 미음에(묵은 찹쌀은 물에) 담가 하
   룻밤 불렸다가, 다시 씻어 말갛게 헹궈 건져낸다(물기를 뺀다).
2. 불린 쌀을 시루에 안쳐서 무르게 고두밥을 짓는다.
3. 고두밥이 익었으면 광주리에 퍼 담고, 자배기 위에 쳇다리를 올려놓고 찬물
   을 계속해서 끼얹어 차디차게 식힌다.
4. 자배기의 물을 여름에는 차게 식히고, 겨울에는 따뜻한 채로 둔다.
5. 소독하여 준비한 술독 안에 밀가루를 뿌려놓는다.
6. 고두밥을 누룩가루 4말과 합하고, 고루 버무려 술밑을 빚는다.
7. 술독에 술밑을 담아 안치는데, 이때 술독의 한가운데 부분을 술독 바닥이
   보이게 구멍을 파고 밀봉하여 하루 동안 발효시킨다.
8. 다음날 술독 가운데 바닥에 고인 진국을 떠서 주위에 둘러주는데, 만약 진
   국이 스며 나오지 않으면 나오기를 기다렸다가 끼얹어 준다.

* 덧술 :

1. 받아둔 물 8말 5되에 남겨둔 쌀 5되를 섞어 죽을 쑤어, 넓은 그릇 여러 개에 나눠 담고 차게 식혀놓는다.

2. 술을 독하게 하려면 준비해 둔 물(죽) 6말~7말을 부어주고, 달게 하려면 다시 하룻밤을 묵혀서 물(죽)을 붓는다.

3. 날씨가 추우면 술독을 두껍게 덮어주고 여름철에는 4일, 겨울철에는 1주일이면 익는다.

4. 2일 후 다시 나머지 물(죽) 2말~1말 5되를 부어주면, 2~3일 뒤 술이 익는다.

백주국 방문(白酒麴 方文)

1. 당귀(當歸)·축사(縮砂)·목향(木香)·곽향(藿香)·영령향(苓苓香)·천초(川椒)·백출(白朮) 각각 1냥, 관계(官桂) 3냥, 단향(檀香)·백지(白芷)·오엽경(吳葉경)·감초(甘草) 각 1냥, 행인(杏仁) 1냥 등을 가루로 빻는다.

2. 찹쌀 1말을 씻어 가루로 빻아 섞고, 풋고추즙으로 반죽하여 수백 번 찧어서 달걀 크기로 나눈다.

3. 1덩이마다 중앙 부분에 구멍을 하나 뚫고 백약(白藥)을 박아 누룩밑을 만들어놓는다.

4. 누룩밑을 볏짚으로 덮고, 2일 후 새 볏짚으로 갈아준다.

5. 7일 후 볏짚을 제거하고, 21일간 햇볕에 말렸다가 광주리에 담아 밖에 내놓는다.

6. 낮에는 햇볕을 쪼이고, 밤에는 이슬을 맞힌다.

* 주방문에 "찹쌀 1말에 7냥 5전을 사용하고, 파삭파삭하거나 축축하여 부서진 것은 쓰지 않는다."고 하였다.

白酒方

釀法. 新白糯米 漿浸陳糯米水浸一宿淘以水淸爲度燒滾鍋甑內氣上漸次裝米
蒸熟不可大軟但如硬飯取勻熟而己飯熟就炊蕁(捏)下傾入竹篁內下面以水桶

承之機(空/穴)以新汲水澆看天氣夏極冷冬放溫澆畢以麴先糝饔中如飯五斗
先用二斗麴末同拌極勻次下米與麴拌勻中心撥開見饔底周圍按實待隔宿有漿
來約一椀則用小杓澆於四圍如漿末來須待漿來而後澆要辣則隨下水浴甛更
隔一宿下水每米一石可下水六七斗如此則酒味佳天寒覆開稍厚夏四日冬七日
熟在饔時有漿來卽澆不限遍數用小杓酦起漿在四邊澆廢下水了不須澆. 用水
法 每造米一石內留五升用水八斗半熬作稀粥候冷投入醅內此則用水法也. 候
漿法下了脚須至一伏時揭起於所蓋薦外聽聞索索然有聲卽時漿來了後又隔兩
日下水仍先將槽十字打開番過下水不攪仍舊作窩更待二三日方可上榨. <居家
必用>.

白麴方

當歸·縮砂·木香·藿香·笒笒香·川椒白朮各一兩官桂三兩檀香白芷吳茱萸甘
草各一兩杏仁一兩別硏爲泥右件藥味並爲細末用白糯米一斗淘洗極淨舂爲細
(粉)入前藥和勻靑辣蓼取自然汁搜拌乾濕得所搗六七百杵圓如鷄子大中心
捺一竅以白藥爲衣稈草去葉覰天氣寒暖蓋開一二日有靑白醱將草換了用新草
蓋有全醱將草去訖七日聚作一處逐旋散開斟酌發乾三七日用筐盛頓懸掛日曝
夜露每糯米一斗七兩五錢重蘇濕破者不用.

5. 백주 일방 <임원십육지(林園十六志)>

술 재료 : 찹쌀 2말~3말, 누룩(백주국) 5~9덩이

술 빚는 법 :

1. 봄·여름에 찹쌀 2말(겨울에는 3말)을 (백세하여) 소독한 술독 안에 담아
   안치고 물을 부어 하룻밤 담가 불려놓는다.

2. 다음날 아침 새 물로 백세하여 말갛게 헹궈서 (물기를 뺀 후) 먼저 5되를 시

루에 안쳐서 고두밥을 짓는다.

3. 고두밥에 김이 오르면 또 5되를 더하는데, 이와 같이 여러 번에 걸쳐서 고두밥을 찌고, 다 안치고 나면 시루 덮개를 덮어 무르게 익도록 쪄낸다.
4. 고두밥이 다 쪄졌으면, 큰 동이 1개 위에 쳇다리를 놓고 시루를 얹어 우물물을 뿌려주어 차게 식히되, 겨울에는 우물물을 여러 번 부어 식히고, 마지막으로 따뜻한 물을 한 번 붓는다.
5. 쌀 2말당 백주국 5덩어리(3말에는 9덩이)의 비율로 섞는데, 누룩은 거칠게 가루로 빻아 합하고, 고루 치대어 술밑을 빚는다.
6. 술밑을 술독에 담아 안치고, 예의 방법대로 하여 밀봉하여 발효시킨다.
7. 다음날 술이 조금 우러나오면 이 술을 떠서 가장자리를 씻어 내리는데, 1주일 후면 술을 마실 수 있다

白酒 一方

春夏用糯米二斗 冬用三斗放缸內浸水一夜淸晨用新水淘洗數次務要潔淨漉出控乾上甑蒸之待氣上又加一層如此數次米盡烝用甑蓬蓋(乞)候其糜熟將大盆一箇放木架於盆上擡甑架上用井水淋過務要糜冷(冬則以井水淋過數次復以熱水淋一次今糜溫)放入缸內每米二斗用白酒麴五丸(三斗則九丸)盖缸口來日酒出用盞舀酒洗淋四邉如此七日取酒用. 冬月缸冷酒酵不來用缸盛熱水放缸內酒酵自來. <臞仙神恩書>.

6. 백주 <조선고유색사전(朝鮮固有色辭典)>

'하쿠슈'. '박주'.

'백주'라고 불리지만 내지(內地, 일본)의 추절구(雛節句, 히나세쿠, 3월 3일 여자아이들의 무병장수를 기원하는 일본의 기념일)의 백주(시로자케)와는 재료가 다르다. 밀누룩, 맥아, 찹쌀을 혼합하여 소주를 가미한 약주이다. 주정분은 10~18%이다. 다른 술들에 비하여 수요는 적다.

* 일본의 <화한삼재도회>에 수록된 '왜백주(倭白酒)'의 주방문은 "찹쌀 7되를 깨끗이 씻어 물에 담갔다가 고두밥을 쪄서 식힌 후, 술 1말과 함께 항아리에 담고 밀봉한다. 봄·여름은 3일, 가을·겨울은 5일 후 뚜껑을 열고 젓가락으로 밥알을 꺼내 맛을 본다. 이것을 갈면 흰색의 즙이 나오며 달콤하기가 이를 데 없다."고 하였다.

7. 백주 <해동농서(海東農書)>
−춘하용(春夏用)

> 술 재료 : 찹쌀 2말(겨울에는 3말), 백주국 5~9알(덩이), 우물물

술 빚는 법 :

1. 봄이나 여름에 찹쌀 2말(겨울에는 3말)을 (백세하여) 소독하여 준비한 항아리에 담아 안친 후, 새 우물물을 길어다 붓고 하룻밤 담가 불린다.
2. 이튿날 불린 쌀을 건져내고, 새 물을 길어다 다시 씻어 매우 말갛게 헹궈서 물기를 뺀다.
3. 쌀을 등분하여 한 켜씩 안쳐서 찌고, 김이 올라오면 또 안치는 방법으로 쌀을 다 안치고, 시루방석으로 덮어서 무르익게 푹 쪄낸다.
4. 동이 위에 챗다리를 걸치고 시루를 떼어 그 위에 놓고, 주걱으로 뒤적여 헤쳐놓고 고두밥에 찬 우물물을 거듭 부어 차디차게 식힌다.
5. 고두밥을 쌀 담갔던 항아리에 퍼 담고, 백주국 9알을 곱게 갈아 술 위에 뿌리고, 손으로 주물러 술밑을 빚는다.
6. 술밑의 한가운데를 파서 우물처럼 만들어놓고, 키를 덮어놓는다(겨울에는 거적으로 사방을 꼭 두르고 위도 거적으로 덮어 항아리가 차지 않게 한다).
7. 술 빚은 다음날 우물처럼 파놓은 곳에 술이 괴이면, 퍼서 술독 가장자리로 뿌려주고 다시 덮어놓는다.

8. 7일 후에 술이 익는데, 날씨가 더워서 술이 괴지 않으면, 끓는 물을 유리병에
   담아 우물처럼 파놓은 곳에 쑤셔 박아놓으면 술이 괴어오른다.

* <신은>을 인용하였다.

白酒

春夏用糯米二斗(冬用三斗)放缸內浸水一夜淸 晨用新水淘洗數次務要潔淨漉
出控乾上甑蒸之待氣上又加一層如此數次未盡用甑盖叢候其磨熟將大盆一
箇放水架於盆上擡甑架上用井水淋過務要糜冷(冬則用井水淋過數次復用盆
內熟水淋一次今糜洗和)放入缸內每米二斗用白酒麴五丸(三斗則用九丸冬用
甑蓬)盖缸口(冬用草薦四邊間空上面亦盖草薦勿令缸冷)來日酒出用盞舀酒澆
淋四邊如此七日取酒用之(<神恩>冬月缸冷酒酵不來則瓶盛熱水放缸內酒酵
自來可用.

백하주

스토리텔링 및 술 빚는 법

술 빛깔이 '흰 노을' 또는 '흰 아지랑이'와 같다고 하여 '백하주(白霞酒)'라고 부르는 이 술은, 고려시대 때부터 빚어져 가장 대중화된 것으로 전해 오고 있다. 고려시대에 이미 주막의 단골 메뉴로 정착되었다고도 알려지고 있는 만큼, 아주 오랜 역사를 간직한 술임에도 불구하고 그간 맥이 끊긴 채 문헌으로만 전해 오고 있는 실정이다.

'백하주'는 이제까지의 술 빚기와는 달리, 매우 독특한 방법으로 빚어진다는 점에서 그 특징을 찾을 수 있다. 즉, 주모(酒母)라고 불리는 '주본(酒本)' 또는 '부본(腐本)', '서김', '석임'을 별도로 만들어두었다가, 이 주모를 섞어 밑술을 빚고 다시 덧술을 해 넣는 방법이 그것으로서, '백하주'는 이양주(二釀酒)가 아닌 삼양주(三釀酒)라고도 볼 수 있다.

'백하주'에 대한 기록은 고려 말엽의 문장가이자 시인으로도 널리 알려졌던 이규보(李奎報)의 <동국이상국집(東國李相國集)>의 시편에 '백하주'라는 주품명이 수록된 것을 볼 수 있고, 조선시대 문헌으로는 <고사촬요(故事撮要)>를 시작으로 <농정회요(農政會要)>, <민천집설(民天集說)>, <산림경제(山林經濟)>, <양주(釀酒)>, <양주방>*, <양주방(釀酒方)>, <언서주찬방(諺書酒饌方)>, <의방합편(醫方合編)>, <임원십육지(林園十六志)>, <주방(酒方)>*, <주방문(酒方文)>, <주방문초(酒方文抄)>, <주찬(酒饌)>, <증보산림경제(增補山林經濟)>, <치생요람(治生要覽)>, <한국민속대관(韓國民俗大觀)>, <해동농서(海東農書)> 등 18종의 문헌에 주방문이 35차례나 등장하는 것을 볼 수 있다.

이들 문헌의 주방문을 보면, '백하주'가 '백로주', '백료주', '이화주' 등과 함께 조선시대를 대표하는 탁주(濁酒)의 한 가지로, 또 약주(藥酒)의 대명사처럼 지칭되었던 술임을 알 수 있다.

문헌에 따라 다르지만, '백하주' 역시도 시대 변화에 따라 술 빚는 법이 간소화되고, 삼양주법에서 이양주법으로 바뀌고 있음을 엿볼 수 있으며, 양주기법이 '백로주'나 '방문주'와 매우 유사하다는 것을 알 수 있다.

실제로 양주 관련 문헌으로는 국내 최고(最古)의 기록으로 알려진 <산가요록(山家要錄)>과 동시대의 문헌으로 추측되는 <언서주찬방>, 1800년대 말엽의 <주방>*에는 삼양주법 '백하주' 주방문을 엿볼 수 있다.

<언서주찬방>의 주방문을 보면, "빅미 단 말을 일빅 번 시서 둠갓다가 ᄀᆞ르디허 ᄭᅳᆯ힌 믈 다ᄉᆞᆺ 동희로 골와 ᄀᆞ장 ᄎᆞ거든 됴흔 누록 말 닷 되과 진ᄀᆞ르 닷 되를 섯거 독의 녀허 흔닐웨 후에 빅미 단 말을 젼ᄀᆞ티 시서 ᄀᆞ르디허 므르닉게 ᄣᅥ 식거든 술의 버므려 둣다가 ᄯᅩ 닐웨 후에 빅미 ᄯᅩ 단 말을 젼ᄀᆞ티 시서 ᄀᆞ르디허 닉게 ᄣᅥ 식거든 젼술에 버므려 녀코 두터온 죠희로 든ᇰ이 ᄲᅡ미야 니거 ᄆᆞᆰ안쩌든 ᄯᅳ리우라."고 하여, 밑술은 반생반숙법(半生半熟法)의 범벅을 만들어 누룩가루와 밀가루를 한데 섞어 빚고, 덧술과 2차 덧술은 흰무리를 쪄서 사용하는 주방문을 싣고 있음을 볼 수 있다.

이상의 삼양주법 '백하주'는 알코올 도수가 높으면서도 맛이 부드러우며 흰 빛깔을 자랑하는 까닭에 '백하주'라는 주품명으로 불리게 되었을 것이라는 추측을 할 수 있다. 또한 장기 저장이 가능한 까닭에 주막 등에서도 널리 사랑받는 명주로 자리 잡았을 것이라는 판단을 할 수가 있다.

<언서주찬방>에는 "ᄯᅩ 흔 법은 빅미 흔 말을 빅 번 시서 ᄀᆞ르디허 ᄭᅳᆯ힌 믈 세

병을 골와 식거든 누록 되가웃 진フ른 되가웃 서김 흔 되와 흔듸 섯거 독의 녀허 사흘 만의 쏘 빅미 두 말 빅 번 시서 닉게 뼈 슬흔 믈 여슷 병 골와 フ장 식거든 쏘 누록 흔 되 버므려 젼 밋술의 섯거 닐웨여두래만 흐거든 심지예 블혀 독의 녀허 보면 브리 아니 뼈디면 다 괴여 (익은 것이니 주자에) 드리우라.”고 하여 이양 주법의 주방문을 엿볼 수 있는데, 삼양주법에서는 사용하지 않았던 밑술에 '서김' 을 사용하고, 누룩과 밀가루를 함께 사용함으로써 보다 안전하고 빠른 발효를 도 모하는 한편, 덧술에서는 고두밥에 끓는 물을 섞어 만든 진고두밥과 누룩을 밑술 과 섞어 빚는 방법으로 간소화된 경향을 엿볼 수 있다.

<언서주찬방>의 '백하주 또 한 법'은 <고사촬요>를 비롯하여 <농정회요>, <민 천집설>, <양주방>*, <양주방>, <의방합편>, <임원십육지>, <주방문>, <주찬 >, <증보산림경제>, <한국민속대관> 등에서도 찾아볼 수 있어, '백하주' 양주법 의 기본으로 자리 잡았으며, '백하주' 또는 '속칭 방문주(俗稱方文酒)'로 표기되 어 있는 것을 볼 수 있다.

또한 <언서주찬방>에 “フ장 지쥬 곳 믄들랴커든 처엄의 미 흔 말애 믈(두 병) 반식 혜아려 골와 비즈라. 술을 만히 내려겨든 드리올 제 믈 두 병만 더 브으라.” 고 하였는데, 지주(旨酒) 빚는 법은 물의 양을 줄이는 것으로 맛을 좋게 할 수 있 고, 맛보다 술의 양을 늘리려면 물을 추가하여 거르라는 후수(後水) 법을 소개 하고 있다.

이와 같은 '지주법'과 '후수하는 법'은 <농정회요>를 비롯하여 <민천집설>, <산 림경제>, <양주>, <의방합편>, <임원십육지>, <증보산림경제> 등의 문헌에 '백 하주 지주방(旨酒方)' 또는 '백하주 우방(又方)' 등 별법으로 수록되어 있으며, '방문주'에서도 자주 등장하는 것을 볼 수 있다.

따라서 이와 같은 세 가지 방법이 초기의 '백하주' 빚는 주방문으로 자리를 잡 았다는 사실을 확인할 수 있다.

이러한 '백하주'의 특징은 쌀가루를 끓는 물로 익힌 범벅을 사용하고, 누룩과 밀가루, '부본(서김)'을 넣어 밑술을 빚고, 멥쌀로 지은 고두밥에 끓는 물을 섞어 만든 진고두밥에 누룩가루를 섞어 덧술을 한다는 점이다.

한편, <농정회요>와 <산림경제>, <증보산림경제>의 '백하주 우방'에서는, '부본' 대신 끓여 식힌 물에 참누룩가루와 밀가루를 섞어 만든 '물누룩'을 밑술에 사용하는 방법과, 덧술에서는 고두밥과 끓는 물을 섞어 만든 진고두밥만을 사용하거나 고두밥을 단독으로 사용하는 두 가지 방법으로 변화된 것을 볼 수 있다.

다만, 특히 도정을 많이 한 쌀을 사용하는데, 밑술에서 '착백세(鑿百洗)', 덧술에서 '착세(鑿洗)'라고 하여 "쌀을 '씻을 수 있는 데까지 지극히 깨끗하게' 씻는다."고 하고, 술 빚는 시기에 대하여 "이 술은 9월 그믐에서 10월 초 사이에 담가야 좋다. 만약 날씨가 조금 따뜻하면 갑자기 맛이 쉬어버린다. 걸러낸 맑은 술 역시 얼지도 않고 따뜻하지도 않은 곳에 놓아두어야 된다."고 강조한 것을 볼 수 있다.

<양주방>*의 '백하주'는 덧술에서 고두밥을 단독으로 사용하는 방법과, 밑술에서와 같이 덧술에서도 끓는 물을 섞어 만든 진고두밥과 누룩가루, 밀가루를 사용하는 방법이 수록되어 있으며, '6말 빚이'에서는 흰무리떡을 쪄서 끓는 물과 섞어 죽을 만들어 밑술을 빚는 독특한 방법으로 변화된 경우를 볼 수 있다.

그런데 <고사신서(攷事新書)>와 <고사십이집(攷事十二集)>에 수록된 '백로주(百露酒)' 주방문을 보면, '속칭 방문주'라는 부제(副題)와 함께 "백미 1말을 백 번 씻어 가루 내어 그릇에 담고, 물 3병을 끓여 끓을 때에 고르게 섞고 식기를 기다린다. 누룩가루 1되 반, 밀가루 1되 반, 부본 1되를 잘 섞어 항아리에 집어넣는다. 3일째 되는 날('3~4일 지나 익기를 기다린다.'고도 한다.) 다시 백미 2말을 백 번 씻어 삶아(쪄서) 익힌다. 끓는 물 6병에 고르게 섞어 식기를 기다린다. 먼저 빚은 것(本釀)에 누룩가루 1~2되를 첨가하여 고르게 섞어두면, 7~8일이 지나면 익는다. 종이를 말아 불을 붙여 술항아리 안에 집어넣고 익었는지를 알아본다. 익었으면 불이 꺼지지 않고 익지 않았으면 불이 꺼진다. 객물은 일체 첨가해서는 안 된다."고 하여 <고사촬요>의 '백하주'와 동일한 주방문을 엿볼 수 있다.

<고사신서>와 <고사십이집>의 '백로주' 주방문 말미에는 "맛있는 술을 만들려면 물을 조절하여야 한다. 쌀 1말에 2병 반으로 한계를 정한다. 많은 술을 만들고자 한다면 술통에 담을 때 정화수 2병을 고르게 더한다(또는 1말의 쌀에 누룩 5홉을 사용하면 충분하다. 더 빚을 때 누룩을 첨가하면 좋지 않다. 술빛을 희게 하고자 한다면 매 1말마다 누룩 3홉을 쓴다)."고 하여 '백하주 지주법'과 '후수하는 법'까지도 동일하다.

이러한 사례는 매우 드문 일이기도 하거니와 <고사신서>와 <고사십이집>의 저술 배경과 관련지어 생각해 보면, 의도적으로 '백하주'를 '백로주'로 기록함으로써 이들 주품이 전혀 다른 술인 양 표기 방법을 바꾸었을 가능성도 전혀 배제할 수 없을 것 같다.

어떻든 이로써 '백하주'가 '백로주'나 '방문주'와 동일한 주품이거나, 한 가지 주방문에서 약간씩 변화됨으로써 다른 명칭으로 불렸을 것이라는 근거를 찾을 수 있다고 하겠다.

그리고 이러한 '백하주'는 이양주로 이해될 수 있으나 엄밀한 의미로는 삼양주라고 하는 이유도 다름 아니다. 즉, 밑술을 빚기 위해서는 '부본'을 먼저 빚어두어야 하기 때문이고, 일반적으로는 이때의 '부본' 또한 밑술과 같은 목적으로 빚는 한 가지 방법이라는 사실 때문이다.

'백하주'와 같은 술 빚기는 요즘 일부에서 시도되고 있는 '무증자법(無蒸煮法)' 또는 '비열처리법(非熱處理法)'과 같다고 할 수 있다. 이렇게 빚은 술은 보다 높은 도수와 함께 은근하고 깨끗한 맛을 자랑하나, 무엇보다 밑술의 발효가 중요하며, 발효에 관여하는 누룩의 품질이 좋아야 한다는 과제가 있다.

'백하주'라는 주품명의 유래에 대해 "흰 노을 같다."는 애기 외에 뚜렷하게 밝혀 놓은 기록이나 근거가 없어 어떻다고 단정 지을 수는 없겠으나, 술을 빚는 과정과 그 결과물을 근거로 추측은 할 수 있겠다.

'백하주'가 여느 주품들에 비해 특히 밝은 색을 상징하는 '흰 백(白)' 자를 술 이름에 붙이게 된 배경으로, 그 주방문에 나와 있듯이 누룩의 양을 적게 사용하는 방법과 물의 양을 늘려 빚는 방법을 동시에 추구하고 있다는 사실을 들 수 있다.

즉, 쌀 3말에 대해 누룩가루 2되 또는 1되라면 3.3~6.6%로서 결코 많은 양이라고 할 수 없으며, 이러한 누룩의 사용 비율이 술 색깔에 반영되어 특히 밝고 맑은 술 색깔을 띠게 된다는 것이다.

물론 '주본'에도 누룩이 사용되긴 하지만, 이 또한 누룩의 사용 비율이 10%를 넘지 않는다는 점에서 '흰 노을' 또는 '흰 아지랑이'로 상징되는 주품명의 '백하주'야말로 현대의 '막걸리' 등 탁주가 나아갈 방향을 암시한다고 할 것이다.

1. 백하주 <고사촬요(故事撮要)>

> 술 재료 : 밑술 : 멥쌀 1말, 누룩가루 1되 5홉, 밀가루 1되 5홉, 끓는 물 3병, 부본
> 1되
> 덧술 : 멥쌀 2말, 누룩가루 1되, 끓는 물 6병, 정화수 1~2병

술 빚는 법 :

* 밑술 :

1. 멥쌀 1말을 백세작말한다(물에 백 번 씻어 깨끗하게 헹군 다음 새 물에 담가 불렸다가, 다시 씻어 말갛게 헹군 후 건져서 물기를 뺀 뒤 가루로 빻는다).
2. 물 3병을 팔팔 끓이다가, 쌀가루에 골고루 뿌려가면서 주걱으로 고루 개어 범벅(죽)을 만들고, 찬 곳에 두어서 차게 식기를 기다린다.
3. 쌀가루 갠 범벅에 누룩가루 1되 5홉과 밀가루 1되 5홉, 부본 1되를 섞고 고루 버무려 술밑을 빚는다.
4. 술밑을 술독에 담아 안친 후 (주둥이에 묻은 것을 깨끗이 닦아내고, 베보자기를 씌우고 뚜껑을 덮어) 3일간 발효시킨다(혹, 익기를 기다린다).

* 덧술 :

1. 멥쌀 2말을 백세하여(물에 백 번 씻어 깨끗하게 헹군 다음 새 물에 담가 불렸다가, 다시 씻어 말갛게 헹군 후) 건져서 물기를 뺀다.
2. 물에 불린 쌀을 시루에 안쳐 찌고, 다른 솥에 물 6병을 팔팔 끓인다.
3. 고두밥이 무르게 익었으면, 팔팔 끓고 있는 물 6병을 골고루 퍼붓고, 주걱으로 고루 저어두었다가, 쌀이 물을 다 빨아들이면 찬 곳에 두어 차게 식기를 기다린다.
4. 고두밥 식힌 것에 밑술과 누룩가루 1되를 섞고, 고루 버무려 술독에 담아 안치고, 다시 예의 방법대로 하여 7~8일간 발효시킨다.
5. 종이 심지에 불을 붙이고 독 안에 넣어 익었는지 여부를 확인한다. 익었으면

불이 꺼지지 않고, 익지 않았으면 불이 꺼진다.

6. 술이 익으면 정화수 1~2병을 가수(加水)하여 술을 거르고, 거른 술을 재차 3~4일 후숙시켜 마시면 맛이 더욱 좋다.

* 반생반숙법의 발효주로, 먼저 발효시켜 둔 밑술(주모)이 있어야 한다. 쌀 양과 물 양이 동량이나 부피로는 물이 2배가 된다. <증보산림경제>, <임원십육지> 등 여러 문헌에도 수록된 가장 대중화된 술의 하나로, 대표적인 탁주의 하나이다.

白霞酒
白米一斗百洗作末盛于器以熱水三瓶調和待冷麴末一升半眞末一升半腐本一升調和入瓮第三日又以白米二斗百洗熟蒸以熟水六瓶調和良久寒之與本釀添麴末一升調和過七八日乃熟以紙心燃火入于甕內驗其生熟熟則火不滅生則滅此後不添調勿添他水.

2. 백하주(지주법) <고사촬요(故事撮要)>
－속칭 방문주

> 술 재료 : 밑술 : 멥쌀 1말, 누룩가루 1되 2홉~1되 5홉, (밀가루 1되 5홉), 끓는 물
> 2병 반
> 덧술 : 멥쌀 2말, 끓는 물 5병, (정화수 2병)

술 빚는 법 :
* 밑술 :

1. 멥쌀 1말을 백세하여(물에 백 번 씻어 새 물에 담가 불렸다가, 다시 씻어 말갛게 헹궈서 물기를 뺀 후) 작말하여(가루로 빻아) 그릇에 담아놓는다.

2. 물 2병 반을 팔팔 끓여 쌀가루에 붓고, 주걱으로 고루 섞어 (반생반숙/범벅을 만들어 뚜껑을 덮고) 차게 식기를 기다린다.
3. 차게 식힌 범벅에 누룩가루 1되 2홉과 밀가루 1되 5홉을 넣고, 매우 치대어 술밑을 빚는다.
4. 술독에 술밑을 안치고, 예의 방법대로 하여 3일(또는 4일)간 발효시킨다.

* 덧술 :
1. 멥쌀 2말을 백세한다(새 물에 담가 불렸다가, 다시 씻어 건져서 물기를 빼놓는다).
2. 불린 쌀을 시루에 안쳐서 고두밥을 짓고, 솥에 물 5병을 오랫동안 팔팔 끓인다.
3. 고두밥이 익었으면 퍼내어 넓은 그릇에 담아놓고, 끓고 있는 물 5병을 즉시 멥쌀고두밥에 골고루 뿌려주고, 주걱으로 고루 헤쳐서 풀어놓는다.
4. 고두밥이 물을 다 먹었으면, 그릇에 뚜껑을 덮어두고 차게 식기를 기다린다.
5. 식은 고두밥에 밑술을 합하고, 고루 버무려 술밑을 빚는다.
6. 술독에 술밑을 안치고, 예의 방법대로 하여 7~8일간 발효시킨다.
7. 양을 많게 하려면 거르기 전에 정화수 2병을 붓고 섞는다.

* 주방문 말미에 "맛있는 술을 만들려면, 첫 술을 빚으면서 물을 넣을 때에 쌀 1말당 물 2병 반을 한도로 한다. 양을 많게 하려면 거르기 전에 정화수 2병을 붓고 섞는다. 본래 방법은 비록 이렇지만 쌀 1말에 누룩 5홉을 쓰면 충분하다. 2말을 덧빚을 때, 누룩을 넣어서는 안 된다."고 하고, "술 빛깔을 희게 하려면 쌀 1말당 누룩 3홉을 써도 된다."고 하였다. 또 "속칭 방문주라고 한다. 이 술은 서리가 내린 후에 담가야 좋다. 만약 날씨가 조금 따뜻하면 갑자기 맛이 쉬어버린다."고 하였다.

白霞酒(旨酒法)
白米一斗百洗作末盛于器以熱水三瓶調和待冷麯末一升半眞末一升半腐本一

升調和入瓮第三日又以白米二斗百洗熟蒸以熟水六瓶調和良久寒之與本釀添麴末一升調和過七八日乃熟以紙心燃火入于甕內驗其生熟熟則火不滅生則滅此後不添調勿添他水. 欲作旨酒則調水時以二瓶半爲限多少任意慾多出則上槽時井華水二瓶添調.

3. 백하주법 <농정회요(農政會要)>

> 술 재료 : 밑술 : 멥쌀 1말, 누룩가루 1되 5홉, 부본 1되, 끓는 물 3병
>   덧술 : 멥쌀 2말, 누룩가루 1되, 끓는 물 6병

술 빚는 법 :

* 밑술 :

1. 멥쌀 1말을 백세하여(물에 백 번 씻어 새 물에 담가 불렸다가, 다시 씻어 말갛게 헹궈서 물기를 뺀 후) 작말하여(가루로 빻아) 그릇에 담아놓는다.

2. 물 3병을 팔팔 끓여 쌀가루에 붓고, 주걱으로 고루 섞어 (반생반숙/범벅을 만들어 뚜껑을 덮고) 차게 식기를 기다린다.

3. 차게 식힌 범벅에 누룩가루 1되 5홉과 밀가루 1되 5홉, 부본 1되를 넣고 매우 치대어 술밑을 빚는다.

4. 술독에 술밑을 안치고, 예의 방법대로 하여 3일(또는 4일)간 발효시킨다.

* 덧술 :

1. 멥쌀 2말을 백세한다(새 물에 담가 불렸다가, 다시 씻어 건져서 물기를 빼놓는다).

2. 불린 쌀을 시루에 안쳐서 고두밥을 짓고, 솥에 물 6병을 오랫동안 팔팔 끓인다.

3. 고두밥이 익었으면 퍼내어 넓은 그릇에 담아놓고, 끓고 있는 물 6병을 즉시

멥쌀에 골고루 뿌려주고, 주걱으로 고루 헤쳐서 놓는다.

4. 고두밥이 물을 다 먹었으면 (그릇에 뚜껑을 덮어두고) 차게 식기를 기다린다.

5. 식은 고두밥에 밑술과 누룩가루 1되를 섞고, 고루 버무려 술밑을 빚는다.

6. 술독에 술밑을 안치고, 예의 방법대로 하여 7~8일간(또는 3~4일간) 발효
   시킨다.

7. 종이 심지에 불을 붙이고 독 안에 넣어 익었는지 여부를 확인한다. 익었으면
   불이 꺼지지 않고, 익지 않았으면 불이 꺼진다.

* 주방문에 쌀 씻는 법에 대하여 '백세(百洗)'라고 하였다. 방문 말미에 "이(술
   이 익은) 뒤로는 절대 다른 물을 첨가해서는 안 된다."고 하였다.

白霞酒法

白米一斗百洗作末盛于器以熱水三瓶乘沸調和待冷麴末一升半眞末一升半
腐本一升調極匀入瓮第三日. (一方過三四日待熟.) 又以白米二斗百洗熟烹以
沸湯六瓶調和待冷與本釀添麴末一升調和過七八日乃熟以紙心燃火入于甕內
驗其生熟熟則火不滅生則火滅此後切勿添他水.

4. 백하주(지주법) <농정회요(農政會要)>

> 술 재료 : 밑술 : 멥쌀 1말, 누룩가루 1되 2홉~1되 5홉, 끓는 물 2병 반
>   덧술 : 멥쌀 2말, 끓는 물 5병, (정화수 2병)

술 빚는 법 :

* 밑술 :

1. 멥쌀 1말을 백세하여(물에 백 번 씻어 새 물에 담가 불렸다가, 다시 씻어 말
   갛게 헹궈서 물기를 뺀 후) 작말하여(가루로 빻아) 그릇에 담아놓는다.

2. 물 2병 반을 팔팔 끓여 쌀가루에 붓고, 주걱으로 고루 섞어 (반생반숙/범벅을 만들어 뚜껑을 덮고) 차게 식기를 기다린다.

3. 차게 식힌 범벅에 누룩가루 1되 5홉과 밀가루 1되 5홉을 넣고, 매우 치대어 술밑을 빚는다.

4. 술독에 술밑을 안치고, 예의 방법대로 하여 3일(또는 4일)간 발효시킨다.

* 덧술 :

1. 멥쌀 2말을 백세한다(새 물에 담가 불렸다가, 다시 씻어 건져서 물기를 빼놓는다).

2. 불린 쌀을 시루에 안쳐서 고두밥을 짓고, 솥에 물 6병을 오랫동안 팔팔 끓인다.

3. 고두밥이 익었으면 퍼내어 넓은 그릇에 담아놓고, 끓고 있는 물 5병을 즉시 멥쌀에 골고루 뿌려주고, 주걱으로 고루 헤쳐서 풀어놓는다.

4. 고두밥이 물을 다 먹었으면, 그릇에 뚜껑을 덮어두고 차게 식기를 기다린다.

5. 식은 고두밥에 밑술을 합하고, 고루 버무려 술밑을 빚는다.

6. 술독에 술밑을 안치고, 예의 방법대로 하여 7~8일간 발효시킨다.

白霞酒(旨酒法)

白米一斗百洗作末盛于器以熱水三瓶乗沸調和待冷麴末一升半眞末一升半腐本一升調極勻入瓮第三日白米二斗百洗熟烹以沸湯六瓶調和待冷與本釀添麴末一升調和過七八日乃熟以紙心燃火入于瓮內驗其生熟熟則火不滅生則滅此後切勿添他水. 欲作<旨酒>則初釀調水時每斗以二瓶半爲限欲多出則上槽時井華水二瓶添調.

<又法> 本方雖如此一斗米欲使色白則每斗用麴三合亦可矣. 此方卽俗稱方文酒 霜後可釀 若日候稍溫則味乾酸乗.

5. 백하주(우법) <농정회요(農政會要)>

술 재료 : 밑술 : 멥쌀 1말, 참누룩가루 9홉, 밀가루 5홉, 끓는 물 3병 1주발
　　　　　덧술 : 멥쌀 2말, 끓는 물 6병

술 빚는 법 :

* 밑술 :

1. 도정을 많이 한 10분도 멥쌀 1말을 착백세하여(씻을 수 있는 데까지 깨끗하게 씻어 새 물에 담가 불렸다가, 다시 씻어 말갛게 헹궈서) 물기를 뺀다.

2. 불린 쌀을 작말하여(가루로 빻아) 넓은 그릇에 담아놓는다.

3. 물을 오랫동안 끓여 백비탕 3병을 쌀가루에 붓고, 죽젓광이로 고루 휘저어 범벅을 쑤어 (마르지 않게 뚜껑을 덮고) 차게 식기를 기다린다.

4. 끓여서 차게 식힌 물 1주발에 참누룩가루 9홉, 밀가루 5홉을 합하고, 고루 섞어 수곡을 만들어놓는다.

5. 범벅에 수곡을 섞으면서 휘저어 알갱이가 없이 풀고, 힘껏 치대어 술밑을 빚는다.

6. 술독에 술밑을 안치고, 예의 방법대로 하여 얼지도 않고 따뜻하지도 않은 곳에 놓아 7일간 발효시킨 후, 술독을 열어보아 술이 한창 괴어오를 때 덧술을 준비한다.

* 덧술 :

1. 도정을 많이 한 멥쌀 2말을 착세하여(씻을 수 있는 데까지 지극히 깨끗하게 씻어) 물에 담가 불렸다가, 다시 씻어 건져서 물기를 빼놓는다.

2. 쌀을 시루에 안쳐서 고두밥을 짓고, 고두밥이 무르게 익었으면 퍼내고, 고루 펼쳐서 차게 식기를 기다린다.

3. 팔팔 끓는 물 6병을 고두밥에 합하고 (고두밥이 물을 다 먹었으면 뚜껑을 덮어두고) 차게 식기를 기다린다.

4. 식은 고두밥에 밑술을 합하고, 고루 버무려 술밑을 빚는다.

5. 술독에 술밑을 안치고, 예의 방법대로 하여 7~8일간 발효시키면 술이 익는다.

* 쌀 씻는 법에 대하여 밑술에서 '착백세(鑿百洗)', 덧술에서 '착세(鑿洗)'라고 하였다.

착세는 '씻을 수 있는 데까지 지극히 깨끗하게 씻는다.'로 해석하였다. 또 "서리가 온 뒤에 빚어야 한다."고 하고, "만약 그때에 날씨가 따뜻하면 신맛이 생긴다."고 하였다.

白霞酒(又法)

本方雖如此一斗米欲使色白則每斗用麴三合亦可矣. 此方卽俗稱方文酒 霜後可釀 若日候稍溫則味乾酸乘.

6. 백하주(우방) <농정회요(農政會要)>

술 재료 : 밑술 : 멥쌀 1말, 가루누룩 1되, 밀가루 5홉, 끓는 물 3병, 탕수 1주발
　　　　 덧술 : 멥쌀 3말, 밀가루 5홉, 끓는 물 6병

술 빚는 법 :

* 밑술 :

1. 도정을 많이 한 10분도 멥쌀 1말을 백세하여(물에 백 번 씻어 새 물에 담가 불렸다가, 다시 씻어 말갛게 헹궈서) 물기를 뺀다.

2. 불린 쌀을 작말하여(가루로 빻아) 넓은 그릇에 담아놓는다.

3. 물 3병을 오랫동안 끓여 쌀가루에 붓고, 죽젓광이로 고루 휘저어 범벅을 쑤어 (마르지 않게 뚜껑을 덮고) 차게 식기를 기다린다.

4. 물 1주발을 끓여 (차게 식힌 뒤) 가루누룩 1되와 밀가루 1되를 합하고 고루
   섞어 수곡을 만들어놓는다.
5. 범벅에 수곡을 섞으면서 휘저어 알갱이가 없이 풀고, 힘껏 치대어 술밑을 빚
   는다.
6. 술독에 술밑을 안치고, 예의 방법대로 하여 얼지도 않고 따뜻하지도 않은 곳
   에 놓아 7일간 발효시키면 술이 익는다.

* 덧술 :
1. 도정을 많이 한 멥쌀 2말을 착세한다(씻을 수 있는 한 지극히 깨끗하게 씻
   는다).
2. (씻은 쌀을 새 물에 담가 불렸다가, 다시 씻어 건져서 물기를 빼놓는다).
3. (불린) 쌀을 시루에 안쳐서 고두밥을 짓고, 익었으면 퍼서 고루 펼쳐서 차게
   식기를 기다린다.
4. 식은 고두밥에 밑술을 합하고, 고루 버무려 술밑을 빚는다.
5. 술독에 술밑을 안치고, 예의 방법대로 하여 7~8일간 발효시키면 술이 익
   는다.

* 주방문에 밑술에 대하여 "쌀 1말당 밀가루 5홉의 비율로 넣는다."고 하였으
   므로, 가루누룩 양을 1되로 하였다. 또 "1말의 밑술에 3말의 쌀을 덧빚어도
   무방하다. 찐 밥을 첨가하여 넣은 뒤 밀가루 5홉을 독 안의 술 표면에 뿌
   리면 좋다."고 하였으므로, 덧술은 누룩과 물 없이 일반 고두밥으로 하였다.

白霞酒(又方)

白米一斗十分精鑿百洗作末置大盆中以百沸湯三瓶 澆之 以杖攪和之 務要均
合如粥 候冷冷則其面頗堅疑矣)另用沸過水一鉢入眞麴末(마른누룩)一升眞
末一升攪勻停當然後以手揉前米末粥之堅疑者而旋旋添麴末所調水須十分
勻揉使無小核然後納淨甕內安置不凍不溫處七日後開甕見之則略成酒狀卽以
白米二斗如前鑿洗爛蒸候冷以熟湯六瓶澆合於蒸米之中候冷傾出前酒不用麴

攪合於蒸米中而亦候冷入甕. 過七日後酒巳成矣用紙燃法 可知其生熟矣用生
紬帒或極細布帒上槽壓之爲上品美酒. 本方雖如此每一斗入眞末五合爲率 又
云一斗之本可釀三斗米亦無妨 又云加入蒸米後以眞末五合糝於瓮中酒面爲
可盖此酒宜造於九月晦十月初間方好若日候少暖則味輒酸且槽過取清亦宜置
於不凍不溫置處可矣.

7. 백하주 <민천집설(民天集說)>

술 재료 : 밑술 : 멥쌀 1말, 누룩가루 1되 5홉, 밀가루 1되 5홉, 부본 1되, 끓는 물
          3병
        덧술 : 멥쌀 1말, 누룩가루 1되, 끓는 물 6병

술 빚는 법 :
* 밑술 :
1. 멥쌀 1말을 백세하여 (물에 담가 불렸다가, 다시 씻어 건져서 물기를 뺀 후)
   작말한(가루로 빻은) 다음, 넓은 질그릇에 담아놓는다.
2. 물 3병을 끓여 쌀가루에 골고루 붓고, 주걱으로 고루 개어 범벅을 쑨 후 (넓
   은 그릇에 나눠 담고) 차게 식기를 기다린다.
3. 범벅에 누룩가루 1되 5홉, 밀가루 1되 5홉, 부본 1되를 섞고, 고루 버무려 술
   밑을 만든다.
4. 술밑을 술독에 담아 안치고, 예의 방법대로 하여 3일간 발효시킨다.

* 덧술 :
1. 멥쌀 1말을 백세하여 (물에 담가 불렸다가, 다시 씻어 건져서 물기를 뺀 후)
   시루에 안쳐 고두밥을 짓는다.
2. 솥에 물 6병을 끓이다가, 고두밥이 익었으면 한데 고루 섞고, 고두밥이 물

을 다 먹기를 기다렸다가, 그릇 여러 개에 나눠 담고 오랫동안 차게 식기를 기다린다.

3. 물을 먹여 식힌 고두밥에 누룩가루 1되와 밑술을 한데 합하고, 고루 버무려 술밑을 빚는다.

4. 술독에 술밑을 담아 안치고, 예의 방법대로 하여 8일간 발효·숙성시킨다.

5. 술이 익는 대로 채주하여 마신다.

* 주방문 말미에 "종이 심지에 불을 붙이고 독 안에 넣어 익었는지 여부를 확인한다. 익었으면 불이 꺼지지 않고, 익지 않았으면 불이 꺼진다. 이 뒤로는 절대 다른 물을 첨가해서는 안 된다."고 하였다. 또 "맛있는 술을 만들려면, 첫 술을 빚으면서 물을 넣을 때에 쌀 1말당 물 2병 반을 한도로 한다. 양을 많게 하려면 거르기 전에 정화수 2병을 붓고 섞는다."고 하였다. <증보산림경제>와 동일하다.

白霞酒
白米一斗百洗作末盛于器以熱水三瓶調和待冷曲末一升半眞末一升半腐本一升調和入瓮第三日以白米一斗百洗熟蒸以熱水六瓶調和良久寒之與本釀添曲末一升調和過七八日乃熟以紙心燃火入于甕內驗其生熟熟則火不滅生則滅此後不添調他水. 欲作旨酒則調水時以二瓶半爲限多少任意慾多出則上槽時井華水二瓶添調.

8. 백하주(우방) <민천집설(民天集說)>
– 맛있는 술(旨酒) 빚으려면

술 재료 : 밑술 : 멥쌀 1말, 누룩가루 1되 2홉~1되 5홉, (밀가루 1되 5홉), 끓는 물 2병 반
　　　　덧술 : 멥쌀 2말, 끓는 물 5병, (정화수 2병)

술 빚는 법 :

* 밑술 :

1. 멥쌀 1말을 백세하여(물에 백 번 씻어 새 물에 담가 불렸다가, 다시 씻어 말 갛게 헹궈서 물기를 뺀 후) 작말하여(가루로 빻아) 그릇에 담아놓는다.

2. 물 2병 반을 팔팔 끓여 쌀가루에 붓고, 주걱으로 고루 섞어 (반생반숙/범벅 을 만들어 뚜껑을 덮고) 차게 식기를 기다린다.

3. 차게 식힌 범벅에 누룩가루 1되 2홉과 밀가루 1되 5홉을 넣고, 매우 치대어 술밑을 빚는다.

4. 술독에 술밑을 안치고, 예의 방법대로 하여 3일(또는 4일)간 발효시킨다.

* 덧술 :

1. 멥쌀 2말을 백세한다(새 물에 담가 불렸다가, 다시 씻어 건져서 물기를 빼 놓는다).

2. 불린 쌀을 시루에 안쳐서 고두밥을 짓고, 솥에 물 6병을 오랫동안 팔팔 끓 여 물이 5병이 되게 한다.

3. 고두밥이 익었으면 퍼내어 넓은 그릇에 담아놓고, 끓는 물 5병을 즉시 멥쌀 고두밥에 골고루 뿌려주고, 주걱으로 고루 헤쳐서 풀어놓는다.

4. 고두밥이 물을 다 먹었으면, 그릇에 뚜껑을 덮어두고 차게 식기를 기다린다.

5. 식은 고두밥에 밑술을 합하고, 고루 버무려 술밑을 빚는다.

6. 술독에 술밑을 안치고, 예의 방법대로 하여 7~8일간 발효시킨다.

7. 양을 많게 하려면 거르기 전에 정화수 2병을 붓고 섞는다.

白霞酒(又方)

白米一斗百洗作末盛于器以熱水三瓶調和待冷曲末一升半眞末一升半腐本一 升調和入瓮第三日以白米一斗百洗熟蒸以熱水六瓶調和良久寒之與本釀添曲 末一升調和過七八日乃熟以紙心燃火入于甕內驗其生熟熟則火不滅生則滅此 後不添調他水. 欲作旨酒則調水時以二瓶半爲限多少任意慾多出則上槽時井 華水二瓶添調.

9. 백하주법 <산림경제(山林經濟)>
－속칭 '방문주'

술 재료 : 밑술 : 멥쌀 1말, 누룩가루 1되 5홉, 밀가루 1되 5홉, 부본 1되, 끓는 물
3병

덧술 : 멥쌀 2말, 누룩가루 1되, 끓는 물 6병

술 빚는 법 :

* 밑술 :

1. 멥쌀 1말을 백세하여(물에 백 번 씻어 새 물에 담가 불렸다가, 다시 씻어 말
갛게 헹궈서 물기를 뺀 후) 작말하여(가루로 빻아) 그릇에 담아놓는다.

2. 물 3병을 팔팔 끓여 쌀가루에 붓고, 주걱으로 고루 섞어 (반생반숙/범벅을
만들어 뚜껑을 덮고) 차게 식기를 기다린다.

3. 차게 식힌 범벅에 누룩가루 1되 5홉과 밀가루 1되 5홉, 부본 1되를 넣고 매
우 치대어 술밑을 빚는다.

4. 술독에 술밑을 안치고, 예의 방법대로 하여 3일(또는 4일)간 발효시킨다.

* 덧술 :

1. 멥쌀 2말을 백세한다(새 물에 담가 불렸다가, 다시 씻어 건져서 물기를 빼
놓는다).

2. 불린 쌀을 시루에 안쳐서 고두밥을 짓고, 솥에 물 6병을 오랫동안 팔팔 끓
인다.

3. 고두밥이 익었으면 퍼내어 넓은 그릇에 담아놓고, 끓고 있는 물 6병을 즉시
멥쌀고두밥에 골고루 뿌려주고, 주걱으로 고루 헤쳐서 놓는다.

4. 고두밥이 물을 다 먹었으면 (그릇에 뚜껑을 덮어두고) 차게 식기를 기다
린다.

5. 식은 고두밥에 밑술과 누룩가루 1되를 섞고, 고루 버무려 술밑을 빚는다.

6. 술독에 술밑을 안치고, 예의 방법대로 하여 7~8일간 발효시킨다.

7. 종이 심지에 불을 붙이고 독 안에 넣어 익었는지 여부를 확인한다. 익었으면 불이 꺼지지 않고, 익지 않았으면 불이 꺼진다.

* 주방문 머리에 "속칭 '방문주라 한다.'고 하였다. 또 쌀 씻는 법에 대하여 '백세(百洗)'라고 하였고, 방문 말미에 "이(술이 익은) 뒤로는 절대 다른 물을 첨가해서는 안 된다."고 하였다.

白霞酒

俗稱方文酒 白米一斗, 百洗作末盛于器, 以熱水三瓶, 乘沸調和待冷, 麴末一升半, 眞末一升半, 腐本一升, 調極均入瓮, 第三日. 過三四日待熟 又以白米二斗, 百洗熟蒸, 以沸湯六瓶, 調和待冷, 與本釀. 添麴末一升調和, 過七八日乃熟, 以紙心燃火, 入于瓮內, 驗其生熟, 熟則火不滅, 生則滅. 此後切勿添他水 <故事撮要>.

10. 백하주 일방 <산림경제(山林經濟)>
－지주 빚는 법(旨酒方)

> 술 재료 : 밑술 : 멥쌀 1말, 누룩가루 1되 2홉~1되 5홉, (밀가루 1되 5홉), 끓는 물 2병 반
> 덧술 : 멥쌀 2말, 끓는 물 5병, (정화수 2병)

술 빚는 법 :
* 밑술 :
1. 멥쌀 1말을 백세하여(물에 백 번 씻어 새 물에 담가 불렸다가, 다시 씻어 말갛게 헹궈서 물기를 뺀 후) 작말하여(가루로 빻아) 그릇에 담아놓는다.

2. 물 2병 반을 팔팔 끓여 쌀가루에 붓고, 주걱으로 고루 섞어 (반생반숙/범벅을 만들어 뚜껑을 덮고) 차게 식기를 기다린다.
3. 차게 식힌 범벅에 누룩가루 1되 2홉과 밀가루 1되 5홉을 넣고, 매우 치대어 술밑을 빚는다.
4. 술독에 술밑을 안치고, 예의 방법대로 하여 3일(또는 4일)간 발효시킨다.

* 덧술 :
1. 멥쌀 2말을 백세한다(새 물에 담가 불렸다가, 다시 씻어 건져서 물기를 빼놓는다).
2. 불린 쌀을 시루에 안쳐서 고두밥을 짓고, 솥에 물 5병을 오랫동안 팔팔 끓인다.
3. 고두밥이 익었으면 퍼내어 넓은 그릇에 담아놓고, 끓고 있는 물 5병을 즉시 멥쌀고두밥에 골고루 뿌려주고, 주걱으로 고루 헤쳐서 풀어놓는다.
4. 고두밥이 물을 다 먹었으면, 그릇에 뚜껑을 덮어두고 차게 식기를 기다린다.
5. 식은 고두밥에 밑술을 합하고, 고루 버무려 술밑을 빚는다.
6. 술독에 술밑을 안치고, 예의 방법대로 하여 7~8일간 발효시킨다.
7. 양을 많게 하려면 거르기 전에 정화수 2병을 붓고 섞는다.

* '백하주' 주방문 말미에 "맛있는 술을 만들려면, 첫 술을 빚으면서 물을 넣을 때에 쌀 1말당 물 2병 반을 한도로 한다. 양을 많게 하려면 거르기 전에 정화수 2병을 붓고 섞는다. 본래 방법은 비록 이렇지만 쌀 1말에 누룩 5홉을 쓰면 충분하다. 2말을 덧빚을 때 누룩을 넣어서는 안 된다."고 하고, "술 빛깔을 희게 하려면 쌀 1말당 누룩 3홉을 써도 된다."고 하였다.

白霞酒 一方
欲作旨酒, 則調水時. 每斗, 以二瓶半爲限, 欲多出, 則上槽時. 井華水二瓶添調. 本方雖如此, 一斗米, 用麴五合足矣, 添釀二斗時, 不可添麴, 欲使色白, 則每斗. 用麴三合亦可.

11. 백하주 <양주(釀酒)>

> 술 재료 : 밑술 : 멥쌀 1말, 가루누룩 1되 5홉, 서김 1복자, 끓인 물 8되
>   덧술 : 멥쌀 1말 5되, 밀가루 5홉, 석임(누룩가루 7홉), 끓는 물 3말 6되

술 빚는 법 :

* 밑술 :

1. 멥쌀 1말을 백세하여 (물에 담가 밤재워 불렸다가, 다시 씻어 헹궈서 물기를 뺀 후) 작말한다(넓은 그릇에 담아놓는다).
2. (넓은 그릇에) 쌀가루와 (끓는) 물 8되를 합하고, 주걱으로 고루 익게 개어 범벅을 쑨다(차게 식기를 기다린다).
3. 범벅에 가루누룩 1되 5홉과 서김 1복자를 한데 합하고, 고루 버무려 술밑을 빚는다.
4. 술밑을 술독에 담아 안치고, 예의 방법대로 하여 (4~6일간) 발효시킨다.

* 덧술 :

1. 멥쌀 2말을 백세하여 물에 담가 밤재워 불렸다가 (다시 씻어 헹궈서) 물기를 빼놓는다.
2. 불린 쌀을 시루에 안쳐서 고두밥을 찌고, 솥에 물 3말 6되를 팔팔 끓인다.
3. 고두밥이 익었으면 (넓은 그릇에) 퍼내고, 끓는 물 3말 6되를 한데 합하고 고루 저어두었다가, 차게 식기를 기다린다.
4. 고두밥이 차게 식었으면, 밑술과 밀가루 7홉을 섞어 술밑을 빚되 (석임 없으면) 누룩가루 5홉을 한데 합하고, 고루 버무려 술밑을 빚는다.
5. 술밑을 술독에 담아 안치고, 예의 방법대로 하여 발효시킨다(익기를 기다린다).

* 주방문 말미에 "○○ 업거든 국말 (칠) 홉을 덧할 제 더 너흐라."고 하였는데,

'서김'으로 해석하였다. 그 근거는 <주방문>의 '백하주'와 매우 유사하기 때문이다.

빅하쥬

빅미 흔 말 빅셰ᄒ야 밤재여 작말ᄒ야 물 말 여둛 되예 기되 반만 설덧ᄒ게 ᄒ야 ᄀ로누록 흔 되 닷 홉 세금(서김) (한) 복ᄌ 교합ᄒ야 대엿새 지내여 닉거든 빅미 두 말 빅셰ᄒ야 밤재여 닉게 쪄 물 서 말 엿 되 쓸혀 식거든 진ᄀ로 칠 홉 너허 쳐 비즈되 (석임) 업거든 국말 (칠) 홉을 덧ᄯ랄 제 더 너흐라.

12. 백하주 <양주방>*

> 술 재료 : 밑술 : 멥쌀 5되, 누룩가루 1되, 밀가루 5홉, 석임 1되, 물 1병 반
> 　　　　덧술 : 멥쌀 1말

술 빚는 법 :

* 밑술 :

1. 희게 쓿은 멥쌀 5되를 깨끗이 씻고 또 씻어(백세하여 물에 담가 불렸다가, 다시 씻어 말갛게 헹궈서 물기를 뺀 후) 작말한다.
2. 멥쌀가루에 (끓는) 물 1병 반을 골고루 붓고, 주걱으로 개어 범벅을 만든다 (고루 헤쳐서 얼음같이 차게 식기를 기다린다).
3. 범벅에 누룩가루 1되와 밀가루 5홉, 석임(가루) 1되를 넣고, 고루 버무려서 술밑을 빚는다.
4. 술독에 술밑을 담아 안친 후, 예의 방법대로 하여 3일간 발효시킨다.

* 덧술 :

1. 희게 쓿은 멥쌀 1말을 깨끗이 씻고 또 씻어(백세하여) 물에 담가 불렸다가 (다

시 씻어 말갛게 헹궈 건져서) 물기를 뺀다.

2. 끓는 물솥에 시루를 올리고 멥쌀을 안친 후, 고두밥을 짓는다.

3. 고두밥이 익었으면 퍼내고, 고루 펼쳐서 차게 식기를 기다린다.

4. 고두밥이 차게 식었으면 밑술을 합하고, 고루 버무려 술밑을 빚는다.

5. 술독에 술밑을 담아 안치고, 예의 방법대로 하여 7일간 발효시킨다.

* 밑술을 빚을 때 물을 끓여서 쌀가루에 붓고 범벅을 개어 차게 식힌 후에 사
  용하는 것이 옳을 것으로 생각된다.

빅하쥬

빅미 오승 빅셰셰말ᄒ야 물 병 반의 기야 치와 국말 닐승 진말 닷 홉 서김 흔
되 합ᄒ야 버므려 너헛다가 삼일 만의 빅미 일두 빅셰침슈ᄒ야 마이 쪄 넘여
없시 치와 슐밋히 너허 두엇다가 칠일 후 쓰라.

13. 백하주 일법 <양주방>*
−6말 빚이

> 술 재료 : 밑술 : 멥쌀 3말, 누룩가루 1되, 밀가루 1되, 끓는 물 3말
>   덧술 : 멥쌀 3말, 누룩가루 1되, 밀가루 1되, 끓는 물 5병(1말 6되)

술 빚는 법 :

* 밑술 :

1. 희게 쓿은 멥쌀 3말을 백세하여 물에 담가 하룻밤 재웠다가 다시 씻어 헹궈
   서 물기를 뺀다.

2. 멥쌀을 가루로 빻고, 시루에 안쳐서 흰무리를 찐다.

3. 끓는 물 3말을 흰무리에 붓고 골고루 개어 범벅처럼 만든 후, 넓은 그릇 여러

개에 나눠 담고 차게 식기를 기다린다.

4. 차게 식은 범벅에 누룩가루 1되와 밀가루 1되를 넣고, 고루 버무려서 술밑을 빚는다.

5. 술독에 술밑을 담아 안친 후, 예의 방법대로 하여 2~3일간 발효시켜 술밑이 막 괴어오르면 덧술을 준비한다.

* 덧술 :

1. 희게 쓿은 멥쌀 3말을 백세하여 (하룻밤) 물에 담가 불렸다 건져서 물기를 뺀다.

2. 끓는 물솥에 시루를 올리고 찹쌀을 안친 후, 고두밥을 짓는다.

3. 물 5병(1말 6되)을 팔팔 끓여 고두밥이 익었으면 퍼내어 한데 합하고, 고루 헤쳐서 하룻밤 재워둔다.

4. 고두밥이 물을 다 빨아들이고 차게 식었으면, 밑술과 누룩가루 1되와 밀가루 1되를 합하고, 고루 버무려 술밑을 빚는다.

5. 술독에 술밑을 담아 안치고, 예의 방법대로 하여 7일간 발효시킨다.

빅하주 일법
빅미 서 말 빅셰침슈ᄒᆞ야 ᄒᆞ로밤 지나거든 고쳐 씨셔 작말ᄒᆞ야 무리 쪄 탕슈 서 말의 골나 ᄎᆞ거든 국말 일승 진말 일승 섯거 너헛다가 빅미 삼(둘) 빅셰침 슈ᄒᆞ야 마이 쪄 탕슈 다숫 병을 그 밥의 골나 ᄎᆞ거든 국말 ᄒᆞᆫ 되 진말 ᄒᆞᆫ 되 슐밋희 섯거 너헛다가 쓰라.

14. 백하주법 <양주방(釀酒方)>
−서 말 빚이

술 재료 : 밑술 : 멥쌀 1말, 가루누룩 1되 5홉, 석임 1복자, 끓는 물 1말 6되

덧술 : 멥쌀 2말, 끓는 물 4말

술 빚는 법 :

* 밑술 :

1. 멥쌀 1말을 백세하여 (물에 담가 불렸다가, 다시 씻어 건져서 물기를 뺀 후)
   가루로 빻는다.
2. 솥에 물 1말 6되를 붓고 팔팔 끓여 쌀가루에 골고루 붓고, 주걱으로 매우 치
   대어 범벅을 쑨다.
3. 범벅을 넓은 그릇에 나눠 담고, 고루 헤쳐서 차게 식기를 기다린다.
4. 차게 식은 범벅에 가루누룩 1되 5홉, 석임 1복자를 섞고, 고루 버무려 술밑
   을 빚는다.
5. 술밑을 독에 담아 안치고, 그릇에 묻은 술밑을 깨끗이 긁어 넣는다.
6. 술독은 예의 방법대로 하여 3일간 발효시킨다.

* 덧술 :

1. 멥쌀 2말을 백세하여 (물에 담가 불렸다가, 다시 씻어 건져서 물기를 뺀 후)
   시루에 안쳐서 고두밥을 짓는다.
2. 솥에 물 4말을 솟구치게 끓이다가, 고두밥이 익었으면 넓은 그릇에 퍼 담고,
   끓는 물을 고루 붓고, 주걱으로 헤쳐 놓는다.
3. 고두밥이 물을 다 먹었으면, 주걱으로 고루 헤쳐서 차게 식기를 기다린다.
4. 진고두밥에 밑술을 합하고, 고루 버무려 술밑을 빚는다.
5. 술밑을 독에 담아 안치고, 예의 방법대로 하여 발효시킨다.

백하쥬법(서 말 비지)

빅미 한 말 빅세작말ᄒ야 물 한 말 엿 되 슬혀 그그ᄅ 닉게 ᄀ여 츠거든 ᄀᄅ
누룩 한 되 닷 홉 서김 한 복즈 너허 고로 섯거 너코 그릇싀 무든 것 늣ᆞ히
글거 너흐라. 다란 물 말고 스흘 만의 빅미 두 말 빅세ᄒ야 닉게 뼈 슬힌 물을
뿔 한 말의 두 말식 골라 츠거든 그밋히 더 쳐너흔 후의 쓰ᄂ니라.

15. 백하주 <언서주찬방(諺書酒饌方)>

술 재료 : 밑술 : 멥쌀 5말, 진말 5승, 누룩 1말 5되, 물 5동이
　　　　　덧술 : 멥쌀 5말
　　　　　2차 덧술 : 멥쌀 5말

술 빚는 법 :

* 밑술 :

1. 멥쌀 5말을 일백 번 씻어 물에 담가 불렸다가 (다시 씻어 헹궈 건져서 물기를 뺀 후) 가루로 빻아 넓은 그릇에 담아놓는다.
2. 솥에 물 5동이를 팔팔 끓여 쌀가루에 고루 화합하여 범벅을 쑨 뒤, 가장 차게 식기를 기다린다.
3. 차게 식은 범벅에 좋은 누룩 1말 5되와 진말 5되를 섞고, 고루 치대어 술밑을 빚는다.
4. 술밑을 술독에 넣어 안치고, 예의 방법대로 하여 7일간 발효시킨다.

* 덧술 :

1. 멥쌀 5말을 일백 번 씻어 (물에 담가 불렸다가, 다시 씻어 헹궈 건져서 물기를 뺀 후) 가루로 빻는다.
2. 끓는 물솥에 시루를 올리고, 쌀가루를 안쳐서 무른 설기떡을 쪄낸다.
3. 설기떡이 익었으면 퍼내고 자리 위에 펼쳐서 저절로 식기를 기다린다.
4. 설기떡을 밑술에 넣고, 고루 버무려 (덩어리 없는) 술밑을 빚는다.
5. 술밑을 술독에 담아 안치고, 예의 방법대로 하여 7일간 발효시킨다.

* 2차 덧술 :

1. 멥쌀 5말을 일백 번 씻어 (물에 담가 불렸다가, 다시 씻어 헹궈 건져서 물기를 뺀 후) 가루로 빻는다.

2. 끓는 물솥에 시루를 올리고, 쌀가루를 안쳐서 무른 설기떡을 쪄낸다.

3. 설기떡이 익었으면 퍼내고 자리 위에 펼쳐서 저절로 식기를 기다린다.

4. 설기떡을 밑술에 넣고, 고루 버무려 (덩어리 없는) 술밑을 빚는다.

5. 술밑을 술독에 담아 안친 후, 예의 방법대로 하여 두터운 종이로 단단히 싸 매어 발효시킨다.

6. 술이 익어 밥알이 막 가라앉았거든 떠서 마신다.

빅하쥬(白霞酒)一白米十五斗 眞末五升 麴一斗半 水五盆

빅미 단 말을 일빅 번 시서 돕갓다가 ᄀᆞᄅ 디허 ᄡᆞ린 믈 다숫 동희로 골와 ᄀᆞ 장 ᄎᆞ거든 됴흔 누록 말 닷 되과 진ᄀᆞᄅ 닷 되를 섯거 독의 녀허 흔 닐웨 후 에 빅미 단 말을 젼ᄀᆞ티 시서 ᄀᆞᄅ 디허 므르 닉게 ᄡᅥ 식거든 술의 버므려 둣 다가 ᄯᅩ 닐웨 후에 빅미 ᄯᅩ 단 말을 젼ᄀᆞ티 시서 ᄀᆞᄅ 디허 닉게 ᄡᅥ 식거든 젼술에 버므려 녀코 두터온 죠희로 든든이 ᄡᆞ미야 니거 ᄆᆞᆰ안쩌든 드리우라.

16. 백하주 또 한 법 <언서주찬방(諺書酒饌方)>

술 재료 : 밑술 : 멥쌀 1말, 누룩 1되 5홉, 진가루 1되 5홉, 서김 1되, 물 3병
        덧술 : 멥쌀 2말, 누룩 1되, 물 6병

술 빚는 법 :

* 밑술 :

1. 멥쌀 1말을 일백 번 씻어 (물에 담가 불렸다가, 다시 씻어 헹궈 건져서 물기 를 뺀 후) 가루로 빻아 넓은 그릇에 담아놓는다.

2. 솥에 물 3병을 팔팔 끓여 쌀가루에 고루 화합하여 범벅을 쑨 뒤, 가장 차게 식기를 기다린다.

3. 차게 식은 범벅에 좋은 누룩 1되 5홉, 진가루 1되 5홉, 서김 1되를 한데 섞

어 술밑을 빚는다.

4. 술밑을 술독에 넣어 안치고, 예의 방법대로 하여 3일간 발효시킨다.

* 덧술 :

1. 밑술 빚은 지 2일이 된 날 저녁때 멥쌀 2말을 일백 번 씻어 (물에 담가 불렸다가, 다시 씻어 헹궈 건져서 물기를 뺀 후) 시루에 안쳐서 무른 고두밥을 쪄낸다.

2. 솥에 물 6병을 팔팔 끓여 고두밥이 익었으면 퍼내고, 끓고 있는 물 6병을 골고루 부어둔다.

3. 고두밥이 물을 다 빨아들였으면, 넓은 옹배기나 양푼에 담아서 하룻밤 재워 저절로 식기를 기다린다.

4. 불린 고두밥과 누룩 1되를 함께 밑술에 넣고, 고루 버무려 술밑을 빚는다.

5. 술밑을 술독에 담아 안치고, 예의 방법대로 하여 7일~8일간 발효시킨 후, 술이 숙성되어 (용수 박아) 채주하면, 가장 맛 좋은 술(지주)이 된다.

빅하쥬(白霞酒) 쏘 흔 법—白米一斗 麴一升半 水 三瓶 白米二斗 麴一升 水 六瓶

쏘 흔 법은 빅미 흔 말을 빅 번 시서 ᄀᆞ로 디허 ᄭᅳᆯ힌 믈 세 병을 골와 식거든 누록 되가옷 진ᄀᆞ로 되가옷 서김 흔 되와 흔듸 섯거 독의 녀허 사흘 만의 쏘 빅미 두 말 빅 번 시서 닉게 ᄣᅥ ᄭᅳᆯ힌 믈 여ᄉᆞᆺ 병 골와 ᄀᆞ장 식거든 쏘 누록 흔 되 버므려 젼 밋술의 섯거 닐웨 여드래만 흐거든 심지예 블 혀 독의 녀허 보면 ᄲᅳ리 아니 ᄢᅥ디면 다 괴연ᄂᆞ니 □□□□□□□□□□□□□라. ᄀᆞ장 지쥬 옷 ᄆᆞᆫ들랴커든 처엄의 미 흔 말애 믈 두 병 반식 혜아려 골와 비즈라. 술을 만히 내려거든 드리올 제 믈 두 병만 더 브으라.

17. 백하주 지주법 <언서주찬방(諺書酒饌方)>

> 술 재료 : 밑술 : 멥쌀 1말, 누룩 1되 5홉, 진가루 1되 5홉, 서김 1되, 끓는 물 2
> 병반
> 덧술 : 멥쌀 2말, 누룩 1되, 끓는 물 6병, (끓여 식힌 물 2병)

술 빚는 법 :

* 밑술 :

1. 멥쌀 1말을 일백 번 씻어 (물에 담가 불렸다가, 다시 씻어 헹궈 건져서 물기를 뺀 후) 가루로 빻아 넓은 그릇에 담아놓는다.

2. 솥에 물 2병 반을 팔팔 끓여 쌀가루에 고루 화합하여 범벅을 쑨 뒤, 가장 차게 식기를 기다린다.

3. 차게 식은 범벅에 좋은 누룩 1되 5홉, 진가루 1되 5홉, 서김 1되를 한데 섞어 술밑을 빚는다.

4. 술밑을 술독에 넣어 안치고, 예의 방법대로 하여 3일간 발효시킨다.

* 덧술 :

1. 밑술 빚은 지 2일이 된 날 저녁때 멥쌀 2말을 일백 번 씻어 (물에 담가 불렸다가, 다시 씻어 헹궈 건져서 물기를 뺀 후) 시루에 안쳐서 무른 고두밥을 쪄낸다.

2. 솥에 물 6병을 팔팔 끓여 고두밥이 익었으면 퍼내고, 끓고 있는 물 6병을 골고루 부어둔다.

3. 고두밥이 물을 다 빨아들였으면, 넓은 옹배기나 양푼에 담아서 하룻밤 재워 저절로 식기를 기다린다.

4. 불린 고두밥과 누룩 1되를 함께 밑술에 넣고, 고루 버무려 술밑을 빚는다.

5. 술밑을 술독에 담아 안치고, 예의 방법대로 하여 7일~8일간 발효시킨다.

6. 술이 숙성되었으면 (용수 박아) 채주하면 가장 맛 좋은 지주(旨酒)가 된다.

* 주방문 말미에 "ㄱ장 지쥬 옷ᄆ들랴커든 처엄의 ᄆ ᄒ 말애 믈 (두 병) 반식 혜아려 골와 비즈라. 술을 만히 내려거든 드리올 제 믈 두 병만 더 브으라."고 하였으므로, 이에 지주 빚는 법의 주방문을 작성하였다.

빅하쥬(白霞酒) ᄯ 흔 법—白米一斗 麴一升半 水 三瓶 白米二斗 麴一升 水 六瓶

ᄯ 흔 법은 빅미 흔 말을 빅 번 시서 ㄱㄹ 디허 ᄭᆯ흔 믈 세 병을 골와 식거든 누록 되가옷 진ㄱᄅ 되가옷 서김 흔 되와 흔디 섯거 독의 녀허 사흘 만의 ᄯᅩ 빅미 두 말 빅 번 시서 닉게 ᄣᅥ ᄭᆯ흔 믈 여ᄉᆺ 병 골와 ㄱ장 식거든 ᄯᅩ 누록 흔 되 버므려 젼 밋술의 섯거 닐웨 여ᄃᆰ 래만 ᄒ거든 심지예 블 혀 독의 녀허 보면 브리 아니 ᄣᅥ디면 다 괴연느니 □□□□□□□□□□□□□라. ㄱ장 지쥬 옷 ᄆ들랴커든 처엄의 ᄆ 흔 말애 믈 두 병 반식 혜아려 골와 비즈라. 술을 만히 내려거든 드리올 제 믈 두 병만 더 브으라.

18. 백하주 <의방합편(醫方合編)>
—속칭 방문주

술 재료 : 밑술 : 멥쌀 1말, 누룩가루 1되, 석임 1되, 끓는 물 3병
덧술 : 멥쌀 2말, 누룩가루 1되, 끓는 물 6병

술 빚는 법 :

* 밑술 :

1. 멥쌀 1말을 백세(물에 담가 불렸다가, 다시 씻어 헹궈 건져서 물기를 뺀 후) 작말하여 넓은 그릇에 담는다.

2. 물 3병을 팔팔 끓여 쌀가루에 붓고, 고루 섞어준 뒤 차게 식힌다.

3. 차게 식힌 쌀가루 범벅에 누룩가루 1되를 넣고 고루 버무렸다가, 석임 1되를

붓고 재차 버무려 술밑을 빚는다.

4. 술독에 술밑을 담아 안치고, 예의 방법대로 하여 3일간 발효시킨다.

* 덧술 :

1. 멥쌀 2말을 백세하여 (물에 담가 불렸다가, 다시 씻어 헹궈 건져서 물기를
   뺀 후)그릇에 담아놓는다.

2. (쌀을 시루에 안쳐서 고두밥을 짓고, 익었으면 퍼낸다).

3. 솥에 물 6병을 붓고 팔팔 끓여서 멥쌀(고두밥)에 골고루 뿌려주고, 그대로
   두어 차게 식기를 기다린다.

4. 차게 식힌 쌀에 밑술과 누룩가루 1되를 섞고, 고루 버무려 술밑을 빚는다.

5. 술독에 술밑을 담아 안치고, 예의 방법대로 하여 7~8일간 발효시킨다.

* <증보산림경제>에서는 "멥쌀가루 1말을 끓는 물 3병과 섞고, 식으면 누룩가
   루 1되 5홉을 섞어 발효시킨다."고 하였다. 덧술 쌀의 증숙 과정을 누락한 것
   으로 여겨진다,

白霞酒(俗稱 方文酒)

白米一斗白洗作末盛于器以熟水三瓶乘沸調和待冷曲末一升五合腐本一升調
極均入瓮第一云過三四日待熟又以白米二斗百世熟蒸以沸湯六瓶調和待冷與
本釀添曲末一升調和過七八日乃熟以紙心燃大入于瓮內驗其生熟熟則火不滅
生則滅此後切勿添他水欲作旨酒則調水時每斗米以二瓶半爲限欲多出則上槽
時井華水二瓶添調一云一斗米用曲五合是也添釀二斗時不可添曲欲使色白則
每斗用曲三合.

19. 백하주 <의방합편(醫方合編)>
-속칭 방문주(方文酒) 빚고자 할 때

> 술 재료 : 밑술 : 멥쌀 1말, 누룩가루 1되, 석임 1되, 끓는 물 2병 반
> 　　　덧술 : 멥쌀 2말, 누룩가루 1되, 끓는 물 5병

술 빚는 법 :

* 밑술 :

1. 멥쌀 1말을 백세(물에 담가 불렸다가, 다시 씻어 헹궈 건져서 물기를 뺀 후) 작말하여 넓은 그릇에 담는다.
2. 물 2병 반을 팔팔 끓여 쌀가루에 붓고, 고루 섞어준 뒤 차게 식힌다.
3. 차게 식힌 쌀가루 범벅에 누룩가루 1되를 넣고 고루 버무렸다가, 석임 1되를 붓고 재차 버무려 술밑을 빚는다.
4. 술독에 술밑을 담아 안치고, 예의 방법대로 하여 3일간 발효시킨다.

* 덧술 :

1. 멥쌀 2말을 백세하여 (물에 담가 하룻밤 불렸다가, 다시 씻어 헹궈 건져서 물기를 뺀 후 고두밥을 짓고, 익었으면 퍼내어) 그릇에 담아놓는다.
2. 솥에 물 5병을 붓고 팔팔 끓여서 매우 뜨거울 때 멥쌀(고두밥)에 골고루 뿌려주고, 그대로 두어 차게 식기를 기다린다.
3. 차게 식힌 쌀(고두밥)에 밑술과 누룩가루 1되를 섞고, 고루 버무려 술밑을 빚는다.
4. 술독에 술밑을 담아 안치고, 예의 방법대로 하여 7~8일간 발효시킨다.

白霞酒(俗稱 方文酒)

白米一斗白洗作末盛于器以熟水三瓶乗沸調和待冷曲末一升五合腐本一升調
極均入瓮第一云過三四日待熟又以白米二斗百世熟蒸以沸湯六瓶調和待冷與

本釀添曲末一升調和過七八日乃熟以紙心燃大入于瓮內驗其生熟熟則火不滅
生則滅此後切勿添他水欲作旨酒則調水時每斗米以二瓶半爲限欲多出則上槽
時井華水二瓶添調. 一云一斗米用曲五合是也添釀二斗時不可添曲欲使色白
則每斗用曲三合.

20. 백하주방 <임원십육지(林園十六志)>

술 재료 : 밑술 : 멥쌀 1말, 누룩가루 1되 5홉, 밀가루 1되 5홉, 부본 1되, 끓는 물
3병

덧술 : 멥쌀 2말, 누룩가루 1되, 끓는 물 6병

술 빚는 법 :

* 밑술 :

1. 멥쌀 1말을 백세하여(물에 백 번 씻어 새 물에 담가 불렸다가, 다시 씻어 말
갛게 헹궈서 물기를 뺀 후) 작말하여(가루로 빻아) 그릇에 담아놓는다.

2. 물 3병을 팔팔 끓여 쌀가루에 붓고, 주걱으로 고루 섞어 (반생반숙/범벅을
만들어 뚜껑을 덮고) 차게 식기를 기다린다.

3. 차게 식힌 범벅에 누룩가루 1되 5홉과 밀가루 1되 5홉, 부본 1되를 넣고 매
우 치대어 술밑을 빚는다.

4. 술독에 술밑을 안치고, 예의 방법대로 하여 3일(또는 4일)간 발효시킨다.

* 덧술 :

1. 멥쌀 2말을 백세한다(새 물에 담가 불렸다가, 다시 씻어 건져서 물기를 빼
놓는다).

2. 불린 쌀을 시루에 안쳐서 고두밥을 짓고, 솥에 물 6병을 오랫동안 팔팔 끓
인다.

3. 고두밥이 익었으면 퍼내어 넓은 그릇에 담아놓고, 끓고 있는 물 6병을 즉시 멥쌀고두밥에 골고루 뿌려주고, 주걱으로 고루 헤쳐서 풀어놓는다.

4. 고두밥이 물을 다 먹었으면, 그릇에 뚜껑을 덮어두고, 차게 식기를 기다린다.

5. 식은 고두밥에 밑술과 누룩가루 1되를 섞고, 고루 버무려 술밑을 빚는다.

6. 술독에 술밑을 안치고, 예의 방법대로 하여 7~8일간 발효시킨다.

7. 종이 심지에 불을 붙이고 독 안에 넣어 익었는지 여부를 확인한다. 익었으면 불이 꺼지지 않고, 익지 않았으면 불이 꺼진다.

白霞酒方

俗稱 方文酒. 白米一斗百洗作末盛于器以熱水三瓶乘沸注和待冷麴末一升半 (山林經濟補 本方雖如此一斗米用麴五合足矣) 小麥末一升半腐本一升調勻 入瓮第三日(一云 過三四日待熟) 又以白米二斗百洗熟以沸湯六瓶調和待冷與 本釀添麴末一升(山林經濟補 欲色白則每米一斗用麴三合)調勻納瓮過六七日 乃熟以紙心燃火入于瓮內驗其生熟熟則火不滅生則滅此後切勿添他水.

21. 백하주 일방 <임원십육지(林園十六志)>

> 술 재료 : 밑술 : 멥쌀 1말, 누룩가루 1되 2홉~1되 5홉, 밀가루 1되 5홉, 끓는 물
>   2병 반
>   덧술 : 멥쌀 2말, 끓는 물 4병, (정화수 2병)

술 빚는 법 :

* 밑술 :

1. 멥쌀 1말을 백세(물에 백 번 씻어 새 물에 담가 불렸다가, 다시 씻어 말갛게 헹궈서 물기를 뺀 후) 작말하여(가루로 빻아) 그릇에 담아놓는다.

2. 물 2병 반을 팔팔 끓여 쌀가루에 붓고, 주걱으로 고루 섞어 (반생반숙/범벅

을 만들어 뚜껑을 덮고) 차게 식기를 기다린다.

3. 범벅에 누룩가루 1되 2홉~5홉을 넣고, 매우 치대어 술밑을 빚는다.

4. 술독에 술밑을 안치고, 예의 방법대로 하여 3일(또는 4일)간 발효시킨다.

* 덧술 :

1. 멥쌀 2말을 백세한다(새 물에 담가 불렸다가, 다시 씻어 건져서 물기를 빼
   놓는다).

2. 불린 쌀을 시루에 안쳐서 고두밥을 짓고, 솥에 물 4병을 오랫동안 팔팔 끓
   인다.

3. 고두밥이 익었으면 퍼내어 넓은 그릇에 담아놓고, 끓고 있는 물 4병을 즉시
   멥쌀고두밥에 골고루 뿌려주고, 주걱으로 고루 헤쳐서 풀어놓는다.

4. 고두밥이 물을 다 먹었으면, 그릇에 뚜껑을 덮어두고, 차게 식기를 기다린다.

5. 식은 고두밥에 밑술을 합하고, 고루 버무려 술밑을 빚는다.

6. 술독에 술밑을 안치고, 예의 방법대로 하여 7~8일간 발효시킨다.

7. 술이 익었으면 주조에 올려 짜는데, 양을 늘리려면 술을 거르기 직전에 정
   화수 2병을 합하여 거른다.

白霞酒 一方

白米一斗十分精鑿百洗作末置大盆中以百沸湯三瓶澆之.以杖攪和務要勻合
如糊停冷則面頗疑矣(空)另用沸水一鉢入蒭麴末一升小麥末一升攪勻停當然
後以手揉前作米末糊而旋旋添麴末所調水須十分勻揉使無小核然後納淨瓮
內安頓不寒不溫處七日後開瓮見之則略成酒狀卽以白米二斗如前鑿洗爛蒸候
冷(以熟)湯六瓶澆之候冷如前釀酒本攪合(更不用麴)候冷入瓮過七日則成矣
用紙燃法驗其生熟以生紬帒或極細布帒上槽壓之爲上品美酒盖此酒宜造於
九月晦十月初間方好若日候小暖則味輒酸且取淸後亦宜置於不凍不暖之處.
<增補山林經濟>.

22. 백하주방문 <주방(酒方)>*

술 재료 : 밑술 : 멥쌀 2말 5되, 누룩가루 3홉(7홉), 밀가루 7홉, 백비탕 3말, (물 4말)

덧술 : 멥쌀 5말, 가루누룩 1되, 끓는 물 10말

술 빚는 법 :

* 밑술 :

1. 멥쌀 2말 5되를 백세(물에 백 번 씻어 새 물에 담가 불렸다가, 다시 씻어 말갛게 헹궈서 물기를 뺀 후) 작말하여 넓은 그릇에 담아놓는다.

2. 물 4말을 팔팔 끓여 3말이 되게 (백비탕으로) 끓여 쌀가루에 붓고, 주걱으로 고루 섞어 반생반숙(범벅)을 만들어 뚜껑을 덮고 차게 식기를 기다린다.

3. 차게 식힌 반생반숙(범벅)에 누룩가루 3홉(7홉)과 밀가루 7홉을 넣고, 매우 치대어 술밑을 빚는다.

4. 술독에 술밑을 안치고, 예의 방법대로 하여 (3~4일간) 발효시킨다.

* 덧술 :

1. 멥쌀 5말을 백세하여 새 물에 담가 하룻밤 불렸다가 (다시 씻어 건져서 물기를 뺀 후) 시루에 안쳐서 고두밥을 짓는다.

2. 솥에 물 10말을 팔팔 끓이고, 고두밥이 익었으면 퍼내어 넓은 그릇에 담아놓고, 끓고 있는 물 10말을 즉시 멥쌀에 합하고, 주걱으로 고루 헤쳐서 풀어놓는다.

3. 고두밥이 물을 다 먹었으면 그릇에 뚜껑을 덮어두고, 차게 식기를 기다린다.

4. 식은 고두밥에 가루누룩 1되와 밑술을 합하고, 고루 버무려 술밑을 빚는다.

5. 술독에 술밑을 안치고, 예의 방법대로 하여 발효시키고 익기를 기다린다.

* 주방문 말미에 "이 술이 가장 매우니 맛도 아주 맛있게 하려거든 백미 두 되

로 작죽하여 차게 식혀 부어두었다가 쓰라."고 하였다.

빅하듀방문

빅미 듀 말 닷 되를 빅세 작말ᄒ야 글흔 물 너 말로셔 셔 말 되게 슬히 그 물의 죽 기오듸 반튼 닉게 ᄒ고 반흔 설개 기여 채 식거든 누록ᄀ른 서 홉 진ᄀ른 칠 홉 석거 독의 녀허 두엇다가 채 괴거든 빅미 닷 말 빅셰ᄒ야 둠가 ᄒ른밤 우려 닉게 뼈 글흔 물 열 말을 골라 채 식거든 누록 흔 되를 밋틔 석거 쳐 녀하두엇다가 채 닉거든 쓰라.

23. 백하주방문 또 한 법 <주방(酒方)>*

> 술 재료 : 밑술 : 멥쌀 2말 5되, 누룩가루 3홉(7홉), 밀가루 7홉, 끓는 물 4말
>
> 덧술 : 멥쌀 5말, 가루누룩 1되, 끓는 물 10말
>
> 2차 덧술 : 멥쌀 2되, (물 4되)

술 빚는 법 :

* 밑술 :

1. 멥쌀 2말 5되를 백세하여(물에 백 번 씻어 새 물에 담가 불렸다가, 다시 씻어 말갛게 헹궈서 물기를 뺀 후) 작말하여 넓은 그릇에 담아놓는다.

2. 물 4말을 팔팔 끓여 3말이 되게 (백비탕으로) 끓여 쌀가루에 붓고, 주걱으로 고루 섞어 반생반숙(범벅)을 만들어 뚜껑을 덮고 차게 식기를 기다린다.

3. 반생반숙에 누룩가루 3홉(7홉), 밀가루 7홉을 넣고, 고루 버무려 술밑을 빚는다.

4. 술독에 술밑을 안치고, 예의 방법대로 하여 (3~4일간) 발효시킨다.

* 덧술 :

1. 멥쌀 5말을 백세하여 새 물에 담가 하룻밤 불렸다가 (다시 씻어 건져서 물기를 뺀 후) 시루에 안쳐서 고두밥을 짓는다.
2. 솥에 물 10말을 팔팔 끓이고, 고두밥이 익었으면 퍼내어 넓은 그릇에 담아 놓고, 끓고 있는 물 10말을 즉시 멥쌀에 합하고, 주걱으로 고루 헤쳐서 풀어 놓는다.
3. 고두밥이 물을 다 먹었으면 그릇에 뚜껑을 덮어두고, 차게 식기를 기다린다.
4. 식은 고두밥에 가루누룩 1되와 밑술을 합하고, 고루 버무려 술밑을 빚는다.
5. 술독에 술밑을 안치고, 예의 방법대로 하여 발효시키고 익기를 기다린다.

* 2차 덧술 :
1. 멥쌀 2되를 백세하여 (새 물에 담가 불렸다가, 다시 씻어 건져서) 물기를 뺀다.
2. 솥에 물 4되를 팔팔 끓이고, 불린 쌀 2되를 합하고, 주걱으로 저어 퍼지게 된죽을 쑨 후, 넓은 그릇에 퍼내고 차게 식기를 기다린다.
3. 식은 죽을 덧술에 합하고 고루 휘저어 준 후, 예의 방법대로 밀봉하여 발효시키고 익기를 기다린다.

* 주방문 말미에 "이 술이 가장 매우니 맛도 아주 맛있게 하려거든 백미 두 되로 작죽하여 차게 식혀 부어두었다가 쓰라." 하였다.

빅하듀방문 또 혼 법

빅미 듀 말 닷 되를 빅세 작말ㅎ야 글흔 물 너 말로셔 셔 말 되게 쓸히 그 물의 죽 기오듸 반튼 닉게 ᄒ고 반흔 설개 기여 채 식거든 누록ᄀ로 서 홉 진ᄀ로 칠 홉 섞거 독의 녀허두엇다가 채 괴거든 빅미 닷 말 빅셰ᄒ야 담가 ᄒᄅᆞᆷ밤 우려 닉게 쪄 글흔 물 열 말을 골라 채 식거든 누록 혼 되를 밋틔 석거 쳐 녀허 두엇다가 채 닉거든 쓰라. 이 술이 ᄀᆞ쟝 미오니 마슬 알맛게 ᄒ랴 ᄒ거든 빅미 두 되를 작쥭ᄒ야 치와 부어 두엇다가 쓰라.

24. 백하주법 <주방(酒方)>*

술 재료 : 밑술 : 멥쌀 2말 5되, 누룩가루 1되, 밀가루 1되 5홉, 끓는 물 4말
　　　　 덧술 : 멥쌀 4말 5되, 누룩 1되, (끓여 식힌) 물 6말

술 빚는 법 :

* 밑술 :

1. 멥쌀 2말 5되를 백세하여 (물에 담가 불렸다가, 다시 씻어 건져서 물기를 뺀
   후) 작말한다.

2. 물 4말을 팔팔 끓여 쌀가루에 합하고, 반은 익고 반은 설게 고루 개어 범벅
   을 만들어놓는다.

3. 반생반숙(범벅)을 넓은 그릇 여러 개에 나눠 담고 밑까지 차디차게 식기를
   기다린다.

4. 반생반숙(범벅)에 누룩 1되와 밀가루 1되 5홉을 한데 합하고, 고루 버무려
   술밑을 빚는다.

5. 술밑을 술독에 담아 안치고, 예의 방법대로 하여 발효시켜 익기를 기다린다.

* 덧술 :

1. 멥쌀 4말 5되를 백세하여 (물에 담가 하룻밤 불렸다가) 다시 씻어 건져서
   (물기를 뺀 후) 시루에 안쳐서 고두밥을 짓는다.

2. 고두밥을 가장 익게 쪄서 시루에서 퍼내고, 고루 펼쳐서 차게 식기를 기다
   린다.

3. 고두밥에 (끓여 식힌) 물 6말과 누룩 1되, 밑술을 한데 합하고, 고루 버무려
   술밑을 빚는다.

4. 술밑을 술독에 담아 안치고, 예의 방법대로 하여 발효시켜 익기를 기다린다.

* 주방문이 지워진 부분이 너무 많아 정확하지 않다. 다른 기록의 '백하주' 방

문을 참고하여 주방문을 작성하였다.

빅하듀법이라
빅미 두 말 닷 되 빅세 작말ᄒ여 물 너 되예 서 말 되게 글혀 반은 닉고 반은
설게 기여 식거든 누룩 서 홉 길□□□□.

25. 백화주 <주방문(酒方文)>

> 술 재료 : 밑술 : 멥쌀 1말, 누룩 1되 5홉, 서김 1복자, 끓는 물 1말 8되
> 덧술 : 멥쌀 2말, 밀가루 7홉, 석임(누룩가루 7홉), 끓는 물 3말 6되

술 빚는 법 :
* 밑술 :
1. 멥쌀 1말을 백세하여 (물에 담가 하룻밤 불렸다가, 다시 씻어 말갛게 헹궈서
   물기를 뺀 후) 작말한다(가루로 빻는다).
2. 솥에 물 1말 8되를 팔팔 끓여 쌀가루에 골고루 나눠 붓고, 주걱으로 개어 범
   벅을 쑨 후, 넓은 그릇에 퍼서 차게 식기를 기다린다.
3. 범벅에 누룩가루 1되 5홉과 서김 1복자를 합하고, 고루 버무려 술밑을 빚
   는다.
4. 술밑을 술독에 담아 안치고, 예의 방법대로 하여 발효시킨다.

* 덧술 :
1. 멥쌀 2말을 백세하여 물에 담아 밤재웠다가 (다시 씻어 헹궈서 물기를 뺀
   후) 시루에 안쳐 고두밥을 짓는다.
2. 솥에 물 3말 6되를 팔팔 끓이고, 고두밥이 익었으면 한데 합한다(주걱으로
   고두밥을 고루 헤쳐놓는다).

3. 고두밥이 (물을 다 먹었으면 넓은 그릇에 나눠 담고 뚜껑을 덮어) 차게 식기를 기다린다.

4. 고두밥에 밑술과 밀가루 7홉을 합하고, 고루 버무려 술밑을 빚는다.

5. 술밑을 술독에 담아 안치고, 예의 방법대로 하여 발효시키고 익기를 기다린다.

* 주방문 말미에 "서김이 없으면 덧술을 할 때 누룩 7홉을 더 넣으라. 서김 넣어 하면 5~6일 만에 익는다."고 하였다.

빅화쥬(白霞酒)

빅미 흔 말 빅셰 흐르밤 자여 작말ᄒᆞ여 믈 말 여듧 되 ᄭᅳᆯ혀 기되 반은 선 듯ᄒᆞ게 ᄒᆞ여 식거든 누룩 되가옷 서김 흔 복ᄌᆞ 고로 석거 대여쇈 만의 닉거든 빅미 두 말 빅셰 흐르밤 자여 니기 ᄠᅥ 믈 서 말 엿 되 ᄭᅳᆯ혀 골와 식거든 진ᄀᆞ르 칠 홉 녀허 미이 쳐 비저 닉거든 쓰라. 쌀 흔 말의 미 믈 말 여듧 되 드ᄂᆞ니 서김이 업거든 더틀 제 누룩 칠 홉을 더 녀흐라 서김 곳 녀흐면 대여쇄 젼의 닉ᄂᆞ니라.

26. 백하주법 <주방문초(酒方文抄)>

白米 一斗 百洗 作末 湯水 一斗□□.

27. 백하주 <주찬(酒饌)>

술 재료 : 밑술 : 멥쌀 1말, 누룩가루 1되 5홉, 밀가루 1되 5홉, 석임 1되, 끓는 물 1말
덧술 : 멥쌀 2말, 누룩가루 1되, 끓는 물 2말

술 빚는 법 :

* 밑술 :

1. 멥쌀 1말을 백세하여 (물에 담가 불렸다가, 다시 씻어 건져서 물기를 뺀 후)
   작말하여 넓은 그릇에 담아둔다.
2. 물 1말을 팔팔 끓여 차게 식힌 다음, 쌀그릇에 붓고 주걱으로 고루 섞어 죽
   (범벅)을 만든다(물을 끓여 쌀가루와 합하고 고루 갠 범벅을 쑨 후, 차게 식
   기를 기다린다).
3. 죽(범벅)에 누룩가루, 밀가루, 석임을 합하고, 고루 치대어 술밑을 빚는다.
4. 술독에 술밑을 담아 안치고 예의 방법대로 하여 3일간 발효시킨다.

* 덧술 :

1. 멥쌀 2말을 백세하여 (물에 담가 불렸다가, 다시 씻어 건져서 물기를 뺀 후)
   시루에 안치고, 무른 고두밥을 짓는다.
2. 솥에 물 2말을 붓고 팔팔 끓여 고두밥에 골고루 붓고, 고두밥이 물을 다 빨
   아들이면, 고루 펼쳐 차게 식기를 기다린다.
3. 진밥에 누룩가루 1되와 밑술을 합하고, 고루 버무려 술밑을 빚는다.
4. 술독에 술밑을 담아 안치고, 예의 방법대로 하여 7~8일간 발효시킨다.

* 잘 익게 하려고 물을 덧넣을 때는 그 양의 많고 적음을 임의대로 한다.

白霞酒

白米一斗百洗作末熟水一斗待冷曲末一升半眞末一升半錫金一升調釀第三日
白米二斗百洗烝飯熟水二斗俱待冷又曲末一升合釀本酒過七日或八日乃以紙
心燃火入于酒瓮內驗其生熟熟則火不滅生則火滅此後不用他水欲爲旨熟則和
水時以水之多少任意.

28. 백하주법 <증보산림경제(增補山林經濟)>

> 술 재료 : 밑술 : 멥쌀 1말, 누룩가루 1되 5홉, 밀가루 1되 5홉, 부본 1되, 끓는 물
> 3병
> 덧술 : 멥쌀 2말, 누룩가루 1되, 끓는 물 6병

술 빚는 법 :

* 밑술 :

1. 멥쌀 1말을 백세하여(물에 백 번 씻어 새 물에 담가 불렸다가, 다시 씻어 말
   갛게 헹궈서 물기를 뺀 후) 작말하여(가루로 빻아) 그릇에 담아놓는다.
2. 물 3병을 팔팔 끓여 쌀가루에 붓고, 주걱으로 고루 섞어 (반생반숙/범벅을
   만들어 뚜껑을 덮고) 차게 식기를 기다린다.
3. 차게 식힌 범벅에 누룩가루 1되 5홉과 밀가루 1되 5홉, 부본 1되를 넣고 매
   우 치대어 술밑을 빚는다.
4. 술독에 술밑을 안치고, 예의 방법대로 하여 3일(또는 4일)간 발효시킨다.

* 덧술 :

1. 멥쌀 2말을 백세한다(새 물에 담가 불렸다가, 다시 씻어 건져서 물기를 빼
   놓는다).
2. 불린 쌀을 시루에 안쳐서 고두밥을 짓고, 솥에 물 6병을 오랫동안 팔팔 끓
   인다.
3. 고두밥이 익었으면 퍼내어 넓은 그릇에 담아놓고, 끓고 있는 물 6병을 즉시
   멥쌀고두밥에 골고루 뿌려주고, 주걱으로 고루 헤쳐서 풀어놓는다.
4. 고두밥이 물을 다 먹었으면 그릇에 뚜껑을 덮어두고, 차게 식기를 기다린다.
5. 식은 고두밥에 밑술과 누룩가루 1되를 섞고, 고루 버무려 술밑을 빚는다.
6. 술독에 술밑을 안치고, 예의 방법대로 하여 7~8일간 발효시킨다.

* 쌀 씻는 법에 대하여 '백세(百洗)'라고 하였다.
* 주방문 말미에 "종이 심지에 불을 붙이고 독 안에 넣어 익었는지 여부를 확인한다. 익었으면 불이 꺼지지 않고, 익지 않았으면 불이 꺼진다. 이 뒤로는 절대 다른 물을 첨가해서는 안 된다."고 하였다.

白霞酒法
白米一斗百洗作末盛于器以熱水三瓶乘沸調和待冷麴末一升半眞末一升半腐本一升調極匀入甕第三日白米二斗百洗熟烹以沸湯六瓶調和待冷與本釀添麴末一升調和過七八日乃熟以紙心燃火入于甕內驗其生熟熟則火不滅生則滅此後切勿添他水.

29. 백하주 별법 <증보산림경제(增補山林經濟)>
–맛있는 지주(旨酒), 속칭 방문주

술 재료 : 밑술 : 멥쌀 1말, 누룩가루 1되 2홉~5홉, 밀가루 1되 5홉, 끓는 물 2병 반
덧술 : 멥쌀 2말, 끓는 물 5병, 정화수 2병

술 빚는 법 :
* 밑술 :
1. 멥쌀 1말을 백세하여(물에 백 번 씻어 새 물에 담가 불렸다가, 다시 씻어 말갛게 헹궈서 물기를 뺀 후) 작말하여(가루로 빻아) 그릇에 담아놓는다.
2. 물 2병 반을 팔팔 끓여 쌀가루에 붓고, 주걱으로 고루 섞어 (반생반숙/범벅을 만들어 뚜껑을 덮고) 차게 식기를 기다린다.
3. 차게 식힌 범벅에 누룩가루 1되 2~5홉과 밀가루 1되 5홉을 넣고, 매우 치대어 술밑을 빚는다.

4. 술독에 술밑을 안치고, 예의 방법대로 하여 3일(또는 4일)간 발효시킨다.

* 덧술 :
1. 멥쌀 2말을 백세한다(새 물에 담가 불렸다가, 다시 씻어 건져서 물기를 빼 놓는다).
2. 불린 쌀을 시루에 안쳐서 고두밥을 짓고, 솥에 물 6병을 오랫동안 팔팔 끓 인다.
3. 고두밥이 익었으면 퍼내어 넓은 그릇에 담아놓고, 끓고 있는 물 5병을 즉시 멥쌀고두밥에 골고루 뿌려주고, 주걱으로 고루 헤쳐서 풀어놓는다.
4. 고두밥이 물을 다 먹었으면 그릇에 뚜껑을 덮어 두고, 차게 식기를 기다린다.
5. 식은 고두밥에 밑술을 합하고, 고루 버무려 술밑을 빚는다.
6. 술독에 술밑을 안치고, 예의 방법대로 하여 7~8일간 발효시킨다.
7. 술이 익었으면 주조에 올려 짜는데, 양을 늘리려면 술을 거르기 직전에 정 화수 2병을 합하여 거른다.

* 주방문 말미에 "맛있는 술을 만들려면, 첫 술을 빚으면서 물을 넣을 때에 쌀 1말당 물 2병 반을 한도로 한다. 양을 많게 하려면 거르기 전에 정화수 2병 을 붓고 섞는다. 본래 방법은 비록 이렇지만 쌀 1말에 누룩 5홉을 쓰면 충분 하다. 2말을 덧빚을 때 누룩을 넣어서는 안 된다."고 하고, "술 빛깔을 희게 하 려면 쌀 1말당 누룩 3홉을 써도 된다."고 하였다.

白霞酒 別法
白米一斗百洗作末盛于器以熱水三瓶乘沸調和待冷麴末一升半眞末一升半
腐本一升調極勻入瓮第三日白米二斗百洗熟烹以沸湯六瓶調和待冷與本釀添
麴末一升調和過七八日乃熟以紙心燃火入于瓮內驗其生熟熟則火不滅生則滅
此後切勿添他水. 欲作旨酒則調水時每斗以二瓶半爲限欲多出則上槽時井華
水二瓶添調.

30. 백하주 우방 <증보산림경제(增補山林經濟)>

술 재료 : 밑술 : 멥쌀 1말, 가루누룩 1되, 밀가루 1되, 끓는 물 3병, 끓인 물 1주발
       덧술 : 멥쌀 2말, 끓는 물 6병

술 빚는 법 :

* 밑술 :

1. 도정을 많이 한 10분도 멥쌀 1말을 백세하여(물에 백 번 씻어 새 물에 담가 불렸다가, 다시 씻어 말갛게 헹궈서) 물기를 뺀다.

2. 불린 쌀을 작말하여(가루로 빻아) 넓은 그릇에 담아놓는다.

3. 물 3병을 오랫동안 끓여 쌀가루에 붓고, 죽젓광이로 고루 휘저어 범벅을 쑤어 (마르지 않게 뚜껑을 덮고) 차게 식기를 기다린다.

4. 끓여서 차게 식힌 물 1주발에 가루누룩 1되와 밀가루 5홉을 합하고, 고루 섞어 수곡을 만들어놓는다.

5. 범벅에 수곡을 섞으면서 휘저어 알갱이가 없이 풀고, 힘껏 치대어 술밑을 빚는다.

6. 술독에 술밑을 안치고, 예의 방법대로 하여 얼지도 않고 따뜻하지도 않은 곳에 놓아 7일간 발효시키면 술이 익는다.

* 덧술 :

1. 도정을 많이 한 멥쌀 2말을 착세하여(씻을 수 있는 데까지 지극히 깨끗하게 씻어) 물에 담가 불렸다가, 다시 씻어 건져서 물기를 빼놓는다.

2. 쌀을 시루에 안쳐서 고두밥을 짓고, 익었으면 팔팔 끓는 물 6병을 합하고 (고두밥이 물을 다 먹었으면 뚜껑을 덮어두고) 차게 식기를 기다린다.

3. 식은 고두밥에 밑술을 합하고, 고루 버무려 술밑을 빚는다.

4. 술독에 술밑을 안치고, 예의 방법대로 하여 7~8일간 발효시키면 술이 익는다.

* 쌀 씻는 법에 대하여 밑술에서는 '백세(百洗)', 덧술에서는 '착세(鑿洗)'라고 하였다.

착세는 "씻을 수 있는 데까지 지극히 깨끗하게 씻는다."로 해석하였다. 또 주방문 말미에 "생명주 자루나 혹은 아주 고운 베자루로 짠 것이 상품(上品)의 맛있는 술이다."고 하였다.

白霞酒 又方

本方雖如此一斗米用麴五合足矣添釀二斗時不可添麴欲使色白則每斗用麴三合亦可矣. 此方卽俗稱方文酒 霜後可釀 若日候稍溫則味輒酸乘.

31. 백하주 우방 <증보산림경제(增補山林經濟)>

술 재료 : 밑술 : 멥쌀 1말, 가루누룩 1되, 밀가루 5홉, 끓는 물 3병, 탕수 1주발
　　　　　덧술 : 멥쌀 3말, 밀가루 5홉

술 빚는 법 :

* 밑술 :

1. 도정을 많이 한 10분도 멥쌀 1말을 백세하여(물에 백 번 씻어 새 물에 담가 불렸다가, 다시 씻어 말갛게 헹궈서) 물기를 뺀다.
2. 불린 쌀을 작말하여(가루로 빻아) 넓은 그릇에 담아놓는다.
3. 물 3병을 오랫동안 끓여 쌀가루에 붓고, 죽젓광이로 고루 휘저어 범벅을 쑤어 (마르지 않게 뚜껑을 덮고) 차게 식기를 기다린다.
4. 물 1주발을 끓여 (차게 식힌 뒤) 가루누룩 1되와 밀가루 5홉을 합하고, 고루 섞어 수곡을 만들어놓는다.
5. 범벅에 수곡을 섞으면서 휘저어 알갱이가 없이 풀고, 힘껏 치대어 술밑을 빚는다.

6. 술독에 술밑을 안치고, 예의 방법대로 하여 얼지도 않고 따뜻하지도 않은 곳에 놓아 7일간 발효시키면 술이 익는다.

* 덧술 :
1. 도정을 많이 한 멥쌀 3말을 착세한다(씻을 수 있는 한 지극히 깨끗하게 씻는다).
2. (씻은 쌀을 새 물에 담가 불렸다가, 다시 씻어 건져서 물기를 빼놓는다).
3. (불린) 쌀을 시루에 안쳐서 고두밥을 짓고, 익었으면 퍼서 고루 펼쳐서 차게 식기를 기다린다.
4. 식은 고두밥에 밑술을 합하고, 고루 버무려 술밑을 빚는다.
5. 술독에 술밑을 안치고, 밀가루 5홉을 뿌려준 뒤, 예의 방법대로 하여 7~8일간 발효시키면 술이 익는다.

* 주방문에 술밑에 대하여 "쌀 1말당 밀가루 5홉의 비율로 넣는다."고 하였다. 또 "1말의 밑술에 3말의 쌀을 덧빚어도 무방하다. 찐 밥을 첨가하여 넣은 뒤 밀가루 5홉을 독 안의 술 표면에 뿌리면 좋다."고 하였다. 또 정착(精鑿)이라고 하여 특별히 도정을 많이한 쌀을 사용하라고 하였고, 쌀 씻는 법은 밑술 '백세(百洗)', 덧술 '착세(鑿洗)'로 해석하였다. 또 방문 말미에 "이 술은 9월 그믐에서 10월 초 사이에 담가야 좋다. 만약 날씨가 조금 따뜻하면 갑자기 맛이 쉬어버린다. 걸러낸 맑은 술 역시 얼지도 않고 따뜻하지도 않은 곳에 놓아두어야 된다."고 하였다.

白霞酒 又方

白米一斗十分精鑿百洗作末置大盆中以百沸湯三瓶澆之 以杖攪和之 務要均合如粥 候冷(冷則其面頗堅凝矣)另用沸過水一鉢入眞麯末(ᄆᆞᄅ누룩)一升眞末一升攪勻停當然後以手揉前米末粥之堅凝者而必旋旋添麯末所調水須十分勻揉使無小核然後納淨甕內安置不凍不溫處七日後開甕見之 卽略成酒狀卽以白米二斗如前鑿洗爛蒸候冷以熟湯六瓶澆合於蒸米之中候冷傾出前酒不用

麴攪合於蒸米中亦候冷入甕. 過七日後酒已成矣用紙燃法 可知其生熟矣用生
紬帒或極細布帒上槽壓之爲上品美酒 本方雖如此一斗入眞末五合爲率 又云
一斗之本可釀三斗米亦無妨 又云加入蒸米後以眞末五合糝於甕中酒面爲可
盖此酒宜造於九月晦十月初間方好若日候少暖則味輒酸且槽過取淸亦宜置於
不凍不溫置處可矣.

32. 백하주 <치생요람(治生要覽)>

> 술 재료 : 밑술 : 멥쌀 1말, 누룩가루 1되 5홉, 밀가루 1되 5홉, 끓는 물 1말, 부본
> 1되
> 덧술 : 멥쌀 2말, 누룩가루 1되, 끓는 물 1말

술 빚는 법 :

* 밑술 :

1. 멥쌀 1말을 백세작말한다(물에 백 번 씻어 깨끗하게 헹군 다음, 새 물에 담
   가 불렸다가 다시 씻어 말갛게 헹군 후, 건져서 물기를 뺀 뒤 가루로 빻는다).
2. 물 1말을 팔팔 끓이다가, 쌀가루에 골고루 뿌려가면서 주걱으로 고루 개어
   범벅(죽)을 만들고, 찬 곳에 두어서 차게 식기를 기다린다.
3. 쌀가루 갠 범벅에 누룩가루 1되 5홉과 밀가루 1되 5홉, 부본 1되를 섞고 고
   루 버무려 술밑을 빚는다.
4. 술밑을 술독에 담아 안친 후 (주둥이에 묻은 것을 깨끗이 닦아내고, 베보자
   기를 씌우고 뚜껑을 덮어) 3일간 발효시킨다.

* 덧술 :

1. 멥쌀 2말을 백세하여(물에 백 번 씻어 깨끗하게 헹군 다음 새 물에 담가 불
   렸다가, 다시 씻어 말갛게 헹군 후 건져서) 물기를 뺀다.

2. 물에 불린 쌀을 시루에 안쳐 찌고, 다른 솥에 물 2말을 팔팔 끓인다.

3. 고두밥이 무르게 익었으면, 팔팔 끓고 있는 물 2말을 골고루 퍼붓고, 주걱으로 고루 저어두었다가, 쌀이 물을 다 빨아들이면 찬 곳에 두어 차게 식기를 기다린다.

4. 고두밥 식힌 것에 밑술과 누룩가루 1되를 섞고, 고루 버무려 술독에 담아 안치고, 다시 예의 방법대로 하여 7~8일간 발효시킨다.

5. 술이 익으면 종이 심지를 만들어 불 붙여서 항에 넣어보아, 꺼지지 않으면 다 익은 것이다.

白露酒

白米一斗百洗作末以熱水一斗調和待冷曲末一升半眞末一升半入本一升調釀三日以白米二斗百洗蒸飯熟水二斗和寒之與本釀添曲末一升和之過七日以紙心燃火入于甕熟則火不滅.

33. 백하주 <한국민속대관(韓國民俗大觀)>

> 술 재료 : 밑술 : 멥쌀 1말, 누룩가루 1되, 밑술 1되(석임), 끓는 물 3병
> 덧술 : 멥쌀 2말, 누룩가루 1되, 끓는 물 6병

술 빚는 법 :

* 밑술 :

1. 멥쌀 1말을 여러 번 씻고 (백세하여 물에 담가 불렸다가, 다시 씻어 건져서 물기를 뺀 후) 가루로 빻아 그릇에 담아놓는다.

2. 끓는 물 3병을 쌀가루에 골고루 나눠 부어가면서 주걱으로 개어 범벅을 만들고, 차게 식기를 기다린다.

3. 범벅에 누룩가루 1되와 밑술 1되(석임)를 합하고, 고루 버무려 술밑을 빚는다.

4. 술밑을 술독에 담아 안치고, 예의 방법대로 하여 (찬 곳에 두어) 3일간 발효시킨다.

* 덧술 :
1. 멥쌀 2말을 여러 번 씻어(백세하여 물에 담가 불렸다가, 다시 씻어 건져서 물기를 뺀 뒤) 시루에 안쳐서 고두밥을 짓는다.
2. 고두밥이 익었으면 퍼내고, 끓는 물 6병을 고두밥에 나눠 붓고, 고루 헤쳐서 두었다가, 고두밥이 물을 다 먹고 윤기가 돌면, 고루 펼쳐서 차게 식기를 기다린다.
3. 고두밥에 누룩가루 1되와 덧술을 합하고, 고루 버무려 술밑을 빚는다.
4. 술밑을 술독에 담아 안치고, 예의 방법대로 하여 (덥지도 않은 곳에 두고) 7일간 발효시켜 익기를 기다린다.
5. 지심(종이를 비벼 만든 끈)에 불을 붙여 술독 속에 넣었을 때, 불이 꺼지면 덜 익었고, 불이 안 꺼지면 다 익은 것이다.

* 주방문에 '백하주'에 대하여, "고려시대 이래 가장 애용되어 온 술로, 흰 아지랑이와 같대서 '백하주'라 이름 붙여진 것이다. 청주 중에서 대표적인 것으로 약주의 대명사로 불릴 정도였다."고 하고, "양주법도 여러 가지가 있으나, 가장 오래된 처방을 하나 소개하면 다음과 같다."고 하였다.

백하주

백미 한 말을 여러 번 씻고 가루 내어 그릇에 담고, 끓는 물 세 병을 넣고 식힌 뒤에 누룩가루 한 되와 밑술 한 되를 섞어서 독에 담는다. 3일째 되는 날에 또 백미 두 말을 여러 번 씻어 (쪄서) 끓는 물 여섯 병을 쳐서 식힌 뒤에 먼저 술밑과 합하고, 거기에 누룩가루 한 되를 얹어서 섞으면 7~8일 만에 익는다. 지심(종이를 비벼 만든 끈)에 불을 붙여 술독 속에 넣었을 때 불이 꺼지면 덜 익었고, 불이 안 꺼지면 다 익은 것으로 볼 수 있다. 다 익었으면 물을 타지 않는 것이 좋지만 맛있는 술을 만들려면 물 두 병만을 타는 것이 좋다. 이 술의 특징은 이미 만들어진 술밑(주모)을 이용하여 멥쌀로 다시 술밑을 만들고, 익은 술밑에다 다시 멥쌀밥을 넣어서 빚는, 이른바 2차 담금법이다. 누룩가루도 두 번에 나눠 넣기 때문에 알코올 도수가 상당히 높은 술이 만들어진다.

34. 백하주 <해동농서(海東農書)>

> 술 재료 : 밑술 : 멥쌀 1말, 누룩가루 1되 2홉~1되 5홉, 끓는 물 3병
> 덧술 : 멥쌀 2말, 끓는 물 5병, (정화수 2병)

술 빚는 법 :

* 밑술 :

1. 멥쌀 1말을 백세하여(물에 백 번 씻어 새 물에 담가 불렸다가, 다시 씻어 말 갛게 헹궈서 물기를 뺀 후) 작말하여(가루로 빻아) 그릇에 담아놓는다.

2. 물 3병을 팔팔 끓여 쌀가루에 붓고, 주걱으로 고루 섞어 (반생반숙/범벅을 만들어 뚜껑을 덮고) 차게 식기를 기다린다.

3. 차게 식힌 범벅에 누룩가루 1되 5홉과 밀가루 1되 5홉을 넣고, 매우 치대어 술밑을 빚는다.

4. 술독에 술밑을 안치고, 예의 방법대로 하여 3일(다른 방문에는 4일)간 발효시킨다.

* 덧술 :

1. 멥쌀 2말을 백세한다(새 물에 담가 불렸다가, 다시 씻어 건져서 물기를 빼 놓는다).

2. 불린 쌀을 시루에 안쳐서 고두밥을 짓고, 솥에 물 6병을 오랫동안 팔팔 끓인다.

3. 고두밥이 익었으면 퍼내어 넓은 그릇에 담아놓고, 끓고 있는 물 5병을 즉시 멥쌀에 골고루 뿌려주고, 주걱으로 고루 헤쳐서 풀어놓는다.

4. 고두밥이 물을 다 먹었으면, 그릇에 뚜껑을 덮어 두고, 차게 식기를 기다린다.

5. 식은 고두밥에 밑술을 합하고, 고루 버무려 술밑을 빚는다.

6. 술독에 술밑을 안치고, 예의 방법대로 하여 7~8일간 발효시킨다.

7. 술이 익었으면 주조에 올려 짜는데, 양을 늘리려면 술을 거르기 직전에 정화수 2병을 합하여 거른다.

* <고사촬요>를 인용하였다. 방문 말미에 "본방은 비록 이러하나 덧술할 때 누룩을 사용하지 않는다. 술 색깔을 희게 하려면 쌀 1말당 누룩 3홉을 사용한다."고 하였다.

白霞酒

白米一斗百洗作末盛于器以熱水三瓶乘沸調和待冷麴末一升半眞末一升半腐本一升調極勻入瓮第三日(一方過三四日待熟)又以白米二斗百洗熟蒸以沸湯六瓶調和待冷與本釀添麴末一升調和過七八日乃熟以紙心燃火入于甕內驗其生熟熟則火不滅生則滅此後切勿添他水. 欲作旨酒則調水時每斗以二瓶半爲限慾多出則上槽時井花水二瓶添調. <古事> (本方雖如此一斗米用麴五合之矣添釀二斗時不可添麴欲使色白則每斗用麴三合亦可).

35. 백하주(우법) <해동농서(海東農書)>
－맛있는 지주(旨酒)

> 술 재료 : 밑술 : 멥쌀 1말, 누룩가루 1되 2홉~5홉, 밀가루 1되 5홉, 끓는 물 2병 반
>
> 　　　　덧술 : 멥쌀 2말, 끓는 물 5병, 물 2병

술 빚는 법 :

* 밑술 :

1. 멥쌀 1말을 백세하여(물에 백 번 씻어 새 물에 담가 불렸다가, 다시 씻어 말
   갛게 헹궈서 물기를 뺀 후) 작말하여(가루로 빻아) 그릇에 담아놓는다.

2. 물 3병을 팔팔 끓여 쌀가루에 붓고, 주걱으로 고루 섞어 (반생반숙/범벅을
   만들어 뚜껑을 덮고) 차게 식기를 기다린다.

3. 차게 식힌 범벅에 누룩가루 1되 5홉과 밀가루 1되 5홉을 넣고, 매우 치대어
   술밑을 빚는다.

4. 술독에 술밑을 안치고, 예의 방법대로 하여 3일(다른 방문에는 4일)간 발
   효시킨다.

* 덧술 :

1. 멥쌀 2말을 백세한다(새 물에 담가 불렸다가, 다시 씻어 건져서 물기를 빼
   놓는다).

2. 불린 쌀을 시루에 안쳐서 고두밥을 짓고, 솥에 물 5병을 오랫동안 팔팔 끓
   인다.

3. 고두밥이 익었으면 퍼내어 넓은 그릇에 담아놓고, 끓고 있는 물 5병을 즉시
   멥쌀고두밥에 골고루 뿌려주고, 주걱으로 고루 헤쳐서 풀어놓는다.

4. 고두밥이 물을 다 먹었으면 그릇에 뚜껑을 덮어두고, 차게 식기를 기다린다.

5. 식은 고두밥에 밑술을 합하고, 고루 버무려 술밑을 빚는다.

6. 술독에 술밑을 안치고, 예의 방법대로 하여 7~8일간 발효시킨다.

7. 술이 익었으면 주조에 올려 짜는데, 양을 늘리려면 술을 거르기 직전에 정
   화수 2병을 합하여 거른다.

* 주방문 말미에 "자주 빚으려면, 첫 술 빚으면서 물 넣을 때 쌀 1말당 물 2병
  반을 한도로 한다. 양을 많게 하려면 거르기 전 정화수 2병을 섞는다. 본법
  은 비록 이렇지만 쌀 1말에 누룩 5홉을 쓰면 충분하다. 2말을 덧빚을 때, 누
  룩을 넣어서는 안 된다."고 하고, "술 빛깔을 희게 하려면 쌀 1말당 누룩 3홉

을 써도 된다."고 하였다. 이로써 '방문주'가 '백하주'에서 나온 술임을 알 수 있다.

白霞酒(又法)

白米一斗百洗作末盛于器以熱水三瓶乘沸調和待冷麴末一升半眞末一升半腐本一升調極勻入瓮第三日(一方過三四日待熟)又以白米二斗百洗熟蒸以沸湯六瓶調和待冷與本釀添麴末一升調和過七八日乃熟以紙心燃火入于甕內驗其生熟熟則火不滅生則滅此後切勿添他水. 欲作旨酒則調水時每斗以二瓶半爲限慾多出則上槽時井花水二瓶添調. <古事> (本方雖如此一斗米用麴五合之矣添釀二斗時不可添麴欲使色白則每斗用麴三合亦可).

벽매주

스토리텔링 및 술 빚는 법

우리나라 전통주에 대한 부정적인 인식을 바꾸어 와인과 맥주, 위스키, 사케에 이르기까지 수입 주류에 대한 대체효과와, 쌀 소비를 촉진함으로써 농업 기반과 농외소득 창출을 동시에 꾀해 보자고 시작하게 된 것이 고서에 수록된 전통주 복원 작업이었다.

조선시대 <음식디미방> 등 음식 관련 고문헌과 <임원십육지(林園十六志)> 등 농업백과사전들에 수록된 전통주 복원 작업이 마무리된 지금, 벌써 10년이란 세월이 흘렀다. 그리고 그 가능성을 확신하고부터 이들 문헌에 수록된 전통주에 대한 폭넓은 조사와 채집, 번역 작업을 시작하게 된 것이 벌써 7년째에 이른다.

그간 고문헌에 수록된 1천여 주품의 전통주 재현 작업을 시도하면서 많은 전통주들이 다시금 교육을 통한 전수 과정을 거쳐 가양주로 자리를 잡아가고 있는데, 그 인구만도 수십만에 이를 것으로 추정된다. 물론 양주기술의 깊이와 연륜에 대한 문제가 있지만, 기대 이상의 상당한 효과가 있어 나름 보람을 느끼고 있다.

우리 음주문화의 본질과 전통 방식의 술 빚는 기술을 가르치면서, 특히 우리

음주문화의 바탕이 된다고 판단했던 전통주에 대한 올바른 이해와 인식에 대한 강의를 집중적으로 실시해 왔는데, 그때마다 자주 듣게 되는 질문이 "개인적으로 가장 좋아하는 전통주가 무엇이냐?"와 "빚기가 가장 힘들었던 술은 어떤 것이냐?"는 것이었다.

필자는 그때마다 가장 힘들었던 술이자 가장 좋아하는 술로 '동정춘'과 '백화주'를 들었었다. 이들 주품 가운데서도 특히 '동정춘'은 행운이자 불행이었다고까지 얘기하곤 했었다.

그러다가 <임원십육지>의 '벽매주방(辟霾酒方)'을 접하고 난 후에는 "내가 술에 대해서 몰라도 한참 모르는구나." 하는 생각을 갖게 되었다. '난산 중의 난산'으로밖에 표현할 말이 없을 정도로 죽을 고생을 했다. 그래도 '벽매주(辟霾酒)'의 재현이 가능했던 까닭은, '동정춘'이나 '감향주' 등 힘든 술 빚기를 통한 경험과 나름의 노하우가 있었기 때문이었다.

<임원십육지>의 '벽매주'는 그만큼 힘든 술이라는 것을 먼저 말해 두고 얘기를 시작한다.

'벽매주'는 16말 5되의 쌀로 지은 고두밥을 물 없이 빚는 술이다. 여기에 누룩가루 1말 5되를 포함하면 18말의 술을 물 없이 빚는다는 사실은 상상도 하기 힘들 것이다.

물론, 첫 양주실험은 1/3로 줄여서 시도를 했다가, 그도 힘들어서 다시 1/5로 줄여서 하게 되었는데도, 힘들었던 기억은 아직도 뼈에 사무친다고 할 정도이다.

왜 이렇게 힘든 일을 시도해야 하는지도 잊은 채 밤낮으로 술 빚기를 시도했다. 그러나 술이 익어 맛이나 향이 아무리 그럴싸해도 그 맛과 향기를 즐기는 데는 한두 잔이 고작이었고, 석 잔이면 뒤로 나가떨어지는 맹숭이에게는 말 그대로 '미친 일'이 아닐 수 없었다.

누구보다 먼저 '벽매주'를 빚어보았던 사람으로서, 그 요령을 말하자면 대략 이렇다.

먼저, '벽매주'의 성패는 밑술에 달려 있다고 해도 과언이 아니므로, 밑술 작업에 세심한 주의가 필요하다는 것이다. 쌀은 충분히 씻어서 불리고, 단지에 밥을 안치듯 한다. 쌀을 안친 단지를 물솥에 안치고 중탕하되, 솥의 물이 졸아들면 계속하여 보충해 가면서 약한 불로 오래도록 중탕한다.

그리고 단지 안의 쌀에서 밥 냄새가 나면 꺼내어 다른 동이에 쏟아 붓고, 고루 헤쳐서 뜨거운 김이 나가면 뚜껑을 덮어서 저절로 차게 식기를 기다렸다가, 누룩 가루 1말 5되를 섞고, 힘껏 치대어 (진흙 같은) 술밑을 빚는다.

이때의 술밑은 밥알 형태가 거의 없어야 한다. 술밑을 술독에 담아 안친 다음, 따뜻한 곳에 두고 이불을 덮어서 발효시켜야 술밑이 마르지 않는다. 밑술을 빚는 날 멥쌀 15말을 백세하여 물에 담가 3~4일간 불리고, 밑술이 발효되길 기다리는 데 3~4일 소요된다. 발효가 잘된 밑술은 물이 위로 고여 있는데, 달고 향기로운 술맛이 느껴진다.

여기에 3~4일 전에 불려두었던 쌀을 다시 씻어 헹구고 물기를 빼서 고두밥을 짓는데, 여름철에는 구린 냄새가 많이 난다. '벽매주'의 덧술용 고두밥은 특히 찬물을 많이 뿌려서 무르게 찌고, 고르게 익혀야 한다. 쪄낸 고두밥은 넓고 큰 그릇 여러 개에 나눠서 식히는데, 고두밥의 수분을 가두기 위한 조치이다.

주방문에는 식히라는 말이 없어, 뜨거운 고두밥 상태에서 술을 빚었다가 산패를 경험했다. 밑술을 중탕한 밥으로 빚었기 때문에 기대한 만큼의 효모 증식을 기대할 수 없었던 것이다.

고두밥은 손으로 만져서 따뜻할 정도로 식혀서 사용하면 술을 빚는 작업이 좀 더 수월하지만, 자칫 과발효로 인한 산패를 초래할 수 있으므로 여름철일수록 차게 식혀서 하는 것이 좋다.

손으로 치대기가 힘이 들므로 발을 깨끗하게 씻고 물기가 마른 후에 한 발로 밟으면 훨씬 편하다. 사실, 쌀 양을 감안하면 한두 사람이서 할 일도 아니거니와, 발로 밟지 않으면 해내지 못한다. 세 사람이 하여도 하루 종일 걸린다.

이렇게 하여 빚은 술밑 역시 큰 독에 담아 안치고, 두텁게 밀봉하여 따뜻한 곳에 두고 이불로 싸서 2~3일간 발효시키면 술이 끓는다. 주발효가 잘 되고 있는지는, 좋은 향기가 올라오면서 술독 안 가장자리로 맑은 물기가 돌고 술독을 기울이면 술덧이 수평을 유지하는가로 판단한다.

술독을 기울였을 때 술덧이 수평을 유지하면, 술독을 냉각시키고 낮은 곳에서 후발효에 들어가는데, 주방문에서와 같이 10일 이내에 숙성되기는 힘들다.

며칠이고 기다렸다가 익는 대로 용수 박아 채주하면 '감향주'나 '하향주'와 같은 풍부한 방향(芳香)의 '벽매주'를 즐길 수 있고, 탁주로 걸러도 매우 부드럽고 감미로운 고급 탁주를 얻을 수 있다.

필자의 생각으로는, 쌀 양이 많아 매우 힘들므로 3등분이나 5등분하는 것이 좋다. 사실 3등분이나 5등분도 하루 일로 벅차고 혼자 감당하기는 매우 힘들다. 하다 보면 "차라리 '감향주'나 '동정춘'이 훨씬 더 쉽다."는 생각이 절로 든다.

벽매주방 <임원십육지(林園十六志)>

술 재료 : 밑술 : 멥쌀 1말 5되, 누룩가루 1말 5되
　　　　 덧술 : 멥쌀 15말

술 빚는 법 :
* 밑술 :
1. 멥쌀 1말 5되를 (백세하여 물에 담가 불렸다가, 다시 씻어 건져서 물기를 뺀 후) 작은 단지에 (밥을 안치듯) 안쳐서 밀봉한다.
2. 가마솥에 쌀을 안친 단지를 넣고 물을 채워 중탕하되, 물이 졸아들면 계속 보충하며 약한 불로 오래도록 중탕한다.
3. 단지 안의 쌀이 밥이 다 되어 향기(밥 냄새)가 나면 꺼내어 다른 동이에 쏟아 붓고, 고루 헤쳐서 차게 식기를 기다린다.
4. 식은 밥에 누룩가루 1말 5되를 섞고, 힘껏 치대어 (진흙 같은) 술밑을 빚는다.
5. 술밑을 술독에 담아 안친 다음 예의 방법대로 하여 (따뜻한 곳에 두고 이불을 덮어서) 발효시킨다.

* 덧술 :
1. 밑술을 빚는 그날로 멥쌀 15말을 (백세하여 물에 담가 불렸다가, 다시 씻어

건져서 물기를 뺀 후) 시루에 안쳐서 고두밥을 짓는다.

2. (고두밥에 물을 많이 뿌려서 무르게 찌고, 익었으면 퍼낸다.)

3. (고두밥이 익었으면 퍼내고, 고루 펼쳐서 뜨거운 기운만 나가게 식기를 기다린다).

4. 고두밥을 밑술과 합하고, 고루 치대어 술밑을 빚는다.

5. 술밑을 술독에 담아 안치고, 예의 방법대로 하여 따뜻한 곳에 두고 이불로 싸서 10일간 발효시키면 술이 익는다.

* 주방문 말미에 "술을 빚어두면 10일 후에 익는다. 해가 바뀌어도 흑빛의 술기운이 바뀌지 않는다."고 하였다. '벽매주'는 짙은 '포도주'처럼 매우 진한 술 색깔로 인하여 술 이름을 얻게 된 것으로 여겨진다. 물을 사용하지 않고 빚은 술은 해가 바뀌면 검은 색깔로 바뀌기 때문이다.

辟霾酒方

白米一斗五升浸水盛小甌封口納釜中慢火重湯添水熟丞經宿有香氣出瀉盆中侯冷麴末一斗五升和釀卽日白米十五斗交釀前醅十日成熟經年不着(霾)氣. <三山方>.

분국백료주

스토리텔링 및 술 빚는 법

'분국백료주방(笨麴白醪酒方)'은 '분국(笨麴)으로 빚는 하얀 빛깔의 탁주'라는 뜻의 주품명이다. 1823년에 저술된 서유구의 <임원십육지(林園十六志)>에 수록되어 있다. <임원십육지>의 주방문은 대략 200가지가 넘는 데다, 누룩 제조법까지를 수록하고 있는 백과사전과 같은 방대한 저술이다.

<임원십육지>의 저자 서유구가 주방문과 관련하여 200가지가 넘는 주품들을 직접 양조해 보았다고 보기는 어렵다. <임원십육지>의 200가지가 넘는 주품 가운데는 술의 효능에 대한 설명만 소개하고 있는 주품들이 100여 종에 이르고, 나머지 100여 종의 주품들 가운데 30% 정도가 중국의 술들로, 우리나라 실정에 맞는 주품들을 발췌하여 수록한 것으로 보이기 때문이다.

예를 들어 '동파주방'을 비롯하여 '포양방', '속미주방', '법주방', '삼구주방', '서미법주방', '당량주방', '갱미주방', '칠석주방', '분국상락주방', '동미명주방', '천대홍주방', '건창홍주방', '하동이백주방', '벽매주방', '영주방(酃酒方)', '만전향주방', '밀온투병향방', '소번황주법' 등이다.

이 외에도 다수의 주품이 중국의 기록을 인용한 것으로 여겨지고, 실제로 술 빚는 방법이나 과정에서 중국식을 모방하고 있음을 알 수 있다. 그 가운데 '분국 백료주방' 역시도 중국의 술이 <임원십육지>를 통해서 우리 술로 변화·정착을 시도한 것으로 판단된다.

그 이유는 바로 주품명과 밀접한 관련을 맺고 있는 '분국' 때문이다. '분국'은 우리나라의 조곡(粗麯)과 같이 거친 누룩을 가리킨다.

따라서 거친 누룩으로 빚는 탁주(백료주) 방법이라고 할 수 있으며, 우리나라의 '백로주'나 '백하주' 등과 같은 탁주류에 해당한다고 하겠다.

'분국백료주방'에는 '멥쌀로 빚는 법'도 함께 수록하고 있다. 방문 말미에 <제민요술(齊民要術)>을 인용하였음을 언급하고, "멥쌀로도 빚을 수 있다."고 하였다. 이에 멥쌀로 빚는 주방문을 작성하였음을 밝혀둔다.

'분국백료주방'은 '백료주방'의 주방문에 이어 수록된 주방문으로, '백료주'의 별법(別法)이 아닌가 생각된다. '본방(本方)'이라고 할 수 있는 '백료주' 방문은 밑술을 차조로 고두밥을 짓고, 누룩은 물에 담가 불린 수곡을 만들어 사용하고, 덧술은 멥쌀고두밥을 지어 밑술에 합하여 발효시키는 것으로 되어 있기 때문이다.

따라서 '분국백료주방'은 '백료주방'을 기초로 하여 누룩과 주재료가 바뀐 형태라고 할 수 있으며, 특별히 '분국'으로 빚는다고 하여 붙여진 이름이라는 확신을 갖게 해준다.

'분국백료주방'은 특별히 법제하여 마련한 '분국'을 7일간 불려서 수곡(물누룩)을 만들었다가, 체에 걸러 짜서 누룩찌꺼기를 제거한 '누룩물'을 사용하는 것으로 되어 있다. 이를테면 우리의 '부의주' 주방문과 동일한 방법이라고 할 수 있는데, 수곡의 침지 기간과 덧술을 여러 차례 한다는 것이 다를 뿐이다.

주지하다시피 '조곡'으로는 삼양주(三釀酒)를 빚을 수 없는 것으로 되어 있어, 우리나라에서는 밀기울을 제거한 밀가루로 만든 '분곡(粉麯, 白麯)'을 사용하는 것을 볼 수 있는데, 중국의 술 빚기에서는 '분곡'이 없는 경우에 대비해 '분국'을 사용하는 대신, 수곡의 침지 기간을 길게 가져감으로써 안전한 발효를 도모하고 있다는 것을 엿볼 수 있다.

우리나라의 술 빚는 법에서 누룩을 이와 같이 오랫동안 담갔다가 술을 빚는 경우는 흔치 않다. 기껏 해야 '사오주'와 '삼오주' 정도가 떠오를 뿐으로, 이들 주방문을 보면, 돌아오는 해일까지 대략 12일 정도에 해당되는 것이다.

이와 같이 수곡의 침지 기간을 길게 가져가는 방법은, 장기발효주나 삼양주 이상의 중양주(重釀酒)에서 찾아볼 수 있는데, 궁극적인 목적은 밑술의 유기산 농도를 높여 잡균의 증식을 억제하기 위한 조치라고 할 수 있으므로, 이양주(二釀酒)나 단양주(單釀酒)에서는 장기간 침지를 해서는 안 된다.

'분국백료주방'은 쌀을 비롯하여 누룩과 물 등 주재료의 양이 구체적으로 나와 있지 않기 때문에 '백료주방'을 참고로 하였는데, 밑술의 쌀을 비롯하여 덧술과 2차 덧술 모두 동일한 양의 쌀을 동일한 방법(고두밥)으로 가공하여 사용하는 것을 볼 수 있다. 이러한 과정이 우리의 술 빚기와 다른 점이라고 할 수 있다. '멥쌀로 빚는 법'은 본방인 찹쌀로 빚는 법과 동일하다.

좀 더 자세한 내용은 '백료주'를 참고할 일이다.

1. 분국백료주방 <임원십육지(林園十六志)>

술 재료 : 밑술 : 찹쌀(1석), 누룩가루(3덩이/9kg), 물(3~5말)

　　　　 덧술 : 찹쌀(3말)

　　　　 2차 덧술 : 찹쌀(3말)

술 빚는 법 :

＊ 밑술 :

1. 누룩을 솔로 털어서 곰팡이와 볏짚 등 이물질을 깨끗이 손질하여 햇볕에 말린다.

2. 밤에도 거둬들이지 않고 이슬을 맞히고, 낮에는 햇볕을 쪼여 뜬 냄새와 이취를 제거한다.

3. 그릇에 손질한 누룩을 넣고, 누룩이 잠길 정도로 물(3말 ~5말)을 채워서 물

누룩을 만들어 7일 정도 담가 불려놓는다.

4. 누룩을 손으로 뭉개서 덩어리를 풀고, 체에 내려서 누룩 찌꺼기를 제거한 누룩물을 만들어놓는다.

5. 찹쌀(1석)을 (백세하여 물에 담가 불렸다가) 새 물에 씻어 헹궈서 물기를 빼놓는다.

6. 불린 찹쌀을 시루에 안쳐서 고두밥을 짓고, 익었으면 퍼내고 고루 펼쳐서 차게 식기를 기다린다.

7. 누룩물에 찹쌀고두밥을 넣고, 고루 버무려 술밑을 빚는다.

8. 술밑을 술독에 담아 안치고, 예의 방법대로 하여 발효시킨다.

* 덧술 :

1. 찹쌀(3말)을 (백세하여 물에 담가 불렸다가) 새 물에 씻어 헹궈서 물기를 빼놓는다.

2. 불린 찹쌀을 시루에 안쳐서 고두밥을 짓고, 익었으면 퍼내고 고루 펼쳐서 차게 식기를 기다린다.

3. 밑술에 찹쌀고두밥을 넣고, 고루 버무려 술밑을 빚는다.

4. 술밑을 술독에 담아 안치고, 예의 방법대로 하여 발효시킨 후, 술맛을 보아 누룩의 힘이 남아 있으면 다시 덧술을 준비한다.

* 2차 덧술 :

1. 찹쌀(3말)을 (백세하여 물에 담가 불렸다가) 새 물에 씻어 헹궈서 물기를 빼놓는다.

2. 불린 찹쌀을 시루에 안쳐서 고두밥을 짓고, 익었으면 퍼내고 고루 펼쳐서 차게 식기를 기다린다.

3. 덧술에 찹쌀고두밥을 넣고, 고루 버무려 술밑을 빚는다.

4. 술밑을 술독에 담아 안치고, 예의 방법대로 하여 발효시킨 후, 술맛을 보아 누룩의 힘이 남아 있으면 또 덧술을 할 수 있다.

苯麴白醪酒方

淨削治麴曝令燥清麴必須累餅置水中以水沒餅爲候七日許溺令破灑出滓炊糯米攤令極冷而以意酘之且飮酘乃至盡秫米亦得作作時必須寒食前令得一酘也. <齊民要術>.

2. 분국백료주방 <임원십육지(林園十六志)>

> 술 재료 : 밑술 : 멥쌀(1석), 누룩가루(3덩이/9kg), 물(3~5말)
>
> 덧술 : 멥쌀(3말)
>
> 2차 덧술 : 멥쌀(3말)

술 빚는 법 :

* 밑술 :

1. 누룩을 솔로 털어서 곰팡이와 볏짚 등 이물질을 깨끗이 손질하여 햇볕에 말린다.

2. 밤에도 거둬들이지 않고 이슬을 맞히고, 낮에는 햇볕을 쪼여 뜬 냄새와 이취를 제거한다.

3. 그릇에 손질한 누룩을 넣고, 누룩이 잠길 정도로 물(3~5말)을 채워서 물누룩을 만들어 7일 정도 담가 불려놓는다.

4. 누룩을 손으로 뭉개서 덩어리를 풀고, 체에 내려서 누룩 찌꺼기를 제거한 누룩물을 만들어놓는다.

5. 멥쌀(1석)을 (백세하여 물에 담가 불렸다가) 새 물에 씻어 헹궈서 물기를 빼놓는다.

6. 불린 멥쌀을 시루에 안쳐서 고두밥을 짓고, 익었으면 퍼내고 고루 펼쳐서 차게 식기를 기다린다.

7. 누룩물에 멥쌀고두밥을 넣고, 고루 버무려 술밑을 빚는다.

8. 술밑을 술독에 담아 안치고, 예의 방법대로 하여 발효시킨다.

* 덧술 :
1. 멥쌀(3말)을 (백세하여 물에 담가 불렸다가) 새 물에 씻어 헹궈서 물기를 빼 놓는다.
2. 불린 멥쌀을 시루에 안쳐서 고두밥을 짓고, 익었으면 퍼내고 고루 펼쳐서 차게 식기를 기다린다.
3. 밑술에 멥쌀고두밥을 넣고, 고루 버무려 술밑을 빚는다.
4. 술밑을 술독에 담아 안치고, 예의 방법대로 하여 발효시킨 후, 술맛을 보아 누룩의 힘이 남아 있으면 다시 덧술을 준비한다.

* 2차 덧술 :
1. 멥쌀(3말)을 (백세하여 물에 담가 불렸다가) 새 물에 씻어 헹궈서 물기를 빼 놓는다.
2. 불린 멥쌀을 시루에 안쳐서 고두밥을 짓고, 익었으면 퍼내고 고루 펼쳐서 차게 식기를 기다린다.
3. 덧술에 멥쌀고두밥을 넣고, 고루 버무려 술밑을 빚는다.
4. 술밑을 술독에 담아 안치고, 예의 방법대로 하여 발효시킨 후, 술맛을 보아 누룩의 힘이 남아 있으면 또 덧술을 할 수 있다.

* 주방문 말미에 "멥쌀로도 빚을 수 있다."고 하였으나, 덧술과 2차 덧술에 사용되는 쌀의 양에 대해 언급되어 있지 않다. 이에 '백료주'를 참고하여 상법(常法)의 주방문을 작성하였다.

笨麴白醪酒方
淨削治麴曝令燥淸麴必須累餠置水中以水沒餠爲候七日許溺令破灑出滓炊糯米攤令極冷而以意酘之且飮酘乃至盡秫米亦得作作時必須寒食前令得一酘也. <齊民要術>.

비주

스토리텔링 및 술 빚는 법

'비주(飛酒)'라는 술이 <오주연문장전산고(五洲衍文長箋散稿)>에 처음 등장하는데, 필자로서도 생소한 방문이다. <오주연문장전산고>는 이규경(李圭景, 1783~1856)에 의해 19세기 중엽에 편찬되었던 저술로 전해 오고 있는데, 그 이전의 기록이나 이후의 기록에도 '비주'가 나타나지 않는 것으로 미루어, 실전(失傳)된 것으로 여겨진다.

'비주'라는 주품명도 그렇거니와, 술 빚는 방법이나 과정으로 미루어 이 또한 중국의 술로 여겨지며, '비선주'와 같은 속성주(速成酒) 또는 인스턴트식 술이라는 생각이 든다.

'비주'는 말 그대로 '날아가는 사이에 술이 된다.'거나 '잠깐 사이에 익는 술'의 의미로 쓰여진다. 이른바 특급 속성주인 셈이다.

우리 술로는 가장 단기간에 이루어지는 술로 '하룻밤 사이'라는 의미의 '일야주(一夜酒)', '새벽닭이 울 무렵이면 익는다.'는 의미의 '계명주(鷄鳴酒)'가 있어, 특급 속성주에 속한다고 할 수 있다.

'비주'에 대하여는 알려진 바가 없거니와 <오주연문장전산고>의 '비주 변증설(辯證說)'이 유일한 자료이다. '비주 변증설'을 살펴보면 "흰쌀로 만든 엿을 취하는데, 많고 적음에 상관없이 엽전 모양으로 조각을 크게 만들어서 백국을 곱게 갈아 조금을 그 위에 넣고 소를 만들어 넣으면 송병이 된다. 거기 남은 찌꺼기를 백자 항아리에 넣는데, 만약 백자나 도자기가 없으면 큰 죽통에 남은 찌꺼기를 넣어서 위에 쌀로 만든 당병(송병)의 많고 적음을 보아서 물을 붓고, 겨우 떡 위에 물이 잘박하게 잠기도록 넣어서 따뜻한 아랫목에 놔두고, 옷가지 등으로 두텁게 덮어놓으면, 새벽이 되어 항아리에 귀를 대고 들으면 아름답고 따뜻한 술이 된다고 했다. 혹은 물을 넣기도 하고 물을 넣지 않는다고도 하는데, 그 방법은 아직 시험해 보지 않았다. 그러나 비록 물을 넣지 않더라도 당이 있어, 그로 말미암아 겉당이 삭으면 스스로 변화되어 술이 된다고 했다. 그러나 물은 없더라도 엿과 누룩이 반드시 있은 연후에야 그 술을 제조할 수가 있다. 그런데 이 방법이 이 위에 설명한 방법을 갑자기 구하기는 어려운 것에 속한다."고 하였다.

 <오주연문장전산고>의 '비주 변증설'을 통해서 깨달은 한 가지 사실은, '비주'가 '계명주'와 유사하기는 하지만 오히려 '밀주(蜜酒)'에 더 가깝다는 사실이다.

 왜냐하면 엿은 인공 꿀(조청, 造淸)에 해당하는 것이므로, 엿을 꿀로 바꾸어 생각하면, 꿀에 효모 대신 누룩을 넣는 것이기 때문이다. 동양에서의 양주방식을 그대로 유지하고 있을 뿐더러, 발효방식도 따뜻한 곳에서 발효시키는 속성주의 전형을 그대로 닮고 있다.

 '비주'를 빚을 때 알아두어야 할 일은, 엿이라는 것은 조청을 졸여서 수분을 제거하여 고체처럼 만든 것이므로, 당의 농도가 높아 발효가 잘 되지 않는다는 사실이다. 따라서 '비주'는 엿을 따뜻한 곳에 두어 매우 부드럽게 잘 늘어지도록 녹인 후에 얇게 늘여서 만두피처럼 만들 필요가 있으며, 누룩을 넣고 오므려 만두처럼 만들어서 그릇에 담아 안치는데, 엿이 단단하고 단맛이 강할수록 따뜻한 물을 조금 넣어주는 것이 안전한 발효를 도모할 수 있는 방법이다.

 또한 술밑을 안친 그릇은 매우 따뜻한 구들 위에 올려놓고 옷가지나 이불로 싸매서 발효시켜야 원하는 바대로 몇 시간 사이에 발효된 '비주'를 얻을 수 있는데, 그 맛이 달고 감미롭기가 그지없을 뿐더러, 누룩을 적게 넣을수록 향기 또한 좋아진다.

문제는 누룩인데, 분쇄기에 갈아서 고운체로 쳐 밀가루처럼 고운 가루로 만들어 사용하고, 백국(白麴)이었을 때 거르지 않고도 마실 수 있는 술이 된다.

그런 의미에서 보면, '비주'는 굳이 엿이 아닌 조청을 사용하여도 되고, 흰 꿀을 사용해도 되는데, 안전한 발효를 위해서 따뜻한 물을 조금 넣어주는 것이 좋다고 하겠다. 그리고 '비주'는 익는 대로 마시는 술로, 오래 두지는 못한다는 사실도 간과해서는 안 된다.

비주 <오주연문장전산고(五洲衍文長箋散稿)>

술 재료 : 흰쌀로 만든 엿(많고 적음에 상관없음), 백국(쌀누룩가루), 물

술 빚는 법 :

1. 쌀엿을 엽전 모양으로 조각을 크게 만들어서 만두피처럼 바탕을 만든다.
2. 백국(쌀누룩가루)을 곱게 갈아 고운 가루로 만든다(고운체에 한 번 내린다).
3. 엿바탕에 백국가루를 소로 조금씩 넣고, 송편 만들듯 하여 당병(술밑)을 빚는다.
4. 술밑을 백자 항아리(큰 죽통)에 넣는데, 사용하고 남은 누룩 찌꺼기를 넣는다.
5. 위에 쌀로 만든 당병(송병)의 많고 적음을 보아서 물을 붓는데, 겨우 당병 위에 물이 잘박하게 잠기도록 붓는다.
6. 백자 항아리를 따뜻한 아랫목에 앉혀두고 옷가지 등으로 두텁게 덮어놓으면, 새벽이 되어 항아리에 귀를 대고 들으면 아름답고 따뜻한 술이 된다.

飛酒 辯證說
이 법은 내가 산중 적막한 곳에서 "흥취가 도도한데 白衣之來諛諸之人(벼슬을 하지 않거나 뜻을 함께 도모하는 이)이 없어 어찌할까를 부를 뿐이다." 하다가, 다행히 천금주후의 방법이 있어서 모두 함께 묶어보니 내게 다 있는 것이니, 어찌 '준순주(浚巡酒)'에 대한 것을 변증하지 않을 수 있겠느냐? 한상자가 한 번 떠나간 후에 광능산이라 했으니, 다행히 '비주'를 가지고 갑자기 소주 내리는 법을 얻었는데, '비주'라 한 것은, <식경(食經)>에 '계명주'라 한 것과 같은 이치이다.

삼대적법

현대인들이 선호하는 경향으로 편의성을 빼놓을 수 없다. 술도 마찬가지여서 휴대의 편의성에다 현장에서의 즉흥성까지 겸할 수 있다면, 모르긴 해도 소위 '대박'을 터트릴 수 있을 것 같다.

병에 담긴 술은 휴대도 불편하거니와 무겁고, 빛이나 온도 등 관리와 보관에 유의해야 하므로, 여러 가지로 불편한 점이 없지 않다. 이러한 술병을 대신하여 무게와 부피가 작고 보관의 유용성까지 갖추어서 휴대하기 쉽게 만들 수 있다면, 그리고 더 나아가 즉석에서 제조가 가능하여 바로 마실 수 있게 할 수 있다면 얼마나 좋을까?

그런 술이 있다. 이미 '비선주'나 '경각화준순주'에서도 소개한 바 있거니와, 다시금 <주식방(酒食方, 高大閨壼要覽)>의 '삼대적법'이라는 주품을 소개한다.

우선 '삼대적법'은 주품명에서부터 차별화된다. 주품명을 생각하면 도저히 술이라는 생각이 들지 않는데다, 무슨 뜻인지조차 헤아릴 수 없어 머릿속이 아련해진다. <주식방(고대규곤요람)>의 '삼대적법'은 한글로 된 주품명이기 때문이다.

어림짐작으로 '누대에 걸쳐 비전되어 온 한 가문의 비법'이 아닐까 하는 생각에 더욱 호기심이 생기는 주방문인데, 그 이상의 추측은 할 수 없다. 주방문을 보면 알 수 있듯, 이제까지 한 번도 들어보거나 목격하지 못했던 방법이라는 점에서도 '삼대적법'은 매우 생경한 술이라고 할 수 있다.

<주식방(고대규곤요람)>에 "덤미 조히 씨셔 죽말ᄒ여 된쇼쥬의 마라 몸이 다 졋거든 다마 김을 녀 익을 만ᄒ거든 쏘다 쓰져 유지예 펴내라 말노여 씨혀 쳐 쏘 쇼쥬 므쳐 쎠 말노여 쏘 한 번 그리 ᄒ여 ᄃᆡ되 세 번을 ᄒ여 유지 줌치예 너허두고 닝슈 ᄒᆞᆫ 복ᄌᆞ의 세 술식 타 마시면 마시 긔특ᄒ고 다식ᄒᆞ니라. 덤미 닷 말을 ᄒ면 한 휘를 먹ᄂᆞ니라."고 하였는데, 그 방법을 보면 쌀가루를 소주에 적셔서 찌고 말리고 치는 과정을 세 차례나 반복하는 것으로, 마치 제다(製茶) 과정과도 유사하다는 것을 알 수 있다.

생각하건대, 술을 적신 쌀가루를 찌고 말리고 치는 과정을 통해서 얻고자 하는 효과는 쌀(전분)과 알코올의 성분 변화를 유도하여 그 독성(毒性)을 해소하는 한편으로, 전분과 알코올의 조화에서 오는 새로운 화합물의 생성을 꾀하고자 하는 선험적 지혜에서 비롯된 방법으로 이해할 수 있을 것이다.

술이란 궁극적으로는 '취흥(醉興)'이라는 기호를 충족시킬 수 있어야 하는 음료이다. 더불어 앞서 언급한 것처럼 편의성과 함께 호기심을 충족시킬 수 있으면 더욱 좋을 것이라는 측면에서 '삼대적법'은 의미가 큰 술이라고 할 수 있다. 또한 같은 의미에서 <오주연문장전산고>의 '비주(飛酒)'나 <수운잡방(需雲雜方)>의 '건주(乾酒)'도 고려해 볼 만하다.

그 예로 <오주연문장전산고>에 "흰쌀로 만든 엿을 취하는데, 많고 적음에 상관없이 엽전 모양으로 조각을 크게 만들어서 백국을 곱게 갈아 조금을 그 위에 넣고 소를 만들어 넣으면 송병이 된다. 거기 남은 찌꺼기를 백자 항아리에 넣는데, 만약 백자나 도자기가 없으면 큰 죽통에 남은 찌꺼기를 넣어서 위에 쌀로 만든 당병(송병)의 많고 적음을 보아서 물을 붓고, 떡 위에 물이 잘박하게 잠기도록 넣어서 따뜻한 아랫목에 놔두고, 옷가지 등으로 두텁게 덮어놓으면, 새벽이 되어 항아리에 귀를 대고 들으면 아름답고 따뜻한 술이 된다."고 한 '비주' 주방문을 볼 수 있다.

<수운잡방>에 "술(청주)을 떠내고 난 후, 술지게미는 꿀에 반죽하여 달걀 크기만큼씩 환을 만든다. 물 1말에 술지게미로 만든 환을 넣으면 좋은 술을 얻는다."고 하는 '건주' 주방문도 맥락을 같이한다고 할 수 있다.

<주식방>의 '삼대적법'은 술 빚는 공정이 복잡하고 시간이 많이 걸리긴 하지만 어렵지는 않은 공정을 거쳐서 이루어진다. '삼대적법'을 맛보고자 한 차례 양주 실습을 해보긴 하였는데, 그 맛이 제대로 된 것인지는 확신할 수 없었다.

주방문대로 하였지만, 기대했던 술맛이 아니었다. 맛이 쓰고 떫으면서 소주 냄새가 사라지지 않은 탓에 맛있다는 느낌은 받지 못했다. 특히 텁텁한 맛과 싱거운 도수로 인해 기호가 떨어졌는데, 그 원인이 떡을 칠 때에 고루 쳐지지 않은 까닭으로 판단되었다. 떡을 치는 과정을 굳이 세 차례나 반복하라는 이유를 짐작할 수 있었으며, 주방문의 '말리라'는 떡의 '온기를 식히라'는 것으로 해석해야 된다는 것도 알았다.

'삼대적법'은 빚는 과정은 복잡하지만, 일단 만들어두면 언제고 휴대하고 다니면서 즉석에서 물에 타서 탁주나 막걸리를 만들어 마실 수 있으므로 매우 유용하다고 할 수 있다.

'삼대적법'이 완성되면 유지에 싸고 밀봉하여 냉장고나 냉동고에 보관해 두었다가 언제든지 필요할 때마다 꺼내서 즉석에서 사용할 수 있기 때문이다.

또한 소주를 사용한 까닭에 변질되지도 않고, 그 양을 많이 하고 급수 비율을 줄여서 만들면 알코올 도수도 꽤 높은 술을 즐길 수 있다.

삼대적법 <주식방(酒食方, 高大閨壺要覽)>

술 재료 : 찹쌀 5말, 소주

술 빚는 법 :
1. 찹쌀 5말을 잘 씻어(백세하여 물에 담갔다가, 다시 씻어 헹궈 건져서) 물기

를 빼놓는다.

2. 불린 쌀을 가루로 빻아 (고운체에 쳐서) 그릇에 담아놓는다.

3. 쌀가루에 소주를 2말 정도 붓고 고루 섞어서 헤쳐놓는다.

4. 쌀가루가 소주를 다 먹으면, 그릇에 담고 시루에 안쳐서 익을 만큼만 쪄서 유지 위에 퍼낸다.

5. 찐 쌀가루를 헤쳐놓고 바람에 말려서 차게 식히고, 절구에 넣고 찧는다.

6. 찧은 떡을 다시 소주를 묻혀가면서 치대어 무르게 만든다.

7. 치댄 떡을 바람에 말려서 차게 식히고, 절구에 넣고 재차 또 찧는다.

8. 찧은 떡을 또다시 소주를 묻혀가면서 재차 치대어 무른 술밑을 만든다.

9. 술밑을 유지로 만든 줌치에 담아두고, 3숟가락에 냉수 1복자씩 섞어 타 마신다.

* 주방문 말미에 "맛이 기특하고 다식한다."고 하고, 또 "덤미 닷 말을 하면 한 해를 먹는다. 죠흔 술 비젓다가 시거든 게의치 말고 가만히 두어 달 두면 지 쥬 된다."고 하였다.

삼디적법

덤미 조히 씨셔 쥭말ᄒ여 된쇼쥬의 마라 몸이 다 졋거든 다마 김을 녀 익을 만ᄒ거든 쏘다 쓰져 유지에 퍼내라 말노여 찌혀 쳐 쏘 쇼쥬 므쳐 쪄 말노여 쏘 한 번 그리 ᄒ여 디되 세 번을 ᄒ여 유지 줌치에 너허두고 닝슈 ᄒ 복ᄌ의 세 술식 타 마시면 마시 긔특ᄒ고 다식ᄒᄂ니라. 덤미 닷 말을 ᄒ면 한 ᄒ릐를 먹ᄂ니라. 죠흔 술 비젓다가 싀거든 긔으지 말고 가마니 두어 둘 두면 지쥬 되ᄂ니라.

삼일주

스토리텔링 및 술 빚는 법

술을 익히는 데 있어 가능한 한 '빠른 시일 내에 숙성시키는 술'을 속성주류(速成酒類)로 분류한다.

속성주 중 '삼일주(三日酒)'는 "3일 만에 술이 익는다." 또는 "삼일 만에 발효를 끝낸다."고 하여 술 이름을 얻었다. 속성주는 이밖에도 '일일주',, '시급주', '급청주', '급주', '칠일주', '십일주' 등 그 종류가 많다.

이처럼 단시일 내에 숙성시키는 술, 곧 '일일주'와 같은 술은 대부분 탁주인 데 반해, '삼일주'는 속성주이면서도 청주를 얻기 위해 빚는 경우가 많다.

'삼일주'에 대한 기록으로는 <감저종식법(甘藷種植法)>을 비롯하여 <고려대 규합총서(高麗大閨閤叢書, 異本)>, <고사신서(攷事新書)>, <고사십이집(攷事十二集)>, <군학회등(群學會騰)>, <규중세화>, <규합총서(閨閤叢書)>, <농정회요(農政會要)>, <민천집설(民天集說)>, <보감록>, <봉접요람>, <부인필지(夫人必知)>, <산가요록(山家要錄)>, <산림경제(山林經濟)>, <수운잡방(需雲雜方)>, <술 만드는 법>, <술방>, <술 빚는 법>, <승부리안주방문>, <시의전

서(是議全書)>, <양주방>*, <양주방(釀酒方)>, <양주집(釀酒集)>, <역주방문(曆酒方文)>, <음식디미방>, <음식방문(飲食方文)>, <음식방문니라>, <임원십육지(林園十六志)>, <조선무쌍신식요리제법(朝鮮無雙新式料理製法)>, <주방(酒方)>*, <증보산림경제(增補山林經濟)>, <침주법(浸酒法)>, <해동농서(海東農書)>, <후생록(厚生錄)> 등 34권의 문헌에 48차례나 수록되어 있는데, 술 빚는 법에서 각각의 문헌마다 약간씩 차이가 있다.

그런데 이들 기록이나 술 빚는 법에서 알 수 있는 사실은, '삼일주'가 속성주라는 사실과 함께 가능한 한 빠른 시일 안에 발효를 끝내야 한다는 전제가 주어지므로, 단양주법(單釀酒法)이 42차례나 등장하고 있다는 것이다.

이로써 '삼일주'는 단양주가 주류를 이룬다는 것을 확인할 수 있으며, 주질 향상이나 특별한 목적을 띤 이양주법(二釀酒法)의 주방문도 <수운잡방>, <양주집>, <역주방문>, <침주법>에서 4가지를 찾아볼 수 있다.

'삼일주'의 특징은 크게 5가지로 생각해 볼 수 있다.

첫째, '삼일주'는 주원료인 쌀을 가공하는 방법에 따라 주방문이 각각 다르게 나타나고 있다는 점이다.

단양주법에서 가장 간편하면서도 비교적 높은 알코올 도수와 함께 맑은 술을 얻고자 하는 방법인 고두밥을 지어 빚는 방법의 '삼일주'가 <감저종식법>을 비롯하여 <고사신서>, <고사십이집>, <군학회등>, <규중세화>, <농정회요>, <민천집설>, <봉접요람>, <산림경제>, <술방>, <술 빚는 법>, <승부리안주방문>, <시의전서>, <음식방문>, <임원십육지>, <조선무쌍신식요리제법>, <주방>*, <증보산림경제>, <침주법>, <해동농서>, <후생록>에 수록되어 있어, 고두밥으로 빚는 '삼일주'가 주류를 이루고 있다는 것을 알 수 있다.

이어, 불린 쌀을 가루로 빻아 만든 죽(粥)으로 빚는 '삼일주'가 <군학회등>을 비롯하여 <농정회요>, <산가요록>, <술방>, <음식디미방>, <임원십육지> 2회, <조선무쌍신식요리제법> 2회, <증보산림경제>, <침주법> 2회 등장하여 고두밥 다음으로 선호되고 있으며, <고려대규합총서(이본)>를 비롯하여 <규합총서>, <보감록>, <부인필지>, <시의전서>, <음식방문니라>의 경우 불린 쌀을 물과 함께 끓이는 통쌀죽으로 빚는 방법을 취하고 있다.

죽을 쌀가루로 만들어 사용하는 것은 보다 빠른 당화와 발효에 그 목적이 있는 만큼 알코올 도수가 주목적이 아닌, 부드럽고 감칠맛 나는 술을 얻고자 하는 데 있다. 그리고 죽을 쌀가루가 아닌 통쌀로 만드는 방법은, 중요무형문화재 제86-다호 '경주 교동법주'나 전라남도 무형문화재로 지정된 '해남 진양주' 등 속성주가 아닌 이양주에서도 볼 수 있는데, 매우 오래된 술 빚기의 한 가지라고 할 수 있으며, 보다 간편한 방법이라고 할 수 있다.

또한 <고려대규합총서(이본)>를 비롯하여 <규합총서>, <보감록>, <부인필지>, <시의전서>의 '삼일주'는 찹쌀죽을 쑬 때 사용하는 물의 양이 2~3말로 그때그때에 따라 달라진다는 것을 알 수 있는데, 이는 술을 빚을 때 필요량에 따른 것으로 이해할 수 있으며, 이러한 방법이야말로 바로 속성주가 지니는 특성이랄 수 있다.

그리고 <술 만드는 법>을 비롯하여 <양주방>*, <양주방(釀酒方)>, <역주방문>에서 흰무리떡인 백설기를 만들어 빚는 '삼일주' 주방문을 찾아볼 수가 있다. 백설기를 쪄서 빚는 단양주법 '삼일주'와 같은 주방문은 주로 하절(夏節) 양주기법에 자주 등장하는데 '하절삼일주'의 경우 백설기를 쪄서 빚는다는 공통점을 나타내고 있음을 볼 수 있다. 백설기를 쪄서 빚는 경우, 약간의 알코올 도수와 함께 잔당(殘糖)을 남겨 감칠맛 나는 술을 얻고자 하는 목적에서 이루어진다고 할 수 있겠다.

이밖에도 이양주법의 '삼일주'에서는 <양주집>과 <침주법>에서 밑술과 덧술을 각각 죽으로 빚는 방법을 택하고 있으며, <수운잡방>과 <역주방문>에서는 밑술을 설기로 하고, 덧술은 고두밥을 사용하는 주방문을 수록하고 있음을 볼 수 있다.

그리고 유일하게 <침주법>의 '우삼일주(又三日酒)'에서는 밑술을 구멍떡으로 하고 덧술을 된죽으로 빚는 주방문을, <양주집>에서는 밑술과 덧술 모두 쌀가루를 끓여서 만든 죽을 사용하고 있는 것을 엿볼 수 있다.

둘째, '삼일주'는 속성주인 만큼 잡균의 오염이나 산패를 예방하기 위한 조치로 누룩을 수곡(水麴, 물누룩) 형태 또는 주곡(酒麴, 술누룩) 형태로 만들어 술을 빚고 있다는 점에서도 특징을 발견할 수 있다.

수곡 형태로 빚는 '삼일주'는 <감저종식법>을 비롯하여 <고려대규합총서(이본)>, <군학회등> 2회, <규중세화>, <규합총서>, <농정회요> 2회, <민천집설>, <보감록>, <봉접요람>, <부인필지>, <산가요록>, <수운잡방>, <술 만드는 법>, <술방> 2회, <술 빚는 법>, <승부리안주방문>, <시의전서> 2회, <양주방>*, <역주방문> 2회, <음식디미방>, <음식방문>, <임원십육지> 2회, <조선무쌍신식요리제법> 2회, <주방>*, <증보산림경제> 2회, <침주법>, <해동농서>, <후생록>에 수록된 주방문을 들 수 있으며, <침주법>에서는 주곡 형태로 빚는 '삼일주'를 찾아볼 수 있다.

또한 수곡과 주곡을 아우르는 형태의 주방문으로 <산림경제>를 비롯하여 <고사신서>, <고사십이집>의 주방문을 참고할 수 있다. 또 <봉접요람>에서는 '서김(腐本)'도 사용하는 것을 볼 수 있다.

수곡과 주곡, 또는 이를 병행하는 방법의 경우, 빠른 유기산 생성과 효모의 증식을 통하여 잡균의 증식 및 오염을 예방하고자 하는 것이 주목적으로, 약간의 산미가 강한 느낌을 감출 수 없다는 단점이 있으나, 여름철 양주에서는 오히려 술맛을 돋워주는 장점으로 나타난다는 점에서 선호된다.

따라서 물의 양을 줄여갈 필요가 있으며, 백설기나 고두밥으로 빚는 경우에 더 적합하다.

셋째, 유기산 생성을 촉진시켜 잡균의 증식을 억제하는 한편, 맑은 술을 얻고자 하는 방법으로, 밀가루(眞末)를 사용하는 것을 볼 수 있다. <양주집>과 <침주법>의 이양주법 '삼일주'와 <임원십육지>, <조선무쌍신식요리제법> 등 탁주를 사용하는 단양주법 주방문이 그것이다.

밀가루의 사용은 유기산 생성을 촉진시켜 주는 작용이 있어, 저온장기발효주나 속성주를 비롯하여 여름철 양주기법으로 널리 애용되고 있는데, 현대양주에서 입국이나 효소제와 함께 효모를 사용할 경우 젖산 등을 첨가해 주는 보산(補酸)과 같은 원리이다.

넷째, '삼일주'는 멥쌀로 빚는 경우가 주류를 이루는 가운데, <양주집>을 비롯하여 <침주법>에 수록된 이양주법에서 멥쌀과 찹쌀을 섞어 빚는 주방문을 3차례 목격할 수 있으며, <규중세화>를 비롯하여 <봉접요람>, <승부리안주방문>,

<임원십육지>, <조선무쌍신식요리제법>에 수록된 '삼일주'에서 찹쌀을 사용하고 있음을 엿볼 수 있다.

대개의 경우 속성주에서 멥쌀술과 찹쌀술의 특징은 크게 달라질 것이 없으나, 미숙주(未熟酒)가 대부분인 '삼일주'에서는 찹쌀술이 훨씬 부드럽고 맛있게 느껴질 수가 있으며, 이양주의 경우에는 그 차이를 확연하게 느낄 수 있다.

이상에서 본 바와 같이 '삼일주'는 몇 가지 특징을 갖고 있는데, 이들 특징의 배경은 안전한 발효와 함께 잡균 등의 오염 방지 및 산패 예방에 초점이 모아져 있으며, 무엇보다 빠른 발효를 도모하기 위한 것이라고 할 수 있다.

그런데 주지하다시피 대부분의 '삼일주' 주방문에는 "버무려 빚은 술밑을 술독에 담아 안쳐서 익히면 3~4일 후에는 술이 익는다."고 하였으나, 이 술이 완전발효되어 숙성이 되려면 3~4일이라는 시간으로는 충분치 못하다.

술을 빚어본 사람이면 3~4일이 지난 후에도 술에서 계속 이산화탄소가 발생하는 것을 볼 수 있을 것이다. 이는 결국 술이 다 익지 않았거나 숙성되지 않았다는 것을 뜻하는바, 결국 미숙주로서 숙취와 헛배 부름, 갈증 등 술 마신 후의 후유증을 불러오게 된다.

여러 문헌 가운데서도 <음식디미방>과 <양주방>*, <임원십육지>의 '삼일주'가 맛과 향에서 가장 나았는데, 저장 기간이 짧은 단점이 있었다. 이들 문헌에 기록된 '삼일주'를 재현하는 과정에서 알게 된 사실은, 장기 보관이 어렵다는 것이었다. '삼일주'의 저장 기간이 짧은 까닭은, 단기간 내에 발효시킨 술이라는 점에서 알코올 도수가 낮고, 완전 숙성이 되지 않기 때문으로 여겨진다.

따라서 속성주라도 맛 좋고 숙취 없는 좋은 술을 빚기 위해서는 물의 양을 줄일 필요가 있고, 특히 주원료를 차게 식혀서 사용하며, 쌀과 누룩을 버무릴 때 거품이 충분히 일어나도록 술밑을 치대어줄 일이다. 이렇게 하면 단시간 내에 발효가 일어나게 되고, 기간 내에 발효를 끝낼 수 있게 되어, 전통주에 대한 부정적인 생각이나 편견을 떨칠 수 있을 것이다.

속성주이면서도 비교적 맑은 청주를 얻고자 하는 방법으로 누룩을 적게 넣는 대신 탁주를 사용하여 빚은 '삼일주'에서는 누룩 냄새가 나지 않아 거부감이 없고, 매우 은은한 수박 향기를 느낄 수가 있다.

이처럼 속성주라도 술 빚는 방법이 다르면, 술맛과 향도 달라지게 되는 것은 당연하다. 술 빚는 기술을 익히고자 한다면 '삼일주'와 같은 속성주에 도전해 볼 일이다.

1. 삼일주 <감저종식법(甘藷種植法)>

술 재료 : 멥쌀 1말, 누룩가루 4되, (좋은 술 1사발), 끓여 식힌 물 1말

술 빚는 법 :

1. 물 1말을 팔팔 끓여 넓은 그릇에 퍼 담고, 차게 식기를 기다린다.
2. 식은 물 1말에 누룩가루 4되를 넣고, 물누룩을 만들어 하룻밤 불려놓는다.
3. 다음날 물누룩을 체에 거르고 주물러 짜서, 누룩 찌꺼기를 제거한 누룩물을 만들어놓는다.
4. 수곡을 만드는 날 멥쌀 1말을 백세하여 (물에 담가 밤재워 불렸다가, 다시 씻어 건져서 물기를 뺀 후) 시루에 안쳐 무른 고두밥을 짓는다.
5. 고두밥이 무르게 익었으면, 퍼내어 고루 펼쳐서 차게 식기를 기다린다.
6. 고두밥에 (좋은 술 1사발과) 누룩물을 합하고, 고루 버무려 술밑을 빚는다.
7. 술밑을 술독에 담아 안치고, 예의 방법대로 하여 3일간 발효시키면 술이 익는다.

* 주방문 말미에 "여기에 좋은 술 1사발을 부어 넣으면 더욱 좋다."고 하였으므로, 그에 따른 주방문을 작성하였다.

三日酒
湯水一斗待冷麴末四升浸其水經夜白米一斗百洗蒸飯爛熟候冷以所浸麴攪
取汁去滓以其汁調飯釀三日乃飲更入好酒一鉢尤佳.

2. 삼일주 <고려대규합총서(高麗大閨閤叢書, 異本)>

술 재료 : 멥쌀 1말, 누룩가루 2되, 정화수 1말, 물 2말

술 빚는 법 :

1. (술독에 짚불 연기를 쏘여 소독한 뒤, 마른행주로 그을음을 깨끗하게 닦아 낸다.)
2. 겨울에는 정화수(여름에는 끓여 식힌 물) 1말을 길어다 술독에 채운 다음, 누룩가루 2되를 담가 물누룩을 만들어놓는다.
3. 멥쌀 1말을 백세하여 (물에 담가 불렸다가, 다시 씻어 건져서 물기를 뺀 후) 놓는다.
4. 솥에 물 1말을 끓이다가, 불린 쌀을 합하고 팔팔 끓여 죽을 쑤어 넓은 그릇에 퍼 담고, 얼음같이 차게 식기를 기다린다.
5. 죽을 물누룩이 담긴 술독에 쏟아 붓고, 주걱으로 휘저어 술밑을 빚는다.
6. 술독은 예의 방법대로 하여 3일간 발효시켜 익기를 기다렸다가 술이 맑아졌으면 채주한다.

삼일쥬

겨울의ᄂᆞᆫ 정화슈오 녀름의ᄂᆞᆫ 쓸힌 믈 치와 ᄒᆞᆫ 말의 누룩ᄀᆞ로 두 되을 석거 항속의 너코 빅미 ᄒᆞᆫ 말 빅셰ᄒᆞ야 쥭 뿌어 다른 누룩 석디 말고 그 누룩 튼 믈의 석거 삼 일 만의 청쥬가 되ᄂᆞ니라.

3. 삼일주 <고사신서(攷事新書)>

술 재료 : 멥쌀 1말, 누룩가루 4되, 좋은 술 1사발, 끓여 식힌 물 1~2말

술 빚는 법 :

1. 물 1말을 팔팔 끓여 넓은 그릇에 퍼 담고, 차게 식기를 기다린다.
2. 멥쌀 1말을 많이 씻고 또 씻어 (물에 담가 불렸다가, 다시 씻어 건져서 물기를 뺀 후) 시루에 안쳐 고두밥을 짓는다.
3. 식은 물 1말에 좋은 술 1사발과 누룩가루 4되를 넣고, 고루 풀어 수곡을 만들어놓는다.
4. 수곡을 체에 거르고 주물러 짜서 누룩 찌꺼기를 제거한 누룩물을 만들어놓는다.
5. 고두밥이 무르게 익었으면, 퍼내어 고루 펼쳐서 차게 식기를 기다린다.
6. 고두밥에 누룩물을 합하고, 고루 버무려 술밑을 빚는다.
7. 술밑을 술독에 담아 안치고, 좋은 술 1사발을 부어 넣은 후, 예의 방법대로 하여 3일간 발효시키면 술맛이 더욱 아름답다.

* 주방문에 "끓는 물 1말을 식혀, 누룩가루 4되를 그 물에 담가 하룻밤 재운다. 깨끗이 씻은 쌀 1말을 매 씻어 폭 쪄서 식힌 뒤, 물에 담근 누룩을 걸러 건더기는 버리고 그 즙으로 지에밥에 섞어 빚으면 사흘이면 마실 수 있다. 여기에 좋은 술 1사발을 부어 넣으면 더욱 좋다."고 하였다. <고사촬요>의 기록과 같다.

三日酒
湯水一斗待冷麴末四升浸其水經夜白米一斗百洗蒸飯爛熟候冷以所浸麴濾取汁以其汁調飯釀三日乃飮更入好酒一鉢尤佳.

4. 삼일주 <고사십이집(攷事十二集)>

술 재료 : 멥쌀 1말, 누룩가루 4되, 좋은 술 1사발, 끓여 식힌 물 1~2말

술 빚는 법 :

1. 물 1말을 팔팔 끓여 넓은 그릇에 퍼 담고, 차게 식기를 기다린다.
2. 멥쌀 1말을 많이 씻고 또 씻어 (물에 담가 불렸다가, 다시 씻어 건져서 물기를 뺀 후) 시루에 안쳐 고두밥을 짓는다.
3. 식은 물 1말에 좋은 술 1사발과 누룩가루 4되를 넣고, 고루 풀어 수곡을 만들어놓는다.
4. 수곡을 체에 거르고 주물러 짜서 누룩 찌꺼기를 제거한 누룩물을 만들어놓는다.
5. 고두밥이 무르게 익었으면, 퍼내어 고루 펼쳐서 차게 식기를 기다린다.
6. 고두밥에 누룩물을 합하고, 고루 버무려 술밑을 빚는다.
7. 술밑을 술독에 담아 안치고, 좋은 술 1사발을 부어 넣은 후, 예의 방법대로 하여 3일간 발효시키면 술맛이 더욱 아름답다.

* 주방문에 "끓는 물 1말을 식혀, 누룩가루 4되를 그 물에 담가 하룻밤 재운다. 깨끗이 씇은 쌀 1말을 매 씻어 푹 쪄서 식힌 뒤, 물에 담근 누룩을 걸러 건더기는 버리고 그 즙으로 지에밥에 섞어 빚으면 사흘이면 마실 수 있다. 여기에 좋은 술 1사발을 부어 넣으면 더욱 좋다."고 하였다. <고사촬요>의 기록과 같다.

三日酒

湯水一斗待冷麴末四升浸其水經夜白米一斗百洗蒸飯爛熟候冷以所浸麴(濾)取汁調飯釀三日乃飮入好酒一鉢尤佳.

5. 삼일주법 <군학회등(群學會騰)>

술 재료 : 멥쌀 1말, 누룩가루 4되, 끓여 식힌 물 1말, 좋은 술 1사발

술 빚는 법 :

1. 물 1말을 백비탕으로 (팔팔 끓여 넓은 그릇에 퍼 담고), 차게 식기를 기다려 누룩가루 4되를 불려 수곡을 만들어 밤재워 놓는다.

2. (다음날) 아침에 멥쌀 1말을 백세하여 (물에 담가 불렸다가, 저녁에 다시 씻어 건져서 물기를 뺀 후) 시루에 안쳐 무른 고두밥을 짓는다.

3. 수곡을 체에 거르고 주물러 짜서 누룩 찌꺼기를 제거한 누룩물을 만들어 놓는다.

4. 고두밥이 무르게 푹 익었으면 퍼낸다(고루 펼쳐서 차게 식기를 기다린다).

5. 고두밥에 누룩물과 좋은 술 1사발을 한데 합하고, 고루 버무려 술밑을 빚는다.

6. 술밑을 술독에 담아 안치고, 예의 방법대로 하여 3일간 발효시키면 술이 익는다.

* <사시찬요보>, <증보산림경제>에 수록된 '삼일주'와 방문이 똑같다. 다만, 방문 말미에 "좋은 술 1사발을 부어 넣으면 더욱 좋다."고 하여 <사시찬요보>와 차이가 있다.

三日酒法
水一斗湯沸候冷以麴末四升浸其水經夜白米一斗百洗蒸飯爛熟候冷以所浸麴濾取汁去滓以其汁調飯釀三日乃飮入好酒一鉢則尤佳.

6. 삼일주 우법 <군학회등(群學會騰)>

술 재료 : 멥쌀 1말, 누룩가루 2되, 물(2말)

술 빚는 법 :

1. 겨울에는 정화수를, 여름에는 끓여 식힌 물 1말을 넓은 그릇에 퍼 담고, 누룩가루 2되를 불려 수곡을 만들어 술독에 담아놓는다.

2. 아침에 멥쌀 1말을 백세하여 (물에 담가 불렸다가, 저녁에 다시 씻어 건져서 물기를 뺀 후) 작말한다.

3. (솥에 물 2말을 끓이다가, 물이 뜨거워지면 1말을 퍼서 쌀가루에 합하고, 고루 개어 아이죽을 만든다.)

4. 솥의 끓고 있는 물에 아이죽을 합하고, 주걱으로 천천히 저어가면서 팔팔 끓이고, 죽이 푹 익었으면 넓은 그릇에 퍼내어 주걱으로 고루 헤쳐서 차게 식기를 기다린다.

5. 죽을 술독의 누룩물에 합하고, 고루 저어주어 술밑을 빚는다.

6. 술독은 예의 방법대로 하여 (따뜻한 곳에 두어) 3일간 발효시키면 맑은 술이 된다.

* 주방문에는 물의 양이 언급되어 있지 않다. 따라서 수곡에 사용되는 물의 양과 누룩의 양을 감안했을 때 최대 2말을 넘지 않아야 한다고 판단하였다. 또 방문 말미에 "3일이면 맑은 술이 된다."고 하였는데, 발효가 끝나 맑아지려면 술 빚은 지 2일째 되는 날 발효가 종료되어야 하므로 따뜻한 곳에서 발효시켜야만 한다. 또 쌀을 가루로 빻아 빚은 술에서 3일 만에 맑은 술이 되기는 힘들다. 여기서의 '맑은 술'은 '누룩 찌꺼기가 가라앉은 상태'를 가리키는 것으로 이해할 수 있다.

三日酒 又法

冬用井華水夏用湯水冷之一斗麴末二升相和納甕白米一斗百洗作末作粥不用麴納甕相和後三日成清酒.

7. 삼일주 <규중세화>

술 재료 : 찹쌀 1말, 누룩 2되, 정화수 1말 3되

술 빚는 법 :
1. 찹쌀 1말을 백세하여 물에 담가 하룻밤 불렸다가 (다시 씻어 건져) 물기를 뺀다.
2. 정화수 1말 3되에 누룩 2되를 담가 물누룩을 만들어놓는다.
3. 불린 찹쌀을 시루에 안쳐서 고두밥을 짓는다.
4. 물누룩을 체에 밭쳐 주물러 짜서 누룩물을 만들어놓는다.
5. 고두밥이 익었으면 퍼내고, 고루 펼쳐서 차게 식기를 기다린다.
6. 고두밥에 누룩물을 합하고, 고루 버무려 술밑을 빚는다.
7. 술밑을 술독에 담아 안치고, 예의 방법대로 하여 3일간 발효시키고 익기를 기다린다.

* 주방문에 "찹쌀 한 말 백세하야 담구고 정화수 말 서 되, 누룩 두 되, 쌀 함께 담갔다가"라고 하였는데, "찹쌀 담그는 날 정화수 말 서 되에 누룩 두 되를 담 갔다가"로 해석하는 것이 옳을 것 같다

삼일주
찹쌀 한 말 백세하야 담구고 정화수 말 서 되, 누룩 두 되를 쌀 함께 담갔 다가, 이튿날 찹쌀을 냉수에 헤워 찌며 그 물 체에 걸러 섞어 사흘 후 쓰라.

8. 삼일주 <규합총서(閨閤叢書)>

> 술 재료 : 멥쌀 1말, 누룩가루 2되, 정화수(끓인 물) 1말, 물(2~3말)

술 빚는 법 :

1. 술독에 짚불 연기를 쏘이고, 깨끗한 수건으로 그을음을 닦아내어 준비해 놓는다.

2. 겨울에는 정화수, 여름에는 끓인 물 1말을 차게 소독하여 준비한 술독에 식혀 채워놓는다.

3. 법제한 누룩가루 2되를 물이 담긴 술독에 넣고 저어주어 물누룩을 만들어 놓는다.

4. 멥쌀 1말을 백세하여 (물에 담가 불렸다가, 다시 씻어 건져서) 물기를 빼놓는다.

5. 솥에 물 2말을 붓고 끓이다가, 물이 끓기 시작하면 불린 쌀을 넣고 주걱으로 천천히 저어주어 팔팔 끓는 죽을 쑨다.

6. (죽이 퍼지게 익었으면 넓은 그릇에 퍼내고, 죽을 따뜻하게 식힌다.)

7. 죽이 따뜻할 때 물누룩이 들어 있는 술독에 넣고 고루 저어준 다음, 예의 방법대로 하여 3일간 발효시킨다.

* 주방문 말미에 "우법은 <산림경제>"라고 하여 출전을 밝히고 있는데, <산림경제>의 '삼일주' 주방문에는 "끓는 물 1말을 식혀, 누룩가루 4되를 그 물에 담가 하룻밤 재운다. 깨끗이 쓿은 쌀 1말을 매 씻어 폭 쪄서 식힌 뒤, 물에 담근 누룩을 걸러 건더기는 버리고, 그 즙으로 지에밥에 섞어 빚으면 사흘이면 마실 수 있다."고 하여, 본방문과 차이가 있음을 알 수 있다.

삼일쥬

겨을의는 정화슈오 녀름의는 쓸힌 믈 치와 혼 말의 누룩ㄱ로 두 되을 석거 항 속의 너코 빅미 흔 말 빅셰ᄒ야 죽 쒀어 다른 누록 석디 말고 그 누록 튼 믈의 석거 삼 일 만의 쳥쥬가 되ᄂ니라. 우법은 <산림경제>를 인용하였다.

9. 삼일주법 <농정회요(農政會要)>

> 술 재료 : 멥쌀 1말, 누룩가루 4되, 좋은 술 1사발, 끓여 식힌 물 1말

술 빚는 법 :

1. 물 1말을 팔팔 끓인 백비탕을 넓은 그릇에 퍼 담고, 차게 식기를 기다려 누룩가루 4되를 불려 물누룩을 만들어 밤재워 놓는다.
2. (다음날) 아침에 멥쌀 1말을 백세하여 (물에 담가 불렸다가, 저녁에 다시 씻어 건져서 물기를 뺀 후) 시루에 안쳐 무른 고두밥을 짓는다.
3. 수곡을 체에 거르고 주물러 짜서 누룩 찌꺼기를 제거한 누룩물을 만들어 놓는다.
4. 고두밥이 무르게 푹 익었으면, 퍼내어 고루 펼쳐서 차게 식기를 기다린다.
5. 고두밥에 누룩물과 좋은 술 1사발을 합하고, 고루 버무려 술밑을 빚는다.
6. 술밑을 술독에 담아 안치고, 예의 방법대로 하여 3일간 발효시키면 술이 익는다.

* 주방문 말미에 "술을 빚을 때 좋은 술 1사발을 부어 넣으면 더욱 좋다."고 하여 <사시찬요보>와 차이가 있다.

三日酒法
水一斗湯沸候冷以麴末四升浸其水經夜白米一斗百洗蒸飯爛熟候冷以所浸麴
漉取汁去滓以其汁調飯釀三日乃飮釀時入好酒一鉢則尤佳.

10. 삼일주 우법 <농정회요(農政會要)>

> 술 재료 : 멥쌀 1말, 누룩가루 2되, 물(2말)

술 빚는 법 :

1. 정화수(여름에는 끓여 식힌 물) 1말을 넓은 그릇에 퍼 담고, 누룩가루 2되를 불려 누룩물을 만들어 술독에 담아놓는다.

2. 아침에 멥쌀 1말을 백세하여 (물에 담가 불렸다가, 저녁에 다시 씻어 건져서 물기를 뺀 후) 작말한다.

3. 솥에 물(2말)을 끓이다가, 물이 뜨거워지면 쌀가루를 합하고, 주걱으로 천천히 저어가면서 팔팔 끓여 죽을 쑨다.

4. 죽이 폭 익었으면 넓은 그릇에 퍼내어 (따뜻하게) 식기를 기다린다.

5. 죽을 술독의 누룩물에 합하고, 고루 저어주어 술밑을 빚는다.

6. 술독은 예의 방법대로 하여 따뜻한 곳에서 3일간 발효시키면 맑은 술이 된다.

* 주방문에는 물의 양이 언급되어 있지 않다. 따라서 수곡에 사용되는 물의 양과 누룩의 양을 감안했을 때 최대 2말을 넘지 않아야 한다고 판단하였다. 또 방문 말미에 "3일이면 맑은 술이 된다."고 하였는데, 발효가 끝나 맑아지려면 술 빚은 지 2일째 되는 날 발효가 종료되어야 하므로, 따뜻한 곳에서 발효시켜야만 한다. 또 쌀을 가루로 빻아 빚은 술에서 3일 만에 맑은 술이 되기는 힘들다. 여기서의 '맑은 술'은 '누룩 찌꺼기가 가라앉은 상태'를 가리키는 것으로 이해할 수 있다.

三日酒 又法
冬用井華水夏用湯水冷之一斗麴末二升相和納瓮白米一斗百洗作末作粥不用
麴同納瓮相和後三日成淸酒.

11. 삼일주 <민천집설(民天集說)>

술 빚는 법 :

1. 물 1말을 팔팔 끓여 넓은 그릇에 퍼 담고, 차게 식기를 기다린다.

2. 멥쌀 1말을 많이 씻고 또 씻어 (물에 담가 불렸다가, 다시 씻어 건져서 물기를 뺀 후) 시루에 안쳐 고두밥을 짓는다.

3. 식은 물 1말에 누룩가루 4되를 넣고, 고루 풀어 수곡을 만들어놓는다.

4. 수곡을 체에 거르고 주물러 짜서 누룩 찌꺼기를 제거한 누룩물을 만들어놓는다.

5. 고두밥이 무르게 익었으면, 퍼내어 고루 펼쳐서 차게 식기를 기다린다.

6. 고두밥에 좋은 술 1사발과 누룩물을 합하고, 고루 버무려 술밑을 빚는다.

7. 술밑을 술독에 담아 안치고, 예의 방법대로 하여 3일간 발효시키면 술맛이 더욱 아름답다.

* 주방문에 "사흘 내에 마시고자 하면, 좋은 술 1사발을 부어 넣으면 더욱 좋다."고 하였다. 또 "이와 같이 빚으려면 쌀 1되에 누룩가루 4홉의 비율로 한다."고 하였다.

三日酒

湯水一斗待冷以曲末四升沈其水經夜(○)白米一斗百洗蒸飯爛熟候冷以所浸曲末擄取汁去滓以其汁調飯釀　三日乃飲更入好酒一鉢尤佳.　如釀一升米則(○)曲末四合.

12. 삼일주 <보감록>

술 재료 : 멥쌀 1말, 가루누룩 2되, 정화수(끓인 물) 1말, 물(2~3말)

술 빚는 법 :

1. 겨울에는 정화수, 여름에는 끓인 물 1말을 차게 소독하여 준비한 술독에 식혀 채워놓는다.
3. 법제한 가루누룩 2되를 물이 담긴 술독에 넣고 저어주어 물누룩을 만들어 놓는다.
4. 멥쌀 1말을 백세하여 (물에 담가 불렸다가, 다시 씻어 건져서) 물기를 빼놓는다.
5. 솥에 물(2~3말)을 붓고 끓이다가, 물이 끓기 시작하면 불린 쌀을 넣고 주걱으로 천천히 저어주어 팔팔 끓는 죽을 쑨다.
6. 죽이 퍼지게 익었으면 넓은 그릇에 퍼내고, 차게 식기를 기다린다.
7. 식은 죽을 물누룩이 들어 있는 술독에 넣고 고루 저어준 다음, 예의 방법대로 하여 3일간 발효시키면 청주가 된다.

* <규합총서>와 동일한 주방문을 싣고 있음을 알 수 있다.

삼일쥬
겨울의 졍화슈요 녀름의≿ 싈힌 물 식혀셔 물 흔 말의 ᄀ로누룩 두 되를 섯거 항 속의 너코 빅미 일두 빅세ᄒ야 죽을 쑤어 식여셔 그 누룩흔 물의 섯거 삼일 만의 쳥쥬가 되ᄂ이라.

13. 삼일주법 <봉접요람>

술 재료 : 찹쌀 1말, 섬누룩 2되, 서김 또는 약주 1되, 물 10되

술 빚는 법 :

1. 물 5되에 섬누룩 2되를 담가 불려서 물누룩을 만들어놓는다.

2. 찹쌀 1말을 백세하여 (물에 담가 불렸다가, 다시 씻어 헹궈 건져서 물기를 뺀 후) 시루에 안쳐서 고두밥을 무르게 짓는다.

3. 고두밥이 익었으면 퍼낸다(고루 펼쳐서 차게 식기를 기다린다).

4. 물누룩에 물 5되를 합하고 주물러서 체에 걸러 누룩 찌꺼기를 제거한 누룩 물을 만들어놓는다.

5. 고두밥에 걸러놓은 누룩물과 서김 또는 좋은 약주 1되를 한데 합하고, 고루 버무려 술밑을 빚는다.

6. 술밑을 술독에 담아 안치고, 예의 방법대로 하여 3일간 발효시킨다.

＊주방문 말미에 "찬 방에 두어서 익거든 쓰되, 삼일이라도 사일 만에 내어보면 좋은 약주나 다르지 아니하리라."고 하였다.

삼일쥬법

졈미 일두 빅셰ᄒ여 셥누룩 두 되를 물 녈 되로 닷 되는 누룩을 담그고 닷 되는 누룩 거를 졔쳐가며 죄 걸너 밥을 익게 쪄 미오 식켜 누룩물의 셧거 조흔 시검이ᄂ 약쥬ᄂ 흔 되 셧거 더위는 찬방의 두어너 익거든 쓰되 샴일이라도 ᄉ일 만의 닉여 보면 조흔 약쥬ᄂ 다라지 아니ᄒ이라.

14. 삼일주법 <부인필지(夫人必知)>

술 재료 : 멥쌀 1말, 누룩가루 2되, 정화수 또는 끓여 식힌 물 1말, 물(1~2말)

술 빚는 법 :

1. 겨울철에는 정화수(여름에는 끓인 물) 1말에 법제한 누룩가루 2되를 섞어 소독한 술독에 담아 물누룩을 만들어놓는다.
2. 멥쌀 1말을 정히 씻어(백세하여 물에 담가 불렸다가, 다시 씻어 건져서) 물기를 빼놓는다.
3. 솥에 (물 1~2말을 끓이다가), 불린 멥쌀을 넣고 (주걱으로 천천히 저어가면서) 팔팔 끓여 죽을 쑨다.
4. (죽이 익었으면 넓은 그릇에 퍼 담고, 차게 식기를 기다린다.)
5. (차게 식은) 죽을 물누룩이 담긴 술독에 넣고, 주걱으로 휘저어 술밑을 빚는다.
6. 술독은 예의 방법대로 하여 (따뜻한 곳에서) 3일간 발효시켜 익힌다.

* 주방문에 "불린 멥쌀 1말로 죽을 쑤라고 하였는데 물 양이 얼마인지 알 수 없다.

삼일쥬법

겨울에는 정화슈오 여름이는 물을 쓸여 도로 식여 흔 말에 누룩가루 두 되를 석거 항에 넛코 빅미 흔 말 정히 씨서 쥭 쑤어 석그면 숨일 만에 슐이 되느니라.

15. 삼일주 <산가요록(山家要錄)>

−쌀 1말 빚이

술 재료 : 멥쌀 1말(2말), 누룩가루 2되(4되), 정화수(끓인 물) 1말(2말)

술 빚는 법 :

1. 겨울철에는 정화수(여름에는 끓인 물)를 소독한 술독에 담아놓는다.
2. 물 1말이나 2말을 기준으로 누룩 2되나 4되를 물이 담긴 술독에 넣고 저어
   주어 물누룩을 만들어놓는다.
3. 다음날 멥쌀 1말이나 2말을 세정하여(백세하여 물에 담가 불렸다가, 다시 씻
   어 건져서 물기를 뺀 후) 가루로 빻는다.
4. 솥에 물(1말이나 2말)을 붓고 끓이다가 (물이 뜨거워지면 5되 정도를 떠서
   쌀가루에 퍼붓고, 주걱으로 고루 개어 멍우리 없는 아이죽을 만든 후) 물이
   끓으면, 아이죽을 넣고 팔팔 끓여 된죽을 쑨다.
5. 죽이 익었으면 넓은 그릇에 나눠 담고, 차게 식기를 기다린다.
6. 죽을 술독에 퍼 넣고, 주걱이나 막대기로 고루 휘저어 술밑을 빚는다.
7. 술독은 예의 방법대로 하여 3일간 발효시킨 다음, 채주하여 마신다.

* 주방문에 "3일 후에 즙을 쓴다."고 하였는데 술을 걸러 짠 막걸리를 가리키
는 것인지 분명치 않고, 쌀을 누룩가루와 함께 정화수에 불린다고 하였는데,
불린 쌀을 가지고 죽을 쑤라는 것인지 아니면 다음날 다시 쌀을 죽 쑤어 사
용하라는 것인지는 알 수 없다. 또한 물 양이 얼마인지도 알 수 없다. 따라서
필자는 정화수나 끓여 식힌 물 1말이나 2말을 기준으로 누룩을 2되나 4되
를 섞어 물누룩을 만드는 것으로 해석하였다. 또한 쌀은 누룩과 함께 불리지
않고 별도로 깨끗하게 씻어 불려서 가루로 빻고 죽을 쑤는 방법으로 이해하
고, 주방문을 작성하였다.

三日酒

米一斗. 冬則井花水. 夏則湯水 待冷. 先以一斗 或二斗. 麹二升 或四升. 和入瓮. 翌日. 白米一斗或二斗 洗淨作末 作粥待冷. 无麹入瓮 和而攪之. 待三日 汁用.

16. 삼일주 <산림경제(山林經濟)>

술 재료 : 멥쌀 1말, 누룩가루 4되, 좋은 술 1사발, 끓여 식힌 물 1~2말

술 빚는 법 :

1. 물 1말을 팔팔 끓여 넓은 그릇에 퍼 담고, 차게 식기를 기다린다.

2. 멥쌀 1말을 많이 씻고 또 씻어 (물에 담가 불렸다가, 다시 씻어 건져서 물기를 뺀 후) 시루에 안쳐 고두밥을 짓는다.

3. 식은 물 1말에 누룩가루 4되를 넣고, 고루 풀어 물누룩을 만들어놓는다.

4. 물누룩을 체에 거르고 주물러 짜서 누룩 찌꺼기를 제거한 누룩물을 만들어놓는다.

5. 고두밥이 익었으면, 퍼내어 고루 펼쳐서 차게 식기를 기다린다.

6. 고두밥에 좋은 술 1사발과 누룩물을 합하고, 고루 버무려 술밑을 빚는다.

7. 술밑을 술독에 담아 안치고, 예의 방법대로 하여 3일간 발효시키면 술이 익는다.

* 주방문 말미에 "여기에 좋은 술 1사발을 부어 넣으면 더욱 좋다."고 하였다.

三日酒

湯水一斗待冷 麴末四升 沈其水經夜 白米一斗百洗 蒸飯爛熟候冷 以所浸麴。攄 取汁去滓 以其汁調飯釀 三日乃飮. 更入好酒一鉢 則尤佳. <纂要補>.

17. 삼일주 <수운잡방(需雲雜方)>

술 재료 : 밑술 : 멥쌀 1말, 누룩 2되, 물 1말
　　　　 덧술 : 멥쌀 2말

술 빚는 법 :

* 밑술 :

1. 물 1말을 팔팔 끓인 뒤 (넓은 그릇 여러 개에 나눠 담고) 차게 식힌다.
2. 차게 식힌 물에 누룩 2되를 풀어 넣고, 고루 주물러 수곡을 만들어 그대로 하룻밤 재운다.
3. 멥쌀 1말을 백세(물에 담가 불렸다가, 다시 씻어 헹궈 건져서 물기를 뺀 후) 세말한(고운 가루를 만든) 다음, 시루에 안쳐 백설기를 찐다.
4. 백설기가 익었으면 퍼내고, 고루 펼쳐서 온기가 남지 않게 차게 식기를 기다린다.
5. 수곡에 백설기를 넣고, 고루 주물러서 멍우리가 없는 술밑을 빚는다.
6. 술밑을 술독에 담아 안치고, 예의 방법대로 하여 5~6간 발효시킨다(다음 날 떠서 쓸 수 있다).

* 덧술 :

1. 밑술을 빚은 지 5~6일 후, 멥쌀 2말을 백세하여 하룻밤 물에 불렸다가 (다시 씻어 헹궈서 물기를 뺀 후, 살수를 많이 하여) 밥 같은 무른 고두밥을 짓는다.
2. 고두밥이 익었으면 퍼내고, 고루 펼쳐서 차게 식기를 기다린다.
3. 고두밥에 밑술을 합하고, 고루 버무려 술밑을 빚는다.
4. 술밑을 술독에 담아 안치고, 예의 방법대로 두이레(14일)간 발효시킨다.
5. 좋은 향기가 있으며, 사계절 모두 할 수 있으나, 여름철이 가장 좋다.

* 술을 담글 때 누룩물을 체에 밭쳐 찌꺼기를 제거하면 술 빛깔이 아름답다. <음식디미방>의 주방문에는 진밥이 아닌 고두밥이며, <산림경제>에서는 '삼일주 별법'으로 "좋은 술 1사발을 넣으면 더욱 좋다."고 하였으며, "이 술은 더운 날에도 좋다."고 하였다.

三日酒

白米一斗百洗浸一宿細末熟蒸放冷前一日水一斗沸湯待冷麴三升和納瓮次日以放冷蒸餠和前水納瓮翌日開用復則五六日後白米二斗百洗浸一宿如飯熟蒸前酒和釀二七日後有香四節皆可然夏節尤佳釀時麴水下篩法滓色好.

18. 삼일주 <술 만드는 법>

술 재료 : 멥쌀 1말, 누룩 3되, 끓인 물 1말

술 빚는 법 :

1. 물 1말을 팔팔 끓여 차게 식힌 다음, 누룩 3되를 섞고, 풀어서 항아리에 담아 밤을 재워 수곡(水麴, 물누룩)을 만들어놓는다.
2. 멥쌀 1말을 백세(매우 깨끗이 씻어 불렸다가, 다시 씻어 헹궈서 물기를 뺀 뒤)하여 작말한다(가루로 빻고, 시루에 쪄서 백설기를 짓는다).
3. (백설기가 익었으면 퍼내어 손으로 덩어리가 없게 잘게 풀어서 식기를 기다린다.)
4. 물에 불려두었던 수곡을 가는 베에 밭아 누룩물을 만들어놓는다.
5. 쌀가루(백설기)를 누룩물에 합하고, 고루 버무려 술밑을 빚는다.
6. 술밑을 술독에 담아 안친 다음, 예의 방법대로 하여 3일간 발효시키고 익기를 기다린다.

* 주방문 말미에 "삼일 만에 드리우면 가장 맵고 좋으니라."고 하였으나, 쌀의 가공방법에서 문제가 있는 것으로 보인다. 즉, 생쌀가루를 누룩물과 합하여 3일간 발효시키는 것으로 되어 있으나, 3일 만에 발효가 끝나 마실 수 있는지는 회의적이기 때문이다. 따라서 다른 기록의 '삼일주'를 참고하여 쌀가루를 쪄서 익힌 방법의 백설기를 만들어 방문을 완성하였다.

솜일쥬

쓸여 시근 물 흔 말에 누룩 셔 되 항아리에 너허 밤을 지야 가는 베에 밧타셔 빅미 흔 말 빅셰 작말ᄒ야 그 누룩 슐에 풀어 항아리에 너허두엇다가 솜일 만에 드리오면 가장 밉고 죠흐니라.

19. 삼일주 <술방>

술 재료 : 멥쌀 1말, 누룩가루 4되, 좋은 술 1사발, 물 1말

술 빚는 법 :

1. 술 빚기 하루 전날 물 1말을 팔팔 끓여서 차게 식힌다.
2. 누룩가루를 가는 전대에 담아 주둥이를 묶어 차게 식혀둔 물에 담가 물누룩을 만들어놓는다.
3. 이튿날 멥쌀 1말을 백세하여 물에 담가 하룻밤(8~10시간) 불린다.
4. 불린 쌀을 다시 새 물에 씻어 헹군 뒤, 소쿠리에 밭쳐 물기를 뺀다.
5. 솥에 물을 끓이고 물에 담가 불렸던 시루를 씻어서 솥에 올린 다음, 시루밑을 적셔서 시루에 깔고 밭쳐둔 쌀을 시루에 안쳐서 무른 고두밥을 짓는다.
6. 시루에서 한김 나면 주걱으로 고두밥을 뒤집어 주고, 찬물을 뿌려 고두밥을 무르게 익힌다.
7. 시루에서 다시 한김이 나면 맛을 보아 익었으면 퍼내고, 고루 펼쳐서 얼음같

이 차게 식힌다.

8. 전대의 누룩을 제 물에 주물러 짜서 전대에 남은 찌꺼기를 제거한 누룩물을 만들어놓는다.

9. 고두밥을 자배기에 퍼 담고 거른 누룩물을 쏟아 부은 뒤, 좋은 술 1사발과 함께 고루 버무려 술밑을 빚는다.

10. 소독하여 마련해 둔 독에 술밑을 담아 안친 다음, 예의 방법대로 하여 따뜻한 곳에서 3일간 발효시킨다.

11. 술덧(고두밥)이 삭아 무르게 되었는지를 보아, 술독을 차게 냉각시킨다.

12. 술독은 다시 밀봉하여 서늘한 곳에 두어 20일 만에 용수 박아 떠낸다.

삼일쥬

물 흔 말 스려 식혀 곡말 너 되 담가 밤 지와 빅미 일두 빅셰호여 밥 쪄 식혀 담근 누룩을 걸너 즙을 걸너 즙 닌 후 거시호고 그 즙을 밥의 셕거 삼일 만의 먹으되, 비즐 찌의 죠흔 술 흔 스발 너흐면 더 됴흐니라.

20. 삼일주 또 한 법 <술방>

술 재료 : 멥쌀 1말, 누룩가루 2되, 끓인 물(냉수) 1말

술 빚는 법 :

1. 술 빚기 하루 전날 물 1말을 팔팔 끓여서 차게 식힌다.

2. 누룩가루 2되를 차게 식혀둔 물에 담가 불린다.

3. 이튿날 멥쌀 1말을 백세하여 물에 담가 하룻밤(8~10시간) 불린다.

4. 불린 쌀을 다시 새 물에 씻어 헹군 뒤, 소쿠리에 밭쳐 물기를 뺀다.

5. 솥에 물 1말을 끓이고, 쌀을 작말하여 넣고 끓여서 죽을 쑨다.

6. 죽이 끓어서 퍼지게 익었으면 넓은 그릇에 퍼내고, 고루 펼쳐서 얼음같이 차

게 식힌다.

7. 누룩을 전대에 담고 제 물에 주물러서 찌꺼기를 제거한 누룩물을 만들어
   놓는다.

8. 죽에 거른 누룩물을 쏟아 부은 뒤, 함께 고루 버무려 술밑을 빚는다.

9. 소독하여 마련해 둔 독에 술밑을 담아 안친 다음, 예의 방법대로 하여 따뜻
   한 곳에서 1일간 발효시킨다.

10. 술덧이 삭아 발효가 완전히 되었는지를 보아, 술독을 차게 냉각시킨다.

11. 다시 밀봉하여 서늘한 곳에 2일간 두었다가 다음날 용수 박아 떠낸다.

* 주방문에 "겨울 정화수요 여름은 끓인 물 식혀……"라고 쓰여 있다.

삼일쥬 쏘 흔 법
겨울 더흔슈요 여름은 쓰린 물 식혀 흔 말의 곡말 두 되식 셕거 너코 빅미 일
두 빅셰작말 죽 쑤어 다시 곡말 넛치 말고, 한듸 항의 너어 삼일 만의 쳥쥬
되는 법이라.

21. 삼일주 <술 빚는 법>

술 재료 : 멥쌀 1말, 누룩가루 2되, 정화수 또는 끓여 식힌 물 1말

술 빚는 법 :

1. 겨울에는 정화수를, 여름에는 끓인 물을 차게 식혀서 양주용수로 사용한다.

2. 물 1말을 백비탕으로 팔팔 끓여서 하룻밤 재워 차게 식혀놓는다.

3. 준비한 물을 항아리에 붓고, 누룩가루 2되를 넣고 불려 물누룩을 만들어
   놓는다.

4. 멥쌀 1말을 백세하여 (새 물에 담가 불렸다가, 다시 씻어 말갛게 헹궈서 물

기를 뺀 뒤) 시루에 안쳐서 고두밥을 짓는다.

5. 고두밥이 익었으면 넓은 그릇에 퍼낸다(고루 펼쳐서 한김 나가게 식힌다).

6. 물누룩에 고두밥을 합하고, 고루 저어 고두밥을 풀어서 술밑을 빚는다.

7. 술독은 (술독 주둥이에 묻은 것을 깨끗하게 씻어내고 베보자기와 뚜껑을 덮어) 3일간 발효시킨다.

삼일주

계울의난 정화수와 여름의난 그린 물 치와 누룩가로 두 되을 물의 타 항 속의 너코, 빅미 한 말 빅셰허여 져서 누룩 탄 물의 타 셕거 삼일 만의 청주가 되난니라.

22. 삼일주방문 <승부리안주방문>

> **술 재료 : 찹쌀 1말, 섬누룩 2되, 좋은 술(1사발), 물 1말**

술 빚는 법 :

1. 물 1말을 5되씩 둘로 나누어 넓은 그릇에 퍼 담고, 5되에 섬누룩 2되를 넣고, 고루 풀어 수곡을 만들어 밤재워 놓는다.

2. 찹쌀 1말을 많이 백세하여 (물에 담가 불렸다가, 다시 씻어 건져서 물기를 뺀 후) 시루에 안쳐 고두밥을 짓는다.

3. 수곡에 남은 물 5되를 쳐가면서 체에 걸러 찌꺼기를 제거한 누룩물을 만들어놓는다.

4. 고두밥이 무르게 익었으면, 퍼내어 고루 펼쳐서 차게 식기를 기다린다.

5. 고두밥에 누룩물을 합하고 좋은 술 짐작(1사발)하여 넣은 후, 고루 버무려 술밑을 빚는다.

6. 술밑을 술독에 담아 안치고, 예의 방법대로 하여 3일간 발효시키면 술맛이

더욱 아름답다.

삼일쥬방문

졈미 일두 빅세ᄒᆞ여 섭누록 두 되를 믈 ᄒᆞᆫ 말을 반식 갈나 닷 되예 누록 담가 밤듸여 이튼날 누록 아니 다믄 믈 닷 되을 누록의 쳐가며 ᄌᆡ 걸너 밥을 닉게 쪄 치 그 믈의 버무려 너흐되 죠흔 숭이 술을 짐작ᄒᆞ여 섯거 너흐되, 더위ᄂᆞᆫ 블 아니가는 방의나 마로의나 두라. 삼일이라 ᄒᆞ여도 ᄉᆞ일의야 쓰ᄂᆞ니라.

23. 삼일주 <시의전서(是議全書)>

술 재료 : 멥쌀 1말, 섬누룩 2되, 끓여 식힌 물 1말, 좋은 술 1사발

술 빚는 법 :

1. 물 1말을 팔팔 끓였다가 차게 식혀놓는다.
2. 법제한 섬누룩 2되를 식힌 물에 넣고 (5~6시간) 불려서 물누룩을 만들어 놓는다.
3. 멥쌀 1말을 백세하여 (물에 담가 불렸다가, 다시 씻어 건져서 물기를 뺀 후) 시루에 안쳐서 고두밥을 짓는다.
4. 물에 불린 누룩을 체에 밭쳐 제 물을 쳐가면서 짜서 거르고, 찌꺼기를 제거한 누룩물을 만들어놓는다.
5. 고두밥이 익었으면, 돗자리에 퍼내고 고루 펼쳐서 차게 식기를 기다린다.
6. 누룩물에 고두밥을 합하고, 고루 버무려 술밑을 빚는다.
7. 술독에 술밑을 담아 안치고, 예의 방법대로 하여 3일(내지 5일) 동안 발효시킨다.

* 주방문에 "삼일이라 하여도 삼일이 넘거니와 날물 조심하면 맛이 변치 아니

하리라. 멥쌀로도 하나니라."고 하여, 형편 되는 대로 재료를 달리할 수 있음을 알 수 있다.

삼일쥬

졈미 흔 말 빅셰ᄒ여 익게 쪄 물 아홉 사발을 ᄉ라혀 식혀 셤누룩 두 되를 그 물에 담갓다가 그 물 쟉쟉 쳐가며 죄 걸너서 그 밥이 식은 후 셕거 버무려 너허두면 삼일이라 ᄒ여도 삼일 남쩌니와 날물 조심ᄒ며 맛시 번치 아이 ᄒ나니라. 메쌀노도 ᄒ나니라.

24. 삼일주 일방 <시의전서(是議全書)>

> **술 재료 : 멥쌀 1말, 가루누룩 2되, 끓여 식힌 물 1말**

술 빚는 법 :

1. 겨울철에는 정화수를 쓰고 여름철에는 물 1말을 끓여 차게 식혀놓는다.
2. 법제한 가루누룩 2되를 식힌 물에 넣고 (5~6시간) 불려서 물누룩을 만들어 술독에 담아 안쳐놓는다.
3. 멥쌀 1말을 백세하여 (물에 담가 불렸다가, 다시 씻어 건져서 물기를 뺀 후) 준비한다.
4. 솥에 물 2말을 붓고 끓이다가, 물이 뜨거워지면 불린 쌀을 넣고 주걱으로 고루 저어가면서 팔팔 끓는 죽을 쑨다.
5. 죽이 퍼지게 익었으면, 넓은 그릇 여러 개에 퍼 담고 차게 식기를 기다린다.
6. 술독의 물누룩에 식힌 죽을 합하고, 고루 저어 술밑을 빚는다.
7. 술독은 예의 방법대로 하여 3일 동안 발효시키면 맑게 괴어 청주가 된다.

* 불린 쌀을 쌀가루가 아닌, 그대로 끓여 죽을 쑨다는 점에서 다른 주방문과

차이가 있다.

삼일쥬 일방

겨울은 졍화슈요 여름은 쓸힌 물 치와 흔 말에 가로누룩 두 되 물에 타 항 속
에 너코 빅미 일두 빅셰ᄒᆞ여 쥭 쑤어 다른 누룩 셕지 말고 그 누룩 탄 물에
셧거 삼일 만에 쳥쥬가 되나이라.

25. 삼일주 <양주방>*

술 재료 : 멥쌀 1말, 누룩가루 2되, 끓여 식힌 물 1말

술 빚는 법 :

1. 물 1말을 팔팔 끓여서 넓은 그릇에 담아두고 차게 식힌다.
2. 끓여 식힌 물에 누룩가루 2되를 섞어 수곡(물누룩)을 만들어 하룻밤 재워
   놓는다.
3. 희게 쓿은 멥쌀 1말을 깨끗이 씻고 또 씻어(백세하여) 물에 담가 하룻밤 불
   렸다가 (다시 씻어 건져서 물기를 뺀 후) 세말한다(고운 가루로 빻는다).
4. 다음날 물누룩을 체에 밭쳐, 찌꺼기를 제거한 누룩물을 만들어놓는다.
5. 끓는 물솥에 시루를 올리고, 쌀가루를 안쳐서 흰무리떡을 익게 쪄낸다(익었
   으면 퍼내고 고루 헤쳐서 차게 식기를 기다린다).
6. 누룩물에 흰무리떡을 넣고, 고루 힘껏 치대어 덩어리가 없는 술밑을 빚는다.
7. 술독에 술밑을 담아 안치고, 예의 방법대로 하여 3일간 발효시켜 마신다.

* 주방문 말미에 "더위에도 좋다."고 하였다.

삼일쥬

쓸힌 물 흔 말의 국(누룩가로)말 두 되 너허 하로밤 재여 밧타 빅미 흔 말 빅세세말ᄒᆞ야 닉게 쪄 누록 물의 너허 삼일 후 쓰라. 더위예도 죠흐니라.

26. 삼일주법 <양주방(釀酒方)>
−한 말 빗이, 여름에 빚는 법

술 재료 : 멥쌀 1말, 누룩 2되, 끓여 식힌 물 1말

술 빚는 법 :
1. 솥에 물 1말을 끓여 넓은 그릇에 담아 차게 식힌다.
2. 누룩 2되를 끓여 식힌 물에 섞고, 물누룩을 만들어 하룻밤 재운다.
3. 멥쌀 1말을 백세하여 (물에 담가 불렸다가, 다시 씻어 건져서 물기를 뺀 후) 작말한다(가루로 빻는다).
4. 쌀가루를 시루에 안쳐서 설기떡을 익게 찐다.
5. 설기떡이 익었으면 퍼서 (식힌 다음) 누룩물에 합하고, 고루 버무려 술밑을 빚는다.
6. 술밑을 독에 담아 안치고, 예의 방법대로 하여 3일간 발효시켜 익기를 기다린다.

삼일쥬법 (한 말 비지)
여름의 빗ᄂᆞ니라. 쓸힌 물 한 말을 치와 누룩 두 되를 타 ᄒᆞ로밤 지ᄂᆞ거든 뽈 한 말 빅세작말ᄒᆞ야 닉게 뼈 누록물의 비즈면 ᄉᆞ흘 후의 쓰ᄂᆞ니라.

27. 삼일주 <양주집(釀酒集)>

술 재료 : 밑술 : 멥쌀 1말, 가루누룩 1되, 진말 1되, 좋은 술(5홉), 물 4병
　　　　덧술 : 찹쌀 1되, 물 1병

술 빚는 법 :

* 밑술 :

1. 멥쌀 1말을 백세하여 (물에 담가 불렸다가, 새 물에 다시 씻어 맑게 헹궈 건
   져서 물기를 뺀 후) 작말한다(가루로 빻는다).

2. 솥에 물 4병을 붓고 끓이다가, 물이 따뜻해지면 쌀가루를 풀어 합하고, 덩어
   리진 것 없이 하여 한소끔 끓여 죽을 쑨다.

3. 죽을 넓은 그릇에 퍼 담고 더운 기운이 없이 차게 식기를 기다린다.

4. 차게 식은 죽에 좋은 술 조금(5홉)과 가루누룩 1되, 진말 1되를 합하고, 고
   루 버무려 술밑을 빚는다.

5. 술독에 술밑을 담아 안치고, 예의 방법대로 하여 (따뜻한 곳에 두어) 하루
   동안 발효시킨다.

* 덧술 :

1. 다음날 찹쌀 1되를 백세하여 (물에 담가 불렸다가, 새 물에 다시 씻어 맑게
   헹궈 건져서 물기를 뺀 후) 작말한다(가루로 빻는다).

2. 솥에 물 1병을 붓고 끓이다가, 따뜻해지면 쌀가루를 풀어 넣고 덩어리진 것
   없이 하여 한소끔 끓여 죽을 쑨다.

3. 죽을 더운 기운 없이 차게 식혀 밑술과 합하고, 고루 버무려 술밑을 빚는다.

4. 술독을 예의 방법대로 하여 발효시키면, 3일 만에 익고 4일째에 술을 뜰 수
   있다.

* 밑술과 덧술에 두 차례에 걸쳐 쌀가루로 만든 죽을 사용하는데, 덧술의 쌀

양이 매우 적게 사용된다.

三日酒

白米 一斗 百洗 作末ᄒᆞ야 믈 四瓶을 ᄃᆞᆺ게 ᄒᆞ야 이 골놀ᄆᆞᄃ 락이 업시 프러 흔 소솜 ᄭᅳᆯ혀 더운 긔운 업도록 치와 됴흔 술 ᄃᆞᆷ곰과 ᄀᆞ로누룩 진말 各 一升 式 섯거 녀허다가 翌日 만이 粘米 一升 百洗 作末ᄒᆞ고 믈 一瓶 ᄃᆞᆺ게 ᄒᆞ야 젼과 ᄀᆞ치 프러 ᄭᅳᆯ혀 ᄀᆞ장 ᄎᆞ거든 밋술이 부어다가 四日 만이 쓰라.

28. 삼일주방 <역주방문(曆酒方文)>

> 술 재료 : 밑술 : 멥쌀 1말, 누룩가루 3되, 끓여 식힌 물 1말
>   덧술 : 멥쌀 2말

술 빚는 법 :

* 밑술 :

1. 물 1말을 팔팔 끓여서 하룻밤 재워 차게 식혀놓는다.
2. 멥쌀 1말을 백세하여(물에 백 번 씻어 매우 깨끗하게 헹군 뒤, 새 물에 담가 불렸다가 다시 씻어 말갛게 헹궈서 물기를 뺀 뒤) 작말한다(가루로 빻는다).
3. 쌀가루를 시루에 안쳐서 떡을 찌고, 떡이 익었으면 넓은 그릇에 퍼내고 고루 펼쳐서 차게 식힌다.
4. 준비해 둔 물에 누룩가루 3되를 넣고 불려 물누룩을 만들어놓는다.
5. 떡에 물누룩을 합하고, 고루 버무려서 술밑을 빚는다.
6. 술밑을 술독에 담아 안치고, 술독 주둥이에 묻은 것을 깨끗하게 씻어내고 베보자기를 씌운 다음, 뚜껑을 덮어 2일간 발효시킨다.
7. 술맛을 보아 너무 매울 것 같으면, 5~6일이 지난 뒤에 덧술을 한다.

* 덧술 :
1. 멥쌀 2말을 물에 (백 번) 씻어 매우 깨끗하게 헹군 뒤, 새 물에 담가 하룻밤
   불렸다가 (다시 씻어 말갛게 헹궈서) 물기를 빼놓는다.
2. 불린 쌀을 시루에 안쳐서 고두밥을 찌고, 고두밥이 익었으면 돗자리에 퍼내
   고 주걱으로 헤쳐서 차게 식기를 기다린다.
3. 고두밥에 밑술을 합하고, 고루 버무려서 술밑을 빚는다.
4. 술밑을 술독에 담아 안치고, 술독 주둥이에 묻은 것을 깨끗하게 씻어내고
   베보자기를 씌운 다음, 뚜껑을 덮어 7일간 발효시킨다.

* 주방문 말미에 "빚을 때에 누룩가루를 물에 타서 체로 밭쳐서 넣으면 좋다."
  고 하였다. 또 '삼일주'라고 하였으나, 5일간 발효시키는 술이며, 필요에 따라
  서 덧술을 하는 이양주로 할 경우 14일이 소요되는 술이 된다. <수운잡방>
  의 '삼일주' 주방문과 유사하며 누룩 양에서 차이가 있다.

三日酒方

白米一斗百洗作末爛蒸候冷先一日水一斗百沸放冷之曲末三升調合置合而置
之以右水與曲合釀二日後及用(或)若是酒欲烈易過五六日後更以二斗白米浸
水經宿濃炊飯納于上酒中和勻經七日後用之好釀時以曲末和水以篩篩過易好.

29. 삼일주방 <역주방문(曆酒方文)>

술 재료 : 멥쌀 1말, 누룩가루 3되, 백비탕 1말

술 빚는 법 :
1. 물 1말을 백비탕으로 팔팔 끓여서 하룻밤 재워 차게 식혀놓는다.
2. 준비해 둔 물에 누룩가루 3되를 넣고 불려 물누룩을 만들어놓는다.

3. 멥쌀 1말을 백세하여(물에 백 번 씻어 매우 깨끗하게 헹군 뒤, 새 물에 담가 불렸다가 다시 씻어 말갛게 헹궈서 물기를 뺀 뒤) 작말한다(가루로 빻는다).
4. 쌀가루를 시루에 안쳐서 떡을 찌고, 떡이 익었으면 넓은 그릇에 퍼내고 고루 펼쳐서 차게 식기를 기다린다.
5. 떡에 물누룩을 합하고, 고루 버무려서 술밑을 빚는다.
6. 술밑을 술독에 담아 안치고 (술독 주둥이에 묻은 것을 깨끗하게 씻어내고 베보자기와 뚜껑을 덮어) 2일간 발효시킨다.

三日酒方
白米一斗百洗作末爛蒸候冷先一日水一斗百沸而冷之以曲末三升調合而置之
以右水與曲末合釀二日後乃用(○).

30. 삼일주 <음식디미방>
－하절삼일주

> **술 재료 : 멥쌀 2말, 누룩 2되, 정화수 2말, 물 2말**

술 빚는 법 :
1. 겨울이면 갓 길어 온 정화수(여름이면 더운 물 식혀) 2말을 소독하여 준비한 술독에 담아놓는다.
2. 독의 물에 누룩 2되를 풀어 넣고 고루 섞어 물누룩을 만들어 하룻밤 재워 놓는다.
3. 주대(술자루)에 불린 누룩을 넣고, 주물러 짜서 찌꺼기를 제거한 누룩물을 만든다.
4. 멥쌀 2말을 백세하여 (하룻밤 물에 불렸다가, 다시 씻어 헹궈서 물기를 뺀 후) 작말한다(가루로 빻는다).

5. 솥에 물(2말)을 끓이다가 뜨거워지면 1말을 떠서 쌀가루에 붓고, 고루 풀어서 아이죽을 만들고 솥의 물이 끓으면 아이죽을 쏟아 붓고 끓인다.
6. 죽은 (팔팔 끓여 퍼지게 쑤고) 넓은 그릇 여러 개에 나눠 담아, 차게 식기를 기다린다.
7. 누룩물을 안친 술독에 죽을 합하고 (주걱으로) 고루 휘저어서 술밑을 빚는다.
8. 술밑을 담은 술독은 예의 방법대로 하여 3일간 발효시킨다.

* 여름에는 끓여서 식힌 물을 사용하고 겨울에는 정화수를 사용한다는 것을 알 수 있다.

삼일주(하졀삼일쥬)

니근 믈 혼 말 누록 두 되 섯거 도긔 녀허 흐른밤 자여 ᄀᆞᄂᆞᆫ 쥬디예 ᄲᅡ 즈식란 ᄇᆞ리고 빅미 혼 말 빅셰 작말ᄒᆞ여 무르니로 ᄶᅥ 시겨 누록믈에 섯것다가 사흘 만애 쓰라. ᄯᅩ 겨을이어든 졍화슈 ᄀᆞᆺ 기른니로 ᄒᆞ고 녀름이어든 더운 믈을 시겨 몬져 그 믈 두 말애 국말 두 되 프러 항의 녀코 이튼날 빅미 두 말 빅셰 작말ᄒᆞ여 죽 수어 식거든 항의 붓고 골오로 저어 둣다가 사흘 만애 쓰라.

31. 삼일주 <음식방문(飮食方文)>

술 재료 : 멥쌀 1말, 누룩가루 2되, 끓여 식힌 물 1말

술 빚는 법 :
1. 물 1말을 팔팔 끓인 뒤 차게 식힌다.
2. 끓여 식힌 물에 누룩가루 2되를 넣고 고루 주물러 물누룩을 만든 다음, 그대로 하룻밤 재운다.

3. 명주 자루에 물누룩을 넣고, 주물러 짜서 찌꺼기를 제거한다.

4. 멥쌀 1말을 백세하여 (물에 담가 불렸다가, 다시 씻어 건져서 물기를 뺀 후) 시루에 안쳐서 고두밥을 짓는다.

5. 고두밥이 익었으면, 시루에서 퍼내고 고루 펼쳐서 차게 식기를 기다린다.

6. 체에 거른 누룩물에 고두밥을 한데 합하고, 고루 버무려서 술밑을 빚는다.

7. 술밑을 술독에 담아 안치고, 예의 방법대로 하여 3일간 발효시킨다.

* <음식방문>의 '삼일주'는 '부의주'와 유사한 방문이라고 할 수 있으며, <산림 경제>를 비롯한 여느 '삼일주'와 술 빚는 방문에서 많은 차이가 있다. 또 <산림경제>에는 "좋은 술 1사발을 넣으면 더욱 좋으며, 이 술은 더운 날에도 좋다."고 하여, 이와 같은 방법을 응용하여도 좋을 것으로 여겨진다.

삼일쥬

탕슈 식여 흔 말의 곡말 두 되 담가 흐르밤 지나거든 빅미 일두 빅세하여 실네 쪄 식이고 누룩 담은 거슬 걸너 쯔거는 브리고 그 물의 셧거 두엇다가 슴 일 만의 쓰라.

32. 삼일주법 <음식방문니라>

술 재료 : 멥쌀 1말, 가루누룩 2되, 끓여 식힌 물 1말, (볶은 팥 2~3되)

술 빚는 법 :

1. 겨울철에는 정화수를 쓰고, 여름철에는 물 1말을 끓여 차게 식혀놓는다.

2. 법제한 가루누룩 2되를 준비한 물에 넣고 (5~6시간) 불려서 물누룩을 만들어 술독에 담아 안쳐놓는다.

3. 멥쌀 1말을 백세하여 (물에 담가 불렸다가, 다시 씻어 건져서 물기를 뺀 후)

준비한다.

4. 솥에 물 2말을 붓고 끓이다가, 물이 뜨거워지면 불린 쌀을 넣고 주걱으로 고루 저어가면서 팔팔 끓는 죽을 쑨다.

5. 죽이 퍼지게 익었으면, 넓은 그릇 여러 개에 퍼 담고 차게 식기를 기다린다.

6. 술독의 물누룩에 식힌 죽을 합하고, 고루 저어 술밑을 빚는다.

7. 술독은 예의 방법대로 하여 3일 동안 발효시키면 맑게 괴어 청주가 된다.

* 주방문 말미에 "만일 술이 시어졌으면 팥 2~3되를 볶아 줌치(주머니)에 넣어 더울 때 술덧 속에 잠기게 박아두면 신맛이 없다. 또 술이 더디 괴면(끓으면) 좋은 술을 가운데에 조금 부어주면 쉬이 끓는다."고 하여 '구산주법'과 '구주불비법'을 함께 수록하고 있는데, '삼일주'에 대한 조치 방법인지, 평상시의 조치 방법인지는 불분명하다.

삼일쥬법

겨울의는 덩하슈뇨 녀름의는 쓸인 물 식여 물 한 말의 누룩가로 두 되을 셕거 항 속의 너코 빅미 일두을 빅세ᄒ냐 죽 쑤어 식혀 그 누룩 탄 물의 셕거 삼일 만의 두면 청주 되ᄂᆞ니라. 만일 슐니 시거던 젹두 ᄀ어 되을 복거 쥼치의 너허 더운 김의 슐 가온ᄃᆡ 장기게 너흐면 신맛시 업ᄂᆞ니라. 슐니 더듸고 니거든 조흔 슐을 가온ᄃᆡ로 조곰 부면 슈니 고니ᄂᆞ이라.

33. 삼일주방 <임원십육지(林園十六志)>

술 재료 : 멥쌀 1말, 누룩가루 4되, 좋은 술 1사발, 끓여 식힌 물 1말

술 빚는 법 :

1. 물 1말을 팔팔 끓여 넓은 그릇에 퍼 담고, 차게 식기를 기다려 미국(米麴, 거

칠게 분쇄한 누룩)가루 4되를 불려, 물누룩을 만들어 밤재워 놓는다.

2. (다음날) 아침에 멥쌀 1말을 백세하여 (물에 담가 불렸다가, 저녁에 다시 씻어 건져서 물기를 뺀 후) 시루에 안쳐 무른 고두밥을 짓는다.

3. 물누룩을 체에 거르고 주물러 짜서 누룩 찌꺼기를 제거한 누룩물을 만들어놓는다.

4. 고두밥이 무르게 푹 익었으면, 퍼내어 고루 펼쳐서 차게 식기를 기다린다.

5. 고두밥에 누룩물과 좋은 술 1사발을 합하고, 고루 버무려 술밑을 빚는다.

6. 술밑을 술독에 담아 안치고, 예의 방법대로 하여 3일간 발효시키면 술이 익는다.

* 주방문 말미에 "3일 후면 마실 수 있다. 빚을 때에 좋은 술 1사발을 넣으면 더욱 좋다."고 하였다.

三日酒方

水一斗湯沸候冷以麴末四升浸之經宿白米一斗百洗烝飯爛熟候冷以所浸麴濾取汁去滓以其汁調飯釀三日乃飮釀時入好酒一鉢尤佳. <四時纂要>. .

34. 삼일주방 <임원십육지(林園十六志)>

술 재료 : 멥쌀 2말, 누룩가루 4되(또는 2되), 정화수(여름엔 끓인 물) 2말, 물(2말)

술 빚는 법 :

1. 소독한 술독에 겨울에는 정화수(여름에는 끓여서 따뜻한 물) 2말을 채워 놓는다.

2. 법제한 누룩가루 4되(또는 2되)를 물이 담긴 술독에 넣고 저어주어 수곡을 만들어놓는다.

3. 다음날 아침에 멥쌀 2말을 (백세하여 물에 담가 불렸다가, 다시 씻어 헹궈서 물기를 뺀 후) 작말한다(가루로 빻는다).
4. 솥에 물(2말)을 붓고 쌀가루를 합한 후, 주걱으로 천천히 저어주면서 팔팔 끓여 죽을 쑨다.
5. 죽을 넓은 그릇에 퍼 담고, 따뜻할 때 술독에 넣고 고루 저어준다.
6. 술독은 예의 방법대로 하여 3일간 발효시킨다.

三日酒方
冬用井花水夏則熱水二斗麴末四升(一本 二升)相和入瓮翌日白米二斗細末作粥和釀三日可飮淸酒. <三山方>.

35. 삼일주 우방 <임원십육지(林園十六志)>

술 재료 : 좋은 탁주 1동이, 찹쌀 5~6되, 누룩가루 5홉, 밀가루 5홉, 물(1말)

술 빚는 법 :
1. 찹쌀 5~6되를 (백세하여 물에 담가 불렸다가, 다시 씻어 헹궈서 물기를 뺀 후) 물(1말)에 넣고 죽을 쑨다.
2. 죽을 퍼지게 쑨 후, 넓은 그릇에 퍼서 차게 식기를 기다린다.
3. 죽에 좋은 탁주 1동이와 누룩가루 5홉, 밀가루 5홉을 한데 합하고, 고루 버무려 술밑을 빚는다.
4. 술독에 술밑을 담아 안치고, 예의 방법대로 하여 3~4일간 발효시켜 술이 맑아지기를 기다린다.

三日酒 又方
好濁酒一盆粘米五六升作粥麴末眞麪各五合和釀三四日可淸. <上同>.

36. 삼일주 <조선무쌍신식요리제법(朝鮮無雙新式料理製法)>

술 재료 : 멥쌀 1말, 누룩가루 2되, 정화수(또는 끓여 식힌 물) 1말

술 빚는 법 :

1. 겨울에는 정화수, 여름에는 끓여 식힌 물 1말에 누룩가루 2되를 섞어 풀어서 물누룩을 만들어 술독에 담아놓는다.
2. 멥쌀 1말을 정히 씻어(백세하여 물에 담가 불렸다가, 다시 씻어 건져서) 작말한다.
3. 물(4~5되)에 쌀가루를 풀고, 팔팔 끓여서 죽을 쑨 뒤 (얼음같이 차게) 식기를 기다린다.
4. 차게 식은 죽에 물누룩을 합하고, 고루 버무려 술밑을 빚는다.
5. 술독에 술밑을 담아 안치고, 예의 방법대로 하여 3~4일간 발효시키면 술이 익어 맑은 술이 된다.

삼일주

겨울에는 정화수로 하고 여름에는 물을 끄려 도로 식혀 물 한 말에 누룩가루 두 되를 석거 항아리에 느코 멥쌀 한 말을 정이 씨서 가루를 만드러 죽 쑤어 석그면 사흘 만에 맑은 술이 되나니라.

37. 삼일주 또 법 <(조선무쌍신식요리제법(朝鮮無雙新式料理製法)>

술 재료 : 멥쌀 1말, 누룩가루 4되, 좋은 술 1사발, 끓여 식힌 물 1말

술 빚는 법 :

1. 물 1말을 끓여 식힌 후에 누룩가루 4되를 섞어 풀어서 물누룩을 만들어 술 독에 담아 하룻밤 지낸다.

2. 멥쌀 1말을 백세하여 (물에 담가 불렸다가, 다시 씻어 건져서 물기를 뺀 다음) 시루에 안쳐서 고두밥을 짓는다.

3. 고두밥이 무르게 익었으면, 퍼내어 고루 펼쳐서 (얼음같이 차게) 식기를 기다린다.

4. 물에 불려둔 물누룩을 체에 걸러 찌꺼기는 버리고, 누룩물을 만들어놓는다.

5. 차게 식은 고두밥에 누룩물과 좋은 술 1사발을 함께 합하고, 고루 버무려 술밑을 빚는다.

6. 술독에 술밑을 담아 안치고, 예의 방법대로 하여 3일간 발효시키면 술이 익어 맑은 술이 된다.

삼일주 쏘 법

물 한 말을 쓰려 식혀서 누룩가루 넉 되를 당가 하로ㅅ 지내고 흔쌀 한 말은 백 번 씨서 밥 지여 물으거든 퍼내여 식혀서 당갓든 누룩만을 체에 처 씩기는 버리고 그 집으로 밥을 석거 비진 지 사흘이면 먹나니, 비즐 째 조흔 술 한 사발만 느으면 매우 조흐니라.

38. 삼일주 또 <조선무쌍신식요리제법(朝鮮無雙新式料理製法)>

술 재료 : 찹쌀 5~6되, 누룩가루 5홉, 밀가루 5홉, 좋은 막걸리 1동이, 물(5되 ~1말)

술 빚는 법 :

1. 좋은 막걸리 1동이를 준비하여 술독에 담아놓는다.

2. 찹쌀 5~6되를 (백세하여 물에 담가 불렸다가, 다시 씻어 건져서) 물기를

뺀다.

3. 솥에 (5되~1말의) 물을 붓고 끓이다가, 불린 쌀을 넣고 퍼지게 죽을 쑨다(익었으면, 넓은 그릇에 퍼서 얼음같이 차게 식기를 기다린다).

4. 차게 식은 죽에 누룩가루 5홉과 밀가루 5홉, 준비해 둔 막걸리를 한데 합하고, 고루 버무려 술밑을 빚는다.

5. 술독에 술밑을 담아 안치고, 예의 방법대로 하여 발효시키면 3~4일 후에 술이 익어 맑은 술이 된다.

삼일주 쏘

조흔 막걸리 한 동의에 찹쌀 오륙 되를 죽 쑤어 누룩가루와 밀가루 각 오홉식 느코 한데 비저 두면 삼사일에 가이 맑아지나니라.

39. 삼일주방문 <주방(酒方)>*

술 재료 : 멥쌀 1말, 누룩가루 1되 5홉, 끓여 식힌 물 1말 5되

술 빚는 법 :

1. 물 1말 5되를 알맞게 끓여 넓은 그릇에 퍼 담고 (차게 식기를 기다려) 누룩 1되 5홉을 타서 물누룩을 만들어 밤재워 놓는다.

2. (다음날) 아침에 멥쌀 1말을 백세하여 (물에 담가 불렸다가, 저녁에 다시 씻어 건져서 물기를 뺀 후) 시루에 안쳐 무른 고두밥을 짓는다.

3. 고두밥이 무르게 푹 익었으면, 퍼내어 고루 펼쳐서 차게 식기를 기다린다.

4. 고두밥에 물누룩을 합하고, 고루 버무려 술밑을 빚는다.

5. 술밑을 술독에 담아 안치고, 예의 방법대로 하여 2일간 발효시키면 술이 익는다.

* 다른 기록의 '삼일주'와 누룩과 물의 양에서 차이가 난다.

삼일듀방문

물 흔 말 닷 되 알맛게 더여 누록 흔 되 다솝을 타셔 항의 녀허 밤 지낸 후의 빅미 흔 말 빅셰ᄒᆞ야 뼈 츠거든 처엄 비즌 술의 흔듸 교합ᄒᆞ야 비저 ᄯᅩ 밤 지낸 후의 쓰ᄂᆞ니라.

40. 삼일주법 <증보산림경제(增補山林經濟)>

술 재료 : 멥쌀 1말, 누룩가루 4되, 끓여 식힌 물 1말

술 빚는 법 :

1. 물 1말을 팔팔 끓여 넓은 그릇에 퍼 담고, 차게 식기를 기다려 누룩가루 4되를 불려 물누룩을 만들어 밤재워 놓는다.
2. (다음날) 아침에 멥쌀 1말을 백세하여 (물에 담가 불렸다가, 저녁에 다시 씻어 건져서 물기를 뺀 후) 시루에 안쳐 무른 고두밥을 짓는다.
3. 물누룩을 체에 거르고 주물러 짜서, 누룩 찌꺼기를 제거한 누룩물을 만들어놓는다.
4. 고두밥이 무르게 푹 익었으면, 퍼내어 고루 펼쳐서 차게 식기를 기다린다.
5. 고두밥에 누룩물을 합하고, 고루 버무려 술밑을 빚는다.
6. 술밑을 술독에 담아 안치고, 예의 방법대로 하여 3일간 발효시키면 술이 익는다.

* <사시찬요보>에 수록된 '삼일주'와 방문이 똑같다. 다만, 방문 말미에 "좋은 술 1사발을 부어 넣으면 더욱 좋다."고 하여 <사시찬요보>와 차이가 있다.

三日酒法

水一斗湯沸候冷以麴末四升浸其水經夜白米一斗百洗蒸飯爛熟候冷以所浸麴
濾取汁去滓以其汁調飯釀三日乃飲入好酒一鉢則尤佳.

41. 삼일주 우법 <증보산림경제(增補山林經濟)>

술 재료 : 멥쌀 1말, 누룩가루 2되, 정화수 1말, 물(2말)

술 빚는 법 :

1. 정화수(여름에는 끓여 식힌 물) 1말을 넓은 그릇에 퍼 담고, 누룩가루 2되를
   불려 수곡을 만들어 술독에 담아놓는다.

2. 아침에 멥쌀 1말을 백세하여 (물에 담가 불렸다가, 저녁에 다시 씻어 건져서
   물기를 뺀 후) 작말한다.

3. (솥에 물 2말을 끓이다가 물이 뜨거워지면 1말을 퍼서 쌀가루에 합하고, 고
   루 개어 아이죽을 만든다.)

4. 솥의 끓고 있는 물에 아이죽을 합하고, 주걱으로 천천히 저어가면서 팔팔
   끓이고, 죽이 푹 익었으면 넓은 그릇에 퍼내어 주걱으로 고루 헤쳐서 차게
   식기를 기다린다.

5. 죽을 술독의 수곡에 합하고, 고루 저어주어 술밑을 빚는다.

6. 술독은 예의 방법대로 하여 3일간 발효시키면 맑은 술이 된다.

* 주방문에는 물의 양이 언급되어 있지 않다. 따라서 수곡에 사용되는 물의 양
  과 누룩의 양을 감안했을 때 최대 2말을 넘지 않아야 한다고 판단하였다. 또
  방문 말미에 "3일이면 맑은 술이 된다."고 하였는데, 발효가 끝나 맑아지려면
  술 빚은 지 2일째 되는 날 발효가 종료되어야 하므로 따뜻한 곳에서 발효시
  켜야만 한다. 쌀을 가루로 빻아 빚은 술에서 3일 만에 맑은 술이 되기는 힘

들다. 여기서의 '맑은 술'은 '누룩 찌꺼기가 가라앉은 상태'를 가리키는 것으로 이해할 수 있다.

三日酒 又法
冬用井華水夏用湯水冷之一斗麴末二升相和納甕白米一斗百洗作末作粥不用麴納甕相和後三日成淸酒.

42. 삼일주 <침주법(浸酒法)>
−한 말 서너 되 빚이

> 술 재료 : 밑술 : 멥쌀 1말, 누룩 1되, 밀가루 5홉, 물 5동이
>   덧술 : 찹쌀 3~4되, (물 1말)

술 빚는 법 :

* 밑술 :

1. 멥쌀 1말을 (백 번 씻어 물에 담가 불렸다가, 다시 씻어 헹궈서 물기를 뺀 후) 방아에 찧어 가루로 만든다.

2. 쌀가루를 동이(물그릇)에 담아놓는다.

3. 물 5말을 팔팔 끓이다가 (동이의 쌀가루에 골고루 나눠 붓고) 고루 치대어 (묽은 범벅처럼 떡을 만들어) 놓는다.

4. 묽은 범벅을 다시 팔팔 끓여, 죽이 익었으면 퍼서 일각(15분) 동안 열(뜨거운 김)이 식기를 기다려 항아리에 담아 안친다.

5. 죽에 밀가루 5홉과 누룩가루 1되를 합하고, 고루 버무려 술밑을 빚고, 예의 방법대로 하여 3~4일간 발효시킨다.

6. 술을 빚은 지 3~4일이 되어 술이 절로 맑아지고 맛이 좋으면 청주 4병을 떠낸다.

* 덧술 :

1. 찹쌀 3~4되를 (백세하여 물에 담가 불렸다가, 다시 씻어 헹궈서 물기를 뺀 후) 죽을 쑨다(물 1말 정도와 불린 쌀을 합하고 팔팔 끓여 죽을 쑤어 익었으면, 퍼내어 넓은 그릇에 나눠 담고 차게 식기를 기다린다).
2. 죽을 밑술 독에 합하여 (고루 휘저어) 술밑을 빚는다.
3. 술독은 예의 방법대로 하여 밀봉한 후, 차지도 덥지도 않은 곳에서 발효시킨다.
4. 술이 익으면 바로 떠내는데, 청주 2병이 난다.

三日酒(삼일주)—한 말

米一斗搗末水五壺沸湯出城東海中以米末和勻更爲沸湯出待一刻之熱後浸於缸中以眞末五合麴末一升調和拌勻則三四日內酒自淸味好出淸酒四壺更以淸糯米三四升作粥入之則又出淸酒二(一二)壺(한 말 빚이. 백미 1말 도말하여 (방아 찧어) 물 다섯 병을 끓여 (동쪽 바닷 속에서) 끓어오르거든 쌀가루를 고루 섞어 버무리고 다시 물이 끓으면 내어 일각을 식혔다가 항아리 속에 담고 진말 5홉, 곡말 1되, 고루 버무려두면 3~4일 이내 술이 절로 맑고 맛이 좋으니라. 청주를 4병을 떠내고 다시 청주를 얻으려면 찹쌀 3~4되를 죽을 쑤어 넣으면 다시 청주 2병을 뜰 수 있다).

43. 삼일주 <침주법(浸酒法)>
−한 되 빚이

> 술 재료 : 멥쌀 1되, 누룩 1되 5홉, 정화수 2사발, 끓는 물(2~3되)

술 빚는 법 :
1. 정화수 2사발을 팔팔 끓인 후, 퍼내어 차게 식기를 기다린다.

2. 누룩 1되 5홉을 식힌 물에 합하고, 주물러 독에 담아 안친 후, 하룻밤 재워 수곡을 만들어놓는다.

3. 멥쌀 1되를 백세하여 물에 담가 불렸다가 (다시 씻어 헹궈서 물기를 뺀 후) 가루로 빻는다.

4. 물(2~3되)을 끓이다가 쌀가루에 합하고, 고루 개어 죽(담)을 만든다.

5. 죽(담)은 온기가 남게 식기를 기다린다.

6. 죽(담)을 수곡에 합하고 고루 저어준 후, 예의 방법대로 하여 3일간 발효시킨다.

삼일쥬(三日酒)―흔 되

정화슈 두 사발을 글혀 즈거든 누록 흔 되 닷 홉을 섯거 독의 녀허 흐르 쌈 재여 뽈 흔 되를 빅셰ᄒᆞ야 ᄀᆞᄅ 브아 죽을 밍그라 즉시 츠지 아니 흔졔 ᄀᆞ장 더운 이 젼 ᄆᆞ레 둠 ᄀᆢ여 독의 녀허 둣더가 사흘 만의 쓰면 죠흐니라.

44. 삼일주 우법 <침주법(浸酒法)>
−한 말 빚이

> 술 재료 : 밑술 : 멥쌀 1말, 누룩 2되, 끓여 식힌 물 2말
>   덧술 : 찹쌀(2되), 물(2되)

술 빚는 법 :

* 밑술 :

1. 멥쌀 1말을 백세하여 (물에 담가 불렸다가, 다시 씻어 건져서 물기를 뺀 다음) 가루로 빻는다.

2. 솥에 물을 넉넉히 붓고 팔팔 끓이다가, 뜨거워지면 물 3~4되를 쌀가루에 골고루 뿌려가면서 고루 치대어 익반죽한 다음, 구멍떡을 빚는다.

3. 솥의 나머지 물이 끓는 김에 구멍떡을 넣고 삶아, 떡이 익어서 떠오르면 건
   져내어 (주걱으로 많이 짓이겨서) 차게 식기를 기다린다.
4. 구멍떡에 누룩 2되를 합하고, 고루 버무려 술밑을 빚는다.
5. 술밑을 술독에 담아 안치고, 끓여 식힌 물 2말을 붓는다.
6. 술독은 예의 방법대로 하여 3일간 발효시키고, 덧술을 준비한다.

* 덧술 :
1. 찹쌀(2되)을 백세하여 물에 담가 하룻밤 불렸다가, 다시 씻어 건져서 물기
   를 빼놓는다.
2. 솥에 물(2되)을 붓고 끓이다가 불린 쌀을 합하고, 팔팔 끓여 아주 된죽을 쑤
   어 넓은 그릇에 퍼서 차게 식기를 기다린다.
3. 식은 죽을 밑술에 합하고 고루 저어준 후, 예의 방법대로 하여 발효시킨다.

또 삼일쥬(又 三日酒)—흔 말
빅미 흔 말을 빅셰흐야 フ르 브아 구무 썩 밍그라 닉게 살마 치와 누룩 두 되
예 섯거 도피도피케 동히 フ치 환을 밍그라 독 미틔 녀코 탕슈 두 말 붓고 사
홀 만의 춥뿔쥭을 두텁게 수어 치와 부으라.

45. 삼일주 <침주법(浸酒法)>
−한 말 빚이

술 재료 : 멥쌀 1말, 가루누룩 1되, 물 2말

술 빚는 법 :
1. 물 2말에 가루누룩 1되를 풀어 술독에 담아 수곡을 만들어놓는다.
2. 멥쌀 1말을 백세하여 (물에 담가 불렸다가, 다시 씻어 건져서 물기를 뺀 후)

가루로 빻는다.

3. 솥에 물(1말)을 끓이다가 뜨거워지면 1말을 퍼서 쌀가루에 합하고, 고루 개어 아이죽을 만든다.

4. 끓고 있는 물솥에 아이죽을 넣고, 고루 저어가면서 죽을 퍼지게 쑨 후, 익었으면 넓은 그릇에 퍼서 차게 식기를 기다린다.

5. 식은 죽을 수곡이 담긴 독에 넣고 고루 저어 술밑을 빚는다.

6. 술독은 예의 방법대로 하여 따뜻한 곳에 두고 3일간 발효시키면 술이 익는다.

삼일쥬(三日酒)—흔 말

믈 두 말 죠흔 ᄀᆞ로누록 흔 되 항의 녀코 빅미 흔 말을 빅셰ᄒᆞ야 ᄀᆞᆯ붓아 죽 쑤어 츳거든 젼누록의 섯거 녀허 삼일 후의 쓰라.

46. 삼일주 우방 <침주법(浸酒法)>
−한 말 빚이

술 재료 : 멥쌀(찹쌀) 1말, 좋은 누룩 3되, 좋은 술 1사발, 물 2말

술 빚는 법 :

1. 물 2말에 좋은 술 1사발을 합하고, 누룩 3되를 풀어 술독에 담아 수곡을 만들어놓는다.

2. 멥쌀(찹쌀) 1말을 백세하여 (물에 담가 불렸다가, 다시 씻어 건져서 물기를 뺀 후) 시루에 안쳐서 고두밥을 짓는다.

3. 고두밥이 익었으면 퍼내고 (고루 펼쳐서 차게 식기를 기다린다.) 수곡이 담긴 술독에 넣어 술밑을 빚는다.

4. 술독은 예의 방법대로 하여 따뜻한 곳에 두고 3일간 발효시키면 술이 익는다.

쏘 삼일쥬 우방(三日酒 又方)—흔 말

믈 두 말 죠흔 ᄀᆞ로누록 흔 되 항의 녀코 빅미 흔 말을 빅셰ᄒᆞ야 ᄀᆞ로븨아 죽
수어 ᄎᆞ거든 젼누록의 섯거 녀허 삼일 후의 쓰라. 쏘 죠흔 술 흔 사발 ᄎᆞᆫ믈
두 말 죠흔 누록 서 되를 항(의 녀코) (춥)ᄡᆞᆯ 흔 말 닉게 ᄣᅧ 녀헛다가 삼일 (만
의 쓰라.)

47. 삼일주 <해동농서(海東農書)>

술 재료 : 멥쌀 1말, 누룩가루 4되, 끓여 식힌 물 1말

술 빚는 법 :

1. 물 1말을 팔팔 끓여 넓은 그릇에 퍼 담고, 차게 식기를 기다려 누룩가루 4되
   를 불려 수곡을 만들어 밤재워 놓는다.

2. (다음날) 아침에 멥쌀 1말을 백세하여 (물에 담가 불렸다가, 저녁에 다시 씻
   어 건져서 물기를 뺀 후) 시루에 안쳐 무른 고두밥을 짓는다.

3. 수곡을 체에 거르고 주물러 짜서, 누룩 찌꺼기를 제거한 누룩물을 만들어
   놓는다.

4. 고두밥이 무르게 푹 익었으면, 퍼내어 고루 펼쳐서 차게 식기를 기다린다.

5. 고두밥에 누룩물을 합하고, 고루 버무려 술밑을 빚는다.

6. 술밑을 술독에 담아 안치고, 예의 방법대로 하여 3일간 발효시키면 술이 익
   는다.

* <사시찬요보>에 수록된 '삼일주'와 방문이 똑같다. 다만, 방문 말미에 "좋은
  술 1사발을 부어 넣으면 더욱 좋다."고 하여 <사시찬요보>와 차이가 있다.
  <고사촬요>를 인용하였다.

三日酒

湯水一斗待冷麴末四升浸其水經夜白米一斗百洗蒸飯爛熟候冷以所浸麴以濾
取汁去滓以其汁調飯釀三日乃飮更入好酒一鉢則尤佳(上同).

48. 삼일주 <후생록(厚生錄)>

술 재료 : 멥쌀 1말, 누룩 4되, 좋은 술 1주발, 끓여 식힌 물 1말

술 빚는 법 :

1. 물 1말을 (팔팔 끓였다가) 차게 식기를 기다린다.
2. 법제한 누룩 4되를 식힌 물에 넣고 하룻밤 불려서 물누룩을 만들어놓는다.
3. 멥쌀 1말을 백세하여 (물에 담가 불렸다가, 다시 씻어 건져서 물기를 뺀 후)
   시루에 안쳐서 고두밥을 짓는다.
4. 물누룩을 체에 밭쳐 제 물을 쳐가면서 짜서 거르고, 찌꺼기를 제거한 누룩
   물을 만들어놓는다.
5. 고두밥이 익었으면, 돗자리에 퍼내고 고루 펼쳐서 차게 식기를 기다린다.
6. 누룩물에 고두밥과 좋은 술 1주발을 합하고, 고루 버무려 술밑을 빚는다.
7. 술독에 술밑을 담아 안치고, 예의 방법대로 하여 3일 동안 발효시킨다.

* 주방문에 "좋은 술 1주발을 부어두면 맛이 더욱 아름답다."고 하였다. <시의
  전서>의 '삼일주'는 섬누룩 2되인데 <후생록>에는 누룩 4되로, 누룩 종류
  와 양이 다르다.

三日酒

水一斗待冷麴末四升浸其水經夜白米一斗百洗蒸飯爛熟候冷以所浸麴濾出汁
去滓以其調飯釀三日乃飮更入好酒一鉢則尤佳.

손처사하일주

술 빚는 법에 대한 우리나라의 기록 가운데 여름철 술의 등장은 <산가요록(山家要錄)>으로부터 출발한다고 볼 수 있을 것 같다. <산가요록>에 '신박주'를 시작으로 '하절삼일주', '하일절주', '과하백주', '손처사하일주(孫處土夏日酒)', '하주불산법', '부의주' 등 여름철에 빚는 술 7가지 주방문이 나란히 등장하는 것을 볼 수 있다.

<산가요록> 이후 쓰여진 <수운잡방(需雲雜方)>과 <음식디미방> 등 여러 문헌에도 여름철 술 빚는 방문이 다양한 명칭과 방법으로 수록되어 있는 것을 목격할 수 있다.특히 <산가요록>의 여름철 술 빚는 법 가운데 '손처사하일주'라는 주품은 명칭에서부터 눈길을 끄는데, 술을 빚는 방법 또한 독특하다고 할 수 있다.

'손처사하일주'는 백세한 쌀을 불렸다가 건져서 단지에 담고 중탕하여 익힌 후, 차게 식혀서 누룩가루와 섞어 독에 담아 안치는데, 그 기간이 1일이다. 하루 동안에 쌀 1말 5되를 삭혀서 밑술로 사용하는 것인데, 이때의 밑술은 일반적인 밑술의 개념이라고 보기에는 어렵다. 밑술의 쌀이 고두밥도 밥도 아닌 중간 형태이

기 때문이다.

이는 사용된 고두밥의 당화를 촉진시키기 위한 방법으로, 엿기름이 아닌 누룩을 사용한 당화 공정을 거치고 있는 것인데, '손처사하일주'와 같은 당화 방법은 농산농당(濃酸濃糖)에 길들여진 밑술이나 주모를 사용하는 경우 감칠맛과 알코올 도수가 높은 술을 얻을 수 있다는 사실에 착안한 것으로 풀이할 수 있다.

이를 위해서 '손처사하일주'를 빚는 데 따른 밑술의 쌀 처리는 물을 많이 넣어서 진밥 형태로 만들어야 하루 동안 발효시켜서 밑술로 사용할 수가 있다. 주방문에 물의 양에 대한 언급이 없는 이유가 여기에 있다.

그 근거로 "쌀을 담은 단지를 가마솥에 넣고 만화로 중탕하거나, 물을 넣어가며 익힌다(熳火重湯 添水熟煎)."고 하고, 또 "하룻밤 지나 향기가 나면 꺼내서 동이에 쏟아 차게 식기를 기다린다(經宿有香氣 則出瀉盆中 待冷)."고 한 것을 들 수 있다.

여기에서 언급한 향기는 높은 온도에서 단시간에 걸쳐 발효되는 고온당화법(高溫糖化法)에 따른 높은 감미와 함께 오는 방향(芳香)으로, 덧술의 발효 과정을 통해 알코올 도수는 그리 높지 않지만 방향이 뛰어난 술이 된다.

또한, "만화로 중탕하거나 물을 넣어가며 익힌다."고 한 것은, 된밥(고두밥)이 되어서는 안 된다는 것을 뜻하며, "하룻밤 지난 후에 향기가 나면 동이에 담아 차게 식기를 기다린다."고 한 까닭도 익힌 밥을 그릇째 그대로 하룻밤 방치하여 두면 천천히 식기 때문에 뜸을 들이는 것과 같은 효과가 있으며, 수분이 증발하지 않도록 하여 매우 부드러운 밥이 되어야 한다는 것이고, 혹시라도 덜 식었을 경우를 대비하여 동이에 쏟아 차게 식혀야 한다는 것을 암시하고 있는 것이다.

<산가요록>의 '손처사하일주'를 빚는 데 따른 성패는 바로 이 밑술의 성공 여부에 달려 있는 만큼 세심한 주의가 필요하고, 덧술은 고두밥과 끓는 물을 합한 뒤 처음 한 번만 뒤섞어 주고 물이 없어질 때까지 기다렸다가 다시 뒤섞어서 그릇째 차게 식도록 해야 한다.

<산가요록>의 '손처사하일주'는 고온당화법에 의한 속성발효주로서, 식혜에서 느낄 수 있는 감미와 함께 독특한 방향을 느낄 수 있다. 저장성을 높이기 위해 물의 양을 적게 하고, 쌀의 양을 늘리되 발효를 촉진시키기 위해 고온에서 농당(濃

糖) 상태의 밑술(糖化液)을 이용하는 속성발효 방법이라고 할 수 있다.

손처사하일주 <산가요록(山家要錄)>
−쌀 6말 5되 빚이

> 술 재료 : 밑술 : 멥쌀 1말 5되, 누룩가루 1말 5되, 물
> 　　　　 덧술 : 멥쌀 5말, 누룩 1말 5되

술 빚는 법 :

* 밑술 :

1. 10월 이후에 멥쌀 1말 5되를 (백세하여) 물에 담가 불렸다가 (다시 씻어 헹 군 후) 작은 구(甌, 사발, 단지) 속에 담아 베보자기로 그릇의 아가리를 밀 봉한다.

2. 쌀을 담은 그릇을 가마솥에 넣고 만화(熳火)로 중탕하거나, 물을 넣어가며 익힌다.

3. 하룻밤 지나 향기가 나면 꺼내서 동이(盆)에 쏟아 차게 식기를 기다린다.

4. 중탕한 밥에 누룩가루 1말 5되를 합하고, 고루 치대어 다시 작은 구(甌)에 넣고 밀봉한 다음, 하루 동안 삭힌다.

* 덧술 :

1. 밑술을 담은 즉시 멥쌀 5말을 씻어(백세하여) 물에 담가 불렸다가, 다시 씻 어 헹궈서 시루에 안쳐 무른 고두밥을 짓는다.

2. 고두밥이 익었으면 시루에서 퍼내고, 그대로 하룻밤 재워 차게 식기를 기다 린다(마르지 않게 한다).

3. 고두밥에 누룩 1말 5되와 밑술을 한데 섞고, 고루 버무려 술밑을 빚는다.

4. 술독에 술밑을 담아 안치고 예의 방법대로 하되, 베보자기로 밀봉하여 발

효시킨다.

* 주방문 말미에 "10월 이후에 술을 빚는데, 해가 지나도 뿌옇게 되지 않으니
  신묘하다."고 하였는데, 일체 물이 들어가지 않는 방문으로, 진미가 강하고 당
  도가 높아 오래 보존이 된다.

孫處士夏日酒

米六斗五升. 粳米一斗五升 洗浸 盛小甌中. 以布封口 納釜鼎中 熳火重湯. 添
水熟煎. 經宿有香氣 則出瀉盆中 待冷. 以細麴末一斗五升 和合. 釀於前甌中
密封卽時. 白米五斗 洗熟蒸待冷. 經宿. 麴一斗五升 和均 以前酒 和入瓮. 以布
封口 十月後 乃成. 經年不着霾氣 神妙.

시급주

스토리텔링 및 술 빚는 법

'시급주(時急酒)'라는 주품명은 자전풀이 그대로 '급하게 빚어 마시는 술'이라는 의미에서 유래된 것으로, 한글로 쓰여진 고조리서 중 최초의 기록으로 알려진 1670년간 <음식디미방>과 1800년대 후기 한문 기록인 <주찬(酒饌)>에 수록되어 있을 뿐, 이외 문헌에서는 '시급주'라는 주품명을 찾아볼 수 없다.

다만, '시급주'라는 주품명과 같은 의미의 '급시주', '급주', '급용주', '급청주', '급시청주' 등과 '급수청방'에 이르기까지 다양한 주품명과 주방문 형태로 나타나고 있음을 볼 수 있다.

<음식디미방>과 <주찬>에 수록되어 있는 '시급주'는 시대 차이가 많이 나는데도 불구하고 변화가 없이 주방문이 같다는 점에서 의미가 있다. 다른 주품의 경우 매우 다양한 형태로 나타나고 있기 때문이다.

'시급주'는 단양주(單釀酒)이자 속성주(速成酒)로 분류할 수 있으며, 그 목적이 '급하게 빚어 마시는' 데 있는 만큼, 시간을 다투어 빨리 익히는 술이라고 할 수 있겠는데, 그 방법으로 기존의 술을 활용하고 있다는 점에서 여느 술과는 차

이가 있다.

　'시급주'의 특징은 주방문에 그 방법이 잘 나타나 있다. 우선, 잘 익은 술을 선택하여 술체나 술자루를 이용하여 탁주를 거르는데, 뜨거운 물을 쳐서 거르라고 되어 있으니, 일반적인 '탁주'가 아나라 도수가 낮은 '막걸리'라는 것을 알 수 있다.

　탁주에는 기본적으로 알코올 도수와 효모, 효소, 젖산균 등이 있으므로, '시급주'를 비롯하여 급하게 발효시켜야 할 '급시주', '급청주' 등에서 탁주(막걸리)를 사용하여 술을 빚고 있는 경우를 목격하게 된다. 막걸리에 함유된 적당량의 알코올과 풍부한 효모, 유기산, 효소 등이 발효를 도와주지만, 탁주처럼 알코올 도수가 높은 술을 사용하면서 그 양을 많이 사용하면 오히려 발효를 억제시키기도 하고, 본발효에서 생성되는 알코올로 인해 불쾌감을 줄 정도로 그 맛이 써지고 주질이 떨어지는 경우가 있다.

　알코올 도수가 필요 이상으로 높아진다는 것은 발효 측면에서는 바람직한 일이겠으나, 마시는 기호음료로서의 주질과 맛, 향기 측면에서는 단점이 더 많아질 수도 있다. '시급주'가 다름 아닌 속성주이기 때문이다. 따라서 술을 거를 때 깨끗한 찬물이나 끓여서 차게 식힌 물을 타서 알코올 도수를 5~8% 정도로 희석시킨 막걸리를 밑술로 삼는 방법이 합당하다고 할 수 있다.

　<음식디미방>에서는 "좋은 탁주(막걸리)를 (깨끗하고 찬) 물에 정히 걸러 (막걸리) 1말을 만들어……"라고 하였고, <주찬>의 주방문에서는 "좋은 술을 뜨거운(끓여서 차게 식힌 물 또는 겨울철엔 약간 미지근한) 물로 걸러 탁주 1동이를 준비한다."고 한 이유도 술밑의 발효를 빠르게 하기 위한 방법에 지나지 않다고 생각된다.

　다만, <주찬>에서처럼 지나치게 '뜨거운 물'은 좋지 못하다는 것을 알아야 할 것이다. 또 누룩은 곱게 갈아서 만든 것을 사용하여야 역시 발효를 빠르게 할 수 있으므로, 고운체나 깁체에 내려서 밀가루 같은 분말 상태로 가공하는 것이 '시급주'의 목적에 부합되므로 좋다고 할 수 있다.

　'시급주' 주방문에서 주목할 것은, 다른 '급청주'나 '급시주' 방문에서는 잘 사용하지 않았던 밀가루를 사용한다는 점인데, 그 이유는 밀가루를 사용함으로써 잡균 오염 방지효과와 맑은 술을 얻고자 함이 그 목적이라고 할 수 있는 만큼,

두 문헌에 별첨한 바대로 청주를 얻기 위한 또 다른 목적에서라는 사실도 알아야 한다.

그러나 <주찬>의 주방문에 별첨한 또 다른 내용인 "삼해주와 맛이 같다."고 한 것은, 술의 맛과 향기의 정도는 사용할 막걸리의 원료주가 단양주(單釀酒)인지 이양주(二釀酒)인지, 기본적인 맛이 어떠한지에 달려 있으며, 막걸리를 거를 때 희석하는 물의 양이 얼마나 사용되었는지에 따라 달라지는 것이지, 그저 주어지는 맛은 아니라는 사실도 기억해야 한다.

대개 술을 빚다가 쉬거나 산패하면 술이 아까워서 어떻게든 이를 활용하려고 노력하는 것을 볼 수 있고, 시어진 술을 밑술 삼아 덧술을 하는 경우를 보는데, 자칫 덧술도 실패하기 십상이다. '시급주'와 같이 탁주(막걸리)를 사용하는 속성 주법의 단양주에서는 바탕이 되는 술, 곧 탁주(막걸리)가 밑술이나 주모(酒母)의 역할을 담당하게 되므로, 탁주(막걸리)의 맛이나 향기가 좋지 않고서는 결코 좋은 맛의 술을 기대할 수 없다는 것은 너무나 자명한 이치이다.

1. 시급주 <양주방>*

> 술 재료 : 찹쌀 5되, 누룩 5홉, 밀가루 5홉, 좋은 탁주(막걸리), 시원한 물

술 빚는 법 :

1. 잘 익어 맛이 좋은 술덧을 (깨끗하고 시원한) 물에 정히 걸러 탁주(막걸리) 1말을 만들어 술독에 담아놓는다.
2. 찹쌀 5되를 (깨끗하게 씻어 물에 담가 불렸다가, 다시 씻어 헹궈서) 물기를 빼놓는다.
3. 불린 찹쌀로 밥(고두밥)을 무르게 짓고(시루에 안치고 쪄서 물을 많이 뿌려 무른 고두밥을 짓고) 익었으면 퍼낸다(고루 펼쳐서 차게 식기를 기다린다).
4. 탁주(막걸리)에 밥(고두밥)을 넣어 풀고, 누룩 5홉, 밀가루 5홉을 한데 합하

고, 고루 버무려 술밑을 빚는다.

5. 술밑을 술독에 담아 안치고, 예의 방법대로 하여 3일간 발효시킨다.

시급주

조흔 탁쥬를 닝슈의 걸너 흔 동의를 항의 너코 졈미 오승 밥을 물게 지여 국
말 닷 홉 진말 닷 홉 섯거 삼일 만의 드리워 쓰라.

2. 시급주 <음식디미방>

술 재료 : 찹쌀 5되, 누룩 5홉, 밀가루 5홉, 좋은 탁주(막걸리), 시원한 물

술 빚는 법 :

1. 잘 익어 맛이 좋은 술덧을 (깨끗하고 시원한) 물에 정히 걸러 탁주(막걸리)
   1말을 만들어 술독에 담아놓는다.

2. 찹쌀 5되를 (깨끗하게 씻어 물에 담가 불렸다가, 다시 씻어 헹궈서) 물기를
   빼놓는다.

3. 불린 찹쌀로 밥(고두밥)을 무르게 짓고(시루에 안치고 쪄서 물을 많이 뿌려
   무른 고두밥을 짓고) 익었으면 퍼낸다(고루 펼쳐서 차게 식기를 기다린다).

4. 탁주(막걸리)에 밥(고두밥)을 넣어 풀고, 누룩 5홉, 밀가루 5홉을 한데 합하
   고, 고루 버무려 술밑을 빚는다.

5. 술밑을 술독에 담아 안치고, 예의 방법대로 하여 3일간 발효시킨다.

* 주방문 말미에 "술이 익으면 청주 3병을 채주할 수 있다."고 하였다.

시급쥬

죠흔 탁쥬를 춘믈에 졍히 걸러 항의 녀코 ᄎᆞᆸ쌀 닷 되를 밥 무르게 지어 ᄡᅵ기고

진말 다숩 누록 다숩 섯거 녀허두면 사흘 만 청쥐 세 병이 나느니라.

3. 시급주 <주찬(酒饌)>

술 재료 : 탁주(막걸리), 찹쌀 5되, 밀가루 5홉, 누룩가루 5홉, 뜨거운 물(끓여서 차
게 식힌 물 또는 겨울철엔 약간 미지근한 물) 약간

술 빚는 법 :
1. 좋은 술을 뜨거운 물(끓여서 차게 식힌 물 또는 겨울철엔 약간 미지근한 물)
   로 걸러 탁주 1동이를 준비한다.
2. 찹쌀 5되를 백세하여 (물에 담가 불렸다가, 다시 씻어 헹궈서 물기를 뺀 후)
   시루에 안쳐서 고두밥을 짓는다.
3. 고두밥이 익었으면 퍼내고, 고루 펼쳐 차게 식기를 기다린다.
4. 탁주 1동이에 찹쌀고두밥과 누룩가루 5홉, 밀가루 5홉을 한데 섞고, 고루 버
   무려 술밑을 빚는다.
5. 술독에 술밑을 담아 안치고, 예의 방법대로 하여 3일간 발효시킨다.

* <음식디미방>의 주방문과 동일하다. 주방문 말미에 "청주 3병이 나오는데,
  맛은 '삼해주'와 같다."고 하였다. "탁주를 거를 때 뜨거운 물로 거른다."고 하
  였으나 '끓여서 식힌 물이나 미지근한 물로 거른다.'고 해석하였다. 지나치게
  뜨거운 물은 술맛을 반감시키고 감칠맛을 떨어뜨리기 때문이다.

時急酒
以熱水漉好濁酒一東海納缸中後粘米五升濃爛作飯待冷眞末五合曲末五合竝
調釀於濁酒中三日後用之淸酒三瓶出. 而味如三亥酒.

여름지주

스토리텔링 및 술 빚는 법

<술 만드는 법>에 수록된 '여름디주'란 주품명 역시도 어떻게 해서 그 이름이 붙게 된 것인지, 그 유래나 어원을 살필 수 있는 확실한 기록은 없다. 다만, '디주'란 명칭은 '지주(旨酒)'의 옛 표현으로, 자전풀이 그대로 '맛있는 술'이라는 의미를 담고 있다. 따라서 '여름지주'란 "여름철에 빚어 맛있게 마실 수 있는 술"쯤으로 해석할 수 있겠다.

그리고 특별히 여름을 주품명 앞에 붙이게 된 배경을 이해하고 나면, '하절삼일주', '하절주', '하일점주'와 '하일청주', '하일약주' 등 여러 주방문들이 존재하는 이유에 대해서도 이해하게 될 것이다. 즉, 여름철의 술 빚기가 그만큼 어렵다는 것을 의미한다는 것이다.

<술 만드는 법>의 '여름지주'가 여름철의 주방문이라는 점에서, 다른 방문과의 비교를 통해 그 방법과 특징을 찾을 수 있다. 예를 들어 <산가요록(山家要錄)>의 '하절삼일주'와 <음식디미방>의 '하절주'가 동일 방문이고, <수운잡방(需雲雜方)>에도 '하일점주'와 '하일청주', '하일약주' 등 여러 주방문들이 수록되어 있

는데, 이들 주방문에서 몇 가지 공통점을 찾을 수 있으며, 거기에서 '여름지주'의 특징이나 비법도 읽을 수 있다.

이들 주방문에서 눈여겨 볼 대목은 여름철의 술 빚기 방법이다. 첫째, 수곡(물누룩)을 만들어 사용한다는 것이고, 둘째는 끓여서 식힌 탕수나 끓는 물을 사용하는데 가능하다면 물의 양을 줄여야 한다는 것, 셋째는 누룩의 양을 늘려야 한다는 것이다.

이와 같은 방법을 선택하게 된 이유는 첫째, 여름철의 높은 습도에서 오는 잡균의 번식에 대비하기 위한 것이다. 둘째, 술의 당도를 높여서 잡균의 증식과 발효 중의 산패를 예방하는 데 그 목적이 있다. 셋째, 누룩의 양을 늘려야 한다는 것은 잡균의 억제를 위한 조치법이다. 따라서 여름철의 술 빚기가 결코 용이하지 않음을 이해할 수 있으며, 그에 따른 대비책 또는 방편도 함께 읽을 수 있다.

<술 만드는 법>의 '여름지주'는 쌀의 양과 물의 양이 동량으로 기록되어 있으나, 누룩의 양은 3~4홉으로서 상대적으로 적다는 점에서 '소곡주'를 떠올리게 된다. 쌀 1말에 대하여 누룩 3~4홉의 사용하는 배경과 설기떡을 만들어 술을 빚는 이유가 이 술의 주품명이 '여름지주'가 된 이유이다.

여름철 술 빚기에서, 물이 많아지면 발효가 빨라지는 데서 오는 거친 술맛과 누룩이 많이 사용되는 결과에서 오는 쓴맛 등이 특징이라고 한다면, <술 만드는 법>의 '여름지주'는 당화는 촉진시키는 반면 발효를 지연시킴으로써 단맛과 함께 감칠맛을 부여하는 것이 특징이자 비법이라 할 수 있다.

다시 말하면, 주방문에서 목격하듯 3~4%에 그치는 소량의 누룩을 사용하는 대신 오염원에 대비하여 수곡을 만들어 사용함으로써 당화를 촉진함과 동시에 발효 지연을 유도하고 있으며, 감칠맛을 얻고자 의도적으로 백설기를 사용하는 방문을 선택하였다는 것이다.

<술 만드는 법>의 '여름지주'는 탁주이다. 주방문을 토대로 술 빚기를 시도하여 본 결과, 술 빚는 과정과 맛, 향기에서 상당히 좋은 결과를 얻을 수 있었다. 특히 더운 여름철에 한 번쯤 시도해 봄직한 술이라는 결론에 도달했다.

술을 빚을 때 주의할 사항으로 몇 가지를 제안한다면 다음과 같다.

먼저, 누룩은 절구에 찧어서 가능한 한 고운 가루 형태로 만든 다음 깁체에 쳐서 3~4홉을 장만하여 베주머니에 담고, 끓여서 차게 식힌 물에 담가 불려서 수곡(물누룩)을 만들어놓아야 한다. 대략 4~6시간 정도면 좋다.

주원료인 멥쌀은 백세하되, 너무 오랜 시간 불리지 말고 다시 말갛게 헹궈서 작말하여 시루에 안쳐서 찌는데, 물을 주지 말고 오랫동안 쪄서 푸석하다 싶을 정도로 마른 백설기떡을 쪄야 한다. 백설기는 고루 펼쳐서 가능한 한 차게 식히는데, 뜨거울 때 덩어리를 잘게 쪼개서 식히도록 한다. 수곡에 백설기를 합하고 떡 덩어리가 잘게 풀어질 때까지 주물러서 술독에 담아 안치고, 베보자기로 밀봉하여 서늘한 곳에서 발효시킨다.

술을 빚은 지 이틀째가 되면 발효가 시작되고 기포가 왕성해지면서 매운 냄새가 진동하는데, 이때 서늘하게 식혀서 2일 정도 두었다가, 끓여서 식힌 물을 쳐서 거르면 좋다.

결론적으로 <술 만드는 법>의 '여름지주'는 인위적으로 발효를 끝낸 술로, 단맛이 풍부하고 매우 하얀 유백색의 구미가 당기는 '지주'라는 것이다.

여름지주 <술 만드는 법>

> 술 재료 : 멥쌀 1말, 누룩(가루) 3~4홉, 끓인 물 1말

술 빚는 법 :

1. 법제하여 마련한 좋은 누룩 3~4홉을 베주머니에 담아놓는다.
2. 물 1말을 끓여 차게 식기를 기다렸다가, 누룩 주머니를 담가 불려 물누룩을 만들어놓는다.
3. 멥쌀 1말을 백세하여 (다시 말갛게 헹궈서 물기를 뺀 뒤) 작말한다(가루로 빻는다).
4. 쌀가루를 물이 끓고 있는 솥의 시루에 안치고 (물 주지 말고) 마르게 쪄서 설기떡을 만든다.

5. 설기떡은 덩이를 풀어 식기를 기다린다.

6. 떡을 물누룩에 넣고, 고루 버무려 술밑을 빚는다.

7. 술독에 술밑을 담아 안치고, 3일간 발효시킨다.

8. 술이 익었으면 찬물을 주어가면서 체에 밭쳐 찌꺼기를 걸러낸다.

9. 여름에 차게 하여 마시면 '이화주'와 같다.

여름디쥬

죠흔 누룩 셔너 홉 실흐게 쥬머니에 늣코 쓸인 물 한 말 식거든 담으고 그날노 빅미 흔 말 빅셰호야 담아 흐로밤 우리고 다시 쩌셔 작말호야 말으게 쪄 덩이를 풀어 식거든 쥐여 다시 짜 누룩물과 흔딕 너허 숨일 후 익거든 걸느되 물 쥬어 걸너 밧타 여름에 치와 먹으면 리화주 갓흐니라.

예주

'예주(醴酒)'는 잔치술이다. 국가의식을 비롯하여 가정에서의 혼삿술로도 '예주'가 사용되었다. <태상지(太常志)>에 "종묘제사 후에 각 사당의 제사에 예주로 시작하였는데…… 술의 빛깔과 맛은 본시(奉常寺)에서 바치는 것과 같이 '예주'로 제향(祭享)한다."고 한 것을 볼 수 있어, '예주'가 잔치술이라는 것을 알 수 있다. 제사 역시 관습으로서 잔치의 하나이기 때문이다.

우리 속담에 "혼삿술이 잘못되면 여월 자식의 장래가 불행해진다."는 말이 있다. 조선시대 문화 유형의 하나로서 봉제사(奉祭祀)와 손님 접대가 중요한 관습으로 뿌리내리면서 각 가정에서는 가양주를 상비해야만 했는데, '예주'가 민간의 혼인에 쓰이는 잔치술로 애용되었던 것이다.

특히 제주와 반주, 접대 목적의 술을 빚어서 상비해야 하는 여인네들로서는 술을 빚는 일이 두려울 수밖에 없었는데, 술 빚는 일을 기피하게 될 것을 우려한 사대부들이 "술은 천록(天祿)이다."라거나 "술이 잘되고 못되는 것으로 집안의 길흉을 점친다.", "한 집안의 길흉은 장맛으로 알고, 한 고을의 정치는 술맛으로 안다."

는 말을 만들어 가양주 상비의 중요성을 강조하는 치밀함을 보였다. 당연한 결과로, 술 빚는 솜씨가 좋은 여인들은 칭송의 대상이 되기도 하였다.

그리고 "혼삿술(婚酒)이 잘못되면 여월 자식의 장래가 불행해진다."고 한 것은, 일생에 한 번뿐인 혼인잔치에 찾아드는 하객들의 접대에 쓸 술맛이 좋아야만 한다는 것을 강조한 말에 다름 아니다. 혼삿날이면 일가친척이며 동리 사람들을 대접하게 되는데, 혼주(婚主)가 대접하는 여러 가지 음식 가운데 가장 트집을 잡기 좋은 것이 술맛이었다.

술맛이 쓰거나 쉬게 되면, 그렇잖아도 남의 말 하기 좋아하는 사람들 사이에서 그 술맛을 가지고 갖가지 트집을 잡아 험담을 하기도 하는 등 쓸데없는 말들을 입에 올리기 때문에 혼주로서는 사전에 구실을 주지 않아야 했다.

혼삿술로서의 접대주는 예사 정성을 가지고는 좋은 맛과 향을 내기가 힘들고, 누구라도 맛 좋고 향기 좋은 술을 얻기가 쉽지 않았다. 또한 혼삿술은 한꺼번에 많은 사람들을 대접해야 하므로, 그 양이 많아야 한다는 것이 전제된다. 이러한 경우에 적당한 대책은 맛과 향기가 좋아 트집을 잡을 수 없도록 하고, 한꺼번에 많이 마실 수 없는 술을 내놓아야 한다는 것이다.

따라서 '혼삿술은 단맛이 많은 술이어야만 한다.'는 결론에 이르게 되는데, 단맛이 많은 술은 우선 향기가 좋고 부드러우면서 감칠맛도 따르는 까닭에 누구라도 불평이나 험담을 할 수 없게 된다.

더구나 맛과 향기는 좋지만 단맛이 많아 한꺼번에 많이 마실 수 없다는 불평은 흠될 일이 아니므로, 이때에 가장 합당한 술이 '예주'이다.

'예주'는 <산가요록(山家要錄)>을 비롯하여 <수운잡방(需雲雜方)>, <주찬(酒饌)>, <태상지>에서 찾아볼 수 있다. <산가요록>에는 5가지 방문이 수록되어 있고, <수운잡방>에도 2가지 방문이 등장한다. 이들 문헌의 '예주' 주방문을 분석해 보면, <산가요록>의 '예주 우방(又方) 20말 빚이'와 <수운잡방>의 '예주 20말 빚이'의 주방문이 유사한데, <수운잡방>에서는 밑술에 밀가루가 사용되지 않는 대신 누룩의 양이 많아졌고, 덧술에서도 누룩이 사용되지 않는다는 것을 알 수 있다.

또한 <산가요록>의 '예주 우방 15말 빚이'와 <수운잡방>의 '예주 별법(別法)

15말 빚이' 주방문이 동일하다는 것을 알 수 있는데, <산가요록>에서는 덧술의 발효기간이 5~6일이라고 하였고, <수운잡방>에서는 단오(5월 5일) 무렵까지 발효시키는 것으로 되어 있어, 덧술의 발효기간에서 상당한 차이가 있다는 것을 알 수 있다. 이는 <산가요록>의 오류인 것 같다. 덧술 쌀 10말의 고두밥으로 빚은 술을 5~6일 만에 발효를 끝낼 수는 없기 때문이다.

그리고 <산가요록>의 '예주 우방 6말 5되 빚이', '예주 우방 2말 빚이', '예주 우방 9말 빚이'와 <주찬>, <태상지>의 '예주'는 쌀과 누룩, 물의 양에서 각각 조금씩 차이를 보이고 있으며, 밀가루의 사용 여부에서 각각 차이를 나타내고 있음을 엿볼 수 있다.

그러나 대개는 밑술을 범벅이나 죽 형태로 하여 빚고, 덧술은 고두밥을 단독으로 사용하는데 냉수를 많이 뿌려서 무른 고두밥을 지어서 사용한다는 공통적인 특징을 보여주고 있는 점에서 '예주'의 특징을 찾을 수 있다고 하겠다.

물론, <산가요록>의 '예주'나 <수운잡방>의 '예주 별법'에서와 같이 고두밥과 누룩을 함께 사용하는 경우도 있다. 특히 <산가요록>의 '예주 우방 9말 빚이'는 유일하게 밑술과 덧술에 두 차례에 걸쳐 누룩과 밀가루를 함께 사용하는데, '고리수(누룩불린 물)'를 살수물로 사용하고 있어 주목된다.

단, 여기서 '고리수'란 '여뀌와 닥나무잎, 삼잎을 덮어서 띄운 밀'로 식초 만드는 데 사용하는 누룩을 '고리'라고 하는데, 이 '고리'를 우린 물(고리수)을 가리키는 것으로 여겨진다.

이렇듯 '예주'는 문헌마다 또는 주방문에 따라 다양한 원료 배합비율로 나타나는 것을 볼 수 있는데, 이들 문헌에서 공통적으로 나타나는 '예주'의 특징은, 밑술을 죽이나 범벅 형태로 하고 덧술은 고두밥으로 하는데, 특별히 살수(撒水)를 많이 하여 무른 고두밥을 지어 사용한다는 것이다.

특히 덧술 과정에서 살수를 많이 하여 무른 고두밥을 짓는다는 사실은, '예주'의 양주 목적이 단맛을 강화시켜 술의 향기와 풍미를 살리려는 데 있다는 것을 말해 준다. 이것이 일반 '감주(甘酒)'와는 다른, '예주'만의 비법이라는 점에서 주목할 필요가 있다.

1. 예주 <산가요록(山家要錄)>

－쌀 20말 빚이

술 재료 : 밑술 : 찹쌀 5말, 누룩가루 1말, 밀가루 5되, 물(5말)

　　　　　　덧술 : 멥쌀 15말, 누룩가루 2~3되

술 빚는 법 :

* 밑술 :

1. 정월 안에 찹쌀 5말을 (백세하여 물에 담가 불렸다가, 다시 씻어 건져서 물기를 뺀 후) 세말한 다음 체에 쳐서 내린다.

2. 솥에 물(5말)을 끓여 쌀가루에 붓고, 주걱으로 고루 개어 죽(범벅)을 쑤어 차게 식기를 기다린다.

3. 차게 식힌 죽(범벅)에 누룩가루 1말과 밀가루 5되를 섞고, 고루 버무려 술밑을 빚는다.

4. 술독에 술밑을 담아 안치고, 단단히 밀봉하여 (춥지도 덥지도 않은 곳에서 2개월간) 발효시킨다.

* 덧술 :

1. 복숭아꽃이 필 무렵인 3월에 쌀 15말을 (백세하여 물에 담가 불렸다가, 다시 씻어 건져서 물기를 뺀 후) 시루에 안쳐 고두밥을 짓는다.

2. 고두밥이 잘 무르도록 다시 쪄서 고루 펼쳐 차게 식힌다.

3. 고두밥의 양이 많으므로 등분하여, 원칙대로 두 번에 나눠서 밑술과 누룩 2~3되를 합하고, 고루 버무려 술밑을 빚는다.

4. 술독에 술밑을 담아 안치고, 밑술에서와 같이 예의 방법대로 하여 발효시켜 익으면 채주한다.

醴酒

米二十斗. 正月內 粘米五斗 細末羅篩. 湯水作粥 待冷. 匊一斗陳末五升 和入 堅封. 待桃花開時 白米十五斗 熟蒸待冷. 和入. 二度 添匊二三升. 不妨.

2. 예주 우방 <산가요록(山家要錄)>
－6말 5되 빚이

> 술 재료 : 밑술 : 멥쌀 1말 5되, 누룩가루 7되 3홉, 물(3말)
>   덧술 : 찹쌀 5말

술 빚는 법 :

* 밑술 :

1. 정월 초이레 안에 멥쌀 1말 5되를 백세하여 (물에 담가 불렸다가 다시 씻어 건져서 물기를 뺀 후) 세말한다.
2. 솥에 물(3말)을 끓여 쌀가루에 붓고, 주걱으로 고루 개어 죽(범벅)을 쑤어 차게 식기를 기다린다.
3. 차게 식힌 죽(범벅)에 누룩 7되 3홉을 섞고, 고루 버무려 술밑을 빚는다.
4. 술독에 술밑을 담아 안치고, 단단히 밀봉하여 찬 곳에서 (2개월간) 발효시킨다.

* 덧술 :

1. 복숭아꽃이 필 무렵인 3월에 찹쌀 5말을 (백세하여 물에 담가 불렸다가, 다시 씻어 건져서 물기를 뺀 후) 시루에 안쳐서 고두밥을 짓는다.
2. 고두밥이 잘 무르도록 (찬물을 뿌려서) 푹 찌고, 익었으면 퍼내어 고루 펼쳐 차게 식기를 기다린다.
3. 고두밥에 밑술을 합하고, 고루 버무려 술밑을 빚는다.
4. 술독에 술밑을 담아 안치고, 밑술에서와 같이 예의 방법대로 하여 (찬 곳에

서 2개월간) 발효시키고, 단오일(음력 5월 5일)에 채주한다.

醴酒 又方

正月七日內 白米一斗五升 細末. 湯水 作粥待冷. 麴七升五合 和入. 堅封 置冷
處. 桃花開時 粘米五斗 全蒸待冷. 碾出 前酒 无麴和入. 待端午 用之.

3. 예주 우방 <산가요록(山家要錄)>
－쌀 2말 빚이

술 재료 : 밑술 : 찹쌀 1말, 누룩가루 1되, 밀가루 1되, 물 3말
　　　　 덧술 : 찹쌀 1말

술 빚는 법 :
* 밑술 :
1. 아주 추운 정월에 찹쌀 1말을 (백세하여 물에 담가 불렸다가, 다시 씻어 건
   져서 물기를 뺀 후) 세말한다.
2. 솥에 물 3말을 붓고 끓이다가, 쌀가루를 풀어 넣고 주걱으로 천천히 저어주
   면서 팔팔 끓여 죽을 쑨 후, 넓은 그릇에 퍼서 차게 식기를 기다린다.
3. 차게 식힌 죽에 누룩가루 1되와 밀가루 1되를 섞고, 고루 버무려 술밑을 빚
   는다.
4. 술독에 술밑을 담아 안치고, 단단히 밀봉하여 찬 곳에서 (2개월간) 발효시
   킨다.

* 덧술 :
1. 복숭아꽃이 만발하게 필 무렵에 찹쌀 1말을 (백세하여 물에 담가 불렸다가,
   다시 씻어 건져서 물기를 뺀 후) 솥에 안쳐 고두밥을 짓는다.

2. 뜸을 들여 밥이 잘 익었으면, 시루에서 퍼낸다.

3. 퍼낸 밥은 바로 밑술독에 담아 안친다(한김 빼서 너무 뜨겁지 않을 때 넣거나, 온기가 남게 식혀서 넣고, 주걱으로 휘저어 밥이 덩어리가 없이 풀어주어야 한다).

4. 술독을 밑술에서와 같이 예의 방법대로 하여 발효시키고, 단오일(5월 5일)이 지나서 채주한다.

醴酒 又方

正月極寒 粘米一斗 細末. 水三斗 作粥 待冷. 匊一升 和入 堅封 置冷處. 令凍
桃花盛發時 粘米一斗 作飯. 不歇氣 入甕. 端午後 用之.

4. 예주 우방 <산가요록(山家要錄)>

－쌀 9말 빚이

> 술 재료 : 밑술 : 멥쌀 3말, 누룩 1되, 밀가루 1되, 물 8사발
> 덧술 : 멥쌀 6말, 누룩 1되, 밀가루 5홉, 물 3사발, 고리수 6사발

술 빚는 법 :

* 밑술 :

1. 정월 상순에 멥쌀 3말을 (백세하여 물에 담가 불렸다가, 다시 씻어 건져서 물기를 뺀 후) 세말한다.

2. 솥에 물 8사발을 끓여 쌀가루에 붓고 죽(범벅)을 쑤어, (넓은 그릇에 나눠 담고) 차게 식기를 기다린다.

3. 죽에 누룩 1되와 밀가루 1되를 섞고, 고루 버무려 술밑을 빚는다.

4. 술독에 술밑을 담아 안치고, 예의 방법대로 하여 5~6일간 발효시킨다.

* 덧술 :

1. 멥쌀 6말을 씻어(백세하여) 물에 담가 불렸다가 (다시 씻어 건져서 물기를 뺀 후) 시루에 안쳐서 고두밥을 짓는다.

2. 고두밥을 푹 찌는데, 이때 물 3사발과 고리수 6사발을 뿌려서 찌고, 익었으면 고루 펼쳐 차게 식기를 기다린다.

3. 고두밥에 밑술과 누룩 1되, 밀가루 5홉을 합하고, 고루 버무려 술밑을 빚는다.

4. 술독에 술밑을 담아 안치고, 예의 방법대로 하여 발효시킨다.

* 고리수(古里水) : <수운잡방>의 '조초법(造醋法)'에 "여뀌와 닥나무잎, 삼잎을 덮어서 띄운 밀"로 식초 만드는 데 사용하는 누룩의 일종이다. 이를 '고리'라고 하는데, 이 고리를 우린 물을 지칭하는 것으로 보여지며, 효소를 이용해 쌀의 당화를 촉진하기 위한 방법으로 여겨진다.

醴酒 又方

正月上旬 白米三斗 細末 湯水八鉢 作粥待冷. 匊一升 眞末一升 和入. 五六日. 白米六斗 洗浸. 全蒸時 洒水三鉢. 古里水六鉢 和合 待冷. 匊一升 眞末五合 前酒 和合 入瓮.

5. 예주 우방 <산가요록(山家要錄)>
－쌀 7말 빚이

> 술 재료 : 밑술 : 찹쌀 5말, 누룩 1말 2되, 물 12말
>
>   덧술 : 찹쌀 2말, 멥쌀 8말, 찬물(1말)

술 빚는 법 :

* 밑술 :

1. 정월 안에 찹쌀 5말을 (백세하여 물에 담가 불렸다가, 다시 씻어 건져서 물
   기를 뺀 후) 세말한다.
2. 솥에 물 12말을 끓여 쌀가루에 붓고 죽(범벅)을 쑤어, (넓은 그릇 여러 개에
   나눠 담고) 차게 식기를 기다린다.
3. 차게 식힌 죽(범벅)을 하루 동안 찬 곳에 두었다가, 누룩 1말 2되를 섞고, 고
   루 버무려 술밑을 빚는다.
4. 술독에 술밑을 담아 안치고, 단단히 밀봉하여 깨끗하고 서늘한 곳에서 (2개
   월간) 발효시킨다.

* 덧술 :

1. 복숭아꽃이 필 무렵에 찹쌀 2말과 멥쌀 8말을 씻어(백세하여) 물에 담가 불
   렸다가 (다시 씻어 건져서 물기를 뺀 후) 시루에 안쳐 고두밥을 짓는다.
2. 고두밥이 잘 무르도록 찬물(1말)을 뿌려서 푹 쪄서 퍼내고, 고루 펼쳐 차게
   식기를 기다린다.
3. 고두밥에 밑술을 합하고, 고루 버무려 술밑을 빚는다.
4. 술독에 술밑을 담아 안치고, 예의 방법대로 하여 5~6일간 발효시켜 채주
   한다.

* 주방문에 "고두밥을 찔 때 반드시 물을 뿌려서 쪄야 한다."고 하였다.

醴酒 又方

正月內 粘米五斗 細末. 湯水十二斗 作醅待冷 置淨處. 隔一日 麴一斗二升 和
入 封置凉處. 待桃花時 粘米二斗 白米八斗 洗浸全蒸待冷 和前酒入瓮 五六
日後 開用. 蒸時 必灌水(1)斗.

6. 예주 <수운잡방(需雲雜方)>

술 재료 : 밑술 : 찹쌀 5말, 누룩 2말, 물 10사발
　　　　 덧술 : 멥쌀 15말, 살수물(1~2말)

술 빚는 법 :

* 밑술 :

1. 정월 상순에 찹쌀 5말을 백세하여 3일간 물에 담가 불렸다가, 다시 씻어(헹궈) 세말하다(고운 가루로 빻는다).
2. 솥에 물 10사발을 팔팔 끓여 쌀가루에 골고루 붓고, 주걱으로 고루 개어 담(범벅)을 만든 후 (넓은 그릇 여러 개에 나눠 담아) 차게 식기를 기다린다.
3. 차게 식힌 담에 누룩 2말을 섞고, 고루 버무려 술밑을 빚는다.
4. 술독에 술밑을 담아 안치고, 단단히 밀봉하여 춥지도 덥지도 않은 곳에서 얼지 않도록 하여 3월까지(2개월) 발효시킨다.

* 덧술 :

1. 복숭아꽃이 필 무렵인 3월에 쌀 15말을 백세하여 2일간 물에 담가 불렸다가, 새 물에 다시 씻어 헹궈서 (물기를 뺀 후) 시루에 안치고 고두밥을 짓는다.
2. 고두밥이 잘 무르도록 물(1~2말)을 뿌려가면서 다시 쪄서, 뜸이 들어 익었으면 퍼내고, 고루 펼쳐 차게 식기를 기다린다.
3. 고두밥에 밑술을 합하고, 고루 버무려 술밑을 빚는다.
4. 술독에 술밑을 담아 안치고, 밑술에서와 같이 예의 방법대로 하여 발효시키고, 단오일에 채주한다.

醴酒

正月上旬粘米五斗百洗浸水一兩日更洗細末湯水每米一斗二鉢式十鉢和作粥

待冷曲二斗和入甕堅封置於不寒不熱處愼莫凍凍則無味至三月桃花時米十五
斗百洗浸水一兩日全蒸二度令潤待冷和前酒入甕端午用之. 又正月上旬粘米
五斗百洗細末作醋以熟水十二斗待醋冷置淨處隔三日好曲一斗二升合造堅封
置不寒不熱處待桃花時又以粘米二斗白米八斗如前洗淨全蒸和前酒入甕端
午時用之重蒸時酒水不過一斗多則味薄.

7. 예주 별법 <수운잡방(需雲雜方)>

술 재료 : 밑술 : 찹쌀 5말, 누룩 1말 2되, 끓는 물 12말
　　　　덧술 : 찹쌀 2말, 멥쌀 8말, 살수 물 1말 이내

술 빚는 법 :

* 밑술 :

1. 정월 상순에 찹쌀 5말을 백세하여 (물에 담가 불렸다가, 다시 씻어 헹궈서 물기를 뺀 후) 작말한다(가루로 빻는다)

2. 쌀가루를 넓은 그릇에 담고, 물솥에 물 12말을 끓여 쌀가루에 골고루 붓고, 주걱으로 고루 개어 범벅을 쑨 뒤, 3일간 정한 곳에 두고 차게 식기를 기다린다.

3. 범벅에 좋은 누룩 1말 2되를 섞고, 고루 버무려 술밑을 빚는다.

4. 술독에 술밑을 담아 안치고, 예의 방법대로 단단히 밀봉하여 춥지도 덥지도 않은 곳에 둔다.

* 덧술 :

1. 3월이 되어 복숭아꽃이 필 무렵 찹쌀 2말, 멥쌀 8말을 백세하여 (물에 담가 불렸다가, 다시 씻어 헹궈서 물기를 뺀 후) 각각 시루에 안쳐 무른 고두밥을 짓는다.

2. 멥쌀고두밥은 찬물을 넉넉히(1말이 넘지 않게) 뿌려가면서 다시 찌고, 두 가지 고두밥이 다 무르게 익었으면, 퍼내고 고루 펼쳐서 차게 식기를 기다린다.
3. 고두밥에 밑술을 합하고, 고루 버무려 술밑을 빚는다.
4. 술독에 술밑을 담아 안치고, 예의 방법대로 하여 서늘한 곳에서 단오 때까지 발효시킨다.

* 주방문에 "(살수할) 물이 1말이 넘으면 싱겁게 된다."고 하였다.

醴酒 別法

正月上旬粘米五斗百洗浸水一兩日更洗細末湯水每米一斗二鉢式十鉢和作粥待冷曲二斗和入甕堅封置於不寒不熱處愼莫凍凍則無味至三月桃花時米十五斗百洗浸水一兩日全蒸二度令潤待冷和前酒入甕端午用之. 又正月上旬粘米五斗百洗細末作酪以熟水十二斗待酪冷置淨處隔三日好曲一斗二升合造堅封置不寒不熱處待桃花時又以粘米二斗白米八斗如前洗淨全蒸和前酒入甕端午時用之重蒸時酒水不過一斗多則味薄.

8. 예주 <주찬(酒饌)>

> 술 재료 : 밑술 : 찹쌀 1말, 가루누룩 2되, 밀가루 2되, 물(2말)
>
> 덧술 : 멥쌀 3말

술 빚는 법 :

* 밑술 :

1. 정월 초에 찹쌀 1말을 백세하여 (물에 담가 불렸다가, 다시 씻어 헹궈서 물기를 뺀 후) 작말하여 체에 한 번 내려놓는다.
2. 가마솥에 물(2말)을 붓고, 따뜻해지면 찹쌀가루를 풀어 넣고 팔팔 끓여 죽

을 쑨다.

3. 죽은 넓은 그릇에 나누어 담아서 차게 식기를 기다린다.

4. 죽에 가루누룩 2되와 밀가루 2되를 섞고, 고루 버무려 술밑을 빚는다.

5. 술독에 술밑을 담아 안치고, 예의 방법대로 하여 찬 곳에 둔다.

* 덧술 :

1. 복숭아꽃이 필 무렵 멥쌀 3말을 백세하여 (물에 담가 불렸다가, 다시 씻어 헹궈서 물기를 뺀 후) 시루에 안쳐서 고두밥을 짓는다.

2. 고두밥이 익었으면 퍼내고, 고루 펼쳐 차게 식기를 기다린다.

3. 고두밥에 밑술을 합하고, 고루 버무려 술밑을 빚는다.

4. 술독에 술밑을 담아 안치고, 예의 방법대로 하여 서늘한 곳에서 발효시킨 뒤, 5월 5일에 채주한다.

* 밑술의 물 양이 나와 있지 않아 임의 양을 사용하였다.

醴酒

正月初粘米一斗細末作粥俟冷曲末二升眞末二升合調釀至桃花發時白米三斗百洗熟烝待冷調釀於本酒 五月五日用之.

9. 예주(지주) <태상지(太常志)>

영종 을해년 10월에 지주를 빚어 하늘에 고하는 것을 그만두었다.

종묘제사 후에 각 사당의 제사에 예주로 시작하였는데, 공출미 중 찹쌀로 밥을 쪄서 누룩가루와 엿기름가루를 화합하여 술항에 넣어 안치고, 자루나 저고리로 싸매서 온돌방에 앉혀두고 하룻밤이면 숙성되니, 전대에 담아 압착하여 짜서 청주를 얻는 방법이다.

처음 주모를 빚을 때는 쌀과 누룩과 엿기름가루로 빚은 예주를 사용하여 제사한다. 술의 빛깔과 맛은 본시(봉상시)에서 바치는 것과 같이 예주로 제향한다.

술 빚는 법은 찹쌀 1말에 엿기름가루 4되, 누룩 1되 5홉으로 빚는데, 술 1병 반이 나온다.

醴酒(旨酒)

英宗乙亥十月爲始罷旨酒告. 廟後大小各祀始用醴酒以中米貢搗作粘米蒸飯和麴末麥芽末入缸裹襦袽置堗一宿而熟威㑊壓槽如淸酒法初以米麴芽封釀於祭所以色味成今並自本寺釀供(祭亭用醴之始 粘米一斗入麥芽四升麴末一升五合出釀酒一瓶半).

왕감주

스토리텔링 및 술 빚는 법

　'감주(甘酒)'란 "단맛 나는 술"이란 뜻이다. 단맛이 특징이라는 것이다.

　따라서 '감주'는 어떤 방법으로 빚든지 그 맛에서 감미가 두드러져야 한다는 사실과 함께, 비교적 단기간에 걸쳐 술이 완성된다는 공통점이 있다. 발효기간이 길어질수록 단맛이 줄어들기 때문이다. 하여 '감주'를 빚을 때는 감미를 높이려고 온갖 수단이 동원되며, 찹쌀 중심에 멥쌀을 섞어 사용하기도 하는 것을 목격할 수 있다.

　'감주'에 대한 기록을 볼 수 있는 최초의 문헌은 <산가요록(山家要錄)>인데, 여기에는 '감주' 주방문이 3가지나 수록되어 있다.

　일반 '감주'와 달리 '왕감주(王甘酒)'라는 주품명도 등장한다. '왕감주'란 일반 감주류보다 단맛이 훨씬 더 강한 술이라는 뜻으로, <주찬(酒饌)>에 처음 등장한다. 따라서 '감주'와 '왕감주'의 차이를 규명함으로써, '왕감주'의 특징과 주방문에 따른 술 빚는 법, 곧 '왕감주'의 비법을 찾고자 한다.

　<산가요록>을 중심으로 한 여러 옛 문헌에 수록된 감주류는 찹쌀 중심의 '구

멍떡'을 비롯하여 '죽', '백설기(흰무리떡)', '고두밥' 등 크게 4가지 가공방법으로 다양하게 이루어지는 것을 확인할 수 있다.

이에 비해 <주찬>의 '왕감주'는 반생반숙의 '범벅'을 쑤어 사용한다는 점에서 차이가 있으며, '감주'에서는 흔히 찾아볼 수 없었던 엿기름가루(麥芽)가 사용되는 것이 특징이라 하겠다. 이러한 예는 <산가요록>을 비롯하여 <주방문(酒方文)>, <주식방(酒食方, 高大閨壼要覽)>에서 엿볼 수 있다.

<주찬>의 '왕감주' 주방문을 보면, "찹쌀이나 멥쌀 1되를 작말한 다음, 팔팔 끓인 물 1사발을 쌀가루에 골고루 붓고, 주걱으로 고루 개어 죽(범벅)을 만드는데, '범벅'이 식기를 기다렸다가 엿기름가루 2술을 합하고, 고루 버무려 하룻밤 방치하였다가 다음날 다시 가루누룩 1술을 합하여 술밑을 빚는다. 하룻밤 동안 발효시키면 단술이 된다."고 하였다.

<주찬>의 '왕감주' 주방문에서 찾은 "단맛이 많은 술"의 비법에는, 먼저 엿기름가루(麥芽)를 사용하여 당화시킨 당화액에 누룩을 섞음으로써, 의도적으로 농당(濃糖) 상태를 만들어 발효를 억제시키는 방법이 숨겨져 있다는 것을 알 수 있다.

이러한 사실은 주방문 말미의 "가루누룩을 처음부터 같이 섞으면 쓴맛이 있으나, 술맛은 더욱 좋다."고 언급한 데서도 확인할 수 있다.

처음부터 당화와 발효를 동시에 진행시키는 이른바 복발효(復醱酵)는 정상적인 술 빚는 방법으로, 쓴맛이 나지만 알코올 생성이 잘 이루어지므로 술맛은 좋아지는 것이다.

왕감주 <주찬(酒饌)>

술 재료 : 찹(멥)쌀 1되, 엿기름가루 2술, 가루누룩 1술, 끓는 물 1사발

술 빚는 법 :

1. 찹쌀이나 멥쌀 1되를 (물에 담가 불렸다가, 다시 씻어 헹궈 건져서 물기를

빼 후) 작말한다.

2. 팔팔 끓인 물 1사발을 쌀가루에 골고루 붓고, 주걱으로 고루 저어 죽(범벅)을 갠다.

3. 죽(범벅)이 식기를 기다렸다가, 엿기름가루 2술을 합하고 고루 버무려놓는다.

4. 다음날 다시 가루누룩 1술을 합하고, 다시 치대서 술밑을 빚는다.

5. 술밑을 술독에 담아 안치고, 예의 방법대로 하여 (서늘한 곳에서) 하룻밤 동안 발효시키면 단술이 된다.

* 주방문에 "가루누룩을 처음부터 같이 섞으면 쓴맛이 있으나, 술맛은 더욱 좋다."고 하였다.

王甘酒

白粘米一升作末湯沸水一碗合作粥俟冷麴芽末二匙竝調納缸置熱處翌日用之甚甘末曲一匙當初交合則有苦味而尤美.

왜백주

'왜미림주'가 소주를 사용하여 발효를 억제하는 방법으로 이루어진 술이라고
한다면, '왜백주(倭白酒)'는 누룩을 사용하는 대신 이미 발효된 술을 누룩과 물
을 대신하여 사용함으로써 술 색깔을 희고 밝게 만드는 매우 기교적인 술이라고
할 수 있다.

동양의 술에서 누룩은 술 색깔과 밀접한 관련이 있는데, 특히 한·중·일의 술
색깔은 각 나라의 누룩과 정확히 일치한다는 점에서 술 색깔만으로도 그 구별이
가능할 정도이다.

그런데 '왜백주'에서는 누룩의 색깔이 술 색에 반영되지 않는 까닭에 매우 밝
고 흰 빛깔의 술을 얻을 수 있다. 또한 재미있는 사실은, 우리나라의 술 빚기에서
도 청주를 사용하여 탁주를 얻고, 탁주를 사용하여 청주를 얻고 있는 주방문들
이 등장하는데, 일본의 '왜백주'에서도 그와 같은 공통점을 찾아볼 수 있다는 것
이다.

특히 '왜백주'에서는 찹쌀 7되로 고두밥을 지어 누룩이나 물 없이 술 1말로 발

효시키는데, 주품명이 '왜백주'인 것은 결코 우연한 일이 아니라는 생각이 든다.

'왜백주' 역시 조선의 양조기술이 일본에 전래된 결과물이 아닌가 하는 생각이 드는 것이다.

그 증거를 들자면, <임원십육지(林園十六志)>가 일본에도 유출되어 소위 '대판본(大板本)'이라는 것이 존재하는데, '고려대본'이나 '규장각본'과 비교하여 보면 체제도 바뀌어 있고, 각 항목마다 주해(註解)를 달아놓기도 하고, 순서가 바뀐 부분도 볼 수 있다는 것이다. 이는 일본에서는 이미 <임원십육지>에 대한 철저한 분석과 연구가 끝났다는 것을 의미한다.

우리는 그동안 소중한 기록문화유산을 거들떠보지도 않다가, 민간에서 개인 추렴으로 연구를 하다가 힘에 부친다고 하자 그제야 정부가 나서서 번역사업회를 만들고 지원 사업을 벌이고 있는 데 반해, 일본에서는 <임원십육지>에 대한 분석과 연구가 이미 수십 년 전에 끝났다는 사실을 어떻게 이해해야 할까? 뿐만 아니라 그 연구 결과가 사회 각 분야에 얼마나 퍼져 있는지, 산업적으로도 어떻게 활용되고 있는지조차 확인할 길이 없으니 안타까울 뿐이다.

어떻든 우리 전통주에서도 '왜백주'와 같은 주방문을 찾아볼 수 있는데, '급청주'를 비롯하여 '급시청주', '시급주', '청감주' 등이 이에 해당된다.

이들 주품은 이미 빚어서 마실 수 있는 청주를 사용하여 탁주를 얻고, 탁주를 사용하여 청주를 얻는다는 점에서 공통점을 띠는데, 이들 주품이 '왜백주'와 다른 점은 술을 빚을 때 누룩을 함께 사용한다는 점이다.

그리고 더욱 중요한 사실은 <고사신서(攷事新書)>를 비롯하여 <고사십이집(攷事十二集)>, <산림경제(山林經濟)>, <임원십육지(林源十六志)>, <해동농서(海東農書)>에 '백주(白酒)'가 수록되어 있고, 일제강점기 일본인에 의해 저술된 <조선고유색사전(朝鮮固有色辭典)>에서도 '백주'를 찾아볼 수 있다.

<조선고유색사전>에 조선의 '백주'에 대해 소개하기를, "백주는 '하쿠슈'. '박주'라고 한다."고 하고, "백주라고 불리지만, 내지(內地, 일본)의 추절구(雛節句, 히나세쿠, 3월 3일 여자아이들의 무병장수를 기원하는 일본의 기념일) 백주(시로자케)와는 재료가 다르다. 밀누룩, 맥아, 찹쌀을 혼합하여 소주를 가미한 약주이다. 주정분은 10~18%이다. 다른 술들에 비하여 수요는 적다."고 하였다.

이는 곧 <고사신서>를 비롯하여 <고사십이집>, <산림경제>, <임원십육지>, <해동농서>에 수록된 방법의 '백주' 외에 또 다른 '백주' 제조법이 존재한다는 것을 언급하는 것이라고 할 수 있겠는데, 아직까지 그 방법이나 주방문을 확인하지는 못하였다.

이렇듯 여러 문헌에 '백주'가 등장하는데, 우리 술인 '백주'는 청주나 탁주를 사용하지 않고 오로지 쌀과 흰누룩(白麴), 또는 쌀과 흰누룩, 물을 사용하여 발효시킨다는 점에서 '왜백주'와 뚜렷한 차이가 있음을 확인할 수가 있다.

어떻든 '왜백주'는 발효한 뒤에 누룩을 사용하지 않는 관계로, 콩물처럼 술덧을 맷돌에 갈거나 체에 비벼서 거르는데, 고두밥 찌꺼기를 버리지 않고 그대로 다 마시는 것이다. 이렇게 되려면 술이 완숙되기 이전이라야, 다시 말하면 술의 발효가 다 끝나기 전에 체에 거르거나 콩물처럼 갈아야 가능하다는 결론이 나온다.

주방문 말미에 "발효시킨 지 5일 후에 젓가락으로 밥알을 건져 손으로 문질러 보면, 다 된 술은 밥알을 갈면(문지르면) 흰색의 즙이 나오며 감미가 이를 데 없다."고 한 까닭이 여기에 있다.

따라서 단맛이 나는 유백색의 탁주 '왜백주'를 얻으려면 완숙되기 전에 걸러야 하고, 완숙되고 나면 쓴맛이 강하여 맛이 훨씬 떨어진다는 사실을 경험하게 될 것이다.

왜백주방 <임원십육지(林園十六志)>

술 재료 : 찹쌀 7되, 술 1말

술 빚는 법 :
1. 찹쌀 7되를 백세하여 물에 담가 하룻밤 불렸다가 (다시 씻어 헹궈 건져서 물기를 뺀 후) 시루에 안쳐서 고두밥을 짓는다.
2. 고두밥이 익었으면 시루에서 퍼내고, 고루 펼쳐서 차게 식기를 기다린다.

3. (미리 빚어둔) 좋은 술 1말과 고두밥을 함께 섞고, 고루 버무려 술밑을 빚는다.

4. 술독에 술밑을 담아 안치고, 예의 방법대로 하여 밀봉한 후 (덥지도 차지도 않은 곳에서) 봄과 여름에는 3일, 가을과 겨울에는 5일간 발효시킨다.

5. 술독 뚜껑을 열고 젓가락으로 밥알을 꺼내서 맛을 본다.

6. 다 된 술은 밥알을 갈면(문지르면) 흰색의 즙이 나오며, 달콤하기가 이를 데 없다.

* 주방문 말미에 "<본초강목(本草綱目)>의 백주명차(白酒名醛)란 바로 이것이다."고 하였다.

倭白酒方

用糯米精鑿七升爲餻冷穴　之一斗酒中固封之春夏三日秋冬五日開封以箸解分其飯粒嘗試之以生甘味爲度連釃磨之白色如乳甘美本草所謂白酒名醛此類也. <和漢三才圖會>.

왜예주

스토리텔링 및 술 빚는 법

'예주(醴酒)'는 "단맛이 강한 술"이란 뜻이고, '잔치술'이라는 의미를 갖고 있다. 이러한 '예주'는 종묘제례 등 국가의 중요한 의식에도 사용된 것을 볼 수 있고, 민간에서는 혼인잔치 등의 중요한 행사에 사용해 왔다.

그 예로 <태상지(太常志)>에 "술의 빛깔과 맛은 본시(奉上寺)에서 바치는 것과 같이 예주로 제향(祭享)한다. 술 빚는 법은 찹쌀 1말에 엿기름가루 4되, 누룩 1되 5홉으로 빚는데, 술 1병 반이 나온다."고 한 기록을 볼 수 있어, 당시에 이미 국가의 중요한 행사와 의식에서 '예주'가 확실한 위치를 점하고 있다는 사실을 확인할 수 있다.

따라서 '예주'는 그 역사가 매우 깊을 것으로 생각되는데, 정확한 기록에 의한 근거를 들 수는 없다.

그러나 분명한 것은, 짧은 기간에 빨리 빚는 까닭에 단맛이 강하고, 알코올 도수가 낮아 오래 두고 마실 수 있는 술은 아니라는 것이다. 즉, '예주'와 같이 단맛이 강하고 알코올 도수가 낮은 술은 고대의 술이 갖는 공통점으로, 자연발효제인

산국 형태의 누룩(麴)이나 얼(糱)을 사용하여 빚은 술이라는 것이다.

'왜예주(倭醴酒)'는 <임원십육지(林園十六志)>에서만 목격된다. <임원십육지>에 '왜예주'와 '왜예주 별방(別方)' 두 가지 주방문을 찾아볼 수 있는데, "쌀 1말로 고두밥을 쪄서 식혀 누룩 1말, 물 1말 2되를 섞어서 하룻밤 지나 익으면 거르지 않고 마신다."고 하고, "<화한삼재도회(和漢三才圖會)>를 인용하였다."고 하였다.

따라서 '왜예주'는 '왜백주', '왜미림주' 등과 함께 일본의 문헌인 <화한삼재도회>에 수록된 주방문을 옮겼다는 사실을 확인할 수 있다.

'예주'는 1450년대의 <산가요록(山家要錄)>과 1560년대의 <수운잡방(需雲雜方)>, <임원십육지>, <주찬(酒饌)> 등 한문으로 쓰여진 문헌에서도 찾아볼 수 있는데, '왜예주'와는 술 빚는 방법이 상이하고 차별화된다는 것을 알 수 있다.

특히 '왜예주 별방'은 그 방법이 우리나라 문헌인 <산가요록>의 '9말 빚이 예주'와 <수운잡방>의 '조초법(造醋法)'에서 찾아볼 수 있는 방법이라는 사실에서 유사성을 발견할 수 있다.

'왜예주 별방'에 "혹은 먼저 누룩을 벗기고 누룩옷을 물에 담갔다가 다음날 체에 걸러서 밥알을 낱낱이 해서 밥에 버무려 항아리에 담아서 익힌다."고 하였는데, 여기서 말하는 '누룩옷'이 <수운잡방>의 '조초법'에 나와 있는 '여뀌와 닥나무잎, 삼잎을 덮어서 띄운 밀'로 식초 만드는 데 사용하는 누룩의 일종인 '고리'라고 생각된다.

또한 이것이 <임원십육지>에 수록된 '황증(黃蒸)'이 아닌가 싶다. <임원십육지>의 '황증방(黃蒸方)'에 "일명 맥황(麥黃)이다. 7월 중에 밀을 가루로 빻아 물로 반죽하여 푹 쪄서 식힌다. 헝겊을 덮어서 맥완법과 같이 하면 곰팡이가 핀다. 곰팡이를 날리지 말아야 하며, 날리면 손해인 것을 명심하라."고 하였다.

<수운잡방>에서는 식초를 만드는 데 사용하는 누룩을 '고리'라고 하였으므로, 이 '고리'를 우린 물을 사용한다는 것은 누룩곰팡이의 효소를 이용해 쌀의 당화를 촉진하기 위한 방법으로 여겨지는 것이다.

이로써 누룩곰팡이를 사용한 효소 중심의 발효법이 '왜예주'라는 결론에 이른다. 주방문에서는 "쌀 1말로 고두밥을 쪄서 식혀 누룩 1말, 물 1말 2되를 섞어서 하룻밤 지나 익으면 거르지 않고 마신다."고 하였는데, 고두밥으로 빚는 술을 하

룻밤 만에 다 익힐 수는 없으므로 미숙주(未熟酒) 상태의 잔당이 많은 감주류 형태의 술이라고 판단된다.

따라서 <임원십육지>의 '왜예주'는 발효 중심이 아닌 당화 중심의 발효법이라는 것을 알 수 있으며, '황증'에 대한 연구도 병행되어야 할 일이다.

또한 술 빚는 방법으로서, 하룻밤 만에 최대한의 당화와 발효를 도모하기 위해서는 고두밥을 차게 식혀서는 안 되며, 따뜻한 온기가 남아 있는 상태에서 혼화(混和)를 해야 하고, 술밑은 두텁게 싸매서 따뜻한 온돌방에 두고 익혀야만 한다는 것을 잊지 말아야 한다.

1. 왜예주방 <임원십육지(林園十六志)>

> 술 재료 : 멥쌀 1말, 누룩 1말, 물 1말 2되

술 빚는 법 :

1. 멥쌀 1말을 (백세하여 물에 담가 불렸다가, 다시 살짝 씻어 말갛게 헹군 후 건져서 물기를 뺀 다음) 시루에 안쳐 고두밥을 짓는다.
2. 고두밥이 익었으면 퍼내고, 고루 펼쳐서 (온기가 남게) 식기를 기다린다.
3. 고두밥에 누룩 1말과 물 1말 2되를 섞고, 고루 버무려 술밑을 빚는다.
4. 술독에 술밑을 담아 안치고, 예의 방법대로 하여 (단단히 밀봉한 뒤) 하룻밤 동안 발효시킨다.
5. 다음날 술이 익기를 기다렸다가 거르지 않고(또는 체에 걸러서) 마신다.

倭醴酒方

米一斗烝飯(冷穴用之)一斗水一斗二升和勻一宿以熟不榨飲之. 或細麴去飯粒取用麴衣者啜之不碍齒更良. <和漢三才圖會>.

2. 왜예주방(별방) <임원십육지(林園十六志)>

술 재료 : 멥쌀 1말, 누룩 1말, 물 1말 2되, 주박

술 빚는 법 :

1. 먼저 잘 띄운 누룩의 '옷'(겉에 핀 곰팡이)을 벗겨낸다.
2. 물 1말 2되에 벗겨낸 누룩옷을 취하여 담가 불려놓는다.
3. 멥쌀 1말을 (백세하여 물에 담가 불렸다가, 다시 살짝 씻어 말갛게 헹군 후 건져서 물기를 뺀 다음) 시루에 안쳐 고두밥을 짓는다.
4. 고두밥이 익었으면 퍼내고, 고루 펼쳐서 (온기가 남게) 식기를 기다린다.
5. 누룩옷을 불린 물을 고운체에 걸러서 찌꺼기를 제거한 누룩물을 만들어놓는다.
6. 고두밥을 낱낱이 떨어지게 하여 누룩물과 섞고, 고루 버무려 술밑을 빚는다.
7. 술독에 술밑을 담아 안치고, 예의 방법대로 하여 (단단히 밀봉한 뒤) 발효시킨다.
8. 다음날 술이 익기를 기다렸다가 마신다.

倭醴酒方(別方)

米一斗烝飯(冷穴用之)一斗水一斗二升和勻一宿以熟不榨飲之. 或細麴去飯粒取用麴衣者啜之不碍齒更良. <和漢三才圖會>.

유감주

스토리텔링 및 술 빚는 법

'유감주(乳甘酒)'는 "술 빛깔이 젖과 같이 묽고 부드러우면서 밝은 빛깔을 띤다."
고 한 데서 주품명을 얻었다. 따라서 일반 '감주(甘酒)'와는 술 빛깔이 다르다는
것이 특징이라고 할 수 있는데, 그 이유는 다름 아닌 누룩의 사용 양과 관련이 있
다는 것이 결론이다.

'유감주'는 <규중세화>와 <산가요록(山家要錄)>에서만 찾아볼 수 있는 주품
으로, 크게 두 가지 형태의 주방문이 수록되어 있는 것을 볼 수 있다.

첫째, 죽이나 범벅을 쑤어 엿기름가루와 누룩을 사용하거나, 엿기름가루만을
사용하는 경우가 있다. 둘째, 찹쌀로 고두밥을 지은 뒤 따뜻할 때 누룩가루와 섞
고, 절굿공이로 쳐서 인절미처럼 만들어 당화를 촉진시키는 방법이 그것이다.

그리고 이 두 가지 방법은 공통적으로 단맛이 나면 발효를 중단하고 채주하여
마신다는 것이다. 즉, 당화와 발효 중인 술을 채주하는 경우와 당화 단계를 지나
발효가 끝나가는 단계의 술은 빛깔에서 차이가 난다는 것을 알 수 있다.

일반 '감주'가 당화 단계를 지나 발효 중인 술을 채주하여 마시는 것이라면, '유

'감주'는 당화와 발효 중인 술을 채주하여 마시는 경우로, 술 빛깔이 밝은 유백색을 띤다는 점에서 그 차이를 구별할 수 있다고 할 것이다.

대개 '감주류'는 단양주(單釀酒)와 이양주(二釀酒)가 있는데, 단양주의 경우는 주원료를 '백설기(흰무리떡)'와 '죽', '고두밥' 등 각기 다른 가공형태로 하여 술을 빚고, 이양주의 경우에는 밑술은 '구멍떡'으로 빚고 덧술은 '고두밥' 형태로 빚는 특징을 갖고 있다.

또한 감주류의 특성상 당화 촉진을 통하여 상대적으로 발효를 억지시키려는 노력을 보이고 있음을 알 수 있는데, 당화를 촉진하기 위한 방법으로 '엿기름'을 비롯하여 '술'(청주)이 이용되기도 한다.

반면, '유감주'는 단양주로만 이루어져 있다. <규중세화>와 <산가요록>에 수록된 '유감주'의 경우, 쌀 1되에 대하여 맥아 2순가락과 누룩 1/2순가락을 사용하여 발효를 시키는데, 사실 발효 목적이 아닌 당화 중심의 당화감미료라는 것을 알 수 있다.

<산가요록>의 '유감주 우방(又方)'의 경우는, 찹쌀 1말로 지은 고두밥에 대하여 물을 사용하지 않는 대신 누룩가루 3되와 합하고 절굿공이로 인절미를 치듯 떡을 찧어서 술밑을 빚는다는 점에서 당화를 최대한 빠르게 촉진시키고자 한 것을 볼 수 있다. 특히 술에서 단맛이 나면 채주한다는 점에서 두 가지 '유감주' 주방문의 공통점을 찾을 수 있다고 하겠다.

그런데 <규중세화>의 '유감주' 주방문에서는 문제점을 발견할 수가 있다. 주방문을 보면, "백미 한 되 백세작말하야 탕수 한 사발에 반죽하야 밀기울가루 두술 섞어 넣어 따순 방 끓여두었다가 이튿날 먹으면 가장 달고 좋거니와, 초벌할 제 잘 일고 백세작반하여 그 밥이 적 선 듯할 제 내었다가 오후에 쓰라."고 하였는데, 앞에서는 "백세작말하여 탕수 한 사발에 반죽하여"라고 하였으므로, 이는 '죽'이나 '범벅' 형태'를 가리킨다.

그런데 말미에서 "초벌할 때 잘 일고 '백세작반'하여 그 밥이 적 선 듯할 때 내어"라고 한 것은 '밥을 끓이거나 찌는 방법'을 뜻한다. 또 주방문에는 '밀기울가루'라고 하였는데, '엿기름가루'의 오기인 듯하다.

따라서 <규중세화>의 '유감주' 주방문은 앞뒤의 설명이 맞지 않다는 것을 알 수 있고, '유감주'라고 하였으나 주품(酒品)이 아닌, 식혜를 만드는 방법이라는 결론에 도달하게 된다.

<산가요록>에 동일한 방법의 '유감주' 주방문이 등장하는데, 익반죽(범벅)을 쑤는 데 사용되는 물의 양이 나와 있지 않은 반면, 엿기름가루와 함께 '누룩 반 숟가락'이 사용된 것을 볼 수 있다.

<규중세화>의 '유감주' 주방문에는 술 빚는 물의 양은 나와 있지만 누룩의 양이 빠져 있어, 두 문헌의 미흡한 부분을 상호 비교하여 주방문을 보완, 작성하였음을 밝혀둔다.

1. 유감주 한 법 <규중세화>

> 술 재료 : 멥쌀 1되, 밀기울(엿기름)가루 2숟가락, (누룩 1숟가락), 끓는 물 1사발

술 빚는 법 :

1. 멥쌀 1되를 백세하여 (물에 담가 불렸다가, 다시 씻어 건져서 물기를 뺀 뒤) 작말한다.

2. 솥에 물 1사발을 끓여 쌀가루에 붓고, 골고루 개어 범벅(익반죽)을 만들어 놓는다.

3. 범벅(익반죽)에 밀기울(엿기름)가루 2숟가락(과 누룩 1숟가락)을 합하고, 고루 버무려 술밑을 빚는다.

4. 술밑을 술독에 담아 안치고, 예의 방법대로 하여 따뜻한 방에 앉혀두고 끓여(당화시켜)둔다.

5. 이튿날 먹으면 가장 달고 좋다.

* 주방문 말미에 "초벌할 때 잘 일고 '백세작반'하여 그 밥이 적 선 듯할 때 내어 넣었다가 오후에 쓰라."고 하였는데, 방문의 앞뒤가 맞지 않는다. 앞에서는

"백세작말하여 탕수 한 사발에 반죽하여"라고 하였으므로, 이는 '범벅 형태'를 가리킨다. 그런데 말미에서 "초벌할 때 잘 일고 '백세작반'하여 그 밥이 적선 듯할 때 내어"라고 한 것은, '밥을 끓이거나 찌는 방법'을 뜻한다. '유감주'라고 하였으나 주품이 아닌 식혜 만드는 방법이다. 또 방문에는 '밀기울가루'라고 하였는데, '엿기름가루'의 오기인 듯하다. <산가요록>에도 유사한 '유감주'가 등장하는데, 주방문에 누룩 반 숟가락을 넣는다고 하였으므로, 누룩을 사용하는 것으로 주방문을 작성하였다.

유감주 한 법
백미 한 되 백세작말하야 탕수 한 사발에 반죽하야 밀기울가루 두 술 섞어 넣어 따순 방에 끓여두었다가, 이튿날 먹으면 가장 달고 좋거니와, 초벌할 제 (쌀을) 잘 일고 백세작반하여 그 밥이 적 선 듯할 제 내었다가 오후에 쓰라.

2. 유감주 <산가요록(山家要錄)>

> 술 재료 : 멥쌀 1되, 누룩가루 반 숟가락, 엿기름가루 2숟가락, 물(1사발)

술 빚는 법 :
1. 멥쌀 1되를 백세하여 물에 담가 불렸다가 (다시 씻어 건져서 물기를 뺀 뒤) 가루로 빻는다.
2. 쌀가루를 (물 1사발에 풀어 넣고) 솥에 담아 끓여서 죽을 쑨 후, 퍼지게 익었으면 그릇에 퍼 담고 차게 식기를 기다린다.
3. 죽에 누룩가루 반 숟가락과 엿기름가루 2숟가락을 한데 합하고, 고루 버무려 술밑을 빚는다.
4. 술밑을 작은 술독에 담아 안치되 물기를 조심하고, 예의 방법대로 하여 하루 동안 발효·숙성시켜 단맛과 쓴맛이 알맞게 우러나면 사용한다.

* <규중세화>에 물의 양이 나와 있어 이를 참고하였다.

乳甘酒
白米一升 洗浸作末 以沸湯水作粥待冷 麥蘗于末二匙許和均令盛小缸翌日乃
成用之好匊半匙兼和則甘苦適中.

3. 유감주 우방 <산가요록(山家要錄)>
－쌀 1말 빚이

술 재료 : 찹쌀 1말, 누룩가루 3되

술 빚는 법 :

1. 찹쌀 1말을 (백세하여) 물에 담가 하루 동안 불렸다가 (다시 씻어 건져서 물기를 뺀 뒤) 시루에 안쳐 고두밥을 짓는다.
2. 고두밥은 (한김 나면 찬물을 많이 뿌려서) 무르게 익히고, 고두밥이 익었으면 퍼서 나무 절구통이나 안반에 담아놓는다.
3. 고두밥에 누룩가루 3되를 합하고, 절굿공이로 짓이겨(찧어) 한 덩어리로 만들어 술밑을 빚는다.
4. 술밑을 술독에 담아 안치되 물기를 조심하고, 예의 방법대로 하여 겨울에는 따뜻한 곳에 두고, 여름에는 찬 곳에 두어 발효·숙성시켜 단맛이 우러나면 사용한다.

* 물이 사용되지 않고, '김천 과하주'와 같이 누룩을 섞고 인절미를 쳐서 빚는 술이다.

乳甘酒 又方

粘米一斗 蒸飯. 入細曲末三升 爛搗木碓作塊. 無水盛瓮 冬置煖處. 夏置冷處
待甘出用.

4. 유감주 <침주법(浸酒法)>

술 재료 : 멥쌀 1되, 누룩가루 반 숟가락, 엿기름가루 2숟가락, 물(1사발)

술 빚는 법 :
밀흘 졍히 글희여 무이 시서 둠가더가 이튼날 마즌 셤에 녀허 두면 보리만치 길
 거든 물뇌여 작말ᄒᆞ야 두고 빅미 ᄒᆞᆫ 되 작말ᄒᆞ야 반만 쪄 닉거든 시겨 기름
 ᄀᆞ른 세 술만 섯거 녀허 아츰이 녀ᄒᆞ면 나죄 쓰ᄂᆞ니라.
1. 멥쌀 1되를 백세하여 물에 담가 불렸다가 (다시 씻어 건져서 물기를 뺀 뒤)
 가루로 빻는다.
2. 쌀가루를 (물 1사발에 풀어 넣고) 솥에 담아 끓여서 죽을 쑨 후, 퍼지게 익
 었으면 그릇에 퍼 담고 차게 식기를 기다린다.
3. 죽에 누룩가루 반 숟가락과 엿기름가루 2숟가락을 한데 합하고, 고루 버무
 려 술밑을 빚는다.
4. 술밑을 작은 술독에 담아 안치되 물기를 조심하고, 예의 방법대로 하여 하루
 동안 발효·숙성시켜 단맛과 쓴맛이 알맞게 우러나면 사용한다.

유감듀법
밀흘 졍히 글희여 무이 시서 둠가더가 이튼날 마즌 셤에 녀허 두면 보리만치
길거든 물뇌여 작말ᄒᆞ야 두고 빅미 ᄒᆞᆫ 되 작말ᄒᆞ야 반만 쪄 닉거든 시겨 기름
ᄀᆞ른 세 술만 섯거 녀허 아츰이 녀ᄒᆞ면 나죄 쓰ᄂᆞ니라.

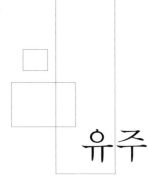

유주

'유주(乳酒)'는 의미상으로 '젖술'이라는 뜻이다. 이와 같은 의미를 담은 술로는 몽골의 '마유주(馬乳酒)'를 들 수 있는데, 우리나라 전통주 가운데는 동물의 젖을 사용하여 빚은 술은 없다.

'유주'는 조선시대 초기의 기록이자 궁중의 어의를 지냈던 전순의에 의해서 저술된 것으로 알려진 <산가요록(山家要錄)>에 유일하게 수록된 것을 목격할 수 있다. 주방문을 보면 '유주'가 일반적인 방법으로 발효시킨 곡주이자, 밑술을 범벅을 만들어 누룩과 밀가루를 섞어 한 번 발효시킨 후에 다시 멥쌀을 찌고, 끓는 물을 주어 두 번 익힌 고두밥을 넣어 두 번 발효시킨 이양주(二釀酒)이며, 주원료가 쌀인 만큼 갱미주라는 사실을 확인할 수 있다.

<산가요록>의 '유주' 주방문 말미에 "향과 맛이 보통 술과 다르다."고 하였다. 밑술을 범벅으로 하여 누룩과 밀가루를 섞어 빚고 덧술을 끓는 물을 먹인 진고두밥으로 하여 빚는 방법은 여느 주방문에서도 자주 목격되는데도, 이 '유주'가 다른 술에 비해 맛과 향기가 달라진 이유를 찾는 것이 '유주'에 대한 바른 이해

일 것이다.

먼저, '유주'는 술 빛깔을 비롯하여 술의 상태가 젖처럼 뿌옇고 하얀빛을 띠는 것이 특징이다. 이러한 특징을 살릴 수 있는 방법을 <산가요록>의 '유주' 덧술 주방문에서 찾을 수 있는데, "고두밥을 주조에 담고 그 위에 끓는 물을 살수하여(뿌려) 준 다음에 차게 식기를 기다리는 방법(以湯水八鉢 沃和待冷)"이 그것이다.

이처럼 고두밥을 술 짜는 틀인 주조(酒槽)에 담아 탕수를 뿌려서 식기를 기다리는 동안 고두밥은 뜨거운 물에 말아놓은 밥처럼 불어서 퍼진 상태가 되고, 이러한 밥으로 빚는 술은 특히 탁한 술이 된다. 주품명이 '유주'라는 사실이 이러한 결론을 뒷받침하고 있다.

술을 빚어본 사람이면 이미 경험하였을 터이고, 특히 고두밥을 익히는 과정에서 잘못되면 술이 탁해진다는 사실을 경험한 사람이면 더욱 공감하는 바이지만, 술 빛깔이 우유처럼 희고 밝은 빛을 띠도록 술을 빚기 위해서는 고두밥에 끓는 물을 뿌려서 고두밥이 그 물을 모두 흡수하도록 해야 한다는 말에 공감할 것이다.

고두밥이 끓는 상태의 물을 흡수하게 되면 고두밥을 한 번 더 익히는 결과로 나타나고, 고두밥이 물을 최대한 흡수하도록 하기 위하여 술을 눌러 짜는 틀인 주조에 담아 안치는 방법을 택하게 된 것이다.

주조에 담긴 고두밥은 열을 방출할 수 있는 표면이 작아지므로 뜨거운 상태를 유지하게 되고, 끓는 물을 뿌리면 천천히 흘러내리도록 되어 있어, 물이 바닥으로 새어나가지 않고 고두밥이 온전히 흡수할 수 있는 조건이 된다.

이러한 고두밥은 증기와 끓는 물에 의해 두 번 익힌 결과로 나타나, 당화는 빠르게 진행되지만 발효는 상대적으로 더디어져 도수가 낮아지고, 고두밥은 흐물흐물하게 되어 발효과정에서 그 형태를 찾아보기 힘들 정도의 죽 상태로 변하게 된다.

이해를 돕기 위하여 '유주' 주방문과는 반대되는 '청명향', '하시절품주' 등의 주방문을 살펴볼 필요가 있다. 이들 주방문에서는 쪄낸 고두밥에 찬물을 퍼붓고 차게 식혀서 빚는 방법을 제시하고 있는데, 이들 주품의 특징은 '술 빛깔이 맑고 깨끗하며 콕 쏜다 싶을 정도로 알코올 도수가 높은 청주(淸酒)'라는 사실이다.

따라서 '청명향'이나 '하시절품주'와 반대되는 주방문이면 '유주'를 빚을 수 있다는 결론에 이른다. 즉, 쪄낸 고두밥에 뜨거운 물을 주어 고두밥이 뜨거운 물을 다 흡수할 수 있도록 하여 술을 빚게 되면, 상대적으로 술 빛깔이 탁하고 알코올 도수가 낮은 부드러운 맛의 '유주'가 된다는 얘기이다.

<산가요록>의 '유주'는 보기 드문 주방문이나, 즐겨 사용하도록 권장하고 싶은 주방문은 아니다. 술은 맑고 밝은 청주가 근본을 이루고, 탁주는 덤으로 얻어지는 술이며, 굳이 '유주'와 같은 방법이 아니라도 술 빛깔이 희고 밝은 탁주를 얻을 수 있는 방법은 수십 가지에 이르기 때문이다.

또한 '유주'가 <산가요록> 이후의 어떠한 문헌에서도 목격되지 않는 이유도 생각해 볼 일이다. 만약 '유주'의 맛과 향이 뛰어나고 널리 사랑받은 주품이었다면 이후의 여러 문헌에 올랐을 법하고 세간에 회자되었을 법한데, 그렇지 못한 것은 무엇보다 술맛이 그렇게 뛰어나지 못했기 때문으로 풀이된다.

필자가 '유주'의 재현 실습을 통해서 얻은 결론은, 독특한 방법의 덧술 과정으로 인해 술 빛깔이 희고 도수가 낮은 '유주'를 얻을 수는 있었지만, 쓰거나 떫거나 하여 술맛이 고르지 않은 술이라는 것이다.

또한 "쪄낸 고두밥에 뜨거운 물을 주어 고두밥이 뜨거운 물을 다 흡수할 수 있도록 하는" 독특한 방법으로 인하여, 생각과는 달리 고르지 못한 고두밥 때문에 재발효와 변질이 빠르다는 사실도 큰 이유가 되었을 것이라는 결론에 이르렀다.

유주 <산가요록(山家要錄)>
−쌀 7말 5되 빚이

> 술 재료 : 밑술 : 멥쌀 2말 5되, 누룩가루 4되, 밀가루 1되, 물 20사발
> 덧술 : 멥쌀 5말, 누룩가루 2되, 끓는 물 8사발

술 빚는 법 :
* 밑술 :

1. 멥쌀 2말 5되를 (백세하여) 물에 담가 불렸다가 (다시 씻어 건져서 물기를
   뺀 후) 세말한다(고운 가루로 빻는다).
2. 솥에 물 20사발을 붓고 끓여서 쌀가루에 합하고, 주걱으로 고루 개어 죽(범
   벅)을 쑨 다음 (넓은 그릇 여러 개에 나눠 담고) 차게 식기를 기다린다.
3. 죽(범벅)에 누룩가루 4되와 밀가루 1되를 넣고, 고루 버무려 술밑을 빚는다.
4. 술독에 술밑을 담아 안치고, 예의 방법대로 하여 겨울에는 5일, 여름에는 3
   일간 발효시킨다.

* 덧술 :
1. 멥쌀 5말을 (백세하여) 물에 담가 불렸다가 (다시 씻어 건져서 물기를 뺀
   후) 고두밥을 짓는다.
2. 고두밥을 찔 때 물 1사발 반을 뿌려준 뒤, 익었으면 퍼내어 술주자에 담는다.
3. 끓는 물 8사발을 고두밥에 뿌려주고, 고두밥이 물을 먹고 차게 식기를 기
   다린다.
4. 고두밥에 누룩가루 2되와 밑술을 합하고 고루 버무려서 술밑을 빚는다.
5. 술독에 술밑을 담아 안치고, 예의 방법대로 하여 14일간 발효시킨다.

* 한복려 엮음 <산가요록>에는 덧술의 방문 중 '以湯水八鉢 沃和待冷'이라 하
  여 '沃'(물댈 옥)으로 표기하고, "짐작하기 어렵다."고 하였는데, 필자는 '以湯
  水八鉢 沃和待冷'으로 해석하였다. 또한 고두밥을 술 짜는 틀인 주조에 담
  는 것 '出置槽中'으로 되어 있어, 주조 안의 고두밥에 물을 뿌려서 고두밥을
  차게 식히는 한편, 고두밥이 물을 흡수하게 하기 위한 방법으로 해석하였다.
  '청명향', '하시절품주' 등에서 볼 수 있다.

乳酒
米七斗五升. 白米二斗五升 浸水細末 湯水二十鉢 作粥 待冷 麴四升 眞末一升
合造. 冬五 夏三 白米五斗 蒸之熟蒸 洒水一鉢半 出置槽中. 以湯水八鉢 沃和
待冷 麴二升 和前酒入瓮. 二十七日後 香味異常.

유하주(流霞酒)·유화주(柳花酒)·유하주(柳霞酒)

東風緩轉柳絲斜(동풍이 느릿느릿 버들가지를 비끼니)
麗景初遲欲綻花(해는 처음 길어지고 꽃망울은 터지려 하네.)
節物已知寒食至(시절 음식은 이미 한식이 온 줄을 알고)
春光從興賞心誇(봄빛은 흥과 더불어 자랑을 하네.)
滿城車馬爭過墓(온 성의 수레와 말은 다투어 묘역을 지나고)
驀日歌鍾競到家(해가 져서 종소리 들리자 다투어 집으로 돌아가네.)
緬想介山猶有恨(멀리 개산을 생각하니 오히려 한이 있으나)
戴思何惜醉流霞(생각에 유하주에 취하는 것을 어찌 아끼겠는가?)

봄바람이 불어와 버들가지가 피어나려 하는 청명·한식 무렵에 성묘를 하고 음복주로 '유하주(流霞酒)'를 마시고 취하였다는 내용의 이 시는, 조선시대 문신이자 시인으로 널리 알려진 기대승(奇大升, 1527~1572)의 <고봉선생문집(高峯先生文集)>에 수록된 '한식(寒食)'이라는 제하의 시 가운데 일부분이다.

石逕鳴筇晝已昏(돌길에 지팡이 소리 내며 가는 길 대낮에도 어두컴컴)
白雲深處有孤村(흰 구름 깊은 곳에 외로운 마을 있네.)
正當明月團團夜(정히 밝은 달이 둥근 밤을 만났으니)
共醉流霞灩灩樽(동이에 가득 찬 유하주 마시며 함께 취하세.)
山擁小樓同謝宅(산이 작은 누각을 감싼 것은 사안의 집과 같고)
地逢賢主勝吳園(땅이 어진 주인을 만난 것은 오나라 동산보다도 낫네.)
年年此會有佳約(해마다 이 모임 아름다운 약속 있으니)
更願諸君莫食言(다시 바라건대 그대들 약속을 어기지 마소.)

밤에 만나 달과 함께 '유하주(流霞酒)'를 마시고 일어난 취흥을 노래한 이 시는 조선시대 유명한 시인이자 문신이었던 조태억(趙泰億, 1675~1728)의 '정월 대보름 밤에 학동에서 모이다(元宵會鶴洞)'라는 작품으로, <겸재집(謙齋集)>에 수록되어 있다.

이상의 시편에서 보듯 '유하주(流霞酒)'가 시인문사들의 완상의 대상이었다는 사실은, 그만큼 널리 빚어져 유명세를 떨쳤던 술이라는 추측을 해볼 수도 있는 근거가 된다.

한편, 송강(松江) 정철(鄭澈)이 강원도관찰사로 부임하여 관동팔경과 금강산을 유람하며 아름다운 자연풍광과 임금에 대한 충성, 백성에 대한 선정의 포부를 읊은 노래로 널리 알려진 <관동별곡(關東別曲)> 가운데 '유하주(柳霞酒)'는 신선의 술로 묘사되고 있다.

백련과 한가지로 뉘라서 보내신고.
이리 좋은 남다되 다 보고자
유하주 가득 부어 달더러 물은 말이.
영웅은 어데 가며 사선은 긔 뉘거니,
아무나 만나보아 옛 기별 묻쟈 하니……

라고 하여 '유하주(柳霞酒)'가 당대 시가(詩歌)의 최고봉으로 회자되었던 정철의 시에도 등장하는 것을 볼 수 있다.

　'유하주'는 양주(釀酒) 관련 문헌 기록에 여러 가지 표기로 수록되어 있어 매우 혼란스럽다. <봉접요람>에 '유하주법', <산가요록(山家要錄)>에 '유하주(流霞酒)', <색경(穡經, 搜聞補錄)>에 '조유하주법(造流霞酒法)', <수운잡방(需雲雜方)>에 '유하주(柳霞酒)', <양주방(釀酒方)>에 '유화주법', <언서주찬방(諺書酒饌方)>에 '뉴하쥬', <역주방문(曆酒方文)>에 '유화주방(柳花酒方)', <음식디미방>에 '유화주', <임원십육지(林園十六志)>에 '유하주방(流霞酒方)', <침주법(浸酒法)>에 '유하주(流霞酒)' 등이 그것이다.

　시대적으로 가장 앞선 기록인 <산가요록>과 <언서주찬방>, <수운잡방> 등의 주방문을 분석하여 봄으로써, '유하주(流霞酒)'가 '유하주(柳霞酒)', '유화주(柳花酒)'와 한 가지 술인지 다른 술인지, '유하주(流霞酒)'의 특징은 무엇이고 술을 빚는 비법과 차이점은 무엇인지를 이해하는 데 도움이 될 것 같다.

　<산가요록>의 '유하주(流霞酒)' 주방문을 보면 "쌀 7말 5되, 멥쌀 2말 5되를 물에 담가 하룻밤 두었다가 곱게 가루를 낸다. 끓는 물 2말 5되에 반쯤 익도록 죽을 쑨 다음에 식힌다. 좋은 누룩 2되, 밀가루 1되를 섞어 항아리에 넣고 겨울과 봄가을에는 5~6일, 여름에는 3~4일 동안 익기를 기다린다. 멥쌀 5말을 물에 담가 하룻밤을 두었다가 쪄서, 끓는 물 5말에 버무려, 식으면 누룩 5홉을 앞에 빚은 밑술과 섞어 덧술하여 항아리에 넣는다. 21일 후에 열어 쓴다."고 하여, 밑술은 범벅으로 빚는데 쌀 양과 물의 양이 동일하고, 누룩과 밀가루가 함께 사용된다. 또 덧술은 밑술 양의 2배 되는 쌀과 물이 사용되고 누룩이 재차 사용되는 것을 볼 수 있는데, 이는 전형적인 청주 빚는 방법임을 알 수 있다.

　<산가요록>과 동시대의 문헌으로 추정되는 <언서주찬방>의 '뉴하주'는 "멥쌀 1말을 희게 쓿어 백세한 다음, 작말하여 무른 구멍떡을 빚고 삶아서 차게 식기를 기다린 후, 누룩가루 5되와 진가루 5홉을 한데 섞어 물기 없는 술독에 담아 안치고, 두터운 식지로 싸맨 다음 7일간 발효시켜 술이 괴거든 덧술을 준비한다. 덧술은 멥쌀 10말을 백 번 씻어 물에 담가 밤재워 불렸다가, 시루에 안쳐서 고두밥을 쪄 끓는 물 6말을 골고루 화합한 뒤, 차게 식기를 기다려 밑술을 섞고, 고루 치대어 술독에 담아 안치되, 물기를 조심하라."고 하였다. 따라서 <언서주찬방>

의 '뉴하주'는 밑술을 구멍떡으로 빚고, 누룩과 밀가루가 사용되는데, 덧술은 밑술 양의 10배 되는 쌀과 쌀 양보다 훨씬 적은 양의 끓는 물을 섞어 만든 진고두밥을 사용하며, 누룩이 사용되지 않는다는 점에서 <산가요록>과는 전혀 다른 방법임을 알 수 있다.

<언서주찬방>의 '뉴하주 또 한 법'은 <산가요록>과 유사한데, 밑술과 덧술의 쌀 양이 다소 줄어들었고, 밑술과 덧술에서 쌀과 동일한 양의 물을 사용한다는 점에서 공통점을 찾을 수 있다. 그러나 덧술 빚는 방법은 고두밥에 끓는 물을 한데 섞어서 만든 진고두밥을 사용한다는 점에서 차이가 있다.

<수운잡방>의 '유하주(柳霞酒)'는 주원료의 배합비율과 밑술 빚는 방법이 <산가요록>과 동일하고, 덧술에서는 누룩을 사용하지 않는데 그 과정은 <언서주찬방>과 동일하다는 것을 알 수 있다.

<음식디미방>의 '유화주'는 <산가요록>의 주방문과 주원료의 배합비율이나 술 빚는 방법에서 동일한데, 덧술에 누룩을 사용하지 않는 대신 밑술의 누룩 양이 그만큼 많아졌다는 것을 알 수 있다.

<양주방(釀酒方)>의 '유하주'는 "멥쌀 1말을 백세작말하여 끓는 물 5되로 개어 범벅을 쑨 후, 끓여 식힌 물 2말 5되와 가루누룩 4되, 밀가루 1되를 섞어 밑술을 빚는다. 덧술은 멥쌀 5말로 고두밥을 짓고, 끓는 물 7말을 섞어 진고두밥을 만들어, 식으면 누룩 5홉을 섞어 사용한다."고 하였으므로, 주원료의 배합비율과 밑술의 범벅을 쑤는 방법에서는 차이가 있지만, 술 빚는 과정은 <음식디미방>과 유사하다는 것을 알 수 있다. 특히 밑술의 범벅을 쑬 때 물 양을 적게 사용하였다가 나중에 끓여 식힌 물을 추가하는 방법은, 작업의 편의성을 위해서라기보다는 반생반숙(半生半熟), 즉 전분의 호화도(糊化度)를 최대한 낮게 하여 강력한 효모를 배양함으로써 밑술의 발효력을 최대한으로 향상시키려는 의도라고 볼 수 있다는 점에서 주목된다.

또 시대 불명의 <침주법>에 수록된 '유하주(流霞酒)'는 "백미 두 말 닷 되를 백세하여 하루밤 재워 가루 빻아 탕수 두 말 닷 되로 고르되, 반은 설고, 반은 익게 골화 가장 차게 식혀 누룩 두 되 닷 홉과 진가루 한 되로 골화, 독에 넣어 익거든 백미 닷 말을 백세하여 익게 쪄 탕수 닷 말로 골화, 차거든 먼저 술에 섞어두었다

가 쓰라.”고 하였다. 전체적인 주방문은 <음식디미방>과 동일한데, 덧술을 빚는
방법에서는 <언서주찬방>의 기록과 동일하다.

역시 시대 불명인 <봉접요람>의 ‘유하주’는 유일하게 밑술을 죽으로 빚고 덧
술은 찹쌀고두밥을 지어 사용하는데, 술의 주발효가 끝나면 후수(後水)하는 방
법을 보여주고 있다.

한편, 단양주법(單釀酒法)의 주방문도 존재하는데, <색경(수문보록)>과 <임
원십육지>의 ‘유하주(流霞酒)’, <역주방문>의 ‘유화주(柳花酒)’가 그것이다.

이들 문헌에 수록된 단양주법은, 주원료의 배합비율은 문헌마다 각각 다르지
만, 구멍떡을 삶아서 식으면 누룩가루 또는 누룩가루와 밀가루를 한데 섞어서 빚
는 방법으로 이루어진다는 점에서 공통점을 찾을 수 있다.

또한 <색경(수문보록)>과 <임원십육지>에서 ‘유하주(流霞酒)’ 전용 누룩 만드
는 법을 볼 수 있는데, 그 방법이 ‘이화주곡’과 동일하다는 사실과 함께 이 ‘유화주
곡’으로 빚는 경우 누룩의 양이 많아진다는 것을 확인할 수 있다.

결국 문헌마다의 주방문을 통해서 확인된 사실은, ‘유하주(流霞酒)’가 시대를
거치면서 ‘유화주(柳花酒)’, ‘유하주(柳霞酒)’로 불리게 되었으며, 겨울에서 이른
봄 사이에 빚는 술이라는 것이다.

또한 밑술을 범벅과 구멍떡으로 빚고 덧술은 고두밥과 진고두밥으로 빚던 것
이, 시대를 거치면서 밑술을 죽으로 빚는가 하면 덧술에 누룩을 사용하기도 하
였다. 또한 단양주법으로 간소화되기도 하였으며, 전용 누룩으로 빚는 방법이 생
겨나기도 했다.

이쯤에서 ‘유하주(流霞酒)’나 ‘유화주(柳花酒)’, ‘유하주(柳霞酒)’라는 주품명에
담긴 뜻을 살펴볼 필요가 있다. 먼저, 최초의 명칭인 <산가요록>의 ‘유하주(流霞
酒)’ 유래에 대해 필자 나름의 소견을 밝히자면 다음과 같다.

‘유하(流霞)’란 ‘흐르는 흰 노을’을 가리키는 것으로, 흐릿한 엷은 미색의 전통적
인 탁주 색깔을 상징한다고 볼 수 있다. 그리고 ‘유화(柳花)’란 ‘버들강아지 색’ 또
는 ‘버드나무 꽃’을 가리키는데, 이러한 표현들은 모두 발효과정에서 일어나는 현
상을 묘사한 것이라고 본다.

<봉접요람>을 제외한 여러 문헌의 주방문에서 보듯 ‘유하주(流霞酒)’는 멥쌀

을 고두밥으로 만들어 덧술을 한다는 공통점을 띠고 있는데, 특히 멥쌀고두밥은 술의 발효·숙성 시 밥알이 술 위로 동동 떠올라 있다가, 술이 다 익으면 밑으로 가라앉게 된다. 이때 멥쌀고두밥은 찹쌀고두밥에 비해 삭은 정도가 심한 까닭에 술 빛깔이 맑지 못한데, 이러한 현상을 '유하(流霞)'로 표현하게 된 것이라는 게 필자의 견해이다.

또한 멥쌀고두밥은 발효 중에 효소에 의해 삭게 되고, 결국에는 껍질 부분만 남게 된다. 즉, 효소에 의해 고두밥알 중심부의 녹말은 분해되어 빠져나가고 가벼운 상태가 된 껍질만 술 위로 떠오르게 되는데, 그 형태가 누에처럼 보이기도 하고 멀리서 바라본 버들강아지 꽃처럼 보이기도 한 데서 '유화주(柳花酒)'라는 술 이름이 유래되었다고 보는 것이다.

'유하주(流霞酒)' 또는 '유화주(柳花酒)'는 매우 강한 향기와 함께 콕 쏘는 맛이 특징이다. 알코올 도수가 15~23%까지도 비교적 높게 나타나는 까닭에 술맛이 독하게 느껴져 주량이 큰 사람들이 선호하는 술이라고 할 수 있다.

따라서 좋은 누룩을 고운 가루로 사용하고, 밑술을 범벅으로 하는 경우 범벅을 고루 익히고 덧술용 고두밥을 무르게 잘 쪄내는 것이 비결이다.

이야기를 끝내려고 하는데, 문득 떠오르는 전설 속의 인물이 있다. "천제(天帝)의 아들 해모수가 술을 준비해, 물의 신 하백(河伯)의 세 딸을 유혹하여 술에 취한 큰딸과 동침하여 아들을 낳게 되었는데, 그가 고구려의 시조 주몽(朱蒙)이다."고 한 고구려 건국신화의 주몽 어머니가 바로 '유화부인(柳花婦人)'이다.

고구려 건국신화 속 인물인 유화부인과 '유화주(柳花酒)'와의 직접적인 관련성을 찾을 수만 있다면, 그리하여 우리 술의 역사적 기록을 2천 년 전으로 앞당길 수만 있다면 얼마나 좋을까 하는 바람을 가져본다.

조금은 허황된 듯하지만, 우리나라 전통주의 역사적 기록이 너무나 짧다는 안타까움에서 비롯된 공상쯤으로 이해해 주면 좋겠다.

1. 유하주법 <봉접요람>

술 재료 : 밑술 : 멥쌀 1되, 가루누룩 4홉(섬누룩 2되), 물 5되
         덧술 : 찹쌀 1말, 후수(끓여 식힌 물) 2되 5홉

술 빚는 법 :

* 밑술 :

1. 멥쌀 1되를 백세하여 (물에 담갔다가, 다시 씻어 헹궈 건져서) 물기를 뺀다.
2. 솥에 물 5되를 붓고 끓이다가, 물이 따뜻해지면 쌀을 풀어 넣고 팔팔 끓여 죽을 쑨 후, 넓은 그릇에 퍼서 가장 차게 식기를 기다린다.
3. 차게 식은 죽에 가루누룩 4홉(섬누룩 2되)을 합하고, 고루 버무려 술밑을 빚는다.
4. 술밑을 술독에 담아 안치고, 예의 방법대로 하여 단단히 봉하여 (서늘한 데) 두고, 3일간 발효시킨다.

* 덧술 :

1. 찹쌀 1말을 백세하여 물에 담가 불렸다가 (다시 씻어 헹궈 건져서 물기를 뺀 후) 시루에 안쳐서 고두밥을 무르게 짓는다.
2. (고두밥이 익었으면 퍼내고, 고루 펼쳐서 차게 식기를 기다린다.)
3. 차게 식은 고두밥에 밑술을 한데 합하고, 고루 버무려 술밑을 빚는다.
4. 술밑을 술독에 담아 안치고, 예의 방법대로 하여 (차지도 덥지도 않은 곳에 앉혀두고) 6일간 발효시킨다.
5. 솥에 물 2되 5홉을 팔팔 끓여 차게 식혔다가, 덧술에 붓고 예의 방법대로 하여 2일간 숙성시킨다.

유하쥬법

빅미 흔 되 빅셰ᄒ여 쥭 쑤되 믈 다숫 식긔 부어 쑤어 ᄀ중 ᄎ거든 국말 너 홉

너흐되, 셥누룩이여든 두 되 너허 셧거다가 삼일 후 졈미 일두 빅셰흐여 담가 익게 져 밋히 빗졋다가 뉵일 만의 물 두 되가옷 슬녀 치와 부엇다가 잇틀 만의 쓰면 ㄱ중 조흐이라.

2. 유하주(流霞酒) <산가요록(山家要錄)>
-쌀 7말 5되 빚이

> 술 재료 : 밑술 : 멥쌀 2말 5되, 누룩 2되, 밀가루 1되, 끓는 물 2말 5되
>   덧술 : 멥쌀 5말, 누룩 5홉, 끓는 물 5말

술 빚는 법 :
* 밑술 :
1. 멥쌀 2말 5되를 (백세하여) 물에 담가 하룻밤 불렸다가 (다시 씻어 건져서 물기를 뺀 후) 고운 가루로 빻는다(넓은 그릇에 담아놓는다).
2. 솥에 물 2말 5되를 끓여 쌀가루에 붓고, 주걱으로 고루 개어 반생반숙(범벅)을 만든 다음 (넓은 그릇 여러 개에 나눠 담고) 차게 식기를 기다린다.
3. 반생반숙(범벅)에 좋은 누룩 2되와 밀가루 1되를 넣고, 고루 버무려 술밑을 빚는다.
4. 술독에 술밑을 담아 안치고, 예의 방법대로 하여 겨울과 봄가을은 5일, 여름은 3일간 발효시켜 익기를 기다린다.

* 덧술 :
1. 멥쌀 5말을 (백세하여) 물에 담가 하룻밤 불렸다가 (다시 씻어 건져서 물기를 뺀 후) 시루에 안쳐서 고두밥을 짓는다.
2. 물솥에 물 5말을 부어 팔팔 끓이고, 고두밥이 익었으면 시루에서 퍼내어 끓는 물에 합하고, 고두밥이 물을 다 먹기를 기다린다(고루 펼쳐서 차게 식기

를 기다린다).

3. 고두밥에 밑술, 누룩 5홉을 파쇄하여 한데 합하고 고루 버무려서 술밑을 빚
   는다.

4. 술독에 술밑을 담아 안치고, 예의 방법대로 하여 21일간 발효시킨다.

流霞酒

白米二斗五升侵水經宿細末 湯水二斗五升半 生半熟作粥待冷 好麴二升眞末
一升和入 冬春秋五六夏三待熟 白米五斗侵水經宿全蒸 湯水五斗待冷 麴五合
碾出前酒和入 三七日後 開用.

3. 조유하주법 <색경(穡經, 搜聞補錄)>

술 재료 : 멥쌀 1말, 누룩가루 5되, 떡 삶은 물 약간

술 빚는 법 :

1. 정월이 되기 10일 전에 멥쌀 1말을 백세하여(백 번 씻어 말갛게 헹군 후, 새
   물에 담가) 하룻밤 재워 (물에 뜨물 없이 헹궈) 소쿠리에 건져서 물기를 뺀다.

2. 쌀을 빻아 고운 가루를 만들고, 촘촘한 체로 여러 번 쳐서 그릇에 담아놓
   는다.

3. 쌀가루를 따뜻한 물로 익반죽하여 큰 단자를 빚듯 떡을 빚는다.

4. 끓는 물솥에 떡을 넣고 삶아서 익으면 건져내고, 잠깐 찬 곳에 두어 한김 나
   가게 식힌다.

5. 다시 떡을 둥글게 만들어 넓은 그릇에 쌓고 뚜껑으로 덮어놓는다.

6. 떡이 식으면 만지기 힘들므로 (반드시 떡을 조금씩 꺼내어 분량의 누룩가루
   5되 가운데 조금씩 뿌려서 주물러 섞어) 손바닥 크기로 만든다.

7. 차게 식힌 떡 삶은 물을 조금씩 뿌려가며 뒤집어 놓는다.

8. 힘을 다해 즉시 주물러서 모두 10조각을 만들어서 아주 차게 식힌 뒤, 나머지 누룩가루를 섞고 고루 치대어 술밑을 빚는다.

9. 술밑을 술독 안에 담아 안치되, 틈이 생기지 않게 공간이 없이 한 다음, 독 주둥이에 묻은 것을 깨끗이 닦아내고, 베보자기로 밀봉한다.

10. 사방 주위에 아무것도 닿지 않게 하여 방 한가운데 두고, 처방대로 뚜껑을 덮어 발효시킨다.

11. 3일 뒤에 열어보고 따뜻한 기운이 왕성하면 꺼내서 헤쳐놓고 차게 식힌 뒤, 다시 담아서 밀봉한 뒤 서늘한 곳에 둔다.

造流霞酒法

正月旬前白米一斗百洗浸水一宿漉出作細末調水成團大如鴨卵於藁(圖)內用藁秸作隔盦養每隔鋪五六團密盖安置溫室中過七日披啓翻覆之又七日又翻覆之三七日後取出剝去上黧皮其一團破作三片盛以筐筍上覆厚紙日中曝乾至三月初杵末別用白米二斗亦百洗作末細篩數次令極精好作餠穿孔烹熟放令乍冷再團作餠貯在寬器中用盖盖(之/空)稍稍取出將前所製麴末多少量宜兩手頓和合作片如掌大若餠乾難合別置烹餠水候冷微洒翻覆極力頓築(摁)作十片待其絶冷收入缸內周圍堅倚空置中間封盖如法三日後開視若暖氣盛者取出攤冷還納缸內封置冷處其法米一斗作餠者入麴末五升.

4. 조유하주 우법 <색경(穡經, 搜聞補錄)>

누룩 재료 : 멥쌀 1말, 암, 볏짚 또는 솔잎
술 재료 : 멥쌀 3말, 누룩가루 3되

누룩 빚는 법 :

1. 정 2월 중에 쓰려면, 멥쌀 1말을 (백 번 씻어서 말갛게 헹군 다음, 새 물에 담

가 불렸다가 다시 살짝 씻어서 말갛게 헹군 후) 건져서 물기를 뺀다.

2. 불린 쌀을 절구나 맷돌에 갈아 곱게 빻거나, 방앗간에 가져가 세말(고운 가루로 만듦)한다(고운체에 한두 번 쳐서 내린다).

3. 쌀가루를 두 주먹으로 쥐어 주먹밥처럼 단단히 뭉치는데, 거위알 크기로 만든다.

4. 짚으로 만든 둥구미에 볏짚으로 칸막이를 하여 암(罨, 발효시키는 그릇)을 만들고, 칸마다 조밀하게 5~6개씩 놓는다.

5. 다시 볏짚이나 솔잎으로 위를 덮고 대체로 따뜻한 방 안에 놓아둔다.

6. 7일이 지나면 암을 열어 뒤집어 주고, 또 7일이 지나면 다시 뒤집어 놓길 반복하여, 21일이 지난 후에 꺼내서 위에 있는 볏짚을 걷어낸다.

7. 한 덩어리를 3조각 정도로 부수어 광주리에 담아놓고 두꺼운 종이로 덮어 햇볕에 내다 말린다.

술 빚는 법 :

1. 정 3월 초에 멥쌀 3말을 (백 번 씻어서 말갛게 헹군 다음, 새물에 담가 불렸다가 다시 살짝 씻어서 말갛게 헹군 후) 건져서 물기를 뺀다.

2. 불린 쌀을 절구나 맷돌에 갈아 곱게 빻거나, 방앗간에 가져가 세말(고운 가루로 만듦)한다(고운체에 한두 번 쳐서 내린다).

3. 쌀가루를 따뜻한 물로 익반죽한 뒤, 단자처럼 떡을 빚는다.

4. 떡을 끓는 물솥에 넣고 삶아서 익으면 건진다(주걱으로 으깨어 한 덩어리가 되게 뭉쳐서 차게 식힌다).

5. 풀어놓은 떡에 누룩가루 3되를 풀어 넣고, 고루 치대어 술밑을 빚는다.

6. 술독에 술밑을 담아 안치고, 예의 방법대로 발효시키고 단오 뒤에 걸러서 쓴다.

* <색경>의 '유하주(流霞酒)' 주방문은 <음식디미방>이나 기타 양주 관련 문헌의 '유하주(流霞酒)' 주방문과는 매우 상이하다.

造流霞酒 又法
正二月中用白米一斗百洗(杵/作)末之團如鴨卵用稻藁松葉相間入藁(圖)內密
囊盦爵過七日後取出剝去上皮曝乾成麴至三月初用白米三斗百洗細末作餠烹
熟一斗入前麴末三升釀酒過端午後取用.

5. 유하주(流霞酒) <수운잡방(需雲雜方)>

술 재료 : 밑술 : 멥쌀 2말 5되, 누룩가루 3되, 진말 1되, 끓는 물 2말 5되
         덧술 : 멥쌀 5말, 탕수 5말

술 빚는 법 :
* 밑술 :
1. 멥쌀 2말 5되를 백세하여 물에 하룻밤 담가 불렸다가 (다시 씻어 헹궈 건져
   서) 세말한다(고운 가루로 빻는다).
2. 물 2말 5되를 팔팔 끓여서 쌀가루에 골고루 붓고, 주걱으로 고루 개어 반만
   익힌 범벅을 만든 다음, 넓은 그릇에 퍼서 차게 식기를 기다린다.
3. 차게 식은 범벅에 누룩가루 3되와 진말 1되를 합하고, 고루 힘껏 치대어 술
   밑을 빚는다.
4. 술독에 술밑을 담아 안치고, 예의 방법대로 하여 7일간 발효시킨다.

* 덧술 :
1. 멥쌀 5말을 백세하여 물에 하룻밤 재웠다가 (다시 씻어 헹궈 건져서 물기를
   뺀 후) 시루에 안쳐서 고두밥을 짓는다.
2. 물 5말을 팔팔 끓이고, 고두밥이 익었으면 끓는 물을 고두밥에 골고루 합하
   고, 고두밥이 물을 다 먹었으면 고루 펼쳐서 차게 식기를 기다린다.
3. 진고두밥과 밑술을 합하고, 고루 버무려 술밑을 빚는다.

4. 술독에 술밑을 담아 안치고, 예의 방법대로 하여 14일간 발효시켜 익으면 채
   주하여 마신다.

流霞酒
白米二斗五升百洗浸一宿細末湯水二斗五升作粥令半生半熟待冷好麴末三升
眞末一升和納瓮七日後白米五斗百洗浸一宿全蒸湯水五斗和飯待冷出前酒和
納瓮二七日後待熟用之.

6. 유화주법 <양주방(釀酒方)>
—일곱 말 닷 되 빚이

> 술 재료 : 밑술 : 멥쌀 2말, 가루누룩 2되, 밀가루 1되, 끓는 물 5되, 끓여 식힌 물
>   2말 5되
>   덧술 : 멥쌀 5말, 누룩 5홉, 끓는 물 7말, 물 6사발

술 빚는 법 :

* 밑술 :

1. 멥쌀 2말 백세하여 하룻밤 물에 담가 불렸다가, 다시 씻어 건져서 물기를 뺀
   후 작말한다(가루로 빻는다).
2. 물 2말 5되를 끓여서 넓은 그릇 여러 개에 나눠 담고 차게 식힌다.
3. 쌀가루를 넓은 그릇에 퍼 담고, 끓는 물 5되를 고루 붓고, 주걱으로 익게 개
   어 범벅을 쑨 다음, 차게 식기를 기다린다.
4. 차게 식은 범벅에 가루누룩 2되와 밀가루 1되, 끓여 식힌 물 2말 5되를 섞
   고, 고루 버무려 술밑을 빚는다.
5. 술밑을 독에 담아 안치고, 예의 방법대로 하여 봄·여름철은 3일간(겨울은
   5~6일) 발효시킨다.

* 덧술 :

1. 밑술이 괴는 것을 보아가면서 멥쌀 5말을 백세하여 물에 하룻밤 담갔다가, 다시 고쳐 씻어 건져서 (물기를 뺀 후) 시루에 안쳐서 익게 찐다.
2. 고두밥을 찔 때 물 6사발을 고두밥에 고루 뿌리고, 반만 익게 쪄서 퍼낸다.
3. 솥에 물 7말을 끓이다가, 고두밥이 익었으면 퍼서 넓은 그릇 여러 개에 나눠 담고, 끓는 물을 골고루 붓고 고루 헤쳐놓는다.
4. 고두밥이 물을 다 빨아먹거든, 고루 펼쳐서 식기를 기다린다.
5. 고두밥이 식었으면 누룩 5홉과 함께 밑술에 섞고, 고루 버무려 술밑을 빚는다.
6. 술밑을 독에 담아 안치고, 예의 방법대로 하여 세이레(21일) 정도 발효시킨다.

뉴화쥬법

닐곱 말 닷 되 비지. 뿔 두 말 빅세ᄒᆞ야 담갓다가 ᄒᆞ로봄 지나거든 고쳐 시서 작말ᄒᆞ야 쓸난 물 닷 되의 반쥭ᄒᆞ야 반만 닉게 ᄒᆞ야 식거든 ᄀᆞᆯ누록 두 되 진ᄀᆞ로 한 되와 쓸혀 식은 물 두 말 닷 되와 한대 비저 봄여름은 수흘 겨을은 대엿시 괴난 양보아가며 뿔 닷 말 빅세ᄒᆞ야 ᄒᆞ로봄 담갓다가 고쳐 시서 닉게 쪄고 쓸난 물 일곱 말로 골라 식거든 누록 닷 홉으로 그 밋 내여 한대 비젓다가 세일헤 후의 쓰라.

7. 유하주 <언서주찬방(諺書酒饌方)>

술 재료 : 밑술 : 멥쌀 1말, 누룩가루 5되, 진가루 5홉
　　　　덧술 : 멥쌀 10말, 끓는 물 6말

술 빚는 법 :
* 밑술 :
1. 멥쌀 1말을 희게 쓿어 백세한 후 (물에 담가 불렸다가, 다시 씻어 헹궈 건져

서 물기를 뺀 후) 작말한다(가루로 빻는다).

2. 쌀가루를 뜨거운 물로 익반죽하여 매우 치댄 후, 무른 구멍떡을 빚는다.

3. 끓는 물에 구멍떡을 넣고 무르게 삶되, 떡이 위로 떠오르면 그릇에 건져서 (뚜껑을 덮어) 차게 식기를 기다린다.

4. 구멍떡에 누룩가루 5되, 진가루 5홉을 한데 섞고, 많이 치대서 술밑을 빚는다.

5. 술밑을 물기 없는 술독에 담아 안치고, 두터운 식지로 싸맨다.

6. 술독은 예의 방법대로 하여 7일간 발효시키고, 술이 괴거든 덧술을 준비한다.

* 덧술 :

1. 멥쌀 10말을 백 번 씻어 물에 담가 밤재워 불렸다가 (다시 씻어 헹궈 건져서 물기를 뺀 후) 시루에 안쳐서 고두밥을 쪄놓는다.

2. 고두밥에 끓는 물 6말을 골고루 화합한 뒤, 고루 헤쳐서 차게 식기를 기다린다.

3. 진고두밥에 밑술을 한데 섞고, 고루 치대어 술밑을 빚는다.

4. 술밑을 술독에 담아 안치되, 물기를 조심하여 예의 방법대로 발효시킨다.

뉴하쥬(流霞酒)一白米七斗 水六斗麴五升 眞末五合

뿔 흔 말을 희게 슬허 빅셰작말ᄒ야 구무쩍 비저 닉게 슬마 식거든 누록ᄀᆞ릭 닷 되 진ᄀᆞ릭 닷 홉 흔듸 브어 함틱도록 쳐셔 믈긔 업손 독의 녀허 두터온 식지로 빠 믜야 둣다가 닐웨 후에 채 괴거든 빅미 열 말을 빅 번 시서 믈에 둠가 밤자거든 닉게 쪄 글힌 믈 연 말로 골와 식거든 그 미틀 버므려 녀허 둣다가 닉거든 쓰되 늘믈긔 조심ᄒ라.

8. 유하주 또 한 법 <언서주찬방(諺書酒饌方)>

술 재료 : 밑술 : 멥쌀 2말, 누룩 2되, 진말 1되, 끓는 물 2말
　　　　　덧술 : 멥쌀 4말, 누룩 5홉, 끓는 물 4말

술 빚는 법 :

* 밑술 :

1. 멥쌀 2말을 백 번 씻어 물에 담가 밤재워 (다시 씻어 새 물에 말갛게 헹궈서 물기를 뺀 후) 가루로 빻아 넓은 자배기에 담아놓는다.
2. 물솥에 물 2말을 팔팔 끓인 뒤, 쌀가루에 골고루 나눠 붓고 주걱으로 개어, 반은 설게 죽(범벅)을 쑤어 차게 식기를 기다린다.
3. 차게 식은 죽(범벅)에 좋은 누룩 2되와 진가루 1되를 섞고, 고루 치대어 술밑을 빚는다.
4. 술밑을 술독에 담아 안치고, 예의 방법대로 하여 (2~3일간) 발효시킨다.

* 덧술 :

1. 멥쌀 4말을 백 번 씻어 물에 담가 밤재워 (다시 씻어 새 물에 말갛게 헹궈서 물기를 뺀 후) 시루에 안쳐서 고두밥을 짓는다.
2. 물솥에 물 4말을 붓고 팔팔 끓인다.
3. 고두밥이 익었으면 퍼내어 넓은 그릇에 나눠 담고, 끓는 물을 합하고 주걱으로 골고루 섞어놓는다.
4. 고두밥이 물을 다 빨아들였으면 (뚜껑을 덮어놓고) 차게 식기를 기다린다.
5. 고두밥에 밑술과 누룩 5홉을 함께 섞고, 고루 버무려 술밑을 빚는다.
6. 술밑을 술독에 담아 안치고, 예의 방법대로 하여 21일간 발효시킨다.

뉴하쥬 쏘 흔 법(流霞酒)—白米六斗 水六斗 麴二升半 眞末五合
쏘 흔 법은 빅미 두 말 빅 번 시서 밤자거든 ㄱ른 디허 믈 두 말로 반은 설게 죽 수어 식거든 됴흔 누룩 두 되와 진ㄱ른 흔 되 섯거 독의 녀허 닉거든 빅미 너 말을 빅 번 시서 밤자거든 닉게 뼈 글힌 믈 너 말을 골와 시겨 누룩 닷 홉 더 섯거 젼술의 버므려 녀허 세닐웨 후에 드리워 쓰라.

9. 유화주방(柳花酒方) <역주방문(曆酒方文)>

술 재료 : 멥쌀 1말, 누룩가루 1되 5홉, 밀가루 5홉, 뜨거운 물 2~3되

술 빚는 법 :

1. 멥쌀 1말을 백세하여(물에 백 번 씻어 매우 깨끗하게 헹군 뒤 새 물에 담가 하룻밤 불렸다가, 다시 씻어 말갛게 헹궈서 물기를 뺀 뒤) 작말한다(가루로 빻는다).

2. (쌀가루를 넓은 그릇에 퍼 담고 물을 팔팔 끓이다가, 뜨거울 때 2~3되 정도를 쌀가루에 골고루 붓고, 치대어서 되지도 질지도 않은 익반죽을 만들어 놓는다.)

3. (익반죽을) 한 주먹씩 떼어 구멍떡을 빚는다(끓는 물에 넣고 삶아서, 익어 떠오르면 건져내지 말고 그대로 방치하여 차게 식기를 기다린다).

4. (식은 떡을 건져내고) 누룩가루 1되 5홉, 밀가루 5홉을 합하고, 손으로 매우 치대서 술밑을 빚는데, 날물기를 일체 금한다.

5. 술밑을 술독에 담아 안치고, 술독 주둥이에 묻은 것을 깨끗하게 씻어내고 두터운 기름종이를 씌운 다음, 뚜껑을 덮어 하루 동안 발효시킨다.

6. 다음날 물(3~4되)을 끓여서 (식힌 뒤에) 술독에 붓되, 절대 날물이 들어가지 않도록 한 후, 발효가 끝나 숙성된 후 채주하여 마신다.

柳花酒方

白米一斗百洗作末作孔餠以曲末一升五合眞末五合調勻挼磨衲于瓮中而切忌生水以厚油紙囊之經宿後以湯水調合候冷釀於上酒本熟後用之而切忌生水.

10. 유화주 <음식디미방>

술 재료 : 밑술 : 멥쌀 2말 5되, 누룩가루 2되 5홉, 진말 1되, 끓는 물 2말 5되
　　　　덧술 : 멥쌀 5말, 끓여 식힌 물 5말

술 빚는 법 :

* 밑술 :

1. 멥쌀 2말 5되를 백세하여 하룻밤 물에 불렸다가 (다시 씻어 헹궈서 물기를 뺀 후) 세말한다(고운 가루로 빻는다).
2. 물 2말 5되로 쌀가루를 반만 익혀(쌀가루에 끓는 물 2말 5되를 골고루 나눠 붓고, 주걱으로 개어 범벅을 만들어) 넓은 그릇에 퍼서 차게 식기를 기다린다.
3. (차게 식은 범벅에) 누룩가루 2되 5홉과 진말 1되를 섞고, 고루 버무려서 술밑을 빚는다.
4. 술독에 술밑을 담아 안치고, 예의 방법대로 하여 10일간 발효시킨다.

* 덧술 :

1. 멥쌀 5말을 백세하여 물에 하룻밤 재웠다가(다시 씻어 헹궈서 건져 물기를 뺀 후) 시루에 안쳐 무른 고두밥을 짓는다.
2. 고두밥이 무르게 익었으면, 퍼내어 고루 펼쳐서 차게 식기를 기다린다.
3. 물 5말을 팔팔 끓여서 차게 식힌다.
4. 차게 식은 물에 고두밥과 밑술을 합하고, 고루 버무려 술밑을 빚는다.
5. 술독에 술밑을 담아 안치고, 예의 방법대로 하여 15일간 발효시킨다.

뉴화쥬
빅미 두 말 닷 되 빅셰ᄒ여 ᄒᆞᄅᆞᆺ밤 ᄌᆞ여 셰말ᄒ여 믈 두 말 닷 되로 반만 닉겨
시기고 국말 두 되 다숩 진말 ᄒᆞᆫ 되 고로 섯거 독의 녀헛다가 열홀 만애 빅미

닷 말 빅셰ᄒ여 ᄒᆞᆯ밤 자여 닉게 쎠 식거든 탕슈 닷 말을 ᄆᆞ이 시겨 밋술에
섯거 녀헛다가 보름 후 쓰라.

11. 유하주방(流霞酒方) <임원십육지(林園十六志)>
－정월에 빚는 술

> 누룩 재료 : 멥쌀 1말, 풀, 솔잎
> 술 재료 : 술밑 : 멥쌀 3말, 누룩 9되

누룩 빚는 법:

1. 정월에 멥쌀 1말을 백세하여 하룻밤 물에 불렸다가 (다시 씻어 헹궈서) 작
   말한다.

2. 쌀가루에 물을 골고루 뿌려서 (체에 한 번 내린 뒤) 큰 오리알만 하게 주먹
   으로 단단히 쥐어 (누룩밑을 만들어) 놓는다.

3. (나무상자나 종이상자 또는 가마니에 풀잎과 솔잎을 켜켜로 깔고) 누룩밑을
   놓은 뒤, 다시 솔잎과 풀로 덮어서 7일간 띄운다.

4. 누룩밑을 (누른 곰팡이가 피었으면) 들어내서 껍질을 벗겨내고, 햇볕에 완
   전히 건조시킨다.

5. 누룩을 (여러 겹 종이봉투에 담아두었다가) 3월 초에 술 빚을 때 사용한다.

술 빚는 법 :

1. 멥쌀 3말을 백세하여 물에 담가 불렸다가 (다시 씻어 헹궈 물기 뺀 후) 작
   말한다.

2. 쌀가루에 뜨거운 물을 골고루 뿌려서 매우 치대어 무른 익반죽을 만든다.

3. 솥에 물을 넉넉히 붓고 팔팔 끓으면, 익반죽을 한 주먹씩 떼어서 구멍떡을
   빚어 끓는 물에 넣고 삶는다.

4. 떡이 익어 물 위로 떠오르면, 조리 같은 것으로 건져내어 넓은 그릇에 담고 (마르지 않게 뚜껑을 덮어) 차게 식기를 기다린다.

5. 누룩 9되를 절구에 넣고 곱게 빻은 후, 고운체에 쳐서 고운 가루를 만든다.

6. 식은 떡에 누룩가루를 합하고, 떡이 늘어지도록 힘껏 치대어 술밑을 빚는다.

7. 술독에 술밑을 담아 안치고, 예의 방법대로 하여 (한지로 여러 겹 덮어서) 차지도 덥지도 않은 곳에 두고 발효시켜 익기를 기다린다.

流霞酒方

正月用白米一斗百洗作末調水成團大鴨卵用藁草松葉相間盦養過七日後取出刺去上皮曝乾至三月初用白米三斗百洗細末作餠如(掌)大以指光亂穿孔(欲其易熟後凡稱孔餠者皆也法)烹熟每米一斗用麴三升釀之. <三山方>.

12. 유하주(流霞酒) <침주법(浸酒法)>

술 재료 : 밑술 : 멥쌀 2말 5되, 가루누룩 2되 5홉, 밀가루 1되, 끓는 물 2말 5되
　　　　　덧술 : 멥쌀 5말, 끓는 물 5말

술 빚는 법 :

* 밑술 :

1. 멥쌀 2말 5되를 백세하여 물에 담가 하룻밤 불렸다가 (다시 씻어 건져서) 가루로 빻아 넓은 그릇에 담아놓는다.

2. 물 2말 5되를 팔팔 끓여 쌀가루에 골고루 나눠 붓고, 주걱으로 개어 반은 설고 반은 익게 담을 만든다.

3. (담을 담은 그릇에 뚜껑을 덮어 밤재워 차게 식기를 기다린다.)

4. 담에 가루누룩 2되 5홉과 밀가루 1되를 한데 합하고, 고루 버무려 술밑을 빚는다.

5. 술밑을 술독에 담아 안친 후, 예의 방법대로 하여 술이 익기를 기다려 덧술을 준비한다.

* 덧술 :
1. 멥쌀 5말을 백세하여 (물에 담가 하룻밤 불렸다가, 다시 헹궈서) 물기를 빼 놓는다.
2. 불린 쌀을 시루에 안치고 쪄서 고두밥을 짓고, 솥에 물 5말을 끓인다.
3. 고두밥이 무르게 익었으면 퍼내어 넓은 그릇에 담고, 팔팔 끓고 있는 물을 고두밥에 골고루 합한다.
4. (고두밥이 담긴 그릇과 똑같은 그릇으로 뚜껑을 덮고 하룻밤 재워) 고두밥과 물이 차디차게 식기를 기다린다.
5. 고두밥과 물에 밑술을 한데 섞어 합하고, 고루 버무려 술밑을 빚는다.
6. 술독에 술밑을 담아 안친 후, 예의 방법대로 하여 (차지도 덥지도 않은 곳에서) 발효시킨다.

뉴하쥬(流霞酒)—닐곱 말 닷 되
빅미 두 말 닷 되를 빅셰ᄒᆞ야 ᄒᆞᄅᆞᆺ쌤 재여 그ᄅᆞᆨ 브아 탕슈 두 말 닷 되로 고로되 반으란 설고 반으란 닉게 골라 그쟝 치와 누록 두 되 닷 홉과 진그ᄅᆞᆨ ᄒᆞᆫ되로 골와 도기 녀녀허 닉거든 빅미 닷 말을 빅셰ᄒᆞ야 닉게 쪄 탕슈 닷 말로 골라 츠거든 몬졋 술에 섯거 듯다가 쓰라.

이화주·배꽃술

'이화주(梨花酒)'는 "배꽃이 필 때 술을 빚는다."라거나 또는 "배꽃이 필 때 술 빚는 누룩(梨花麴)을 빚는다."고 하여 주품명을 얻게 된 술이다. '이화주'라는 이름에서 연상되는 것처럼 배꽃이 사용되는 술은 아니다.

'이화주'는 고려시대 때부터 빚어졌던 고급 탁주로 전해 오고 있는데, 고려 말기 대표적인 문장가이자 시인으로 이름을 떨쳤던 이규보(李奎報, 1168~1241)의 <동국이상국집(東國李相國集)>에 수록된 '한식날에 기다리는 이 오지 않고(寒食日待人不至)'라는 시 가운데 '이화주'가 등장하는 것을 볼 수 있다.

百五佳辰人不來(백오일/한식일 좋은 날에 사람은 오지 않고)
鞦韆影外夕陽廻(그네 그림자 밖으로 석양이 지네.)
杏餳麥酪渾閑事(살구엿과 보리술은 모두 한가한 일이니)
只對梨花飮一杯(이화주나 마주하여 한 잔 마시네.)

이 시에서 '이화(梨花)'를 술이 아닌 꽃으로 해석하는 이도 있으나, 앞뒤 문맥으로 미루어 한가한 때 마시는 '보리술'과 달리 특별한 명절인 한식날에 손님을 청하여 마시는 술이라면 '이화주'로 해석하는 것이 옳다는 것이 필자의 견해이다.

'이화주'는 술의 형태나 빛깔이 희고 된죽과 같아 그냥 떠먹기도 하고, 한여름에 갈증이 나면 찬물에 타서 막걸리로 마시기도 한다. 그런데 여느 술과는 달리 특별히 쌀로 만든 누룩 '이화곡'을 사용하는데, 이것이 '이화주'라는 주품명을 얻게 된 또 하나의 배경이기도 하다.

'이화주'는 '구멍떡'이나 '흰무리'를 만들어 술을 빚는 것이 특징으로, 누룩을 비롯하여 술 빚는 데 사용되는 쌀의 양이나 정성에 비해 그 양도 적고 알코올 도수가 낮기 때문에 일반 서민층에서는 쉽게 만들어 마시기가 어려웠을 것으로 생각된다. 과거에는 '이화주'가 부유층이나 사대부가에서 나이 많은 노인과 갓 젖을 뗀 어린아이들의 간식으로 곧잘 애용되었다는 사실이 이를 뒷받침해 준다.

탁주라고 하면, 밀로 만든 막누룩에 가급적 적은 양의 쌀로 술을 빚고, 거기에 물을 타서 양을 늘려 마셨던 까닭에, 쌀누룩과 쌀로 빚은 술은 값이 비싸 서민층에선 비경제적인 술이란 생각을 갖게 되었을 것이다. 그러나 '이화주'는 그 맛과 향이 워낙 독특하여 대중적으로 사랑받았을 것이고, 특급 탁주로 불리게 된 배경이라고 생각된다.

'이화주'와 같은 특급 탁주류는 일반 탁주나 막걸리 등으로 불리지 않고 특정한 고유 명칭을 갖는 것을 볼 수 있다. '혼돈주'를 비롯하여 '하일절주', '급시주', '벼락술', '층층지주' 등이 이 같은 예이다.

'이화주'는 <감저종식법(甘藷種植法)>을 비롯하여 <고사신서(攷事新書)>, <고사십이집(攷事十二集)>, <규중세화>, <규합총서(閨閣叢書)>, <김승지댁주방문(金承旨宅廚方文)>, <농정회요(農政會要)>, <달생비서(達生秘書)>, <동의보감(東醫寶鑑)>, <산가요록(山家要錄)>, <산림경제(山林經濟)>, <수운잡방(需雲雜方)>, <술 만드는 법>, <술방>, <양주방>*, <양주방(釀酒方)>, <언서주찬방(諺書酒饌方)>, <역주방문(曆酒方文)>, <온주법(醞酒法)>, <요록(要錄)>, <우음제방(禹飮諸方)>, <음식디미방>, <음식방문(飮食方文)>, <이씨(李氏)음식법>, <임원십육지(林園十六志)>, <조선무쌍신식요리제법(朝鮮無雙新式料理製法)>,

<주방(酒方)>*, <주방문(酒方文)>, <주방문조과법(造果法)>, <주찬(酒饌)>, <증보산림경제(增補山林經濟)>, <침주법(浸酒法)>, <한국민속대관(韓國民俗大觀)>, <해동농서(海東農書)> 등 33종의 문헌에 50차례나 등장한다.

이는 우리나라 전통주 가운데 문헌 기록으로는 네 번째로 높은 빈도를 보여주는 것인데, 이렇게 많은 문헌에 등장하는 것도 바로 '이화주'가 처음에는 사대부나 부유층을 중심으로 빚어 마시다가 점차 일반으로 퍼져나갔다는 사실의 반증이라고 할 수 있다.

'이화주'는 여느 주품들에 비해 민간에서 널리 빚어 마실 정도로 대중화되었다고 할 수 있는 만큼, 대중적인 인지도와 함께 우리나라 사람들의 취향에 맞아 국민적 사랑을 받았던 술이라는 증거이기도 하다.

그런데 여기서 분명히 짚고 넘어가야 할 한 가지 사실은, '이화주'라는 명칭의 유래가 "배꽃 필 때 술을 빚는다."는 데서 비롯되었는가, 아니면 "배꽃 필 때 누룩(이화곡)을 빚는다."는 데서 비롯되었는가에 대한 정확한 이해가 전제되어야 한다는 것이다. 어떠한 사실적 근거도 없이 전통주에 대해 이야기한다는 것 자체가 모순일 수도 있고, 자칫 그 의미를 호도하여 순수한 이미지를 훼손시킬 수도 있기 때문이다.

'이화주'를 수록하고 있는 33권의 문헌 가운데 '이화곡' 제조시기에 대해 언급하고 있는 문헌은 27종으로, 총 31차례 등장한다.

이들 문헌에 수록된 주방문을 중심으로 '이화곡' 빚는 시기를 분석하여 보면, <감저종식법>을 비롯하여 17종의 문헌에서 "음력 정월 첫 해일" 또는 "음력 정월 상순", "음력 정월 첫 돝날", "정월 보름날"이라고 하였고, <산가요록>을 비롯하여 4종의 문헌에서 "음력 2월", <음식디미방>을 비롯하여 6종의 문헌에서 "배꽃 필 때", "복숭아꽃 필 때"라고 하였다. <온주법>에서는 "3월 상순"과 "하절"이라 하였으나, <요록>의 경우에는 누룩 빚는 시기에 대한 언급이 없다.

또한 '이화주'를 빚는 시기와 관련해서는, <규중세화>를 비롯하여 <규합총서>, <산가요록>, <양주방>*, <언서주찬방>, <온주법>, <음식디미방>, <이씨음식법>, <조선무쌍신식요리제법>, <주방>*, <주방문>, <주방문조과법>, <침주법> 등 13종의 문헌에서 "배꽃 필 때"를 전후하여 빚는다는 것을 15차례 확인할 수 있고, <감저종식법>, <고사신서>, <고사십이집>, <농정회요>, <산림경제>, <술만드는 법>, <양주방>*, <역주방문>, <온주법>, <음식디미방>, <임원십육지>, <주찬>, <증보산림경제>, <침주법> 등 14종의 문헌에서 "여름에" 빚는다는 것을 15차례에 걸쳐 확인할 수 있었다.

그 외 <수운잡방>, <술방>, <양주방>, <온주법>, <요록>, <우음제방>, <음식방문>, <주방문조과법>, <주찬>, <한국민속대관> 등 10종의 문헌에서 술 빚는 시기에 대한 언급이 없이 술 빚는 방법에 대한 주방문만 13차례 목격할 수 있었다.

이를 정리하여 보면, '이화곡'은 "음력 정월"이나 "음력 2월"에 빚는 것임을 알 수 있고, '이화주'는 "배꽃 필 때"와 "여름철"에 필요에 따라 빚는 술이라는 결론에 이른다. 그 예로, 특별히 "여름에 빚는 이화주"라고 하여 <온주법>에 '하절이화주(夏節梨花酒)', <음식디미방>에 '이화주법(여름에 빚는 법)', <주찬>과 <한국민속대관>에 '하절이화주'라는 주품명의 주방문이 등장하는 것을 들 수 있다.

이로써 '이화주'라는 명칭의 유래는 '이화주'를 빚는 데 사용되는 누룩, 곧 '이화곡'에서 비롯되었다는데 무게를 둘 수 있다는 결론에 이른다.

겨울철인 "음력 정월이나 2월" 또는 "배꽃 필 때" 빚은 전용 누룩인 '이화곡'을 사용하여 "배꽃이 필 무렵"부터 "여름철"까지 빚어 마시는 술이라는 사실을 확인할 수 있었다. 따라서 '이화주'의 정의는 "이화곡을 사용하여 배꽃이 필 때 술을 빚기 시작한다."고 규정할 수도 있겠다.

한편, <한국민속대관>에 '탁주'에 대하여 "원래 지에밥(고두밥)에다 누룩을 섞어 빚은 술을 오지 그릇 위에 정(井) 자 모양의 걸치게를 걸고 체로 막 걸러 뿌옇고 텁텁하게 만든 술이다. 삼국시대 이래 양조기술의 발달로 맑은 술인 청주가 등장했지만, 그 구별이 뚜렷하지 않았다. 같은 원료를 사용해서 탁하게 빚을 수도 있고, 맑게 빚을 수도 있었기 때문이다."고 언급하고, "술이 다 익어서 술을 떠낼 때 용수를 박아서 떠낸 것은 맑은 술이고, 물을 더 부어 걸쭉하게 걸러내면 탁주가 만들어졌던 것이다.

그런데 탁주류에도 일반 탁주류와 특별한 탁주류가 생기게 되었다. 일반 탁주류와 일반 청주류를 만들 때는 밀누룩이 쓰이고 있는데, 순(특별)탁주류에는 쌀

누룩을 사용하는 것이 다른 점이다. 일반 탁주류는 '탁배기'라고 불러왔고, 특별한 방법으로 빚은 탁주는 고유 명칭을 붙여왔다."고 하여, 쌀누룩으로 빚는 술인 '이화주'가 특별 탁주라는 것을 강조하고 있음을 볼 수 있다.

또한 "따라서 흔히 말하는 '막걸리'라는 것은, 양조 후에 술을 떠내고 나머지에 물을 둘러 얻어진 것을 이르기도 했다."고 하여 '막걸리'의 유래에 대해서도 언급하고 있으며, "고려시대 이래 '이화주'로 알려진 술이 대표적인 탁주였다. 가장 소박하게 만들어진 술 '막걸리'는 막걸리용 누룩을 배꽃이 필 무렵에 만든 데서 유래하여 '이화주'라고 부르게 되었다. 그러나 후세에 와서는 누룩을 아무 때나 만들게 되었으므로, '이화주'란 이름이 사라지고 말았다."고 하였다.

이처럼 <한국민속대관>에서는 '이화주'의 형태가 일반 탁주나 막걸리와는 특별히 다르다는 사실을 강조하고 있다.

또한 '이화주'는 맑은 술이 아니라, 된죽과 같고 빛깔은 흰데 물을 타서 마셨다고 한 데서 그 용도와 목적을 엿볼 수 있다.

'이화주' 전용 누룩인 '이화곡'은 멥쌀을 하루나 이틀간 불렸다가 가루 내어, 물을 치지 않고 오리알만 한 크기로 단단히 뭉쳐서 볏짚이나 솔잎 속에 묻고, 7~10일가량 띄워서 누렇게 곰팡이가 자라 띄운 후에, 햇볕에 바짝 말렸다가 고운 가루로 빻아 '이화주'를 빚는 데 사용한다.

이화곡이 만들어지면, 씻어 불린 멥쌀을 가루 내어 '구멍떡'을 만든 다음 삶아 건져서 다시 반죽 형태로 만들어 차게 식힌 후에 사용하는 방법이 주류를 이루는 가운데, 더러 '흰무리떡'이나 '죽', '범벅'을 만들어 사용하기도 한다.

'이화주'는 술 빚는 방법이 매우 독특하다. 술을 빚는 데 물이 사용되지 않는다는 것이 가장 큰 특징이며, 문헌에 따라 구무떡(구멍떡), 백설기, 죽, 범벅 등 다양하게 나타나기는 하지만 대개 구멍떡으로 빚고 그 과정도 비슷하다.

31종의 문헌에 수록된 '이화주' 빚는 법을 분석하여 보면, '구멍떡(孔餠)'을 만들어 사용하는 경우가 <산가요록>을 비롯하여 <언서주찬방>, <수운잡방> 등 29종의 문헌에서 32차례로 가장 높은 빈도를 나타냈다.

그리고 '물송편'으로 빚는 경우를 <온주법>과 <요록>, <규합총서>, <한국민속대관>에서 4차례 확인할 수 있었으며, '백설기(白餠)'로 빚는 경우를 <역주

방문>과 <온주법>에서 3차례, '죽(粥)'으로 빚는 경우를 <수운잡방>과 <온주법>, <우음제방>에서 3차례, '범벅'으로 빚는 경우를 <규중세화>에서 1차례 확인할 수 있었다.

이외 <동의보감>과 <달생비서>에서는 술 빚는 법에 대한 언급이 없이 '이화주'의 특징과 맛에 대해서만 언급하고 있다.

'이화주'를 빚을 때는, 쌀가루를 가능한 한 곱게 빻은 후에 깁체를 사용하여 여러 차례 내려 무거리를 제거하고, 뜨거울 정도의 따뜻한 물을 뿌려가면서 오랫동안 치대어 무른 송편반죽처럼 만들면 좋다.

익반죽을 한 주먹 크기로 떼어서 둥글납작한 경단처럼 빚되, 한가운데에 구멍을 뚫어 구멍떡을 만든 다음 끓는 물에 넣고 삶는데, 떡이 수면 위로 떠올라 가라앉지 않으면 다 익은 것이니, 건져내어 식기 전에 한 덩어리로 짓이겨 놓으면 술을 빚을 때 편하다. 떡이 식어서 잘 풀리지 않으면 떡을 삶았던 물을 조금씩 뿌려가면서 짓이겨서 마르지 않게 식기를 기다려야 한다. 이때 떡을 강제로 식히지 않도록 해야 한다.

떡이 차게 식었으면, 이화곡을 가루로 빻고 여러 차례 깁체에 내려서 고운 가루만을 사용하는 것이 술도 맛있고 발효가 고르고 잘 일어나도록 하는 비결이다. 차게 식은 떡에 이화곡 가루를 섞고 힘껏 치대어 술밑을 빚고, 술밑이 녹은 엿가락처럼 늘어지면 다 된 것이므로 술독에 담아 안치는데, 이때 꼭꼭 눌러서 다져 담는 것이 요령이다.

떡과 누룩가루 외에 물을 넣지 않는 까닭에 누룩가루가 골고루 섞이지 않는데, 절구에 담고 절굿공이로 눌러 이기거나 누룩가루를 혼합하기 전에 미리 고운 엿기름가루를 조금 넣고 주물러대면 떡반죽이 물러져서 누룩가루를 혼합하기가 용이하다.

'이화주' 주방문 가운데는 전혀 다른, 이를테면 이제까지 보아왔던 일반적인 '이화주' 기법과는 달라서, 과연 같은 주품인가 싶은 주방문도 있다. <우음제방>의 '이화주'가 그것인데, 밑술은 찹쌀가루로 매우 된죽을 쑤고, 가루누룩과 섞어 빚은 지 하루가 지난 후에 찹쌀로 지은 고두밥으로 덧술을 하는 방법이다.

이때의 가루누룩이 '이화곡'인지 알 수 없고, 특히 덧술의 쌀을 고두밥으로 사용할 경우 떡메로 치지 않으면 '감향주'나 '하향주'와 다를 바가 없기 때문에 '이화주'라고 하기에는 무리가 따른다고 하겠다. 다만, 술을 체에 걸렀을 경우, 그 맛이나 형태가 이화주와 같이 걸쭉하고 달콤하고 부드러울 것이라는 추측을 할 수는 있다.

어떻든 '이화주'를 빚을 때는 술맛을 달게 할 것이냐, 아니면 독하게 할 것이냐에 따라 누룩가루를 가감할 수 있으며, 일체 날물이 들어가지 않게 하여야 술이 산패하지 않는다.

술독은 여러 겹의 한지나 면보를 사용하여 밀봉하되, 절대로 따뜻한 곳에 두어서는 안 된다. 서늘하면서도 차지 않은 곳에 얇은 이불로 한두 겹 덮어두면 좋다. 또한 여름철에 빚을 경우에는, 술독을 서늘한 물속에 담가두고 술을 익히면, 술이 지나치게 끓어 넘치거나 산패하는 일이 없어 좋다.

이렇게 하여 발효가 끝난 '이화주'는 흡사 농축 요구르트와 같은 된죽 형태를 띠며, 그 빛깔은 엷은 미색이거나 흰색을 간직하고 있어 '백설향(白雪香)'이란 별명을 얻었다.

흔히 달고 부드러운 맛을 가리켜 '달보드레하다'는 표현을 쓰곤 하는데, 바로 '이화주'를 두고 한 말이 아닐까 싶을 정도로 독특한 맛과 향이 있다. 날씨가 더워지는 여름철에는 냉수에 타서 막걸리로 마시면 한결 시원한 맛과 함께 갈증까지 씻어준다.

1. 이화주 <감저종식법(甘藷種植法)>

> 누룩 재료 : 멥쌀(1말), 솔잎(2말)
> 술 재료 : 멥쌀 1말, 이화곡 가루 7~3되, 뜨거운 물(1되 5홉가량)

누룩 빚는 법 :

1. 정월 첫 해일 3일 전에 멥쌀을 백세하여 물에 담가 불렸다가(다시 고쳐 씻

어 헹궈서) 세말한다(고운 가루로 빻는다).

2. 쌀가루를 가는체에 내려서 물을 치지 말고 큰 달걀 크기로 단단히 뭉쳐서 누룩밑을 빚는다.

3. 독 안에 솔잎과 함께 켜켜이 묻어 방 윗목의 따뜻하지 않은 곳에 두어 띄운다.

4. 7일 만에 누룩밑을 꺼내고 돗자리나 베보자기 위에 펼쳐서 반나절 동안 볕에 말렸다가, 다시 솔잎에 묻어 재차 띄운다.

5. 다시 7일 후에 (누룩이 다 띄워졌으면) 햇볕에 내어 바짝 말려서 예의 방법대로 하여 종이봉투에 담아 갈무리해 두었다가 배꽃이 필 때부터 여름까지 사용한다.

6. 술 빚을 때 가루로 빻고, 집체에 내려서 고운 가루를 만들어 사용한다.

술 빚는 법 :

1. 여름에 멥쌀 1말을 백세하여 물에 담가 불렸다가 (다시 고쳐 씻어 헹궈서) 세말한다(고운 가루로 빻는다).

2. 솥에 물을 넉넉히 붓고 팔팔 끓인다.

3. 쌀가루에 뜨거운 물(1되 5홉가량)을 골고루 뿌려 섞어 익반죽하고, 고루 치대어 구멍떡을 빚는다.

4. 구멍떡을 끓는 물솥에 넣고 삶아, 익어 떠오르면 건져서 물기 없는 그릇에 담아 (주걱으로 매우 으깨어 덩어리진 것이 없게 하여) 식기를 기다린다.

5. 쌀 1말당 누룩(이화곡) 3되 또는 2되(절구에 찧거나 맷돌에 갈아 집체에 쳐서 3번 내린 고운 가루)를 준비한다.

6. (그릇의 뚜껑을 덮어 마르지 않게 하여) 식은 떡에 누룩가루를 골고루 섞고, 손으로 많이 치대어 (진흙 같은) 술밑을 빚는다.

7. 술밑을 술독에 담아 안쳐서 (술독은 흰 종이로 싸매 밀봉한다.) 익히는데, 수일에서 1개월(봄에는 1개월, 여름 석 달간은 21일) 만에 익어 사용할 수 있다.

* 주방문 말미에 "술을 익힐 때 물속에 술독을 안쳐두고 마신다."고 하고, "술 맛을 진하고 달게 빚으려면 쌀 1말에 누룩가루 7되를 넣고, 맑고 콕 쏘게 빚으려면 3~4되를 넣고, 떡을 삶아낸 물을 식혀 섞어서 빚는다. 혹 고두밥을 찔 때 어떻든지 날물기를 들이지 말고, (누룩은 큰 달걀처럼) 덩어리를 만들 때 물기가 너무 적으면 굳지 않고, 너무 질면 속이 썩어 푸른 점이 생긴다."고 하였다.

梨花酒

正月上亥前期三日百洗白米浸水出細末細篩不用水揑作塊大於鷄卵於甕中訟葉作隔層鋪置房上不煖處七日出鋪草席或生布上晒乾半日又埋松葉又如是一次後出晒令極乾收藏置紙囊.梨花開後經夏皆可釀之.白米如前爲末作孔餠煮出停冷以所造麴末拌勻入甕數日一翻易春一夏三三七可用熱時置甕水中欲酒稠甘則一斗入麴末七升欲其淸烈則入四三升煮餠水停冷調釀或蒸米飯如常釀或粘米釀終始切忌生水作塊時太燥則不不堅太濕則中腐有靑點.

2. 이화주 <고사신서(攷事新書)>

> 누룩 재료 : 멥쌀(1말), 솔잎(2말)
> 술 재료 : 멥쌀 1말, 이화곡 가루 7~3되

누룩 빚는 법 :
1. 정월 첫 해일 3일 전에 멥쌀을 여러 번 깨끗하게 씻어 담가 불렸다가(다시 고쳐 씻어 헹궈서) 세말한다(고운 가루로 빻는다).
2. 쌀가루를 물을 치지 말고 체에 내려서 달걀 크기로 단단히 뭉쳐서 누룩밑을 빚는다.
3. 독 안에 솔잎을 깔고 켜켜이 묻어 방 윗목의 따뜻하지 않은 곳에 두어 띄

운다.

4. 누룩밑을 7일 만에 꺼내고 돗자리나 베보자기 위에 펼쳐서 반나절 동안 볕에 말렸다가, 다시 솔잎에 묻어 재차 띄운다.

5. 다시 7일 후에 (누룩이 다 띄워 졌으면) 햇볕에 내어 반나절 동안 바짝 말렸다가, 갈무리해 두고 배꽃이 필 때부터 여름까지 사용한다.

6. 술 빚을 때 가루로 빻고, 깁체에 내려서 고운 가루를 만들어 사용한다.

술 빚는 법 :

1. 여름에 멥쌀(1말)을 백세(여러 번 깨끗하게 씻어 담가 불렸다가) 다시 고쳐 씻어 헹궈서 (물기를 뺀 후) 세말한다(고운 가루로 빻는다).

2. 솥에 물을 넉넉히 붓고 팔팔 끓인다.

3. 쌀가루를 (체에 한 번 내린 후) 끓기 직전의 뜨거운 물(2되 반가량)을 골고루 뿌려서 치대어 익반죽을 만든다.

4. (익반죽을 한 주먹 크기로 떼어서 둥글납작한) 구멍떡을 빚는다.

5. 구멍떡을 끓는 물솥에 넣고 삶아, 익어 떠오르면 건져서 물기 없는 그릇에 담아놓는다.

6. 떡이 (식기 전에 손이나 주걱으로 매우 주물러 으깨어 덩어리진 것이 없게 하여) 식기를 기다린다(뚜껑을 덮어 마르지 않게 한다).

7. 식은 떡에 누룩가루(이화곡을 절구에 찧거나 맷돌에 갈아 깁체에 쳐서 3번 내린 고운 가루) 3되 또는 2되를 골고루 섞고, 손으로 많이 치대어 (진흙 같은) 술밑을 빚는다.

8. 술밑을 술독에 담아 안쳐서 익힌다(술독은 흰 종이로 싸매 밀봉한다).

9. 술독은 (극히 뜨거운 데 두지 않으며) 3~4일 만에 손으로 뒤적여 준다.

10. 봄에는 7일, 여름에는 3~7일이면 술이 익는다.

梨花酒

正月上亥前期三日百洗白米浸水出細末細篩不用水搲作塊大於鷄卵甕中訟葉
作隔層鋪置房上不煖處七日出鋪草席晒乾半日又埋松葉又如是一次晒今極乾

藏置紙囊梨花開後經夏皆可釀白米如前爲末作孔餅煮出停冷以麴末拌勻入甕
數日一翻易春一七夏三七可用熱時置甕水中欲酒稠甘則一斗入麴末七升欲其
清烈則入三四升煮餅水停冷調釀或蒸米釀或粘米釀皆忌生水作塊時太燥則
不堅太濕則中腐有靑點.

3. 이화주 <고사십이집(攷事十二集)>

누룩 재료 : 멥쌀(1말), 솔잎(2말)
술 재료 : 멥쌀 1말, 이화곡 가루 7~3되

누룩 빚는 법 :
1. 정월 첫 해일 3일 전에 멥쌀을 여러 번 깨끗하게 씻어 담가 불렸다가(다시 고쳐 씻어 헹궈서) 세말한다(고운 가루로 빻는다).
2. 쌀가루를 물을 치지 말고 체에 내려서 달걀 크기로 단단히 뭉쳐서 누룩밑을 빚는다.
3. 독 안에 솔잎을 깔고 켜켜이 묻어 방 윗목의 따뜻하지 않은 곳에 두어 띄운다.
4. 누룩밑을 7일 만에 꺼내고 돗자리나 베보자기 위에 펼쳐서 반나절 동안 볕에 말렸다가, 다시 솔잎에 묻어 재차 띄운다.
5. 다시 7일 후에 (누룩이 다 띄워졌으면) 햇볕에 내어 반나절 동안 바짝 말렸다가, 갈무리해 두고 배꽃이 필 때부터 여름까지 사용한다.
6. 술 빚을 때 가루로 빻고, 깁체에 내려서 고운 가루를 만들어 사용한다.

술 빚는 법 :
1. 여름에 멥쌀(1말)을 백세(여러 번 깨끗하게 씻어 담가 불렸다가) 다시 고쳐 씻어 헹궈서 (물기를 뺀 후) 세말한다(고운 가루로 빻는다).

2. 솥에 물을 넉넉히 붓고 팔팔 끓인다.

3. 쌀가루를 (체에 한 번 내린 후) 끓기 직전의 뜨거운 물(2되 반가량)을 골고루 뿌려서 치대어 익반죽을 만든다.

4. (익반죽을 한 주먹 크기로 떼어서 둥글납작한) 구멍떡을 빚는다.

5. 구멍떡을 끓는 물솥에 넣고 삶아, 익어 떠오르면 건져서 물기 없는 그릇에 담아놓는다.

6. 떡이 (식기 전에 손이나 주걱으로 매우 주물러 으깨어 덩어리진 것이 없게 하여) 식기를 기다린다(뚜껑을 덮어 마르지 않게 한다).

7. 식은 떡에 누룩가루(이화곡을 절구에 찧거나 맷돌에 갈아 깁체에 쳐서 3번 내린 고운 가루) 3되 또는 2되를 골고루 섞어 손으로 많이 치대어 (진흙 같은) 술밑을 빚는다.

8. 술밑을 술독에 담아 안쳐서 익힌다(술독은 흰 종이로 싸매 밀봉한다).

9. 술독은 (극히 뜨거운 데 두지 않으며) 3~4일 만에 손으로 뒤적여 준다.

10. 봄에는 7일, 여름에는 3~7일이면 술이 익는다.

* 주방문에 "배꽃이 핀 뒤부터 여름 동안 언제라도 빚을 수 있다."고 하고, "봄에는 7일, 여름에는 세이레면 쓸 수 있다. 뜨거운 때는 독을 물속에 담가놓는다. 술을 진하고 달게 빚으려면 쌀 1말에 누룩가루 7되를 넣고, 맑고 콕 쏘게 빚으려면 3~4되를 넣고 떡을 삶아낸 물을 식혀 섞어서 빚는다. 혹 멥쌀을 쪄서 보통대로 빚거나 혹은 찹쌀로 빚어도 된다. 어떻든지 날물기를 들이지 말고, 덩어리를 만들 때 물기가 너무 적으면 굳지 않고, 너무 질면 속이 썩어 푸른 점이 생긴다."고 하였다. <고사촬요>의 기록과 같다.

梨花酒

正月上亥前期三日百洗白米浸水出細末細篩不用水揑作塊大於鷄卯甕中訟葉作隔層鋪置房上不煖處七日出鋪草席晒乾半日又埋松葉又如是一次晒今極乾藏置紙囊梨花開後經夏皆可釀白米如前爲末作孔餠煮出停冷以麴末拌勻入甕數日一翻易春一七夏三七可用熱時置甕水中欲酒稠甘則一斗入麴末七升欲其

清烈則入三四升煮餠水停冷調釀或蒸米釀或粘米釀皆忌生水作塊時太燥則不堅太濕則中腐有靑點.

4. 이화주 <규중세화>

누룩 재료 : 멥쌀 2말 5되
술 재료 : 멥쌀 2말 5되, 누룩가루(이화곡), 끓는 물 3말 7되 5홉

누룩 빚는 법 :
1. 2월 초순에 멥쌀 2말 5되를 백세하여 (물에 담가 불렸다가, 다시 씻어 헹궈서 물기를 뺀 후) 가늘게 작말한다(고운 가루로 빻는다).
2. 쌀가루를 냉수를 뿌려가며 반죽하여, 체로 쳐서 수분을 맞춘다.
3. 쌀가루 반죽을 두 손으로 쥐어서 오리알 크기로 단단히 뭉쳐서 누룩밑을 빚는다.
4. 누룩밑을 볏짚으로 층층이 싸되, 수세로 격지 두어 공석으로 덮어 허청에 둔다.
5. (7일 후에 뒤집어 놓고, 14일 후에 또 뒤집어 놓고) 띄우기 시작한 지 21일 만에 꺼낸다.
6. 누룩 빛깔이 누렇게 되었으면 좋으니, 거죽(껍질)은 벗겨버리고 그릇에 담아 보자기로 덮어 햇볕에 내어 말린다.

술 빚는 법 :
1. 배꽃이 피려 할 때 법제해 둔 이화곡을 작말하여 가는체로 두 번 쳐서 고운 가루를 내려 넓고 큰 그릇에 담아놓는다.
2. 멥쌀 2말 5되를 백세하여 (물에 담가 불렸다가, 다시 씻어 헹궈 건져서 물기를 뺀 후) 작말한다.

3. 물솥에 물 3말 7되 5홉을 붓고 끓이다가, 팔팔 끓는 물을 쌀가루에 골고루 붓고, 주걱으로 고루 개어 범벅을 쑨다.

4. 범벅은 여러 개의 그릇에 나눠 담고, 뚜껑을 덮어 차게 식기를 기다린다.

5. 식은 범벅에 누룩가루를 섞고, 고루 버무려 술밑을 빚는다.

6. 술밑을 술독에 담아 안치고, 예의 방법대로 하여 (한지 3~4겹을 씌워) 서늘한 곳에 놓고 5~6월까지 발효 숙성시킨다.

이화주

2월 초승에 백미 두 말 닷 되 백세작말 가늘게 하야 냉수 반죽하야 오리알같이 쥐여 짚으로 층층이 싸고 수세 격자 두어 공석에 쌓아 허청에 두어 삼칠일 후 보면, 빛이 누렇게 되었으면 좋으니라. 거죽은 버리고 다려 그릇에 담고 보로 덮허 볕에 말리어, 배꽃 필 제 백미 두 말 닷 되 백세작말하야 탕수 서말 일곱 되 닷 홉 반죽하야 냉랭하거든 누룩 섞어 넣어 오뉴월 쓰라.

5. 배꽃술 <규합총서(閨閤叢書)>

누룩 재료 : 멥쌀 1말, 솔잎 1말
술 재료 : 멥쌀 1말, 누룩가루 3~4되 또는 7되, 뜨거운 물(1되 5홉가량)

누룩 빚는 법 :

1. 정월 첫 해일 3일 전에 멥쌀 1말을 백세하여 (물에 담갔다가, 다시 씻어 건져서 물기를 뺀 후) 고운 가루로 빻아서 고운체에 내린다.

2. 쌀가루에 물을 치지 말고 축축한 김에 달걀만 하게 손으로 쥐어서 단단하게 만든다.

3. 시루나 오목한 그릇에 솔잎을 두툼하게 깔고, 그 위에 밑누룩을 서로 닿지 않게 한 켜 놓고 다시 솔잎을 덮는 방법으로 밑누룩과 솔잎을 켜켜로 쌓고,

맨 위에 솔잎을 한 켜 두툼하게 덮는다.

4. 밑누룩 안친 그릇을 덮지 않은 방에 두고 7일 만에 누룩을 꺼낸다.

5. 햇볕이 좋은 날 멍석 위에 반나절쯤 말렸다가 다시 솔잎에 묻어 전과 같이 하여 일주일쯤 2차 발효시킨다.

6. 7일 후, 솔잎을 걷어내고 햇볕에 바짝 말렸다가 거두어들이고, 종이 주머니에 담아 보관하여 두고 사용한다.

술 빚는 법 :

1. 배꽃이 흐드러지게 필 때 누룩을 방망이로 두들겨서 빻고, 다시 깁체에 쳐서 고운 가루로 만든다.

2. 멥쌀 1말을 백세하여 (물에 담갔다가, 다시 씻어 건져서 물기를 뺀 후) 가루로 빻아서 고운체에 내린다.

3. (멥쌀가루에 뜨거운 물 1되 5홉가량을 쳐가면서 익반죽한 다음, 구멍떡을 빚는다.)

4. (솥에 물을 적당량 붓고 끓으면) 구멍떡을 넣고 삶아 떠오르면 건져낸 다음 (짓이겨서 덩어리 없게 풀어서) 얼음같이 차게 식힌다.

5. 구멍떡에 이화곡 가루 3~4되 또는 7되를 넣고, 힘껏 고루 치대에 술밑을 빚는다.

6. 술밑을 술독에 담아 안친 다음, 밀봉하여 예의 방법대로 1개월가량 발효시킨다.

배꽃술(梨花酒)

쌀 1말을 기준으로 달게 하려면 누룩가루 7되, 맑고 맵게 하려면 3~4되를 넣되, 삶은 떡이 어름같이 식은 후에 섞어라. 누룩 만들 때 덜 쥐면 단단하지 못하고, 너무 꼭꼭 쥐면 가운데가 썩어 푸른곰팡이가 박하기 쉽다.

6. 이화주방문 <김승지댁주방문(金承旨宅廚方文)>

누룩 재료 : 멥쌀(1말), 솔잎(2말)
술 재료 : 멥쌀 1말, 이화곡 가루 5되, 뜨거운 물(1되 5홉가량)

누룩 빚는 법 :

1. 배꽃 필 무렵에 멥쌀을 희게 쓿어 물에 담가 3일간 불렸다가 (다시 고쳐 씻어 헹궈서) 찧는다(작말한다).

2. 쌀가루를 가는체에 내리되, 친 뒤로는 이밥(주먹밥)처럼 만들어 벌어지지 않게 한다(물을 치지 말고 주먹밥 크기로 단단히 뭉쳐서 누룩밑을 빚는다).

3. 소라(자배기보다 높이가 낮은 그릇)에 솔잎을 많이 하여 누룩밑을 켜켜이 묻어 덥지도 차지도 않은 곳(방 윗목의)에 두어 띄운다.

4. 2일 만에 누룩밑을 꺼내어 바깥에 있는 것은 가운데로 오게 하고 밑에 있는 것은 위로 가게 하여, 다시 솔잎에 묻어 재차 띄운다.

5. 다시 7일 후에 (누룩이 다 떠서) 속이 노랗게 곰팡이가 피었으면 잘 뜬 것이고, 붉고 곰팡이가 피었으면 술이 쓰다.

6. 누룩을 햇볕에 내어 바짝 말려서 겉면을 깎아버리고, 찧어 깁체로 쳐서 사용한다.

술 빚는 법 :

1. 찹쌀 5되, 멥쌀 5되를 합한 후에 백세하여 (물에 담가 불렸다가, 다시 고쳐 씻어 헹궈서) 작말한 다음, 가는 체에 여러 번 쳐서 아주 고운 가루를 만든다.

2. (솥에 물을 넉넉히 붓고 팔팔 끓인다).

3. 쌀가루에 뜨거운 물(1되 5홉가량)을 골고루 뿌려 익반죽하고, 고루 치대어 구멍떡을 빚는다.

4. 구멍떡을 끓는 물솥에 넣고 삶는다(익어 떠오르면 건져서 물기 없는 그릇

에 담아 주걱으로 매우 으깨어 덩어리진 것이 없게 하여 식기를 기다린다).

5. 쌀 1말당 누룩(이화곡)가루 5되(절구에 찧거나 맷돌에 갈아 깁체에 쳐서 3번 내린 고운 가루)를 준비한다.

6. (그릇의 뚜껑을 덮어 마르지 않게 하여) 식은 떡에 누룩가루를 골고루 섞고, 손으로 많이 치대어 (진흙 같은) 술밑을 빚는다.

7. 술독에 술밑을 편편히 담아 안쳐서 (술독은 흰 종이로 싸매 밀봉한다.) 익히는데, 수일에서 1개월(봄에는 한 달, 여름 석 달은 21일) 만에 익어 내면 쓴맛이 난다.

8. 술을 한소큼 달여 먹으면 좋다.

니화쥬방문

니화 필 재의 빅미를 희게 쓸허 사흘 담갓다가 씨허 フ는 체로 쳐서 치되는이 아니케 치여 솔닙흘 만히 하여 쇼릭 フ혼 딕득 노코 버래 노혼 후 력의 덥도 츳도 아닌 딕 두고 이틀이늬 되거든 フ루로 간 긔슨 가온디로 노코 밋틱 거슨 우후로 올녀 고쳐 찌어 일칠이나 혼 후 쩌늬 보면 속이 노라하면 (잘 쓰)고 붉고 곰팡 쓰면 슐이 쓰고 독치 아니하니라. 다 쓰고 겨여 벗에 바리여 우글거 바리고 씨허 깁체로 출 졈미 닷 되 빅미 닷 되 합하여 빅셰하여 굴늘 무궁히 フ로 쳐 하여 구무쩍 무조라 닉게 슬마 물을 쐬여 누룩 닷 되 너허 フ를 쳐 항을 물기 업시 말여 궁구지 아니케 편편히 너허 두엇다가 둘거 흐흐여 내면 쓴 마시 드니 혼 로금만 잠간 다려 두고 먹으면 조흐니라.

7. 이화주법 <농정회요(農政會要)>

누룩 재료 : 멥쌀(1말), 솔잎(2말)

술 재료 : 멥쌀 1말, 이화곡 가루 7되 또는 3~4되

누룩 빚는 법 :

1. 정월 첫 해일 3일 전에 멥쌀을 백세하여 물에 담가 불렸다가 (다시 고쳐 씻어 헹궈서) 세말한다(고운 가루로 빻는다).

2. 쌀가루를 체에 내려서 물을 치지 말고, 달걀 크기로 단단히 뭉쳐서 누룩밑을 빚고, 독 안에 넣고 솔잎에 켜켜이 묻어 방 윗목의 따뜻하지 않은 곳에 두어 띄운다.

3. 7일 만에 꺼내고 돗자리나 베보자기 위에 펼쳐서 반나절 동안 볕에 말렸다가, 다시 솔잎에 묻어 재차 띄운다.

4. 다시 7일 후에 햇볕에 내어 한나절 바짝 말려서 건조시킨다.

5. 누룩은 칼로 껍질을 깎아내거나 솔질하여 곰팡이를 제거한 후 갈무리해 두었다가, 술 빚을 때 가루로 빻고, 깁체에 내려서 고운 가루를 만들어 사용한다.

술 빚는 법 :

1. 여름에 멥쌀(1말)을 백세하여 (물에 담가 불렸다가, 다시 씻어 헹궈서 물기를 뺀 후) 세말한다(고운 가루로 빻는다).

2. (쌀가루를 체에 한 번 내린 후) 솥에 물을 넉넉히 붓고 끓기 직전의 뜨거운 물(3되~3되 5홉가량)을 골고루 뿌려서 치대어 익반죽을 만든다.

3. (익반죽을 한 주먹 크기로 떼어서 둥글납작한) 구멍떡을 빚고, 끓는 물솥에 넣고 삶아, 익어 떠오르면 건져서 물기 없는 그릇에 담아놓는다.

4. 떡이 (식기 전에 주걱으로 매우 으깨어 덩어리진 것 없이 하여) 식기를 기다린다.

5. 술을 달고 걸쭉하게 하려면 준비한 누룩가루 7되를 골고루 섞는데, 힘들면 떡 삶은 물을 쳐가면서 손으로 많이 치대어 (진흙 같은) 술밑을 빚는다.

6. 술밑을 술독에 담아 안쳐서 (술독은 흰 종이로 밀봉한다.) 발효시키는데, 3~4일 만에 손으로 뒤적여 준다.

7. 봄에는 7일, 여름에는 3~7일이면 술이 익는데, 날이 뜨거우면 찬물 속에 독을 담가서 익힌다.

* 주방문 말미에 "쌀밥을 지어 여느 방법대로 담기도 하고 찹쌀로 담기도 하는
  데, 어느 경우든 시종 생수 기를 금해야 한다. 이 누룩은 덩어리를 만들 때
  에 너무 건조하면 단단하게 되지 않고, 너무 질게 하면 가운데가 썩어 푸른
  곰팡이가 생긴다."고 하였다.

梨花酒法

正月上亥前期三日　白米百洗浸水出細末細篩中不用水　捵作塊大於鷄卵瓮中
以松葉作隔層鋪置房上不暖處七日出鋪草席或生布上晒乾半日又埋松葉又如
是一次後出　晒令極乾藏置紙囊　梨花開後經夏皆可釀之　白米如前爲末作孔餠
煮出停冷以所造麴末勻拌入瓮數日一翻易春一七夏三七可用熱時置瓮水中要
酒調甘則一斗入麴末七升要酒淸烈則入三四升以煮餠水停冷調釀之　或蒸米
飯如常法釀之或以粘米釀之皆終始切忌生水氣. 此麴作塊時太燥則不堅太濕
則中腐有靑點.

8. 이화주 <달생비서(達生秘書)>

색깔이 희고 맛이 얼큰하다. 봄·여름에 마시는 것이 좋다. <속방>에 나온다.

梨花酒
色白, 味醺, 宜於春夏. <俗方>.

9. 이화주 <동의보감(東醫寶鑑)>

색깔이 희고 맛이 얼큰하다. 봄·여름에 마시는 것이 좋다. <속방>에 나온다.

梨花酒

色白, 味醨, 宜於春夏. <俗方>.

10. 이화주 <산가요록(山家要錄)>
－쌀 15말 빚이

누룩 재료 : 멥쌀 5말, 쑥, 빈 섬 여러 장
술 재료 : 멥쌀 10말, 누룩가루 5말, 뜨거운 물 1말 5되가량

누룩 빚는 법 :

1. 2월 상순에 멥쌀 5말을 (백세하여) 하룻밤 물에 담가 불렸다가, 그 이튿날 (다시 씻어 건져서) 물기를 빼지 말고, 곱게 가루를 내어 물을 잘 조절하여 섞어놓는다.

2. 쌀가루를 고운체에 한 번 쳐서 내린 후, 쌀가루를 한 주먹씩 쥐고 단단하게 뭉쳐 오리알처럼 누룩밑을 만든다.

3. 누룩밑을 쑥에 묻되, 쑥대의 길이에 맞추어 서로 닿지 않게 늘어놓는다.

4. 다시 쑥으로 덮고, 빈 섬에 담아 따뜻한 온돌에 놓아두고, 빈 섬으로 덮어 준다.

5. 7일 후에 뒤집어 7일을 놓아두었다가, 다시 뒤집어 놓고 7일을 더 띄운다.

6. 누룩 빚은 지 21일 후에 꺼내서 거친 껍질을 제거하고, 덩어리 하나를 3~4 조각으로 깨서 상자에 담아 홑보자기로 덮어둔다.

7. 날이 맑고 햇볕이 좋으면 매일 볕을 쬐어 말린다.

8. 배꽃이 막 피려 하고 아직 피지 않았을 때, 누룩을 가루 내어 다시 흰 모시 나 고운 베에 내려 고운 가루를 마련한다.

술 빚는 법 :

1. 멥쌀 10말을 (백세하여 물에 담가 불렸다가, 다시 씻어 건져서 물기를 빼고)

곱게 가루를 내고 두 번 고운체에 내려서 고운 가루를 마련한다.

2. 쌀가루를 뜨거운 물(1말 5되가량)로 익반죽하여 구멍떡을 만들고, 끓는 물에 삶아 잠시 두었다가, 큰 그릇에 담아 뚜껑을 덮어 밖에 내놓아 식기를 기다린다.

3. 식은 떡을 조금씩 떼어 술독 밑바닥에 놓아가면서 누룩가루를 섞는데, 쌀 1말당 누룩가루 5되씩 섞어 손으로 2~3번 뒤적여 술밑을 빚는다(만약 섞기 힘들면 떡 삶았던 물을 차게 식힌 후 뿌려가면서 섞는다).

4. 술밑을 손바닥 크기만 하게 만들어 술독에 안치는데, 독 안 가장자리에 붙이고 그 가운데를 비워둔다.

5. 3~4일 후에 열어보아 만약 온기가 있어 엉기면, 꺼내 식혀서 다시 제자리에 집어넣고 차가운 곳에 놓아둔다.

6. 5월 15일에 열어 쓰는데, 그 맛이 달고 향기롭다.

* 주방문에 누룩을 만들 때 쌀가루에 물을 적당량 섞어 누룩밑을 뭉치라고 하였는데, 다른 기록에서는 절대 물을 치지 말라고 되어 있어 차이가 있다. 또 술을 빚을 때 누룩가루와 삶은 떡을 한 덩어리로 뭉치고, 치대는 방법이 아닌 술밑을 빚은 떡처럼 만들어 술독 주변으로 쟁이는 것으로 되어 있어, 여느 '이화주'와 많은 차이가 있음을 볼 수 있다.

梨化酒

二月初 亦可 米十五斗. 二月上旬日 白米五斗 浸水經宿 翌日 細末重篩 以水量意和合 堅實作塊 形如鴨卵 裹以蒿草 如裹卵形 隨草長短裹盡 合盛于空石 置之溫突 以空石覆之. 七日後飜置 二七日又飜置 三七日出 卽消去麗皮 一塊破作三四片 盛于筥 覆以單袱 每日淸明曝晒. 梨花欲開未開時 作末重篩 白苧細布更篩. 以白米十斗 細末重篩 作孔餅 沸湯蒸出 暫歇還合 盛大器 覆以盖 出外則易乾. 小小除出於槽底將. 前末 量意和合 米一斗末五升 以手裳磨擦再三 若乾難 合以前孔餅 沸湯水待冷洒之. 如手掌大 十分待冷入瓮 令倚列瓮邊而虛其中. 三四日後 開見 若溫氣鬱結 則出外待冷 還入瓮. 置冷處 五月十五

日 開用之 其味甘香.

11. 이화주 <산림경제(山林經濟)>

> 누룩 재료 : 멥쌀(1말), 솔잎(2말)
> 술 재료 : 멥쌀 1말, 이화곡 가루 7~3되, 뜨거운 물(1되 5홉가량)

누룩 빚는 법 :

1. 정월 첫 해일 3일 전에 멥쌀을 매우 깨끗하게 씻어 물에 담가 불렸다가 (다시 고쳐 씻어 헹궈서) 세말한다(고운 가루로 빻는다).
2. 쌀가루를 물을 치지 말고 달걀 크기로 단단히 뭉쳐서 누룩밑을 빚고, 독 안에 넣고 솔잎에 켜켜이 묻어 방 윗목의 따뜻하지 않은 곳에 두어 띄운다.
3. 7일 만에 꺼내고 돗자리나 베보자기 위에 펼쳐서 반나절 동안 볕에 말렸다가, 다시 솔잎에 묻어 재차 띄운다.
4. 다시 7일 후에 (누룩이 다 띄워졌으면) 햇볕에 내어 바짝 말려서 예의 방법대로 하여 갈무리해 두었다가 배꽃이 필 때부터 여름까지 사용한다.
5. 술 빚을 때 가루로 빻고, 깁체에 내려서 고운 가루를 만들어 사용한다.

술 빚는 법 :

1. 여름에 멥쌀(1말)을 백세(매우 깨끗하게 씻어 물에 담가 불렸다가) 다시 고쳐 씻어 헹궈서 (물기를 뺀 후) 세말한다(고운 가루로 빻는다).
2. 솥에 물을 넉넉히 붓고 팔팔 끓인다.
3. 쌀가루를 (체에 한 번 내린 후) 끓기 직전의 뜨거운 물(1되 5홉가량)을 골고루 뿌려서 치대어 익반죽을 만든다.
4. (익반죽을 한 주먹 크기로 떼어서 둥글납작한) 구멍떡을 빚는다.
5. 구멍떡을 끓는 물솥에 넣고 삶아, 익어 떠오르면 건져서 물기 없는 그릇에

담아놓는다.

6. 떡이 (식기 전에 손이나 주걱으로 매우 주물러 으깨어 덩어리진 것이 없게 하여) 식기를 기다린다(뚜껑을 덮어 마르지 않게 한다).

7. 식은 떡에 누룩가루(이화곡을 절구에 찧거나 맷돌에 갈아 집체에 쳐서 3번 내린 고운 가루) 3되 또는 2되를 골고루 섞어 손으로 많이 치대어 (진흙 같은) 술밑을 빚는다.

8. 술밑을 술독에 담아 안쳐서 익힌다(술독은 흰 종이로 싸매 밀봉한다).

9. 술독은 (극히 뜨거운 데 두지 않으며) 3~4일 만에 손으로 뒤적여 준다.

10. 봄에는 7일, 여름에는 3~7일이면 술이 익는다.

* 주방문 말미에 "술을 진하고 달게 빚으려면 쌀 1말에 누룩가루 7되를 넣고, 맑고 콕 쏘게 빚으려면 3~4되를 넣고 떡을 삶아낸 물을 식혀 섞어서 빚는다. 혹 멥쌀을 쪄서 보통대로 빚거나 혹은 찹쌀로 빚어도 된다. 어떻든지 날물기를 들이지 말고, 덩어리를 만들 때 물기가 너무 적으면 굳지 않고, 너무 질면 속이 썩어 푸른 점이 생긴다."고 하였다.

梨花酒

正月上亥日 前期三日 百洗白米 浸水出細末細篩 不用水捏作塊 大如鷄卵 於甕中 松葉作隔層 鋪置房上不暖處. 七日出鋪草席 或生布上 晒乾半日 又埋松葉 又如是一次後 出晒令極乾. 藏置紙囊. 梨花開後 經夏皆可釀之 白米如前 爲末 作孔餠煮出停冷 以所造麴末 均拌入甕. 數日一翻易 春一七夏三七可用. 熱時置甕水中 欲酒稠甘 則一斗 入麴末七升 欲其淸烈 則入三四升. 煮餠水停冷調釀. 或蒸米䭊如常釀, 或粘米釀皆可. 終始切忌生水 作塊時 太燥則不堅. 太濕時中 腐有靑點 纂要補.

12. 이화주 <수운잡방(需雲雜方)>

술 재료 : 멥쌀 1되, 누룩(이화국) 1되 3홉, 뜨거운 물(1홉가량)

술 빚는 법 :
1. 멥쌀 1되를 백세하여 (물에 담가 불렸다가, 다시 씻어 헹궈서 물기를 뺀 후) 작말한다(가루로 빻는다).
2. 쌀가루를 뜨거운 물(1홉가량)로 익반죽하여 구멍떡을 빚는다
3. 구멍떡을 끓인 물에 넣고 물러 퍼지게 삶아, 익어 떠오르면 건져서 물기 없는 그릇에 담아놓는다.
4. 떡은 식기 전에 떡메로 매우 쳐서 인절미처럼 만들어 차게 식기를 기다린다.
5. 껍질을 깎아낸 이화곡을 가루 내어 깁체로 쳐서, 고운 누룩가루 1되 3홉을 떡에 합하고, 힘껏 치대어 술밑을 빚는다.
6. 술밑을 담아 안친 술독은 두꺼운 종이로 덮고 단단히 밀봉한 다음, 공기가 통하게 작은 구멍을 낸다.
7. 15일 후에 술이 익는다.

* 주방문 말미에 "맛이 매우 달고 향기 또한 강하다. 냉수에 타서 마신다."고 되어 있다.

梨花酒
白米一斗百洗細末重篩作孔餅熟烹裂而待冷麴削法外皮細末重篩一升三合極力均調入缸以厚紙封口作小孔出氣十五日當用味極甘香且冽冷水和飮.

13. 우(又) 이화주 <수운잡방(需雲雜方)>

술 재료 : 멥쌀 1말, 이화곡 3~4되, 물 1말

술 빚는 법 :

1. 쌀 1말을 백세하여 (물에 담가 불렸다가, 다시 씻어 헹궈서 물기를 뺀 후) 작
   말한다(가루로 빻는다).
2. 쌀가루를 깁체로 쳐서 따뜻한 물 1말에 풀어 넣고, 팔팔 끓여서 죽을 쑨 후,
   넓은 그릇에 퍼서 차게 식기를 기다린다.
3. 준비해 둔 이화곡 가루를 고운체로 두 번 쳐서 1되 5홉을 죽에 합하고, 골
   고루 버무려 술밑을 빚는다.
4. 술독에 술밑을 담아 안치고, 꼭 눌러 담아서 두꺼운 종이로 밀봉한 다음, 작
   은 구멍을 낸다.
5. 5~6일이 지나면 익으므로 내어 마신다.

又 梨花酒
白米一斗百洗作末重篩用細綃作粥待冷麴細細重篩一升五合和納缸小出氣五
六日當用極味好.

14. 이화주 달게 빚는 법 <술 만드는 법>

술 재료 : 멥쌀 1말, 누룩(이화곡) 2되, 끓여 식힌 물 반 병~2되

술 빚는 법 :

1. 멥쌀 1말을 백세하여(물에 담가 불렸다가, 다시 씻어 헹궈서 물기를 뺀 다음)

작말한다(가루로 빻는다).

2. 쌀가루에 뜨거운 물(1되 5홉가량)을 쳐가면서 익반죽하여 구멍떡을 빚는다.

3. 구멍떡을 끓는 물에 넣고 매우 익게 삶아서, 익어 물 위로 떠오르면 건져서 물기 없는 그릇에 담는다.

4. 구멍떡은 식기 전에 (죽젓광이로) 매우 쳐서 덩어리 없게 풀고) 식기를 기다린다.

5. 햇볕에 법제하여 바랜 누룩가루 2되를 끓여 식힌 물 반 병~2되에 담가 불려둔다.

6. 물누룩을 체에 알뜰하게 걸러 걸쭉하게 되면, 떡에 쳐가면서 치대어 술밑을 빚고, 차게 식기를 기다린다.

7. 술밑을 술독에 담아 안치고 단단히 눌러 다져둔 다음, 술독은 흰 종이로 덮고 단단히 밀봉한다.

8. 여름에는 3~4일이면 술이 익고, 극히 뜨거운 데 두지 않으면 4일 만에 익는다.

* 주방문에 "누룩가루를 곱게 곱게 하라."고 하였다.

니화쥬 달게 빗는 법

빅미 흔 말를 빅셰작말ᄒ야 구멍쎡 믠드러 익게 익게 살마 날물긔 업는 그르셰 식지 아니ᄒ야 미우 쳐 오래 바린 누룩가로를 ᄭᅵᆯ인 물 반 병에 두 되나 담앗다가 미우 걸너 글게 믠드러 그 물를 쳐 가며 쳐셔 츠거든 항아리에 단단이 눌너 늣코 우흘 죠희로 덥고 항아리 부리를 단단이 발나 여름이면 스나흘에 쓰고 극열이 아니면 나흘에 쓰나니 누룩가로를 곱게 곱게 ᄒ라.

15. 이화주 <술방>

술 재료 : 멥쌀 1말, 이화곡 7되~3되, 떡 삶은 물 약간(2~3되)

술 빚는 법 :

1. 멥쌀 1말을 백세하여 물에 담갔다가, 다시 씻어 건져서 작말한다.
2. 솥에 물을 넉넉하게 붓고 불을 지펴 끓인다.
3. 뜨거운 물(1되 5홉가량)로 쌀가루를 익반죽하여 매우 치댄 다음, 구멍떡을 빚는다.
4. 구멍떡을 팔팔 끓고 있는 물솥에 넣고 삶아, 떠오르면 건져낸다.
5. 삶아낸 구멍떡에 떡 삶았던 물(2~3되 정도)을 섞고, 주걱으로 짓이겨 인절미처럼 풀어 차게 식힌다.
6. 차게 식힌 떡에 이화곡 가루 7되를 섞고, 고루 치대어 술밑을 빚는다.
7. 술밑을 독에 담아 안치고, 예의 방법대로 하여 3일간 발효시킨다.
8. 수일 만에 주걱으로 한 번 뒤적여 준다.

* 누룩 빚는 법 :

1. 정월 첫 해일에 멥쌀 1말을 백세하여 물에 담갔다가, 다시 씻어 작말한다.
2. 쌀가루에 물을 주지 말고 손으로 쥐어서 달걀보다 크게 단단히 뭉친다.
3. 시루나 단지에 솔잎을 넣고, 그 속에 밑누룩을 격지격지 켜켜로 넣는다.
4. 시루나 단지 위를 덮고, 덥지도 차지도 않은 방에 두고 7일간 띄운다.
5. 이화곡을 내어 햇볕에 반나절 동안 말린 다음, 다시 솔잎에 묻어둔다.
6. 술 빚기 2~3일 전에 누룩을 꺼내고 솔이나 칫솔로 누룩 표면을 닦아 먼지나 곰팡이를 털어내고, 절구에 넣어 공이로 쳐서 가루로 빻는다.
7. 겹체로 쳐서 미숫가루처럼 고운 가루를 내려 쓴다.

니화쥬

정월 첫 히일 젼 삼일의 빅미 빅셰ㅎ여 담가다가 셰말ㅎ여 물 쥬지 말고 뭉쳐 덩이 지여 겨란보다 크게 민드러 솔입으로 격지 두어 덥지 아니흔 방의 칠일 만의 볏히 반일을 말이와 쏘 솔입희 장여다가 니화 퓐 후 비즈되 빅미로 젼 과 갓치 작말ㅎ여 구무쩍 민드러 살마 식혀 민든 곡말노 셧거 독의 너허 숙 일 만의 흔 번 뒤젹여 봄이면 일칠일이오, 녀름이면 삼일 만의 쓰되 늘이 더 웁거든 독을 물의 치와두고 달게 ㅎ랴 ㅎ면 쓸 흔 말의 곡말 칠승 너코 쳥녈 ㅎ게 ㅎ랴면 셔 되만 너허 쩍 살문 물의 식혀 비즈되 혹 밥 지어 비져도 죠코 혹 찰밥 지여 비져도 죠흐되, 다른 물은 졀금하고 그 누룩 민들 졔 너모 마른 즉 단ᆞ치 아니코 져즌즉 가온듸가 셕는니라.

16. 이화주 <양주방>*

> 누룩 재료 : 멥쌀 5말, 볏짚, 빈 섬
> 술 재료 : 멥쌀 1말, 누룩가루(이화곡) 5되, 떡 삶은 물, 뜨거운 물(1되 5홉가량)

누룩 빚는 법 :

1. 정월 보름날 희게 쓿은 멥쌀 5말을 깨끗이 씻고 또 씻어(백세하여) 물에 담가 하룻밤 불렸다가 (다시 씻어 헹궈서) 물기를 빼지 말고 건져서 가루를 만든다.

2. 쌀가루를 체에 두 번 내려서, 된반죽하여 오리알만 하게 단단히 쥐어서 만든다.

3. 더운 방이나 실내에 볏짚으로 배 싸듯이 싸고, 빈 섬에 누룩이 서로 닿지 않게 한 켜 놓고, 볏짚으로 덮어둔다.

4. 7일 만에 누룩을 뒤집어 주고, 다시 7일 만에 위아래를 바꾸어 주고 띄우되, 또 7일 만에 꺼낸다.

5. 누룩에 곰팡이가 고루 피어 있으면, 껍질을 걷어내고 서너 조각을 내어 설기

(석작, 바구니)에 담아 햇볕에 바짝 말렸다가, 종이봉투에 담아 보관해 둔다.

술 빚는 법 :

1. 배꽃이 필 때에 희게 쓿은 멥쌀 1말을 깨끗이 씻고 또 씻어 (물에 담가 불렸다가, 다시 씻어 헹궈 건져서 물기를 뺀 후) 작말한다.
2. 쌀가루를 뜨거운 물(1되 5홉가량)로 익반죽하여 구멍떡을 빚는다.
3. 솥에 물을 넉넉히 붓고, 구멍떡을 넣고 삶아서 익으면 건져낸 다음, 차게 식기를 기다린다(떡을 삶아서 다 식을 때까지 가끔 덮어주어야 마르지 않는다).
4. 이화곡을 빻아서 고운체에 내려 고운 가루로 5되를 장만한다.
5. 구멍떡에 이화곡 가루 5되를 합하고 서너 차례 치대는데, 떡이 말라서 잘 풀어지지 않으면 떡 삶은 물을 식혀서 넣고 치대어 술밑을 빚는다.
6. 술밑을 손바닥만 하게 빚어서 술독 가장자리에 벌려 담아 안친다.
7. 술독은 (종이로 두세 겹) 밀봉하여 예의 방법대로 하여(차지도 덥지도 않은 곳에서) 발효시킨다.

* 누룩 방문에 "물이 눅으면(적으면) 잘 뜨니 쥐기 어렵더라도 물을 알맞게 말아"라고 하고, 또 "배꽃이 필 때에 가루로 빻아서"라고 하였다. 또 주방문 말미에 "사나흘 뒤에 독을 열어보아 더운 김이 있거든 꺼내어 식혔다가, 다시 넣어 서늘한 데 두어라. 오월 열흘께 부어 내어 쓰면 맛이 달고도 맵고 향기롭다."고 하였다.

니화쥬

정월 망일 졈미 오두 빅셰ᄒᆞ야 담가 밤재와 작말ᄒᆞ야 두벌 쳐 물을 알마초 마라 빗을의 알만치 둔둔이 쥐여 씌우듸 물이 눅으면 잘못 쓰느니 쥐기 어려울지라도 물을 마라게 ᄒᆞ야 녀러히 쥐여 집흐로 빗 싸드시 싸 공셕의 집흘 격지 두어 너허 더운 방의 노코 공셕으로 덥허다가 이칠일의 뒤여 노코 삼칠일의 즉시 니야 더러운 겁질 벗기고 ᄒᆞ나흘 서너 조각의 ᄶᆞ려 섥의 다마다 볏히 말뇌야 두엇다가 니화 필 째예 그느리 작말ㅎ고 빅미를 빅셰작말ㅎ야 구무쎡 비저 마이 닉게 슬마 식거든 누록그로와 흔듸 쳐 그르시 담고 갓금 덥흐라. 아니 덥흐면 마르느니 작작 뇌야 누록을 섯그듸 쌀 흔 말의 누록그로 닷 되식 섯거 치기를 서너 번이나 흔듸 너므 말나 어우지 아니커든 쎡 삼던 물을 치와 쌕려 다시 쳐 손바닥만치 믿드러 치우듸 의심 업시 츠거든 독의 너흐듸 그흐로 너코 그온듸는 빅게 ㅎ야 삼수일 후 독을 녀러 보아 더운 김 잇거든 도로 뇌야 치와 다시 너허 서늘흔 듸 두엇다가 오월 열흘쎄브터 뇌여 쓰면 마시 달고 믜와 향긔로오니라.

17. 이화주 우일방 <양주방>*

> 누룩 재료 : 멥쌀 2말, 솔잎(1짐), 큰 시루 2개
> 술 재료 : 찹쌀 5되, 멥쌀 5되, 배꽃술누룩(이화곡) 1말, 뜨거운 물(1되 5홉가량)

누룩 빚는 법 :

1. 희게 쓿은 멥쌀 2말을 물에 깨끗이 씻고 또 씻어 2일 정도 물에 담가 불렸다가, 다시 씻어 헹궈서 체에 내려서 고운 가루를 만든다.
2. 쌀가루를 체에 내리면서 즉시 두 손으로 단단히 쥐어서 달걀 크기만 한 누룩밑을 만든다.
3. 시루에 솔잎을 격지로 깔고, 누룩밑이 서로 닿지 않게 안치고, 다시 솔잎으로 덮어놓는다.
4. 7일 만에 노랗게 떴으면 배꽃술누룩(이화곡)을 꺼내고, 누룩 껍질을 벗겨내고 밤낮으로 햇볕에 바짝 말려서 법제해 둔다.
5. 법제한 배꽃술누룩(이화곡)은 종이봉투에 담아 보관해 둔다.

술 빚는 법 :

1. 여름이 되면 희게 쓿은 멥쌀과 찹쌀 각 5되를 깨끗이 씻고 또 씻어(백세하여) 물에 담가 불렸다가 (다시 씻어 헹궈 건져서 물기를 뺀 후) 가루로 빻는다.
2. 쌀가루에 뜨거운 물(1되 5홉가량)을 뿌려서 익반죽하여 구멍떡을 빚는다.
3. 솥에 물을 넉넉히 붓고, 구멍떡을 넣고 삶아서 익으면 건져낸 다음, 더운 김이 남게 식힌다.
4. 구멍떡에 배꽃술누룩 1말을 빻아서 고운체에 내려 고운 가루로 만든다.
5. 배꽃술누룩 가루를 구멍떡에 넣고 잘 치대어 술밑을 빚는다(떡이 말라서 잘 풀어지지 않으면 떡 삶은 물을 식혀서 넣고 치댄다).
6. 술독에 술밑을 단단히 눌러 담아 안치고, 두텁게 싸맨 후 서늘한 데서 7일간 발효시킨다.

* 주방문 말미에 "더운 김에 버무려 채웠다가 넣으면 세이레 만에 먹되, 맵게 콕 쏘면서도 달다. 누룩을 한 말쯤 만들었으면 쌀 한 말을 빚는다."고 하였다.

니화쥬 우일방
빅미 흔 말 빅셰ᄒ야 이틀이나 담가다가 씨 붓거든 마이 ᄀ늘게 작말ᄒ야 츠는 죽죽 계란만치 든든이 쥐여 숑엽의 격지 두어 실ᄂ여 재여 칠일 후 노릑게 졋거든 쓰더 쥬야로 ᄇ라여 녀름 되거든 졈미와 빅미를 반졀ᄒ야 빅셰셰말ᄒ야다가 구무쩍 비저 닉게 슬마 더운 김의 그 누록을 ᄀ늘게 작말하야다가 흔듸 버므려 알마즌 항의 든든이 눌너 너허 싸ᄆ야 서늘한 듸 노핫다가 칠일 후의 먹으라. 더운 김의 버무려 치와 너흐면 삼칠일의 먹으되 밉고 다니라. 누록을 흔 말만 믄드르시면 쌀 흔 말 빗ᄂ니라.

18. 이화주법 <양주방(釀酒方)>

> 술 재료 : 멥쌀 1말, 이화곡 가루 3~7되, 떡 삶은 물 1~2되, 뜨거운 물(1되 5홉 가량)

술 빚는 법 :

1. 낮에 멥쌀 1말을 백세하여 물에 담가 하룻밤 불렸다가, 이튿날 아침 식전에 다른 물에 고쳐 씻어 건져서, 물을 빼지 말고 즉시 방아 찧어 가루로 만든다.
2. 쌀가루를 뜨거운 물(1되 5홉가량)로 익반죽하여 구멍떡을 빚는다.
3. 끓는 물솥에 구멍떡을 넣고 익게 삶아, 물에 떠오르면 건져서 안반에 넣어 차게 식기를 기다린다.
4. 체에 치고 남은 무거리는 (떡 삶은 물 1~2되에 풀어) 끓여서 죽을 쑤고 서늘하게 식힌다.
5. 구멍떡과 죽이 차게 식었으면, 이화곡을 가루로 빻아 넣되, 달게 하려면 7되를 넣고 쓰게 하려면 3되를 섞는다.
6. 구멍떡과 죽, 누룩가루를 고루 치대어 술밑을 빚는다.
7. 술밑을 알맞은 독에 담아 안치고, 예의 방법대로 하여 서늘한 곳에서 발효시킨다.

* 주방문에 백미 한 말 한 되로 빚을 경우 "누룩이 7되면 달고 3되면 가장 쓰니라. 누룩을 많이 넣으면 더 다니라. 날물기가 있으면 맛이 쓰니라."고 하였다.

니화듀법

빗곶 픨 재의 춥뿔을 희게 쓸허 빅셰ᄒᆞ야 담갓다가 나죠ᄶᅵ희 담으면 이튼날 식후의 다시 ᄶᅧ 건져 방하 ᄶᅵ흐되 건지여 즉시 ᄶᅵ허야 죠코 물 ᄲᅢᆫ진 후의 ᄶᅵ흐면 듀미아오지 아니ᄒᆞᄂᆞ니라. 그리 ᄶᅵ허 치히 츠며 한겻트로 올리알마치 단ᄂᆞ이 듀여 바름 업슨 마로의 마즌 오쟝이의 숄립 쌀고 누룩 노화 넣고 그리

흐기를 누록 업도록 숄립 격지 두어 다흔 후의 이득이펴 좌우 녑히 누록의
닷지 아니케 흐라 누록 실 졔 오장이 가의 내여 노치 말고 사나흘 지나거든
나여보면 속을 만져보면 누록김의 벗거든 낫ᄯᄒ히 쌀여 볏희 너러 말뢰라. 그
쌔의 날이 더오면 수히 쓰고 날이 츠면 더듸 쓰니 즈로 내여보아는 모로난이
라 싸려보하 누록김의 로아느니라. 너모 오릭 두어 푸른 김의 쓰면 죠치 아니
흐니라. 그쌔 혹 날이 구져 졀의 마르지 아니흐면 목의 줄히 마히 느느니라.
그러커든 막대로 죄 업시 흐야 가쟝 더온 방의 너러 말리오라. 본대 흐로 볏
희는 못다 마르느니라. 더온 방의 너러 죄말리워 그리흐야 너허두고 여름 쓸
쌔의 ᄀ르름이치의 쳐셔 슐 빗느니라. 이졔야 슐 빈는 법이라. 빅미 한 말을 빅
셰흐야 나죠 쌔의 담갓다가 이튼날 죠젼의 다른 물의 고쳐 씨셔 방하의 씨허
구무쩍 믿다러 닉거슬마 안반의 널고 ᄀ로츠던 무거리는 죽 쑤허셔 날케치
와 구무쩍 치식거든 빅미 한 말 한 되면 누록ᄀ로마하 일곱 되면 달고 셔 되
곳흐면 ᄀ쟝 쓰니라. 누록을 만이흐면 더 다니라. 누록을 고로 셧거 마준항의
셔날흔듸 두라. 날물긔 업시 흐라. 날물긔 이시면 쓰니라.

19. 이화주 <언서주찬방(諺書酒饌方)>

누룩 재료 : 멥쌀 5말
술 재료 : 멥쌀 1말, 누룩가루 5되, 뜨거운 물(1되 5홉가량)

누룩 빚는 법 :
1. 정월 보름날 멥쌀 5말을 백세하여, 새 물에 헹궈낸다.
2. 씻은 쌀을 다시 새 물에 담가서 밤재워 불린다.
3. 다음날 불린 쌀을 한 번 더 (씻어) 헹궈서 뜨물이 없이 한 다음, 물기를 빼
   서 가루로 빻는다.
4. 쌀가루를 체로 쳐서 내린 후, 다시 물을 알맞게 쳐서 한 번 더 내린다.

5. 쌀가루를 두 손으로 쥐어서 오리알만 한 크기로 단단히 뭉쳐서 누룩밑을 빚는다.

6. 누룩밑을 볏짚으로 싸되, 배 싸듯 하여 공석에 짚으로 격지격지 묻어 더운 구들에 놓고 공석으로 덮어준다.

7. 7일 후에 뒤집어 놓고, 14일 후에 또 뒤집어 놓고, 띄우기 시작한 지 21일 만에 꺼낸다.

8. 즉시 더러운 껍질을 벗기고, 한 덩어리를 서너 조각으로 깨어 석작에 담아 놓는다.

9. 홑보자기로 석작을 덮어놓고 날마다 햇볕에 내어 말려둔다.

술 빚는 법 :

1. 배꽃이 피려 할 때 법제해 둔 이화곡을 작말하여 가는체로 두 번 쳐서 고운 가루를 내려놓는다.

2. 멥쌀 1말을 일백 번 씻어 (물에 담가 불렸다가, 다시 씻어 헹궈 건져서 물기를 뺀 후) 가루로 빻는다.

3. 쌀가루를 가는체로 쳐서 고운 가루를 내린다.

4. 물솥에 물을 많이 붓고 끓이다가 물이 뜨거워지면, 뜨거운 물(1되 5홉가량)을 쌀가루에 골고루 뿌려서 익반죽한다.

5. 익반죽은 매우 치대서 수분을 고르게 하고, 한 주먹씩 떼어 구멍떡을 빚는다.

6. 솥의 물이 끓으면 구멍떡을 넣고 매우 무르게 삶아, 물 위에 떠오르면 자배기에 건져낸다.

7. 건져낸 떡을 주걱으로 짓이겨서 풀같이 풀고, 뚜껑을 덮어 식기를 기다린다.

8. 식은 떡을 조금씩 내어 구유에 담고 누룩가루를 섞는데, 쌀 되던 되로 쌀 1말에 누룩가루 5되씩 넣는다.

9. 떡반대기에 누룩가루 5되를 섞고, 손으로 치대기를 서너 번 하여 술밑을 빚는다.

10. 떡반대기가 너무 말라 어우러지지 않으면, 떡 삶은 물을 차게 해서 뿌리고 다시 쳐서 손바닥만큼 만든다.

11. 술밑이 가장 차거든 술독에 넣되, 독 가장자리로 채우고 가운데를 비게 하여 3~4일간 삭힌다.
12. 3~4일째 열어보아 더운 기운이 있거든 다시 퍼서 식히고, 다시 안쳐서 독을 서늘한 곳으로 옮겨놓는다.

* 주방문 중간에 이화곡을 빚을 때 주의사항으로 "물 곧 많으면 덩이 속에 푸른 점 있고, 물 곧 적으면 덩이 밖이 편편치 아니하고, 단단치 아니하면 맛이 좋지 아니하니라."고 하였다. 또 밑술을 빚을 때 "(삶아낸 구멍떡을 그릇에 담고 덮으라. 아니 덮으면 수이 마르느니라."고 하였다. 방문 말미에 "5월 10일서부터 쓰면 그 맛이 달고 향기 있느니."라고 하였다.

니화쥬一白米五斗 曲末五升 白米一斗

정월 보롬날 빅미 단 말을 빅 번 시서 둠갓다가 밤 자거든 ᄀᄅ 몬드라 두 볼 처셔 믈을 알마초 ᄆᆞ라 올희알 마곰 둔둔이 쥐오딕 믈 곳 만ᄒᆞ면 덩이 소개 프른 덤 잇고 믈 곳 져그면 덩이 밧기 편편티 아니코 둔둔티 아닌ᄂᆞ니 둔둔티 아니면 마시 됴티 아니ᄒᆞ니라. 딥흐로 ᄣᆞ되 빅 ᄣᆞᄃᆞᆺ ᄒᆞ야 공셕의 딥흐로 격지 두어 더운 구들에 노코 공셕으로 더퍼 닐웨 후에 뒤혀 노코 두닐웨 만의 ᄯᅩ 뒤혀 노코 세닐웨 만의 내야 즉이 더러온 겁질 벗기고 흔 덩이를 서너희 ᄣᅳ려 섥의 다마 홋보흐로 더퍼 날마다 변회 내여 믈뢰야 둣다가 빗곳 픠려 홀 제 작말ᄒᆞ야 ᄀᆞᄂᆞ리 쳐 빅미 흔 말을 빅 번 시서 ᄀᆞᄅᆞ 디허 ᄀᆞᄂᆞ리 뇌야 구무쩍 비저 무이 솔마 식거든 흔딕 쳐 그르세 담고 더프라. 아니 더프면 수이 ᄆᆞᄅᆞᄂᆞ니라. 쟉쟉 내야 바조예 누록ᄀᆞᆯ를 섯고딕 ᄣᆞᆯ 흔 말애 누록 닷 되식 녀허 손으로 치기를 서너 번이나 ᄒᆞ딕 너모 믈라 어우디 아니커든 젼의 ᄣᅥᆨ 숨던 믈을 치와 ᄣᅳ리고 다시 쳐 손바닥마곰 몬드라 ᄀᆞ장 ᄎᆞ거든 독의 녀호딕 ᄀᆞ으로 버리고 가온대를 뷔게 ᄒᆞ야 사나흘 후졔 여러보와 더온 긔운 잇거든 도로 내여 ᄎᆞ거든 다시 녀허 서늘흔 딕 두고 오월 열흘셔브터 쓰면 그 마시 둘고 향긔인ᄂᆞ니.

20. 이화주방 <역주방문(曆酒方文)>

누룩 재료 : 멥쌀 3되, 솔잎, 시루 또는 단지
술 재료 : 멥쌀 1말, 찹쌀 5되, 이화곡 가루 3~4되, 뜨거운 물(2되 5홉가량)

누룩 빚는 법 :

1. 정월 첫 해일에 멥쌀 3되를 하룻밤 담가 불려놓는다(물에 백 번 씻어 매우 깨끗하게 헹군 뒤, 새 물에 담가 하룻밤 불린다).

2. 이튿날 불린 쌀을 (다시 씻어 말갛게 헹궈서) 건져서 작말한다(가루로 빻는다).

3. 쌀가루를 가는체로 쳐서 내린 다음, 손으로 오리알처럼 뭉쳐서 누룩밑을 만든다.

4. 시루나 작은 단지에 솔잎을 깔고, 그 위에 이화곡밑을 안치고, 그 위에 다시 솔잎을 덮는 방법으로 격지격지 놓되, 서로 닿지 않게 쌓는다.

5. 누룩은 7일쯤 지나서 겉면에 누른빛을 띠고 잘 띄워졌으며 반쯤 말라 있으면, 찬 곳으로 옮겨두어야 한다.

술 빚는 법 :

1. 여름이 되어 술을 빚으려면, 준비한 이화곡의 껍질을 벗기고 방아에 찧어서 가루를 만들고, 가는체에 쳐서 무거리를 제거한다.

2. 멥쌀 1말과 찹쌀 5되를 섞어 물에 매우 깨끗하게 씻은(백세한) 뒤, 빨리 건져서 작말한다(가루로 빻는다).

3. 쌀가루를 체에 쳐서 무거리를 빼낸 다음 (시루에 안치고 설기를 쪄서, 익었으면 퍼내고 한김 나가게 식힌다).

4. 따뜻한 떡에 이화곡 가루 3~4되를 섞어 넣고, 누룩가루가 섞이지 않은 떡이 없도록 고루 치대어 인절미처럼 만들어 한 덩어리가 되게 술밑을 빚는다.

5. 체에 내려서 가려낸 무거리는 뜨거운 물로 익반죽하여 끓는 물에 삶아 떡을

만든 후, 이화곡 가루와 섞어 술밑을 빚어놓는다.

6. 두 가지 술밑을 다 술독에 담아 안치고, 한지나 베보자기를 두세 겹 씌워 찬 곳에 두고 14일간 발효시킨다.

* 주방문 말미에 "만약 빨리 사용하고 싶으면 7일 후면 가능한데, 따뜻한 곳에 두고, 누룩가루가 섞이지 않은 떡이 없도록 고루 치대어야 한다."고 하고, 쌀 1말에 누룩가루 4되씩 배합하면 술빛이 푸르고, 누룩가루 3되씩 배합하면 술맛은 좀 못하지만 술빛은 맑고 깨끗하여 애용할 만하다."고 하였다.

梨花酒方

正月上亥一白米三升浸之經宿後極出作末(亏)以細篩篩過以手挼磨作壞間松葉隔之過七日見之皎(作)蒸成而已半乾移置冷處及夏釀酒時白米一斗則粘米五升和合而洗極出作末入曲末勻勻調合無曲末不入處納于缸中而堅挼盛之春餘麤末別調作餠烹出挼磨於曲末米覆其上然後內酒不致傷矣置之冷處過二七日後春若速用則過一七日而亦可用而置之溫處曲子以刀剝去上皮黃處擣之耳米以四升曲末釀之則酒色靑以三升釀之則味雖減下乃色則皎潔可愛.

21. 행주음선(이화주) <오주연문장전산고(五洲衍文長箋散稿)>

누룩 재료 : 멥쌀(3되), 솔잎, 단지(시루 또는 상자)
술 재료 : 멥쌀 1말(찹쌀 1말), 이화곡 가루 7되(3~4되)

누룩 빚는 법 :
1. 정월 상순 첫 해일 3일 전에 멥쌀을 백세하여 물에 담갔다가, 다시 씻어 헹궈서 물기를 뺀다.
2. 쌀가루를 (물을 치지 말고) 체에 한 번 내린 다음, 쌀가루를 쥐어서 달걀 크

기만 하게 단단히 뭉쳐서 누룩밑을 빚는다.

3. 항아리에 솔잎을 두텁게 깔고, 그 위에 누룩밑을 격지격지 놓고, 다시 솔잎으로 덮는다.

4. 누룩밑이 서로 닿지 않도록 하고, 사이사이에도 솔잎을 넣어 켜켜이 쌓는다.

5. 덥지 않은 곳(봄 날씨 정도 되는 따뜻한 곳이나 방)에 두고 7~8일가량 띄운다.

6. 발효가 끝난 누룩은 표면에 노랗거나 (연두색) 꽃(곰팡이)이 피어 있으므로, 밖에 내놓아 반나절 동안 햇볕을 쬐어 살균, 건조시킨다.

7. 누룩을 다시 전과 같이 솔잎에 묻어 한 차례 더 발효시킨 뒤 꺼내어 건조시키고, 솔로 곰팡이를 털어낸다.

8. 이화곡을 햇볕을 쬐여 여러 날 법제하여 종이봉투에 담아두고, 배꽃이 필 때 절구나 방망이를 이용하여 빻고, 고운체에 내려서 고운 가루로 만들어 사용한다.

술 빚는 법 :

1. 흰쌀(또는 찹쌀 1말)을 (백세하여 물에 담가 불렸다가, 다시 씻어 건져서 물기를 뺀 다음) 작말한다(고운 가루로 빻는다).

2. 솥에 물을 넉넉히 붓고 끓이다가, 쌀가루에 뜨거운 물을 쳐가면서 익반죽하여 (구멍)떡을 빚는다.

3. 끓는 물솥에 (구멍)떡을 넣고 삶아, 익어서 떠오르면 건져서 차게 식기를 기다린다.

4. (차게 식힌) 구멍떡에 누룩가루 를 합하고, 많이 치대어 술밑을 빚는다.

5. 술을 달게 하려면 쌀 1말당 누룩가루 7되를 넣고, 술맛이 맑고 순하게 하려면 3~4되를 섞어 빚는다.

6. 술독에 밑술을 담아 안친 후 (예의 방법대로 하여 한지로 여러 겹 밀봉하여 따뜻하지도 서늘하지도 않은 곳에서) 7일 정도 발효시킨다.

7. 술(독)이 따뜻해지면 찬물 그릇 속에 술독을 넣어 식힌 다음 14일가량 더 숙성시켜 사용한다.

* 주방문 말미에 "혹은 다른 쌀을 쪄서 다른 보통 술 빚는 방법처럼 빚어도 된다. 혹은 차진 쌀을 갖고 술을 빚기도 하는데, 시종일관 절대로 끓이지 않은 물을 쓰지 말라."고 하였다. 또 "이 누룩을 덩어리로 만드는 때에 누룩가루가 너무 말라 있으면 누룩이 단단하지 않고, 너무 젖어 있으면 속이 썩는다. 누룩을 띄웠을 때 누룩에 파랗고 검은 점이 생기면 쓰지 마라. 누룩 만들 때에는 적당하게 환을 만들어라."고 하였다.

行廚飮膳(梨花酒) 辨證說

정월 상순 해일 3일 전에 백미를 백세하여 담갔다가 곱게 빻아서 체에 내려, 물을 섞지 않고 가루를 모아서 덩어리를 계란 크기로 만들어 항아리 안에 소나무잎을 겹층으로 쌓아서 묻고, 덥지 않은 곳에 두었다가 7일이 되어 소나무잎을 들어내고 볏짚 위에 펴놓는다. 반나절 햇볕을 쬐어 말려서 전번과 같이 소나무잎에 묻어놓기를 한 차례 한 뒤에 꺼내어, 햇볕에 쬐어 극히 말려서 종이봉투나 베푸대에 담아둔다. 이듬해 배꽃이 핀 후 여름을 경과하는 시기에 술을 빚어도 된다. 흰쌀을 취해 전처럼 가루 내어 떡을 만들어서 끓여 건진 후 식도록 두었다가, 위에 미리 만들어놓은 누룩가루를 가지고 고루 섞어서 항아리에 삼칠일을 두면 쓸 수 있다. 술이 뜨거워질 때에 항아리를 물 가운데 집어넣고, 다시 찌거나 생물을 치지 말라. 술이 맛이 달기를 바라면 술 1말에 누룩가루 7되를 넣고 술맛이 맑고 순하길 바라면 누룩가루 3~4되를 넣어서 떡덩어리를 끓여서 식힌 다음에 위의 쌀하고 고루 술을 빚어도 되고, 혹은 다른 쌀을 쪄서 다른 보통 술 빚는 방법처럼 빚어도 된다. 혹은 차진 쌀을 갖고 술을 빚기도 하는데, 시종일관 절대로 끓이지 않은 물을 쓰지 말라. 이 누룩을 덩어리로 만드는 때에 누룩가루가 너무 말라 있으면 누룩이 단단하지 않고, 너무 젖어 있으면 속이 썩는다. 누룩을 띄웠을 때 누룩에 파랗고 검은 점이 생기면 쓰지 마라. 누룩 만들 때에는 적당하게 환을 만들어라.

22. 이화주 <온주법(醞酒法)>

술 재료 : 멥쌀 1말, 이화곡 가루 3~5되, 뜨거운 물(1되 5홉가량)

술 빚는 법 :

1. 쌀을 많이 하고 적게 하고는 임의로 하되, 멥쌀 1말을 백세하여 (물에 담가 하룻밤 불렸다가, 다시 씻어 건져서 물기를 뺀 후) 작말한다(고운 가루로 빻는다).

2. 쌀가루에 (뜨거운 물 1되 5홉가량을 쳐가면서 익반죽하여, 둥글납작한) 구멍떡을 빚는다.

3. 구멍떡을 끓는 물에 넣고 삶아, 떡이 익어 물 위로 떠오르면 건져서 넓은 안반에 담아놓는다.

4. 안반의 떡에 누룩가루 3되~5되를 쳐가면서 홍두깨로 빨리 밀어서 떡과 누룩가루가 고루 섞이도록 한 다음, 뜨거운 기운이 나가게 식힌다.

5. 인절미처럼 만들어진 식은 떡을 손으로 떡 삶았던 물을 조금씩 묻혀가면서 고루고루 치대어 술밑을 빚는다.

6. 술독에 술밑을 담아 안치고, 예의 방법대로 하여 (30여 일간) 발효시킨다.

* 주방문 말미에 "점미쌀 많이 섞으면 좋고 삼분지일 섞어도 많이 다니, 겨울에 빚어 춘하에 써도 좋으니 사절의 때 없이 하나니라."고 하여 '이화주'가 겨울에 빚어도 좋다고 하였으며, 다른 문헌의 기록과는 달리 사시사철 빚을 수 있다고 하였다.

니화듀

빅미 두쇼는 임의로 ᄒ고 빅셰 작말ᄒ야 구멍쩍 쓸마 마이 더운 제 안반의 노코 홍둑기로 국말을 노화 가며 급히 미러 고릇게 쎳기게 졉쳐 가며 미디 흔 말의 국말 서 되나 혹 닷 되나 너허 쓰겁기 낫거든 손의 쩍 슬믄 물을 무쳐가

며 무이 쳐 너흐라. 겸미를 만히 섯그면 됴코 삼분지일 썩거도 마이 다니, 겨
을의 비저 츈하의 써도 죠흐니 ᄉ절의 씬 업시 ᄒᆞᄂ니라.

23. 이화주 또 한 법 <온주법(醞酒法)>

술 재료 : 멥쌀 10말, 이화곡 가루 4되, 끓는(시루밑물) 물(5되~1말)

술 빚는 법 :

1. 3월 상순에 멥쌀 5말로 이화곡을 만든다.
2. 4월 상순에 멥쌀 10말을 백세하여 (물에 담가 하룻밤 불렸다가, 다시 씻어
   건져서 물기를 뺀 후) 작말한다(고운 가루로 빻는다).
3. 쌀가루에 끓는 물을 쳐가면서, 죽같이 치대어 (범벅을 쑤어 뜨거운 기운이
   나가게 식혀) 놓는다.
4. 죽(범벅)에 누룩(이화곡)가루 4되를 합하고 (힘껏 고루고루 치대어) 술밑
   을 빚는다.
5. 술독에 술밑을 담아 안치고, 예의 방법대로 하여 밀봉한 후, 흙을 발라서 발
   효시킨다.

* 주방문에는 끓는 물의 양이 언급되어 있지 않은데, "점주같이 하라."는 사실
   과 관련하여 끓는 물의 양을 5되~1말로 산정하였다.

이화주 쏘 ᄒᆞᆫ 법

삼월 샹슌의 ᄇᆡ미 오두 니화국 ᄆᆡᆫ드라. ᄉ월 샹슌의 ᄇᆡ미 열 말 ᄇᆡᆨ셰작말ᄒᆞ여
닉게 쪄 ᄭᅳᆯ넌 물의 죽ᄀᆞ치 저어 ᄒᆞ고 국말 너 되 섯거 항의 너코 봉ᄒᆞ야 흘글
발나 닫호 기다리믈 죽넘듀ᄀᆞᆺ치 ᄒᆞ라.

24. 이화주 또 한 법 <온주법(醞酒法)>

술 재료 : 멥쌀 2말, 이화곡 가루 3되

술 빚는 법 :

1. 3월 초승에 멥쌀 2말을 백세하여 (물에 담가 하룻밤 불렸다가, 다시 씻어 건져서 물기를 뺀 후) 작말한다(고운 가루로 빻는다).
2. 쌀가루를 시루에 안쳐서 떡을 찌고, 떡이 익었으면 퍼내어 넓게 펼쳐서 차게 식기를 기다린다.
3. 떡에 누룩가루 3되를 합하고 (힘껏) 고루고루 치대어 술밑을 빚는다.
4. 술독에 술밑을 담아 안치고, 예의 방법대로 하여 밀봉한 후, 5월 단오 때까지 발효시킨다.

이화주 또 흔 법

삼월 초싱의 빅미 이두 빅셰작말ᄒ야 닉게 쪄 마이 치와 니화국말 서 되식 여허 고ᄅ 지혀 항의 너헛다가 단오 후의 여러 쓰듸 다쇼ᄂ 임의로 ᄒ라.

25. 이화주 <요록(要錄)>

술 재료 : 백미 3말, 이화곡 가루 3되, 떡 삶았던 물 10사발

술 빚는 법 :

1. 멥쌀 3말을 백세하여(매우 깨끗하게 씻고 또 씻어) 세말하여(고운 가루로 만들어) 그릇에 담아놓는다.
2. 물을 솥에 넉넉하게 붓고 팔팔 끓이다가, 뜨거워지면 일부를 떠서 쌀가루

를 익반죽한다.

3. 익반죽한 쌀가루를 한 주먹 분량으로 떼어 떡(梨餠, 둥글납작한 물송편)을 빚는다.

4. 솥의 물이 팔팔 끓을 때 빚은 떡을 넣고 삶다가, 익어서 떠오르면 소독하여 준비한 술 빚을 그릇에 건져낸다.

5. (삶아낸 떡에 떡 삶은 물 10사발을 합한 뒤) 떡이 식기를 기다린다(떡이 식기 전에 덩어리를 짓이겨서 한 덩어리가 되게 풀고 떡 삶은 물을 합한 뒤, 제물에 식기를 기다린다).

6. 차게 식은 떡에 먼저 빚어 준비한 누룩(이화곡)가루 3되와 떡 삶았던 물 10사발을 함께 섞는다.

7. 술거리(떡, 이화곡 가루, 떡 삶은 물)를 고루 버무려 술밑을 빚는다.

8. 술밑을 독에 담아 안치고, 7일간 발효시켰다가 열어서 떠서 마신다.

梨花酒

白米三斗百洗細末作餠沸之作梨餠待冷先以麴末三升熟水十鉢和入缸後以控投之經七日開用.

26. 이화주 <우음제방(禹飮諸方)>

> 술 재료 : 밑술 : 찹쌀 1되, 가루누룩 1되, 물 2~3식기
>   덧술 : 찹쌀 1말

술 빚는 법 :

* 밑술 :

1. 좋은 찹쌀을 낱낱이 가려내어 1되를 마련하고 정히 씻어 물에 하루 동안 담가 불렸다가 (다시 고쳐 씻어 헹궈서) 가루를 정히 만든다(고운 가루로 빻

는다).

2. 솥에 물 2~3식기를 붓고 찹쌀가루를 합하여 풀고 끓여서 죽을 쑨 후, 차게 식기를 기다린다.

3. 찹쌀죽에 정한 가루누룩 1되를 합하고, 고루 치대어 술밑을 빚는다.

4. 술밑을 술독에 담아 안치고, 김이 나가지 않게 싸매어 차지도 덥지도 않은 곳에 두고 1일간 발효시킨다.

* 덧술 :

1. 밑술에서와 같이 가려낸 찹쌀 1말을 (백세하여 물에 담가 불렸다가, 다시 씻어 건져서 물기를 뺀 후) 시루에 안쳐서 고두밥을 짓는다.

2. 고두밥이 익었으면 퍼내고, 고루 펼쳐서 차게 식기를 기다린다.

3. 고두밥에 밑술을 합하고, 고루 버무려 술밑을 빚는다.

4. 술밑을 술독에 담아 안치고, 김이 나가지 않게 싸매어 차지도 덥지도 않은 곳에 두고 7일간 발효시킨다.

* 주방문 말미에 "군물기 들면 맛이 변하나니, 떠 쓰는 그릇에도 물기를 없이 하나니라."고 하였다. 어느 기록에서도 찾아볼 수 없는 이양주법의 '이화주'로, 이화곡을 만드는 법이 언급되어 있지 않고, 누룩도 '이화곡'이 아닌 '가루누룩'으로 되어 있으며, 주방문도 '이화주' 방문과는 다르다는 것을 알 수 있다.

니화쥬

됴흔 출빨 낫낫치 굴히여 흔 되룰 졍히 써서 둠가 흐로 낫과 밤 지와 굴늘 졍히 믄두라 물 두어 식긔 부어 플을 쑤고 식은 후 졍흔 ㄱ로누록 흔 되룰 셕거 항의 너허 김 아니 나게 싸믹아 불한블열흔 딕 두어 일듀야 디난 후 굴 흰 쏠쏠 흔 말을 밥 쪄 식은 후 술미치 고로게 버므려 마즌 항의 김 아니 나게 믹여 블한불열흔 딕 일칠일 디난 후 먹으딕 군믈긔 들면 마시 변흐ㄴ니 쪄 쓰는 그르싀도 믈긔룰 업시 흐ㄴ니라.

27. 이화주법 <음식디미방>

－쌀 한 말 빚이

> 술 재료 : 멥쌀 1말, 이화곡 가루 3되, 뜨거운 물(1되 5홉가량)

술 빚는 법 :

1. 배꽃이 필 때에 멥쌀 1말을 백세하여(매우 깨끗하게 씻어) 물에 담가 불렸다가, 다시 고쳐 씻어 헹궈서 (물기를 뺀 후) 세말한다(고운 가루로 빻는다).
2. 솥에 물을 넉넉히 붓고 팔팔 끓인다.
3. 쌀가루를 (체에 한 번 내린 후) 끓기 직전의 뜨거운 물(1되 5홉가량)을 골고루 뿌려서 치대어 익반죽을 만든다.
4. (익반죽을 한 주먹 크기로 떼어서 둥글납작한) 구멍떡을 빚는다.
5. 구멍떡을 끓는 물 속에 넣고 삶아, 익어 떠오르면 건져서 물기 없는 그릇에 담아놓는다.
6. 떡이 (식기 전에 손으로 매우 주물러 으깨어서 덩어리진 것이 없게 하여) 식기를 기다린다(뚜껑을 덮어 마르지 않게 한다).
7. 식은 떡에 누룩가루(이화곡을 절구에 찧거나 맷돌에 갈아 집체에 쳐서 내린 고운 가루) 3되를 오오로(온전하게) 섞어 손으로 많이 치대어 (진흙 같은) 술밑을 빚는다.
8. 술밑을 술독에 담아 안쳐서 익힌다(술독은 흰 종이로 싸매 밀봉한다).
9. 술독은 (극히 뜨거운 데 두지 않으면) 3~4일 만에 술이 익는다.

* 주방문 말미에 "익으면 건죽(물기가 없는 된죽) 같고, 빛깔이 희니 물 타 먹으라."고 하였다. 이로 미루어 '이화주'는 즉석 막걸리라는 것을 알 수 있다.
* 누룩을 만드는 시기 또는 술을 빚는 시기에 대한 언급이 없다.

니화쥬법

빅미 흔 말 빅셰셰말ᄒᆞ여 구무쩍 민드라 닉게 술마 츠거든 줄게 듯고 누록 ᄀᆞᄅ 서 되를 오오로 섯거 두 손으로 ᄆᆞ이 쳐 녀허두면 서너 날 후의 쁘ᄂᆞ니라. 니그면 건쥭 ᄀᆞ고 비치 희니 믈 타 먹그라.

28. 이화주법 <음식디미방>
－쌀 닷 말 빚이

> 술 재료 : 멥쌀 5말, 누룩가루(이화곡) 1말, 뜨거운 물(5~6되가량)

술 빚는 법 :

1. 배꽃이 필 때에 멥쌀 5말을 백세하여(아주 여러 번 깨끗하게 씻어 물에 담가 불렸다가, 다시 고쳐 씻어 헹궈서 물기를 뺀 후) 세말한다(고운 가루로 빻는다).

2. 큰솥에 물을 넉넉히 붓고 팔팔 끓이고, 쌀가루는 깁체에 쳐서 고운 가루를 내린다.

3. 쌀가루를 (체에 한 번 내린 후) 끓기 직전의 뜨거운 물(5~6되가량)을 골고루 뿌려서 치대어 익반죽을 만든다.

4. (익반죽을 한 주먹 크기로 떼어서, 둥글납작한) 구멍떡을 빚는다.

5. 구멍떡을 끓는 물 속에 넣고 삶아, 익어 떠오르면 건져서 물기 없는 그릇에 담아놓고 (떡메로 매우 치거나 주걱으로 짓눌러 으깨어서 덩어리진 것이 없게 하여) 식기를 기다린다(뚜껑을 덮어 마르지 않게 한다).

6. 떡이 따뜻할 때 손으로 매우 주물러 으깨어서 덩어리진 것이 없게 한다(식기를 기다리되, 뚜껑을 덮어 마르지 않게 한다).

7. 식은 떡에 누룩가루(이화곡을 절구에 찧거나 맷돌에 갈아 깁체에 쳐서 내린 고운 가루) 1말을 섞고 (손으로 많이 치대어 진흙 같은) 술밑을 빚는다.

8. 술밑을 술독에 담아 안쳐서 (술독은 흰 종이로 싸매 밀봉한다.) 익기를 기

다린다.

니화쥬법

비곳 성히 필 째예 빅미 닷 말 빅셰셰말ㅎ여 깁체로 쳐 구무쩍 믠ᄃ라 쓸마 드스훈 제 두 손으로 극히 ᄆ이 쳐 덩이 업게 ᄒ고 누룩ᄀ로 훈 말 섯거 녀헛다가 닉거든 쓰라.

29. 이화주법 <음식디미방>

술 재료 : 멥쌀 1말, 누룩가루 2~3되, 뜨거운 물(1되 5홉가량)

누룩 빚는 법 :

1. 복숭아꽃이 필 때에 멥쌀을 백세하여(아주 여러 번 깨끗하게 씻어 물에 담가 불렸다가) 다시 고쳐 씻어 헹궈서 (물기를 뺀 후) 세말한다(고운 가루로 빻는다).

2. 쌀가루를 한 주먹 크기로 단단히 뭉쳐서 누룩밑을 빚고, 누룩밑을 소삽(차고 서늘한 곳)에 두어 띄운다.

3. (누룩이 다 띄워졌으면 예의 방법대로 하여 갈무리해 두었다가, 술 빚을 때 가루로 빻고, 깁체에 내려서 고운 가루를 만들어 사용한다).

술 빚는 법 :

1. 여름에 멥쌀(1말)을 백세하여(아주 여러 번 깨끗하게 씻어 물에 담가 불렸다가) 다시 고쳐 씻어 헹궈서 (물기를 뺀 후) 세말한다(고운 가루로 빻는다).

2. 솥에 물을 넉넉히 붓고 팔팔 끓인다.

3. 쌀가루를 (체에 한 번 내린 후) 끓기 직전의 뜨거운 물(1되 5홉가량)을 골고루 뿌려서 치대어 익반죽을 만든다.

4. (익반죽을 한 주먹 크기로 떼어서, 둥글납작한) 구멍떡을 빚는다.

5. 구멍떡을 끓는 물솥에 넣고 삶아, 익어 떠오르면 건져서 물기 없는 그릇에 담아놓는다.

6. 떡이 (식기 전에 손으로 매우 주물러 으깨어서 덩어리진 것이 없게 하여) 식기를 기다린다(뚜껑을 덮어 마르지 않게 한다).

7. 식은 떡에 누룩가루(이화곡을 절구에 찧거나 맷돌에 갈아 깁체에 쳐서 3번 내린 고운 가루) 3되 또는 2되를 골고루 섞어 손으로 많이 치대어 술밑을 빚는다.

8. 술밑을 술독에 담아 안쳐서 익힌다(술독은 흰 종이로 싸매 밀봉한다).

9. 술독은 (극히 뜨거운 데 두지 않으면) 3~4일 만에 술이 익는다.

* 주방문 말미에 "서 되 곧 넣으면 오래 있어도 외지(변하지) 아니하고, 두 되 들면(넣으면) 오래 못 두나니라."고 하여 누룩의 양에 따른 술의 보관 기간에 대해 언급하고 있으며, "츤즉(쌀가루를 체에 치고) 무거리(체로 치고 안에 남은 거친 쌀가루)조차 여(넣어) 치나니라."고 하여 쌀가루의 양(손실)을 없이 하라는 주의사항에 대해 언급하고 있음을 볼 수 있다. 여름 술은 쌀의 손실이 많아지면 맛이 쓰고 신맛이 많아지기 때문에 쌀의 손실을 없이 하라는 내용으로 여겨진다. 또 방문에 누룩을 만들어 "소삽에 둣다가"를 '차고 서늘한 곳'으로, "가장 서너볼이나 노외여사 보라오니라."를 '누룩가루를 체에 칠 때 서너 번 쳐서 내려야 (술이) 부드러우니라.'로 해석하였다.

니화쥬법

복성곳 필 째예 뿔 틔워 작말ᄒᆞ야 누록ᄒᆞ여 소삽애 쯰워 둣다가 녀름의 빅미 빅셰셰말ᄒᆞ야 구무쩍 ᄒᆞ여 닉게 뿔마 쳐 식거든 뿔 ᄒᆞᆫ 말애 누록 서 되 혹 두 되식 녀흐디 ᄀᆞ장 두서너볼이나 노외여 사보ᄃᆞ라오니라. 서 되 곳 녀흐면 오래 이셔도 외지 아니ᄒᆞ고 두 되 들면 오래 못 두ᄂᆞ니라. 츤 무거리조차 녀 치ᄂᆞ니라.

30. 이화주 <음식방문(飮食方文)>

누룩 재료 : 멥쌀(3되), 솔잎, 단지(시루 또는 상자)
술 재료 : 멥쌀 1말(찹쌀 1말), 이화곡 가루 3되, (떡 삶은 물 1~2되)

누룩 빚는 법 :

1. 배꽃이 필 때 이화곡을 세말한다(장만한다).
2. 멥쌀(3되)을 깨끗이 씻어(백세하여) 물에 담가 불렸다가 (다시 씻어 건져서 물기가 빠지면) 작말한다(고운 가루로 빻는다).
3. 쌀가루에 (물을 치지 말고) 배(梨) 크기(두 주먹 크기)만 하게 단단히 뭉쳐서 누룩밑을 빚는다.
4. (시루나 단지, 바구니에) 솔잎을 두텁게 깔고, 그 위에 누룩밑을 격지격지 놓고, 다시 솔잎으로 덮는다.
5. 누룩밑이 서로 닿지 않도록 하고, 사이사이에도 솔잎을 넣어 켜켜이 쌓는다.
6. (봄 날씨 정도 되는 따뜻한 곳이나 방에 두고 7~8일가량) 띄운다.
7. 발효가 끝난 누룩은 표면에 노랗거나 (연두색) 꽃(곰팡이)이 피어 있으므로, 밖에 내놓아 햇볕을 쬐어 살균, 건조시킨다.
8. 솔로 누룩의 곰팡이를 털어내고 (여러 날 법제하여) 절구나 방망이를 이용하여 빻고 (고운체에 내려서 고운 가루로) 준비한다.

술 빚는 법 :

1. 멥쌀(또는 찹쌀) 1말을 (백세하여 물에 담가 불렸다가, 다시 씻어 건져서 물기를 뺀 다음) 작말한다(고운 가루로 빻는다).
2. 솥에 물을 넉넉히 붓고 끓이다가, 쌀가루에 뜨거운 물을 쳐가면서 익반죽하여 구멍떡을 빚는다.
3. 끓는 물솥에 구멍떡을 넣고 삶는다(익어서 떠오르면 건져서 차게 식기를 기다린다).

4. (차게 식힌) 구멍떡에 누룩가루 3되를 합하고 (물러지게) 많이 치대어 술밑을 빚는다(술밑을 빚을 때 힘들거든 떡 삶은 물 1~2되를 쳐가면서 치대어 물러지도록 술밑을 빚어야 한다. 반죽은 충분히 주무르고 잘 치대어서 잘 혼합된 상태라야 한다).

5. 술독에 밑술을 담아 안친 후 (예의 방법대로 하여 한지로 여러 겹 밀봉하여 따뜻하지도 서늘하지도 않은 곳에서) 발효시킨다.

* 다 익은 술은 고추장과 같은 상태가 되며, 약간 누르스름하면서도 하얀 빛깔을 띤다. 주방문 말미에 "(버무릴 떡이) 딱딱하게 되거든 (떡) 삶은 물 넣어 하고, 누룩만 넣으면 맛이 달고, (누룩을) 적게 넣으면 맛이 매우나, 찹쌀로 하면 더 좋으니라."고 하여, 수월한 방법과 함께 형편 따라 주재료의 종류를 달리할 수 있다는 것을 밝히고 있다.

이화쥬

이화 필 씩 누륵을 작말ᄒ고 쌀 정히 씰허 쓰셔 담가다가 작말ᄒ여 비만치 쥐여 솔닙 격지 노하 씩 여러 날 후 노른 곳 안거든 볏틱 말리여 빅미 흔 말 작말ᄒ여 구무쩍 밍그러 닉게 슬마 누룩가로 셔 되 너허 미오 쳐 너허 닉거든 쓰되 범우릴 젹게 되거든 살문 물 너허 ᄒ고 누룩 만히 너흐면 맛시 달고 젹게 너흐면 맛시 미오나 졈미로 ᄒ면 더 조흐니라.

31. 이화주 <이씨(李氏)음식법>

누룩 재료 : 멥쌀 5말, 볏짚(10단)
술 재료 : 멥쌀 5말, 누룩가루 2말 5되

누룩 빚는 법 :

1. 정월 15일에 멥쌀 5말을 백세하여 물에 담가 하룻밤 불렸다가, (다시 씻어 건져서 물기를 뺀 후,) 가루로 빻아서 고운체에 내린다.

2. 쌀가루에 물을 알맞게 쳐서 고루 섞고, 축축한 김에 오리알만 하게 손으로 단단히 쥐어서 밑누룩을 만든다.

3. 시루나 오목한 그릇에 볏짚을 두툼하게 깔고, 그 위에 밑누룩을 서로 닿지 않게 격지격지 놓고, 다시 볏짚을 덮고, 다시 거적(빈 가마니)으로 덮어놓는다.

4. 밑누룩 안친 그릇을 더운 방에 두고, 7일 만에 누룩을 꺼내었다가, 다시 볏 짚에 묻어 전과 같이 하여 14일쯤 2차 발효시킨다.

5. 띄우기 시작한 지 21일이 지나면 볏짚을 걷어내고, 즉시 꺼내어 겉껍질을 벗 겨낸다.

6. 누룩은 3조각으로 부숴서 행담(싸리나 대오리로 엮은 작은 상자)에 담아 햇볕에 바짝 말렸다가, 거두어들여서 종이 주머니에 담아 보관하여 두고 사 용한다.

술 빚는 법 :

1. 배꽃이 흐드러지게 필 때 이화곡을 방망이로 두들겨서 빻고, 다시 깁체에 쳐 서 고운 가루로 만든다.

2. 멥쌀 5말을 백세하여 (물에 담갔다가, 다시 씻어 건져서 물기를 뺀 후) 가루 로 빻아서 고운체에 내린다.

3. 멥쌀가루는 (뜨거운 물을 쳐가면서 익반죽한 다음) 구베떡(구멍떡)을 빚는다.

4. (솥에 물을 넉넉히 붓고 끓으면) 구베떡(구멍떡)을 넣고 많이 삶아 익어서 떠 올라 있으면 건지고, 한데 모아 매우 쳐서 인절미처럼 만든다.

5. 인절미처럼 쳐댄 구베떡(구멍떡)은 (마르지 않게 뚜껑을 덮어) 차디차게 식 기를 기다린다.

6. 식은 구베떡(구멍떡)에 이화곡 가루 2말 5되를 넣고 힘껏 고루 치대어 술밑 을 빚되, 섞기 어려우면 떡 삶은 물을 차게 식혀 부어가면서 (무르녹게) 치 대어 놓는다.

7. 술밑을 완전히 차게 식혔다가 술독에 담아 안치는데, 술독 가장자리로 안치

고 가운데를 비워놓는다.

8. 술밑을 다 안친 다음 독은 밀봉하여, 예의 방법대로 하여 4일간 발효시킨다.

9. 술독은 차게 식히고, 서늘한 곳에 두었다가 3개월가량 숙성시켜 5월 10일부터 열어서 사용한다.

* 주방문 말미에 "쌀 1말을 기준으로 누룩가루 5되"라고 하고, "빚은 술밑이 차기가 의심 없이 식거든 독에 넣되"라고 하였다. 또 "독을 열어보아 더운 기운이 있거든 도로 내어 차게 식혀 넣되, 서늘한 데 두어 오월 열흘부터 내어 쓰라."고 하였다.

니화쥬

정월 보름날 빅미 닷 말 빅셰ᄒ야 당가다가 밤지와 작말ᄒ야 다시 닉여 물을 알마초 셕거 부부여 오리알마치 단단히 쥐여 물이 눅으면 잘못 되난이 쥐기 어려워도 잘 쥐여 집흐로 격지을 노코 더운 방 거적으로 더퍼 칠일 후 슌 뒤어 이칠일 후 쏘 뒤어 슴칠일 되거든 즉시 닉여 더어운 웃 겁질 볏기고 ᄒ나흘 셰 죠각의 닉여 힝담에 담아 볏에 말려두어다가 니화 필 쎠에 곱게 장말ᄒ야 쌀 ᄒ 말의 누룩 닷 되 빅셰장말ᄒ야 구뷔쎡 비져 마우 익게 쓸마 식거든 여려슬 ᄒ데 글읏셰 담고 덥퍼 가며 미우 쳐 ᄒ되 말르기 쉬우이 누룩 셕글 쎠 치길을 미우 허되 어우지 아이커든 쎡 술문 물 식켜 부어거며 다시 쳐 슌바닥마치 만들어 차기가 의심 읍시 식거든 독의 너흐되 갈로 버려 노코 가운듸난 뷔게 ᄒ야 슴ᄉ일 후 독을 여러보아 더운 긔운 잇거든 도로 닉여 치워 너흐되 셔늘헌 듸 두어 오월 여흘게붓터 닉여 쓰라.

32. 이화주방 <임원십육지(林園十六志)>
－일명 백설향(白雪香)

술 재료 : 백미 1말, 이화곡 가루 7되(3~4되), 떡 삶았던 물(10사발)

누룩 빚는 법 :

1. 배꽃이 필 무렵 멥쌀을 (백세하여) 물에 담가 불렸다가, 다시 씻어 건져서 물기를 뺀 후 아주 고운 가루로 빻는다.

2. 쌀가루에 물을 치지 말고 고운체에 내려놓는다.

3. 쌀가루를 두 주먹으로 쥐어 달걀 크기로 단단히 뭉쳐서 누룩밑을 빚는다.

4. 한갓진 곳에 항아리를 놓고, 그 안에 솔잎을 깔고 그 위에 누룩밑을 펼쳐놓은 다음 다시 솔잎으로 덮는 방법으로 켜켜이 묻는다.

5. 누룩밑을 안친 항아리는 방 가장자리의 따뜻하지 않은 곳에 일주일간 두었다가, 꺼내어 돗자리 또는 생포(生布) 위에다 널어 햇볕에 반나절 말린다.

6. 다시 솔잎을 깔고 그 안에 묻어 한 차례 더 띄웠다가, 다시 꺼내어 햇볕에 바싹 말려 종이봉투에 보관해 두고 배꽃이 필 때 사용한다(여름이 지난 후에도 가능하다).

술 빚는 법 :

1. 멥쌀 1말을 백세하여 (물에 담가 불렸다가, 다시 씻어 건져서 물기를 뺀 후) 아주 고운 가루로 빻는다.

2. 쌀가루를 (뜨거운 물로 익반죽하여) 구멍떡을 빚어 끓는 물에 넣고 삶아서 (익어서 떠오르면 건져서) 차게 식기를 기다린다.

3. 떡에 누룩가루 7되(3~4되)와 떡 삶은 물(10사발)을 식혀서 넣고, 고루 치대어 술밑을 빚는다.

4. 술밑을 술독에 담아 안치고 발효시키는데, 수일 만에 한 번씩 뒤집어 준다.

5. 봄철은 일주일, 여름철은 3~7일이 되면 익는데, 날씨가 더울 때는 항아리를 찬물 속에 담가둔다.

* 주방문 말미에 "술을 진하고 달게 하려면 쌀 1말에 누룩가루 7되를 넣고, 술이 맑고 독하게 하려면 3~4되를 넣는데, 떡 삶은 물을 식힌 뒤에 섞어 빚는다. 쌀밥을 지어 보통 방법대로 담기도 하고 찹쌀로 담기도 한다. 날물이 들어가지 않게 주의해야 한다. 이 누룩은 덩어리를 만들 때 너무 건조하면 단

단하게 되지 않고, 너무 질면 가운데가 썩어 푸른곰팡이가 핀다."고 하였다.

梨花酒方

一名白雪香. 正月上亥或上旬白米浸水漉細末細篩不用水 捏作塊大如鷄卵於甕中用以松葉作隔層鋪放房內不暖處七日出鋪草薦或生布上晒乾半日又埋松葉如是者再次後晒令極乾藏置紙囊. 梨花開後釀之(經夏亦可). 白米百洗爲末作孔餠煮出停冷以所造麴末拌勻入甕數日一翻倒春一七夏三七可用熱時置甕水中欲酒稠甘則一斗入麴末七升欲其淸烈則入三四升煮餠水停冷調釀或丞米飯如常釀法或用糯米皆終始切忌生水. (此麴)作塊時太燥則不堅太濕則中腐有靑點. <四時纂要抄>.

33. 이화주 <조선무쌍신식요리제법(朝鮮無雙新式料理製法)>

> 누룩 재료 : 멥쌀(1말), 솔잎, 독
> 술 재료 : 멥쌀 또는 찹쌀 1말, 누룩(이화곡) 3~7되, (떡 삶은 물 적당량)

누룩 빚는 법 :

1. 정월 첫 해일(또는 상순) 3일 전에 흰쌀(멥쌀 1말)을 백세하여 하룻밤 담가 불렸다가, 다시 씻어 건져 물기를 빼지 말고 그대로 가루로 빻는다.

2. 쌀가루에 물을 치지 말고 체에 내린 후, 오리알만 한 크기로 단단히 뭉쳐 누룩밑을 빚는다.

3. 독에 솔잎과 누룩밑을 격지격지(층층이) 묻어 방에 덥지 않게 하여 둔다.

4. 7일 만에 누룩밑을 꺼내고 삿자리나 헝겊조각에 펴놓아 반나절쯤 햇볕에 건조시킨 다음, 다시 앞서와 같이 솔잎 속에 묻어놓는다.

5. 이와 같은 방법으로 2회 정도 반복한 후, 꺼내어 햇볕에 다시 내어 바짝 말린다.

6. 건조시킨 누룩은 종이봉투에 담아 보관한다.

술 빚는 법 :

1. 배꽃이 진 후나 여름이나 가을에 술을 빚을 때, 흰쌀 또는 찹쌀(1말)을 백세 하여 물에 담가 불렸다가, 다시 씻어 건져서 물기를 뺀다.
2. 불린 쌀을 가루로 빻고, 뜨거운 물로 익반죽한 뒤, 구멍떡을 빚는다.
3. 빚은 구멍떡을 끓는 물 속에 넣고 삶아서, 익어 떠오르면 건져서 물기 없는 그릇에 담는다.
4. 준비해 둔 이화곡을 가루로 빻고 또 빻아 고운체에 내려서 3~7되를 준비 한다.
5. 떡은 식기 전에 주걱으로 짓이겨서 덩어리진 것이 없이 하고, 차게 식기를 기다린다.
6. 짓이겨 식힌 떡에 이화곡 가루 3~7되를 합하고, 고루 주물러 술밑을 빚는다.
7. 술밑을 술독에 담아 안치고, 술이 익을 때 술독을 물에 담가두어 지나치게 끓지 않도록 한다.
8. 술독은 2일 간격으로 한 번씩 뒤적여 주는데, 봄에는 7일(여름에는 14일 후 뒤적여 주고) 돌아오는 둘째 날이면 익는다.

* 주방문 말미에 "술을 달게 하려면 쌀 1말에 누룩 7되를 넣고, 맑고 씩씩하게 하려면 누룩을 3~4되 넣고, 떡 삶은 물을 식혀서 한데 넣을지니, 혹 멥쌀을 쪄서 항용법(상법)과 같이 빚기도 하고, 혹 찹쌀로 빚기도 하나, 처음이나 나 중이나 물기를 절대 금하고, 누룩을 반죽할 때에 너무 마르면 단단치 못하 고, 너무 축축하면 썩거나 푸른곰팡이가 스나니라. 배꽃은 넣지 않고 '이화 주'라 하는 것도 이상하고, 봄보담 여름에 더 두는 것이 모호하나 옛 법대로 써노라."고 하였는데, 이는 글쓴이가 술을 빚어보지 않고 방문을 그대로 옮 겨둔 듯하다.

리화주(白雪香)

정월 첫 해일이나 흑 상순에 사흘 전 기하야 흔쌀을 백 번 씨서 물에 당가 곱게 작말하야 물 치지 말고 반죽하야 게란 만큼식 덩어리를 지여 독 속에 솔립흘 격거 노아 칭칭이 펴고 다 느은 후에 방 속에 덥지 안은 데 두엇다가 니레 만에 끄내여 삿재리나 헌겁 조각에 펴노아 반나절쯤 볏헤 말려 쏘 솔립헤 무도노코 이러케 두어 번 한 후에 내여 밧삭 말으거든 종희주머니에 느코 배꼿치 진 후에나 여름에나 가이 비즐게니 흔쌀은 백 번 씨서 전과 가티 가루 만드러 구무썩 만드러 써내여 식거든 맨드럿든 누룩가루로 고루 주무러 독에 느코 두어 날 만에 한 번식 뒤집어 봄에는 한니레 여름에는 제일혜면 쓰나니 익을 쌔 독을 물속에 늘 거시니 술을 달게 하랴면 쌀 한 말에 누룩 일곱 되를 느코 맑고 씩씩하게 하랴면 누룩을 서너 되 느코 썩 살문 물을 식혀서 한테 늘지니 흑 멥쌀을 써서 행용법과 가티 빗기도 하고 흑 찹쌀로 빗기도 하나 처음이나 나종까지 물기는 대기하고 누룩을 반죽할 쌔에 넘우 말으면 단단치 못하고 넘우 축축하면 가운데가 써거서 풀은 곰팡이 스나니라. 배꼿은 느치 안코 리화주라 하는 것도 이상하고 봄보담 여름에 더 두는 것이 모호하나 녯법대로 써노라.

34. 이화주방문 <주방(酒方)>*

술 재료 : 멥쌀 10말, 이화곡 가루 3말~5말, (떡 삶은 물 1말 5되가량)

술 빚는 법 :
1. 멥쌀 10말을 백세하여 (물에 담가 하룻밤 불렸다가, 다음날 다시 고쳐 씻어 헹궈서) 작말한다(가루로 빻는다).
2. 쌀가루를 체에 내리고, 솥에 물을 넉넉히 붓고 끓기 직전의 뜨거운 물(1말 5되가량)을 골고루 뿌려서 치대어 익반죽을 만든다.
3. (익반죽을 한 주먹 크기로 떼어서 둥글납작한) 구멍떡을 빚고, 끓는 물솥에

넣고 삶아, 익어 떠오르면 건져서 물기 없는 그릇에 담아놓는다.

4. 떡이 (식기 전에 주걱으로 매우 으깨어서 덩어리진 것 없이 하여) 식기를 기다린다.

5. 떡에 준비한 누룩을 짐작하여 3~5말을 합하고(달고 걸쭉하게 하려면 누룩가루를 많이 넣고, 독하게 하려면 적게 넣는다.) 마른 것이 없이 골고루 섞어 술밑을 빚는다.

6. (술밑을 빚기 힘들면, 떡 삶은 물을 쳐가며 손으로 많이 치대어 진흙같이 만든다.)

7. 술밑을 술독에 담아 안치고 (술독은 흰 종이로 밀봉한 후) 술 빚었던 큰 그릇으로 덮어서 발효시키는데, 3~4일 만에 가장자리(차지도 덥지도 않은 곳)로 밀어둔다.

8. 술 빚은 지 3~4일 만에 술독을 열어보아, 따뜻한 기운이 느껴지면 다시 찬 곳으로 옮겨놓는다.

9. 술밑에서 더운 기운이 없으면 큰 물그릇으로 덮어두었다가, 5월 초 열흘째 만에 떠서 먹는다.

니화듀방문
빅미 열 말을 빅셰ᄒ야 ᄒ로밤 둠가 둣다가 잇튼날 건져 시서 작말하야 ᄀ는빗에 노으여 반쥭ᄒ야 구모쎡 믹그라 무르 슬마내여 더운 긔운이 잠간 업거든 녀분 그릇시 버려 주엽쎡 밍그라 내여 누룩을 짐쟉ᄒ여 섯그되 ᄆ른 곳 업시 ᄒ야 무흔 츠거든 독의 여혀 두되 담아던 그릇슬 ᄀ우로 비겨 둣다가 사나흘 지낸 후의 여러보와 훈텁 듯한 긔운이 오르는 듯시 디ᄒ거든 도로 내여 물 업슨 그릇세 버려 ᄀ쟝 더운이 긔운이 업거든 그 항의 녀허 둣다가 오월 초 열흘쯰만 쓰ᄂ니라.
이 술(이화주) 누룩법은 빗고치 브야흐로 픠여든 모희ᄡᆞᆯ을 하며 져그믄 짐작ᄒ여 빅셰 작말ᄒ야 제 물의 주기(를) 올히알만치 주여 솔닙픠 자여 픠워 소옥긔 누르거든 내어 물뢰여 지허 모시뵈에 노오여 ᄡᆞ되 수를 들게 ᄒ려 ᄒ거든 한 말의 누룩 닷 되식의 되고 썩도 ᄎᆞᆯ을 반을 섯거 ᄒᆞ고 쓰게 ᄒ려 ᄒ거든

서 되 흐고 모호로 흐라.

35. 이화주 <주방문(酒方文)>

누룩 재료 : 멥쌀 1말, 볏짚, 섶
술 재료 : 멥쌀 5말, 누룩(이화곡)가루 2말 5되, 떡 삶은 물(2되 정도)

누룩 빚는 법 :

1. 정 2월에 멥쌀 1말을 백세하여 (물에 깨끗이 씻어 담가 불린 뒤, 건져서 물기를 뺀 후) 작말하되, 지극히 곱게 빻는다.

2. 쌀가루에 물을 적당히 섞어 체에 내려서 오리알만 하게 단단히 쥐어 누룩밑을 빚는다.

3. 누룩밑을 볏짚에 달걀 쌓듯 하여 섶에 넣어 더운 방에 두고 7일간 띄운다.

4. 7일 후에 누룩밑을 뒤집어 위치를 바꾸어 주고, 다시 7일간 띄운다.

5. 7일 후에 누룩밑을 뒤집어 위치를 바꾸어 주고, 다시 7일간 띄운 다음, 꺼내어 겉의 껍질을 (칼로) 깎아 벗겨내어 이화곡을 준비한다.

6. 이화곡을 햇볕이 잘 들고 바람이 통하는 곳에 모두 내어 날마다 거풍하여 법제한다.

7. 법제한 이화곡을 가루로 빻고 다시 체로 쳐서 고운 가루를 만들어 준비한다.

술 빚는 법 :

1. 멥쌀 5말을 백세하여 (물에 깨끗이 씻어 담가 불린 뒤, 건져서 물기를 뺀 후) 작말하되, 다시 빻고 고운체에 쳐서 고운 가루를 장만한다.

2. 쌀가루를 익반죽하여 구멍떡을 빚고, 끓인 물 속에 넣고 삶아서 익어 떠오르면 건져서 물기 없는 그릇에 담아놓고 잠깐 식힌다.

3. 떡은 식어 굳어지기 전에 누룩가루 2말 5되를 골고루 섞고, 아주 많이 쳐서

무르게 되면, 떡 삶았던 물을 섞어 쳐서 송편떡같이 빚는다.

4. 송편떡이 가장 차게 식거든 독에 담아 안친다(맨 위에 이화곡 가루를 뿌리 듯 하여 덮어주고, 흰 종이로 덮고 단단히 밀봉한다).

5. 술 빚은 지 3~4일 만에 보아 더운 기운이 있거든 내어 식히고, 가장 서늘한 데 두었다가, 5월 열흘 후에 채주하여 마신다.

* 주방문 말미에 "물 하면 가장 쓰니라. 누룩 줄 때 물 많이 하면 푸른 기미 나 고, 적으면 더슥더슥ㅎㄴ니 알맞추어 하라."고 하여 누룩 빚을 때 물의 양을 잘 조절할 것을 당부하였다.

니화쥬

졍이월의 빅미 두 말 닷 되 ㄱ장 시어 우려 작말 지극이 ㅎ여 믈 알맞게 섯거 올히알마곰 든든히 쥐여 집픠 계란 쏫둣 ㅎ여 셤의 너허 더운 방의 더퍼둣다 가 닐웬 만의 고텨 뒤녀코 쏘 닐웬 만의 뒤녀코 쏘 닐웬 만의 내여 밧겁딜 갓 가 조케 ㅎ여 며조 버히둣 서너 편의 버혀 섬의 다마 날마다 거풍ㅎ여 작말 다시곰 처 샹빅미 닷 말 빅셰작말 다시곰 처 구무쩍 밍드라 술마 내여 잠간 식거든 비즈라. 뿔 흔 말의 누룩 닷 되 드느니 섯거 ㄱ장 미오 쳐 므르거든 썩 숢던 믈 노하 쳐 손녑쩍ㄱ티 ㅎ여 ㄱ장 츠거든 독의 느러니 버려 답사리 말라 사나흘 만의 보면 더운 긔운 잇거든 내여 시겨 녀허 ㄱ장 서늘흔 듸 둣다가 오 월 열흘 후에 쓰라. 믈 하면 ㄱ장 쓰ㄴ니라. 누룩 줄 제 믈 만ㅎ면 프른 기믜 나고 져그면 더슥더슥ㅎㄴ니 알마초 ㅎ라.

36. 이화주법 <주방문조과법(造果法)>

누룩 재료 : 멥쌀(5되), 솔잎
술 재료 : 찹쌀 5되, 멥쌀 5되, 이화곡(가루누룩) 2되 5홉~5되, 뜨거운 물(1되 5 홉가량)

누룩 빚는 법 :

1. 2월에 멥쌀을 도정을 가장 많이 하여 (백세하여) 물에 담가 2일간 불렸다가, 다시 씻어 헹궈서 작말한다.
2. 쌀가루에 다른 물을 치지 말고, 손으로 단단히 쥐어 (달걀 크기만 한) 누룩 밑을 빚는다.
3. 누룩밑을 솔잎에 켜켜로 묻어 따뜻한 곳에 두고 7일간 띄운다.
4. 누룩밑이 누릇누릇하게 곰팡이가 피었으면, 솔잎을 걷어내고 햇볕에 내어 말린다.

술 빚는 법 :

1. 3~4월에 찹쌀 5되와 멥쌀 5되를 가장 희게 쓿어(도정하여 백세한 다음, 물에 담가 불렸다가 다시 씻어 헹궈서) 작말한다.
2. 솥에 물을 넉넉히 붓고 끓이다가, 물이 따뜻해지면 1되 5홉 정도를 쌀가루에 뿌려가면서 매우 치대어 송편 반죽보다 무른 익반죽을 한다.
3. 익반죽을 한 주먹씩 떼어 구멍떡을 빚는다.
4. 구멍떡을 끓는 물에 넣고 삶아, 떡이 익어 수면 위로 떠오르면 건져서 뜨거울 때 치댄다(인절미처럼 한 덩어리로 만든다).
5. 떡을 차게 식힌 후에 이화곡 가루를 넣는데, 달게 하려면 2되 5홉~5되를 합한다.
6. 술밑은 무르고 부드러운 반대기가 될 때까지 고루 치대어 술밑을 빚는다.
7. 술밑을 술독에 담아 안치고, 한지 2~3겹을 덮어 씌워서 서늘하지도 차지도 않은 곳에서 발효시킨다.

니화쥬법

이월의 쌀 가장 쓸허 잇틀이나 불의 건져 찌 백물 말고 그저 쥐여 솔닙혜 닐웨들 띄워 누룩이 누롯누릇 하거든 매이 바래여 삼월의 비자되 달게 하려 하면 찹쌀 반 뫼쌀 반 가장 희게 쓸허 작말하여 구무떡 하여 쌀마 (더)우니 치게 한 말의 가른누룩 두 되 닷 홉 녀 하되, 맵게 하려 하면 법은 한가지어니다. 한 말의 누록 닷 되식 녀흐라. 사월의 비저도 됴하니라.

37. 이화주법 <주방문조과법(造果法)>

술 빚는 법 :

1. 멥쌀을 다소(적당량 1말)간에 백세하여 (물에 담가 불렸다가, 다시 씻어 헹궈서) 작말한다(세말한다).
2. 쌀가루를 깁체에 내려서 무거리를 제거한다.
3. 솥에 물을 넉넉히(15ℓ 정도) 붓고 끓이다가, 뜨거워지면 2~3되 정도를 뿌려가면서 고두 치대어 익반죽을 한다.
4. 솥의 물이 팔팔 끓으면 구멍떡을 넣고 삶아, 떡이 익어서 물 위로 떠오르면 건져서 안반 위에 잘게 뜯어놓아 따뜻한 기운이 남게 식기를 기다린다.
5. 이화곡을 빻고 깁체에 쳐서 얻은 고운 이화곡 가루 4~5되를 준비한다.
6. 차게 식은 구멍떡에 이화곡 가루 4~5되를 섞고 고루 치대는데, 떡이 된 듯하면 떡 삶았던 물을 쳐가면서 치대어 멍우리 없이 늘어지는 인절미처럼 술밑을 빚는다.
7. 술밑을 차게 식혀 술독에 담아 안치고, 예의 방법대로 하여 한지로 2~3겹 덮어서 차지도 덥지도 않은 곳에 앉혀두고 발효시킨다.

* 주방문에 "누룩이 적으면 술이 달지 않고, 누룩이 많으면 술이 달고 좋다."고 하였다. 또 "찹쌀을 섞으면 좋고, 너무 된 듯하면 떡 삶던 물을 묻혀가면서 치대라."고 하였다.

니화쥬법

백미를 다소간의 백세하야 작말하여 그날 체예 (내려) 반죽 맛게 하야 구무 떡 미져 살마 더운 김의 효게 뜨더너 퍼 경반의 덜고 흐밀러 제 누록 흑 너 되 덧 되식 혀여 드리라. 누록 져그면 수리 다지 아니하고 만하면 술이 달고 됴흐니 고로 섯거 치적 너모 된 덧하거든 그 삼던 믈을 술의 무쳐 치라. 차 를 반을 엇그면 됴고 셰블의셔 두블이 차리면 달고 됴흐어라. 찰이 안 하견 누록 고괴 쌀이 만곤면 희니라. 누록을 깁체예 처 녀으라. 셰면 고기 가람타.

38. 이화주 <주찬(酒饌)>

누룩 재료 : 이화곡(멥쌀 1말, 솔잎 2말, 시루 2개)
술 재료 : 멥쌀(찹쌀) 2말, 이화곡 가루 1말 4되

누룩 빚는 법 :
1. 멥쌀 1말을 백세하여 물에 담가 하룻밤 침지하였다가, 다음날 (다시 씻어 건 져서 물기를 뺀 후) 세말한다.
2. 쌀가루가 마르기 전에 한 주먹 크기로 단단히 뭉친다.
3. 시루에 솔잎을 두툼히 깔고, 그 위에 뭉친 덩어리를 올려놓는다.
4. 다시 솔잎으로 두툼하게 덮는 방법으로, 켜켜로 묻어서 7일간 띄운 다음 말 린다.

술 빚는 법 :
1. 멥쌀(찹쌀) 2말을 백세하여 (물에 담가 불렸다가, 다시 씻어 건져서 물기를 뺀 후) 작말한다.
2. 쌀가루를 따뜻한 물로 송편 반죽처럼 개서 매우 치댄 후, 공병(구멍떡)을 빚는다.
3. 솥에 물을 많이 담고 팔팔 끓으면, 공병을 넣고 삶아 떠오르면 건져낸다.

4. 떡은 따뜻할 때 으깨서 푹 퍼진 죽처럼 멍우리 없이 하여 차게 식기를 기다린다.

5. 이화곡의 겉껍질을 벗겨내고 따로 분리해 둔다.

6. 이화곡은 매우 고운 가루로 빻아서 체에 내린다.

7. 차게 식혀둔 구멍떡에 이화곡 가루 1말 4되를 섞고, 고루 치대어 술밑을 빚는다.

8. 술독에 술밑을 담아 안치고, 그 위를 따로 모아둔 이화곡 껍질로 덮는다.

9. 술독은 단단히 밀봉하여 찬 곳에 두었다가, 익으면 수저로 떠 마신다.

* 주방문에 "누룩 껍질을 벗겨 술덧 위에 덮어준다."고 한 것은 특별한 방편으로, 외부로부터 잡균의 유입을 억제시켜 발효를 돕기 위한 것으로 여겨지나, 향미를 저하시키는 요인이 되기도 한다. 또 떡반죽을 식히지 않고 이화곡을 많이 사용하여 술을 빚는데, 서늘한 곳에서 7일간 발효시키는 것과 상관있다.

梨花酒

梨花發時精白米一斗浸之翌日作細末濕潤其時如拳作塊以松葉層層鋪盛於甑置凉處七日後披開待乾其外皮別置後亂搗作正末粘白間某米二斗百洗作末泥如松餅拌粥而作孔餅熟烹方溫時作正末者一斗四升合釀若欲甘則一斗六升可也合釀以去皮別置者覆覆其上後堅封置寒處待熟食則味如蜜.

39. 이화주법 <증보산림경제(增補山林經濟)>

누룩 재료 : 멥쌀(1말), 솔잎(2말).
술 재료 : 멥쌀 1말, 이화곡 가루 7되 또는 3~4되, 뜨거운 물(1되 5홉가량)

누룩 빚는 법 :

1. 정월 첫 해일 3일 전에 멥쌀을 백세하여 물에 담가 불렸다가 (다시 고쳐 씻어 헹궈서) 세말한다(고운 가루로 빻는다).

2. 쌀가루를 체에 내려서 물을 치지 말고, 달걀 크기로 단단히 뭉쳐서 누룩밑을 빚고, 독 안에 솔잎에 켜켜이 묻어 방 윗목의 따뜻하지 않은 곳에 두어 띄운다.

3. 7일 만에 꺼내고 돗자리나 베보자기 위에 펼쳐서 반나절 동안 볕에 말렸다가, 다시 솔잎에 묻어 재차 띄운다.

4. 다시 7일 후에 햇볕에 내어 한나절 바짝 말려서 건조시킨다.

5. 누룩은 칼로 껍질을 깎아내거나 솔질하여 곰팡이를 제거하여 갈무리해 두었다가, 술 빚을 때 가루로 빻고 집체에 내려서 고운 가루를 만들어 사용한다.

술 빚는 법 :

1. 여름에 멥쌀(1말)을 백세하여 (물에 담가 불렸다가, 다시 씻어 헹궈서) 세말한다.

2. (쌀가루를 체에 한 번 내린 후) 솥에 물을 넉넉히 붓고 끓기 직전의 뜨거운 물(1되 5홉가량)을 골고루 뿌려서 치대어 익반죽을 만든다.

3. (익반죽을 한 주먹 크기로 떼어서 둥글납작한) 구멍떡을 빚고, 끓는 물솥에 넣고 삶아, 익어 떠오르면 건져서 물기 없는 그릇에 담아놓는다.

4. 떡이 (식기 전에 주걱으로 매우 으깨어 덩어리진 것 없이 하여) 식기를 기다린다.

5. 술을 달고 걸쭉하게 하려면 준비한 누룩가루 7되를 골고루 섞는데, 이때 힘들면 떡 삶은 물을 쳐가면서 손으로 많이 치대어 (진흙 같은) 술밑을 빚는다.

6. 술밑을 술독에 담아 안쳐서 발효시키는데, 3~4일 만에 손으로 뒤적여 준다.

7. 봄에는 7일, 여름에는 3~7일이면 술이 익는데, 날이 뜨거우면 찬물 속에 독을 담가서 익힌다.

* 주방문 말미에 "쌀밥을 지어 여느 방법대로 담기도 하고 찹쌀로 담기도 하는

데, 어느 경우든 시종 생수 기를 금해야 한다. 이 누룩은 덩어리를 만들 때
에 너무 건조하면 단단하게 되지 않고, 너무 질게 하면 가운데가 썩어 푸른
곰팡이가 생긴다.”고 하였다. 또 “이 누룩은 배꽃이 필 때부터 여름이 지날 때
까지 사용한다.”고 하였다.

梨花酒法

正月上亥前期三日 白米百洗浸水出細末細篩中不用水 捏作塊大於鷄卵甕中
以訟葉作隔層鋪置房上不暖處七日出鋪草席或生布上晒乾半日又埋松葉又如
是一次後出 晒令極乾藏置紙囊 梨花開後經夏皆可釀之 白米如前爲末作孔餅
煮出停冷以所造麵末勻拌入甕數日一翻易春一七夏三七可用熱時置甕水中欲
酒稠甘則一斗入麵末七升要酒淸烈則入三四升以煮餅水停冷調釀之 或蒸米
飯如常法釀之或以粘米釀之皆終始切忌生水氣. 此麵作塊時太燥則不堅太濕
則中腐有靑點.

40. 이화주 <침주법(浸酒法)>
−쌀 한 말 빚이

누룩 재료 : 멥쌀, 볏짚, 공석
술 재료 : 멥쌀 1말, 이화곡 가루 3되∼2되

누룩 빚는 법 :
1. 정월 초열흘에 멥쌀을 많고 적고를 가리지 말고 백세하여 하룻밤 물에 담가
   불렸다가, 다시 씻어 건져서 (물기를 빼지 말고) 가루로 빻는다.
2. 쌀가루를 (빻은 즉시) 두 손으로 단단히 쥐어 (뭉쳐서 오리알 크기의) 누룩
   밑을 만든다.
3. 누룩밑을 볏짚으로 싸고, 다시 공석으로 싸서 (시렁에 올려놓고) 띄운다.

4. 누룩을 띄운 지 3일이 지나서 꺼내어 볕에 말려두었다가 (두세 겹으로 된 종이봉투에 담아) 서늘하고 통풍이 잘되는 곳에 보관한다.

술 빚는 법 :

1. 여름에 멥쌀 1말을 백세하여 (하룻밤 물에 담가 불렸다가, 다시 씻어 건져서 물기를 뺀 후) 가루로 빻는다.
2. 솥에 물을 넉넉히 붓고 끓이다가, 뜨거워지면 쌀가루에 골고루 뿌려 익반죽을 만든 뒤 한 주먹씩 떼어 구멍떡을 빚는다.
3. 솥의 물이 끓으면 구멍떡을 넣고 삶아, 익어서 물 위로 떠오르면 건져서 (주걱으로 많이 짓이겨서) 차게 식기를 기다린다.
4. 누룩(이화곡)을 가루로 빻고 깁체에 쳐서 매우 고운 누룩가루 3되~2되를 만들어 한데 합하고, 고루 치대어 술밑을 빚는다.
5. 술밑을 술독에 담아 안치고, 예의 방법대로 하여 (2~3겹의 한지로 뚜껑을 덮어 서늘한 곳에서 발효시켜) 익기를 기다린다.

니화쥬(梨花酒)—흔 말

정월 초 열흔 날 빅미를 적게나 만케나 아무 ○○○대로 빅셰ㅎ야 흐ㄺ 쌈 재여 ㄱㄹ 브아 믈 말오 쥐여 덩이를 밍그라 나록지페 빠 그늘애 드라 둣더가 사흘 만의 내여 믈의여 둣더가 녀름에 빅미 흔 말을 빅셰ㅎ야 ㄱㄹ 브아 구무쩍 밍그라 닉게 술마 치와 밍그랏던 누룩 서 되나 두 되나 섯거 둣더가 닉거든 쓰라.

41. 우(又) 이화주 <침주법(浸酒法)>
−쌀 닷 되 빚이

누룩 빚는 법 :

1. 정월 초 돌날 멥쌀 5되를 돌 없이 일어 잘 씻어 물에 담가 불렸다가, 다시 씻어 건져서 (물기를 빼지 말고) 가루로 빻는다.
2. 쌀가루를 손으로 단단히 쥐어 (오리알 크기) 덩어리의 누룩밑을 만들어놓는다.
3. 누룩밑을 낱낱이 종이에 싸서 오자미를 엮고, (작은 상자에) 솔잎을 깔고 그 위에 오자미에 싼 누룩밑을 깐 다음, 사이사이에 솔잎을 채워 넣는다.
4. 누룩밑을 (담은 상자를) 바람이 잘 통하고 햇볕이 드는 곳(선반)에 달아(얹어)두고 발효시킨다.
5. 누룩은 3월 그믐에서 4월 초승에 배꽃이 필 때 꺼내되, 누룩 빛깔이 누렇거든 말려서 사용한다.

* 주방문에 '이화주'라고 하였으나, '이화곡' 방문이다.

쏘 니화쥬(梨花酒) 누록
정월 첫 돗날 빅미 닷 되롤 돌 업시 조히 시서 붓거든 씨흐며 쥐여 낫마동 죠히예 빠 미여 오자미롤 맛게 엿거 몬져 솔닙플 실고 그 우희 그 누록을 실고 스이 스이 신라 브롬혀는디 드라 둣더가 삼월 그몸 스월 초성애 빗곳 필 제 내되 빗치 누르거든 물의여 쓰라. 믈 말오 쥐여 덩이롤 밍그라 나록지페 빠 그 늘애 드라 둣더가 사흘 만의 내여 믈의여 둣더가 녀름에 빅미 흔 말을 빅셰ᄒᆞ야 ᄀᆞᄅ 브아 구무쩍 밍그라 닉게 살마 치와 밍그랏던 누록 서 되나 두 되나 섯거 둣더가 닉거든 쓰라.

42. 이화주 <침주법(浸酒法)>

－쌀 너 말 빚이

누룩 재료 : 멥쌀 2말, 솔잎
술 재료 : 멥쌀 2말, 이화곡 가루 3되~5되

누룩 빚는 법 :

1. 메꽃(배꽃)이 반만 피었을 때에 멥쌀 2말을 백세하여 하룻밤 물에 담가 불렸다가, 다시 씻어 건져서 물기를 뺀 후 가루로 빻는다.

2. 쌀가루를 두 손으로 단단히 쥐어 (오리알 크기의) 누룩밑을 만든다.

3. (시루나 단지에) 솔잎을 깔고 그 위에 누룩밑을 서로 닿지 않게 놓고, 다시 솔잎으로 덮는 방법으로 격지격지 놓아 띄운다.

4. 누룩을 띄운 지 3~4일이 지나 노란 곰팡이가 피었으면 꺼내어 긁어낸다.

5. 다시 누룩을 솔잎에 격지격지 묻어 띄우고, 푸른곰팡이가 피었으면 꺼내어 (가장 띄엄띄엄 놓아) 밤낮으로 햇볕에 말리고 이슬을 맞힌다.

6. 법제를 마친 누룩은 여러 겹으로 만든 종이봉투에 넣어 보관해 두고, 필요할 때 꺼내어 가루로 빻아 사용한다.

술 빚는 법 :

1. 4월에서 6월 사이에 멥쌀 2말을 백세하여 하룻밤 물에 담가 불렸다가, 다시 씻어 건져서 물기를 뺀 후 가루로 빻는다.

2. 솥에 물을 넉넉히 붓고 끓이다가, 뜨거워지면 쌀가루에 골고루 뿌려 익반죽을 만든 뒤 한 주먹씩 떼어 구멍떡을 빚는다.

3. 솥의 물이 끓으면 구멍떡을 넣고 삶아, 익어서 물 위로 떠오르면 건져서 주걱으로 많이 짓이겨서 차게 식기를 기다린다.

4. 누룩(이화곡)을 가루로 빻고 집체에 쳐서 매우 고운 누룩가루 3되~5되를 만들어 한데 합하고, 고루 치대어 술밑을 빚는다.

5. 술밑을 술독에 담아 안치고, 예의 방법대로 하여 (2~3겹의 한지로 뚜껑을 덮어 서늘한 곳에서) 발효시킨다.

* 주방문 말미에 술맛을 "쓰게(독하게) 하려면 이화곡 가루 3되를, 쓰지 않게 하려면 4되를, 달게 하려면 5되를 넣으라."고 하였다. "또 8~9월 사이에 하였다가, 이듬해 3~4월 사이에 먹느니, 물 없이 빚으라."고 하였다.

이화주(梨花酒)―두 말

비고지 반만 필 시저레 빅미 두 말 일빅 믈 시서 ᄒᆞᄅᆞ 쌈 재여 ᄀᆞᄅᆞ 밍그라 쇼근며조ᄀᆞᆺ치 주여 솔닙플 격ᄌᆞ노화 ᄢᅴ워 노론 곰박이 픠거든 글거브리고 ᄯᅩ 솔닙페 ᄢᅴ우면 프른 동노기 픠거든 내여 ᄀᆞ장 속게 ᄡᅳ려 밤나줄 믈위엿더가 ᄉᆞ월이어나 오월이어나 뉴월이어나 빅미 두 말 일빅 믈 시서 ᄀᆞ르브아 구뭇덕 밍그라 ᄀᆞ장 식거든 그 누록을 브아 녀호ᄃᆡ 쓰게 ᄒᆞ고져 ᄒᆞ거든 흔마래 서 되를 녀코 듕간케 ᄒᆞ고져 ᄒᆞ거든 너 되 너되를 녀코 들게 하고져 ᄒᆞ거든 닷 되 녀ᄒᆞ라. 칠팔월 ᄉᆞ이도 죠ᄒᆞ니라. ᄯᅩ 팔구월 ᄉᆞ이예 ᄒᆞ여더가 ○○○○○○ ᄉᆞ이예 먹ᄂᆞ니 믈 업시 빗ᄂᆞ니라.

43. 이화주 <한국민속대관(韓國民俗大觀)>

술 재료 : 멥쌀 1말, 누룩가루 3되

술 빚는 법 :
1. 멥쌀 1말을 백세하여 (물에 담가 불렸다가, 다시 씻어 물기를 뺀 다음) 가루로 빻는다.
2. (쌀가루에 뜨거운 물을 뿌려가면서 섞고, 매우 치대서 익반죽을 만든다.)
3. (익반죽을 한 주먹씩 떼어내어 둥글납작한) 송편같이 빚고, 팔팔 끓는 물에

넣어 익게 삶는다.

4. 떡이 익어 물 위로 떠오르면 건져서 (주걱으로 짓이겨서 한 덩어리가 되게 풀어 놓고, 뚜껑을 덮어 차갑게 식을 때까지 기다린다).

5. 식은 떡에 준비해 둔 이화곡 가루 3되를 한데 합하고 (늘어질 정도가 되게 고루 치대어) 술밑을 빚는다.

6. 술밑을 술독에 담아 안치되, 예의 방법대로 하여 (한지를 여러 겹으로 씌워 차지도 덥지도 않은 곳에 두고 3~4일간) 발효시킨다.

7. 술 빚은 지 3~4일 후에 (술독을 서늘한 곳으로 옮겨놓고) 떠서 마신다.

* 주방문에 "3~4일 후에 익는데, 배꽃이 활짝 필 때에 담근다."고 하였다. 따라서 '이화주'는 배꽃이 필 때 빚는 술이란 데서 술 이름을 가져왔다는 것을 알 수 있는데, 다른 기록에는 이화주용 누룩인 이화곡을 배꽃 필 때 빚는다고 하였다. 이화주에 대한 해석이 다르다는 것을 알 수 있다. <음식디미방>의 '이화주' 주방문을 소개한 것이다.

이화주

백미 한 말을 잘 씻고 곱게 가루 내어 물송편을 만들어 익을 때까지 삶아서 건져낸다. 이어서 잘 풀고 차게 식으면 누룩가루 서 되를 고루 섞어 빚어 넣는다.

44. 이화주 <한국민속대관(韓國民俗大觀)>

술 재료 : 멥쌀 5말, 누룩가루 1말, 뜨거운 물(5되~6되가량)

술 빚는 법 :

1. 멥쌀 5말을 백세하여 (물에 담가 불렸다가, 다시 씻어 물기를 뺀 다음) 고운

가루로 빻는다.

2. 쌀가루를 깁체에 한두 차례 쳐서 고르게 한 뒤에 뜨거운 물을 뿌려가면서 섞고, 매우 치대서 익반죽을 만든다.

3. 익반죽을 한 주먹씩 떼어내어 둥글납작한 송편같이 빚고, 팔팔 끓는 물에 넣어 익게 삶는다.

4. 떡이 익어 물 위로 떠오르면 건져서 (주걱으로 짓이겨서 한 덩어리가 되게 풀어 놓고, 뚜껑을 덮어) 차갑게 식을 때까지 기다린다.

5. 식은 떡에 준비해 둔 이화곡 가루 1말을 한데 합하고 (늘어질 정도가 되게 고루 치대어) 술밑을 빚는다.

6. 술밑을 술독에 담아 안치되, 예의 방법대로 하여 (한지를 여러 겹으로 씌워 차지도 덥지도 않은 곳에 두고 6~7일간) 발효시킨다.

7. 술 빚은 지 (6~7일 후에 술독을 서늘한 곳으로 옮겨놓고) 20일 후에 떠서 마신다.

이화주

백미 닷 말을 잘 씻고 가루 내어 깁체로 쳐서 물송편을 만들어 삶는다. 건져 낸 물송편이 따뜻할 때 잘 풀어 덩어리가 없게 하고, 차게 식으면 누룩가루 한 말을 넣어 빚는다. <규합총서>의 '이화주' 주방문을 소개한 것이다.

45. 이화주 <한국민속대관(韓國民俗大觀)>

누룩 재료 : 멥쌀(5~6되)
술 재료 : 멥쌀 1말, 가루누룩(이화곡) 2~4되

누룩 빚는 법 :
1. 복숭아꽃이 활짝 필 때, 멥쌀을 (물에 여러 번 깨끗하게 씻어 불렸다가, 다시

씻어 건져서 물기가 다 빠지기 전에) 아주 고운 가루로 빻는다.

2. 쌀가루에 물을 적당량 뿌려서 고루 섞은 뒤, 중간체에 한 번 쳐서 내린 후 곧 바로 한 움큼씩 쥐어 오리알 크기로 단단히 뭉쳐 누룩밑을 만든다.

3. 볏짚으로 만든 빈 섬 속에 누룩밑을 서로 닿지 않게 넣어 채운다.

4. 누룩밑을 담은 섬을 더운 방에 두고 7일간 띄웠다가, 꺼내어 누룩의 위치를 바꾸어 넣고, 재차 7일간 띄운다.

5. 7일 후에 누룩(이화곡)을 꺼내고, 솔을 이용하여 누룩에 붙어 있는 볏짚과 먼지, 곰팡이를 털어낸다.

6. 누룩을 밤톨 크기로 쪼갠 후에 고리짝에 담아, 햇볕에 내어 완전히 건조시 켜서 나쁜 냄새를 없애고 하얗게 바랜다.

술 빚는 법 :

1. 멥쌀 1말을 백세하여 (물에 담가 불렸다가, 다시 씻어 물기를 뺀 다음) 고운 가루로 빻는다.

2. 쌀가루에 뜨거운 물을 뿌려가면서 섞고, 매우 치대서 익반죽을 만든다.

3. 익반죽을 한 주먹씩 떼어내어 둥글납작한 송편같이 빚고, 팔팔 끓는 물에 넣어 익게 삶는다.

4. 떡이 익어 물 위로 떠오르면 건져서 (주걱으로 짓이겨서 한 덩어리가 되게) 풀어놓고 (뚜껑을 덮어 제 몸에 차갑게 식을 때까지) 기다린다.

5. 식은 떡에 준비해 둔 이화곡 가루 2~4되를 한데 합하고 (늘어질 정도가 되 게 고루 치대어) 술밑을 빚는다.

6. 술밑을 술독에 담아 안치되, 예의 방법대로 하여 (한지를 여러 겹으로 씌워 차지도 덥지도 않은 곳에 두고 6~7일간) 발효시킨다.

7. 술 빚은 지 (6~7일 후에 술독을 서늘한 곳으로 옮겨놓고) 두고두고 떠서 마 신다.

이화주
여기에 쓰이는 누룩은 복숭아(배)꽃이 필 때, 백미를 가루 내어 누룩을 만들고, 빈 섬에 담아서 띄워둔다. 백미 한 말을 잘 씻어서 가루 내고 물송편을 만들어 잘 익게 삶아서 건져낸 다음, 곱게 풀어서 식힌다. 여기에 여러 번 곱게 친 누룩가루 두서너 되를 잘 섞어서 함께 빚어 넣는다. 누룩은 고울수록 좋고, 분량은 두 되를 넣을 경우는 오래 두어도 물(술)이 변하지 않는다. <주방문>의 '이화주' 주방문을 인용한 것이다.

46. 이화주 <한국민속대관(韓國民俗大觀)>

누룩 재료 : 멥쌀 2말 5되

술 재료 : 멥쌀 5말, 가루누룩(이화곡) 5되, 뜨거운 물(5~6되가량)

누룩 빚는 법 :

1. 음력 정월 또는 2월에 멥쌀 2말 5되를 물에 여러 번 깨끗하게 씻어 (불렸다가 다시 씻어 건져서 물기가 다 빠지기 전에) 아주 고운 가루로 빻는다.
2. 쌀가루에 물을 적당량 뿌려서 고루 섞은 뒤, 중간체에 한 번 쳐서 내린 후 곧바로 한 움큼씩 쥐어 오리알 크기로 단단히 뭉쳐 누룩밑을 만든다.
3. 볏짚을 (한 움큼 쥐어지는 대로) 달걀 꾸러미처럼 엮고, 그 안에 누룩밑을 서로 닿지 않게 넣어 채운다.
4. 공석에 볏짚 꾸러미를 넣고, 더운 방에 두고 7일간 띄운다.
5. 7일 후에 볏짚 꾸러미의 위치를 바꾸어 넣고, 7일간 띄운다.
6. 7일 후에 누룩(이화곡)을 꺼내고, 솔을 이용하여 누룩에 붙어 있는 볏짚과 먼지, 곰팡이를 털어낸다.
7. 누룩을 밤톨 크기로 쪼갠 후에 고리짝에 담아, 햇볕에 내어 완전히 건조시켜서 나쁜 냄새를 없애고 하얗게 바랜다.

술 빚는 법 :

1. 멥쌀 5말을 백세하여 (물에 담가 불렸다가, 다시 씻어 물기를 뺀 다음) 가루로 빻는다.

2. 쌀가루에 뜨거운 물을 뿌려가면서 섞고, 매우 치대서 익반죽을 만든다.

3. 익반죽을 한 주먹씩 떼어내어 둥글납작한 송편같이 빚고, 팔팔 끓는 물에 넣어 익게 삶는다.

4. 떡이 익어 물 위로 떠오르면 건져서 (주걱으로 짓이겨서 한 덩어리가 되게 풀어 놓고, 뚜껑을 덮어 제물에 차갑게 식을 때까지) 기다린다.

5. 식은 떡에 준비해 둔 이화곡 가루를 한데 합하고, 늘어질 정도가 되게 고루 치대고 송편처럼 만들어 술밑을 빚는다(한 무리가 되게 뭉치고, 몇 조각으로 나누어놓는다).

6. 술밑을 술독에 담아 안치되, 예의 방법대로 하여 (한지를 여러 겹으로 씌워 차지도 덥지도 않은 곳에 두고) 3~4일간 발효시킨다.

7. 술 빚은 지 3~4일 후에 술독이 따뜻하고 더운 기운이 느껴지면, 서늘한 곳으로 옮겨 놓고 70일 후에 떠서 마신다.

* 주방문에 <시의방>을 참고하였다고 하였는데, <시의방>은 <음식디미방>인지 아니면 다른 문헌인지 확실하지 않다.

이화주

정이월에 백미 두 말 닷 되를 여러 번 씻어 건진 다음에 아주 고운 가루를 만든다. 여기에다 물을 알맞게 섞어 오리알만 하게 단단히 뭉쳐서 지푸라기로 계란 꾸러미 엮듯이 하여 섬에 넣어 더운 방에서 띄운다. 이레 후에 고쳐서 넣고 다시 띄우며, 또 이레 후에는 꺼내어 먼지와 티를 털어서 깨끗이 하여 메주 베듯이 서너 조각으로 쪼갠 다음, 고리짝에 담아 매일 햇볕을 쬐어서 냄새를 없앤다. 백미 닷 말을 잘 씻고 가루 내어 아주 곱게 친 다음, 물송편을 만들어 삶아낸다. 다 식은 후에 가루누룩 닷 되를 넣고 매우 쳐서 송편같이 만들어 독에 나란히 넣어야 하는데, 겹치지 않도록 주의해야 한다(술밑을 덩이덩이 지어 술독에 담아 안치는데, 공기가 없도록 다져 넣는다). 사나흘이 지난 다음 뚜껑을 열어보아, 더운 기운이 솟으면 아주 서늘한 곳에 옮겨 두도록 한다. 이 술은 이렇게 빚어두었다가 두 달 열흘 후에 쓰게 되는데, 물을 타면 술이 매우 시어지므로 그냥 마셔야 한다.

47. 이화주 <해동농서(海東農書)>

누룩 재료 : 멥쌀(1말), 솔잎(2말)
술 재료 : 멥쌀 1말, 이화곡 가루 7되 또는 3~4되

누룩 빚는 법 :
1. 정월 첫 해일 3일 전에 멥쌀을 백세하여 물에 담가 불렸다가 (다시 고쳐 씻어 헹궈서) 세말한다(고운 가루로 빻는다).
2. 쌀가루를 체에 내려서 물을 치지 말고, 달걀 크기로 단단히 뭉쳐서 누룩밑을 빚고, 독 안에 솔잎에 켜켜이 묻어 방 윗목의 따뜻하지 않은 곳에 두어 띄운다.
3. 7일 만에 꺼내고 돗자리나 베보자기 위에 펼쳐서 반나절 동안 볕에 말렸다가, 다시 솔잎에 묻어 재차 띄운다.
4. 다시 7일 후에 햇볕에 내어 한나절 바짝 말려서 건조시킨다.
5. 누룩은 칼로 껍질을 깎아내거나 솔질하여 곰팡이를 제거한 후 갈무리해 두었다가, 술 빚을 때 가루로 빻고 깁체에 내려서 고운 가루를 만들어 사용한다.

술 빚는 법 :
1. 여름에 멥쌀(1말)을 백세하여 (물에 담가 불렸다가, 다시 씻어 헹궈서 물기를 뺀 후) 세말한다(고운 가루로 빻는다).
2. (쌀가루를 체에 한 번 내린 후) 솥에 물을 넉넉히 붓고 끓기 직전의 뜨거운 물(3되~3되 5홉가량)을 골고루 뿌려서 치대어 익반죽을 만든다.

3. (익반죽을 한 주먹 크기로 떼어서 둥글납작한) 구멍떡을 빚고, 끓는 물솥에 넣고 삶아, 익어 떠오르면 건져서 물기 없는 그릇에 담아놓는다.

4. 떡이 (식기 전에 주걱으로 매우 으깨어 덩어리진 것 없이 하여) 식기를 기다린다.

5. 술을 달고 걸쭉하게 하려면 준비한 누룩가루 7되를 골고루 섞는데, 이때 힘들면 떡 삶은 물을 쳐가면서 손으로 많이 치대어 (진흙 같은) 술밑을 빚는다.

6. 술밑을 술독에 담아 안쳐서 (술독은 흰 종이로 밀봉한다.) 발효시키는데, 3~4일 만에 손으로 뒤적여 준다.

7. 봄에는 7일, 여름에는 3~7일이면 술이 익는데, 날이 뜨거우면 찬물 속에 독을 담가서 익힌다.

* 주방문 말미에 "쌀밥을 지어 여느 방법대로 담기도 하고 찹쌀로 담기도 하는데, 어느 경우든 시종 생수 기를 금해야 한다. 이 누룩은 덩어리를 만들 때에 너무 건조하면 단단하게 되지 않고, 너무 질게 하면 가운데가 썩어 푸른곰팡이가 생긴다."고 하였다. 또 "이 누룩은 배꽃이 필 때부터 여름이 지날 때까지 사용한다."고 하였다. <사시찬요보>를 인용하였다.

梨花酒

正月上亥前期三日　百洗白米浸水出細末細篩不用水　捏作塊大於鷄卵甕中松葉作隔層鋪置房上不暖處七日出鋪草席或生布上曬乾半日又埋松葉又如是一次後出　曬令極乾藏置紙囊　梨花開後經夏皆可釀之 白米如前爲末作孔餠煮出停冷以所造麴末勻拌入甕數日一翻易春一七夏三七可用熱時置甕水中欲酒稠甘則一斗入麴末七升欲其淸烈則入三四升以煮餠水停冷釀.　或蒸米飯如常釀或粘米釀皆終始切忌生水作塊時太燥則不堅太濕則中腐有靑點. <纂要補>.

일야주

우리나라 전통주는 그 종류가 많기도 하거니와, 한 가지 주품에서도 여러 가지 주방문을 읽을 수 있다는 것이 특징이기도 하다. 조선시대 양주 관련 고문헌의 숫자가 80여 종에 이르고, 주품명도 500가지를 상회하는데, '별법(別法)'이나 '우법(又法)' 또는 '일운(一暈)', '속법(俗法)'으로 표현되는 주품의 숫자까지를 환산하면 1천 가지가 훨씬 넘는 것을 알 수 있다.

그 다양한 주품과 주방문 가운데 가장 단시간 내에 발효가 이루어지는 술을 속성주(速成酒)로 분류하는데, 속성주의 대표적인 주품으로는 <임원십육지(林園十六志)>를 비롯한 여러 문헌에 등장하는 '계명주(鷄鳴酒)'를 비롯하여 <양주방>*의 '벼락술', 그리고 <역주방문(曆酒方文)>의 '일야주(一夜酒)'를 꼽을 수 있다.

특히 <역주방문>의 '일야주'는 '일일주(一日酒)'보다도 더 짧은 시간 동안에 이뤄지는 주품이라는 뜻에서, 그리고 특히 시간을 다툰다는 점에서 '일일주'와는 또 다른 주방문을 보여주고 있다.

'일야주'의 주방문을 보면, "멥쌀 1되를 백세하여 맷돌에 갈아 가루로 빻은 뒤, 물(4~5되)에 풀고 끓여서 풀같이 쑨 다음 차게 식기를 기다린다. 차게 식은 죽에 누룩가루 2홉을 넣고 고루 저어준 후 술병(독)에 담아 안친 다음, 술독을 따뜻한 온돌방에 놓아두고 끓어오르려고 할 때 몇 차례 술독을 흔들어주는데, 밤 3시에 이와 같이 3~4차례 하고, 다음날 아침에 사용한다."고 하였다.

주방문을 보아 알 수 있듯, '일야주'는 발효시키기 시작하여 한밤중에 술독을 흔들어준다고 하였는데, 이는 산소 공급을 통하여 효모의 증식을 도모함으로써 발효를 활발하게 이끌어 단시간 내에 발효를 끝내기 위한 것으로 풀이된다. 더불어 발효를 촉발시키는 과정에서 초래될 수도 있는 과발효(過醱酵)를 예방하기 위한 조치라는 것을 알 수 있다.

그 예로서 "술독을 따뜻한 온돌방에 놓아두고, 끓어오르려고 할 때 몇 차례 술독을 흔들어준다."고 한 것을 볼 수 있다. 술독을 따뜻한 방에 둠으로써 고온 당화를 유도하여 발효를 촉발시키는데, 이때에 술덧의 품온이 지나치게 상승할 수 있다.

따라서술독을 흔들어줌으로써 산소 공급을 통하여 발효는 촉진시키되 그에 따른 술덧의 온도 상승은 억제하는 효과를 동시에 추구하는 방법이다.

필자가 전승가양주를 익히기 위해 민가를 찾았을 때에도 이와 같은 방법을 자주 목격할 수 있었다. 민간에서 노인들이 밤새워 술독을 끌어안고 흔들어주는 것이다. 그 이유를 물었더니, "술덧이 제때에 끓어오르지 않기 때문"이라고 하였다.

그리고 덧붙여, "제때에 끓지 않는 술독을 끌어안고 흔들어주다 보면 술이 제대로 돌아온다."고 했다. 이는 술덧이 제때에 끓어오르지 않는 이유를 말로는 설명할 수 없지만 수십 년 술을 빚어온 경험으로 체득한 '경험방(經驗方)'이라고 할 수 있다.

술독을 흔들어준다는 것은 공기를 불어넣어 주는 결과로 이어지고, 술독을 끌어안는 행위는 사람의 체온을 이용하여 술독을 따뜻하게 해주는 방법이 되는 것이다.

술은 산소가 공급되고 온도가 높아지면 발효가 활발해진다는 것을 경험으로 터득하였던 것이다.

<역주방문>의 '일야주'와 유사한 주방문인 <술 빚는 법>의 '일일주' 주방문에서 "죽을 술독에 담아 안치는데, 따뜻할 때 누룩 5홉을 넣고 대나무 막대기나 주걱으로 2~3시간 저어준 후, 거품이 일어나면 즉시 술독을 두껍게 싸매서 따뜻한 곳에서 발효시킨다."고 한 것을 볼 수 있다.

<술 만드는 법>에서는 "좋은 술 1사발에 물 3말과 누룩 2되를 섞고 풀어서 항아리에 담아 수곡(水麴)을 만들어 시루에 쪄낸 고두밥을 식히지 말고 항아리에 넣고 매우 저어준다."고 하였다.

이들 기록이 여인네들에 의해 쓰여진 한글 기록인 사실을 감안하면, 수십 년간 술을 빚어온 경험에서 자연스럽게 터득한 방법들이 과학적으로도 매우 합리적이고 설득력이 있는 방법들이라는 사실에서, "경험이 과학을 앞선다."는 진리를 새삼 깨닫게 된다.

대부분의 속성주가 그러하듯 <역주방문>의 '일야주' 역시 알코올 도수가 높은 술은 아니다. 술 빚기에 사용되는 쌀의 양이 적다는 이유도 있지만, 쌀을 가공하는 방법이 죽이라는 사실과 함께, 자주 흔들어줌으로써 발효를 빨리 끝내려다 보니 효모의 증식이 과다하게 일어나게 되고, 결과적으로는 같은 비율로 빚은 술보다 알코올 생성이 낮아진 결과로 나타난 것이다.

일야주방 <역주방문(曆酒方文)>

술 재료 : 멥쌀 1되, 누룩가루 2홉, 물(4~5되)

술 빚는 법 :
1. 멥쌀 1되를 백세하여(물에 백 번 씻어 매우 깨끗하게 헹군 뒤, 새 물에 담가 불렸다가 다시 씻어 말갛게 헹궈서 물기를 뺀 뒤) 맷돌에 갈아 가루로 빻는다.
2. 쌀가루를 물(4~5되)에 풀고 끓여서 풀같이 쑨 다음, 차게 식기를 기다린다.

3. 누룩가루 2홉을 죽에 넣고 고루 저어준 후, 술병(독)에 담아 안친다.

4. 술독을 따뜻한 온돌방에 놓아두고, 끓어오르려고 할 때 몇 차례 술독을 흔들어준다.

5. 밤 3시에 이와 같이 3~4차례 하고, 다음날 아침에 사용한다.

* 주방문 말미에 "빛깔은 비록 담담하지만, 맛이 준열하다. 빚은 날짜가 짧기 때문에 잠깐 취했다가 즉시 깬다."고 하였다.

一夜酒方

白米一升百洗浸水磨成汁作糊若洗踏糊取好曲末二合篩過於溫水調均於右糊(芬)米飮然納于瓶中安於溫突及其將熟數三動(橋)其瓶更安於溫突至三更若是者三四次其翌朝取用色雖淡而味則烈以日數少故輒醉卽醒.

일일주

　'일일주(一日酒)'는 '삼일주'와 더불어 가장 대표적인 속성주류로 분류할 수 있는데, <감저종식법(甘藷種植法)>을 비롯하여 <고려대규합총서(高麗大閨閣叢書, 異本)>와 <고사신서(攷事新書)>, <고사십이집(攷事十二集)>, <규합총서(閨閣叢書)>, <민천집설(民天集說)>, <부인필지(夫人必知)>, <산림경제(山林經濟)>, <수운잡방(需雲雜方)>, <술 만드는 법>, <술 빚는 법>, <양주방>*, <양주집(釀酒集)>, <요록(要錄)>, <음식디미방>, <의방합편(醫方合編)>, <주방(酒方, 임용기소장본)>, <주방문(酒方文)>, <주식방(酒食方, 高大閨壺要覽)>, <주찬(酒饌)>, <해동농서(海東農書)>, <홍씨주방문> 등의 문헌에 수록되어 있는 것을 볼 수 있으며, <군학회등(群學會騰)>과 <임원십육지(林園十六志)>, <증보산림경제(增補山林經濟)>, <후생록(厚生錄)>에 2가지 주방문이 등장하고, <농정회요(農政會要)>에는 3가지 주방문이 수록된 것을 찾아볼 수 있다. 27개 문헌에 주방문은 33차례나 등장한다.

　이렇듯 다양한 문헌에 수록되어 있다는 한 가지 사실로만 미루어 보더라도, '일일주'가 얼마나 널리 빚어진 주품이었는지를 짐작할 수 있다.

<감저종식법>을 비롯하여 27개 문헌에 주방문이 33차례나 등장하는 '일일주'의 술 빚는 법이 어떻게 다른지를 살펴보았는데, 몇 가지 특징을 찾을 수 있었다.

먼저, 쌀을 가공하는 방법은 크게 세 가지로 나뉜다. 멥쌀일 때는 고두밥을 중심으로 하고, 찹쌀일 때는 죽을 쑤어 사용하며, 범벅을 만들어 사용하는 경우도 있었다. 또한 발효를 돕기 위하여 좋은 술 또는 석임을 사용하고, 수곡(水麴) 또는 주곡(酒麴)을 만들어 빚는 방법이 동원되기도 했다.

문헌의 등장 시기가 1500년대 초엽으로 밝혀진 <수운잡방>을 비롯하여 1670년의 <음식디미방>, 1680년경의 <요록>, 1600년대 말엽의 <주방문> 순이라는 사실을 감안할 때, '일일주'의 원형은 "멥쌀 1말로 고두밥을 지은 후 더운 김이 나가게 식기를 기다렸다가, 좋은 술 1사발과 좋은 누룩 2되, 끓여 식힌 물 3사발을 한데 합하고 고루 버무려 술밑을 빚는데, 술밑을 술독에 담아 안치는데, 물소리가 나지 않게 하여 안친다. 술독을 젓지 말고, 따뜻한 곳에 두어 발효시킨다."고 한 <수운잡방>에서 찾아볼 수 있다.

이후 <수운잡방>의 주방문을 바탕으로 하여 시대가 바뀌면서 <음식디미방>에서처럼 멥쌀고두밥을 사용하되 주곡을 만들어 사용하는 방법과, <요록>의 주방문과 같이 멥쌀가루로 범벅을 쑤고 한편으로 물과 술, 누룩을 섞어 만든 주곡을 사용하여 빚는 방법, 그리고 <증보산림경제>와 <임원십육지>의 '별법(別法)'에서와 같이 찹쌀로 죽을 쑤고 누룩과 섞은 후에 오랜 시간 휘저어 줌으로써 발효를 촉진시키는 방법이 개발되었을 것이라는 추측을 해볼 수 있다.

사실, '일일주'는 조선시대 초기에 유행하였던 것으로 전해 오고 있으나, 구체적인 기록은 찾을 수가 없다. 다만, 술 빚는 주방문에서 보면, 먼저 빚어 마시던 술을 밑술 삼아 빚는 방법의 '급시청주'와 '부의주' 등이 조선시대 초기 문헌인 <산가요록(山家要錄)>에 등장하고 있는 것으로 미루어, '일일주'와 '삼일주' 등의 속성발효주가 조선시대 초기에 유행했을 것이라는 확신에 가까운 추측을 해볼 수 있는 것이다.

'일일주'는 그 특성상 가능한 한 빨리 발효시키는 것이 목적이므로 쌀(고두밥, 백설기, 죽)을 잘 익게 쪄 식히지 않고 넣기도 하고, 당화가 잘 이루어지도록 죽이나 설기떡과 같이 곡물을 가루 형태로 하여 술을 빚으며, 위의 예와 같이 누룩을 수곡 형태로 사용하거나 술을 넣어 주곡 형태로 하여 빚는다는 점에서 공통점을 찾을 수 있다.

실제로 <음식디미방>의 '일일주' 주방문에 "좋은 누룩 두 되, 좋은 술 한 사발, 물 서 말에 섞어 넣고 백미 한 말 세정하여 익게 쪄 김내지 말고 담아 흔들지 말고 더운 데 두면, 아침에 빚어 낮에 쓰고, 낮에 빚어 아적에 쓰나니라."고 하였다.

또한 "아침에 빚어두면 그날 저녁에 쓸 수 있다."거나 "오늘 빚어두면 다음날 아침이면 술이 익는다."고 한 데서 술 이름의 유래를 알 수 있는데, 이와 같은 속성주가 등장한 배경을 살펴볼 필요가 있다. 왜냐하면 모든 술에는 반드시 목적과 용도가 따르기 때문이다.

특히 조선시대처럼 자가양주(自家釀酒), 즉 가양주(家釀酒)가 하나의 문화이자 관습이었던 사회에서는 그때그때 상황에 맞는 양주를 해왔고, 목적과 용도가 달랐던 것이다.

조선 사회는 봉제사(奉祭祀) 등 조상 숭배와 농경에 따른 세시풍속을 중시하는 풍조 때문에 제사와 명절 등에 필요한 제주(祭酒)와 손님 접대에 쓸 접대주(接待酒)를 상비해야 했다. 특히 초상(初喪)이나 두레 등 갑자기 많은 양의 술이 필요할 때, 짧은 기간에 속성으로 익혀 사용하는 술이 필요했다.

이러한 요구에 부응하는 술이 '일일주'이며, 술 빚는 방법에서 속성주의 특징을 찾아볼 수가 있다. 술을 빚는 원료 가운데 이미 빚어진 술의 일부를 '밑술' 또는 '전국', '전술', '본술', '좋은 술'이라 하여 밑술로 자주 이용하는데, 그 까닭은 술의 속성 발효를 돕기 위한 지혜이기도 하거니와, 적은 양의 술을 이용하여 단시간에 보다 많은 양의 술을 얻기 위한 방법이기도 하다.

그리고 그 집안의 술맛과 향을 유지하기 위한 비결에 다름 아니다. 물론, 이때의 '좋은 술'은 덜 숙성된 술을 사용하는 것이 바람직할 것으로 생각된다.

또한 식량 사정이 넉넉지 못한 서민들은 가양주를 상비할 수 없었으므로, 잔치나 손님 접대 등에 쓸 술이라도 적은 양의 쌀을 사용하면서 많은 양의 술을 얻기 위해 죽을 쑤어 빚는 방법의 '일일주'를 선호하게 되었을 것이라는 추측을 해볼 수 있다.

그리고 그 맛이 여느 청주나 고급 방향주(芳香酒)에는 못 미치지만 '마실 만한' 술은 되었던 것이다.

여하튼 '일일주'는 빠른 시간 내에 익힌 탓에 오래 두고 마실 수 없다는 사실과 함께 술 빛깔이 걸러둔 막걸리처럼 뿌옇고 탁하다는 단점이 있지만, 앞서 얘기한 것처럼 급할 때는 그럭저럭 빚어 마실 만하다.

'일일주'의 또 다른 특징은, 어떻게 하든지 빠른 시간에 발효를 일으켜서 하루 동안에 익히는 것이 기술이라고 할 수 있으므로, 술을 빚는 사람으로서는 갖가지 방법과 기교를 다 동원하게 된다. 그 예로서 고두밥을 온기가 남게 식히고, 가능한 한 따뜻한 곳에서 발효시키며, 종자가 되는 좋은 술을 사용하기도 한다.

그뿐 아니라, 속성주인 만큼 오염에 대비하여 수곡이나 주곡으로 처리하는 등 세심한 배려가 깔려 있다는 것을 알 수 있다. 또한 숙성이 끝난 상태에서 채주하는 것이 아니라 <주찬>의 주방문에서와 같이 덜 숙성된 상태, 즉 고두밥이 수면 위에 떠 있는 상태에서 채주하여 마시는 술이라고 볼 수 있다.

결국 '일일주'와 같은 속성주는 자전풀이 그대로 하루 만에 빚는 술이므로, 상용주(常用酒)가 아니라 '여벌의 술'이라고 할 수 있다.

1. 일일주 <감저종식법(甘藷種植法)>

> **술 재료 :** 멥쌀(찹쌀) 1말, 누룩가루 2되, 좋은 술 1사발, (끓여 식힌) 물 3사발

술 빚는 법 :
1. 물 3사발을 준비한다(팔팔 끓여 넓은 그릇에 퍼 담고, 차게 식기를 기다린다).
2. 멥쌀(또는 찹쌀) 1말을 (백세하여 물에 담가 불렸다가, 다시 씻어 건져서 물기를 뺀 후) 시루에 안쳐 무른 고두밥을 짓는다.
3. 고두밥이 익었으면 퍼낸다(따뜻한 온기가 남게 식기를 기다린다).

4. 고두밥에 물 3사발과 좋은 술 1사발, 누룩가루 2되를 넣고, 고루 버무려 술
   밑을 빚는다.
5. 술밑을 술독에 담아 안치고, 예의 방법대로 하여 따뜻한 데 두어 익힌다.

* 주방문 말미에 "아침에 빚으면 저녁에 익고, 저녁에 빚으면 다음날 아침에 술
   이 익는다. 찹쌀로 지에밥을 쪄서 빚으면 더 낫고, 가루를 만들어 죽을 쑤어
   빚어도 된다."고 하였다.

一日酒
好酒一鉢麴末二升水三鉢白米一斗爛蒸調勻置之溫處朝釀夕飮夕釀朝飮以
糯飯尤勝作末造粥釀亦可.

2. 일일주 <고려대규합총서(高麗大閨閤叢書, 異本)>

술 재료 : 찹쌀 2되, 고운 누룩가루 5홉, 물(4되)

술 빚는 법 :
1. 아침에 찹쌀 2되를 백세하여 (물에 담가 불렸다가, 다시 씻어 건져서 물기
   를 뺀 후) 준비한다.
2. 솥에 물 4되를 끓이다가 불린 쌀을 합하고, 팔팔 끓여 된죽을 쑨 다음, 넓은
   그릇에 퍼 담고 차게 식기를 기다린다.
3. 술독을 연기를 쏘여 소독한 다음, 그을음을 마른행주로 깨끗이 씻어내고 차
   게 식기를 기다린다.
4. 죽에 고운 누룩가루 5홉을 섞어 넣고, 대나무로 된 막대기로 2시간 정도 저
   어준다.
5. 죽에 거품이 무수히 일어나면 즉시 술독에 담아 안친다.

6. 술독은 즉시 두텁게 싸매고 따뜻한 곳에 두어 익히면, 술이 익어 개미가 떠오른다.

* 주방문 말미에 "아침에 빚으면 저녁에 익어 맛이 몹시 청렬하고 개미(浮蟻)가 뜬다."고 하였다.

일일주
찹쌀 두 되를 묽도 되도 않게 죽을 쑤어 누룩가루 고운 것 닷곱을 섞어 항아리에 담고, 대로 젓기를 두어 시간만 하면 거품이 일 것이니, 즉시 항아리 부리를 두껍게 매어 따뜻한 곳에 두면 저녁에 술이 되어, 몹시 청렬하고 또 개미가 위에 뜬다.

3. 일일주 <고사신서(攷事新書)>

술 재료 : 멥쌀(찹쌀) 1말, 누룩가루 2되, 좋은 술 1사발, (끓여 식힌) 물 3사발

술 빚는 법 :
1. 물 3사발을 그릇에 담아놓는다(팔팔 끓여 넓은 그릇에 퍼 담고 차게 식기를 기다린다).
2. 멥쌀 1말을 (씻고 또 씻어 물에 담가 불렸다가, 다시 씻어 건져서 물기를 뺀 후) 시루에 안쳐 고두밥을 짓는다.
3. 고두밥이 익었으면 (퍼내어 고루 펼쳐서 온기가 남게) 식기를 기다린다.
4. 고두밥에 준비한 물 3사발과 좋은 술 1사발, 누룩가루 2되를 넣고, 고루 버무려 술밑을 빚는다.
5. 술밑을 술독에 담아 안치고, 예의 방법대로 하여 따뜻한 데 두어 발효시킨다.

6. 아침에 빚으면 저녁에 익고, 저녁에 빚으면 다음날 아침에 술이 익는다.

一日酒
好酒一鉢麴末二升水三鉢白米一斗爛蒸調勻置溫處朝釀夕飮夕釀朝飮以糯
米作飯釀尤勝作末造粥釀亦可.

4. 일일주 <고사십이집(攷事十二集)>

술 재료 : 멥쌀(찹쌀) 1말, 누룩가루 2되, 좋은 술 1사발, (끓여 식힌) 물 3사발

술 빚는 법 :
1. 물 3사발을 그릇에 담아놓는다(팔팔 끓여 넓은 그릇에 퍼 담고, 차게 식기
   를 기다린다).
2. 멥쌀 1말을 씻고 또 씻어 (물에 담가 불렸다가, 다시 씻어 건져서 물기를 뺀
   후) 시루에 안쳐 고두밥을 짓는다.
3. 고두밥이 익었으면 (퍼내어 고루 펼쳐서 따뜻한 온기가 남게) 식기를 기다
   린다.
4. 고두밥에 준비한 물 3사발과 좋은 술 1사발, 누룩가루 2되를 넣고, 고루 버
   무려 술밑을 빚는다.
5. 술밑을 술독에 담아 안치고, 예의 방법대로 하여 따뜻한 데 두어 발효시
   킨다.
6. 아침에 빚으면 저녁에 익고, 저녁에 빚으면 다음날 아침에 술이 익는다.

* 주방문에 "좋은 술 1사발, 누룩가루 2되, 물 3사발에 깨끗이 쓿은 쌀 1말을
  폭 익게 쪄서 고루 섞어 따뜻한 데 둔다. 아침에 빚으려면 저녁에, 저녁에 빚
  으려면 아침에 한다. 찹쌀로 지에밥을 쪄서 빚으면 더 낫고, 가루를 만들어

죽을 쑤어 빚어도 된다."고 하였다.

一日酒

好酒一鉢麴末二升水三鉢白米一斗爛蒸調勻置溫處朝釀夕飮夕釀朝飮以糯米釀(尤)勝.

5. 일일주법 <군학회등(群學會騰)>

술 재료 : 멥쌀 1말, 누룩가루 2되, 좋은 술 1사발, (끓여 식힌) 물 3사발

술 빚는 법 :
1. 멥쌀 1말을 (백세하여 물에 담가 불렸다가, 다시 씻어 건져서 물기를 뺀 후) 시루에 안쳐 무른 고두밥을 짓는다.
2. 고두밥이 무르게 푹 익었으면, 퍼내어 고루 펼쳐서 (따뜻한 온기가 남게) 식기를 기다린다.
3. 고두밥에 좋은 술 1사발, 누룩가루 2되, (끓여 식힌) 물 3사발을 한데 합하고, 고루 버무려 술밑을 빚는다.
4. 술밑을 술독에 담아 안치고, 예의 방법대로 하여 따뜻한 곳에 앉혀서 발효시키는데, 아침에 빚으면 저녁에 익고, 저녁에 빚으면 다음날 아침에 술이 익는다.

* 주방문 말미에 "찹쌀로 술밥을 지어 빚어도 되고, 가루를 내어 죽을 쑤어 빚어도 된다."고 하여 변용이 가능하다는 것을 밝히고 있다. 이는 가능한 한 빨리 발효를 끝내려는 목적에서라고 판단된다.

一日酒法

白米一斗爛蒸好酒一鉢麴末二升調和置之溫處朝釀夕飮夕釀朝飮以糯米作
飯釀尤好 作末造粥釀亦可.

6. 일일주 우방 <군학회등(群學會騰)>

술 재료 : 찹쌀 2되, 고운 누룩가루 5홉, (끓여 식힌) 물(5되)

술 빚는 법 :

1. 이른 아침에 찹쌀 2되를 (백세하여) 물에 담가 불렸다가, 다시 씻어 건져서
   물기를 뺀다.
2. 솥에 물(5되)을 붓고 끓이다가 불린 쌀을 넣고, 묽지도 되지도 않은 죽을
   쑨다.
3. 죽이 퍼지게 익었으면, 퍼내어 고루 펼쳐서 (따뜻한 온기가 남아 미지근하
   게) 식기를 기다린다.
4. 미지근한 죽에 (절구에 찧고 빻아 체에 한 번 내린) 고운 누룩가루 5홉을 넣
   고, 주걱으로 거품이 일도록 3시각 동안 수없이 휘저어 술밑을 빚는다.
5. 술밑을 술독에 담아 안치고, 예의 방법대로 하여 두텁게 밀봉한다.
6. 술독을 따뜻한 온돌방에 앉혀서 발효시키는데, 저녁이면 발효가 끝나 독이
   차게 식어 있고, 술 빛깔이 맑고 밥알도 동동 떠 있는 술이 된다.

* <증보산림경제>에는 "주걱으로 거품이 일도록 수없이 휘저어 술밑을 빚은
  후, 6~7시간 방치하였다가 술밑을 술독에 담아 안치고"라고 하였는데, <군
  학회등>에서는 "3시간 정도 수없이 휘저은 후, 바로 술밑을 안쳐 밀봉하라."
  고 하여 차이가 있다.

一日酒 又方

粘米二升作粥不稀不調入細末麴五合納缸中以杖無數攪之至數三時辰待泡
起卽封缸口厚覆置溫突則至夕酒成淸冽且有浮蟻矣.

7. 일일주 <규합총서(閨閤叢書)>

술 재료 : 찹쌀 2되, 누룩가루 5홉, 물(5되)

술 빚는 법 :

1. 찹쌀 2되를 (백세하여 물에 담가 불렸다가, 다시 씻어 건져서) 물기를 빼놓
는다.

2. 솥에 물(5되)을 붓고 팔팔 끓으면, 쌀을 넣고 되지도 묽지도 않게 죽을 쑨다.

3. 죽을 넓은 그릇에 퍼서 식히는데, 따뜻할 때 누룩을 곱게 가루 내어 5홉을
죽과 합하고, 고루 버무려 술밑을 빚는다.

4. 술독에 술밑을 담아 안친 후, 대나무 막대기나 주걱으로 2~3시간 저어주어
거품이 일면 즉시 밀봉한다.

5. 술독은 예의 방법대로 하여, 두껍게 싸매서 따뜻한 곳에서 발효시킨다.

6. 아침에 담으면 저녁에는 술이 되어, 몹시 맑고 독하며 또 개미(浮蟻)가 뜬다.

* 주방문 말미에 "개미는 술에 뜨는 흰 밥알"이라고 하였다.

일일쥬

졈미 두 되 묽도 되도 아니케 죽을 쒀어 누룩 세 말 닷 홉을 셕거 항의 담고
딕로 젓기를 두어 시만 흐면 거품이 일 거시니 직시 항 부리을 둣거이 민야
듯스흔 딕 두면 젼녁의 술이 되야 극히 쳥녈ᄒ고 쏘 ᄀᆞ야미가 우희 쓰ᄂᆞ니라.

8. 일일주법 <농정회요(農政會要)>

술 재료 : 멥쌀 1말, 누룩가루 2되, 좋은 술 1사발

술 빚는 법 :

1. 멥쌀이나 찹쌀 1말을 (백세하여 물에 담가 불렸다가, 다시 씻어 건져서 물기를 뺀 후) 시루에 안쳐 무른 고두밥을 짓는다.
2. 고두밥이 푹 익었으면, 퍼낸다(고루 펼쳐서 따뜻한 온기가 남게 식기를 기다린다).
3. 고두밥에 좋은 술 1사발, 누룩가루 2되을 합하고, 고루 버무려 술밑을 빚는다.
4. 술밑을 술독에 담아 안치고, 예의 방법대로 하여 따뜻한 곳에 앉혀서 발효시킨다.

* 주방문 말미에 "아침에 빚으면 저녁에 익고, 저녁에 빚으면 다음날 아침에 술이 익는다."고 하였다. <사시찬요보>나 <산림경제>에는 끓여 식힌 물이 사용되는데, 본 기록과 <증보산림경제>에서는 물이 빠져 있다.

一日酒法
白米一斗爛蒸好酒一鉢麴末二升調和置之溫處朝釀夕飮夕釀朝飮以粘米作
飯釀尤好 作末造粥釀亦可.

9. 일일주 우방 <농정회요(農政會要)>

술 재료 : 찹쌀 2되, 고운 누룩가루 5홉, (끓여 식힌) 물(5되)

술 빚는 법 :

1. 이른 아침에 찹쌀 2되를 준비한다(백세하여 물에 담가 불렸다가, 다시 씻어 건져서 물기를 뺀다).

2. 솥에 물(5되)을 붓고 끓이다가, 불린 쌀을 넣고 팔팔 끓여서 된죽을 쑨다.

3. 죽이 퍼지게 익었으면, 퍼내어 (따뜻한 온기가 남게) 식기를 기다린다.

4. 누룩을 절구에 찧고 빻아 고운체에 한 번 내린 고운 누룩가루 5홉을 마련한다.

5. 미지근한 죽에 누룩가루 5홉을 넣고, 죽젓광이로 수없이 휘저어 술밑을 빚는다.

6. 술밑을 3시간 방치하였다가, 거품이 일어나면 술독에 담아 안치고, 예의 방법대로 하여 밀봉한다.

7. 술독을 따뜻한 온돌방에 앉혀서 발효시키는데, 저녁이면 발효가 끝나 독이 차게 식어 있고, 술 빛깔이 맑고 밥알도 동동 떠 있는 술이 된다.

一日酒 又方

粘米二升作粥不稀不稠入細末麴五合納瓮中以杖無數攪之至數三時辰將泡起卽封缸口厚覆置溫突則至夕酒成淸烈且有浮蟻矣.

10. 일일주법(일운) <농정회요(農政會要)>

술 재료 : 찹쌀 1말, 누룩가루 2되, 좋은 술 1사발, 물(1~2말)

술 빚는 법 :

1. 찹쌀 1말을 (백세하여 물에 담가 불렸다가, 다시 씻어 건져서 물기를 뺀 후) 준비한다.

2. 솥에 물(1~2말)을 붓고 끓이다가, 불린 찹쌀을 넣고 끓여서 죽을 쑨다.

3. 죽이 익었으면 퍼낸다(고루 펼쳐서 따뜻한 온기가 남게 식기를 기다린다).

4. 죽에 좋은 술 1사발, 누룩가루 2되를 합하고, 고루 버무려 술밑을 빚는다.

5. 술밑을 술독에 담아 안치고, 예의 방법대로 하여 따뜻한 곳에 앉혀서 발효시킨다.

* 주방문 말미에 "찹쌀로 술밥을 지어 빚으면 더욱 좋다. 가루를 내어 죽을 쑤어 담가도 된다."고 하여 방문에 변용이 가능하다는 것을 밝히고 있다. 이는 가능한 한 빨리 발효를 끝내려는 목적에서라고 판단된다. 죽을 쑤는 데 사용되는 물의 양이 언급되어 있지 않아 최소량을 산정하여 방문을 작성하였다.

一日酒法(一云)

白米一斗爛蒸好酒一鉢麴末二升調和置之溫處朝釀夕飮夕釀朝飮以粘米作飯釀尤好作末造粥釀亦可.

11. 일일주 <민천집설(民天集說)>

술 재료 : 멥쌀 1말, 누룩가루 2되, 좋은 술 1사발, (끓여 식힌) 물 3사발

술 빚는 법 :

1. 물 3사발을 그릇에 담아놓는다(팔팔 끓여 넓은 그릇에 퍼 담고, 차게 식기를 기다린다).

2. 멥쌀 1말을 씻고 또 씻어 (물에 담가 불렸다가, 다시 씻어 건져서 물기를 뺀 후) 시루에 안쳐 고두밥을 짓는다.

3. 고두밥이 익었으면 (퍼내어 고루 펼쳐서 따뜻한 온기가 남게) 식기를 기다린다.

4. 고두밥에 준비한 물 3사발과 좋은 술 1사발, 누룩가루 2되를 넣고, 고루 버

무려 술밑을 빚는다.

5. 술밑을 술독에 담아 안치고, 예의 방법대로 하여 따뜻한 데 두어 발효시킨다.

6. 아침에 빚으면 저녁에 익고, 저녁에 빚으면 다음날 아침에 술이 익는다.

* 주방문에 "찹쌀로 지에밥을 쪄서 빚으면 더 낫고, 가루를 만들어 죽을 쑤어 빚어도 된다."고 하였다.

一日酒

好酒一鉢曲末二升水三鉢白米一斗爛蒸調均置之溫處則朝釀夕飯(粘米飯尤勝作末造粥亦可.

12. 일일주법 <부인필지(夫人必知)>

술 재료 : 찹쌀 1되, 누룩가루 3되 5홉, 물(3되)

술 빚는 법 :

1. 찹쌀 1되를 (백세하여 물에 담가 불렸다가, 다시 씻어 건져서 물 3되에 합하고) 끓여서 묽지도 되지도 않은 죽을 쑨다.

2. 죽을 (한김 뺀 뒤 따뜻할 때) 누룩가루 3되 5홉을 합하여 술밑을 빚는다.

3. 술밑을 술독에 담아 안친 다음, 막대로 2시간 정도 늘어지게 저어준다.

4. 술밑에서 거품이 일어나면, 즉시 술독을 밀봉하여 따뜻한 곳에 두면, 저녁에 술이 익는다.

일일쥬법

졈미 흔 되 묽도 되도 안케 쥭 쑤어 누룩가루 서 되 닷 홉 석거 항아리에 담고 막디로 두어 시룰 느러지게 져어 거품이 일어나거든 직시 항을 봉ᄒᆞ야 싸ᄯᅳᆺ흔 데 두면 져녁에 슐이 되ᄂᆞ니라.

13. 일일주 <산림경제(山林經濟)>

술 재료 : 멥쌀 1말, 누룩가루 2되, 좋은 술 1사발, (끓여 식힌) 물 3사발

술 빚는 법 :

1. 물 3사발을 그릇에 담아놓는다(팔팔 끓여 넓은 그릇에 퍼 담고, 차게 식기를 기다린다).
2. 멥쌀 1말을 씻고 또 씻어 (물에 담가 불렸다가, 다시 씻어 건져서 물기를 뺀 후) 시루에 안쳐 고두밥을 짓는다.
3. 고두밥이 익었으면, 퍼내어 고루 펼쳐서 (따뜻한 온기가 남게) 식기를 기다린다.
4. 고두밥에 식은 물 3사발과 좋은 술 1사발, 누룩가루 2되를 넣고, 고루 버무려 술밑을 빚는다.
5. 술밑을 술독에 담아 안치고, 예의 방법대로 하여 따뜻한 데 두어 아침에 빚으면 저녁에 익고, 저녁에 빚으면 다음날 아침에 술이 익는다.

* 주방문 말미에 "찹쌀로 지에밥을 쪄서 빚으면 더 낫고, 가루를 만들어 죽을 쑤어 빚어도 된다."고 하였다.

一日酒

好酒一鉢 麴末二升 水三鉢 白米一斗 爛蒸調勻. 置之溫處. 朝釀夕飯 夕釀朝飮 以糯米作飯釀尤勝 作末造粥釀亦可. <纂要補>.

14. 일일주 <수운잡방(需雲雜方)>

술 재료 : 멥쌀 1말, 누룩 2되, 술 1사발, 물 3사발

술 빚는 법 :

1. 멥쌀 1말을 백세하여 (물에 담가 불렸다가, 다시 씻어 헹궈 건져서) 시루에 안쳐서 고두밥을 쪄낸다.
2. 고두밥이 익었으면 퍼내고, 고루 펼쳐서 한김 나가게(더운 기운이 남게) 식기를 기다린다.
3. 차게 식은 고두밥에 누룩 2되와 술 1사발, 물 3사발을 합하여 술독에 붓는다(안친다).
4. 술밑을 술독에 담아 안치되, 물소리가 나지 않게 하여 안친다.
5. 술독을 젓지 말고, 따뜻한 곳에 두어 예의 방법대로 발효시킨다.

* 주방문 말미에 "아침에 빚으면 저녁에 익고, 저녁에 빚은 술은 다음날 아침에 익는다."고 하였다.

* 一日酒
  水三斗好麴二升好酒一鉢和納不津瓮白米一斗淨洗熟蒸不歇氣無水聲納瓮
  亦勿攪之置溫處卽朝釀夕熟夕釀朝熟.

15. 일일주 <술 만드는 법>

술 재료 : 좋은 술 1사발, 멥쌀 1말, 누룩 2되, (끓인) 물 3말

술 빚는 법 :

1. 좋은 술 1사발에 물 3말을 (팔팔 끓여 차게 식힌 다음) 누룩 2되와 섞고, 풀
   어서 항아리에 담아 수곡(水麴, 물누룩)을 만들어놓는다.
2. 멥쌀 1말을 시루에 쪄낸다(백세하여 불렸다가, 다시 씻어 헹궈서 물기를 뺀
   뒤 시루에 쪄서 고두밥을 짓는다).
3. 고두밥이 익었으면 식히지 말고 (고루 헤쳐서 뜨거운 김이 나가게 한 다음)
   항아리에 넣고 매우 저어준다.
4. 술독은 예의 방법대로 하여 따뜻한 데 두면, 아침에 빚어서 저녁에 쓴다.

일일쥬

됴흔 슐 흔 스발에 누룩 두 되 물 셔 말를 석거 먼져 항아리에 붓고 빅미 일
두를 뼈셔 식지지 말고 항아리에 너흐되 미우 져허 싸슈운 딕 두면 아츔에
비져 져녁에 쓰나니라.

16. 일일주 <술 빚는 법>

술 재료 : 찹쌀 2되, 누룩 5홉, 물(5되)

술 빚는 법 :

1. 찹쌀 2되를 (백세하여 물에 담가 불렸다가, 다시 씻어 건져서) 물기를 빼놓
   는다.
2. 솥에 물(5되)을 붓고 팔팔 끓으면, 쌀을 넣고 되지도 묽지도 않게 죽을 쑨다.
3. 죽을 술독에 담아 안치는데, 따뜻할 때 누룩 5홉을 넣고, 대나무 막대기나
   주걱으로 2~3시간 저어준다.
4. 거품이 일어나면 즉시 술독을 두껍게 싸매서 따뜻한 곳에서 발효시킨다.

* 주방문 말미에 "(아침에 담으면) 저녁에 술이 되어, 몹시 맑고 독하며 또 개미 (浮蟻)가 뜬다."고 하였다. <규합총서>의 방문과 동일하다.

일일주
점미 두 되 물도 되(도) 아니케 죽 수어, 누룩 답 홉을 석거 항의 담고, 막디로 젓기로 두어 시만 허면 거품이 일 거신니, 즉시 항부리을 듯거 미야 다스헌 디 두면, 전역의 술이 되야 극히 청열ㅎ여 쏘 가야미 쓰난니라.

17. 일일주 <양주방>*

술 재료 : 멥쌀 1말, 좋은 술(청주) 1사발, 누룩 2되

술 빚는 법 :
1. 맛 좋은 술(청주) 1사발을 준비한다.
2. 누룩 2되를 준비한 1사발의 술에 넣고, 주곡(술누룩)을 만들어놓는다.
3. 희게 쓿은 멥쌀 1말을 (백세하여 새 물에 담가 불렸다가, 다시 새 물에 씻어 건져서 물기를 뺀 후) 고두밥을 짓는다.
4. 고두밥이 무르게 익었으면 퍼내고, 고루 펼쳐서 김이 나지 않을 정도로 차게 식기를 기다린다.
5. 고두밥에 주곡(술누룩)을 합하고, 고루 버무려 술밑을 빚는다.
6. 술독에 술밑을 담아 안치고, 예의 방법대로 하여 단단히 밀봉한 후, 더운 데 두고 발효시킨다.

* 주방문 말미에 "아침에 빚어 저녁에 쓸 수가 있다."고 하였는데, 방문대로 하려면 고두밥이 아닌 끓인 밥을 사용하여야 한다. 또한 방문대로라면 미숙주가 될 뿐만 아니라, 술을 오랫동안 보관해 둘 수 없다. 따라서 고두밥을 무르

게 짓고, 온기만 느껴지지 않을 정도로 식혀서 술을 빚고, 단단히 밀봉하여 따뜻한 곳에 앉혀서 발효시켜야 한다. 또한 시간이 더 걸리더라도 숙성되기를 기다려 채주하여 마시는 것이 좋다.

일일쥬
조흔 슐 흔 사발과 누록 두 되롤 물 세 사발의 섯거 노코 빅미 일두 닉게 쪄 김 나지 아냐셔 젼슐의 덥허 너코 굿게 봉흐야 더운 디 두면 아젹의 비자 져 녁의 먹느니라.

18. 일일주 <양주집(釀酒集)>

술 재료 : 멥쌀 1말, 좋은 술 1사발, 가루누룩 2되, 물 3말

술 빚는 법 :
1. 가장 좋은 술 1사발에 가루누룩 2되와 물 3말을 한데 합하고, 고루 버무려 술누룩을 만들어놓는다.
2. 술누룩을 새지 않는 좋은 술독에 담아 안쳐놓는다.
3. 멥쌀 1말을 백세하여 (물에 담가 불렸다가, 새 물에 다시 씻어 맑게 헹궈 건 져서 물기를 뺀 후) 시루에 안쳐서 고두밥을 (무르게) 짓는다.
4. 고두밥이 (무르게) 익었으면 퍼내고 고루 펼쳐서 식히되, 약간 따뜻한 기운 이 남게 식힌다.
5. 술누룩을 담아 안친 독에 고두밥을 넣고, 고루 휘저어 덩어리를 풀어준다.
6. 술독을 예의 방법대로 하여 (밀봉하고) 따뜻한 곳에서 하루 동안 발효시킨다.

* 주방문 말미에 "아침에 빚은 것은 낮에 익고, 낮에 빚은 것은 아침에 익는다." 고 하였다.

일일주

꾸장 됴흔 젼술 흔 사발과 ᄀᆞ른누록 二升과 믈 三斗과 흔ᄃᆡ 버므려 식지 아
니ᄂᆞᆫ 그릇싀 녀코 白米 一斗 百洗ᄒᆞ야 닉게 밥 쪄 더운 긔운 업시 아녀셔 녀
허 ᄃᆞᆺᄉᆞᆫ ᄃᆡ 노하두면 아츰의 비즌 거슨 나조이 닉고 나조이 비즌 거슨 아츰이
닉ᄂᆞ니라.

19. 일일주 <요록(要錄)>

술 빚는 법 :

1. 좋은 술 2말과 누룩 2되를 합하여 주본(酒本)을 삼고, 물 2사발을 섞어놓
   는다.
2. 멥쌀 1말을 백세하여 (물에 담가 불렸다가, 다시 씻어 건져) 세말한다.
3. 물 9사발을 팔팔 끓여서 쌀가루와 합하고, 고루 개어서 범벅을 만들어 식
   기를 기다린다.
4. 범벅이 식었으면 주본과 합하고, 고루 버무려 술밑을 빚는다.
5. 술밑을 술독에 담아 안친 다음, 예의 방법대로 하여 뚜껑을 덮지 말고 (따뜻
   한 곳에서) 하루 동안 발효시킨다.

* 다른 기록에서는 "아침에 빚으면 저녁에 술이 되고, 저녁에 빚으면 아침에 술
  이 된다."고 하고, 또 "찹쌀로 죽을 끓여도 되고 찹쌀을 가루 내어 죽을 쑤어
  빚어도 역시 같다."고도 하였다.

一日酒
好酒二斗麴末三升酒本水二鉢和之白米二斗百洗作末湯水九鉢和合不蒸納瓮.

20. 일일주 <음식디미방>

술 재료 : 멥쌀 1말, 누룩 2되, 좋은 술 1사발, 물 3말

술 빚는 법 :

1. 물 3말에 좋은 술 1사발, 좋은 누룩 2되를 넣고, 고루 섞어 술독에 담아 주곡을 만들어놓는다.
2. 멥쌀 1말을 세정하여(깨끗하게 씻어 물에 담가 불렸다가, 다시 씻어 헹궈서 물기를 뺀 후) 시루에 안쳐서 고두밥을 짓는다.
3. 고두밥이 무르게 익었으면, 퍼내어 김내지 말고 (고루 펼쳐 뜨거운 김을 빼고 따뜻하게 식기를 기다린 다음) 주곡에 담는다.
4. 술독에 담은 고두밥을 흩트리지 말고, 예의 방법대로 하여 따뜻한 곳에서 하루 동안 발효시킨다.

* 주방문 말미에 "아침에 빚으면 낮에 쓰고, 저녁에 빚으면 아침에 술이 되어 쓴다."고 하였다. 다른 기록에는 "찹쌀로 죽을 끓여도 되고 찹쌀을 가루 내어 죽을 쑤어 빚어도 역시 같다."고 하였다.

일일쥬

죠흔 누록 두 되 죠흔 술 흔 사발 믈 서 말애 섯거 녀코 빅미 흔 말 셰정ᄒᆞ여 닉게 쪄 김내지 말고 다마 흐ᄐᆞ디 말고 더운 ᄃᆡ 두면 아ᄎᆞᆷ의 비저 나죄 쓰고 나죄 비저 아뎍의 쓰ᄂᆞ니라.

21. 일일주 <의방합편(醫方合編)>

술 재료 : 멥쌀 1말, 누룩가루 2되, 좋은 술 1사발(0.8ℓ), 물 3사발

술 빚는 법 :

1. 멥쌀 1말을 물에 불려서 물기를 뺀다(백세한 다음 새 물에 담가 불렸다가, 다시 씻어 건져서 작말하기도 한다).
2. 불린 쌀을 시루에 안쳐 무른 고두밥을 쪄낸다(죽을 쑨다).
3. (쪄낸 고두밥을 고루 펼쳐서 미지근하게 식힌다.)
4. 고두밥에 누룩가루 2되와 좋은 술 1사발(0.8ℓ), 물 3사발을 합하고, 고루 버무려 술밑을 빚는다.
5. 술밑을 술독에 담아 안치고, 예의 방법대로 하여 따뜻한 곳에 앉혀둔다.

* 주방문 말미에 "아침에 빚어 저녁에 익고, 저녁에 빚은 술은 다음날 아침에 마신다. 찹쌀로 밥을 지어 술을 빚으면 더욱 좋고, 또 가루로 죽을 쑤어 빚어 도 또한 좋다."고 하였다.

一日酒
好酒一鉢 曲末二升 水三鉢 白米一斗 爛蒸 調均 置之溫處 朝釀夕飮 夕釀朝飮 以糯米作飯 釀尤勝作末 造粥釀之 亦可.

22. 일일주방 <임원십육지(林園十六志)>

술 재료 : 멥쌀 1말, 누룩가루 2되, 좋은 술 1사발

술 빚는 법 :

1. 멥쌀 1말을 (백세하여 물에 담가 불렸다가, 다시 씻어 헹궈서 물기를 뺀 후)
   시루에 안쳐 고두밥을 짓는다.
2. 고두밥을 무르게 쪄서, 익었으면 퍼낸다(고루 펼쳐서 온기가 남게 식기를 기
   다린다).
3. 고두밥에 좋은 술 1사발과 누룩가루 2되를 한데 합하고, 고루 버무려 술밑
   을 빚는다.
4. 술독에 술밑을 담아 안치고, 예의 방법대로 하여 따뜻한 곳에 앉혀두고 하
   루 동안 발효시킨다.
5. 아침에 빚었으면 저녁에, 저녁에 빚었으면 다음날 아침에 마실 수 있다.

一日酒方

白米一斗爛烝好酒一鉢麴末二升(一作一升)調勻入缸置之溫處朝釀夕飮夕釀
朝飮以糯米作飯釀尤勝. <四時纂要>.

23. 일일주 우방 <임원십육지(林園十六志)>

술 재료 : 찹쌀 2되, 고운 누룩가루 5홉, 물(5되)

술 빚는 법 :

1. 이른 아침에 찹쌀 2되를 준비한다(백세하여 물에 담가 불렸다가, 다시 씻어
   건져서 물기를 뺀다).
2. 솥에 물(5되)을 붓고 끓이다가, 불린 쌀을 넣고 묽지도 되지도 않은 죽을 쑨다.
3. 죽이 퍼지게 익었으면, 퍼내어 고루 펼쳐서 (따뜻한 온기가 남아 미지근하
   게) 식기를 기다린다.
4. 미지근한 죽에 (절구에 찧고 빻아 체에 한 번 내린) 고운 누룩가루 5홉을 넣

고, 주걱으로 수없이 휘저어 술밑을 빚는다.

5. 술밑을 6~7시간 방치하였다가 거품이 일어나면 술독에 담아 안치고, 예의 방법대로 하여 밀봉한다.

6. 술독을 따뜻한 온돌방에 앉혀서 발효시키면 저녁에 발효가 끝나는데, 그 맛이 심히 청렬하고 술 빛깔이 맑으며 밥알이 동동 떠 있는 술이 된다.

一日酒 又方

粘米二升作粥不稀不稠入納細麴五合納缸中以杖無數攪之至數三時辰待泡
起卽封缸口厚覆置溫突至夕酒成味甚淸冽且有浮蟻矣. <增補山林經濟>

24. 일일주방문 <주방(酒方, 임용기소장본)>

> 술 재료 : 멥쌀이나 찹쌀 1말, 좋은 술 1사발(동이), 섬누룩 2되, (끓여 식힌) 물 3식기(주발)

술 빚는 법 :

1. 좋은 술 1사발(동이), 섬누룩 2되, (끓여 식힌) 물 3식기(주발)를 합하여, 술 독에 담아 안친다.

2. 찹쌀 1말을 백세하여 (물에 담가 불렸다가, 다시 씻어 건져서 물기를 뺀 후) 시루에 안쳐 무른 고두밥을 짓는다.

3. 고두밥이 무르게 푹 익었으면, 퍼내어 고루 펼쳐서 따뜻하게 식기를 기다린다.

4. 고두밥을 술독에 넣고, 고루 버무려 술밑을 빚는다.

5. 술독을 예의 방법대로 하여 따뜻한 곳에 앉혀서 발효시키면, 아침에 빚어 저녁에 쓰고, 저녁에 빚으면 아침에 쓴다.

* <음식디미방>, <주식방(고대규곤요람)> 등의 주방문과 동일하다.

일일쥬방문
죠흔 슐 흔 사발 섭누룩 두 되 물 셰 식긔 섯거 몬져 항의 너코 춥살 흔 말
을 백셰하여 익게 쪄 더운이로 섯거 너허 두면 아춤 비져 져역 먹고, 져역 비
져 아춤 먹너니라.

25. 일일주 <주방문(酒方文)>

술 재료 : 멥쌀 1말, 좋은 청주 1사발, 누룩가루 2되, 물 3되

술 빚는 법 :
1. 멥쌀 1말을 (백세하여 하룻밤 불렸다가 건져서) 고두밥을 짓는다.
2. (고두밥을 고루 펼쳐서 차갑지 않게 식기를 기다린다.)
3. 식힌 고두밥에 누룩가루 2되와 좋은 전술(본주, 물을 섞지 않은 술) 1사발,
   (끓여서 식힌) 물 3되를 섞고, 고루 버무려 술밑을 빚는다.
4. 술독에 술밑을 담아 안치고, 예의 방법대로 하여 더운 곳에 두었다가, 그 이
   튿날 까지 하루 동안 발효시킨 후 채주하여 마신다.

일일쥬
됴흔 견술 흔 사발 누록ᄀᆞ로 두 되 믈 서 되를 빅미 흔 말 빅셰 니기 쪄 식디
아녀셔 섯거 비저 더운 ᄃᆡ 둣다가 이튼날 녀흔 째예 쓰라.

26. 일일주법 <주식방(酒食方, 高大閨壺要覽)>

술 재료 : 멥쌀(찹쌀) 1말, 누룩가루 2되, 좋은 술 1사발, 물(끓여 식힌) 3바리

술 빚는 법 :
1. 좋은 술 1사발, 누룩가루 2되, (끓여 식힌) 물 3바리를 합하고, 술독에 담아 안친다.
2. 멥쌀이나 찹쌀 1말을 (백세하여 물에 담가 불렸다가, 다시 씻어 건져서 물기를 뺀 후) 시루에 안쳐 무른 고두밥을 짓는다.
3. 고두밥이 무르게 푹 익었으면, 퍼내어 고루 펼쳐서 (따뜻한 온기가 남게) 식기를 기다린다.
4. 고두밥을 술독에 넣고, 고루 버무려 술밑을 빚는다.
5. 술독을 예의 방법대로 하여 따뜻한 곳에 앉혀서 발효시키면, 아침에 빚어 저녁에 쓴다.

일일쥬법
됴흔 술 흔 사발 누룩 두 되 물 세 바리 섯거 항의 너코 쏠 흔 말 닉게 쪄 더운 김의 섯거 흔되 버무려 더운 되 두면 아츰 비져 뎌녁 쓰나니라.

27. 일일주 <주찬(酒饌)>

술 재료 : 멥쌀 1말, 좋은 술 1사발, 누룩가루 2되, 물 3되

술 빚는 법 :
1. 멥쌀 1말을 백세하여 (물에 담가 불렸다가, 다시 씻어 헹궈서 물기를 뺀 후)

시루에 안쳐서 고두밥을 짓는다.

2. 고두밥이 익었으면 퍼내고, 고루 펼쳐 온기가 남게 식기를 기다린다.

3. 고두밥에 좋은 술 1사발과 누룩가루 2되, 물 3되를 고루 섞고, 매우 치대어 술밑을 빚는다.

4. 술독에 술밑을 담아 안치는데, 단단히 눌러 다져서 안친다.

5. 술독에 단단히 봉하고, 예의 방법대로 하여 매우 따뜻한 데서 하루 동안 발효시킨다.

* 주방문에 "오전에 빚으면 저녁때면 익는다."고 하였다.

一日酒

好酒一碗曲末二升水三升合調入甕後白米一斗熟烝方溫時調釀而相調時均調而勿令堅鎭只令調和而己後堅封置極溫處則晨釀而午熟也堅鎭.

28. 일일주법 <증보산림경제(增補山林經濟)>

술 재료 : 멥쌀(찹쌀) 1말, 누룩가루 2되, 좋은 술 1사발, 물(끓여 식힌) 3사발

술 빚는 법 :

1. 멥쌀이나 찹쌀 1말을 (백세하여 물에 담가 불렸다가, 다시 씻어 건져서 물기를 뺀 후) 시루에 안쳐 무른 고두밥을 짓는다.

2. 고두밥이 무르게 푹 익었으면, 퍼내어 고루 펼쳐서 (따뜻한 온기가 남게) 식기를 기다린다.

3. 고두밥에 좋은 술 1사발, 누룩가루 2되, (끓여 식힌) 물 3사발을 합하고, 고루 버무려 술밑을 빚는다.

4. 술밑을 술독에 담아 안치고, 예의 방법대로 하여 따뜻한 곳에 앉혀서 발효

시킨다.

* 주방문 말미에 "아침에 빚으면 저녁에 익고, 저녁에 빚으면 다음날 아침에 술이 익는다."고 하였다. 또 "찹쌀로 술밥을 지어 빚으면 더욱 좋다. 가루를 내어 죽을 쑤어 담가도 된다."고 하여 방문에 변용이 가능하다는 것을 밝히고 있다. 이는 가능한 한 빨리 발효를 끝내려는 목적에서라고 판단된다. <사시찬요보>나 <산림경제>의 기록에는 끓여 식힌 물이 사용되는데, <증보산림경제>에서는 물이 빠져 있다.

一日酒法
白米一斗爛蒸好酒一鉢麴末二升調和置之溫處朝釀夕飮夕釀朝飮以糯米作飯釀尤好 作末造粥釀亦可.

29. 일일주 우방 <증보산림경제(增補山林經濟)>

술 재료 : 찹쌀 2되, 고운 누룩가루 5홉, 물(5되)

술 빚는 법 :
1. 이른 아침에 찹쌀 2되를 준비한다(백세하여 물에 담가 불렸다가, 다시 씻어 건져서 물기를 뺀다).
2. 솥에 물(5되)을 붓고 끓이다가 불린 쌀을 넣고, 묽지도 되지도 않은 죽을 쑨다.
3. 죽이 퍼지게 익었으면, 퍼내어 고루 펼쳐서 (따뜻한 온기가 남아 미지근하게) 식기를 기다린다.
4. 미지근한 죽에 (절구에 찧고 빻아 체에 한 번 내린) 고운 누룩가루 5홉을 넣고, 주걱으로 거품이 일도록 수없이 휘저어 술밑을 빚는다.

5. 술밑을 6~7시간 방치하였다가 술독에 담아 안치고, 예의 방법대로 하여 밀봉한다.
6. 술독을 따뜻한 온돌방에 앉혀서 발효시키는데, 저녁이면 발효가 끝나 독이 차게 식어 있고, 술 빛깔이 맑고 밥알도 동동 떠 있는 술이 된다.

一日酒 又方
粘米二升作粥不稀不調入細末麴五合納缸中以杖無數攪之至數三時辰待泡起卽封缸口厚覆置溫突則至夕酒成淸冽且有浮蟻矣.

30. 일일주 <해동농서(海東農書)>

술 재료 : 멥쌀(찹쌀) 1말, 누룩가루 2되, 좋은 술 1사발, 물(끓여 식힌) 3사발

술 빚는 법 :
1. 멥쌀이나 찹쌀 1말을 (백세하여 물에 담가 불렸다가, 다시 씻어 건져서 물기를 뺀 후) 시루에 안쳐 무른 고두밥을 짓는다.
2. 고두밥이 무르게 푹 익었으면, 퍼내어 고루 펼쳐서 (따뜻한 온기가 남게) 식기를 기다린다.
3. 고두밥에 좋은 술 1사발, 누룩가루 2되, (끓여 식힌) 물 3사발을 합하고, 고루 버무려 술밑을 빚는다.
4. 술밑을 술독에 담아 안치고, 예의 방법대로 하여 따뜻한 곳에 앉혀서 발효시킨다.

* 주방문 말미에 "아침에 빚으면 저녁에 익고, 저녁에 빚으면 다음날 아침에 술이 익는다."고 하였다. 또 "찹쌀로 술밥을 지어 빚으면 더욱 좋다. 가루를 내어 죽을 쑤어 담가도 된다."고 하여 방문에 변용이 가능하다는 것을 밝히고

있다. 이는 가능한 한 빨리 발효를 끝내려는 목적에서라고 판단된다. <사시 찬요보>나 <산림경제>에는 끓여 식힌 물이 사용된다.

一日酒

好酒一鉢 麴末二升 水三鉢 白米一斗 爛蒸調匀. 置之溫處. 朝釀夕飯 夕釀朝 飮 以糯米作飯釀尤勝 作末造粥釀亦可. <纂要補>.

31. 일일주 <홍씨주방문>

술 재료 : 멥쌀 1말, 섬누룩 2되, 물 2병 반, 석임 7홉

술 빚는 법 :

1. 멥쌀 1말을 백세한다(백 번 씻어 옥같이 깨끗하게 하여 말갛게 헹궈 건졌다 가, 새 물에 하룻밤 담가 불린다).
2. 다음날 아침에 물 2병 반에 섬누룩 2되를 담가 (6시간 정도) 불려 수곡(물 누룩)을 만들어놓는다.
3. 물누룩이 불었으면 다른 물 넣지 말고, 제 물에 주물러 짜서 찌꺼기를 제거 하여 누룩물을 만들어놓는다.
4. 불린 쌀을 (다시 씻어 건져서 물기를 뺀 다음) 시루에 안쳐서 고두밥을 짓 는다.
5. 고두밥이 익었으면 퍼내고, 넓게 펼쳐서 차게 식기를 기다린다.
6. 고두밥에 누룩물과 석임 7홉을 한데 합하고, 고루 버무려 술밑을 빚는다.
7. 소독한 술독에 술밑을 담아 안치고, 예의 방법대로 하여 더운 방에 두고 하 루 동안 발효시켜 술이 익기를 기다렸다가 채주한다.

* 주방문에 "석임을 만들기 쉽지 않으면 좋은 술을 넣으라."고 하였다. 또 고두

밥이 막 식었을 때(온기가 조금 남아 있을 때) 빚으면 좋고, 밥이 너무 식으면 더디 된다고 하였다.

일일주

점미 한 말 백세하여 익게 지어 식히고 섬누룩 두 되를 물 두 병 담갔다가 붙거든 주물러 걸러 객수 말고 그 물에 걸러 즈에는 버리고 물만 밥에 버무려 넣어되 석임 칠 홉 넣어 빚어 더운 방에 두면 이튿날 제때에 즈나니라. 석임 조련 쉽지 아니하니 좋은 술 가이 찰 넣어라. 밥이 막 식으면 버무려 넣어라. 너무 오래되면 더 되나니라.

32. 일일주(우법) <후생록(厚生錄)>

> **술 재료 : 멥쌀 1말, 좋은 술 1주발, 누룩가루 2되, 물 2사발**

술 빚는 법 :

1. 멥쌀 1말을 (백세하여 물에 담가 불렸다가, 다시 씻어 헹궈 건져서 물기를 뺀 후) 시루에 안쳐서 고두밥을 짓는다.
2. 고두밥이 무르게 익었으면, 시루에서 퍼낸다(고루 펼쳐서 차게 식기를 기다린다).
3. 고두밥에 좋은 술 1주발과 누룩가루 2되, 물 2사발을 한데 합하고, 고루 버무려 술밑을 빚는다.
4. 술밑을 술독에 담아 안치고, 예의 방법대로 하여 따뜻한 곳에 두고 발효시킨다.
5. 아침에 빚으면 저녁에 익어 마실 수 있고, 저녁에 빚으면 다음날 아침에 마실 수 있다.

一日酒(又法)

好酒一鉢麴末二升水二鉢白米一斗爛蒸調均治之溫處朝釀夕飮夕釀朝飮.

33. 일일주(우법) <후생록(厚生錄)>

술 재료 : 찹쌀 1말, 좋은 술 1주발, 누룩가루 2되, 물 2주발

술 빚는 법 :

1. 찹쌀 1말을 (백세하여 물에 담가 불렸다가, 다시 씻어 헹궈 건져서 물기를 뺀 후) 작말한다.
2. 쌀가루를 물(2말)에 함께 섞고 끓여서 죽을 쑨다(넓은 그릇에 퍼서 차게 식기를 기다린다).
3. 죽에 좋은 술 1주발과 누룩가루 2되를 한데 합하고, 고루 버무려 술밑을 빚는다.
4. 술밑을 술독에 담아 안치고, 예의 방법대로 하여 따뜻한 곳에 두고 발효시킨다.
5. 아침에 빚으면 저녁에 익어 마실 수 있고, 저녁에 빚으면 다음날 아침에 마실 수 있다.

一日酒(又法)

好酒一鉢麴末二升水二鉢白米一斗爛蒸調均治之溫處朝釀夕飮夕釀朝飮(以糯米作粥尤勝作末造粥釀亦可).

점감주

'점감주(粘甘酒)'는 "찹쌀로 빚어 단맛이 많이 느껴지는 감주"라는 뜻이다. '점 감주'는 '감주'나 '유감주' 등의 일반 감주류보다는 고급술의 의미를 갖는다.

'점감주'에 대한 주방문을 수록하고 있는 조선시대 문헌으로 <민천집설(民天 集說)>을 비롯하여 <산가요록(山家要錄)>, <우음제방(禹飮諸方)>, <음식디미 방>, <주식시의(酒食是儀)> 등 5개 문헌에서 6가지 주방문을 찾아볼 수 있다. 문헌별 등장 시기를 보면 알 수 있듯, '점감주'는 조선 초기부터 1900년대까지 양 반가의 가양주로 자리매김하여 왔다.

조선 초기의 기록인 <산가요록>과 중기의 기록인 <민천집설>의 '점감주' 주 방문은 유사성을 띠고 있고, <음식디미방>을 비롯하여 조선 중기와 후기의 기 록인 <주식시의>, <우음제방> 등에 수록된 '점감주' 주방문은 동일한 것임을 알 수 있다.

다시 말하면, <산가요록>과 <민천집설>에 수록된 '점감주'에서는 찹쌀로 빚 고 누룩과 물이 사용된 데 비하여, <음식디미방>과 <주식시의>, <우음제방>

에 수록된 '점감주'는 물이 사용되지 않는다.

이로써 '점감주'는 조선 중기 이후 물을 사용하지 않음으로써 당도를 올려 저장성과 기호도를 높이는 방법으로 바뀌었으며, '점감주'라는 주품명이 의미하는 바대로 찹쌀과 소량의 누룩을 사용하여 빚는 고급 감주류의 한 가지라는 것을 알 수 있다.

또한 조선 초기에는 죽(粥)을 쑤어 빚었으나 중기로 넘어오면서 밥(고두밥) 형태로 바뀌었다는 사실과 함께, 물의 사용 여부를 막론하고 죽이나 밥(고두밥)을 따뜻하게 식힌 상태에서 누룩을 섞어 술밑을 빚고 두텁게 싸매어 따뜻한 곳에서 발효시키는 '고온당화법(高溫糖化法)'이 동원된 것을 볼 수 있다.

이러한 양주기법은 모든 문헌에서 공통적으로 나타난다는 점에서 '점감주'의 특징이라 할 만하다.

<산가요록>에는 "고루 버무려 술독에 담아 안치고 밀봉한 후, 따뜻한 온돌에 두고 두터운 옷으로 싸서 하룻밤 동안 발효시켜 술이 맑아지면 마신다."고 하였고, <음식디미방>에서는 "술밑을 술독에 담아 더운 데 앉혀두고 익히는데, 자주 술밑을 보아 거품이 일거든 차게 식히면 꿀맛같이 달다."고 하였다.

이는 하루 만에 당화를 시키기 위한 방법으로, '점감주'의 특징과 양주(釀酒) 목적이 무엇보다 단맛을 높이려는 데 있음을 알 수 있다.

1. 점감주 <민천집설(民天集說)>

술 재료 : 찹쌀 2도(되), 진말(누룩가루) 4홉, 끓인 물 1(병)

술 빚는 법 :

1. 찹쌀 2도를 (물에 깨끗이 씻어 하룻밤 불렸다가, 다시 씻어 건져서 물기를 뺀 다음,) 시루에 안쳐서 고두밥을 익게 (무르게) 찐다.

2. (고두밥이 익었으면, 자리에 퍼내서 고루 펼쳐서 차게 식기를 기다린다.)

3. 찹쌀고두밥에 밀가루(누룩가루) 4홉과 준비한 분량의 끓여 식힌 물 1(병)을 함께 합하고, 고루 버무려 술밑을 빚는다.
4. 술밑을 술독에 담아 안치고, 예의 방법대로 하여 발효시키는데, 1일밤이면 술이 익어 마실 수 있는데, 그 맛이 달다.

* 주원료의 분량이 정확히 언급되어 있지 않다. 이에 상법(常法)을 참고하였다.

粘甘酒
眞末四合湯水一甁浸之粘米二刀作飯合和入甕過置一夜味其甘.

2. 점감주 <산가요록(山家要錄)>
－쌀 한 말 빚이

술 재료 : 찹쌀 1말, 누룩가루 2되, 물(6되)

술 빚는 법 :
1. 찹쌀 1말을 씻어(백세하여) 물에 담가 불린다(다시 씻어 건져서 물기를 뺀다).
2. 물(1되)에 누룩가루 2되를 타서 주물러 물누룩을 만들어놓는다.
3. 솥에 물(5되)을 끓이다가 불린 쌀을 넣고, (주걱으로 천천히 저어가면서 팔팔 끓여) 된죽을 쑨 다음, 넓은 그릇에 퍼서 따뜻한 기운이 남게 식힌다.
4. 죽에 물누룩을 합하고, 고루 버무려서 술밑을 빚는다.
5. 술밑을 술독에 담아 안치고, 예의 방법대로 하여 유의(저고리)로 싸서 따뜻한 온돌방에 두고, 하룻밤 동안 발효시켜 술이 맑아지면 마신다.

* 주방문에 죽을 쑤는 데 사용되는 물의 양과 물누룩을 만드는 데 사용되는

물의 양에 대한 언급이 없다. 따라서 '점감주'를 만들기 위한 방법에서 물의 양을 최소한으로 산정하여 방문을 작성하였다.

粘甘酒

米一斗. 粘米一斗 洗浸作粥 不待冷. 好匊末二升 合水和之. 與粥交抹之 入甕. 以襦衣厚裹 置溫突 經宿乃用.

3. 점감주 우방 <산가요록(山家要錄)>
－쌀 3되 빚이

술 재료 : 찹쌀 3되, 누룩 9움큼, 물 3복자

술 빚는 법 :

1. 찹쌀 3되를 (백세하여 물에 담가 불렸다가, 다시 씻어 건져서 물기를 뺀 후) 작말한다.
2. 솥에 깨끗한 물 3복자를 부어 숯구치게 끓으면 솥을 불에서 내리고, 한 사람은 쌀가루를 한 숟가락씩 떠서 넣고 주걱으로 재빨리 저어주면서 끓여 죽을 쑨다
3. (따뜻한 기운이 남게 식힌) 죽에 누룩 9움큼을 합하고, 고루 저어서 술밑을 빚는다.
4. 술밑을 술독에 담아 안치고, 예의 방법대로 하여 밀봉한 후, 따뜻한 온돌에 두고 두터운 옷으로 싸서 하룻밤 동안 발효시켜 술이 맑아지면 마신다.

粘甘酒 又方

粘米三升 作末. 淨水三鐥 注鼎熟沸 移鼎. 右末一人以沙貼匕投入其水. 一人以木疾攪 和均. 次入好匊末九掬. 亦攪均入缸 密封. 置溫突厚裹 經宿乃淸.

用之.

4. 점감주 <우음제방(禹飮諸方)>

술 재료 : 찹쌀 2되, 고운 누룩가루 4홉

술 빚는 법 :
1. 찹쌀 2되를 백세하여 (물에 담가 불렸다가, 다시 씻어 건져서 물기를 뺀 다음) 밥(무른 고두밥)을 짓는다.
2. 찹쌀밥(고두밥)이 무르게 익었으면, 자리에 퍼낸다(고루 펼쳐서 차게 식기를 기다린다).
3. 묵은 누룩가루 4홉을 가는체에 쳐서 찹쌀고두밥에 합하고, 고루 버무려 술밑을 빚는다.
4. 술밑을 술독에 담아 안치고, 예의 방법대로 하여 더운 데 두고 두텁게 덮어서 발효시키는데, 자주 보아 거품이 일어나면 술을 내어 마신다.

* 주방문 말미에 "거품이 끼어(일어) 익거든 꿀같이 다니라."고 하였다.

점감쥬
점미 두 되 빅셰흐야 밥을 므루게 지어 묵은 누록ㄱ로 너 홉 ㄱ는 체로 쳐 버므려 더운 딕 둣거히 덥허 두고 자로 보아 겁품 씨어 익거든 닉라. 꿀가치 다니라.

5. 점감주 <음식디미방>

술 재료 : 찹쌀 2되, 묵은 누룩가루 4홉

술 빚는 법 :

1. 찹쌀 2되를 (물에 깨끗이 씻어 물에 담가 불렸다가, 다시 씻어 건져서) 무른 밥(고두밥)을 짓는다.
2. 찹쌀밥(고두밥)이 무르게 익었으면, 퍼내어 그릇에 담아놓는다(고루 펼쳐서 차게 식힌다).
3. 묵은 누룩을 가늘게 쳐서(가루로 빻아 깁체에 쳐서) 4홉을 준비한다.
4. 찹쌀밥(고두밥)에 누룩가루 4홉을 합하고, 고루 버무려 술밑을 빚는다.
5. 술밑을 술독에 담아 안치고, 예의 방법대로 하여 더운 데 앉혀두고 발효시키는데, 자주 술밑을 보아 거품이 일거든 독을 꺼내어서 차게 식히면 꿀맛 같이 달다.

점감쥬

춥뿔 두 되룰 밥 무르게 지어 무근누룩 ᄀᄂ리 쳐서 너 홉 섯거 더운 듸 스려 두고 ᄌᆞ로 보와 거픔이 셔거든 내여 시기면 쑬 ᄀᄐ니라.

6. 점감주 <주식시의(酒食是儀)>

술 재료 : 찹쌀 2되, 누룩가루 4홉

술 빚는 법 :

1. 찹쌀 2되를 백세하여 (물에 담가 불렸다가, 다시 씻어 건져서 물기를 뺀 다

음) 밥(무른 고두밥)을 짓는다.

2. 찹쌀밥(고두밥)이 무르게 익었으면, 자리에 퍼낸다(고루 펼쳐서 차게 식기를 기다린다).

3. 묵은 누룩가루 4홉을 가는체에 쳐서 찹쌀밥(고두밥)에 합하고, 고루 버무려 술밑을 빚는다.

4. 술밑을 술독에 담아 안치고, 예의 방법대로 하여 더운 데 두고 두텁게 덮어서 발효시키는데, 자주 보아 거품이 일어나면 술을 내어 마신다.

* 주방문 말미에 "그 맛이 꿀같이 다니라."고 하였다.

졈감쥬

졈미 두 되 빅셰ㅎ야 밥을 므루게 지어 묵은 누룩ㄱ로 늬 홉 ㄱ는 체로 쳐 버므려 더운 듸 둣거히 덥허두고 자로 보아 겁품 씨어 익거든 늬라. 쑬갓치 다니라.

천야홍주·천태홍주

스토리텔링 및 술 빚는 법

술의 특징이나 상징성을 반영하는 것이 주품명이다. 그런 주품명이 문헌에 따라서는 다르게 표기되는 것을 자주 목격한다. <음식보(飮食譜)>와 <주찬(酒饌)>의 '진향주(震香酒)'가 민간에서는 '진양주(眞釀酒)'로, <술방문>과 <한국민속대관(韓國民俗大觀)>의 '석탄주(惜呑酒)'가 <온주법(醞酒法)>에서는 '석향주'로, <김승지댁주방문(金承旨宅廚方文)>의 '사철소주'가 <홍씨주방문>에 '사절소주'로 각각 다르게 기록되거나 불리고 있는 것이 그 예이다.

또한 <임원십육지(林園十六志)>에 수록된 '천태홍주(天台紅酒)'가 <오주연문장전산고(五洲衍文長箋散稿)>에는 '천야홍주방 변증설(天冶紅酒方 辯證說)'로 기록되어 있다. <임원십육지>에 "<거가필용(居家必用)>을 인용하였다."고 전제하고, "찹쌀 1말에 홍국(紅麴) 2되를 쓴다. 누룩은 1냥 반 또는 2냥의 비율로 담는다."고 하였고, <오주연문장전산고>에서도 "천야홍주방은 매번 찹쌀 1말에 홍국 2되, 주국 1냥 반 혹은 2냥을 쓴다."고 하였으므로, 어떤 문헌의 주품명이 정확한지는 확인할 수 없으나, 두 문헌에 수록된 주방문이 동일하다는 사실에서 명칭은 다르지만 한 가지 술이라는 것을 알 수 있다.

시대적으로 앞선 <임원십육지>의 주방문을 살펴보면, "찹쌀 1홉을 여러 번 씻어 끓인 물 5되를 써서 4~5번 끓으면 내놓고 식혀서, 쌀을 물에 담가서 추운 달에는 이틀 밤, 따뜻한 달에는 하룻밤 둔다. 다음날 쌀을 걸러 밥을 지어 충분히 익힌다. 이에 앞서 물로 홍국을 깨끗이 씻어 동이에 담아 갈거나 곱게 빻아도 좋다. 따로 따뜻한 물 1되에 홍국을 발효시켜 내놓고 식혀서 누룩을 넣는데, 발효시키지 말고 다만 곱게 빻아 매우 고르게 섞어서 인절미 모양으로 익힌다. 항아리에 넣고 쌀 담근 물을 섞은 후 손으로 비벼 매우 잘게 부수는데, 부수지 않으면 잘 쉰다. 만약 물을 많이 쓰고 싶으면 물을 조금 더해 준다. 이틀 밤이 지난 뒤에 일일이 뒤집어 주면, 3일이 지나면 술을 거를 수 있다. 4~5일이 지나면 향기로워지니 다시 향기가 어떤지와 날씨가 찬지 더운지를 살펴서 날짜를 조절한다. 술을 거르고 다시 술지게미를 항아리 안에 쏟는다. 따로 찹쌀 1되와 위에서 부순 것 3되로 끓여 죽을 쑨다. 앞의 술지게미와 섞어 다시 빚어 1~2일 지나면 술을 거를 수 있다. 먼저 거른 술과 섞어서 마시는데, 해를 지나서 보관하려면 섞지 않는 것이 좋다. 만약 다시 물을 넣고 술지게미를 섞어 담가서 세 번째 술을 빚어도 좋다."고 하여, <오주연문장전산고>와 동일한 과정으로 이루어진다는 것을 알 수 있다.

'천태홍주' 또는 "천야홍주'는 홍국을 수곡으로 만들어 다시 누룩을 사용한다는 점에서 다른 주품과 차이가 있고, 술을 거르고 남은 주박과 찹쌀죽을 사용하여 다시 발효시키는 것을 볼 수 있다.

이와 같은 주방문은 '천태홍주' 또는 '천야홍주'에서만 목격된다. 이는 홍국의 발효력이 매우 강하다는 것을 말해 주는 것이며, 전에 빚었던 술맛과 향기를 유지시키기 위한 방법의 한 가지라고 할 수 있다. 즉, 먼저 빚어둔 '서김'이나 '막걸리'를 사용하여 빚는 '급청주'와 '삼일주' 등의 속성주류나 '청주'를 사용해서 빚는 '청감주' 등과는 또 다른 방법이다.

<오주연문장전산고>의 '천야홍주방' 주방문 말미에서도 "만약에 오래 묵히려면 전술과 섞으면 불가하고, 다시 물을 써서 찌꺼기를 섞어서 담그면 또한 세 번째 술을 담글 수 있다. 대저 홍주는 홍국으로 빚어야 하는 것이다."고 하였으므로, '천야홍주'는 '홍국주'를 가리키는 것임을 알 수 있다.

'천태홍주' 또는 '천야홍주'가 '홍국주'라는 사실을 <오주연문장전산고>에서 밝히고 있는데, "이창곡 시에 '홍주는 붉은 구슬이 떨어지는 것'이라 하였고, 하언 강 왈 '강남인이 홍국주를 빚었다.'고 했으니, 곧 옛날에도 '홍국주'가 또한 있었고, 근세에 처음 빚어진 것이 아님이 분명하다."고 하였다.

다만, 우리나라 술에는 '홍국'을 사용하여 빚는 술이 매우 드물고, <임원십육지> 나 <오주연문장전산고>의 기록에서 보듯 <거가필용> 등 중국의 문헌을 그대로 인용한 주방문이라는 사실에서 아쉬움이 남는다.

흔히 조선시대를 전통주의 전성기라고는 하지만, '천태홍주' 또는 '천야홍주'와 같은 주품이 중국에서 유입되었음에도 이 땅에 뿌리를 내리지 못한 채 기록으로 만 찾아볼 수밖에 없다는 사실은, 우리의 양주기술이 보다 한 단계 발전할 수 있 는 계기와 다양한 주품의 등장에 대한 미련을 갖게 만들기 때문이다.

주방문에서 보듯, 발효주이면서도 붉은 빛깔을 띠는 '홍주(紅酒)'가 '관서감홍 로'나 '진도홍주'와 같은 증류식 소주와 더불어 보다 품격 있는 양주문화와 음주 문화를 구가했을지도 모른다는 그런 아쉬움인 것이다.

1. 천야홍주방 <오주연문장전산고(五洲衍文長箋散稿)>

술 재료 : 밑술 : 찹쌀 1말, 홍국 2되, 누룩가루 1.5~2냥, 끓인 물 5되, 쌀 불린 물
　　　　 덧술 : 찹쌀 1되, 홍국 2홉, 누룩가루 1.5~2돈, 따뜻한 물 3되, 주박
　　　　 2차 덧술 : 찹쌀 1되, 홍국 2홉, 누룩가루 1.5~2돈, 따뜻한 물 3되, 주
　　　　 박

술 빚는 법 :

* 밑술 :

1. 찹쌀 1홉을 백세하여 끓인 물 5되에 합하고, 4~5차례 끓여 밖에 내놓아 차 게 식기를 기다린다.

2. 찹쌀(9되 9홉)을 백세하여 물에 담가 하룻밤(겨울에는 2일 밤) 불렸다가 (다시 씻어 건져서 물기를 뺀 후) 쌀 담갔던 물을 버리지 말고 따로 받아놓는다.

3. 불린 쌀을 시루에 안쳐서 고두밥을 짓는다.

4. 홍국을 물로 깨끗하게 씻어 건져서 동이에 담아 갈거나 곱게 빻아놓는다.

5. 따뜻한 물 1되에 갈아놓은 홍국을 합하고, 거품이 일기를 기다린다.

6. 고두밥이 익었으면 퍼낸 다음, 고루 펼쳐서 차게 식기를 기다린다.

7. 홍국을 불린 물에 고두밥과 누룩가루 1.5~2냥을 합하고, 찧어서 인절미 같은 술밑을 빚어놓는다.

8. 술독에 술밑을 담아 안치고, 쌀 담갔던 물을 붓고 손으로 비벼 잘게 부숴놓는다.

9. 술독을 예의 방법대로 하여 2일간 발효시킨 뒤, 다시 뒤집어 주고(차게 식혀주고) 재차 3일간 발효시킨 후 술을 거른다.

* 덧술 :

1. 찹쌀 1되를 백세하여 끓인 물(3되)에 합하고, 4~5차례 끓여 죽을 쑨 후, 밖에 내놓아 차게 식기를 기다린다.

2. 따뜻한 물 1되에 물에 씻어 갈아놓은 홍국 2홉을 합하고, 거품이 일기를 기다려서 차게 식기를 기다린다.

3. 홍국을 불린 물에 찹쌀죽과 밑술을 채주하고 남은 찌꺼기, 누룩을 가루로 만들어 1.5~2돈을 한데 합하고, 고루 버무려 술밑을 빚어놓는다.

4. 술밑을 술독에 담아 안친 후, 예의 방법대로 하여 1~2일간 발효시키면 술이 익으면 거른다.

* 2차 덧술 :

1. 찹쌀 1되를 백세하여 끓인 물(3되)에 합하고, 4~5차례 끓여 물이 2되가 되게 죽을 쑤고, 밖에 내놓아 차게 식기를 기다린다.

2. 따뜻한 물 1되에 물에 씻어 갈아놓은 홍국을 합하고, 거품이 일기를 기다려

서 차게 식기를 기다린다.

3. 홍국을 불린 물에 찹쌀죽과 덧술을 채주하고 남은 찌꺼기, 누룩을 가루로 만들어 1.5~2돈을 한데 합하고, 고루 버무려 인절미 같은 술밑을 빚어놓는다.

4. 술밑을 술독에 담아 안친 후, 쌀 담갔던 물을 합하고 고루 저어서 인절미 같은 고두밥이 풀어지게 한다.

5. 술독을 예의 방법대로 하여 1~2일간 발효시킨 후, 술이 익으면 채주하여 먼저 거른 술과 합하여 마신다.

天冶紅酒方 辯證說

천야홍주방은 매번 찹쌀 1말에 홍국 2되, 주국 1냥 반 혹은 2냥을 쓴다. 또한 쌀은 깨끗이 씻고 물 5되에 찹쌀 1홉을 넣고 달여서 4~5번 끓인 후 차게 식힌다. 쌀을 담글 때에는 추운 달에는 이튿날 밤, 따뜻한 달에는 하룻밤을 담근다. 거친 쌀(현미)은 불을 때서 충분히 익힌다. 홍국은 먼저 물로 씻은 후 차고 깨끗한 동이에 갈거나 곱게 찧는다. 또 따로 따뜻한 물 1되를 쓰면 누룩이 잘 괴고 찬물에 주국을 넣으면 술이 발효가 되지 않는다. 가늘게 찧어 섞어서 지극히 고르게 버무려서 인절미 형태로 항아리 가운데에 담고, 쌀을 담갔던 뜨물을 합하여 고루 저어서 고두밥이 풀어지게 한다. 풀어지지 않으면 쉬기 쉽다. 물을 많이 쓰고자 하면 쌀뜨물을 더하여 이틀이 경과한 후 일일이 뒤집고, 3일이 지나면 짤 수 있다. 혹은 4~5일을 재우면 향기를 더할 수 있으니 어떤 정도인지를 살펴서 기온이 차고 따뜻함을 소상하게 살펴서 짜라. 다시 두 번째는 항아리에 찌꺼기를 기울여서 찹쌀 1되를 갈아서 물 3되를 넣고 2되가 되도록 죽을 쑤어서 전에 남은 찌꺼기를 섞어서 다시 빚어 하루 이틀 재우면 짤 수 있다. 전주와 합하여 마신다. 만약에 오래 묵히려면 전술과 섞으면 불가하고, 다시 물을 써서 찌꺼기를 섞어서 담그면 또한 세 번째 술을 담글 수 있다. 대저 홍주는 홍국으로 빚어야 하는 것이다. 이창곡 시에 '홍주'는 "붉은 구슬이 떨어지는 것"이라 하였고, 하언강 왈 "강남인이 홍국주를 빚었다."고 했으니 곧 옛날에도 '홍국주'가 또한 있었음이니, 근세에 처음 빚어진 것이 아님이 분명하다.

2. 천태홍주방 <임원십육지(林園十六志)>

> 술 재료 : 밑술 : 찹쌀 1말, 홍국 2되, 누룩가루 1.5~2냥, 끓인 물 5되, 쌀 불린 물,
> 따뜻한 물 1되
> 덧술 : 찹쌀 1되, 홍국 2홉, 누룩가루 1.5~2돈, 끓인 물(1말), 주박, 따뜻
> 한 물 1되

술 빚는 법 :

* 밑술 :

1. 찹쌀 1홉을 백세하여 끓인 물 5되에 합하고, 4~5차례 끓여 밖에 내놓아 차게 식기를 기다린다.

2. 찹쌀(9되 9홉)을 백세하여 물에 담가 하룻밤(겨울에는 2일 밤) 불렸다가 (다시 씻어 건져서 물기를 뺀 후) 시루에 안쳐서 고두밥을 짓는다.

3. 쌀 담갔던 물을 버리지 말고 따로 받아놓는다.

4. 홍국을 물로 깨끗하게 씻어 동이에 담아 갈거나 곱게 빻아놓는다.

5. 따뜻한 물 1되에 갈아놓은 홍국을 합하고, 거품이 일기를 기다려서 차게 식기를 기다린다.

6. 고두밥이 익었으면 퍼낸 다음, 고루 펼쳐서 차게 식기를 기다린다.

7. 홍국을 불린 물에 고두밥과 누룩 1.5~2냥을 가루로 하여 합하고, 인절미 같은 술밑을 빚어놓는다.

8. 술독에 술밑을 담아 안치고, 쌀 담갔던 물을 붓고 손으로 비벼서 잘게 부순다.

9. 술독을 예의 방법대로 하여 2일간 발효시킨 뒤, 다시 뒤집어 주고(차게 식혀 주고) 재차 3일간 발효시킨 후 술을 거른다.

* 덧술 :

1. 찹쌀 1되를 백세하여 끓인 물(1말)에 합하고, 4~5차례 끓여 밖에 내놓아 차
   게 식기를 기다린다.

2. 따뜻한 물 1되에 물에 씻어 갈아놓은 홍국을 합하고, 거품이 일기를 기다려
   서 차게 식기를 기다린다.

3. 홍국을 불린 물에 찹쌀죽과 채주하고 남은 찌꺼기, 누룩 1.5~2돈을 가루로
   만들어 합하고, 고루 버무려 술밑을 빚어놓는다.

4. 술밑을 술독에 담아 안친 후, 예의 방법대로 하여 1~2일간 발효시킨 후 술
   이 익으면 채주하여 먼저 거른 술과 합하여 마신다.

天台紅酒方

每糯米一斗紅麴二升使酒麴兩半或二兩亦可洗米淨用水五升糯米一合煎四
五沸放冷以浸米寒月兩宿暖月一宿次日漉米炊十分熟先用水洗紅麴令淨用盆
(硏/碾)或搗細亦可別用溫湯一升發起紅麴放冷入酒麴不用發只搗細拌令極勻
熟如麻餐狀入缸中用浸米泔拌手擘極碎不碎則易酸如欲用水多則添些水經二
宿後一一翻三宿可榨或四五宿可以香更看香氣如何與天氣寒暖消詳之榨了再
傾糟入缸內別用糯米一升碎者用三升以水三升煮爲粥拌前糟更釀一二宿可榨
和前酒飮如飮留過年則不可和若更用水拌糟浸作第三酒亦可. <居家必用>.

추모주 · 가을보리술

스토리텔링 및 술 빚는 법

'추모주(秋麰酒)'는 가을보리쌀로 빚는, 한국의 맥주(麥酒)라고 할 수 있다. 다만, 발효법과 부재료의 첨가 유무에서 차이가 있을 뿐이다. 이 '추모주'가 외면당하고 쌀 중심의 미주(米酒)로 술 빚기가 발달해 온 까닭은, 우리나라 사람들이 그동안 못 먹고 못 입고 가난에 시달려 온 데 대한 보상심리와, 멥쌀과 찹쌀 등 미식(美食)으로서 흰밥인 쌀밥문화를 추구해 온 데 그 이유가 있다.

평생 보리밥도 못 먹고 살아온 사람들은 보리밥도 감지덕지할 일이지만, 보리밥을 주식으로 먹어온 사람들은 형편이 점차 나아지게 되면 다시는 보리밥을 먹고 싶지 않다고 한다. 무엇보다 보리밥은 소화가 잘 안 되거니와, 밥을 짓기까지 손이 많이 간다. 또 먹을 때의 식감이 떨어져 맛이 없게 느껴진다.

더러 보리밥에 대한 추억을 떠올려 일부러 보리밥집을 찾는 미식가(?)들도 있긴 하지만, 아무리 보리밥을 잘 지었다 하더라도 쌀밥보다 못한 것은 사실이다. 바로 그러한 이유로 보리술도 우리들 관심에서 멀어진 것으로 생각된다.

하지만 이러한 보리술이 독일과 영국 등 서구 국가들에서는 대중주로 자리 잡고 있고, 세계 주류시장의 중심에 서 있는 것이 현실이다. 뒤늦게 우리도 그들의 방식을 추구하고 있고, 그것도 모자라서 직접 수입해서 마시거나 맛을 따라잡기에 분주하다.

'추모주'는 이미 고려시대 때부터 서민들 사이에서 빚어져 왔고, 부유층에서는 증류식 소주를 즐겼음을 알 수 있다. 진도 지방의 '홍주'나 전주 지방의 '이강주', 제주 지방의 '고소리술'이 보리쌀이나 보리누룩(맥국 麥麴)으로 빚은 술이란 사실은 잘 모르면서도 이들 술이 조선시대에는 유명 특산주로서 이름을 떨쳤고, 지금도 한국 명주(名酒)의 반열에 올라 있음은 결코 우연이 아니다.

그런데 왜 보리술이 최근에는 사랑받지 못하고 자취를 감추고 말았을까? 어떤 연유로 '추모주'와 같은 보리술이 생산자와 소비자로부터 외면당하고 결국 이 땅에서 사라져버렸을까?

나름대로 그 이유를 찾아보니, 우선은 보리쌀로 만든 술은 그 제조과정이 여느 곡물로 빚는 술에 비해 매우 힘들고 까다롭다는 문제가 있었다. 이를테면 보리쌀은 술을 빚기 위해 고두밥을 만들기까지 여타 곡물에 비해 가공단계를 많이 거쳐야 하기 때문에 비효율적이라는 사실이다. 또한 일단 술을 빚어놓고 보더라도 다른 곡물로 빚은 술에 비해 알코올 도수가 낮아 비경제적이라는 것이 보리술이 안고 있는 문제점이다.

근대화 이후 최근까지 희석식 소주의 등장과 함께 비교적 독한 술에 사람들의 입맛이 길들여져 왔다는 사실도 보리술이 사라진 이유 가운데 큰 비중을 차지한다. 그만큼 보리술은 알코올 도수가 낮아 상대적으로 경쟁력이 떨어진다는 것을 뜻한다.

그러나 아무리 그렇다고 하더라도 보리술이 사라져야 할 이유는 없다. 보리술이 갖고 있는 장점이 한두 가지가 아니기 때문이다.

'추모주'가 일반 전통주와 달리 그 제조과정이 매우 까다롭다는 것은 <임원십육지(林園十六志)>의 주방문을 보더라도 쉽게 알 수 있다.

우선 '추모(秋麰)'라 함은 잘 여물고 알이 충실한 가을보리를 이르는 말이다. 술을 빚기 위해서는 이 보리를 잘 도정해야 하는데, 술 빚기에 사용되는 보리는 일반 식사용 보리쌀보다 도정을 더 많이 하는 것이 좋다.

보리쌀이 준비되면 깨끗하게 잘 씻은 뒤 물에 오랫동안 불리는데. 보리쌀이 부패가 일어날 정도라야 하므로 대략 10일(봄·여름철에는 5~7일) 정도가 소요된다. 추운 계절에는 따뜻하게 해줄 필요가 있다. 시간이 지나면서 보리쌀을 담가둔 그릇의 수면 위에 골마지와 함께 거품이 두텁게 끼는 것을 볼 수 있는데, 늦봄이나 여름철에는 한두 번 제거해 주고 다른 계절에는 그대로 방치한다.

보리쌀이 충분히 부식(부패)되었으면 새 물에 다시 한 번 깨끗하게 씻어 건져서 시루에 안치고 쪄서 보리밥을 짓는데, 쌀을 씻을 때보다 훨씬 심한 냄새(향분香紛)가 나더라도 걱정할 필요가 없다. 찐 보리밥에 누룩가루를 합하고 절구에 담아 힘껏 찧는데, 물을 넣지 않는다. 찐 보리밥이 물러져서 껍같이 되다가 부드러워지면 단맛이 나기 시작하는데, 이때 술독에 퍼 담고 발효시키면 된다. 절구에 넣고 찧음으로써 거친 원료의 당화를 촉진시켜 발효를 도와주는 원리가 깃들어 있는 것이다.

이렇게 하여 잘 빚은 '보리술'은 주독이 낮아 건강에 좋다. 또한 '보리술'은 구수한 맛과 향기가 있어 우리나라 사람들의 취향에 맞는 술이다.

조선시대에 '추모주'가 어느 정도로 일반화되었는지를 가늠할 수 있는 단서가 있는데, 주로 사대부들에 의해 저술된 <군학회등(群學會騰)>을 비롯하여 <농정회요(農政會要)>, <임원십육지>, <증보산림경제(增補山林經濟)> 등에서 '추모주법', '추모주방'을 볼 수 있고, 부인네들에 의해 저술된 것으로 생각되는 <술방>과 <언서주찬방(諺書酒饌方)>에도 '가을보리술'과 '추모주'가 등장한다.

여기서 한 가지 중요한 사실은, 이들 문헌에서 한결같이 단양주법(單釀酒法)의 '추모주' 방문을 수록하고 있는데 그 과정이 동일하다는 것이다.

다만, <술방>의 '가을보리술'에서만 물을 사용하여 '미음'처럼 술밑을 빚는 경우가 있을 뿐이다. 따라서 '추모주' 외에도 '모미주', '모미소주', '피모소주'까지 포함하면 보리를 원료로 한 양주가 상당히 대중화되었던 것을 알 수 있다.

지금이라도 '모미주'를 비롯한 '피모소주'의 복원과 개발에 힘써야 하지 않을까 생각한다. 보리의 소비는 농가의 소득증대 효과를 가져올 수 있을 것이며, 특히 가장 '한국적인', '한국인의 소주' 개발도 가능하리라고 본다.

1. 추모주법 <군학회등(群學會騰)>

> 술 재료 : 보리 1말, 묵은 누룩가루 1홉

술 빚는 법 :

1. 가을보리를 도정을 많이 하여 보리쌀을 만든 뒤, 백세하여 물에 담가 불린다.
2. 보리쌀을 담근 물을 자주(3~4차례) 갈아주면서 10일간 불려 부식시킨다.
3. 반쯤 부패한 보리쌀을 손으로 비벼보아 저절로 문드러지면, 다시 씻어 말갛게 헹궈 건진 뒤, 시루에 안쳐서 무른 고두밥을 짓는다.
4. 보리밥 1대접(반 되)에 누룩가루 1홉(주먹)을 섞어 넣고, 절구로 찧어 인절미 같은 술밑을 빚는다.
5. 물기가 없는 술독에 술밑을 담아 안치고, 종이로 단단히 밀봉하여 서늘한 곳에서 14일간 발효시킨다.
6. 술독 뚜껑을 열어보아, 향기가 가득하고 맛이 좋으면 채주하여 사용한다.

* 주방문 말미에 "독에 담고 좋은 종이로 단단히 봉하여 서늘한 곳에 놓아둔다. 열나흘 지나 향기가 방 안에 가득하게 되면 비로소 떠내어 먹는다."고 하였다.
* <임원경제지>, <오주연문장전산고> 등에도 수록되어 있다.

秋麰酒法

秋麰精舂水浸經宿後換新水三四次十日旣過則半腐傷以手按之自碎然後去所浸水蒸爛以碓舂之而每麰米一椀許入陳好麴一掬和搗納無水氣之甕以好紙封固置凉處二七日後則香氣滿室方可取用.

2. 추모주법 <농정회요(農政會要)>

술 재료 : 보리 1말, 묵은 누룩가루 1홉

술 빚는 법 :

1. 가을보리를 도정을 많이 하여 보리쌀을 만든 뒤, 1말을 백세하여 물에 담가 밤재워 불린다.
2. 보리쌀의 물을 자주(3~4차례) 갈아주면서 10일간 불려 부식시킨다.
3. 반쯤 부패한 보리쌀을 손으로 비벼보아 저절로 문드러지면, 다시 씻어 말갛게 헹궈 건진다.
4. 불려 씻은 보리쌀을 시루에 안쳐서 무른 고두밥을 짓는다.
5. 보리밥에 누룩가루 1대접(반 되)과 묵은 좋은 누룩 1줌을 섞어 넣고, 절구로 찧어 인절미 같은 술밑을 빚는다.
6. 물기가 없는 술독에 술밑을 담아 안치고, 종이로 단단히 밀봉하여 찬 곳에서 14일간 발효시킨다.
7. 술독 뚜껑을 열어보아, 향기가 가득하고 맛이 좋으면 채주하여 사용한다.

* 주방문 말미에 "독에 담고 좋은 종이로 단단히 봉하여 찬 곳에 놓아둔다. 열나흘 지나 향기가 방 안에 가득하게 되면 비로소 떠내어 먹는다."고 하였다.
* <임원경제지>, <오주연문장전산고> 등에도 수록되어 있다.

秋麰酒法

秋麰精舂水浸經宿後換新水三四次十日既過則半之腐傷以手按之自碎然後去所浸水蒸爛以碓舂之而每麰米一椀許入陳好麴一掬和搗納無水氣之瓮以好紙封固置冷處二七日後則香氣滿室方可取用.

3. 가을보리술 <술방>

술 재료 : 가을보리(1말), 좋은 누룩(4되), (끓는 물 5되)

술 빚는 법 :

1. 가을보리를 정히 씻어 물에 담가 하룻밤 불린다.

2. 불린 보리를 3~4차례 찬물을 갈아주어 3일을 지낸다.

3. 보리를 손으로 만져보아 부서지거든 다시 새 물에 헹궈서 건진다.

4. 불린 보리를 방아에 찧어 가루로 만든다.

5. 보릿가루를 시루에 안쳐서 떡을 찐 후 (보리 양의 3배가 되는 끓는 물로 다시 익혀) 미음을 만들어 차게 식힌다.

6. 보리 미음 1사발에 묵힌 좋은 누룩 한 줌씩 섞어 항에 담아 안치고, 종이로 굳게 봉한다.

7. 술독은 서늘한 곳에 두어 7일간 발효시킨다.

* 주방문 말미에 "칠일 후면 향기 집에 가득하리라."고 하였다.

가을보리슐

보리를 정히 쓰려 물의 담가 밤지와 삼스츳 물 가라 담가 삼일이 지난즉, 반니나 상ᄒ여 손으로 만져도 부셔진 후, 쪄 방ᄒ의 찌으되, 보리미음 ᄒ 스발의 묵은 죠흔 누룩 ᄒ 줌식 셧거 찌어 물긔 업는 방의 너허 죠희로 구지 봉ᄒ여 셔늘ᄒ 곳데 두면 칠일 후면 향긔 집의 가득ᄒ니라.

4. 추모주 <언서주찬방(諺書酒饌方)>

술 재료 : 가을 보리쌀 1사발, 누룩가루 1줌

술 빚는 법 :

1. 가을보리를 가장 많이 깎아 도정을 한 다음, 물에 담가 밤재워 불려놓는다.
2. 다음날 물을 갈아주는데, 물을 3회 정도 갈아주어 10일간 보리쌀을 썩힌다.
3. 보리쌀이 반은 썩어서 손으로 비벼서 부서지면, 제 물을 따라내고 (새 물로 깨끗이 씻어 헹궈서) 물기를 뺀다.
4. 보리쌀을 끓는 물솥의 시루에 안쳐서 고두밥을 익게 쪄낸다.
5. 쪄낸 보리쌀을 방아에 찧되, 보리쌀 1사발에 대해 누룩가루 한 줌씩 섞어 찧는다.
6. 술밑이 다 찧어졌으면 물기 없는 술독에 안치고, 서늘한 데 자리를 잡아 앉힌다.
7. 두터운 종이로 술독 아가리를 가장 단단히 싸매서 발효시키는데, 14일 후가 되면 열어보지 않아도 향기가 집안에 가득하다.

츄모쥬

ᄀ을보리를 ᄀ장 미이 슬허 ᄇ리고 믈에 ᄃ마 밤 잔 후제 새 믈을 세 번 ᄀ라 열흘 후제 반은 서것거든 손으로 부븨여 ᄇ아 딘 후제 ᄃ맛던 믈란 업시 ᄒ고 닉게 ᄠ며 방하예 디흐되 디흘 제 그 ᄒᆞᆫ 사발애 무근 누록ᄀᆞᆯ ᄒᆞᆫ 줌식 섯거 디허 믈씌 업슨 독에 녀허 서늘ᄒᆞᆫ 듸 노코 두터온 죠희로 독부리를 ᄀ장 둔둔이 ᄡᆞ미야 두닐웨 휘면 여디 아녀도 향내 집의 ᄀ득 ᄒᆞᄂᆞ니라.

5. 추모주방 <임원십육지(林園十六志)>

술 재료 : 보리 1말, 누룩가루 3되

술 빚는 법 :
1. 보리쌀을 곱게 도정하여 (백세하여) 물에 하룻밤 담갔다가, 매일 새 물로 3~4차례 갈아주면서 10일을 지낸다.
2. 보리쌀이 반쯤 발효되면, 손으로 비벼보아 저절로 문드러지게 된 뒤에 담갔던 물을 버리고 (다시 씻어 헹궈서) 물기를 뺀다.
3. 불린 보리쌀을 시루에 안치고 푹 쪄서, 고두밥이 익었으면 퍼낸다(차게 식기를 기다린다).
4. 가을보리쌀 1사발에 묵은 좋은 누룩가루 한 움큼의 비율로 섞고, 절구에 찧어서 인절미처럼 되도록 술밑을 빚는다.
5. 술밑을 물기가 없는 술독에 담아 안치고, 종이로 두텁게 봉하여 서늘한 곳에 두고 14일간 발효시켜, 향기가 방 안에 가득하게 숙성되면 마신다.

秋麴酒方
秋麴精春水浸經宿後換新水三四次十日旣過則半腐傷以手按之自碎然後去所浸水蒸爛以碓春之而每麴米一椀許入陳好麴一掬和搗納無水氣之甕以好紙封固置凉處二七日後則香氣滿室方可取用. <三山方>.

6. 추모주법 <증보산림경제(增補山林經濟)>

술 재료 : 보리 1말, 묵은 누룩가루 10줌(주먹)

술 빚는 법 :

1. 가을보리를 도정을 많이 하여 보리쌀을 만든 뒤, 10대접을 백세하여 물에 담가 불린다.
2. 보리쌀의 물을 자주(3~4차례) 갈아주면서 10일간 불려 부식시킨다.
3. 반쯤 부패한 보리쌀을 손으로 비벼보아 저절로 문드러지면, 다시 씻어 말갛게 헹궈 건진 뒤, 시루에 안쳐서 무른 보리밥을 찐다.
4. 찐 보리밥 1대접(반 되)에 대하여 누룩가루 1홉(줌)의 비율로 섞어 넣고, 절구로 찧어 인절미 같은 술밑을 빚는다.
5. 물기가 없는 술독에 술밑을 담아 안치고, 종이로 단단히 밀봉하여 서늘한 곳에서 14일간 발효시킨다.
6. 술독 뚜껑을 열어보아, 향기가 가득하고 맛이 좋으면 채주하여 사용한다.

* 주방문 말미에 "독에 담고 좋은 종이로 단단히 봉하여 서늘한 곳에 놓아둔다. 열나흘 지나 향기가 방 안에 가득하게 되면 비로소 떠내어 먹는다."고 하였다.

秋麰酒法

秋麰精春水浸經宿後換新水三四次十日旣過則半腐傷以手按之自碎然後去所浸水蒸爛以碓春之而每麰米一椀許入陳好麴一掬和搗納無水氣之甕以好紙封固置凉處二七日後則香氣滿室方可取用.

층층지주

스토리텔링 및 술 빚는 법

　'층층지주'는 1800년대에 전라도 지방에서 한글로 쓰여진 <양주방>*에 처음 등장하는 주방문이다. '층층지주'란 술 이름에 어떤 의미가 깃들어 있는지, 구체적인 기록이나 전승 또는 구전 내용을 찾을 길이 없어 자세한 것은 알 수가 없다.

　여기서 '층층'이란 단어가 무엇을 암시하는지를 알 수 있다면 이 술에 담긴 의미를 찾을 수 있겠으나, 별다른 설명이 없으니 직접 술을 빚어서 그 맛을 음미해 보는 수밖에는 없을 것 같다.

　그런데 <양주방>*의 '층층지주' 주방문을 자세히 살펴보면, '층층지주'가 단양주법의 여러 속성주류 가운데 한 가지임을 알 수 있다.

　또한 술 빚을 물에 누룩을 담가 불려서 만든 수곡을 사용한다는 사실과 함께, 쌀을 고두밥이나 죽이 아닌 설기떡 형태로 하여 술을 빚고 3일 만에 채주하는 방문인 것으로 미루어 볼 때, '층층지주'는 청주가 아닌 탁주류라는 사실도 알 수 있다.

　특히 주목할 부분은, 쌀가루를 시루에 쪄서 익힌 떡(설기)을 식히지 않고 뜨거울 때 수곡에 넣어 술을 빚는다는 것이다. 이는 술을 가능한 한 빠른 시간 내에 익히기 위한 방법인 동시에 술맛을 달고 부드럽게 하게 위한 방문인데, 이로써 '맛있는 술'이란 뜻의 '지주(旨酒)'가 술 이름에 붙은 연유를 이해할 수 있게 된다.

필자는 <양주방>*의 주방문대로 '층층지주'를 빚어보고서야 왜 그런 주품명이 붙었는지를 비로소 알 수 있었다.

멥쌀 1말을 가루로 빻으면 그 부피가 2말 가까이 된다. 따라서 많은 양의 쌀가루를 설기 쪄서 물누룩 3사발로 술밑을 빚기란 여간 힘든 일이 아닐 수 없다. 이때 설기떡과 물누룩을 골고루 섞다 보면, 설기떡이 덩이덩이 또는 주먹밥 형태로 뭉쳐져서 잘 풀리지 않는다는 것을 알 수 있다. 물이 적은 데서 오는 현상인 것이다.

술 빚은 경험이 적은 사람은 이 단계에서 어쩔 줄을 몰라 하다가 보다 수월하게 할 요량으로 물을 더 치기도 하고 떡메나 절굿공이로 치는 경우가 있는데, 그러면 떡이 층층이 분리되어 마치 시루떡이나 두텁떡처럼 켜켜로 나뉘는 현상이 특히 잘 나타난다. '층층지주'란 이 과정에서 생겨난 이름으로 여겨진다.

따라서 술 빚는 일을 수월하게 하기 위해서는 설기가 뜨거울 때 재빨리 치대서 한 덩이의 인절미와 같은 떡 상태로 만들어야 한다.

특히 설기는 차게 식으면 멍우리가 많이 남게 되어 산패하는 경우가 자주 발생하기 때문에, 물누룩에 넣는 즉시 가능한 한 재빨리 치대서 떡이 덩이덩이 또는 층으로 분리되지 않고 골고루 혼화(混和)되어 술밑이 한 덩이의 인절미와 같은 떡처럼 되도록 만들어주어야만 한다.

<양주방>*의 '층층지주'는 주방문 그대로 3일 만에 술을 익히기 위해서도 이와 같이 오랜 시간 치대어주는 노력이 요구된다. 이미 속성주류의 방문에서 수차례 언급하였듯이, 속성주를 빚을 때는 얼마나 잘 치대어주느냐가 술의 성패를 결정짓는 경우가 많다. 그렇지 않으면 술밑이 삭지 않아 발효가 부진해지고, 결과적으로 산패로 이어지는 것을 경험하게 된다.

다만, 이렇게 혼화된 술밑은 가능한 한 차게 식힌 후에 술독에 안치는 것이 좋은데, 그 이유는 자칫 과발효로 인한 산패를 예방하기 위해서이다.

그리고 술밑을 안칠 때에도 납작납작하게 만들어 술독에 차곡차곡 담아 안치는데, 꾹꾹 눌러 담고 다져서 공기를 빼주어야 오염이 되지 않는다는 사실도 유념해야 한다.

주방문 말미에 "좋은 누룩을 두 쪽으로 쪼개어 술독 속에 들이쳐 두면 아무리 오래 두어도 맛이 변하지 않는다."고 하였는데, 이는 술이 다 완성된 이후에 술독째 오래 두고 떠 마시기 위한 조치이다. '층층지주'가 단양주법의 속성주인데다 뜨거운 떡을 수곡에 넣어 버무린 까닭에 알코올 도수가 그리 높지 않은 술이기 때문이다.

추측하건대 <양주방>*의 '층층지주'는 '소곡주' 빚는 방법에서 덧술을 생략하여 단양주법으로 그친 약식 방문으로 여겨진다.

층층지주 <양주방>*

> **술 재료 : 멥쌀 1말, 누룩가루 1되 5홉, 물 3사발**

술 빚는 법 :
1. 누룩가루 1되 5홉을 물 3사발에 풀어 술독에 넣고, 술독을 우물에 하룻밤 담가 물누룩을 만들어놓는다.
2. 희게 쓿은 멥쌀 1말을 깨끗이 씻고 또 씻어(백세하여 물에 담가 밤재워 불렸다가, 다시 씻어 헹궈 건져서 물기를 뺀 후) 작말한다.
3. 쌀가루를 시루에 안쳐 백설기를 짓는다.
4. 백설기를 식히지 말고(뜨거운 기운만 빼고 더운 김에) 물누룩에 버무려 술밑을 빚는다.
5. 술독은 예의 방법대로 하여 3일간 발효시킨 뒤, 용수를 박아 채주하여 마신다.

* 주방문 말미에 "좋은 누룩을 두 쪽으로 쪼개어 술독 속에 들이쳐 두면 아무

리 오래 두어도 맛이 변하지 않는다."고 하였다.

층층지쥬

누록 되가오술 닝슈 셰 사발의 풀어 항의 너허 우물의 담갓다가 명일의 빅미 일두룰 빅셰작말ᄒ야 마르 쪄 시기지 말고 누록 다믄 믈조츠 버무려 너허다가 삼일 만의 쓰라. 조흔 누록을 비 만큼 짜져 독 속의 드려쳐 두면 아모리 오래여도 변파 아니ᄒᄂ니라.

탁주

스토리텔링 및 술 빚는 법

'탁주(濁酒)'는 '농주(農酒)', '탁배기', '가주(家酒)', '백주(白酒)' 등 여러 이름으로 불리는데, 우리나라 전통주 가운데 가장 오래된 술의 하나이자 1970년대까지만 하더라도 대표적인 대중주의 하나였다.

우리나라에서 술이 빚어지기 시작한 때가 언제인지 정확히 알 수는 없지만, 삼국시대 이래 술 빚는 기술이 발달되었고 언제부턴가 '청주(淸酒)'와 '탁주'의 구별이 시작되었다고 하니, 탁주의 역사를 가늠할 수 있다.

'탁주'가 먼저인지 '청주'가 먼저인지는 확실히 알 수 없으나, 술이 빚어지는 과정과 방법으로 미루어 볼 때 '탁주'가 '청주'보다 먼저 빚어졌을 것이란 추측을 할 수 있다.

<삼국사기(三國史記)>와 <삼국유사(三國遺事)>에 '탁주'와 '단술(감주甘酒)'을 가리키는 술이 있었던 것으로 전한다. '탁주'라는 명칭이 생기기 이전에도 '좋은 술'이란 뜻의 '미온(美醞)', '요례(醪醴)'라는 술 이름이 등장하는 것을 목격할 수 있다.

술이란 본시 곡물을 익힌 것에 누룩과 물을 섞어 발효시킨 것인데, 술이 익어 걸러낼 때 자배기나 옹배기 같은 그릇에 체를 이용하여 거르면 흐리고 뿌연 '탁주'가 되고, 술독에 용수를 박아 맑게 걸러내면 '청주'가 된다.

그런데 몇 가지 원시 형태의 술 빚는 예를 보면 확실히 '탁주'가 먼저 빚어졌을 것이란 짐작이 가능해진다. 일례로 죽이나 백설기 형태가 가장 오래된 술 빚는 방법으로 전해 오고 있는데, 그중 '일일주', '삼일주', '지주'와 같이 덧술을 하지 않는 단양주법(單釀酒法)의 술 가운데는 죽이나 백설기를 지어 누룩과 섞어 빚는 방법의 주방문이 많고, 이들 술은 숙성이 끝나 뜰 때가 되어도 걸쭉한 죽 형태의 '탁주'이기 때문이다.

이런 유형의 술은 원시시대의 술처럼 알코올 도수도 낮고 맛과 향도 떨어진다. 그러던 것이 술에 대한 기호가 점점 바뀌고 더불어 술 빚는 기술이 발달함에 따라, 알코올 도수도 높고 맛과 향기가 좋은 술을 빚게 되었고, 비로소 '청주'와 '탁주'를 구별하게 되었을 것이라는 것이 필자의 추론이다.

탁주류는 일반 탁주류와 고급 탁주류로 나누는데, 일반 탁주류는 '탁주', '막걸리', '재주(滓酒)', '회주(灰酒)', '탁배기' 등으로 불러왔다.

반면, 고급 탁주류는 '이화주(梨花酒)'를 비롯하여 '추모주', '혼돈주', '예주' 등 고유한 이름으로 불러왔다. 체에 거르지 않아도 희고 뿌연 상태의 탁주로는 '이화주', '사절주' 등이 있는데, 이런 고급 탁주류들은 별도로 누룩을 만들어 사용하기도 하고, 쌀이나 찹쌀로 여러 차례 덧술을 하여 주질을 높이기도 하였다.

탁주류는 본시 빈부의 차이나 신분의 고하를 막론하고 전국적으로 빚어 즐김으로써 우리 민족의 고유한 술로 자리매김하게 되었는데, 최근에는 '청주'와 같이 맑은 술도 알코올 도수가 낮으면 탁주류로 분류하고 있다.

이러한 '탁주'가 지금과 같이 신맛이 세고 희멀건한 상태의 박주(薄酒)로 변질된 것은 50여 년 전부터이다. 일제로부터 해방되고 전란을 겪으면서 만성적인 식량부족에 시달리게 되자 정부는 1965년 '양곡관리법'을 도입하게 되었는데, 이때부터 쌀을 대신하여 밀가루와 옥수수, 보리 등을 원료로 술을 빚게 하였던 것이 그 발단이다. 그러다가 쌀 생산량이 늘어나자 1977년부터 쌀막걸리 생산이 권장되었지만, 술 빚는 법의 규제로 획일화된 '탁주(막걸리)'가 상품화되면서 옛 맛을 잃어버리게 되었고, 결국 소비자들은 값싸고 알코올 도수가 높은 '희석식 소주'를 선호하게 되었다.

거슬러 올라가 보면, '주세법' 제정과 함께 전국에 관인 양조장이 생겨나고, 1934년부터 '자가양주 전면금지' 제도가 추진되면서 가양주가 사라지는 것과 때를 같이하여, 밀가루를 이용한 '탁주'가 최근까지도 주류를 이루게 되었다.

밀가루나 옥수수를 이용해 만든 '막걸리'는 물을 많이 타서 희석시킨 탓에 금세 앙금이 앉게 마련이라서, '막걸리'를 좋아하는 사람들이 손가락이나 젓가락으로 휘저어 마시는 웃지 못할 습관도 생겨났다.

그러나 가양주(家釀酒) '막걸리'는 금세 앙금이 앉지도 성겁지도 않거니와, 일체의 첨가물이 들어가지 않아 건강에 좋고 감칠맛이 뛰어나다. 특히 좋은 쌀과 직접 만든 누룩, 거기에다 솜씨를 내어 직접 손으로 빚기 때문이다.

아무튼 '탁주'는 어떤 방법으로 빚었든지 오지그릇에 쳇다리를 걸치고 체에 밭쳐 내는데, 이때 손으로 밥알을 짓뭉개서 비벼대면 뿌옇고 텁텁한 형태의 술이 된다. '탁주'의 제조방법은 여러 가지가 있고, 어떠한 술이든 다 같이 '탁주'를 얻을 수 있다는 점에서 그 특징을 찾을 수 있다고 하겠다.

'탁주'는 주재료가 무엇이냐에 따라 재료 이름을 앞에 붙이기도 하는데, 어떠한 원료나 방법으로 빚든지 '탁주'를 얻을 수 있는 까닭에 특별히 '탁주'를 빚기 위한 주방문은 없다는 것이 정설이다.

다시 말해, 처음부터 '탁주'를 빚고자 할 이유가 없다는 얘기다. 좋은 술을 빚어 놓고 그 술이 다 익으면 맑고 깨끗한 '청주'를 떠서 마시고, 남은 술찌꺼기를 술체나 술자루를 이용하여 비벼 거르거나 압착하여 걸러내면 '탁주'가 얻어지기 때문이다. 이러한 까닭에 '탁주'를 빚기 위한 별도의 방문이 없는 것이다.

그런데 언제부터인지 모르지만 농가에서는 '주세법'과 '밀주 단속'을 피해 가용(家用) 목적으로 한꺼번에 많은 양의 술이 필요할 때 쉽게 빚어 마시기 위한 '탁주' 제조법이 생겨나게 되었는데, 대개가 소위 '동동주'라고 불리는 '부의주(浮蟻酒)'와 같은 단양주법의 '탁주' 제조법이었다.

예를 들면, 서울 지방에서는 멥쌀 3말과 누룩 2장, 물 3동이를 재료로 하고 백설기(무리떡)를 지어 술밑을 만들어 2~5일간 발효시켜 '탁주'를 얻는 데 비해, 중부 지방에서는 멥쌀 1말로 고두밥을 지어 누룩가루 5되와 물 1말을 한데 섞어 빚은 후 10~20일간 발효·숙성시키는 것을 볼 수 있다. 지역에 따라 각각 다른 방법으로 술 빚기가 이루어지고 있음을 알 수 있다.

한편, '탁주'라는 주종에 따른 분류 명칭이 주품명으로 등장하는 문헌은 근대에 발간된 <조선무쌍신식요리제법(朝鮮無雙新式料理製法)>이다. <조선무쌍신식요리제법>은 1936년에 출판된 한글 활자본으로, 그 시기가 일제강점기라는 점에서 주목할 필요가 있다.

특히 1936년경은 일제의 수탈과 함께 민족문화말살정책이 극에 달한 시기였고, 밀주 단속과 주세정책이 가장 강한 힘을 발휘하는 때였다.

따라서 그간 우리나라 술 문화를 주도해 왔던 가양주가 자취를 감추기 시작할 무렵이었으며, '자가양주 면허'를 받아 상품화되었던 '조선주(朝鮮酒)'는 이때부터 '약주(藥酒)'와 '탁주'로 국한되고, '정종(正宗)'을 비롯한 일본식 주류가 범람하던 시기였다.

<조선무쌍신식요리제법>에 수록된 '탁주' 주방문은 그런 시대적 배경을 고려하여 되새겨 볼 여러 가지 의미를 갖고 있다는 것이 필자의 생각이다. 즉, 수천 가지의 가양주가 자취를 감추게 되는 시점에서 사람들이 접할 수 있는 술 가운데 '청주'라는 주종의 생산은 일본식 술인 '정종' 등에 국한되었고, '조선 청주'는 '약주'로 그 명칭을 달리하게 되었으며, 특히 '탁주'는 일본식이라고 할 수 있는 '입국(粒麴)' 방식으로 바뀌면서 본디 맛을 잃어버렸다.

그 결과 처음부터 물을 많이 섞어 빚어서 도수를 낮춘, 그야말로 맛이 싱거운 '탁주'가 '막걸리'라는 명칭으로 불리면서 주류시장의 주류(主流)를 이루게 되었던 것이다.

이때부터 양주장에서 일률적으로 보급되기 시작한 '탁주', 즉 '막걸리' 맛에 실망한 사람들은 비밀리에 술을 빚어 마시곤 했다.

자가양주가 금지되고 일제의 수탈로 인해 식량 사정이 나빠져 좋은 술을 빚기가 어렵게 되다 보니, 적은 양의 쌀로 많은 양의 술을 얻기 위해 '탁주' 또는 '막걸리'를 빚는 방법들을 강구하게 된 것이 <조선무쌍신식요리제법>에 수록된 '탁주' 주방문이라는 것이다.

<조선무쌍신식요리제법>의 ‘탁주’ 주방문을 살펴보면, “하등 멥쌀(싸라기도 좋음) 1말을 절구에 찧어 굵은체에 쳐낸다. 쌀가루를 시루에 쪄 (설기)떡을 만든 다음, 차게 식기를 기다려 물(1~2말)과 누룩 4장(여름에는 4장 반)을 가루 내어 넣고, 고루 버무려 술밑을 빚는다. 술밑을 술독에 담아 안치고 이불로 덮어 겨울 10일, 여름 7일간 발효시킨다.”고 한 것을 볼 수 있는데, 이는 ‘삼일주’ 등의 속성주 주방문과 거의 동일하다는 것을 알 수 있다.

특히 ‘탁주’ 주방문 말미에 “이렇게 빚는 술이라도 닷 되만 밑을 하고, 닷 되는 지에처럼 쪄서 위덮으면 매우 좋으리라.”고 하여 단양주법(單釀酒法)의 ‘탁주’를 이양주법(二釀酒法)으로 빚는 방법을 함께 수록하고 있고, 필요에 따라 술 빚는 방법을 달리하고 있음을 엿볼 수 있다.

‘우(又) 탁주’ 주방문에는 “이것을 이르기를 ‘찹쌀지에빚이(찹쌀동동주)’라 하는 것이며, 식전 해장에는 약주술보다 매우 나으며, 소주 해장은 단명할 장본이니라.”고 하였다. 또 “물을 적게 하면 독하니 짐작할 것이요, 제일 물이 좋아야 술맛이 극품 되나니라. 또 명주 전대에 짜서 내면 더욱이 맑게 되나니라.”고 한 것으로 미루어, ‘탁주’ 주방문이라고 하였으나 그 뿌리가 ‘청주’의 한 가지이자 흔히 ‘동동주’라고 불리던 ‘부의주’에서 유래된 것이라는 사실을 확인할 수 있다.

한편, <조선무쌍신식요리제법>의 ‘탁주’ 주방문에는 “이전에 맑은 술보다 독기가 적고 해가 과히 없다 하나, 취하기 전에 배부르고, 정신이 띵하고, 눈구석에 비지가 끼고, 오래 먹으면 해소나기 쉽고, 음성이 탁하여지나니, 그런 고로 노동자가 맑은 음성이 적으니라. 단지, 값이 흔하고 파는 데가 많아서 잘들 마시나 술 단은 천품이니라.”고 하였다.

이로써 일제강점기 이전, 다시 말하여 자가양주가 생활화되었던 조선 후기까지는 별도의 ‘탁주’ 빚는 법 없이 맑은 술을 빚고자 하였다는 사실을 알 수 있으며, 일제강점기 들어 자가양주 금지와 밀주 단속으로 술 빚기가 자유롭지 못하자 편법과 속성법의 ‘탁주’들이 등장하면서 ‘탁주’가 “천품(賤品)의 술”로 취급받게 되었다는 사실을 확인할 수 있다.

물론 그 배경에는 ‘탁주’ 중심의 양조 면허와 입국 방식의 획일적인 ‘막걸리’들이 등장하는데, 이때 조선의 ‘탁주’는 급수비율을 250%까지 늘림으로써 지금의

'막걸리' 알코올 도수와 같은 술만을 생산하도록 유도하였다.

따라서 '탁주'의 맛이 싱겁고 풍미가 떨어지게 되어 점차 사람들로부터 외면 받기에 이른다. 이에 양주업자들은 술에 당(糖)이 남아 있는 '미숙주(未熟酒)'를 출고함으로써 어느 정도 기호를 충족시킬 수 있게 되었지만, '미숙주'로부터 초래되는 숙취와 트림, 설사 등의 부작용을 낳게 되면서 '막걸리'는 소위 '서민의 술', '농민의 술', '싸구려 술'로 인식되기에 이른 것이다.

앞서 필자가 "이러한 '탁주'는 어떠한 술 빚기에서도 얻을 수 있는 까닭에 특별히 탁주를 빚기 위한 주방문은 없다. 다시 말해, 처음부터 탁주를 빚고자 할 이유가 없다."고 말한 배경이 여기에 있다.

덧붙여 1400년대 초의 <활인심방(活人心方)>을 비롯하여 <산가요록(山家要錄)>, <수운잡방(需雲雜方)>, <음식디미방>, 그리고 1925년에 저술된 <주방문조과법(造果法)>에 이르기까지 조선시대 양주 관련 문헌 76종 가운데 일제강점기였던 1936년에 간행된 <조선무쌍신식요리제법> 이전의 어떠한 문헌에서도 '탁주'라는 주품명의 주방문을 찾아볼 수 없다는 사실도 이러한 주장을 뒷받침해 준다.

물론 일제강점기 때 일본인이 쓴 <조선고유색사전(朝鮮固有色辭典)>에 수록된 '탁주'에 대해서는 말할 것도 없거니와, 언급하고 싶지도 않다. 다만, <조선고유색사전>이 저술되었던 당시만 하더라도 조선의 '탁주'가 입국(粒麴)이 아니라 '조국(粗麴, 粗麴)'인 전통누룩으로 빚어졌다는 사실을 제대로 인식할 필요는 있다.

시대에 따라 문화는 바뀐다. 양주문화도 음주문화도 마찬가지이다. 특히 현대에 이르러 '소곡주'를 비롯하여 '삼해주' '호산춘', '방문주', '백화주' '백일주' 등 숱한 전통 명주들보다 '탁주'인 '막걸리'가 주류를 이루고 있는 상황에서 '막걸리' 등 '탁주' 빚는 법에 대해 부정하고 싶지는 않다.

다만, '탁주'나 '막걸리'는 고유명사가 아닌 일반명사로서, 술 이름(酒名)이 될 수 없다는 것만은 분명히 말해 두고자 한다.

누가 뭐래도 '탁주'나 '막걸리'는 술을 분류하는 기준일 뿐 상품명이 될 수 없거니와, 언제까지 주종 분류 기준인 '탁주' 또는 '막걸리'라는 명칭으로 수천 년에 이르는 우리의 양주문화를 우스갯거리로 만드는 어리석음을 되풀이할 것인가!

이제 '탁주'와 '막걸리'의 대중화, 나아가 세계화의 출발은 우리 술에 대해 보다 깊이 이해하고 단 한 가지라도 제대로 알고자 하는 노력으로부터 시작되어야 한다는 말을 하고 싶다.

1. 탁주 <조선고유색사전(朝鮮固有色辭典)>

다쿠슈. 탁주. 막걸리. 밀가루 및 조국(粗麴)과 찌거나 끓인 찹쌀·멥쌀 및 물을 넣어 양조한 것을 주물러 으깨어 여과한 백탁액이다. 가격은 가장 저렴하고, 일반 하층사회의 기호에 적합하다는 면에서 수요가 많기로는 주류 중 제일이다. 부패하기 쉽고, 사계절을 통해 양주된다.

* "고야마차(枯野馬車) 막걸리를 싣고 돼지를 싣고" – 紫朗
* "온돌방의 탁주음(濁酒飮)이 있는 달밤이로다."– 扶木

2. 탁주 <조선무쌍신식요리제법(朝鮮無雙新式料理製法)>

술 재료 : 멥쌀(찹쌀) 1말, 누룩 4장(여름에는 4장 반), 물(1~2말)

술 빚는 법 :
1. 하등 멥쌀(싸라기도 좋음) 1말을 (백세하여 물에 담가 불렸다가, 다시 씻어 건져서) 절구에 찧어 굵은체에 쳐낸다.
2. 쌀가루를 시루에 쪄 (설기)떡을 만든 다음, 고루 펼쳐 차게 식기를 기다린다.
3. 백설기에 물(1~2말)과 누룩 4장(여름에는 4장 반)을 가루 내어 넣고, 고루 버무려 술밑을 빚는다.

4. 술밑을 술독에 담아 안치고, 예의 방법대로 하여 이불로 덮어 겨울 10일, 여름 7일간 발효시킨다.

* 주방문 머리에 "탁주라 하는 것은 '막걸리'라 하기도 하고, '탁백이'라 하기도 하고, '막자'라 하기도 하고, '큰술'이라 하기도 하나니"라고 하여 '탁주'의 성격에 대해 소개하고 있음을 볼 수 있는데, '막자'나 '큰술'이라는 표현은 이 기록에서 처음 목격된다.

탁주

탁주라 하는 것은 '막걸리'라 하기도 하고 '탁백이'라 하기도 하고 '막자'라 하기도 하고 '큰술'이라 하기도 하나니 '상(常)막걸리'는 하등 쌀이나 쌀래기나 한 말가량을 절구에 찌어 굵은체에 처서 싸내여 식흰 후에 항용 누룩 넉 장가량을 찌여 석그되 여름에는 반 장쯤 더 늣나니 물은 맑은술보담 더 붓고 덥허두면 겨울에는 열흘 동안이요, 여름에는 니레 동안이면 걸으되, 술맛을 보아가며 물을 치나니라.

3. 우(又) 탁주 <조선무쌍신식요리제법(朝鮮無雙新式料理製法)>

> 술 재료 : 밑술 : 멥쌀(찹쌀) 5되, 누룩 4장(여름에는 4장 반), 물(1~2말)
>
> 덧술 : 멥쌀(찹쌀) 5되

술 빚는 법 :
* 밑술 :
1. 멥쌀(찹쌀도 좋음) 5되를 (백세하여 물에 담가 불렸다가, 다시 씻어 건져서) 절구에 찧어 굵은체에 쳐낸다.
2. 쌀가루를 시루에 쪄 (설기)떡을 만든 다음, 고루 펼쳐 차게 식기를 기다린다.

3. 백설기에 물(1~2말)과 누룩 4장(여름에는 4장 반)을 가루 내어 넣고, 고루 버무려 술밑을 빚는다.
4. 술밑을 술독에 담아 안치고, 예의 방법대로 하여 이불로 덮어 겨울 5일, 여름 3일간 발효시킨다.

* 덧술 :
1. 멥쌀(찹쌀) 5되를 (백세하여 물에 담가 불렸다가, 다시 씻어 건져서 물기를 뺀 후) 시루에 안쳐서 고두밥을 짓는다.
2. 고두밥이 익었으면, 퍼내고 고루 펼쳐서 차게 식기를 기다린다.
3. 고두밥에 밑술을 합하고, 고루 버무려 술밑을 빚는다.
4. 술밑을 술독에 담아 안치고, 예의 방법대로 하여 이불로 덮어 7일간 발효시킨 후, 굵은체에 거르고 다시 고운체에 거르면 빛깔도 좋고 훌훌하고 맛이 좋다.

* 주방문 말미에 "이렇게 빚는 술이라도 닷 되만 밑을 하고, 닷 되는 지에처럼 쪄서 위덮으면 매우 좋으리라."고 하였으므로 주방문을 작성하였다.

탁주 쏘
이러케 빗은 술이라도 닷 되만 밋츨 하고, 닷 되는 지여처럼 젓서 우를 덥흐면 매우 조흐니라.

4. 우(又) 탁주 <조선무쌍신식요리제법(朝鮮無雙新式料理製法)>

술 재료 : 밑술 : 묵은 멥쌀(5되), 누룩(2되), 물(1말)
　　　　　덧술 : 찹쌀(5되~1말)

술 빚는 법 :

1. 묵은 멥쌀(5되)을 맑은 물이 나오도록 씻는다(백세하여 물에 담가 불렸다가, 다시 씻어 건져서 물기를 뺀다).
2. 누룩은 법제(낮에는 햇볕을 쏘이고, 밤에는 이슬을 맞히길 여러 날 반복함)하여 물에 수비(씻어 먼지와 이물질을 털어냄)한다.
3. 불린 쌀을 시루에 안치고 쪄서 무른 고두밥을 짓고, 익었으면 고루 펼쳐서 차게 식기를 기다린다.
4. 차게 식은 고두밥에 물(1말)과 누룩(2되)을 가루 내어 넣고, 고루 버무려 술밑을 빚는다.
5. 술밑을 술독에 담아 안치고, 예의 방법대로 하여 이불로 덮어 3~4일간 발효시킨다.

* 덧술 :

1. 찹쌀(5되~1말)을 (백세하여 물에 담가 불렸다가, 다시 씻어 건져서 물기를 뺀 후) 시루에 안쳐서 고두밥을 짓는다.
2. 고두밥이 익었으면, 퍼내고 고루 펼쳐서 차게 식기를 기다린다.
3. 고두밥에 밑술을 합하고, 고루 버무려 술밑을 빚는다.
4. 술밑을 술독에 담아 안치고, 예의 방법대로 하여 이불로 덮어 10일간 발효시킨 후, 굵은체에 거르고 다시 고운체에 거르면 빛깔도 좋고 훌훌하고 맛이 좋다.

* 주원료의 비율이 나와 있지 않다. 주방문에 "이것을 이르기를 '찹쌀지에빗이(찹쌀동동주)'라 하는 것이며, 식전 해장에는 약주술보다 매우 나으며, 소주 해장은 단명할 장본이니라."고 하였다. 또 "물을 적게 하면 독하니 짐작할 것이요, 제일 물이 좋아야 술맛이 극품 되나니라. 또 명주 전대에 짜서 내면 더욱이 맑게 되나니라."고 하였다.
* 주방문 말미에 "이전에 맑은 술보다 독기가 적고 해가 과히 없다 하나, 취하기 전에 배부르고, 정신이 떵하고, 눈구석에 비지가 끼고, 오래 먹으면 해소

나기 쉽고, 음성이 탁하여지나니, 그런 고로 노동자가 맑은 음성이 적으니라. 단지, 값이 흔하고 파는 데가 많아서 잘들 마시나 술 단은 천품이니라." 고 하였다. "또 그러나 추운 날 식전에 제 양의 삼분의 일쯤 마시고 잘 끓인 술국이나 한 그릇 먹으면 '어한방풍익기보신충복탕(禦寒防風益氣保身充腹 湯)'은 이만한 것이 없고, 산삼녹용도 이렇게 속히 효험 나기 어려우니라. 온 갖 술이 본시 알코올(주정)이 들었는데, 술장사가 못된 짓으로 따로히 알코올을 넣으니, 이것은 죄받을 일이어니와, 막걸리는 본시 알코올이 매우 적은 고로, 슴슴하기 쉬우니 한 말 술에 좋은 알코올 한 사발쯤 넣어서 담그면 걸러 마실 때 뒤가 싱겁지 아니하리라. 술이 시거나 쓴 것이 누룩에 달렸나니, 누룩이 옛 거와 달라서 서너 장을 넣어도 꼭 맞을지는 모르니, 한 번만 조금만 시험하여 본 후에 크게 담글지니라."고 하여 술 마실 때와 빚을 때의 주의사항을 소개하였다.

탁주 쏘

묵은 멥쌀을 조흔 걸로 맑은 물이 나도록 씨고 누룩도 볏헤 여러 날 발해고 밤에 이슬 맛치고 물에 수비하야 밋츨 당근 후에 찹쌀을 지여 써서 우덥흔 후 한 열흘 지나서 굵은체에 걸으고 고흔체에 바치면 빗도 곱고 흘ː하고 맛이 조흐니 이것을 이르기를 찹쌀지여바지라 하는 것이며 식전 해정에는 약주술보담 매우 나으며 소주 해정은 단명할 장번이니라. 쏘 물을 적게 하면 독하니 짐작할 것이요 데일 물이 조와야 술맛이 극품 되나니라. 쏘 면주 전대에 싸서 내면 더욱이 맑게 되나니라. 이전이 맑은 술보담 독기가 적고 해가 과이 업다 하나 취키 전에 배불으고 정신이 띙하고 눈구석에 비지가 끼고 오래 먹으면 해소나기 쉽고 음성이 탁하야 지나니 그런 고로 노동자가 맑은 음성이 적으니라. 단지 갑시 흔하고 파는 데가 만해서 잘들 마시나 술 싸는 천품이니라. 쏘 그러나 치운 날 식전에 제 양에 삼분일쯤 마시고 잘 쓰린 술국이나 한 그릇 먹으면 어한방풍익기보신충복탕(禦寒防風益氣保身充腹湯)은 이만한 것이 업고 산삼록용도 이러케 속히 효험나기가 어려우니라. 온갖 술이 본시 알콜(酒精)이 드럿는데 술장사가 못된 짓으로 짜로히 알콜을 느으니 이것은 죄바들 일이어니와 막걸리는 본시 알콜이 매우 적은 고로 맛이 슴슴하기 쉬우니 한 말 술에 조흔 알콜 한 사발쯤 느어서 당그면 걸려 마실 제 뒤가 숭겁지 아니하니라. 술이 시거나 쓴 것이 누룩에 달렷나니 누룩이 넷거와 달라서 너덧 장을 느어도 쏙 마실는지 모르니 한 번만 조고만치 시험하야 본 후에 크게 당글지니라.

하동이백주방

평생 술을 빚어온 입장이지만, 한편으로는 "술을 빚는 데 있어 한두 가지 정해진 방법이 있으면 얼마나 편하고 좋을까?" 하는 생각을 하게 될 때가 있다. 가끔씩 너무도 낯선 주방문과 맞닥뜨릴 때, 그리고 아무리 생각해도 이해가 되지 않는 주방문을 대하게 될 때 드는 생각이다.

<임원십육지(林園十六志)>의 '하동이백주방(河東頤白酒方)'은 술 빚는 방법에 대한 고정관념에 빠져 있을 때 만났던 주방문이어서 지금도 생각하면 웃음이 나온다.

애긴즉, 전국의 전승가양주를 조사하러 다닐 때였다. 가문마다의 술 빚는 법을 조사하고 기록으로 남기는 작업을 하다가 "이러느니 직접 술을 빚을 수 있으면 더욱 좋겠다."는 생각을 하게 되어 전승가양주법의 기술을 할머니 할아버지들로부터 열심히 배우게 되었는데, 의도한 대로 술이 되질 않는 것이었다.

그래서 "저 할머니(할아버지)가 '그것도 비법이라고' 제대로 가르쳐주질 않는구나." 하는 생각을 갖게 되었다. 그리하여 어떤 때는 3개월 만에, 또 어떤 경우에는 일 년 만에 새벽에 전화를 하거나 갑자기 찾아가 배합비율이나 발효시키는 방법들을 다시 확인하는 작업을 반복하게 되었는데, 그때마다 재료 배합비율이 바뀌거나 달라지는 것이었다. 그때마다 화가 나기도 하고 원망도 하게 되었는데, 나중에 알고 보니 그때 할머니 할아버지들이 가르쳐준 주방문은 참이었다.

술을 빚는 데 따른 재료 배합비율은 계절에 따라 달리하는 것이 가장 합리적이라는, 그 이치를 깨닫기까지 10년이 더 필요했다. 당시 필자는 "우리 술은 빚을 때마다 맛이 달라서 문제다. 한 가지 술은 절대 바뀌지 않는 배합비율에서 출발하여 일 년 열두 달 술맛이 똑같아야 한다."는 고정관념에 사로잡혔을 때였으니, 계절에 따라 원료 배합비율을 달리하는 할머니 할아버지들을 이해하지 못하고 "그것도 비법이라고……" 하며 곡해했던 것이다.

그런 의미에서 <임원십육지>의 '하동이백주방'은 20년 전의 아둔하기만 했던 필자의 모습을 떠올리게 하는 술이다.

'하동이백주방'은 우리 술이 아니다. 비록 중국의 술이기는 하지만, 주방문 머리에 "6~7월에 빚는다. 분국을 사용하지만 묵을수록 좋다."고 하고, "누룩의 양은 각 가문의 방법에 따라 가감한다. 술의 향미는 상락시(桑落時, 뽕나무 잎이 떨어지는 때)에 빚는 것이 더 좋다. 6월 중에는 쌀 1석으로 빚을 수 있다. 3~5일밖에 둘 수 없기 때문이다. 7월 후반에는 약간 많이 빚는다. 북향의 창문이 있는 커다란 집 안에서 빚으면 가장 좋다. 혹 북쪽의 창문이 없어도 깨끗하고 시원한 곳이면 가능하다. 반드시 해가 뜨기 전 맑고 서늘한 때 기장을 넣어야 하며, 해가 뜨고 나면 뜨거워서 술이 되지 않는다. 1석의 쌀이면 해뜨기 전 시원할 때 메기장쌀로 빚어 담가야 한다. 해가 뜬 후에는 더워서 안 된다. 1석의 쌀이라면 먼저 쌀을 5말 반만 밥을 짓고, 나중에 4말 반으로 밥을 짓는다."고 하였으므로, 우리 양주 방식과 풍습으로 바뀌었다는 것을 알 수 있다.

<임원십육지>의 '하동이백주방'은 <제민요술(齊民要術)>의 기록을 인용한 것으로, 계절에 따라 누룩의 양이나 쌀의 비율이 달라지는 것을 목격할 수 있다. 또한 '하동이백주방'은 그 특징이 햇볕을 꺼린다는 점에서 생각해 볼 여지가 많은 주품이다.

햇볕을 꺼린다는 것은, 주위의 온도가 높을 때를 피하기 위하여 의도적으로 기

온이 떨어지는 깊은 밤이나 새벽 시간을 이용하여 술을 빚는다는 사실을 말해 준다. 또한 이것은 '하동이백주'가 여름철에 빚는 술이라는 반증이다.

이러한 배경에는 주원료가 잡곡인 기장이라는 사실이 깔려 있다. 기장을 비롯한 잡곡으로 빚는 술은 알코올 도수가 그리 높지 않고 따라서 저장성이 떨어지는 까닭에, 주원료의 높은 온도로 인한 과발효나 산패를 방지하기 위하여 주변의 온도가 낮은 시간대에 증미와 냉각과정을 거치고 있다는 사실을 확인할 수가 있는 것이다.

<임원십육지>의 '하동이백주방' 주방문을 통해서 다시금 여름철 술 빚기에 따른 어려움과 지켜야 할 주의사항 등에 대해 공부할 기회를 갖게 되었다.

하동이백주방 <임원십육지(林園十六志, 高麗大本)>

> 술 재료 : 밑술 : 메기장쌀 7말(1석), 분국(笨麴, 거친 누룩) 1말, 끓여 식힌 감수(단물) 3말
>
> 덧술 : 메기장쌀 3말(4말 5되)

술 빚는 법 :
* 밑술 :
1. 아침에 감수(단물, 우물물) 3말을 솥에 끓이는데, 정오가 되어 색이 하얗게 되면 끓이기를 그친다.
2. 좋은 독을 사용하되, 없으면 술을 빚었던 술독을 깨끗이 씻고 햇볕을 쪼여 건조와 살균을 시킨 다음, 술독을 옆으로 땅에 눕혀놓는다(식힌다).
3. 끓여둔 물 3말을 소독한 술독에 담아 안쳐놓는다.
4. 해가 지는 때에 메기장쌀 4말(또는 5말 5되)을 (백세하여) 물에 담가 불려놓는다.
5. 한밤중에 불린 쌀을 건져서 (다시 씻어 말갛게 헹궈서) 물기를 뺀 후, 시루

에 안쳐서 고두밥을 짓는다.

6. 끓여 식혀둔 물 3말에 깎아서 손질하여 잘게 부순 분국 1말을 합하여 물누룩을 만들어놓는다.

7. 고두밥은 2차례 뜸을 들여 익히되, 4경(庚) 무렵에는 고루 펼쳐서 매우 차게 식기를 기다린다.

8. 새벽에 (고두밥이 차게 식었으면) 고두밥과 물누룩을 함께 섞고, 고루 버무려 덩어리 없는 술밑을 빚는다.

9. 술독에 술밑을 담아 안치고 예의 방법대로 하되, 뚜껑을 덮지 말고 (베보자기로 덮어) 하루 동안 발효시킨다.

* 덧술 :

1. 해가 서쪽으로 기울면, 메기장쌀 3말(또는 4말 5되)을 (백세하여) 일어서 물에 담가 불려놓는다.

2. 새벽 2시경에 불린 쌀을 다시 씻어 헹궈서 물기를 뺀 후, 시루에 안쳐서 고두밥을 짓는다.

3. 고두밥은 오전 3시경에는 어느 정도 익도록 하고, 충분히 뜸을 들여서 익었으면 퍼내고, 고루 펼쳐서 차게 식기를 기다린다.

4. 해가 뜨기 전에 밑술과 메기장고두밥을 한데 합하고, 고루 버무려 덩어리가 없는 술밑을 빚는다.

5. 술독에 술밑을 담아 안치고 예의 방법대로 하되, 뚜껑을 덮지 말고 (베보자기로 덮어) 하루 동안 발효시킨다.

* 주방문 머리에 "6~7월에 빚는다. 분국을 사용하지만 묵을수록 좋다."고 하고, "누룩의 양은 각 가문의 방법에 따라 가감한다."고 하였다. 또 "술의 향미는 상락시(桑落時, 뽕나무 잎이 떨어지는 때)에 빚는 것이 더 좋다. 6월 중에는 쌀 1석으로 빚을 수 있다. 3~5일밖에 둘 수 없기 때문이다. 7월 후반에는 약간 많이 빚는다. 북향의 창문이 있는 커다란 집 안에서 빚으면 가장 좋다. 혹 북쪽의 창문이 없어도 깨끗하고 시원한 곳이면 가능하다. 반드시 해가 뜨기

전 맑고 서늘한 때 기장을 넣어야 하며 해가 뜨고 나면 뜨거워서 술이 되지 않는다. 1석의 쌀이면 해뜨기 전 시원할 때 메기장쌀로 빚어 담가야 한다. 해가 뜬 후에는 더워서 안 된다. 1석의 쌀이라면 먼저 쌀을 5말 반만 밥을 짓고, 나중에 4말 반으로 밥을 짓는다."고 하였다.

河東頤白酒方

六月七月作俑笨麴陳者彌佳劚治細剉麴一斗熟水三斗黍米七斗麴殺多少各隨門法常於甕中釀無好甕者用先釀酒大甕淨洗曝乾側甕著地作之朝起煮甘水至日午令湯色白乃止量取三斗着盆中日西淘米四斗使淨卽浸夜月炊作再餾飯令四更中熟下黍飯席上薄攤令極冷於黍飯初熟時浸麴向曉昧朝日未出時下釀以手搦(壞)仰置勿蓋日西更淘三斗米浸炊還令四更中稍熟攤極冷日未出前酘之亦搦破壞明日便熟押出之酒氣香美六月中唯得作一石米酒停得三五日七月半後稍稍多作於北向戶大屋中作之第一如無北向戶屋^{이나}淸凉處亦得然要須日未出前淸凉時下黍日出已後熱卽不成一石米者前炊五斗半後炊四斗半. <齊民要術>.

하숭사절주

스토리텔링 및 술 빚는 법

　우리나라 전통 술 빚기에서 여름철은 고온다습한 기후 때문에 여러 가지 불편한 점들을 동반한다. 때문에 술 빚는 일을 꺼리게 되는데, 여름철이라고 해서 술 빚는 일을 그만둘 수 없는 것이 현실이었던 사대부나 반가 또는 부유층에서는 여름철용 주방문을 강구하게 되고, 더러 계절에 관계없이 사시사철 술을 빚는 방법을 연구하게 되었던 것 같다.

　현재까지 국내 최고의 양조 관련 문헌으로 밝혀진 <산가요록(山家要錄)>을 보면 '신박주(辛薄酒)'를 비롯하여 '하절삼일주(夏節三日酒)', '하일절주(夏日節酒)', '과하백주(過夏白酒)', '손처사하일주(孫處士夏日酒)', '하주불산법(夏酒不酸法)', '부의주(浮蟻酒)', '급시청주(急時淸酒)' 등 여름철에 빚는 술을 찾아볼 수 있고, '사시주(四時酒)', '사절통용육두주(四節通用六斗酒)', '하숭사절주(河崇四節酒)' 등 특정 계절에 구애받지 않고 사계절 술을 빚을 수 있는 주방문이 등장하는 것을 목격할 수 있다.

　<산가요록>의 저술 시기가 1450년경으로 조선 초기인 점을 감안하면, 당시의

양조기술이 어떤 수준이었는지를 짐작해 볼 수 있는 좋은 단서가 된다고 할 것이다.

그 가운데 특히 '하숭사절주'는 <산가요록>에서만 찾아볼 수 있는데, 주방문을 보면 문제가 있다는 것을 알 수 있다. 주품명과 부제(副題)를 보면 '하숭사절주'가 '4말 빚이' 술이라는 것을 알 수 있지만, 주방문에는 '1말 3되 빚이' 방문을 수록하고 있다.

따라서 '하숭사절주'와 관련하여 두 가지 주방문을 생각해 볼 수 있겠는데, 중요한 사실은 주방문 말미에 "맛은 '이화주' 같지만 '이화주'보다 좋으며, 오래 두어도 변치 않는다."고 한 사실과 관련하여 생각하면, 덧술의 쌀 양은 3말이어야 한다는 결론이다. '1말 3되 빚이' 주방문에 따른 주품은 이화주와 비교할 수 없는, 술덧의 상태가 전혀 다른 술이기 때문이다.

또한 '1말 3되 빚이'의 주방문에 따른 주품은 덧술의 쌀이 3되뿐으로, 알코올 도수를 높이기 위한 방법이 아니라 맑은 술을 얻기 위한 목적과 함께 부드러운 감칠맛을 얻고자 한 방문이라는 사실에서 특히 "맛은 이화주 같지만 이화주보다 좋으며, 오래두어도 변치 않는다."고 한 내용과는 거리가 멀다.

다시 말하면, 원문의 주방문에 따른 '1말 3되 빚이 하숭사절주'는 <양주방>*과 <온주법(醞酒法)>의 '사절주'와 별반 다름없고, 부제의 "쌀 4말"이라고 명기된 것과 관련하여 덧술의 쌀 양을 3말로 가정할 때 '4말 빚이 하숭사절주'는 <양주방>*이나 <음식방문(飮食方文)>의 '사절주'와 유사한 주방문으로 간주할 수 있다는 것이다.

그리고 간과할 수 없는 또 한 가지 사실은, <산가요록>에 '하숭사절주'를 비롯하여 '신박주', '하절삼일주', '하일절주', '하주불산법', '급시청주', '사시주' 등이 수록된 이후, 후기에 등장하는 여러 문헌들에 이들 주품과 주방문이 그대로 수록되거나 다른 주품과 주방문에도 상당한 영향을 미치게 되었다는 사실이다.

실례를 들면, <양주방(釀酒方)>과 <온주법>에 <산가요록>의 '1말 3되 빚이 하숭사절주'가 '사절주'로 수록되어 있을 뿐만 아니라, <언서주찬방(諺書酒饌方)>에는 주방문이 다소 다른 1말 3되 빚이 '하숭의 사시절주'와 함께 별법의 주품도 등장하고 있다.

술을 빚는 법은 다음과 같다. 밑술 빚는 과정에서 물을 끓여 차게 식힌 후, 쪄낸 무리떡(백설기)을 합하고 덩어리가 일절 남지 않도록 풀어놓아야 한다. 떡이 뜨거우므로 찬물에 잘 풀어지기는 하지만, 떡덩어리가 풀리지 않은 멍우리 상태로 남게 되면 삭지 않고 독 밑에 침전되면서 골마지가 끼고 산(酸)이 올라오는 현상을 초래한다. 따라서 마치 죽 같은 상태가 되면 곧바로 누룩과 밀가루를 섞지 말고 죽 상태의 떡이 완전히 냉각되기를 기다린 다음, 누룩과 밀가루를 한데 섞어두었다가 죽 상태의 떡과 합하여야 밀가루가 엉키는 일이 없다.

덧술도 마찬가지로 고두밥이 서늘하게 식기를 기다렸다가 사용하는데, 서늘한 곳에 두고 발효시키고 술덧이 끓으면 즉시 찬 곳으로 옮겨서 차게 식혀주어야 술이 쉬지 않는다.

주방문 말미에 "오래 두어도 변치 않는다."고 하였지만, 그만큼 알코올 도수가 높아 저장성이 좋다는 뜻이지 절대 변하지 않는다는 의미는 아니다. 여름철에는 혼양주나 소주류가 아니면 어떤 술도 변하게 되어 있고, 또 변하는 것이 정상적인 술이며 자연의 이치다.

하숭사절주 <산가요록(山家要錄)>
－쌀 4말 빚이

> 술 재료 : 밑술 : 멥쌀 1말, 누룩가루 2되 5홉, 밀가루 5홉, 끓여 식힌 물 2병
>   덧술 : 멥쌀(찹쌀) 3되(말)

술 빚는 법 :
* 밑술 :
1. 멥쌀 1말을 (백세하여 물에 담가 불렸다가, 다시 씻어 건져서 물기를 뺀 후) 세말한다.
2. 쌀가루를 시루에 안쳐서 무리떡을 찌고, 물 2병을 끓여서 식힌다.

3. 무리떡이 익었으면 퍼서 식혀둔 물과 합하고 (덩어리가 없이 하여) 차게 식힌다.
4. 좋은 누룩 2되 5홉과 밀가루 5홉을 떡에 섞고, 고루 힘껏 치대어 술밑을 빚는다.
5. 술독에 술밑을 담아 안치고, 예의 방법대로 하여 3~4일(겨울에는 4~5일) 발효시킨다.

* 덧술 :
1. 멥쌀(찹쌀을 사용하면 더욱 좋다) 3되를 (백세하여 물에 담가 불렸다가, 다시 씻어 건져서 물기를 뺀 후) 시루에 안쳐서 무른 고두밥을 짓는다.
2. 고두밥도 무르게 있었으면 시루에 퍼내고, 고루 펼쳐 차게 식기를 기다린다.
3. 고두밥에 밑술을 쏟아 붓고, 고루 버무려 술밑을 빚는다.
4. 술밑을 술독에 담아 안친 다음, 예의 방법대로 하여 7일간 발효시킨다.

* 주방문 말미에 "맛은 '이화주' 같지만 '이화주'보다 좋으며, 오래 두어도 변치 않는다."고 하였다.

河崇四節酒

米四斗. 白米一斗 細末熟蒸. 好麴二升五合 眞末五合 若無則 代麴五合. 熟水三瓶 待冷 和入. 三四日 冬四五日. 白米三升 全蒸. 粘米尤好 待冷. 入前瓮. 七日開用. 味如梨花酒 而尤佳. 可至千百年不變.

하숭의 사시절주

스토리텔링 및 술 빚는 법

<언서주찬방(諺書酒饌方)>은 필자가 최근 구입하여 소장하고 있는 고서(古書)로, 아직 학계에 보고되지 않은 서적이다. '언문(한글)으로 된 술과 음식방문'이라는 뜻의 이 책은, 제목은 한문으로 쓰여 있고 본문은 한글로 쓰여 있다.

<언서주찬방>에는 39종의 주품명과 누룩류 6종, 식초류 3종, 음식(안주)류 40여 종이 함께 수록되어 있는데, 가장 먼저 눈에 들어온 주품 가운데 하나가 '하숭의 사시절주'이다. 술을 빚는 사람이라면 누구라 할 것 없이 우리나라의 고온다습한 여름철이 술 빚기 어려운 계절이라는 것을 실감할 것이고, 어떻게 하면 계절 변화에 맞추어 좋은 술을 빚을 수 있을까 하는 고민을 안고 있을 것이기 때문이다.

그런데 재미있는 한 가지 사실은 '하숭의'는 '여름철에 좋은'이라는 뜻이고, '사시절주'는 '사계절 빚는 맛이 뛰어난 술'을 뜻한다는 것이다. 그러니 '하숭의 사시절주'라는 주품명은 스스로 모순(矛盾)을 안고 있는 셈이다. 여름철에는 맛이나 향기가 좋은 술을 빚기가 어렵기 때문이다.

어떻든 <언서주찬방>에 수록된 '하숭의 사시절주'의 재현작업을 통해서 그 맛과 향기, 그리고 술 빚는 법을 찾게 되었다.

　<언서주찬방>의 '하숭의 사시절주'는 두 가지 방문이 수록되어 있는데, 먼저 '하숭의 사시절주'와 유사한 이름의 술로 <산가요록(山家要錄)>의 '하숭사절주'가 있다. <언서주찬방>의 '하숭의 사시절주'와 <산가요록>의 '하숭사절주'는 매우 유사한 주방문을 보여주고 있어 동일한 주품으로 분류하려고 하였으나, '하절주'와 '하절삼일주'처럼 주방문이 같으면서도 주품명이 다른 경우 그 분류 기준을 주품명에 두었으므로, <산가요록>의 '하숭사절주'는 '사절주'와는 다른 '여름철 사절주'로 분류하였고, <언서주찬방>의 '하숭의 사시절주'는 '절주'와는 다른 '여름철의 절주'로 분류하게 되었음을 밝혀둔다.

　특히 '하숭의 사시절주 또 한 법'은 <언서주찬방>의 '하일절주'와 유사하다는 점에서 '절주'의 한 가지 또는 '이법(理法)'으로 판단하였기 때문이다.

　어떻든 <언서주찬방>의 '하숭의 사시절주'는 <산가요록>의 '하숭사절주'와는 밑술 빚는 방법이 약간 다르다는 것을 알 수 있다. 즉, <산가요록>의 '하숭사절주'는 밑술을 빚는 방법에서 "멥쌀 1말을 세말하여 무리떡을 찌고, 물 2병을 끓여서 차게 식힌다. 무리떡이 익었으면 퍼서 식혀둔 물과 합하고 차게 식힌다."고 하여 백설기를 끓여 식힌 물과 섞어 죽 상태로 만들어 사용하는 반면, <언서주찬방>의 '하숭의 사시절주'는 "멥쌀 1말을 백세작말하여 백설기떡을 찌고, 팔팔 끓는 물 3병을 백설기떡에 섞고, 고루 풀어서 덩어리진 것이 없는 죽처럼 만들어 식기를 기다린다."고 하여 백설기와 끓는 물을 섞는다는 점에서 차이를 발견할 수 있다.

　<언서주찬방>의 '하숭의 사시절주'는 밑술의 쌀 양보다 덧술의 쌀 양이 적다는 것을 하나의 특징으로 꼽을 수 있다. 덧술의 쌀은 그 양이 밑술의 30%에 그치고, 고두밥을 쪄서 사용하는 것으로 미루어, 약간의 부드러운 감칠맛과 청주를 얻기 위한 방법으로 생각된다.

　'하숭의 사시절주'의 또 다른 특징은 밑술 빚는 법에 있다. 밑술을 빚을 때 끓는 물과 갓 쪄낸 무리떡(백설기)을 합하고 덩어리가 일절 남지 않도록 풀어놓아야 한다. 물이 뜨거우므로 떡이 잘 풀어지기는 하지만, 떡덩이리가 풀리지 않은 멍우리 상태로 식게 되면 잘 삭지 않는다. 또한 독 밑에 침전되면서 골마지가 끼고 산(酸)이 올라오는 현상을 초래한다.

따라서 마치 죽 같은 상태가 되면 곧바로 누룩과 밀가루를 섞지 말고, 죽 상태의 떡이 완전히 냉각되기를 기다려야 한다. 그리고 누룩과 밀가루를 한데 섞어두었다가 죽과 합하여야 밀가루가 엉키는 일이 없다.

덧술의 고두밥도 마찬가지로 서늘하게 식기를 기다렸다가 사용하는데, 빚은 술은 서늘한 곳에 두고 발효시키고, 술덧이 끓으면 즉시 찬 곳으로 옮겨서 차게 식혀주어야 술이 쉬지 않는다. 덧술의 쌀 양이 적기 때문에 술덧의 발효가 빠르게 일어나 품온의 상승이 빨라질 수 있기 때문이다.

그리고 '하숭의 사시절주 또 한 법'은 '하숭의 사시절주' 방문과는 전혀 다른 방법이다. 백설기를 쪄서 끓는 물과 섞어 빚는 방법의 불편함에서 벗어나고자 보다 수월한 방법을 택한 것으로 여겨지는데, 쌀 양보다 많은 양의 물을 사용하여 죽을 쑴으로써 밑술의 발효를 원활하게 이끌려는 의도를 엿볼 수 있다.

그리고 덧술 방문은 <언서주찬방>의 '하일절주'와 <양주집(釀酒集)>의 '하시절품주', <양주방>*의 '청명향' 등에서 볼 수 있는 방법으로, 이와 같은 방문의 경우 자칫 산패를 초래할 수도 있다는 점에서 세심한 주의와 요령이 필요하다. 그 요령은 '하일절주' 편에서 자세히 설명하였다.

1. 하숭의 사시절주 <언서주찬방(諺書酒饌方)>

> 술 재료 : 밑술 : 멥쌀 1말, 누룩 2되 5홉, 진말 5홉, 끓는 물 3병
>   덧술 : 멥쌀 또는 찹쌀 3되

술 빚는 법 :
* 밑술 :
1. 멥쌀 1말을 백세하여 (물에 담가 불렸다가, 다시 씻어 헹궈 건져서 물기를 뺀 후) 작말한다(가루로 빻는다).
2. 쌀가루를 시루에 안쳐서 백설기떡을 찌고, 솥에 물 3병을 끓이다가, 떡이 익

었으면 퍼내어 넓은 그릇에 담아놓는다.

3. 솥의 팔팔 끓는 물 3병을 백설기떡에 섞고, 고루 풀어서 덩어리진 것이 없게 하여 죽처럼 만들고 차게 식기를 기다린다.

4. 식은 죽(백설기떡)에 좋은 누룩 2되 5홉과 진말 5홉을 섞고, 고루 치대어 술밑을 빚는다.

5. 술밑을 술독에 담아 안치고, 예의 방법대로 하여 봄과 가을에는 5일, 여름에는 3~4일, 겨울에는 6~7일간 발효시킨다.

* 덧술 :

1. 멥쌀 또는 찹쌀 3되를 백세하여 (물에 담가 불렸다가, 다시 씻어 헹궈) 건져서 물기를 뺀다.

2. 솥에 물을 붓고 시루를 올려서 쌀을 안친 다음, 고두밥을 짓는다.

3. 고두밥이 익었으면 퍼내고, 고루 펼쳐서 가장 차게 식기를 기다린다.

4. 고두밥에 밑술을 합하고, 고루 치대어 술밑을 빚는다.

5. 술밑을 술독에 담아 안치고, 예의 방법대로 두터이 싸매어 7일간 발효시킨다.

* 주방문 말미에 "7일 만에 쓰면 청주는 3병이요, 탁주는 1동이니, 맛이 이화주 같으니라."고 하였다.

하숭의 사시절쥬

빅미 흔 말을 빅셰작말ᄒ야 닉게 ᄡ혀 글은 믈 세 병을 섯거 식거든 됴흔 누록 두 되 닷 홉과 진말 닷 홉을 섯거 독의 녀허 녀름은 사나흘이오 겨을은 여닐웨오 츈츄는 스오일 후졔 빅미나 졈미나 ᄡᆞᆷ에 서 되를 빅셰ᄒ야 ᄡ혀 치와 녀흐라. 닐웬만의 쓰면 쳥쥬는 세 병이오, 탁쥬는 흔 동ᄒ니 마시 니화쥬 ᄀᄐ니라.

2. 하숭의 사시절주 또 한 법 <언서주찬방(諺書酒饌方)>

술 재료 : 밑술 : 멥쌀 5되, 누룩 2되, 물(3병)
       덧술 : 멥쌀 1말, (냉수 3~4동이)

술 빚는 법 :

* 밑술 :

1. 멥쌀 5되를 백세하여 (물에 담가 불렸다가, 다시 씻어 헹궈 건져서 물기를 뺀후) 작말한다(가루로 빻는다).
2. 솥에 물(3병)을 붓고 끓이다가, 물이 뜨거워지면 쌀가루를 풀어 넣고, 팔팔 끓여서 죽을 쏜다.
3. 죽을 넓은 그릇에 퍼서 차게 식기를 기다린다.
4. 차게 식은 죽에 좋은 누룩 2되를 섞고, 고루 치대어 술밑을 빚는다.
5. 술밑을 술독에 담아 안치고, 예의 방법대로 하여 봄과 가을, 겨울에는 4~5일, 여름에는 3일간 발효시킨다.

* 덧술 :

1. 멥쌀 1말을 백세하여 (물에 담가 불렸다가, 다시 씻어 헹궈 건져서 물기를 뺀후) 시루에 안쳐서 고두밥을 짓는다.
2. 고두밥이 익었으면 시루째 떼어 '바조' 위에 올려놓고, 찬물을 고루 많이 뿌려서 고두밥을 가장 차게 식힌다.
3. 고두밥에 물기가 빠지길 기다렸다가, 차가워졌으면 밑술을 합하고 고루 치대어 술밑을 빚는다.
4. 술밑을 술독에 담아 안치고, 예의 방법대로 하여 7일간 발효시킨다.

* 주방문 말미에 "누룩을 잘게 빻아 볕 쬐어 잡내 없앤 후에 쓰되, 독을 가장 닉은 것을 골라 연기(내) 쏘여 넣으라."고 하였다. '바조'는 술 짜는 틀(酒槽)

을 가리킨다.

하숭의 사시졀쥬 쏘 흔 법

빅미 흔 되를 빅셰작말ᄒ야 쥭 수어 식거든 됴흔 누록 두 되를 섯거 녀허 겨을흔 ᄉ오일이오, 녀름은 삼일, 츈츄는 ᄉ오일 만의 빅미 흔 말을 빅 번 시서 닉게 ᄠ여 그 실를 바조 우희 노코 춘믈로 ᄀ장 츠도록 늘와 믈 ᄯᅴ거든 젼미틀 내여 섯거 독의 녀허 닐웨 후에 쓰라. 누록을 즐게 ᄆ아 변 뾔야 잡내 업슨 후에 쓰되 독을 ᄀ장 니그니를 글히야 닉 뽀여 녀흐라.

하시주

'하시주(夏時酒)'는 <양주집(釀酒集)>에 수록되어 있다. "여름철에 빚는 술"이란 뜻에서 주품명이 유래한 것으로 보인다. 따라서 '하시주'는 '하절삼일주(夏節三日酒)', '하시절품주(夏時節品酒)', '하일청향죽엽주(夏日淸香竹葉酒)', '하절불산주(夏節不酸酒)'와 같은 주류로 분류할 수 있겠다.

<양주집>의 '하시주'는 찹쌀로 빚는 고급 단양주(單釀酒)이면서 속성주류이다. '하시주'의 주방문을 보면 매우 과학적인 술 빚기를 엿볼 수 있다. 즉, 찹쌀과 누룩 외에 부재료로 '진말'과 '모아'(엿기름가루)가 사용되는 것을 알 수 있는데, 진말은 여름철 술 빚기에서 술이 오염되거나 뿌옇게 탁해지는 것을 예방하기 위한 방법이고, 엿기름가루는 전분의 당화를 촉진시키는 역할을 하므로, 결국에는 술의 발효를 정상적으로 도모할 수 있게 된다.

<양주집>의 '하시주' 주방문에 "우물에 가져가 차도록 시어"라고 하였는데, "우물물을 부어서 고두밥을 씻으면서 차게 식힌다."고 해석하였다.

그러나 위와 같이 하여 술을 빚어본 결과 산패가 심하였다. 따라서 끓여서 차

게 식힌 물을 용수로 사용하여야 할 것으로 생각되어, 방문과는 다르지만 끓여 식힌 물을 사용하였더니 썩 괜찮은 술맛을 느낄 수 있었다.

결국, <양주집>의 '하시주'를 빚는 과정에서 깨닫게 된 한 가지 분명한 사실은, 찬물을 이용하여 고두밥을 씻는 이유는 맑은 술을 얻기 위한 것으로, 수돗물이어서는 안 된다는 것이다.

필자가 끓여서 차게 식힌 물을 사용한 배경은 이와 같은 이유 때문이었다. 처음에는 그 원인을 몰랐으나, 계절이 바뀐 다음에야 그 이유를 찾게 되었던 것이다. 특히 여름철의 수돗물에는 염소의 함유량이 많기 때문에 발효에 막대한 영향을 미친다.

'하시주'의 술 빚기에서 유념할 것은, 가능하면 매우 짧은 시간에 고두밥이 낱알이 될 정도로 살살 비벼서 씻고, 차게 식혀서 뜨물이 남지 않도록 말갛게 헹궈 건져야 하는 것이 그 비결이라는 사실이다.

우물물은 차가울수록 좋다는 사실 또한 알 수 있었다.

특히 <양주집>의 '하시주' 주방문은 찹쌀의 양에 비해 가루누룩의 양이 5%에 그치는 데다, 양주용수를 고두밥을 식히는 데 사용할 뿐이라는 점에 주목해야 한다.

왜냐하면 이러한 술 빚기에서는 아무리 진말이나 엿기름가루를 사용하여 여름철 술 빚기에 따른 문제점을 보완한다고 하더라도 자칫 발효가 원활하게 이루어지지 않아 산패가 일어나기 쉽고, 또 역가가 떨어진 누룩의 경우 산패는 필연적이기 때문이다. 이러한 이유로 특별히 가루누룩의 사용을 고려하게 된 것이고, 맥아(麥芽)의 도움으로 당화를 촉진시키는 방법으로 정상적인 발효를 유도할 수 있게 된 것이다.

그런데 '하시주' 주방문에 "술이 익으면 날물을 없이 하여 쓰라."고 하였는데, 이는 숙성된 술의 알코올 도수가 그리 높지 않아 자칫 변질될 수 있기 때문으로 보인다. 또한 술 재료에 별도의 물이 사용되지 않는 것으로 미루어 술의 양이 매우 적다는 사실도 유추할 수 있다. 즉, 주방문대로라면 감미와 점도가 높은 소량의 청주밖에는 얻을 수가 없다는 것이다. 따라서 '하시주'는 청주가 아닌 탁주로서, 끓여 식힌 물을 타서 걸러 마시는 술이라는 것을 추측할 수 있다.

'하시주'는 속성주이면서도 그 맛이 뛰어난 고급 탁주로, 같은 문헌에 수록되어 있는 '하시절품주'와도 견줄 수 있는 또 다른 주방문이라는 점에서, 여름철 속성주의 전형을 그대로 보여주고 있다고 하겠다.

다만, <양주집>의 '하시주'는 채주 당시에는 매우 밝고 깨끗한 술 빛깔을 유지하며 구미를 자극하였으나, 숙성된 술의 경우 시간이 지날수록 술 빛깔이 진하게 변화되는 것이 단점이었다. 술의 당도가 높은 반면, 지나치게 알코올 도수가 낮아 산화가 빨리 진행되는 것이다.

하시주 <양주집(釀酒集)>

술 재료 : 찹쌀 1말, 가루누룩 5홉, 진말 5홉, 모아 5홉, 냉수(1말)

술 빚는 법 :

1. 찹쌀 1말을 백세하여 물에 담가 하룻밤 불렸다가 (새 물에 다시 씻어 맑게 헹궈 건져서 물기를 뺀 후) 시루에 안쳐서 고두밥을 짓는다.
2. 고두밥은 물을 뿌리지 말고 찌되, 익었으면 퍼내어 바구니에 담고, 우물에 가서 가능한 한 빠른 시간 내에 찬물을 충분히 부어주면서 씻어 차게 식힌다.
3. 고두밥에 가루누룩 5홉과 진말 5홉, 모아(맥아, 엿기름가루) 5홉을 한데 합하고, 고루 치대어 술밑을 빚는다.
4. 술밑을 술독에 담아 안치고, 예의 방법대로 하여 7일간 발효시킨다.

* 엿기름을 '모아(牟芽)'라고 한다. 주방문에 "우물에 가져가 차도록 시어"라고 하였는데, "우물물을 부어서 고두밥을 씻으면서 차게 식히는 방법"으로 풀이하였다.

夏時酒

粘米 一斗 百洗ᄒ야 ᄒ로밤 자여 믈 쑤리지 말고 가장 닉게 ᄢᅧ 바고리이 담아다가 우믈이 가 차도록 시어 ᄀ로누록 다솝 진말 다솝 牟芽 五合 섯거 七日만 지나거든 늘믈긔 업시 ᄒ여 쓰라.

하일두강주

스토리텔링 및 술 빚는 법

'두강주(杜康酒)'는 "오랜 옛날 중국에 사는 두강(杜康)이란 사람이 술을 잘 빚었는데, 그의 이름을 따르게 되어 '두강주'라고 부르게 되었다."고 하는 전설에서 유래한 주품으로, <군학회등(群學會騰)>을 비롯하여 <농정회요(農政會要)>, <민천집설(民天集說)>, <산가요록(山家要錄)> <수운잡방(需雲雜方)> <술방>, <시의전서(是議全書)>, <언서주찬방(諺書酒饌方)>, <역주방문(曆酒方文)>, <음식디미방>, <음식보(飮食譜)>, <임원십육지(林園十六志, 高麗大本)>, <주찬(酒饌)>, <증보산림경제(增補山林經濟)>, <홍씨주방문> 등 15종의 문헌에 20차례나 등장하는 것을 볼 수 있다.

양주기법으로 '두강주'는 범벅과 범벅, 고두밥으로 세 차례 빚는 삼양주법(三釀酒法)에서 이양주법(二釀酒法)으로 간소화되면서, 밑술을 죽으로 빚는 경우가 가장 높은 비율을 나타내고, 범벅으로 빚는 경우가 그 다음이다.

<주찬>과 <홍씨주방문>의 '두강주'처럼처럼 구멍떡이나 백설기떡, 고두밥으로 하는 이양주법 등 밑술 빚는 법에서 다양한 변화와 덧술에서의 간소화 경향

을 띠고 있으며, 특별히 여름철에 빚는 술이라거나 여름철에 빚는 방법을 찾기 힘들다.

그런 의미에서 <주방문초(酒方文抄)>의 '하일두강주(夏日杜康酒)'는 여름철의 양주기법을 다시 살필 수 있는 계기가 된다고 할 것이다.

그 방법을 보면, "두강쥬는 ᄒ절의 쓰는 슐이어니와 빅미 ᄒ 말을 빅 번이나 시서 굴늘 ᄲᅢ아 구무쩍 밍ᄀᆞ라 닉게 슬마 처거든 ᄀᆞᆨ누룩 ᄒ 되를 구무쩍의 섯거 마즌 항의 너헛다가 ᄎᆞᆸ쁠 ᄒ 말을 빅 번이나 시서 닉게 ᄦᅧ ᄎᆞᆫ믈의 섯거 밥이 처거든 밋슐 섯거 비젓더가 일웻 만이면 능히 먹ᄂᆞ니라."고 하였다.

주방문 머리에 "두강주는 하절에 쓰는 술이어니와"라고 한 것을 볼 수 있는데, '두강주'가 여름철 술이라는 것인지, 아니면 '하일두강주'가 여름철에 쓰는 술이라는 것인지 확신할 수는 없지만, 별도의 '하일두강주법'이라는 주방문이 등장하게 된 배경을 보면 '두강주'와 '하일두강주'의 주품명이 암시하는 바를 이해할 수 있을 것이다.

<주방문초>의 '하일두강주' 주방문을 보면, 밑술의 쌀 양과 덧술의 쌀 양이 동량인데다, 일반적인 '두강주'와는 달리 밑술의 쌀을 백세작말하여 구멍떡을 만들어 사용하는 것을 볼 수 있는데, 구멍떡을 사용하는 주방문은 <주찬>의 '두강주'가 유일하다. 따라서 밑술을 구멍떡을 만들어 사용하는 목적에 대하여 추측하건대, 구멍떡을 사용하는 경우 별도의 물을 사용하지 않는 만큼, 덧술을 하더라도 발효가 더뎌지고 잔당이 많아 술맛이 부드럽고 감미로우면서 저장성이 높아진다는 이유가 아닐까 생각된다.

또한 덧술을 찹쌀고두밥과 찬물을 섞어 식힌 후에 사용하는 것으로 되어 있어 그와 같은 추측을 가능케 하는데, 덧술의 발효기간이 7일이어야 하는 이유와도 결부된다. 물론, 여름철 술 빚는 법에서 특히 덧술에 냉수를 사용하는 경우는 <언서주찬방>의 '하숭의 사시절주'와 <양주집(釀酒集)>의 '하시절품주', <양주방>*의 '청명향' 등 여러 주품의 주방문에서 목격한 바와 같다.

그리고 그 이유가 독특한 향취와 쏘는 듯 상쾌한 술맛을 얻기 위한 방법이라는 사실을 기억할 것이다.

그런데 <주방문초>의 '하일두강주'는 덧술에 사용하는 찬물의 양이 나와 있지 않다. 따라서 처음에는 '청명향'이나 '하시절품주'에서와 같이 찬물로 고두밥을 식히라는 뜻으로 생각하였으나, 원문의 "米一斗 百洗 熟蒸飯冷水 調合後寒"을 "쌀 1말을 백세하여 고두밥을 짓고, 찬물을 섞어 식기를 기다렸다가"로 해석하는 것이 옳다고 판단하게 되었다.

특히 주품명이 '하일두강주'라는 사실과 관련하여, 여름철 양주기법에 따라 찬물의 양을 쌀의 양과 동량인 1말로 산정하였음을 밝혀둔다.

<주방문초>의 '하일두강주'는 밑술의 과정에서 구멍떡을 삶을 때 수면 위로 동동 떠오른 다음 건져서 충분히 차게 식히고, 깁체에 쳐서 내린 고운 가루누룩을 사용하여 혼화하는데, 구멍떡의 형태가 없어지고 풀죽처럼 물러졌을 때 술독에 담아 안치면 실패가 없다. 또한 덧술도 고두밥이 충분히 차게 식은 후에 사용하고, 지나치게 치대지 않아야 한다.

<주방문초>의 '하일두강주' 주방문에는 "일웻 만이면 능히 먹ᄂ이라."고 하였지만, 주발효가 끝나면 서늘한 곳으로 술독을 옮겨두고 21일 정도 지낸 후에 마시면 그 맛과 향기가 이루 말할 수 없이 좋다는 사실도 잊지 말았으면 좋겠다.

하일두강주법 <주방문초(酒方文抄)>

술 재료 : 밑술 : 멥쌀 1말, 가루누룩 1되
        덧술 : 찹쌀 1말, 찬물(1말)

술 빚는 법 :
* 밑술 :
1. 멥쌀 1말을 백세하여 (물에 담갔다가, 다시 씻어 건져서 물기를 뺀 뒤) 작말한다(가루로 빻는다).
2. 쌀가루에 뜨거운 물을 뿌리고, 익반죽하여 둥글납작한 구멍떡을 빚는다.
3. 구멍떡을 끓는 물에 넣고 삶아, 떡이 익어 물 위로 떠오르면 건져서 소독하

여 물기 없는 그릇에 담고 뚜껑을 덮어서 차게 식기를 기다린다.

4. 식은 떡에 가루누룩 1되를 합하고, 매우 힘껏 쳐서 술밑을 빚는다.

5. 술독에 술밑을 담아 안치고, 예의 방법대로 하여 발효시킨다.

* 덧술 :

1. 찹쌀 1말을 백세하여 (물에 담가 불렸다가, 다시 씻어 건져서 물기를 뺀 뒤) 시루에 안쳐 고두밥을 짓는다.

2. 고두밥이 익었으면 그릇에 퍼내고, 찬물(1말)을 섞어두었다가, 고두밥이 찬 물을 다 먹고 차게 식기를 기다린다.

3. 고두밥에 밑술을 합하고, 고루 버무려 술밑을 빚는다.

4. 술밑을 술독에 담아 안치되 물기를 조심하고, 예의 방법대로 하여 7일간 발 효시킨다.

* 덧술에 사용하는 찬물의 양이 나와 있지 않다. '하일두강주'가 여름철 술이라 는 사실과 관련하여 찬물의 양을 쌀의 양과 동량인 1말로 산정하였다.

夏日杜康酒法

白米一斗 百洗作末 造穴餅 熟烹行冷 末麴一升和之 盛於適缸 粘米一斗 百洗 熟蒸飯冷水 調合後寒 調和於本酒 過七日後 用之.

두강쥬는 흐절의 스는 슐이어니와 빅미 흔 말을 빅 번이나 시서 굴늘 쌘아 구 무쩍 밍그라 닉게 슬마 츠거든 フ른누룩 흔 되룰 구무쩍의 섯거 마존 항의 너 헛다가 춥뿔 흔 말을 빅 번이나 시서 닉게 뗘 춘믈의 섯거 밥이 츠거든 밋술 섯거 비젓더가 일웻 만이면 능히 먹는이라.

하일청향죽엽주

스토리텔링 및 술 빚는 법

'하일청향죽엽주'처럼 술밑을 빚는 일이 힘든 주품도 드물 것이다. '하일청향죽엽주'는 필자에게 그저 '빚기 힘든 술'이라는 이미지밖에 남아 있지 않다. 고식문헌의 주방문에 도전했을 때, 특히 조선시대의 술은 어떻게 술을 빚어야 하는지를 몰라서 실패를 많이 경험했던 '석탄주'를 제외하고 나면, 밑술을 빚는 과정이 힘들었던 주품으로는 '하일청향죽엽주'와 '동정춘', '향료방', '집성향' 등인데, 이들 주품 가운데 가장 힘들었던 주품이 바로 '하일청향죽엽주'였다는 기억이다.

'하일청향죽엽주'는 <정일당잡지(貞一堂雜識)>에 수록되어 있는 몇 안 되는 주품 가운데 하나이다. <정일당잡지>에는 '하일청향죽엽주'를 비롯하여 '사절소곡주', '연일주', '부의주', 등 4가지 주품만이 수록되어 있는데, '하일청향죽엽주'는 물론이고 '사절소곡주'나 '연일주', 심지어 '부의주'에 이르기까지 다른 문헌과 동일한 주품이 단 한 가지도 없다.

다시 말하면, 주품명은 동일하지만 각각의 주방문을 살펴보면 저마다 독특한 방법과 과정으로 이루어져, 매우 개성이 강한 주방문을 수록하고 있다.

'하일청향죽엽주'는 밑술을 어떻게 빚느냐에 따라 술의 성패가 달려 있다고 해도 과언이 아니다. 문제는 밑술에 사용되는 누룩의 양에 대하여 "죠흔 누룩 ᄀ늘게 쳐 두룰 섯거"라고 하였는데, 여기서 '두룰'이 '두 되(2되)'를 가리키는 것인지 확신하기가 쉽지 않다.

다만, '하일청향죽엽주'라는 주품명에서 누룩의 양을 대략적이나마 짐작할 수 있어 2되로 산정하였다는 것을 밝혀둔다.

'하일청향죽엽주'를 복원하겠다고 덤벼들었던 10여 년 전만 하더라도, 술을 빚으면서 "밑술을 빚는 과정이 이렇게 어렵고 힘들어진 까닭이 무엇일까?" 하는 의문이 저절로 생겼는데, 그 까닭은 의외로 간단하였다.

우선, '하일청향죽엽주'라는 주품명이 암시하듯 하일(夏日), 곧 여름날에 빚는 술이기 때문이다. 여름날에 술이 쉬는 것은 여러 가지 이유가 있는데, 특히 물의 양이 많을 경우가 가장 큰 요인으로 작용한다.

따라서 여름철 주품의 주방문에서 나타나는 공통점은 대부분 물의 양이 적게 사용된다는 것이다. 물의 양이 적다는 것은 쌀 양과의 대비를 말하는 것인데, 물의 양이 적어지면 상대적으로 당농도가 높아진다는 것을 의미하고, 당농도가 높아지면 당에 의한 삼투압 작용으로 미생물의 번식이나 생육활동이 억제되는 원리를 발효에 응용한 것으로, 이러한 방법이 여름철 술 빚기의 비법이라고도 할 수 있다. 밀가루나 분곡을 사용하지 않는 경우에는 말할 필요도 없다.

우리 술에서 청향(淸香)을 얻으려면 무엇보다 누룩이 거칠고 굵어야 하며, 그 양이 5% 미만이라야 한다. 다시 말하면, 쌀 양과 견주어 누룩은 거칠고 적은 양이 사용될수록 술의 향기가 좋아지고, 방향(芳香) 가운데서도 가장 깨끗하고 맑은 향기라 할 수 있는 청향을 얻을 수 있다.

이러한 연유로 쌀 4말 5되에 대하여 누룩 양을 2되로 산정하였으므로, 밑술을 빚는 작업은 훨씬 더 힘들었던 것이다.

경험적으로 볼 때, '하일청향죽엽주'와 같은 주품의 개발은 우연히 이루어졌다고 보는 것이 옳다. '하일청향죽엽주'의 술 빚는 법을 보면 알 수 있듯, 처음부터 의도적으로 이러한 주방문을 작성하였을 리는 없다는 것이 필자의 견해이다.

술을 빚는 과정에서 물의 양을 잘못 계산하여 끓여서 식혀놓은 물이 9사발밖에 되질 않아 적게 넣을 수밖에 없었거나, 실수로 쌀 양이 배(倍)로 많아진 것일 수 있다는 것이다.

술을 빚는 과정에서 이런 실수는 흔하게 일어난다. '하일청향죽엽주' 역시 어쩔 수 없이 빚어놓고 보니 여름철인데도 별반 문제없이 술이 잘되었고, 특히 향기가 좋았다는 결과물에 만족하게 되었을 것이라는 추측을 해보게 되는 것이다.

이러한 추측을 하게 된 데는, 그 옛날 반가에서 안주인이 직접 술을 빚는 일이 드물었고 대개는 술을 전담하는 대모(大母)나 하인들에 의해 술 빚기가 이뤄졌다는 것이 첫째 이유이고, 경험적으로 술을 빚다 보면 도량형을 잘못 계산하여 말(斗)이 동이(盆)로, 동이가 되(升)로, 되가 사발(沙鉢)이나 주발(碗) 등의 식기로 계산되어지기도 한다는 것이 둘째 이유이다.

다음은 '하일청향죽엽주'를 빚으면서 겪었던 애로사항인데, 술을 빚을 때 이 점에 유의하면 도움이 될 것이다.

첫째, 쌀을 백세하여 하루 동안 불린다는 것인데, 이렇게 되면 발효가 잘 일어나지 않으므로 하룻밤 동안 불리는 것이 좋다. 굳이 하루 동안 불리려면 누룩을 고운 가루로 만들어 체에 쳐서 사용하여야 한다.

둘째, 백설기를 쪄서 식힐 때 먼저 물을 끓여서 식혀두었다가, 쪄낸 백설기의 열을 어느 정도 식힌 다음 물과 합하여 덩어리가 없이 주물러서 풀어놓아야 한다. 설기떡이 차게 식을수록 떡덩어리가 풀어지지 않아 힘들어지고, 발효가 잘 이루어지지 않거나 독 밖으로 끓어 넘칠 수 있다. 백설기가 죽처럼 다 풀어졌으면, 가능한 한 차게 식힌 후에 누룩과 합하고 주물러서 술밑을 빚어야 탈이 없다.

셋째, 술밑은 가능한 한 많이 치대어서 부드러운 죽처럼 되어야만 발효 중에 독 밖으로 괴어 넘치는 일을 예방할 수 있다. 떡이 덜 식었을 때 누룩과 섞어 버무리게 되면, 발효는 빨라지지만 과발효와 함께 독 밖으로 흘러넘치는 일이 특히 자주 발생한다.

넷째, 밀가루는 먼저 밑술에 풀어놓는 것이 좋고, 덧술의 고두밥은 찔 때 찬물로 살수하여 뜸 들여서 쪄내고, 가능한 한 고루 펼쳐서 차게 식기를 기다렸다가 사용하며, 밑술과 고두밥을 고루 버무릴 때는 고두밥이 낱알이 되도록 풀어지게 하여 술독에 안치면 좋다.

<정일당잡지>의 '하일청향죽엽주' 주방문 말미에 보면 "빛이 댓잎 같고 밤낮 찬 귀덕이 뜨듯하여 맛 달고 향기로우니라."고 하고, 또 "이 술 이름은 '미향주'라 고도 하나니라."고 하였는데, 술 향기는 '정향극렬주'와 매우 유사하고 술맛은 더 독하게 느껴진다는 것이 필자의 개인적인 느낌이었다.

하일청향죽엽주 <정일당잡지(貞一堂雜識)>
−일명 미향주

> 술 재료 : 밑술 : 멥쌀 4말, 쌀누룩가루(2되), 끓여 식힌 물 9사발
>
> 덧술 : 멥쌀 5되, 밀가루 1되

술 빚는 법 :
* 밑술 :
1. 멥쌀 4말을 백세하여 하루(하룻밤) 동안 물에 담가 불렸다가, (다시 씻어) 건 져서 물기를 뺀 후 고운 가루로 빻는다(넓은 그릇에 담아놓는다).
2. 쌀가루를 시루에 안쳐 설교(설기)를 쪄낸 다음, 넓은 석작이나 고리에 담고 덩어리를 헤쳐서 가장 차게 식기를 기다린다.
3. 물 9사발을 팔팔 끓였다가 차게 식힌 다음, 식은 떡과 좋은 누룩을 가늘게 빻아 (2되를) 합하고, 고루 버무려서 술밑을 빚는다.
4. 술독에 술밑을 담아 안치고, 예의 방법대로 하여 (그늘지고 서늘한 곳에 앉 혀서) 21일간 발효시키고 익기를 기다린다.

* 덧술 :
1. 멥쌀 5되를 (백세하여 물에 담가 불렸다가, 다시 씻어 건져서 물기를 뺀 후) 시루에 안쳐서 고두밥을 짓는다.
2. 고두밥이 익었으면, 시루에서 퍼내어 고루 펼쳐서 차게 식기를 기다린다.

3. 밑술에 고두밥과 밀가루 1되를 합하고, 고루 버무려 술밑을 빚는다.
4. 술밑을 술독에 담아 안치고, 예의 방법대로 하여 7일간 발효시킨다.

* 주방문 말미에 "빛이 댓잎 같고 밤낮 찬 귀덕이 뜨듯하여 맛 달고 향기로우니
   라."고 하고, 또 "이 술 이름은 '미향주'라고도 하나니라."고 하였다.

하일청향쥭엽쥬

백미 너 말 빅셰ᄒ여 ᄒᄅ밤 ᄒᄅ낫 담가 건져 ᄀ늘게 ᄲᅥ허 셜교쳐로 닉게 부
ᄅ ᄲᅧ 조흔 셜의나 고리예나 버려 ᄀ장 ᄎ거든 ᄭᅳᆯ흔 믈 아홉사발 서늘이 치오
고 죠흔 누룩 ᄀ늘게 쳐 두룰 셧거 독의 너허 음지 서늘흔 디 두엇다가 삼칠
만의 경미 오승을 밥 지어 ᄎ거든 진말 흔되 셧거 독의 너헛다가 칠일 지나거
든 보면 빗치 대닙 ᄀᆺ고 밥낫츤 귀덕이 쓰듯ᄒ여 맛 달고 향긔로오니라. 이 슐
일흠은 '미향주'라고도 ᄒᄂ니라.

하절삼일주

스토리텔링 및 술 빚는 법

　<양주방(釀酒方)>과 <음식디미방> 두 문헌에 수록된 주품으로 그 맥이 끊긴 것으로 알려져 있는 '하절주'에 대하여, "여름철 술 빚는 법의 특징을 가장 잘 반영하고 있는 주품"이라고 하였다.

　그리고 "여름철 술의 특징 중 첫째는 단양주로서 백설기를 사용하여 술을 빚는다는 것, 둘째는 끓여서 차게 식힌 물에 가루누룩을 풀어 물누룩(水麴)을 만들어 하룻밤 불려놓았다가 찌꺼기를 제거한 누룩물을 만들어 사용한다는 것, 그리고 셋째는 발효기간이 3일이며 체에 걸러 탁주를 만들어 마신다는 것이며, 이것이 '하절주'를 비롯한 여름철 술 빚는 법의 전형을 이룬다."고 밝힌 바 있다.

　또한 "이러한 방법들은 간편하면서도 빠른 기간 내에 술을 익히되, 감칠맛과 함께 적당한 산미를 갖는 탁주를 얻기 위한 방문이라고 할 수 있으며, 특히 체에 걸러서 탁주로 마신다는 점에서 여름철 술의 특징을 찾을 수 있다."고 하였다.

　그런데 <양주방>과 <음식디미방>에 수록된 '하절주'와 동일한 주방문이 <산가요록(山家要錄)>을 비롯하여 <언서주찬방(諺書酒饌方)>, <온주법(醞酒法)>,

<음식디미방>에도 수록되어 있다는 점에서 주목할 필요가 있다. '하절삼일주(夏節三日酒)'가 그것인데, '하절주'와 '하절삼일주'의 차이를 확신할 수 없어 더욱 혼란스럽다.

다시 말해, <양주방>과 <음식디미방>에 수록되어 있는 '하절주'는 "멥쌀 1말을 백세작말하여 백설기를 찌고, 식으면 끓여 식힌 물 1말에 누룩가루 2되를 섞어 물누룩을 만들어 하룻밤 불렸다가, 체에 걸러 누룩 찌꺼기를 제거한 누룩물을 만들고, 준비한 백설기떡을 섞어 술밑을 빚어 3일 후에 체에 걸러 사용한다."고 한 것을 볼 수 있는데, <산가요록>과 <음식디미방>에 수록된 '하절삼일주'가 '하절주'와 동일한 과정으로 이루어진 주방문이라는 것이다.

또한 <언서주찬방>과 <온주법>의 '하절삼일주'는 "멥쌀 1말을 백세작말하여 백설기를 찌고, 식으면 끓여 식힌 물 1말에 누룩가루 3되를 섞어 물누룩을 만들어 하룻밤 불렸다가, 체에 걸러 누룩 찌꺼기를 제거한 누룩물을 만들고, 준비한 백설기떡을 섞어 빚고 3일간 발효시킨다."고 하였다.

하절주'와 '하절삼일주'는 <산가요록>과 <음식디미방>에서는 동일한 주방문이면서 주품명은 각각 다르게 수록되어 있고, <언서주찬방>과 <온주법>의 주방문에서는 <산가요록>과 <음식디미방>의 '하절주'나 '하절삼일주'와 달리 누룩의 양에서 차이를 나타내면서도 '하절삼일주'로 기록되어 있어 혼란을 초래하고 있음을 볼 수 있다.

이렇듯 '하절주'와 '하절삼일주'의 차이를 구별하기가 어려운 사실을 감안하여, 시대적으로 가장 앞선 기록인 <산가요록>과 <언서주찬방>, <음식디미방>을 중심으로 주방문을 분석하여 보기로 하였다.

왜냐하면 <양주방>에는 '하절주' 주방문만 있고 '하절삼일주'는 없으며, <산가요록>과 <음식디미방>의 '하절삼일주'는 '하절주'와 동일한 주방문이며, <언서주찬방>과 <온주법>의 '하절삼일주'는 '하절주'와 어떻게 구별되는지를 살펴볼 필요가 있고, <양주방>과 <온주법>의 '하절삼일주'는 <산가요록>과 <음식디미방>의 '하절삼일주'에 비해 누룩의 양이 많은데도 '하절삼일주로 기록되어 있다는 사실 때문이다.

따라서 <온주법>의 '하절삼일주'와 <양주방>의 '하절주'가 시대적으로 앞선

<산가요록>과 <언서주찬방>, <음식디미방>의 영향을 받았을지도 모른다는 생각을 하게 되었는데, 유감스럽게도 <음식디미방>에는 '하절주'와 '하절삼일주'가 동시에 수록되어 있다는 사실에서 그 어떤 상관관계도 찾을 수 없다.

결국 위에 예로 든 문헌의 모두에서 누룩 양의 차이를 제외하고는 다른 차이를 찾을 수 없다. 특히 '삼일주' 가운데서도 '하절삼일주'나 '하절주'와 동일한 주방문을 <수운잡방>을 비롯하여 <술 만드는 법>, <양주방>*, <양주방>, <역주방문(曆酒方文)>에서 찾아볼 수 있다는 점에서, 술 빚는 시기에 따라 각각 다르게 명명되었을 뿐 '하절삼일주'나 '하절주'도 물누룩을 만들어두었다가 백설기를 쪄서 빚고 3일간 발효시키는 방법의 여름철 술이라는 사실을 알 수 있다. 그리고 그 뿌리는 '삼일주'에서 유래하였을 것이라는 결론에 이르렀다.

1. 하절삼일주 <산가요록(山家要錄)>
－쌀 1말 빚이

> 술 재료 : 멥쌀 1말, 누룩 2되, 끓여 식힌 물 1말

술 빚는 법 :

1. 끓여 식힌 물 1말에 누룩 2되를 넣고 고루 섞은 다음, 술독에 안쳐 하룻밤 재워 물누룩을 만들어놓는다.

2. 멥쌀 1말을 씻어(백세하여 물에 담가 불렸다가, 다시 씻어 건져서 물기를 뺀 뒤) 고운 가루로 빻는다.

3. 쌀가루를 시루에 안쳐 흰무리떡을 찌고, 익었으면 퍼내어 온기가 남지 않게 식기를 기다린다.

3. 고운 자루에 물누룩을 넣고, 힘껏 주물러 짜서 찌꺼기를 제거한 누룩물을 만들어놓는다.

4. 말린(온기를 제거한) 떡과 누룩물을 섞고, 고루 힘껏 치대어 멍우리가 없는

술밑을 빚는다.

5. 술밑을 술독에 담아 안치고, 예의 방법대로 3일간 발효시킨다.

* 주방문 말미에 "많이 하고 적게 하고는 이 비율을 짐작하여 하면 된다."고 하였다.

夏節三日酒

米一斗. 熟水一斗 麴二升 和入瓮 經宿. 以細帒漉汁去滓. 白米一斗 洗浸細末
乾蒸 去溫氣 以件麴水 和入瓮. 三日後 開用. 多少 以此推之.

2. 하절삼일주 <언서주찬방(諺書酒饌方)>

술 재료 : 멥쌀 1말, 누룩가루 3되, 끓여 식힌 물 1말

술 빚는 법 :

1. 물 1말을 팔팔 끓여 넓은 그릇에 담아놓고, 차게 식기를 기다린다.
2. 식혀둔물에 누룩가루 3되를 풀어 넣고, 수없이 휘저어서 물누룩을 만들어
   하룻밤을 지낸다.
3. 멥쌀 1말을 백세하여 (물에 담가 불렸다가, 다시 씻어 헹궈 건져서 물기를 뺀
   후) 작말한다(가루로 빻는다).
4. 끓는 물솥에 시루를 올리고, 쌀가루를 안쳐서 백설기떡을 잘 익게 쪄낸다.
5. 쪄낸 떡을 퍼내고, 고루 풀어서 차게(온기가 남게) 식기를 기다린다.
6. 물누룩을 베주머니에 담고 비벼 짜서 걸러 찌꺼기를 제거한 누룩물을 만들
   어놓는다.
7. 누룩물에 차게 식은 백설기떡을 덩어리 없이 풀어 넣고, 고루 치대어 술밑을
   빚는다(차게 식힌다).

8. 술밑을 작은 단지나 항아리에 담아 안치고, 예의 방법대로 하여 3일간 발효
   시켜, 익으면 채주하여 마신다.

하졀삼일쥬—白米一斗 水一斗 麴三升
글힌 믈 흔 말애 누록ᄀᄅ 서 되를 프러 동당이 텨 독의 녀허 밤 잔 후에 뵈
주머니예 걸러 즈의란 업시 ᄒ고 빅미 흔 말을 빅셰작말ᄒ야 닉게 ᄢ 그장 식
거든 젼원 누록믈을 섯거 녀허 삼일 후제 쓰라.

3. 하절삼일주 <온주법(醞酒法)>

술 재료 : 멥쌀 1말, 누룩가루 3되, 끓여 식힌 물 1말

술 빚는 법 :
1. 물 1말을 팔팔 끓인 뒤 차게 식힌다.
2. 끓여 식힌 물에 누룩가루 3되를 주대에 넣고 고루 주무른 다음, 그대로 하
   룻밤 재운다.
3. 불린 누룩 주대를 주물러 짜서 찌꺼기를 제거한다.
4. 멥쌀 1말을 백세하여 (물에 담가 불렸다가, 다시 씻어 건져서 물기를 뺀 후)
   작말한다.
5. 쌀가루를 시루에 안쳐서 떡(흰무리)을 찌고, 떡이 익었으면 시루에서 퍼내
   고 고루 펼쳐서 차게 식기를 기다린다.
6. 체에 거른 누룩물에 떡(흰무리)을 한데 합하고, 덩어리진 것이 없이 고루 버
   무려서 술밑을 빚는다.
7. 술밑을 술독에 담아 안치고, 예의 방법대로 하여 3일간 발효시킨다.

* <온주법>의 '하절삼일주'는 <음식방문니라>의 '삼일주'와 동일한 방문이라

고 할 수 있으나 누룩의 양에서 차이가 있다. <산림경제>에는 "좋은 술 1사
발을 넣으면 더욱 좋으며, 이 술은 더운 날에도 좋다."고 하였는데, 이와 같은
방법을 응용하여도 좋을 것으로 여겨진다.

하졀삼일듀

탕슈 일두 국말 서 되 프러 죽의 너허 이튼날 뵈거시 걸너 즈의 업시후고 빅
미 일두 빅셰쟉말후여 닉게 쳐 식거든 그 물의 섯거 삼일 후 쓰라.

4. 하절삼일주 <음식디미방>

술 재료 : 멥쌀 1말, 누룩 2되, 끓인 물 1말

술 빚는 법 :

1. 물 1말을 팔팔 끓인 뒤, 소독하여 준비한 술독에 담고 차게 식기를 기다린다.
2. 독의 물에 누룩 2되를 넣고 고루 섞어 수곡을 만든 다음, 하룻밤 재워놓는
   다.
3. 주대(술자루)에 불린 누룩을 넣고, 주물러 짜서 찌꺼기를 제거한 누룩물을
   만든다.
4. 멥쌀 1말을 백세하여 (하룻밤 물에 불렸다가, 다시 씻어 헹궈서 물기를 뺀
   후) 작말한다(가루로 빻는다).
5. 쌀가루를 시루에 안치고 쪄서 백설기를 짓는다.
6. 백설기가 잘 쪄졌으면, 고루 펼쳐서 식기 전에 잘게 풀어놓고 (약간 온기가
   남게) 식기를 기다린다.
7. 누룩 거른 물에 백설기를 넣고, 고루 버무려서 술밑을 빚는다.
8. 술밑을 술독에 담아 안치고, 예의 방법대로 하여 3일간 발효시킨다.

* <산림경제>의 '삼일주' 주방문에는 "좋은 술 1사발을 넣으면 더욱 좋으며, 이 술은 더운 날에도 좋다."고 한 것을 볼 수 있다.
* 주방문을 보면 "탕수(끓여 식힌 물)에 누룩을 넣고 하루 동안 재웠다가, 누룩 찌꺼기를 제거하고 백설기를 누룩물에 풀고 주물러서 술독에 안쳐 3일간 발효시킨다."고 하였다.

하졀삼일쥬

니근 믈 흔 말 누록 두 되 섯거 도긔 녀허 흐룻밤 자여 그는 쥬티예 빠 즈싀란 브리고 빅미 흔 말 빅셰작말ᄒᆞ여 무르니로 쪄 시겨 누록믈에 섯것다가 사흘 만애 쓰라. 쏘 겨을이어든 졍화슈 ᄀᆞᆺ 기르니로 ᄒᆞ고 녀름이어든 더운 믈을 시겨 몬져 그 믈 두 말애 국말 두 되 프러 항의 녀코 이튼날 빅미 두 말 빅셰작말ᄒᆞ여 쥭 수어 식거든 항의 붓고 골오로 저어둣다가 사흘 만애 쓰라.

하절이화주

'하절이화주(夏節梨花酒)'는 "여름철에 빚는 이화주"라는 뜻의 주품명이다. 물론, '하절이화주' 역시도 이화곡(梨花麯)이라는 특수누룩으로 빚는 술임은 말할 것도 없다.

우선, 필자는 '이화주'라는 명칭의 유래와 관련하여 "이화주'가 배꽃 필 때 빚는 술인가, 아니면 배꽃 필 때 누룩(이화국)을 빚는다는 것인가에 대한 이해가 전제되어야 한다고 생각한다."고 언급한 바 있다.

그 이유로 "어떠한 사실적 근거도 없이 전통주에 대해 이야기한다는 것 자체가 모순일 수도 있고, 자칫 그 의미를 호도하여 순수한 이미지를 훼손시킬 수도 있기 때문이다."는 지적도 하였다.

그리고 '이화주'를 수록하고 있는 33권의 문헌 중에서 이화곡의 제조시기에 대해 언급하고 있는 문헌은 27종으로, 총 31차례 등장하는 것을 볼 수 있는데, 이들 문헌에 수록된 주방문을 중심으로 이화곡 빚는 시기를 분석하여 보면, <감저종식법(甘藷種植法)>을 비롯하여 17종의 문헌에서 '음력 정월 첫 해일' 또는 '음력 정월 상순', '음력 정월 첫 돌날', '정월 보름날'이라고 하였고, <산가요록(山家要錄)>을 비롯하여 4종의 문헌에서 '음력 2월', <음식디미방>을 비롯하여 6종의 문헌에서 '배꽃 필 때', '복숭아꽃 필 때'라고 하였던 사실도 밝혀놓았다.

이 밖에도 <온주법(醞酒法)>에서는 '3월 상순'과 '하절'이라 하였고, <요록(要錄)>의 경우 누룩 빚는 시기에 대한 언급이 없다는 사실도 밝힌 바 있다.

또한 '이화주'를 빚는 시기에 대하여 <규중세화>를 비롯하여 <규합총서(閨閤叢書)>, <산가요록>, <양주방>*, <언서주찬방(諺書酒饌方)>, <온주법>, <음식디미방>, <이씨(李氏)음식법>, <조선무쌍신식요리제법(朝鮮無雙新式料理製法)>, <주방(酒方)>*, <주방문(酒方文)>, <주방문조과법(造果法)>, <침주법(浸酒法)> 등 13종의 문헌에서 "배꽃 필 때"를 전후하여 빚는다는 것을 15차례 확인할 수 있다.

그리고 <감저종식법>을 비롯하여 <고사신서(攷事新書)>, <고사십이집(攷事十二集)>, <농정회요(農政會要)>, <산림경제(山林經濟)>, <술 만드는 법>, <양주방>*, <역주방문(曆酒方文)>, <온주법>, <음식디미방>, <임원십육지(林園十六志)>, <주찬(酒饌)>, <증보산림경제(增補山林經濟)>, <침주법> 등 14종의 문헌에서 "여름에" 빚는다는 것을 15차례에 걸쳐 확인할 수 있었다. 그 외 <수운잡방(需雲雜方)>, <술방>, <양주방(釀酒方)>, <온주법>, <요록>, <우음제방(禹飲諸方)>, <음식방문(飲食方文)>, <주방문조과법>, <주찬>, <한국민속대관(韓國民俗大觀)> 등 10종의 문헌에서 술 빚는 시기에 대한 언급이 없이 술을 빚는 방법에 대한 주방문을 13차례 목격할 수 있었다.

이를 정리하여 보면, 이화곡은 '음력 정월'이나 '음력 2월'에 빚는 것임을 알 수 있고, '이화주'는 "배꽃 필 때"와 "여름철"에 필요에 따라 빚는 술이라는 결론에 이른다.

또한, 특별히 "여름에 빚는 이화주"라고 하여 <온주법>에 '하절이화주', <음식디미방>에 '이화주법(여름에 빚는 법)', <주찬>과 <한국민속대관>에 '하절이화주'라는 주품명의 '이화주'를 찾아볼 수 있다.

이들 문헌의 '하절이화주'는 <감저종식법>을 비롯하여 <고사신서>, <고사십이집>, <농정회요>, <산림경제>, <술 만드는 법>, <양주방>*, <역주방문>, <온

주법>, <음식디미방>, <임원십육지>, <주찬>, <증보산림경제>, <침주법> 등 14종의 문헌에서 "봄이나 여름철에 빚는다."고 한 것과 달리 별도의 주방문을 수록하고 있다는 사실에서 이들 주품의 주방문의 특징을 살펴볼 필요가 있다고 판단하였다.

먼저, '이화주'는 멥쌀을 사용하여 이화곡과 술을 빚는 것이 기본인데, <양주방>* 의 '배꽃술 또 한 가지'를 비롯하여 <역주방문>, <우음제방>, <음식방문>, <조선무쌍신식요리제법>, <주방문조과법>에서 멥쌀과 찹쌀을 섞어서 빚는 방법을 엿볼 수 있고, 특히 <우음제방>에서는 이양주법(二釀酒法)의 '이화주'를 수록하고 있는데, 두 차례에 걸쳐 찹쌀만을 사용하는 특별함을 보여주고 있다.

'하절이화주' 역시 찹쌀을 사용하는 경우를 볼 수 있는데, <온주법>에 "니화국을 만히 ㅎ야 하절듀의 쓰듸 하절의 이어든 상 우희 집흘 깔고 집 우희 빅즈닙이나 솔닙히나 펴고 그 누록을 그 닙과 격지 노코 우희 빅즈닙흘 만이 덥허 남글 지즐어 씌워 웃법듸로 믈늬여 졍히 작말ㅎ야 항의 너허 더온 방의 두고 쓰듸 하젼쥬도 겸미 서 말 빅셰ㅎ야 녜스 술 ᄂ되 닉게 쪄 이 누록 서 되를 너흐라."고 하였다.

주방문을 보아 알 수 있듯 "겸미 서 말 빅셰ㅎ야 녜스 술 ᄂ되 닉게 쪄 이 누록 서 되를 너흐라."고 하여 찹쌀 3말에 대하여 이화곡 1되가 사용된 것이다.

시대적으로 가장 앞선 기록인 <음식디미방>에도 "녀름의 빅미 두 말 빅셰셰말ㅎ여 구무쩍 ㅎ여 쓸마 덥기 손 다힐 만ㅎ거든 쳐 ᄀ른누록 모시예 쳐 ᄒᆞᆫ 되 골오다 쳐 어럼업시 녀코 듕탕ㅎ라."고 하여 멥쌀 2말로 빚어 만든 구멍떡에 이화곡 가루 1되를 사용하는 방법으로 이루어지는 것을 알 수 있다. <한국민속대관>에서도 "백미를 잘 씻어 곱게 가루내고 물송편을 만들어 삶는데, 손을 데일 만큼 더운 김이 나면 쳐서 떡을 푼다(차게 식힌다). 모시베로 친 아주 고운 가루누룩 한 되를 고루 섞어 외항아리에 담아 마치 감주 삭히듯 큰솥에 들여앉혀서 중탕을 한다."고 하여 여름철에 빚는 '하절이화주'는 봄철에 빚는 '이화주'와는 달리 누룩의 양이 적게 사용된다는 공통점을 찾을 수 있다.

이처럼 누룩의 사용 비율에서 '하절이화주'와 '이화주'의 차이점을 찾을 수 있다고 판단된다.

'이화주'를 수록하고 있는 문헌으로 가장 앞선 기록인 <산가요록>을 보면, "배꽃이 막 피려 하고 아직 피지 않았을 때 가루를 내어 다시 흰 모시나 고운 베에 내리고, 멥쌀 10말을 곱게 가루 내어 다시 체질하여 구멍떡을 만들어 끓는 물에 삶아낸다. 잠시 두었다가 큰 그릇에 함께 담아 뚜껑을 덮어 밖에 내놓으면 쉽게 마른다. 아주 조금만 술주조 밑바닥에 떼어놓고 앞서 만들어둔 가루 적당량을 쌀 1말, 누룩가루 5되와 섞어 손으로 2~3번 뒤적인다. 만약 다 말라버려 섞기 힘들면 앞서 만든 구멍떡을 끓는 물에 삶아 식기를 기다렸다가 물을 뿌린다. 손바닥 크기만 하게 만들어 완전히 식기를 기다렸다가 항아리에 집어넣는데, 항아리 가장자리에 붙이고 그 가운데를 비워둔다. 3~4일 후에 열어보아 만약 온기가 있어 엉기면, 꺼내 식혀서 다시 항아리에 집어넣고 차가운 곳에 놓아둔다. 5월 15일에 열어 쓰는데 그 맛이 달고 향기롭다.”고 하여 쌀 10말에 대하여 누룩가루 5말이 사용되는 것을 알 수 있다.

<산림경제>에서는 “술을 진하고 달게 빚으려면 쌀 1말에 누룩가루 7되를 넣고, 맑고 콕 쏘게 빚으려면 3~4되를 넣고 떡을 삶아낸 물을 식혀 섞어서 빚는다. 혹 멥쌀을 쪄서 보통대로 빚거나 혹은 찹쌀로 빚어도 된다.”고 하여 쌀과 이화곡의 비율이 10 대 5~7로 이화곡의 사용량이 매우 많다는 것을 알 수 있다.

‘이화주’는 누룩의 양이 많아질수록 그 맛이 달고 알코올 도수는 오히려 낮아지는 것이 그 특징으로, 여느 술과 차별화된다.

그런데 ‘하절이화주’는 일반 주품에서 볼 수 있듯 누룩의 사용 비율이 낮은 까닭에 그 맛이 콕 쏘게 알코올 도수가 높을 것으로 생각되나, 반드시 그렇지는 않다.

그 이유를 ‘하절이화주’라는 주품명에서 찾을 수 있다. 즉, “여름철에 빚는 이화주”라는 이름에서 알 수 있듯, 주원료인 구멍떡이나 물송편의 온도가 다른 계절에 비해 높기 때문에 당화와 발효가 빨라지는 특성을 나타내기 마련인데, 이화곡의 특성상 발효력이 떨어지는 단점 때문에 당화는 빨리 이루어져 농당상태(濃糖常態)가 되는 반면 발효는 더뎌지는 까닭에 달고 부드러운 맛의 ‘이화주’와 같은 특징을 나타내게 된다.

우리의 술 빚는 방법은 알면 알수록 점점 더 어렵고 힘들다는 사실을 깨닫게 된다. <한국민속대관>에 “고려시대 이래 ‘이화주’로 알려진 술이 대표적인 탁주였다.

　가장 소박하게 만들어진 술 막걸리는 막걸리용 누룩을 배꽃이 필 무렵에 만든 데서 유래하여 '이화주'라고 부르게 되었다. 그러나 후세에 와서는 누룩을 아무 때나 만들게 되었으므로, '이화주'란 이름이 사라지고 말았다.

　'이화주'는 맑은 술이 아니고, 된죽과 같고 빛깔은 흰데 물을 타서 마셨다고 한다."고 하여 '하절이화주'의 음용법에 대해 밝히고 있는데, 이로써 '이화주'가 고급 탁주라는 사실을 확인할 수 있다.

1. 하절이화주 <온주법(醞酒法)>

> 술 재료 : 찹쌀 3말, 이화곡 가루 3되, 시루밑물(5되~1말)

술 빚는 법 :

1. 여름철에 찹쌀 3말을 백세하여 (물에 담가 하룻밤 불렸다가, 다시 씻어 건져서 물기를 뺀 후) 작말한다(고운 가루로 빻는다).
2. 쌀가루를 시루에 안쳐서 떡을 찌고, 떡이 익었으면 퍼내어 넓게 펼쳐서 차게 식기를 기다린다.
3. 떡에 이화곡 가루 3되를 합하고, (시루밑물을 쳐가면서 떡메로 힘껏 쳐서 물러지면) 다시 손으로 고루 치대어 술밑을 빚는다.
4. 술독에 술밑을 담아 안치고, 예의 방법대로 하여 밀봉한 후 (서늘한 데 두고) 발효시킨다.

* 주방문에 "이화곡을 많이 하여 하절 술로 쓰되, 하절이거든 상 위에 짚을 깔고 그 위에 백자잎이나 솔잎을 펴고, 그 누룩(밑)을 격지격지 놓고, 백자잎으로 많이 덮어 띄워 (곰팡이 노랗게 뜨거든) 꺼내어 말리어 정히 작말하여 항에 넣어 더운 방에 두고 쓰되, 하절주도 점미 3말 백세하여 예삿술 놓아 익게

쪄 이 누룩 3되를 넣으라."고 하였으므로, 예삿술 빚듯 방문을 작성하였다.

하졀니화듀

니화국을 만히 ᄒᆞ야 하졀듀의 쓰ᄃᆡ 하졀의이어든 상 우희 집흘 ᄯᅡᆯ고 집 우희 빅ᄌᆞ님이나 솔님히나 펴고 그 누록을 그 님과 격지 노코 우희 빅ᄌᆞ님흘 만이 덥허 남글 지즐어 씌워 웃법듸로 ᄆᆞᆯ늬여 졍히 작말ᄒᆞ야 항의 너허 더온 방의 두고 쓰ᄃᆡ 하젼쥬도 졈미 서 말 빅셰ᄒᆞ야 녜ᄉ 술 ᄂᆞ되 닉게 쪄 이 누록 서 되를 너흐라.

2. 이화주법(여름에 빚는 법) <음식디미방>

> 술 재료 : 멥쌀 2말, 가루누룩(이화곡 가루) 1되, 뜨거운 물(3되가량)

술 빚는 법 :

1. 여름에 멥쌀 2말을 백세하여(아주 많이 깨끗하게 씻어 담가 불렸다가) 다시 고쳐 씻어 헹궈서 (물기를 뺀 후) 세말한다(고운 가루로 빻는다).
2. 솥에 물을 넉넉히 붓고 팔팔 끓인다.
3. 쌀가루를 (체에 한 번 내린 후) 끓기 직전의 뜨거운 물(3되가량)을 골고루 뿌려서 치대어 익반죽을 만든다.
4. (익반죽을 한 주먹 크기로 떼어서 둥글납작한) 구멍떡을 빚는다.
5. 구멍떡을 끓는 물에 넣고 삶아, 익어 떠오르면 건져서 물기 없는 그릇에 담아놓는다.
6. 떡이 만졌을 때 손이 데일 만하면 많이 치대어 놓는다(으깨어 덩어리진 것이 없게 하여 식기를 기다리되, 뚜껑을 덮어 마르지 않게 한다).
7. 떡에 (이화곡을 절구에 찧거나 맷돌에 갈아 만든) 가루누룩을 모시베에 쳐서 1되를 골고루 섞어 덤(덩어리 진 것) 없이 하여 (진흙 같은) 술밑을 빚는다.

8. 술밑을 술독에 담아 안쳐서 (술독은 흰 종이로 싸매 밀봉하고) 중탕한다 (물솥에 독을 넣고 끓인다).

* 중탕하여 몇 시간 만에 익히는 '속성 당화법'이다.

니화쥬법
녀름의 빅미 두 말 빅셰셰말ᄒ여 구무쩍 ᄒ여 쑬마 덥기 손 다힐 만ᄒ거든 쳐 ᄀᄅ누록 모시예 쳐 흔되 골오다 쳐 어럼업시 녀코 듕탕ᄒ라.

3. 하절이화주 <주찬(酒饌)>

술 재료 : 멥쌀 1말, 이화곡 가루(1말)

술 빚는 법 :
1. 5~6월 중 가장 더울 때 멥쌀 1말을 백세하여 (물에 담가 불렸다가, 다시 씻어 헹궈서 물기를 뺀 후) 세말한다(고운 가루로 빻는다).
2. 따뜻한 물로 쌀가루를 익반죽하여 공병(구멍떡)을 빚는다.
3. 물솥에 공병(구멍떡)을 넣고 삶아, 익어 물 위로 떠오르면 건져낸다.
4. 공병(구멍떡)을 건져낸 즉시 멍우리진 것 없이 으깨고 풀어서, 뜨거운 김이 나가고 따뜻할 때까지 식힌다.
5. 따뜻한 떡에 쌀과 동량의 이화곡 가루를 합하고, 된죽처럼 물러지도록 매우 치댄다.
6. 술독에 술밑을 담아 안치고, 단단히(밀봉한 뒤)하여 뜨거운 방에 둔다.
7. 다음날 (하루 만에) 술독을 옮겨 찬물 그릇에 담아놓고, 차게 식힌 다음 떠서 마신다.

* 주방문에는 떡을 '으깨서 죽같이 풀라'는 말이 없다. 방문 말미에 "한나절 만에 만들어 먹을 수 있다."고 되어 있어, 떡이 매우 뜨거울 때 누룩을 합하고 매우 따뜻한 곳에서 이불로 싸서 발효시킨 것으로, 당화되면 마시는 단술 개념이다.

夏節梨花酒

五六月最熱時白米一斗作細末作孔餅烹出方熱之際曲末同調成泥納干可合缸緊着裹封置熱房中翌日移缸於冷水而待其凉冷午間作食.

4. 하절이화주 <한국민속대관(韓國民俗大觀)>
－여름철에 술이 쉬지 않게 하는 법, 쌀 11말 빚이

술 재료 : 멥쌀 (1말), 누룩가루(이화곡) 1되, 뜨거운 물(1되 5홉가량)

술 빚는 법 :
1. 멥쌀(1말)을 백세하여 (물에 담가 불렸다가, 다시 씻어 물기를 뺀 다음) 가루로 빻는다.
2. 쌀가루에 뜨거운 물(1되 5홉가량)을 뿌려가면서 섞고, 매우 치대서 익반죽을 만든다.
3. 익반죽을 한 주먹씩 떼어내어 둥글납작한 송편같이 빚고, 팔팔 끓는 물에 넣어 익게 삶는다.
4. 떡이 익어 물 위로 떠오르면 건져서 (잠깐 식혀) 손이 데일 정도로 뜨거워지면, (주걱으로 짓이겨서) 한 덩어리가 되게 풀어놓고 (뚜껑을 덮어 제물에 차갑게 식을 때까지) 기다린다.
5. 식은 떡에 준비해 둔 이화곡 가루 1되를 한데 합하고, 늘어질 정도가 되게 고루 치대어 한 무리가 되게 뭉쳐놓는다.

6. 술밑을 술독에 담아 안치되, 예의 방법대로 하여 (한지를 여러 겹으로 씌워 두고) 중탕한다.

7. 중탕은 큰 물솥에 술단지를 넣고, 감주 삭히듯 (불을 뭉근하게 때서 5~6시간 삭히고) 술밑이 충분히 삭았으면 떠서 마신다.

* <부인필지>의 주방문을 인용한 것으로 여겨진다.

하절이화주

이것은 여름에 빚는 별법이다. 백미를 잘 씻어 곱게 가루 내고 물송편을 만들어 삶는데, 손을 데일 만큼 더운 김이 나면 쳐서 떡을 푼다(차게 식힌다). 모시베로 친 아주 고운 가루누룩 한 되를 고루 섞어 외항아리에 담아 마치 감주 삭히듯 큰솥에 들여앉혀서 중탕을 한다. 위의 '이화주' 처방문에서 보는 바와 같이 멥쌀을 가루 내어 물송편(구무떡)을 지어서 다시 으깨어 쌀누룩과 함께 빚어 넣었으니, 다 익으면 죽같이 생긴 흰빛의 술이 되었을 것이다. 즉, 막 걸러서 만든 일반 탁주와는 그 제조법이 다른 것이었다. '이화주' 말고도 '추모주(秋麰酒)'라는 술도 여기에 속하는 술이었다.

하주불산법 · 하일불산주

스토리텔링 및 술 빚는 법

　우리나라는 연중 계절 변화가 뚜렷하고 겨울에도 '삼한사온(三寒四溫)'이 있어 축복받은 땅으로 알려져 왔다.

　같은 문화권에 속해 있는 가까운 일본이나 중국과 비교해도 그 변화가 뚜렷하여, 이 땅에서 생산된 농산물이나 약재 등의 품질이 세계 으뜸인 것들이 많다는 사실도 이와 같은 계절 변화가 뚜렷한 지리적 환경 때문으로 알려지고 있다.

　그런데 이러한 계절 변화는 술을 빚는 사람들에게는 가장 극복하기 힘든 자연 조건으로 인식되고 있다. 특히 여름철에는 술을 빚는 일 자체를 꺼리기도 하고, 다른 계절과는 다르게 특별히 여름철에 한하여 술 빚는 방법들이 등장하고 있는 사실은, 우리나라의 계절적 기후변화와 지리적 조건에 따른 불가피한 일로 생각된다.

　여름철에 한하여 술을 빚는 방법 또는 여름철의 술이라는 의미를 담고 있는 '하절주(夏節酒)'를 비롯하여 '하시주(夏時酒)', '하절삼일주(夏節三日酒)', '하시절품주(夏時節品酒)', '하일청향죽엽주(夏日淸香竹葉酒)', '하삼청(夏三淸)', '하양주(夏

釀酒)', '하월수중양법(夏月水中釀法)', '하일두강주(夏日杜康酒)', '하일약주(夏日藥酒)', '하일절주(夏日節酒)', '하일점주(夏日粘酒)', '하일청주(夏日淸酒)', '하일주(夏日酒)' 등 다양한 주품명의 등장이 의미하는 것은, 그만큼 여름철이 술 빚기에 적합지 못하다는 사실을 뜻한다고 할 것이다.

그런 까닭에 흔히 "우리나라 전통주나 가양주는 사케, 와인과 달리 연중 술맛이 다르다는 문제를 안고 있다."거나 "전통주는 그때그때 주질이 달라진다." 또는 "전통주와 가양주는 표준화가 어렵다." 등의 근거도 없는 말로 우리나라 전통주를 폄훼하는 경향이 많다.

과연 그런가? 천만의 말씀이다.

먼저, 와인과 사케는 다른 술이면서도 같다. 와인은 포도로 빚은 술이고, 사케는 쌀로 빚는 술이다. 와인은 포도의 저장성이 떨어져 수확시기에 한 번 빚는 술이고, 사케는 쌀의 저장성이 좋아 연중 제조가 가능했으나, 매달 매계절의 술맛이 다르다는 문제 때문에 수확시기에 시작해서 초봄까지 비교적 온도가 낮은 계절에 술을 빚는 방법으로 정착되면서 주질이 안정화 또는 표준화되었다.

그런데 우리나라 전통주는 사계절 빚으면서도 주질이 똑같아야 한다는 사고를 갖게 되었다. 이유가 무엇일까를 생각하게 되었는데, 모두가 양주문화적(釀酒文化的) 배경이나 현실을 무시하고 와인이나 사케의 주질과 전통주의 주질만을 비교하는 겉멋 든 사람들의 잘못된 의식에서 비롯된 결과였다는 결론을 내리게 되었다.

옛 선조들이 연중 술 빚기를 지속적으로 해왔으면서도 특히 겨울철의 양주를 선호했다는 것을 알 수 있으며, 겨울철에 양주한 주품들이 명주로 명성을 누렸다는 사실도 확인할 수 있다. 한편으로는 여름철의 양주를 꺼려했다. 술이 곧잘 산패한다는 것이 그 이유였고, 여름철에 대비한 특별 양주기법들을 개발해 내기에 이르렀다.

전통주는 연중 양주가 가능하지만 계절마다 술맛이 다르다는 사실을 배경에 깔고 있다는 증거이며, 연중 양주를 해왔던 사케가 늦가을에서 초봄까지 비교적 온도가 낮은 계절에 한정하는 이유나, 여름철 포도 수확시기에 양조를 끝내는 계절성 양주를 해오고 있는 와인에서도 블렌딩 기법이 도입된 배경을 살펴보면, 와인 역시 그때그때 맛이 다르다는 결론에 이른다.

그런데도 전통주는 문제가 있는 것으로 폄훼를 한다면, 와인이나 사케에 혹하여 겉멋 든 사람들이 아니고 무엇이랴.

그리고 또 한편으로 반문하고 싶은 것은, 특히 와인에서도 전통주에서처럼 여름철 양주에 대한 다양한 방법들이 강구되어 있는지 알고 싶다는 것이다.

조선시대 기록으로 1450년경의 <산가요록(山家要錄)>에 '하주불산법(夏酒不酸法)'을 비롯하여 동시대의 문헌으로 추정되는 <언서주찬방(諺書酒饌方)>의 '하일불산주(夏日不酸酒)', 1800년대 말엽의 <주찬(酒饌)>에 수록된 '하절불산주(夏節不酸酒)' 등은 "여름철에 술이 쉬지 않게 빚는 법"이라는 뜻을 담고 있다.

여름철에도 쉬지 않는 양주법에 대한 최고의 기록으로 <산가요록>에서는 '하주불산법', <언서주찬방>에서는 '하일불산주', <주찬>에서는 '하절불산주'라고 하여 문헌마다 주품명이 조금씩 달라서 각기 다른 술로 구분하였으나, 양주 방법이나 주방문의 등장배경이 동일한 목적에서 이루어진 것이라는 판단을 하게 되었고, 결국 한데 묶게 되었음을 밝혀둔다.

'하주불산법'과 '하일불산주', '하절불산주'는 다른 술이면서도 공통점을 띠고 있음을 알 수 있는데, 먼저 <산가요록>의 '하주불산법'와 <언서주찬방>의 '하일불산주'는 동일한 주방문이고 <주찬>는 '하절불산주'는 다른 주방문을 보여주고 있다.

<산가요록>의 '하주불산법'와 <언서주찬방>의 '하일불산주'는 "여름철에 술이 쉬지 않게 하는 법"이라는 부제를 달고 있는데, 밑술을 백설기떡을 쪄서 차게 식으면 물 없이 누룩을 섞어 빚는데, <산가요록>에는 언급되어 있지 않으나 <언서주찬방>에서는 7일간 발효시킨다고 하였다.

두 문헌에서 공히 주원료 양이 멥쌀 1말에 대하여 누룩 1말 5되가 사용되고, 덧술은 밑술 쌀 양의 10배가 되는 멥쌀 10말을 사용하는데, 고두밥을 쪄낸 후에 주조 또는 바조에 담고, 끓여서 차게 식힌 물을 사용하여 고두밥을 냉각시켜서 밑술과 화합하여 빚는다. 주방문 말미에 "7일이면 탁주로 뜨고, 21일이면 청주로 뜨는데 맛이 매우 좋다."고 하였다.

한편, <주찬>의 '하절불산주'는 멥쌀 1말을 백세작말하여 개떡 형태로 만들고 써서 익힌 후에 끓는 물 6사발을 넣어 빚는다는 점에서 하주불산법'과 '하일불산주'보다는 밑술을 빚기가 한결 수월하다.

또 <주찬>의 '하절불산주'는 하주불산법과 '하일불산주'와는 달리 밀가루 5홉이 사용된다는 점에서도 차이가 있고, 덧술은 밑술 쌀 양의 3배가 되는 멥쌀 3말을 백세하여 고두밥을 짓는데, 다른 두 문헌의 '하주불산법'과 '하일불산주'의 덧술과는 달리 물을 사용하지 않는다는 점에서 또 다른 차이점을 볼 수 있다.

<주찬>의 '하절불산주'는 지금까지 목격하고 공부하였던 여름철 주방문과는 다른, 뭔가 특별함이 있다. <주찬>의 '하절불산주'는 밑술을 빚는 방법과 과정이 지금까지 보아왔던 주방문과는 다르다는 것이다.

그 방법을 보면, "멥쌀 1말을 백세작말하여 적당량의 따뜻한 물을 섞은 뒤, 주먹밥 크기로 단단히 뭉쳐서 시루에 올려 쪄낸 다음, 끓는 물 6사발에 풀어 죽처럼 만들고 차게 식기를 기다렸다가, 밀가루 5홉과 누룩가루 1되를 합하여 술밑을 빚는다."고 하였다. 밑술에 사용되는 쌀가루를 뭉쳐서 쪄내고, 다시 끓는 물로 죽(범벅)을 쑤는 과정은 처음 목격된다.

<주찬>의 '하절불산주'와 같은 밑술의 과정이 여름철 술 빚기와 어떤 관련이 있는가 하는 궁금증이 생기는데, 여름철 술의 공통점은 물의 양을 최소화하는 것이 최선의 방법으로, 밑술에 사용되는 멥쌀 1말에 대하여 물의 양은 6사발인 만큼, 이러한 비율로 빚은 밑술로 덧술 쌀 3말을 발효시켜야 한다는 전제에서 고려한 방법의 선택이라는 것이다.

다시 말하면 물 6사발로 멥쌀 1말로 지은 백설기를 이겨서 밑술을 빚기가 너무 힘들고, 죽을 쑤는 것도 어렵다는 얘기이며, <산가요록>과 <언서주찬방>의 주방문에는 양주용수가 사용되지 않는다는 점에서 특히 밑술을 빚는 일이 얼마나 힘들지를 짐작하고도 남는다고 하겠다.

따라서 최소한의 물로 멥쌀 1말의 백설기를 사용한 밑술을 빚으려면 백설기의 호화도를 높일 필요가 있고, 단순히 질게 찐다고 하더라도 술 빚기는 힘들어진다는 것을 알 수 있다.

때문에 일차적으로 쌀가루에 물을 뿌려서 주먹밥 형태로 만들어 쪄낸 다음, 수분이 많아진 떡을 끓는 물과 화합하여 풀면 매우 된죽 형태가 되므로 밑술을 빚기가 용이해진다.

<주찬>의 '하절불산주'와 같은 술 빚기에서 얻을 수 있는 효과는, 밑술을 빚는 작업의 용이성뿐만이 아니라, 쌀의 가공 과정을 여러 단계를 거칠수록 술의 발효나 숙성단계에서 방향이 좋아진다는 것이다. 그 이유는 인절미나 개떡, 구멍떡과 같은 복잡한 과정을 거치는 술 빚기에서 수차례 설명한 바 있다.

또한 이렇듯 복잡한 과정을 거친 술일수록 실패할 확률이 낮아진다. 주원료의 가공 상태가 발효에 용이하도록 처리되어 있기 때문이다.

<산가요록>의 '하주불산법'와 <언서주찬방>의 '하일불산주', <주찬>의 '하절불산주'는 과정이 힘들지만, 술이 숙성된 후에는 그 보람을 찾을 수 있다고 확신한다. 그리고 산패를 예방하는 여러 가지 방법이 많지만, <주찬>의 '하절불산주'와 같은 주방문이 널리 보급되지 못한 까닭은 단순히 "술 빚기가 힘들다."는 이유이다.

세 문헌의 '하주불산법'과 '하일불산주', '하절불산주'는 공히 쌀 양에 대하여 물을 최소한으로 사용한다는 특징을 발견할 수 있다. 여름철에 물이 많이 사용되는 데 따른 과발효와 그로 인한 산패를 억제하기 위한 방법이다.

소위 농당 상태의 밑술을 빚는 것이 주목적인데, 이를 농당주모(濃糖酒母)라고 한다. 이와는 반대로 농산주모(濃酸酒母)를 사용하는 경우도 있다.

농당에 길들여진 효모의 경우 감칠맛이 뛰어나다는 데 착안한 방법인 것이다. 물론 이 때문에 특히 밑술을 빚기가 몹시 힘이 드는데, 특히 백설기떡으로 빚는 경우에는 떡이 잘 풀어지지도 삭지도 않으므로, 떡이 식기 전에 잘게 쪼개서 멍우리가 생기지 않도록 해야 하고, 보다 수월한 요령으로 떡이 식기 전에 누룩과 섞고 힘껏 치대어 무른 죽을 만들되, 힘이 들면 시루밑물을 조금씩 뿌려가면서 술밑을 빚은 후, 술밑을 차게 식혀서 술독에 안치는 것도 한 가지 방법이다.

이처럼 '하주불산법'과 '하일불산주', '하절불산주'의 주방문을 통해 옛 조상들이 여름철 양주방법을 강구하기 위해 얼마나 골몰했는지를 엿볼 수 있으며, 이미 그 당시에도 과학적 접근을 시도하고 있었다는 사실에 그저 놀라고 매번 감탄할 뿐이다.

1. 하주불산법 <산가요록(山家要錄)>
−여름철에 술이 쉬지 않게 하는 법, 쌀 11말 빚이

> 술 재료 : 밑술 : 멥쌀 1말, 누룩가루 1말 5되
>   덧술 : 멥쌀 10말, 끓여 식힌 물(50말)

술 빚는 법 :

* 밑술 :

1. 멥쌀 1말을 씻어(백세하여) 물에 담가 불렸다가 (다시 씻어 건져서 물기를 뺀 후) 세말하여 시루에 안치고 백설기떡을 찐다.
2. 백설기떡을 시루에서 퍼내고, 고루 펼쳐서 차게 식기를 기다린다.
3. 떡에 누룩가루 1말 5되를 넣고, 물이 없어 힘들 것이나 고루 힘껏 치대어 술밑을 빚는다.
4. 술독에 술밑을 담아 안치고, 예의 방법대로 하여 7일간 발효시킨다.

* 덧술 :

1. 멥쌀 10말을 씻어(백세하여) 물에 담가 불렸다가 (다시 씻어 건져서 물기를 뺀 후) 시루에 안치고 고두밥을 짓는다.
2. 고두밥이 익었으면 시루에서 퍼내고, 술주자에 담아 넣는다.
3. 끓여서 차게 식힌 물(50말)을 계속해서 고두밥에 골고루 쏟아서 고두밥을 차게 식힌다.
3. 고두밥과 밑술을 한데 섞고, 고루 버무려 술밑을 빚는다.
4. 술독에 술밑을 담아 안치고, 예의 방법대로 하여 발효시켜 술이 익기를 기다린다.

* 주방문 말미에 "7일이면 탁주로 뜨고, 21일이면 청주로 뜨는데 맛이 매우 좋다."고 하였다. 밑술에서 물을 사용하지 않는다. 특히 밑술을 빚기가 힘이 드

는데, 그것도 흰무리떡은 잘 풀어지지도 삭지도 않으므로 떡이 식기 전에 잘게 뜯어서 멍우리가 생기지 않도록 해야 하고, 보다 편한 방법으로 떡이 식기 전에 누룩과 치대어 무른 죽을 만든 후, 그도 힘들면 시루밑물을 조금씩 뿌려가면서 술밑을 빚고, 차게 식혀서 술독에 안치는 것도 요령이다.

夏酒不酸法

米十一斗 白米一斗 洗浸細末 熟蒸作餠 待冷 好麴一斗五刀 和餠入瓮 七日後 粳米十斗 洗浸熟蒸 置槽中 瀉湯水均和 待冷 和前酒入瓮 堅封 七日用濁 三七日用淸 甚妙.

2. 하일불산주 <언서주찬방(諺書酒饌方)>

> 술 재료 : 밑술 : 멥쌀 1말, 누룩 1말 5되
> 덧술 : 갱미(멥쌀) 10말, 더운 물(15병)

술 빚는 법 :

* 밑술 :

1. 멥쌀 1말을 백세하여 (물에 담가 불렸다가, 다시 씻어 헹궈 건져서 물기를 뺀 후) 작말한다(가루로 빻는다).

2. 쌀가루를 시루에 안쳐서 잘 익은 백설기떡을 찐다.

3. 떡이 익었으면 퍼내고, 잘게 풀어서 덩어리진 것이 없게 하여 차게 식기를 기다린다.

4. 떡에 좋은 누룩가루 1말 5되를 섞고, 고루 치대서 떡 같은 반대기를 만들어 술밑을 빚는다.

5. 술밑을 술독에 담아 안치고, 예의 방법대로 하여 (단단히 밀봉하여) 7일간 발효시킨다.

* 덧술 :

1. 갱미(멥쌀) 10말을 백세하여 (물에 담가 불렸다가, 다시 씻어 헹궈 건져서 물기를 뺀 후) 시루에 안쳐서 고두밥을 찐다.

2. 잘 익게 쪄낸 고두밥을 바조 위에 퍼놓고, 더운 물(끓여 식힌 물 15병)을 퍼부어 주고, 주걱으로 고루 뒤집어서 차게 식기를 기다린다.

3. 차게 식은 고두밥에 밑술을 퍼 넣고, 고루 치대어 술밑을 빚는다.

4. 술밑을 술독에 담아 안치고, 독부리를 단단히 싸매어 두고 발효시켰다가, 탁주로 사용하려면 7일 만에 거르고, 청주로 사용하려면 21일 후에 (용수 박아) 채주한다.

* 주방문 말미에 "탁주로 쓰려거든 7일 만에 뜨고, 청주로 쓰려거든 21일 후에 뜨라."고 하였다.

하일블산쥬(夏日不酸酒)―白米一斗 麴一斗半 (硬米十斗 水○斗)

빅미 흔 말을 빅셰작말ᄒᆞ야 닉게 ᄢᅥ 식거든 됴흔 누록ᄀᆞᄅ 흔 말 닷 되를 버므려 고로 쳐셔 ᄯᅥ ᄀᆞ티 번더겨 독의 녀코 닐웨 후에 경미 열 말을 빅셰ᄒᆞ야 닉게 ᄢᅥ 바조예 퍼 노코 더운 믈로 골와 ᄎᆞ거든 밑술에 버므려 녀코 독부리를 든든 ᄡᅡ미야 둣다가 탁쥬로 쓰거든 닐웬 만의 쓰고 청쥬어든 세닐웨 후제 쓰라.

3. 하절불산주 <주찬(酒饌)>

술 재료 : 밑술 : 멥쌀 1말, 누룩가루 1되, 밀가루 5홉, 끓는 물 6사발
          덧술 : 멥쌀 3말

술 빚는 법 :

* 밑술 :

1. 멥쌀 1말을 백세하여 (물에 담가 불렸다가, 다시 씻어 헹궈서 물기를 뺀 후)
   작말한다.
2. 쌀가루에 적당량의 따뜻한 물을 뿌려 체에 한번 내린 뒤, 주먹밥 크기로 단
   단히 뭉친다.
3. 쌀가루 뭉친 것을 시루에 올려 쪄낸 다음, 끓는 물 6사발에 풀어 죽처럼 만
   들어 차게 식기를 기다린다.
4. 떡이 식으면 밀가루 5홉, 누룩가루 1되를 합하고, 고루 치대어 술밑을 빚는다.
5. 술독에 술밑을 담아 안치고, 예의 방법대로 하여 3일간 발효시킨다.

* 덧술 :

1. 멥쌀 3말을 백세하여 (물에 담가 불렸다가, 다시 씻어 헹궈서 물기를 뺀 후)
   시루에 안쳐서 고두밥을 짓는다.
2. 고두밥이 익었으면 퍼내고, 고루 펼쳐 차게 식기를 기다린다.
3. 고두밥에 밑술을 합하고, 고루 버무려 술밑을 빚는다.
4. 술독에 술밑을 담아 안치고, 예의 방법대로 하여 6일간 발효시킨다.

* 주방문에 "여본주법야(如本酒法也)"라고 하였으므로, '주모(밑술) 만드는 법'
   과 같이 방문을 작성하였다.

夏節不酸酒

白米一斗百洗作末作拳烝之湯水六碗同調待冷眞末五合曲末一升甚調合釀三
日後白米三斗百洗烝之待冷調釀本酒六日後用如本酒法也.

하향주

　'하향주(霞香酒)'란 술 이름은 <양주집(釀酒集)>에 처음 등장한다. 물론 '연꽃 향기가 난다'고 하여 이름 붙여진 하향주(荷香酒)라고 하는 술은 <고사촬요(故事撮要)>를 비롯 <음식디미방>, <주방문(酒方文)>, <산림경제(山林經濟)>, <증보산림경제(增補山林經濟)>, <역주방문(曆酒方文)>, <고사십이집(攷事十二集)>, <규합총서(閨閤叢書)>, <임원십육지(林園十六志)>, <양주방(釀酒方)>, <음식방문(飮食方文)> 등의 음식 관련 여러 문헌과 <요록(要錄)>, <치생요람(治生要覽)>, <감저종식법(甘藷種植法)>, <의방합편(醫方合編)>, <민천집설(民天集說)>, <군학회등(群學會騰)>에도 수록되어 있다.

　그런데 본 방문의 '하향주(霞香酒)'가 '하향주(荷香酒)'의 오기(誤記)인가 생각되어 여러 문헌에 수록되어 있는 하향주(荷香酒)를 비교해 본 결과, 매우 특별한 점을 발견할 수가 있었다.

　즉, '하향주(荷香酒)'는 이양주(二釀酒)로서 본 방문의 '하향주(霞香酒)'에 이어 한 번의 덧술을 더 해 넣는 방법으로 술 빚기가 이뤄진다는 사실이다. 또한 <양

주집>의 '하향주'는 다른 문헌의 '하향주(荷香酒)'와는 달리 밑술에 진말이라고 하여 밀가루가 사용된다는 점에서 차이점을 발견할 수 있다.

물론 <양주집>의 '하향주(霞香酒)'에서와 같이 밀가루를 사용하는 경우를 찾아볼 수 있는데, <요록>의 '하향주(夏香酒)'가 그 예이다.

특히 <요록>의 '하향주'는 덧술을 찹쌀이 아닌 멥쌀을 사용한다는 점에서도 다른 문헌의 '하향주(荷香酒)'와는 차이를 나타낸다.

그렇다면 <양주집>의 '하향주(霞香酒)'도 <요록>의 '하향주(夏香酒)'처럼 이양주였을 가능성이 높고, 주방문을 기록하는 과정에서 덧술의 과정을 빠트렸을 가능성도 배제할 수 없다는 생각을 할 수 있다. <요록>에서 '하향주(荷香酒)'가 아닌 '하향주(夏香酒)'로 기록된 이유이기도 하다는 것이다. 밀가루를 사용하게 된 배경이 "여름철에 빚는 술"이라는 의미에서 붙여지게 된 주품명으로 '하향주(夏香酒)'로 기록하였을 가능성도 배제할 수 없다는 것이다.

이와 같은 전제에서 생각할 수 있는 한 가지 이유는 '하향주(荷香酒)'의 방문을 빌려오고 의도적으로 덧술 과정을 생략함으로써, 술이 익으면 막걸리 형태로 거른 결과 "향기가 좋고 술 빛깔이 흰 노을과 같다."고 한 데서 '노을 하(霞)' 자를 술 이름에 붙인 것이 아닌가 하는 추측이다.

기록이야 어떻든 본 방문대로 '하향주(霞香酒)'를 빚어 본 결과, 술 빛깔이 매우 검기는 하지만 약간의 감미와 함께 독특한 방향인 복숭아 향기를 간직하고 있었다. 이처럼 술 빛깔이 맑지 않고 검은색을 띠는 까닭은, 주재료로 사용되는 쌀양에 비해 누룩의 양이 많기 때문이다.

<양주집>의 '하향주(霞香酒)'는 물이 거의 들어가지 않기 때문에 가수(加水)하여 막걸리 형태로 거르면 매우 부드러운 맛의 탁주를 얻을 수 있는데, 그 맛이 '이화주'와 같다. 다만, '하향주(霞香酒)'는 발효가 끝난 즉시 가수하여 막걸리로 거르면 술 빛깔이 검어지지 않고, 마치 저녁 무렵의 하얀 노을 빛깔을 띠면서 구수한 맛을 지닌 탁주를 즐길 수가 있다.

하지만 저장성이 떨어져 오래 두고 마실 수 없다는 사실도 잊어서는 안 된다. 이는 단양주이자 적은 양의 쌀을 사용한 데서 오는 결과로서, 맛과 향기 등 주질을 높이고자 한다면, 쌀의 양을 1말까지 늘려서 구멍떡을 만들어 빚는 방법을 강

구해 볼 필요가 있다는 생각이다. 그리고 그 결과는 의외로 만족스럽다는 생각을 할 것이라는 확신을 갖게 되었다. 그리고 우리 전통주의 가능성에 대해서 다시 한 번 확신을 갖게 될지도 모른다는 생각을 하게 되었다.

하향주 <양주집(釀酒集)>

술 재료 : 멥쌀 1되, 가루누룩 1되, 진말 5홉, 물

술 빚는 법 :

1. 멥쌀 1되를 백세하여 (물에 담가 불렸다가, 새 물에 다시 씻어 맑게 헹궈 건져서 물기를 뺀 후) 세말한다(고운 가루로 빻는다).
2. 쌀가루를 뜨거운 물로 익반죽하여 구멍떡을 빚는다.
3. 솥에 물을 넉넉히 붓고 팔팔 끓으면 구멍떡을 넣고 삶아, 익어 떠오르면 소독하여 물기 없는 그릇에 건져 낸다.
4. 구멍떡이 식기 전에 주걱으로 으깨고 풀어서 차게 식기를 기다린다.
5. 풀어둔 떡에 가루누룩 1되와 진말 5홉을 섞고, 힘껏 치대어 술밑을 빚는다.
6. 술독에 술밑을 담아 안친 뒤, 예의 방법대로 하여 7일간 발효시킨다.

* 구멍떡이 풀어지기 전에 식으면 떡 삶았던 물을 약간씩 넣어주면서 풀도록 한다.

霞香酒
白米一升 百洗 細末ᄒᆞ야 구무떡 비저 살마 ᄎᆞ거든 ᄀᆞ로누룩 一升 진말 五合 섯거 쳐 둣다가 七日 만이 ᄡᅳ라.

합주법

조선 초기부터 서울을 중심으로 명주들이 등장하면서 "소주도 아니고 약주(청주)도 아닌, 중간 형태의 술"이 있었다고 한다. 소주도 아니고 약주(청주)도 아닌, 중간 형태의 이 술을 '합주(合酒)'라고 하였으며, 그 등장 배경에는 두 가지 설이 전해 온다.

'합주'의 유래와 관련한 속설 가운데 하나는, 소주의 유행에 따라 주독으로 인하여 많은 사람들이 목숨을 잃는 사태가 발생하면서 그 대안으로 소주도 아니고 약주(청주)도 아닌, 중간 형태의 술인 '합주'가 만들어지게 되었다는 것이다.

'합주'의 유래에 관한 속설의 두 번째는, 여름을 날 수 있는 농순(濃醇)한 술을 얻기 위한 방법으로, 또는 청주류의 저장성을 높이기 위하여 숙성시킨 술에 소주를 섞어서 다시 숙성시키는 방법의 '과하주'와 '송순주' 등이 합주에 해당한다는 것이다.

그런데, '과하주'나 '송순주' 등을 혼양주류(混釀酒類)라 하는데, 이들 혼양주류와 관련한 주품들에 대해 어떤 기록에서도 '합주'와 관련된 내용을 찾아보기 힘들다는 사실에서 두 번째의 '합주'의 유래는 거리가 멀다는 생각이 든다.

또한 '합주' 주방문을 보면, 그 성격이 첫 번째 유래와 보다 가깝다는 사실에서 탁주보다는 희고 신맛이 적으며, 감미와 매운맛이 강한 술로, 알코올 도수는 15~17% 범위의 술을 가리키는 것이 아닐까 생각된다.

'합주'를 수록하고 있는 문헌으로 <양주방(釀酒方)>과 <음식책(飮食冊)>, <조선무쌍신식요리제법(朝鮮無雙新式料理製法)>, <주방문(酒方文)>, <주식방문>이 있는데, 문헌마다의 기록이 다르기도 하거니와 술 빚는 법이나 주원료의 배합비율이나 사용방법의 차이가 있는 것으로 미루어, 이들 문헌 가운데 연대가 가장 오래된 <주방문>의 '합주'를 원형으로 보는 것이 옳을 것으로 생각된다.

<양주방>의 '합주' 주방문은 주원료의 배합비율은 다르나 술 빚는 법이 <주방문>과 유사하고, <조선무쌍신식요리제법>의 '합주' 주방문도 <주방문>과 동일하기 때문이다.

<주방문>의 '합주' 주방문을 보면, "멥쌀 5되를 백세한 후, 불린 쌀을 시루에 안쳐서 고두밥을 익게 찌고, 고두밥이 익었으면 시루째 떼어 찬물을 무한으로 퍼부어, 고두밥을 차게 식힌다."고 하고, "고두밥에 누룩가루 5홉을 합하여 술밑을 빚는다. 술밑을 술독에 담아 안쳐서 더운 곳에서 발효시키는데, 술이 익었으면 물을 섞고 체에 밭쳐 탁주를 거른다."고 하였다.

그런데 <주식방문>의 '합주'는 앞의 문헌들과는 다른, 다시 말해서 '석임'이 사용되고, 끓는 물(또는 끓여서 식힌 물)이 사용되고, 고두밥도 냉수로 식히지 않는다는 점에서 차이가 많다고 할 수 있겠으나, 술 빚는 과정으로 보면 <양주방>의 '합주'에 보다 가깝다고 할 수 있겠다.

하지만 <주식방문>의 '합주' 주방문에 "빅미 흔 말 듬가다가 밤재여 찌되 믈을 슬혀 닉게 쪄 미이 치와"라고 하였는데, 이 방법이 "솥에 물(1말)을 끓이다가, 고두밥이 익었으면 (넓고 큰 그릇에) 퍼내고, (끓는 물을 합하여 고두밥이 물을 다 먹으면) 고루 펼쳐서 (얼음같이) 차게 식기를 기다린다."는 것인지, "쪄낸 고두밥과 끓인 물을 각각 차게 식힌다."는 것인지, 아니면 "고두밥을 찔 때의 시루밑물을 떠서 고두밥이 더 익도록 고루 나누어 붓고, 다시 냉수를 골고루 뿌려서 고두밥을 차게 식힌다."는 것인지 확신할 수 없어, 앞의 방법으로 주방문을 작성하였음을 밝혀둔다.

또한 <주식방문>의 '합주'는 '석임'이 사용되는 유일한 경우로서, 사용하는 물의 양이 나와 있지 않아 <주방문조과법(造果法)>의 '합주'를 참고하였다.

한편, 일본인 천정영웅(淺井英雄)이 1926년(대정 15년)에 쓴 <조선주개량독본(朝鮮酒改良讀本)>에 "합주는 약주(藥酒)와 탁주(濁酒)의 혼성주(混成酒)라고 할 수 있는 것으로서, 그 제조(製造)는 사입수(仕込水)로서 탁주를 쓰고, 여기에 분곡자(粉曲子)·나미(糯米)·갱미(秔米) 등을 혼화(混和) 양성(釀成) 여과(濾過)한 것이다. 외관(外觀)은 탁주와 같고 알코올 함량은 10% 정도이다."고 한 것을 볼 수 있다. <조선주개량독본>의 '합주'는 '급시청주' 또는 '급청주', '삼일주'와 같은 속성법의 방법을 가리키고 있어, 기존의 '합주'와는 또 다른 해석을 제시하고 있다고 할 것이다.

이상의 '합주' 주방문에서 알 수 있는 사실은, '합주'는 고두밥을 지어 찬물로 냉각시키는 방법을 통해 매운맛이 강한 술을 얻고, 누룩과 섞어 발효시킨 후에 술이 익으면 물을 쳐가면서 탁주를 거른다는 사실을 특징으로 생각할 수 있으며, 특히 술을 거르는 과정에서 물의 양에 따라 알코올 도수와 맛, 술 색깔까지도 원하는 바에 맞춰서 마시는 술로 이해할 수 있다.

다만, <주식방문>의 '합주'에서와 같이 알코올 도수를 높이기 위해 '석임'을 사용하는가 하면, 산패를 방지하기 위해 냉수를 사용하지 않는 등 주방문의 변화를 엿볼 수 있으며, 필요에 따라서는 혼양주법이나 맛이 박한 술에 쌀을 섞어 다시 발효시키는 방법을 보여주고 있다는 점에서, '합주'의 다양성을 목격할 수 있다고 하겠다.

1. 합주법 <양주방(釀酒方)>
−한 말 빚이

> 술 재료 : 멥쌀 1말, 가루누룩 1되, 시루밑물, 냉수 적당량, 끓여 식힌 물 1말

술 빚는 법 :

1. 멥쌀 1말을 백세하여 (물에 담가 불렸다가, 다시 씻어 건져서 물기를 뺀 후)
   시루에 안쳐서 익게 찐다.
2. 시루를 떼어 넓은 그릇에 쳇다리를 걸치고 그 위에 올려놓는다.
3. 고두밥을 찔 때의 시루밑물을 떠서 고두밥이 더 익도록 고루 나누어 붓는다.
4. 다시 냉수를 골고루 뿌려서 고두밥을 차게 식힌다.
5. 고두밥이 식었으면 가루누룩 1되를 섞고, 고루 버무려 술밑을 빚는다.
6. 술밑을 독에 담아 안치고, 예의 방법대로 하여 단단히 봉하여 3일간 발효
   시킨다.
7. 3일 후에 술독을 열어보아 이불이 젖었으면 벗겨낸 후, 깨끗이 닦아 독 입구
   와 주변의 물기를 제거한다.
8. 물 1말을 끓여 차게 식으면 술독에 붓고, 익기를 기다렸다가 사용한다.

* 주방문 말미에 (끓여 식힌 물을 붓고 익은 후에 보면) "술 빛깔이 흐리고도
  좋다."고 하였다.

합쥬법

한말 비지. 뿔 한 말 빅세ㅎ야 닉게 뼈 시로씨 쩌혀노코 그 솟히 물을 적ː뼈
내여 그 밥의 닉도록 고로고 냉수를 헛쳐 그 밥이 츠거든 ᄀᆞ루누룩 한 되를
섯거 단ː이 봉ㅎ야 둣다가 ᄉᆞ흘 지나거든 녀러보면 닙을 젓거든 손으로 해쳐
바리고 물 한 말 쓸혀 식혀 부어 닉거든 쓰면 그 술빗히 흐리고도 죠흐니라.

2. 합주 술 하는 법 <음식책(飮食冊)>

술 재료 : 찹쌀 2되(찻되), 가루누룩 3홉

술 빚는 법 :

1. 찹되로 찹쌀 2되를 (물에 매우 깨끗하게 씻어 말갛게 헹구고, 다시 새 물에 담가 불렸다가, 다시 씻어 말갛게 헹궈서) 시루에 안쳐서 고두밥을 짓는다.

2. 고두밥이 익게 쪄졌으면 시루째 떼어 쳇다리 위에 걸쳐놓은 후, 주걱으로 헤치면서 (찬물을 무한으로 퍼부어) 차게 식힌다.

3. 고두밥에 가루누룩 3홉을 합하고, 고루 버무려 술밑을 빚는다.

4. 술밑을 술독에 담아 안치되, 술독 주위에 얼음을 채워두고 찬 곳에서 4~5일간 발효시킨다.

5. 술이 익었으면 맛을 보아, 사용할 만큼만 체에 걸러 탁주를 만들어 마신다.

* 주방문에 "합주는 매양 염복(한여름)에 하는 것이니 많이 하면 쉬기가 쉬우니 쓸 만큼만 하되, 이 분량 보아 하라고 적은 비율로 적으니 요령대로 하라." 고 하였다. 또 주방문 말미에 "미리 걸러두면 시기도 하고 쓴맛도 나서 막걸리가 되니, 부디 먹을 때마다 걸러야 한다. 이것이 '찹쌀 빚이 합주'라 하니 이리하여 그릇 밖으로 얼음을 채워 차게 하라."고 하였다.

합쥬 슐 ᄒ는 법

합쥬는 미양 복염의 ᄒ는 거시니 만이 ᄒ면 시기가 쉬우되 쓰리만큼 ᄒ되 이 픈수 보아 ᄒ라고 젹게 젹으니 요량ᄒ여 ᄒ라. 춥되로 가량 두 되을 찹쌀 지어 틀실우 밋틔 검그레 노코 쪄셔 닉여 차게 식힌 후 갈로 누룩 셔 홉만 너어 물 치지 말고 홀웃만 간신이 씨셔 버물여 녀어 찬 고방의 두엇다가 스오 일 되거든 맛 보아 쓸 제마당 조곰식 걸녀야 ᄒ지 미리 걸녀 두면 시기도 ᄒ고 쓴맛도 나셔 막걸니가 되니 부듸 먹을 제마당 걸녀야 이거시 찹쌀 지어 바지 합쥬라 ᄒ니 이리ᄒ여 글웃 밧그로 얼음을 치우게 ᄒ라.

3. 합주 <조선무쌍신식요리제법(朝鮮無雙新式料理製法)>

술 재료 : 좋은 쌀(5되), 좋은 누룩(5홉)

술 빚는 법 :

1. (좋은 멥쌀(5되)을 백세하여 하룻밤 불렸다가, 다시 씻어 건져서 물기를 뺀다.)
2. (멥쌀을 시루에 안쳐서 고두밥을 짓는데, 한김 오르면 냉수를 충분히 뿌려서 익힌다.)
3. (고두밥이 익었으면 퍼내고, 고루 펼쳐서 차게 식기를 기다린다.)
4. 누룩을 (여러 날 법제하여 곱게 빻아) 장만(5홉)하여 고두밥에 섞고, 고루되게 버무려 술밑을 빚는다.
5. 술독에 술밑을 담아 안치고, 예의 방법대로 하여 (7일간) 발효시킨다.
6. 술이 익었으면 물을 치지 말고 체에 밭쳐 바짝 짜서 마신다.

* 주원료의 양이 나와 있지 않아, <주방문>의 '합주' 방문을 참고하였다. 방문 말미에 "물 치지 말고 바짝 짜서 먹을 때 얼음 한 덩어리를 띄우고 먹으면 시원하고, 소위 문배 썩은 맛과 같다 하며, 삼복더위에 너덧 탕기를 크게 마시면 이만큼 상쾌한 것이 천하에 없으나, 많이 마시면 나중에 배 아픈 것은 할 수 없나니라."고 하였다.
* 탁주지만 훈감하여 상술보다 맛이 다르다.

합주

합주는 별수업시 조흔 찹쌀과 조흔 누룩과 두 가지로만 되게 버무렷다가 물 치지 말고 밧삭 짜서 먹을제 어름 한 뎅이를 씌고 먹으면 시원하고 소위 문배 썩은 맛과 가다 하며 삼복더위에 너덧 탕씨를 크게 마시면 이만큼 상쾌한 것은 텬하에 업스나, 만이 마시면 나중에 배 압흔 것은 할 수 업나니라.

4. 합주 <주방문(酒方文)>

술 재료 : 멥쌀 5되, 누룩가루 5홉, 물(5말)

술 빚는 법 :

1. 멥쌀 5되를 백세한다(물에 매우 깨끗하게 씻어 말갛게 헹구고, 다시 새 물에 담가 불렸다가, 다시 씻어 말갛게 헹궈서 물기를 뺀다).
2. 불린 쌀을 시루에 안쳐서 고두밥을 익게 찌고, 익었으면 시루째 떼어놓은 후 주걱으로 헤치면서 찬물을 무한으로 퍼부어 차게 식힌다.
3. 고두밥에 누룩가루 5홉을 합하고, 고루 버무려 술밑을 빚는다.
4. 술밑을 술독에 담아 안치고, 예의 방법대로 하여 더운 곳에서 (7일간) 발효시킨다.
5. 술이 익었으면, 물을 섞고 체에 밭쳐 탁주를 거른다.

* 주방문 말미에 "비록 탁주이나 훈감하여(맵고 달아) 상술(보통 탁주)과 다르다. (쌀) 1되에 누룩이 1홉씩 들어간다."고 하였다.

합쥬

빅미 닷 되 빅셰 므르 뼈 실릭 두고 믈 무흔 헷처 시겨 누록 닷 홉 섯거 더온 듸 둣다가 닐웨 후의 믈 노화 걸러 뵈예 밧타 쓰라. 비록 탁쥬나 훈감ᄒ여 샹술과 다르니라. 흔 되예 누록이 흔 홉식 드느니라.

5. 합주법 <주방문조과법(造果法)>

술 재료 : 멥쌀 1말, 누룩 1되, 끓는 물 1사발

술 빚는 법 :

1. 멥쌀 1말을 백세하여 물에 담가 밤재워 불렸다가 (다시 씻어 헹궈서 물기를 뺀 후) 시루에 안쳐 고두밥을 짓는다.

2. (솥에 물 1사발을 팔팔 끓여서 그릇에 퍼서 차게 식기를 기다린다.)

3. 고두밥이 익었으면 돗자리에 퍼내고, 고루 펼쳐서 얼음같이 차게 식기를 기다린다.

4. 차게 식은 고두밥에 누룩 1되를 골고루 뿌려놓고, (식혀둔) 물 1사발을 한데 섞고 고루 버무려 술밑을 빚는다.

5. 술밑을 술독에 담아 안치고, 예의 방법대로 하여 10일간 발효시킨다.

합쥬법

쌀 한 말 일백 믈(불, 번) 시서 담가두다가, 이튿날 다시 시서 닉게 쪄 식거든 물 한 사발 누룩 한 되 살와(뿌려) 섯기(섯거) 녀허 둣다가 열흘 만의 쓰라.

6. 합주방문 <주식방문>

술 재료 : 멥쌀 1말, 누룩 7홉, 석임 2홉, 끓여 식힌 물 1~2사발

술 빚는 법 :

1. 멥쌀 1말을 (백세하여) 물에 담가 밤재워 불렸다가 (다시 씻어 헹궈서 물기를 뺀 후) 시루에 안쳐 고두밥을 짓는다.

2. 솥에 물 1말을 끓이다가, 고두밥이 익었으면 (넓고 큰 그릇에) 퍼내고, (끓는 물을 합하여 고두밥이 물을 다 먹으면) 고루 펼쳐서 (얼음같이) 차게 식기를 기다린다.

3. 차게 식은 고두밥에 누룩 7홉, 석임 2홉을 한데 섞고 고루 버무려 술밑을 빚는다.

4. 술밑을 술독에 담아 안치고, 예의 방법대로 하여 10일간 발효시킨다.

* 주방문에 "빅미 흔 말 둠가다가 밤재여 씨되 믈을 슬혀 닉게 쪄 미이 치와"라 고 하였는데, 이 방법이 "솥에 물(1말)을 끓이다가, 고두밥이 익었으면 (넓고 큰 그릇에) 퍼내고, (끓는 물을 합하여 고두밥이 물을 다 먹으면) 고루 펼쳐 서 (얼음같이) 차게 식기를 기다린다."는 것인지, "쪄낸 고두밥과 끓인 물을 각 각 차게 식힌다."는 것인지, 아니면 <양주방>의 '합주'와 같이 "고두밥을 찔 때의 시루밑물을 떠서 고두밥이 더 익도록 고루 나누어 붓고 다시 냉수를 골 고루 뿌려서 고두밥을 차게 식힌다."는 것인지 정확히 알 수 없으나, 앞의 방 법으로 주방문을 작성하였다.
* <주식방문>의 '합주'는 '석임'이 사용되는 유일한 경우로서, 사용하는 물의 양이 나와 있지 않아 <주방문조과법>의 '합주'를 참고하였다. 또 주방문 말 미에 "날물기를 일절 금하라."고 하였다.

합듀방문
빅미 흔 말 둠가다가 밤재여 씨되 믈을 슬혀 닉게 쪄 미이 치와 그로누록 칠 홉 석김 두 홉 섯거 녀허 닉거든 쓰라. 졈미로 비즈면 더 둏고 됴흐디 날믈 금긔ᄒ라.

향감주

'감주'는 '단맛 나는 술' 또는 '특별한 방법으로 빚어 단맛을 강화시킨 술'이라는 뜻을 갖는다.

'감주'는 단양주법(單釀酒法)과 이양주법(二釀酒法)이 있는데, 단양주법은 멥쌀이나 찹쌀을 백세작말하여 죽을 쑨 후 누룩과 물을 섞어 빚는 방법이고, 이양주법은 멥쌀을 백세작말하여 구멍떡을 빚어 삶은 후 따뜻할 때 누룩가루를 섞어 밑술을 빚고, 멥쌀이나 찹쌀 1말로 고두밥을 지어 밑술과 섞어 발효시키는데, 물을 사용하지 않거나 물의 양을 극히 소량을 사용하는 방법으로 이루어지며, 특히 따뜻한 곳에서 단시간에 발효시키는 등 전형적인 속성주법을 이용하고 있음을 볼 수 있다.

'향감주(香甘酒)'는 '감주'와는 또 다른, 달리 표현하자면 향기가 중심인 '감주'라는 뜻이다.

따라서 어떤 방법으로 술을 빚든지 향기가 강하고 더불어 단맛도 있는 술이라는 의미를 갖는다고 할 것이다.

이러한 '향감주'는 세 가지 주방문이 전해 오는데, <양주방(釀酒方)>에 이양주법 '향감주'가, <온주법(醞酒法)>에 단양주법의 '향감주'가, <침주법(浸酒法)>의 식혜 제조법이 수록되어 있는 것을 볼 수 있다.

<양주방>과 <온주법>, <침주법>은 모두 1700년대 문헌으로 알려지고 있는데, 이들 문헌에는 '감주'가 등장하지 않는 것으로 미루어 '향감주' 또한 '감주'의 한 가지가 아닌가 생각하였는데, <침주법>에는 '감주' 주방문이 수록되어 있는 것으로 미루어 확신할 수는 없게 되었다.

다만, 분명한 사실은 <주방문(酒方文)>의 '감주'와 <양주방>의 '향감주' 주방문이 거의 일치하고, <침주법>의 '향감주'는 전혀 다른 주방문이라는 것이다.

<주방문>의 '감주' 주방문을 보면, 멥쌀을 백세작말하여 구멍떡을 빚어 삶은 후 따뜻할 때 누룩가루를 섞어 밑술을 빚고, 찹쌀 1말로 고두밥을 지어 밑술과 섞어 발효시키는데, 물을 사용하지 않는 방법으로 이루어진다. <양주방>의 '향감주'는 덧술에서 끓여 식힌 물을 사용한다는 점에서 약간의 차이를 볼 수 있다.

한편, <온주법>의 '향감주'는 <양주방>이나 <주방문> 등의 감주류와는 또 다르게 '이화곡 가루'를 사용하고 있다는 점에서 '향감주'라는 주품명에 대한 의문을 낳게 한다. 즉, '이화주'가 아닌가 하는 것이다.

왜냐하면 <산림경제(山林經濟)>를 비롯하여 <고사신서(攷事新書)> 등의 '이화주' 주방문과 동일하기 때문이다. 주방문 말미에서도 "향기 좋아 술 못 먹는 사람이 물에 타 먹거나 그저 먹으되, 오라면(오래 숙성시키면) 매우니라."고 하는 내용은 '이화주'의 주방문에서 공통적으로 나타나는 언급으로, 다른 주방문에서는 찾아볼 수 없는 내용이다.

결국 <양주방>의 '향감주'는 감주류보다 물을 더 많이 사용함으로써 활발한 발효에 따른 높은 알코올 도수와 함께 생성된 방향이 특징이고, <온주법>의 '향감주'는 '이화주'와 같은 맛으로 인해 '향감주'라는 주품명을 얻게 된 것으로 이해된다.

끝으로 <침주법>의 '향감주'는 식혜 제조법이라는 사실에서 여기에서는 자세히 다루지 않았다.

1. 향감주법 <양주방(釀酒方)>
―한 말 빚이

> 술 재료 : 밑술 : 멥쌀 1되, 가루누룩 2홉, 떡 삶은 물 3사발
>
> 덧술 : 찹쌀 1말, 끓여 식힌 물 1말 미만

술 빚는 법 :

* 밑술 :

1. 멥쌀 1되를 백세하여 (물에 담가 불렸다가, 다시 씻어 건져서 물기를 뺀 후) 작말한다(가루로 빻는다).
2. 쌀가루를 따뜻한 물로 익반죽하고, 반죽을 3등분하여 구멍떡을 빚는다.
3. 솥에 물 3사발을 붓고 끓이다가 구멍떡을 넣어 익게 삶아내고, 그릇에 퍼 담고 (뚜껑을 덮어두었다가) 차게 식기를 기다린다.
4. 떡 삶았던 물 3사발을 차게 식힌 후 가루누룩 2홉을 풀어 넣고, 차게 식은 떡을 한데 합하고 고루 치대어 술밑을 빚는다.
5. 술밑을 독에 담아 안치고, 예의 방법대로 하여 3일간 발효시킨다.

* 덧술 :

1. 찹쌀 1말을 백세하여 물에 담가 하룻밤 불렸다가, 다시 씻어 건져서 물기를 뺀 후 시루에 안쳐서 익게 찐다.
2. 물 1말을 끓여 차게 식히고, 고두밥도 익었으면 퍼내어 고루 펼쳐서 차게 식기를 기다린다.
3. 고두밥이 식었으면 끓여 식힌 물은 1말이 조금 안 되게 계량하여 함께 밑술에 섞고, 고루 버무려 술밑을 빚는다.
4. 술밑을 독에 담아 안치고, 예의 방법대로 하여 7일간 발효시킨다.

* 주방문 말미에 "그 술의 깃물기와 쇠그릇에 범치 말라."고 하였다.

향감쥬법

한 말 한 되 비지. 뽈 한 되롤 빅세작말ᄒ야 되긔 반쥭ᄒ야 구무쩍 셋만 ᄃ다
러 믈 세 ᄉ발의 슬마 구무쩍을 그롯시 내여 노코 날믈 아니들게 치오고 ᄀ르
누록 두 홉을 그 쩍슬문 믈 세 ᄉ발의 타 그 쩍을 한대 반쥭ᄒ야 너허 둣다가
ᄉ흘 후의 죠흔 찹뽈 한 말을 빅세ᄒ야 ᄒ로밤 담갓다가 이튼날 다시 헤워 닉
게 뼈 치와 그 밋내여 끌혀 식인 믈 한 말 못 차긔 너허 비즈되, 그 술의 긱믈
긔와 쇠그롯시 범치 말라.

2. 향감주 <온주법(醞酒法)>

술 재료 : 멥쌀 1말, 이화곡 가루 3되

술 빚는 법 :

1 멥쌀 1말을 백세하여 (물에 담갔다가, 다시 씻어 건져서 물기를 뺀 후) 작말
   한다.
2. (쌀가루에 뜨거운 물 3되 정도를 섞고 익반죽하여) 구멍떡을 빚는다.
3. 끓는 물솥에 구멍떡을 넣고 삶아, 익어서 떠오르면 건져서 뜨거운 기운이 나
   가게 식기를 기다린다.
4. 구멍떡에 이화곡 3되를 세말하여(고운 가루로 빻아) 한데 합하고, 고루 버
   무려 술밑을 빚는다.
5. 술독에 술밑을 담아 안치고, 예의 방법대로 하여 7일간 발효시킨다.

향감듀

빅미 일두 빅셰작말ᄒ야 구멍쩍 슬마 더운 제 니화국 서 되 셰말ᄒ야 고르게
섯거 더운 방의 업허 칠일 만의 향긔 술 못 먹는 사름이 믈의 타 먹거나 그저
먹으되 오라면 미우니라. 향긔 좋아 술 못 먹는 사람이 물에 타 먹거나 그저

먹으되, 오라면(오래 숙성시키면) 매우니라.

3. 향감주 <침주법(浸酒法)>

술 재료 : 멥쌀 1말, 이화곡 가루 3되

술 빚는 법 :

1 겉보리를 씻어(백세하여 물기를 뺀 후) 가마니나 삼태기 같은 그릇에 담아 따뜻한 방에 놓고 살짝 덮어준다.

2. 3~4일 후에 보리에서 엄(싹)이 나기를 기다렸다가, 싹의 길이가 보리만큼 자라 맥아(엿길금)가 되었거든 꺼내어 볕에 말린다.

3. 맥아(엿길금)를 맷돌에 갈아 거친 보릿가루를 만들어놓는다.

4. 멥쌀 2되를 물에 씻어(백세하여 물에 담가 불렸다가) 작말한다.

5. 쌀가루에 끓는 물(1~2되)을 골고루 섞은 후, 주걱으로 고루 개어 범벅을 만들고 차게 식기를 기다린다.

6. 범벅에 보릿가루(엿길금) 2숟가락을 섞고, (고루 버무려 단지에 담아놓고 삭기를 기다린다).

향감듀법

겻보리롤 시서 둣순 방의 두면 사나흘 만의 흰 엄이 나거든 닉여 작말ᄒ야 두고 빅미 두 되 시서 잘말ᄒ야 기여 식거든 보리신룩 두 술……낙질……

향료

스토리텔링 및 술 빚는 법

"<수운잡방(需雲雜方)>의 '향료방(香醪方)'은 우선 술 이름이 매우 독특하다. 처음 주방문을 접하였을 때 속으로 얼마나 당황스러웠는지 모른다. 마치 요릿집 이름과도 같았기 때문이다.

그러나 '향료방'을 우리말로 풀어 쓰니 그 이름이 너무나 아름다웠다. '향기 향(香)' 자와 '탁주 료·술 료(醪)' 자로 '향기로운 탁주(막걸리)' 또는 '향기로운 술'이란 뜻이었다."

이 글은 <수운잡방> 이외의 기록에서 '향료방'이라는 주품을 목격하지 못했던 때에 작성했던 것이다. 그리고 최근 <산가요록(山家要錄)>이라는 문헌이 국내 최고(最古) 양주 관련 문헌으로 밝혀지면서, '향료(香醪)'라고 하는 주품명의 주방문이 존재한다는 사실을 확인하게 되었다.

그런데 다행스럽게도 <산가요록>의 '향료' 주방문이나 <수운잡방>의 '향료방' 주방문이 동일하다는 사실에 안심이 되었다. 고생스럽게 술 빚는 작업을 되풀이하지 않아도 되고, 특히 '향료방'에 대한 글을 수정하지 않아도 되니 천만다행이다 싶은 것이다.

<산가요록>과 <수운잡방>에 수록된 '향료방'의 특징은, 밑술의 쌀을 3일간 침지(浸漬)하여 떡을 찌고 이를 다시 끓는 물로 죽을 쑨 다음, 밀가루와 누룩가루를 사용하여 술밑을 빚는다는 것인데, 더욱 특징적인 것은 덧술의 쌀 역시도 3일간이나 침지시켜 부식된 쌀을 고두밥 짓고, 다시 끓여 식힌 물과 누룩을 섞어 술밑을 빚는다는 것이다.

이러한 예는 단언할 수는 없지만 <산가요록>과 <수운잡방>의 '향료방'에서 처음 목격되는 것으로 생각되는데, 덧술용 쌀을 3일간 침지시켜 사용한 예는 '감향주(甘香酒)' 등을 비롯하여 몇 가지가 되지 않는다.

그렇다면 우리의 궁금증은 "왜 이러한 방법을 택하고 있는가." 하는 것이다. 주지하다시피 쌀을 오랫동안 침지해 놓으면 '향분(香紛)'이라고 하여 기묘한 냄새가 발생하는데, 발효 중일 때에는 그 냄새는 사라지고 아름다운 방향(芳香)으로 바뀌게 된다는 사실이다. 여기에 우리 술의 특별한 매력이 있는지도 모른다. 술 빚는 방법의 다양성 말이다.

그러나 실질적인 문제는 침지를 많이 한 쌀은 결국 발효 시 당화가 빨라지면서 술덧의 농당 상태를 초래하게 되고, 효모는 영양원의 결핍으로 발효 능력이 떨어지는 결과를 초래하게 되는데, 그 결과 술덧에 잔당이 많은 상태에서 발효가 끝나게 되어 단맛이 많은 술이 만들어진다는 것이다.

따라서 <산가요록>과 <수운잡방>의 '향료방'은 술덧의 농당상태로 인하여 발효를 인위적으로 종료시키는 방문이라고 하겠는데, 그 결과 단맛이 많고 풍부한 향기를 뿜어내는 방향주를 얻을 수 있게 된다는 것이다.

그리고 이러한 방법이 '향료' 또는 '향료방'이라는 이름에 걸맞은 술, 곧 청주가 못 되고, 탁주류에 속할 수밖에 없는 이유이기도 하다.

1. 향료 <산가요록(山家要錄)>

─지주(旨酒), 쌀 15말 빚이

술 재료 : 밑술 : 멥쌀 5말, 누룩가루 7되, 밀가루 3되, 끓는 물 7말
덧술 : 멥쌀 10말, 누룩가루 5되, (끓여 식힌) 물 8말

술 빚는 법 :

* 밑술 :

1. 멥쌀 5말을 (백세하여) 물에 담가 3일간 물에 불렸다가 (다시 씻어 헹궈서 물기를 뺀 후) 세말한다.

2. 쌀가루를 시루에 안쳐 푹 찐 다음에 물 7말을 펄펄 끓여 섞고, 주걱으로 개어 차게 식기를 기다린다.

3. 죽이 식으면 누룩가루 7되와 밀가루 3되를 합하고, 고루 버무려 술밑을 빚는다.

4. 술독에 술밑을 담아 안치고 예의 방법대로 하여, 단단히 봉하고 발효시켜 술이 익기를 기다린다.

* 덧술 :

1. 멥쌀 10말을 (백세하여) 물에 담가 3일간 물에 불렸다가 (다시 씻어 헹궈서 물기를 뺀 후) 시루에 안쳐서 고두밥을 짓는다.

2. 고두밥이 푹 쪄졌으면 (시루에 퍼내고 고루 펼쳐서 차게 식기를 기다려) 큰 그릇에 퍼 담는다.

3. 고두밥에 (끓여 식힌) 물 8말과 누룩가루 5되를 밑술과 섞고, 고루 버무려 술밑을 빚는다.

4. 술독에 술밑을 담아 안치고, 예의 방법대로 하여 발효시키고 익기를 기다렸다가, 술주자(누룩이 섞인 술을 짜내거나 거르는 통)에 올려 짜서 맑게 가라앉혀서 쓴다.

香醪

旨酒. 米十五斗. 白米五斗 侵水三日 細末熟蒸 沸水七斗和之 待冷 匊末七升 眞末三升 和釀 堅封 待熟用 白米十斗 浸水三日 全蒸熟 水八斗 匊末五升 用 前醅和釀 待熟上槽 澄淸用之.

2. 향료방 <수운잡방(需雲雜方)>

> 술 재료 : 밑술 : 멥쌀 5말, 누룩가루 7되, 밀가루 3되, 끓는 물 7말
>
>   덧술 : 멥쌀 10말, 누룩가루 5되, 끓여 식힌 물 8말

술 빚는 법 :

* 밑술 :

1. 멥쌀 5말을 백세하여 3일간 물에 담갔다가 (다시 씻어 헹궈서 물기를 뺀 후) 세말한다(고운 가루로 빻는다).
2. 쌀가루를 체에 내려서 시루에 안치고, 설기떡을 쪄낸다.
3. 솥에 물 7말을 붓고 팔팔 끓이다가, 설기떡이 익었으면 퍼내어 큰 그릇에 담고, 끓는 물을 합하고 주걱으로 덩어리 없이 풀어 죽처럼 만들고 차게 식기를 기다린다.
4. 차게 식은 죽에 누룩가루 7되와 밀가루 3되를 합하고, 고루 버무려 술밑을 빚는다.
5. 술독에 술밑을 담아 안치고, 밀봉하여 예의 방법대로 발효시킨다.

* 덧술 :

1. 멥쌀 10말을 백세하여 3일간 불렸다가 (다시 씻어 헹궈서 물기를 뺀 후) 시루에 안쳐서 무른 고두밥을 짓는다.
2. (고두밥이 익었으면 퍼내고, 고루 펼쳐서 차게 식기를 기다린다.)

3. 고두밥에 끓여 식힌 물 8말과 누룩가루 5되를 밑술에 합하고, 고루 버무려
   술밑을 빚는다.
4. 술독에 술밑을 담아 안치고, 예의 방법대로 하여 발효시킨다.

* 주방문에 '도(刀)'를 '되(抴)'라고 하였다. 그 근거는 <오주연문장전산고>에
  "도음도속훈승야(刀音刀俗訓升也)"라고 하였다.

香醪方

白米五斗百洗沈水三日細末熟蒸沸水七斗和待冷曲末七刀眞末三刀和釀堅封
待熟白米十斗百洗浸水三日全蒸熟水八斗曲末五刀用前醅和釀.

향설주

전통주 가운데 매우 특별한 방문을 꼽으라면 단연코 '향설주(香雪酒)'를 들 수 있다. 달리 말하면, 일반적인 술 빚기에서는 결코 찾아볼 수 없는 방문이거니와, 특히 술을 빚기 위한 주재료의 전처리 과정은 일반적은 양주 상식을 깨는 파격이 아닐 수 없기 때문이다.

'향설주'의 주방문을 처음 대하였을 때 이 주방문이 이양주법(二釀酒法)이라고 생각했었다. 그리하여 '향설주'에 대하여 "향설주의 밑술은 본디의 목적이나 역할이 아닐 뿐 아니라, 밑술과 덧술의 경계가 불문명하다."고 하고, "한편 생각하면 밑술의 제조는 술 빚기 위한 전처리 작업에 불과하다는 것으로도 이해할 수 있기 때문이다."고 분석한 바 있다. 그리고 "특히 흰누룩의 양은 20근(12kg) 이나 되는데, 이렇듯 많은 누룩의 사용(투입) 목적이 궁금해지게 된다."고 하였다.

그런데 몇 년이 지난 후일에야 '향설주'가 단양주(單釀酒)라는 결론에 이르게 되었다. 그 배경은 <임원십육지(林園十六志)>와 <조선무쌍신식요리제법(朝鮮無雙新式料理製法)>의 '향설주' 주방문만 알았을 뿐, <농정회요(農政會要)>에도 '향설주'가 수록되어 있다는 사실을 몰랐기 때문이었다.

　주방문에도 잘 나타나 있듯이, <농정회요>와 <조선무쌍신식요리제법>의 '향설주'에는 찹쌀과 흰누룩(白麴), 물이 사용되고, <임원십육지>에는 찹쌀과 밀가루(백면白麪), 물이 사용될 뿐, 누룩(白麴)이 사용되지 않는다고 여기면서부터이다.

　주지하다시피 이들 세 문헌에서 공통적인 전처리 작업 과정으로, 고두밥과 생쌀을 용수와 함께 술독에 담아 안치고, 20일가량 부식(부패)시키는 과정을 보여주고 있으며, 부식된 쌀은 고두밥을 짓고, 나중에 투입했던 고두밥은 다시 건져두었다가 본격적으로 술을 빚을 때 함께 안치는 매우 이채로운 과정으로 이루어진다는 것이다.

　문제는, 시대적으로 가장 앞선 기록인 <임원십육지>에는 "20일간 불린 생쌀을 쪄서 백면(밀가루 반죽) 20근과 함께 고루 섞어 작은 덩어리를 만들어" 라고 하였을 뿐, 누룩에 대한 언급이 없다는 것이었는데, <임원십육지>보다 7년 후에 등장한 <농정회요>에는 "쌀 담갔던 물에 고두밥과 흰누룩을 잘게 빻아 20근을 섞고" 라고 하여, 백면(흰 밀가루)이 아닌 백국(白麴)을 쓰고 있음을 확인할 수 있다.

　밀가루의 사용은, 본디가 맑은 술을 얻고자 하는 목적 외에 잡균 억제에 있는 만큼, 그 방편으로 누룩을 대신하여 밀가루를 사용하는 것으로 이해하기에는 무리가 따른다는 것이다.

　밀가루 역시도 전분으로, 특히 생전분의 투입은 발효의 지연과 함께 농산상태를 가져와, 궁극에 달해서는 술의 산패를 초래하기 때문이다. 더구나 이러한 방법으로 누룩 없이 술을 빚는다는 것은 상상하기 어렵다.

　따라서 결론은, <임원십육지>의 주방문에서 백면이 아니라 백국이어야 한다는 것이다.

　이를 <농정회요>에서 바로잡은 것이라고 할 수 있겠으며, <조선무쌍신식요리제법> 역시도 <농정회요>의 기록을 그대로 번역하여 옮겼을 것이라는 견해를 내놓기에 이른다.

　한편, 이들 세 문헌에서 공통적으로, 밝히고 있는 '향설주'의 제조 방법으로, 고두밥과 생쌀을 용수와 함께 술독에 담아 안치고 20일가량 부식(부패)시키는 과정, 그리고 부식된 쌀은 고두밥을 짓고, 나중에 투입했던 고두밥은 다시 건져두었다가 본격적으로 술을 빚을 때 함께 안치는, 이렇듯 매우 이채로운 과정을 어떻게 이해할 것인가.

직접 술을 빚어보지 않고서는 알 수 없는 것이 우리 술 빚는 방법의 특징이고, 술은 머릿속으로 빚는 것이 아니고, 손과 눈과 입으로 빚는 것인 만큼, 직접 빚어보지 않고는 '향설주'에 대한 설명이 되질 않는다.

따라서 직접 '향설주'를 빚어본 경험에서 내린 답은, 술 빚을 쌀과 고두밥의 부식(부패)에 그 답이 있었다는 것이다. 20일을 물에 담가 놓은 쌀과 고두밥은 부패되어 '구린내'라고 할 만큼 심한 악취가 있었고, 손으로 만지기가 역겨울 만큼 기분 나쁜 느낌과 함께 미끄러웠다. 부득이 휘저어가면서 몇 차례 헹궈서 고두밥을 짓는데, 찌는 과정에서의 역겨운 냄새는 비위가 좋은 사람이라도 견디기 힘들 만큼, 오히려 냄새는 더욱 심해진다는 느낌을 받았다.

그렇게 '견디기 힘든' 술 빚기를 마치고 나서 발효 과정을 살폈는데, '견디기 힘든' 술 빚기와는 전혀 다르게 발효 시의 향기는 너무나 매력적으로 느껴졌으며, 술의 숙성 과정에서 '술독의 뚜껑을 하루에 3회씩 열었다 닫아주는' 방법과 목적을 이해할 수 있게 되었다는 것이다.

후발효 시 술독의 개방과 밀봉을 반복하는 일련의 작업은, 발효 시 부식된 쌀을 사용하는 만큼 당화가 빠르게 진행되는데, 그에 따른 발효 속도가 늦게 되면 감패(甘敗)가 진행될 수밖에 없기 때문이다.

따라서 감패와 농당(濃糖)에 따른 발효 억제를 정상적으로 끌고 가기 위해서는 꾸준히 산소를 공급해 주어 효모의 증식을 유도해야 한다.

바로 여기에서 옛 주인(酒人)들의 섬뜩하다 할 만큼 날카롭고 번뜩이는 지혜를 엿 볼 수 있었다. 번거롭지 않게 처음부터 독 뚜껑을 덮지 말고 개방시켜 놓으면 될 것을 왜 군이 열었다 닫았다 해야만 하는지를. 술이 충분히 끓지 못하고 발효가 진행되면, 효모의 지나친 증식으로 술의 맛이 거칠고 방향이 올라오지 않는다는 사실을.

'향설주'는 향기가 매우 특별하리만큼 좋은 술이다.

또한 숙성이 끝난 술독에서는 눈처럼 하얀 고두밥(개미)이 떠 있어 그야말로 '눈처럼 희다.'고밖에 달리 표현할 말이 없었다. 진정으로 구미를 당기기에 부족함이 없는 술이다.

1. 향설주 <농정회요(農政會要)>

술 재료 : 찹쌀 10말, 백국 20근, 물 5말 5되

술 빚는 법 :
1. 찹쌀 10말 중 9말을 백세하여 맑은 물이 나올 때까지 말갛게 헹궈 건져서, 깨끗이 소독하여 준비한 큰 술독에 담아 안친다.
2. 쌀을 안친 술독에 쌀 양과 동일한 부피의 물 4말 5되에 1말을 추가하여 붓고, 쌀을 불려놓는다.
3. 나머지 찹쌀 1말을 백세하여 물에 담가 불렸다가, 다시 씻어 맑은 물이 나올 때까지 말갛게 헹궈 건져서 물기를 뺀다.
4. 불린 찹쌀을 시루에 안쳐서 고두밥을 짓고, 고두밥이 잘 익었으면 술독에 담아 안친 후 술독의 뚜껑을 덮어 20일 밤을 지낸다.
5. 20일 후에 술독을 열고 떠오른 밥알을 건져서 그릇에 담아놓는다.
6. 생쌀을 건진 다음 다시 맑은 물이 나올 때까지 헹궈서 물기를 뺀 후, 시루에 안쳐서 고두밥을 짓는다.
7. 고두밥이 익었으면 퍼내고, 고루 펼쳐서 뜨거운 기운이 나가게 식힌다.
8. 쌀 담갔던 물에 고두밥과 흰누룩을 잘게 빻아 20근을 섞고, 고루 버무려 술밑을 빚는다.
9. 술독에 따로 건져 둔 밥알과 함께 술밑을 담아 안치고, 예의 방법대로 하여 (14일간) 발효시킨다.
10. 발효기간 중에 만약 날씨가 더우면 7일, 10일 후 하루에 3회씩 뚜껑을 열었다 닫길 반복해 주어야 실패하지 않는다.

香雪酒

用糯米一石先取九斗淘淋極淸無渾脚爲度以桶量米准作數米與水對克水宜多
一斗以補米脚浸于缸內後用一斗米如前淘淋炊飯埋米上草蓋覆缸口二十餘日
候浮先瀝飯糓次瀝起米控乾炊飯秉熱用原浸米水澄去水脚白麴(麴)作小塊二
十斤拌勻米糓蒸熟放缸底如天氣熱暑出火氣打拌勻後蓋缸口一週時打頭杷打
後不用蓋半週時打第二把如天氣熱須再打出熱氣三扒打絶仍蓋缸口候熟如用
常法大抵米要精白淘淋要淸淨杷要打得熟氣透則不致敗耳.

2. 향설주방 <임원십육지(林園十六志)>

술 재료 : 찹쌀 10말, 흰누룩(분곡) 20근, 물 5말 5되

술 빚는 법 :

1. 찹쌀 1석(10말) 중 9말을 백세하여 맑은 물이 나올 때까지 말갛게 헹궈 건
   져서, 깨끗이 소독하여 준비한 큰 술독에 담아 안친다.
2. 쌀을 안친 술독에 쌀 양과 동일한 부피의 물 4말 5되에 1말을 추가하여 5말
   5되를 붓고, 쌀을 불려놓는다.
3. 나머지 찹쌀 1말을 백세하여 물에 담가 불렸다가, 다시 씻어 맑은 물이 나올
   때까지 말갛게 헹궈 건져서 물기를 뺀다.
4. 불린 찹쌀을 시루에 안쳐서 고두밥을 짓고, 고두밥이 잘 익었으면 술독에 담
   아 안친 후, 술독의 뚜껑을 덮어 20일 밤을 지낸다.
5. 20일 후에 술독을 열고 떠오른 밥알을 건져서 그릇에 담아놓는다.
6. 생쌀을 건진 다음 다시 맑은 물이 나올 때까지 헹궈서 물기를 뺀 후, 시루에
   안쳐서 고두밥을 짓는다.
7. 고두밥이 익었으면 퍼내고, 고루 펼쳐서 뜨거운 기운이 나가게 식힌다.
8. 쌀 담갔던 물에 고두밥과 흰누룩을 잘게 빻아 20근을 섞고, 고루 버무려 술

밑을 빚는다.

9. 술독에 따로 건져둔 밥알과 함께 술밑을 담아 안치고, 예의 방법대로 하여 (14일간) 발효시킨다.

10. 발효기간 중에 만약 날씨가 더우면 7일, 10일 후 하루에 3회씩 뚜껑을 열었다 닫길 반복해 주어야 실패하지 않는다.

香雪酒方

用糯米一石先取九斗淘淋極淸無渾脚爲度以桶量米准作數米與水對克水宜多
一斗以補米脚浸于缸內後用一斗米如前淘淋炊飯埋米上草蓋覆缸口二十餘日
候浮先瀝飯穀次瀝起米控乾炊飯秉熱用原浸米水澄去水脚白麯(麯)作小塊二
十斤拌勻米穀蒸熟放缸底如天氣熱署出火氣打拌勻後蓋缸口一週時打頭杷打
後不用蓋半週時打第二把如天氣熱須再打出熱氣三扒打絶仍蓋缸口候熱如用
常法大抵米要精白淘淋要淸淨杷要打得熟氣透則不致敗耳. <遵生八牋>.

3. 향설주 <조선무쌍신식요리제법(朝鮮無雙新式料理製法)>

술 재료 : 찹쌀 10말, 흰누룩 20근, 쌀 담글 물 10말

술 빚는 법 :

1. 찹쌀 10말 중 9말을 흐린 것이 없도록 씻어(백세하여) 10말의 물과 함께 술독에 담가 불려놓는다.

2. 나머지 찹쌀 1말을 백세하여 (물에 담가 불렸다가, 다시 씻어 건져서 물기를 뺀 뒤) 시루에 안쳐서 고두밥을 짓는다.

3. 고두밥이 익었으면 찹쌀 불린 술독에 퍼 담고, 주둥이를 밀봉하여 20일간 둔다.

4. 술독을 열어서 밥알이 뜬 것은 건져서 물기를 뺀 다음 그릇에 담아놓고, 남

은 쌀을 다시 씻어 건져서 물기를 뺀다.

5. 불린 쌀을 시루에 안쳐서 고두밥을 짓고, 술독의 쌀 담갔던 웃물은 따라버린다(찌꺼기는 남긴다).

6. 고두밥이 따뜻할 때 흰누룩(분곡) 20근과 건져두었던 밥알을 섞고, 고루 버무려 술밑을 빚는다.

7. 술밑을 술독 밑에 담아 안치고(다시 독 밑의 침전물과 함께 섞어준 뒤), 예의 방법대로 하여 발효시킨다.

8. 술 빚을 때 날씨가 더우면 고두밥의 뜨거운 기운을 빼서 술밑을 빚고, 다음 날이라도 날씨가 더우면 술덧을 휘저어 뜨거운 기운을 빼주고 뚜껑을 덮어주어야 한다.

* 주방문 말미에 "만일 일기가 더웁거든 약간 (고두밥) 화기를 뺀 후에 고루 치고, 뚜껑을 덮은 지 하루 만에 흠뻑 친 후에 뚜껑을 덮지 않고, 또 반일(半週) 안에 다시 치되, 일기가 더웁거든 쳐가며 더운 기운을 뺀 후에 항아리에 넣고, 뚜껑을 덮어 익기를 기다리느니, 항용 하는 법을 쓰려 하면 대개 쌀은 흰 것으로 씻고, 일어서 청정하게 하고, 쳐가며 더운 기운을 얻어 익히면 채하지 아니하나니라."고 하여, 고두밥과 술독의 관리가 온도조절에 있음을 강조하였다.

향설주

찹쌀 한 섬에 먼저 아홉 말을 호린 것이 업도록 씻는 것이 돗수에 맛나니 쌀과 물을 통으로 헤아려 쌀보담 물이 한 말은 더하야 쌀을 흠뻑 적시나니 큰 항아리에 당가 느은 뒤에 한 말 쌀도 전과 가티 씨서 밥 지여 항아리에 느코 봉하야 둔 지 이십여 일 만에 밥 껍질이 뜨는 것은 건지고 쏘 쌀을 건저 물 쌔거든 밥을 지여 더운 김에 이왕 당갓든 쌀물은 우로 짜라 버리고 흰누룩을 스무 근가량을 쌀껍질과 버무려 써서 항아리 밋헤 늣나니 만일 일기가 더웁거든 약간 화기를 쎈 후에 고루 치고 쑥게를 덥흔 지 하루 만에 흠뻑 친 뒤에 쑥게는 덥지 안고 쏘 반일(半週) 안에 다시 치되 일기가 더웁거든 쳐가며 더운 긔운을 쎈 후에 항아리에 느코 쑥게를 덥허 익기를 기다리나니, 항용하는 법을 쓰랴면 대개 쌀은 흔걸로 씻고 일어서 청정하게 하고 처가며 더운 긔운을 어더 익히면 채하지 아니하나니라.

혼돈주

스토리텔링 및 술 빚는 법

'혼돈주(混頓酒)'는 조선조 중엽 문인이었던 정희량(鄭希良, 1469~?)의 문집 <속동문선>의 서(序)에 소개된 시(詩) '혼돈주가(混沌酒歌)'에서 그 유래를 찾고 있다.

'혼돈주가'를 썼던 정희량은 연산군 시절 "거듭되는 사화로 인해 정치에 환멸을 느낀 나머지 금강산에 들어가 신선이 되었다."고 전한다.

전설에 따르면, "그는 신선로 하나를 가지고 다니면서 어느 때고 주변의 산채며 열매를 이용하여 안주를 만들고, 손수 빚은 술을 거르지 않은 채로 즐겨 마셨다."고 한다. 이로써 '혼돈주'는 청주도 아닌, 그렇다고 막걸리처럼 거른 술도 아니라는 뜻으로 풀이된다.

하지만 정희량이 지칭한 '혼돈주'의 의미는 "천지만물과 자기 자신이 분별을 넘어선 상태에 이르렀다는 것을 상징하기 위해 빚어 마셨던 술"이라는 뜻으로 생각된다.

我飮我濁 我全我天(내가 나의 탁주를 마시고, 내가 나의 천진을 보전하니)

我乃師酒 非聖非賢(나는 술을 스승으로 삼으나, 굳이 청주도 아니고 탁주
도 아니요)

樂其樂者 樂於心(그 즐거움을 즐기는 자로세. 마음에 즐거워하여)

不知老之將至 人孰知予之樂是酒也(늙음이 장차 오는 것도 모르니, 그 누가
내가 이 술을 즐거함을 알랴.)

이른바 "혼돈주를 마시니 마음에 즐거워하여, 늙음이 장차 오는 것도 모르니,
그 누가 내가 이 술을 즐기함을 알랴."고 하는 시의 내용이 그것이다.

술을 마시고 취해서 그런 경지에 이르러 세상의 시비를 넘어서고자 했고, 그는
또 "성현(淸酒)이 아닌 혼돈주(濁酒)를 스승 삼아 천성을 보존한다."면서 유가적
규범에 반발하고 도가적인 초탈을 노래했다.

또 조선 전기의 문신이었던 박은(1479~1533년)의 시문집 <읍취헌유고>에 수
록된 오언시(五言詩) 중 '장어사 다리 위에서 중추에 달구경하다. 택지의 운을 사
용하다(藏魚寺橋上 中秋翫月 用擇之韻)'라는 제하(題下)의 시에서, '혼돈주'라
는 주품명을 지은 이가 '정순부(鄭淳夫, 정희량의 자)'라고 하여 '혼돈주'가 정희
량으로부터 유래한다는 사실을 확인할 수 있다.

皎皎九霄光(높은 하늘에 달이 밝으니)

滔滔千里遠(천리 밖 멀리까지 가득 차네.)

圓者有時缺(둥근 달은 때에 따라 이지러지고)

逝者不容返(가는 것은 돌아올 줄 모르네.)

(…중략…)

擁被倚石矼(이불은 안고 돌다리에 의지하고)

開尊潑渾沌(술병을 여니 혼돈주가 흘러나오네.)

(…중략…)

鄭淳夫喜獨酌(정순부가 탁주를 좋아해)

名曰渾沌酒(혼돈주라 이름하였다.)

어떻든 '혼돈주'는 탁주류이면서 이양주(二釀酒)인데, 밑술의 제조과정이 대표적인 청주의 하나인 '백하주'와 매우 비슷하며, 술맛에 있어서는 그리 뛰어나다고는 할 수 없었다.

'혼돈주'를 수록하고 있는 문헌으로는 시대 미상의 <승부리안주방문>과 1800년대의 <양주방>*, 1936년간 <조선무쌍신식요리제법(朝鮮無雙新式料理製法)>에 수록되어 있는 것을 볼 수 있다.

<승부리안주방문>과 <양주방>*의 기록에 의한 '혼돈주' 주방문을 보면, "멥쌀을 가루 내어 끓는 물에 개어서 범벅을 만든 다음, 누룩가루와 석임 각 1되를 함께 버무려 밑술을 만든다. 3일 후에 술밑을 걸러 누룩찌꺼기를 제거하고 찹쌀고두밥을 넣어 익히면 3일이면 뜰 수 있다."고 하여, '혼돈주'가 "거르지 않고 그대로 마시는 술"이라는 배경을 뒷받침해 주고 있다.

즉, 누룩이 들어간 밑술을 걸러서 덧술을 하게 되므로, 술이 익으면 물을 타서 거르거나 여과할 필요 없이 술과 술찌꺼기(밥알)까지를 다 마실 수가 있다는 점에서 '혼돈주'의 의미를 찾을 수 있을 것 같기도 하다.

그런데 '혼돈주'와 같은 술 빚는 방법은 <승부리안주방문>과 <양주방>*의 '호산춘'과도 유사하다는 것을 알 수 있는데, 어쩌면 가장 궁핍했던 시절이나 환경에서 이뤄지는 술 빚기의 한 형태라고도 할 수 있으며, 밥알까지 함께 떠낸 탁주 한 잔으로 한 끼 식사를 대신했던, 과거 굶주렸던 시절의 아련한 추억을 떠올리게 한다.

<양주방>*의 '혼돈주'는 밑술의 범벅을 잘 익게, 끓는 물과 쌀가루를 골고루 잘 이겨 범벅을 만드는 것이 중요하며, 석임의 양에 따라 술맛이 결정되므로 주발효가 끝나면 바로 채주하여 마시는 것이 맛이 좋다. 주발효 기간이 길어질수록, 술을 걸러둔 지 오랠수록 술맛은 독해진다.

한편, 일제강점기의 기록으로 한국인에 의해 쓰여진 양조 관련 문헌으로는 마지막 기록이라고 할 수 있는 이용기의 <조선무쌍신식요리제법>에 의하면 '혼돈주'는 청주도 탁주도 아닌, 그렇다고 해서 탁주(발효주)도 소주(증류주)도 아닌, 그런 합성주(合成酒)의 개념으로 수록되어 있다.

주방문에 "혼돈주는 탁주(막걸리)에 소주를 타서 마시는 것이니, 좋은 '합주(合

酒)'를 반 사발쯤 준비하여 좋은 소주 1잔을 가만히 1분 동안 (잔) 벽면을 따라 조심스레 부으면, 소주가 속으로 들어가지(섞이지, 가라앉지) 않고 위로 맑게 떠 오르나니, 그제야 마시면 다 마시기까지 '합주'와 소주가 같이 드러나오니, '합주' 는 차고 소주는 더워야 좋고, 소주를 '홍소주'를 타면 빛깔이 곱게 되나니라. 맛은 매우 좋으나, 아무리 대주객이라도 이렇게 다섯 잔 외에 더 마실 것이 아니니, 다 른 술보다 매우 취하나니라."고 하고, "특별히 술을 빚는 법(주방문)이 있는 것이 아니다."고 하였음을 볼 수 있다.

따라서 <조선무쌍신식요리제법>의 '혼돈주'는 오히려 요즘 유행하는 '폭탄주(爆 彈酒)'가 아닌가 여겨진다.

그도 그럴 것이 <조선무쌍신식요리제법>이 쓰여졌던 당시의 시대적 상황은 '맨정신'으로 살아가기에 너무나 비참했을 것이고, "취하여 혼미(昏迷)한 상태가 아니면 견디기 어려웠을 조선인들의 삶을 대변한 술이 이 혼돈주가 아니었을까." 싶고, 혹, "이 술은 여러 잔 마시고 대취하면 정신이 혼미해진다." 하여 붙인 이름 이 아닌가 싶은 것이다.

1. 혼돈주법 <승부리안주방문>

술 재료 : 밑술 : 멥쌀 6되, 섬누룩 1되, 석임 1되, 끓는 물 2병
　　　　　덧술 : 찹쌀 4되

술 빚는 법 :
* 밑술 :
1. (희게 쓿은) 멥쌀 6되를 (물에 깨끗이 씻고 또 씻어 물에 담가 불렸다가, 다 시 씻어 헹궈서 물기를 뺀 후) 작말한다.
2. 물 2병을 솥에 부어 팔팔 끓으면 멥쌀가루에 붓고, 주걱으로 고루 개어 고 르게 익힌 범벅을 만들어 차디차게 식기를 기다린다.

3. 차게 식힌 범벅에 섬누룩 1되와 석임 1되를 한데 합하고, 고루 버무려서 술
   밑을 빚는다.
4. 술독에 술밑을 담아 안치고, 예의 방법대로 하여 3일간 발효시킨다.

* 덧술 :
1. 밑술이 익었으면 체에 밭쳐서 술찌꺼기를 제거한 탁주를 그릇에 담아놓는
   다.
2. (희게 쓿은) 찹쌀 4되를 물에 깨끗이 씻고 또 씻어 (물에 담가 불렸다가, 다
   시 씻어 헹궈 건져서 물기를 뺀 후) 시루에 안쳐 고두밥을 짓는다.
3. 고두밥이 익었으면 퍼낸다(고루 펼쳐 차게 식기를 기다린다).
4. 걸러둔 밑술에 (차게 식힌) 찹쌀 고두밥을 섞고, 고루 버무려 술밑을 빚는다.
5. 술밑을 술독에 담아 안친 뒤 예의 방법대로 하여 발효시키는데, 3일이면 술
   을 쓸 수 있다.

* 주방문 말미에 "녀름에 죠흐니라."고 하였다.

혼돈쥬법
빅미 뉵승 작말ᄒ여 되 두 되 탕긔로 여덟 탕긔을 끌혀 긔여 ᄎ거든 죠흔 섭
누록 흔 되 서김 흔 되 너허 비즈 삼일 만의 졈미 ᄉ승 빅셰ᄒ여 닉게 찌고 술
밋츨 걸너 석거 너허 삼일이면 쓰ᄂ니라. 녀름의 죠흐니라.

2. 혼돈주 <양주방>*

술 재료 : 밑술 : 멥쌀 6되, 누룩가루 1되, 석임 1되, 끓는 물 2병
　　　　　덧술 : 찹쌀 4되

술 빚는 법 :

* 밑술 :

1. 희게 쓿은 멥쌀 6되를 (물에 깨끗이 씻고 또 씻어 물에 담가 불렸다가, 다시 씻어 헹궈서 물기를 뺀 후) 가루로 빻는다(백세작말한다).

2. 물 2병을 솥에 붓고 팔팔 끓으면 (멥쌀가루에 붓고 주걱으로 고루 개어 고르게 익힌 범벅을 만들어) 차디차게 식기를 기다린다.

3. (범벅에) 가루누룩 1되와 석임 1되를 한데 합하고, 고루 버무려서 술밑을 빚는다.

4. 술독에 술밑을 담아 안치고, 예의 방법대로 하여 3일간 발효시킨다.

* 덧술 :

1. 밑술이 익었으면 체에 밭쳐서 술찌꺼기를 제거한 탁주를 그릇에 담아놓는다.

2. (희게 쓿은) 찹쌀 4되를 물에 깨끗이 씻고 또 씻어 (물에 담가 불렸다가, 다시 씻어 헹궈 건져서 물기를 뺀 후) 시루에 안쳐 고두밥을 짓는다.

3. 고두밥이 익었으면 퍼낸다(고루 펼쳐 차게 식기를 기다린다).

4. 밑술에 (차게 식힌) 찹쌀 고두밥을 섞고, 고루 버무려 술밑을 빚는다.

5. 술밑을 술독에 담아 안친 뒤 예의 방법대로 하여 발효시키는데, 덧술을 빚어 넣은 지 3일이면 술을 뜰 수 있다.

* 주방문 말미에 "사흘 뒤에 쓰면 향내가 나고, 콕 쏘게 매우니, 따르면 금방 나온다. 여름에가 가장 좋다."고 하였다. 누룩찌꺼기를 제거하였으므로 거르지 않고 고두밥까지 다 먹을 수 있어, '청주'도 아닌 '탁주'도 아닌 술이라 하여 '혼돈주'라 이름 붙이게 되었다 전한다.

혼돈쥬
빅미 엿 되 빅셰작말ᄒ야 물 두 병을 ᄭᅳᆯ혀 ᄎᆞ거든 국말 ᄒᆞᆫ 되 셔김 ᄒᆞᆫ 되 너허 비즌 삼일 만의 졈미 넉 되 빅셰ᄒ야 닉게 ᄶᅥ 술밋츨 체예 바타 너흔 삼일 후 쓰면 향긔 나고 미오니 드리우면 경긱의 나느니라. 녀름의 ㄱ장 죠흐니라.

3. 혼돈주 <조선무쌍신식요리제법(朝鮮無雙新式料理製法)>

술 재료 : 합주 1사발, 소주(또는 홍소주) 1잔

술 빚는 법 :
1. 큰 유리잔에 합주를 1사발쯤 담아놓는다.
2. 소주를 뜨뜻하게 1잔을 데워서 합주를 담은 잔의 가장자리에 대고 조심스레 찬찬히 기울여 따른다.
3. 합주는 차고 소주는 따뜻하므로, 소주가 합주 위로 떠올라 층을 이룬다.

* 소주는 '홍소주'를 사용하면 '홍소주'의 붉은 색깔 때문에 층을 이룬 모습이 더욱 뚜렷하고 아름답다. <조선무쌍신식요리제법>의 '혼돈주'는 <양주방>*의 '혼돈주' 방문과는 상이한 방법과 의견으로 기술되어 있다. 따라서 <조선무쌍신식요리제법>의 '혼돈주'는 오히려 요즘 유행하는 폭탄주가 아닌가 여겨진다. 혹, 폭탄주를 여러 잔 마시고 대취하여 정신이 혼미해진다 하여 붙인 이름이 아닌가 싶다.

혼돈주
혼돈주는 막걸리에 소주를 타서 먹는 것이니 조흔 합주를 반 사발쯤 하야 조흔 소주 한 잔을 합주에다가 가마니 한 엽흐로 일분 동안을 쌀으면 소주가 속으로 드러가지 안코 위로 맑아케 써을으나니 그제야 마시면 다 마시기까지 합주와 소주가 가티 드러오나니 합주는 차고 소주는 더워야 죠코 소주는 홍소주를 타면 빗이 곱게 되나니라. 맛은 매우 죠흐나 아모리 대주객이라도 이러케 다섯 잔 외에 더 마실 것이 아니니 달은 술보담 매우 취하나니라.

황감주

스토리텔링 및 술 빚는 법

　"누런 황금빛깔과 함께 단맛과 매운맛이 난다."고 하여 '황감주(黃柑酒, 黃甘酒)'라는 이름을 얻은 술인데, 멥쌀이나 찹쌀로 두 번에 걸쳐 술을 빚는다.

　우리나라 전통주의 대다수가 누런 빛깔을 띤다는 사실에서는 공통점을 찾을 수 있다. 그러나 같은 누런 빛깔의 술이라도 빚는 방법과 재료의 배합비율, 발효 기간에 따라서는 '황금색'을 비롯하여 '맑은 누런색'과 '칙칙한 누런색', '밝은 노란색', '어두운 노란색', '붉은 노란색', '누리끼리한 색' 등 다양하게 나타난다. 이런 누런색을 상징하는 과일이 감귤(柑)색이다.

　따라서 '황감주'는 두 가지 의미로 해석할 수 있다.

　일테면 '누런색을 띠면서 그 맛에 감미가 많은 술'이라는 뜻이거나 '감귤색에 귤 향기가 나는 술'이라는 뜻에서 유래한 주품명이라는 것이다. 바로 이런 점이 중국의 '황주'나 일본의 '사케'와는 다른 우리 술의 매력이라고도 할 수 있는데, 이러한 매력적인 술 빛깔은 술을 빚을 재료를 멥쌀과 찹쌀로 할 경우가 각각 다르다.

　'황감주'가 수록되어 있는 문헌으로 <민천집설(民天集說)>과 <시의전서(是議

全書)>에 '황감주(黃柑酒)', <양주방>*에 '황감주', <음식방문(飲食方文)>과 <음식방문니라>에 '황감주', <주찬(酒饌)>에 '황감주(黃柑酒)' 등으로 수록되어 있는데, 시대적으로 가장 앞선 기록이 <민천집설>이고, 나머지 문헌의 경우 발간연대에서 별반 차이가 없다는 사실과 관련하여 <민천집설>의 주방문을 중심으로 하여 다른 문헌의 기록을 비교분석하여 그 특징을 살펴보고자 한다.

　　<민천집설>에 "찹쌀 1되를 작말하여 구멍떡을 빚어 삶아서 차게 식기를 기다려 좋은 누룩가루 1되를 한데 합하여 술독에 담아 안치고 발효시킨 뒤, 고운 수건에 밭쳐 거르되, 냉수 1사발을 뿌려가면서 걸러 찌꺼기를 제거한다. 여기에 찹쌀 1말을 물에 담가 불렸다가 고두밥을 짓되, 쌀 담갔던 물 1사발을 골고루 뿌려서 뜸을 들이고, 무르게 익었으면 한 그릇씩 떠서 밑술과 고루 버무려 술밑을 빚는다. 7일간 발효시킨다."고 하였다.

　　또한 <음식방문>의 '황감주'는 "점미 두 되 백세작말하여 물 한 말에 죽 쑤어 채와 곡말 한 되 섞어 사오일 후 되거든, 점미 한 말 백세하여 익게 쪄 채와 술밑 한데 섞어 칠일 만에 쓰라. 밥쪄 제물(쌀 담갔던 물) 두 되만 뿌리라."고 하여 <음식방문니라>의 '황감주'와 동일한 방법으로 이루어진다는 것을 알 수 있다.

　　<시의전서>의 주방문과도 술 빚는 방법에서는 동일하나, 밑술의 쌀 양과 덧술의 쌀 종류에서 차이가 있다.

　　그리고 <양주방>*에서는 "멥쌀 두 되를 희게 찧고 물에 깨끗하게 씻은 뒤, 가루로 만들어 물 1말로 죽을 쑤어 식으면 누룩가루 1되를 넣고 발효시킨다. 술이 괴면 멥쌀로 고두밥을 짓고, 시루밑물 1되를 뿌려 밑술과 합한 다음 7일간 익힌다."고 하여, <민천집설>과 비교하면 밑술의 쌀은 멥쌀과 찹쌀, 가공방법은 구멍떡과 물송편, 죽의 차이로 나타나고, 덧술도 고두밥을 찔 때 '시루밑물'과 '쌀 담갔던 물'을 살수하는 것으로 되어 있어, 주방문이 각각 다르다는 것을 알 수 있다.

　　따라서 <양주방>*과 <음식방문>의 주방문은 찹쌀이나 멥쌀 두 되로 가루를 만들어 물 1말로 묽은 죽을 쑤어 빚는 방법이며, 덧술도 살수를 많이 하여 무른 고두밥을 짓는 것으로 되어 있어, '황금주'나 '석탄주'의 주방문과 매우 흡사하다는 것을 알 수 있다.

　　특히 <시의전서>의 '황감주'는 "찹쌀 1말을 깨끗이 씻어 불렸다가, 가루로 만들어 경단을 빚어 삶아낸 후, 누룩 1되를 섞어 밑술을 만들고, 이튿날 찹쌀로 고두밥을 짓되, 물을 뿌리지 말고 찌고, 밑술을 냉수 1사발에 걸러 고운 수건에 받쳐 고두밥을 그릇에 놓아가면서 고루 펼쳐 식힌 뒤, 항아리에 넣어두었다가 14일이나 21일 뒤에 마신다."고 하여, 밑술의 찹쌀이 1말이나 된다는 점에서 변화를 보이고 있다.

한편, <주찬>에서는 "4월 초순 안에 찹쌀 1말을 백세하여 시루에 안쳐서 무른 고두밥을 짓고, 누룩가루 8~9홉을 섞어 항에 넣고 3일 후에 찹쌀 3말을 백세하여 물에 담가 오랫동안 불렸다가, 새 물에 건져 헹궈서 무른 고두밥을 짓는데, 밑술을 물을 치지 않고 체에 걸러, 찌꺼기를 제거하여 탁주를 만들어 합하여 술독에 단단히 눌러 안친다. 밑술을 거르고 남은 술지게미를 술밑 위에 덮고, 술독은 단단히 봉해서 차가운 곳에 둔다."고 기록되어 있어, '황감주'를 빚는 시기가 봄철이라는 근거를 찾을 수 있다.

또한 밑술의 쌀 양이 찹쌀 1말로 고두밥을 지어 빚은 술을 물을 치지 않고 거른다고 하고, 덧술의 찹쌀 양도 3말로 가장 많은 것으로 되어 있어, 앞서의 기록들과는 전혀 다르다는 것을 알 수 있다.

이처럼 같은 이름의 '황감주'라고 할지라도 술의 재료나 빚는 방법을 달리하고 있음은, 우리나라 술 빚기의 다양성을 엿볼 수 있게 하는 것이나, 주방문마다 현저한 차이를 나타내고 있어 '황감주'에 대한 특징을 설명하기란 매우 곤란하다.

따라서 '황감주'의 술 색깔이나 맛, 향기에 대하여서도 단언하기가 어렵다.

다만, 가장 앞선 기록인 <민천집설>과 <양주방>*의 주방문을 근거로 직접 빚어본 '황감주'는 그 맛과 향이 '감향주'나 '하향주'와 유사하였다.

1. 황감주 <민천집설(民天集說)>

> 술 재료 : 밑술 : 찹쌀 1되, 누룩가루 1되, 냉수 1사발
>
> 　　　　덧술 : 찹쌀 1말, 쌀 담갔던 물 1사발

술 빚는 법 :

* 밑술 :

1. 찹쌀 1되를 (백세하여 물에 담가 불렸다가, 다시 씻어 새 물에 헹궈서 물기를 뺀 후) 작말한다.

2. 솥에 물을 넉넉히 붓고 끓이고, 찹쌀가루를 익반죽하여 (솥의 물이 뜨거워지면 1~2홉을 떠서 찹쌀가루에 고루 뿌리고 치대어) 구멍떡을 빚는다,

3. 솥의 물이 팔팔 끓으면 구멍떡을 삶아, 익어서 떠오르면 건져서 차게 식기를 기다린다.

4. 구멍떡에 좋은 누룩가루 1되를 한데 합하고, 고루 버무려 술밑을 빚는다.

5. 술독에 술밑을 담아 안치고, 예의 방법대로 하여 (베보자기를 여러 겹 씌워 밀봉하고 따뜻한 곳에서 3일간) 발효시킨다.

6. 밑술을 고운 수건(모시베)에 밭쳐 탁주를 거르되, 냉수 1사발을 뿌려가면서 걸러 찌꺼기를 제거한다.

* 덧술 :

1. 찹쌀 1말을 (백세하여) 물에 담가 불렸다가 (다시 씻어 건져서 물기를 뺀 후) 시루에 안쳐서 고두밥을 짓는다.

2. 고두밥에 (한김 나면) 쌀 담갔던 물 1사발을 골고루 뿌려서 뜸을 들이고, 무르게 익었으면 퍼낸다(넓은 그릇에 담고 고루 헤쳐 뜨거운 김이 나가게 식기를 기다린다).

3. 고두밥을 한 그릇씩 떠서 밑술과 고루 버무려 술밑을 빚는다.

4. 술밑을 술독에 담아 안치고, 예의 방법대로 하여 7일간 발효시켜 채주한다.

* 주방문 말미에 "7일 후면 달고 맵고 좋으니라."고 하였는데, 술 빚는 방법은 '하향주', 덧술 방법은 <주방문>의 '감향주' 주방문과 동일한 방문으로, 누룩의 양에서 차이가 있고, 덧술에서는 쌀 담갔던 물을 고두밥에 살수한다는 점에서 차이가 있다.

黃甘酒

粘米一升作末作孔餠烹熟好曲末一升添合入缸置于冷處粘米一斗浸水一宿蒸
熟以灌水一椀添和釀酒以所蒸飯調和入缸以洒浥封口置之涼處二七日後味
甘烈.

2. 황감주 <시의전서(是議全書)>

> 술 재료 : 밑술 : 찹쌀 1말, 누룩가루 1되
>   덧술 : 쌀(찹쌀 1말), 냉수 1사발

술 빚는 법 :

* 밑술 :

1. 찹쌀 1말을 백세하여 물에 (6~8시간) 담가 불렸다가 (다시 씻어 헹궈서 물
   기를 뺀 뒤) 작말한다.

2. 쌀가루에 따뜻한 물을 쳐가면서 송편 반죽하듯 (무르게) 익반죽하여 납작
   한 물송편(무른 송편)을 빚는다.

3. 물송편을 끓는 물솥에 넣고, 삶아서 익어 물 위로 떠올라 있으면 건져낸다
   (인절미처럼 되게 휘저어 풀어놓고 차게 식기를 기다린다).

4. (차게 식은) 떡에 누룩가루 1되를 넣고, 고루 치대어 술밑을 빚는다.

5. 술밑을 술독에 담아 안치고 예의 방법대로 하여 (베보자기를 여러 겹 씌워
   밀봉하고 따뜻한 곳에서) 하루 동안 발효시킨다.

* 덧술 :

1. 덧술을 빚는 날, 밑술을 고운 수건에 밭쳐 거르되, 냉수 1사발을 뿌려가면서
   걸러 찌꺼기를 제거한다.

2. 쌀(찹쌀 1말)을 (백세하여 하룻밤 불렸다가, 다시 씻어 건져서 물기를 뺀 뒤)
   시루에 안쳐 고두밥을 짓는다.

3. 고두밥을 찔 때 물을 뿌리지 말고 푹 익히고, 익었으면 자배기에 퍼 담아(주
   걱으로 고루 헤쳐서 뜨거운 기운이 나가게 하여) 놓는다.
4. 고두밥을 그릇씩 떠서 밑술과 섞고, 고루 버무려 술밑을 빚고 차게 식기를
   기다린다.
5. 술밑을 술독에 담아 안친 다음, 예의 방법대로 하여 14~21일간 발효시킨다.

* 주방문 말미에 "7일 후면 달고 맵고 좋으니라. 맑으니도 적고 그저도 좋으니
   라."고 하였는데, 술 빚는 방법은 <민천집설>의 주방문과 동일하나, 밑술의
   쌀 양과 덧술의 쌀 종류에서 차이가 있다. 덧술의 쌀 양이 나와 있지 않다.

황감쥬

졈미 흔 말 빅셰ᄒ여 담갓닷가 작말ᄒ여 썩 비져 익게 살마 조흔 곡말 흔 되
셧거 너헛다가 이튼날 물 쑤리지 말고 쪄 술밋슬 닝슈 흔 사발에 걸너 가난
슈건에 밧타 그 밥을 작작 그릇식 쪄 노하가면 고로 뭇처 식혀 항에 너허 두
면 이칠일 삼칠일 후는 달고 밉고 죠흐니라. 맑그니도 먹고 그저도 죠흐니라.

3. 황감주 <양주방>*

술 재료 : 밑술 : 멥쌀 2되, 누룩가루 1되, 물 1말
            덧술 : 멥쌀 1말, 시루밑물 1~2되

술 빚는 법 :
* 밑술 :
1. 희게 쓿은 멥쌀 2되를 물에 깨끗이 씻고 또 씻어(백세하여) 물에 담가 불렸
   다가, (다시 씻어 헹궈 건져서) 가루로 빻는다(작말한다).
2. 쌀가루를 물 1말에 개어 아이죽을 만든 뒤, 솥에 넣고 끓여서 죽을 쑤어 넓
   은 그릇에 퍼서 차게 식기를 기다린다.

3. 쌀죽에 누룩가루 1되를 넣고, 고루 버무려 술밑을 빚는다.

4. 술밑을 술독에 담아 안친 뒤, 예의 방법대로 하여 4~5일간 발효시킨다.

* 덧술 :

1. 밑술이 괴거든 희게 쓿은 멥쌀 1말을 물에 깨끗이 씻고 또 씻어(백세하여) 물에 담가 불렸다가 (다시 씻어 헹궈 건져서) 물기를 뺀다.

2. 불린 쌀을 시루에 안쳐 고두밥이 푹 익게 찌되, 고두밥이 익었으면 시루째 떼어 놓는다.

3. 시루밑물 1~2되를 정량하여 시루 안의 고두밥에 골고루 뿌려준다(고두밥을 고루 펼쳐서 차게 식기를 기다린다).

4. 고두밥에 밑술을 합하고, 고루 버무려 술밑을 빚는다.

5. 술밑을 술독에 담아 안친 다음, 예의 방법대로 하여 7일가량 발효시킨다.

* <음식방문>에서는 쌀 담갔던 물을 살수하는 것으로 되어 있어 차이가 있다.

황감쥬

빅미 두 되 빅셰작말ᄒᆞ야 물 ᄒᆞᆫ 말의 쥭 쑤어 국말 ᄒᆞᆫ 되 너허 ᄉᆞ오일 후 괴거든 빅미 ᄒᆞᆫ 말 빅셰ᄒᆞ야 닉게 ᄶᅵ되 ᄶᅧ닉야 ᄶᅵ던 물 ᄒᆞᆫ 되만 ᄲᅮ려 술밋과 셧거 너허 칠일 후 쓰면 마시 죠ᄒᆞ니라. 밉게 ᄒᆞ려면 밥 ᄶᅵᆯ 물 두 되나 ᄲᅮ려 비즈라.

4. 황감주 <음식방문(飮食方文)>

> 술 재료 : 밑술 : 찹쌀 2되, 누룩가루 1되, 물 1말
> 　　　　 덧술 : 찹쌀 1말, 쌀 담갔던 물 2되

술 빚는 법 :

* 밑술 :

1. 찹쌀 2되를 (백세하여 물에 담가 불렸다가, 다시 씻어 새 물에 헹궈서) 물
   기를 뺀다.
2. 물 1말을 (끓이다가, 불린 찹쌀가루를 합하고, 주걱으로 천천히 저어가면
   서) 팔팔 끓여 묽은 죽을 쑨 후 (넓은 그릇에 퍼서) 차게 식기를 기다린다.
3. 죽에 누룩가루 1되를 한데 합하고, 고루 버무려 술밑을 빚는다.
4. 술독에 술밑을 담아 안치고, 예의 방법대로 하여 (서늘한 곳에서) 4~5일 발
   효시키고, 익기를 기다려 덧술을 한다.

* 덧술 :

1. 찹쌀 1말을 백세하여 (물에 담가 불렸다가, 다시 씻어 건져서 물기를 뺀 후)
   시루에 안쳐서 고두밥을 짓는다.
2. (고두밥에서 한김 나면) 쌀 담갔던 물 2되를 골고루 뿌려서 뜸을 들이고, 무
   르게 익었으면 (넓은 그릇에 담아 주걱으로 고루 헤쳐서) 차게 식기를 기다
   린다.
3. 고두밥에 밑술을 합하고, 고루 버무려 술밑을 빚는다.
4. 술밑을 술독에 담아 안치고, 예의 방법대로 하여 7일간 발효시켜 채주한다.

* <양주방>*의 '황감주'와 술 빚는 과정에서 매우 유사하다. 찹쌀을 두 차례 사
   용하고, 덧술 과정에서 "쌀 담갔던 물을 살수한다."고 하였다.

황감쥬

졈미 두 되 빅셰쟉말ᄒ여 물 ᄒᆫ 말에 죽 쓔어 칙와 곡말 ᄒᆫ 되 섯거 ᄉᆞ오일 후
되거든 졈미 ᄒᆫ 말 빅셰ᄒ여 익게 쪄 칙와 슐밋 ᄒᆫ데 섯거 칠일 만에 쓰라. 밥
쪄 졔물 두 되만 ᄭᆞ리라.

5. 황감주 <음식방문니라>

> 술 재료 : 밑술 : 찹쌀 2되, 누룩가루 1되, 물 1말
>   덧술 : 찹쌀 1말, 쌀 담갔던 물 2되

술 빚는 법 :

* 밑술 :

1. 찹쌀 2되를 백세하여 (물에 담가 불렸다가, 다시 씻어 새 물에 헹궈서 물기를 뺀후) 작말한다.

2. 물 1말 끓이다가 불린 찹쌀가루를 합하고, 주걱으로 천천히 저어가면서 팔팔 끓여 묽은 죽을 쑨 후 (넓은 그릇에 퍼서) 차게 식기를 기다린다.

3. 죽에 누룩가루 1되를 한데 합하고, 고루 버무려 술밑을 빚는다.

4. 술독에 술밑을 담아 안치고, 예의 방법대로 하여 (서늘한 곳에서) 4~5일 발효시키고, 익기를 기다려 덧술을 한다.

* 덧술 :

1. 찹쌀 1말을 백세하여 (물에 담가 불렸다가, 다시 씻어 건져서 물기를 뺀 후) 시루에 안쳐서 고두밥을 짓는다.

2. (고두밥에서 한김 나면) 쌀 담갔던 물 2되를 골고루 뿌려서 뜸을 들이고, 무르게 익었으면 (넓은 그릇에 담아 주걱으로 고루 헤쳐서) 차게 식기를 기다린다.

3. 고두밥에 밑술을 합하고, 고루 버무려 술밑을 빚는다.

4. 술밑을 술독에 담아 안치고, 예의 방법대로 하여 7일간 발효시켜 채주한다.

* <음식방문>의 '황감주'도 '쌀 담갔던 물을 살수한다.'고 하여 동일한 방법으로 이루어진다.

황감쥬

졈미 두 되 빅셰작말ᄒᆞ여 물 ᄒᆞᆫ 말에 쥭 쓔어 치와 곡말 ᄒᆞᆫ 되 섯거 스오일 후 되거든 졈미 ᄒᆞᆫ 말 빅셰ᄒᆞ여 익게 쪄 치와 슐밋 ᄒᆞᆫ데 섯거 칠일 만에 쓰라. 밥 쪄 졔물 두 되만 ᄡᆞ리라.

6. 황감주 <주찬(酒饌)>

> 술 재료 : 밑술 : 찹쌀 1말, 누룩가루 8~9홉
>   덧술 : 찹쌀 3말

술 빚는 법 :
* 밑술 :
1. 4월 초순 안에 찹쌀 1말을 백세하여 (물에 담가 불렸다가, 다시 씻어 건져서 물기를 뺀 후) 시루에 안쳐서 무른 고두밥을 짓는다.
2. 고두밥이 익었으면 퍼낸다(고루 펼쳐서 온기가 남게 식기를 기다린다).
3. 고두밥에 누룩가루 8~9홉을 섞고, 고루 힘껏 치대어 술밑을 빚는다.
4. 술독에 술밑을 담아 안치고, 예의 방법대로 하여 3일간 발효시킨다.

* 덧술 :
1. 찹쌀 3말을 백세하여 물에 담가 오랫동안 불렸다가, 새 물에 건져 헹궈낸다.
2. 찹쌀을 시루에 안쳐 무른 고두밥을 짓는다(익었으면 퍼내어 고루 펼쳐서 차게 식기를 기다린다).
3. 밑술을 물을 치지 않고 체에 걸러, 찌꺼기를 제거하여 탁주를 만들어놓는다.
4. 고두밥에 탁주를 합하고, 고루 치대어 술밑을 빚는다.
5. 술밑을 술독에 담고, 공기가 들어가지 않도록 단단히 눌러 다져서 안친다.
6. 밑술을 거르고 남은 술지게미를 술밑 위에 덮고, 술독은 단단히 봉해서 차

가운 곳에 둔다.

* 밑술은 고두밥을 식히지 않고 누룩가루와 합하는 것으로 되어 있으며, 물이
  사용되지 않는 관계로 오래 잘 치대어주어야 하는데, 꿀물처럼 달고 진한 맛
  은 밝은 황감(누런 감)색의 술 빛깔과 함께 절로 탄성을 지을 정도로 아름
  답다.

黃柑酒

四月初生間粘米一斗蒸作濕飯曲末八九升調釀三日後粘米三斗浸良久丞飯本
酒無他水漉之合釀堅鎭後以本酒漉滓糟覆其上旣而堅封置於寒處.

부록

문헌별 찾아보기

주방문 수록 문헌 및 내용

1. 〈간본규합총서(刊本閨閤叢書)〉 1869년, 한글 활자본, 빙허각(憑虛閣) 이씨(李氏) 원찬(原撰)

  ◆ 주방문 (7종) : 1. 연엽주 2. 화향입주법 3. 두견주 4. 일년주 5. 약주 6. 과하주 7. 소주
  ◆ 기타 (2종) : 1. 술 빚는 길일 2. 술 신맛 구하는 법

2. 〈감저종식법(甘藷種植法)〉 1766년, 한문 필사본, 유중임(柳重臨)

  ◆ 주방문 (33종) : 1. 작주부본(作酒腐本) 2. 택수(澤水) 3. 중원인양호주법(中原人釀好酒) 4. 백로주(白露酒) 5. 소곡주(少麴酒) 6. 약산춘(藥山春) 7. 약산춘(藥山春 一方) 8. 호산춘(壺山春) 9. 호산춘(壺山春 一法) 10. 삼해주법(三亥酒法) 11. 내국향온법(內局香醞法) 12. 백자주(栢子酒) 13. 호도주(胡桃酒) 14. 도화주(桃花酒) 15. 도화주(桃花酒 一云) 16. 연엽주(蓮葉酒) 17. 경면녹파주(鏡面綠波酒) 18. 벽향주(碧香酒) 19. 하향주(荷香酒) 20. 이화주(梨花酒) 21. 청서주(淸暑酒) 22. 일일주(一日酒) 23. 삼일주(三日酒) 24. 과하주(過夏酒) 25. 과하주(過夏酒 一方) 26. 화향입주방(花香入酒方) 27. 화향입주방(花香入酒 一方) 28. 오가피주(五加皮酒) 29. 오가피주(五加皮酒 別法) 30. 무술주(戊戌酒) 31. 주중지약법(酒中漬藥法) 32. 구주불비법(救酒不沸法) 33. 구산주법(救酸酒法)
  ◆ 누룩 (1종) : 1. 조요국(造蓼麴)
  ◆ 기타 (2종) : 1. 식면후욕음주(食麵後欲飮酒) 2. 조주법(造酒法)

3. 〈고려대규합총서(高麗大閨閤叢書, 異本)〉 1800년대 초엽, 한글 활자본, 저자 미상, 고려대학교 소장본

  ◆ 주방문 (18종) : 1. 구기주 2. 오가피주 3. 화향입주방 4. 도화주 5.연엽주 6. 두견주 7. 소국주 8. 과하주 9. 백화주(자제신증) 10. 감향주 11. 송절주 12. 송순주 13. 호산춘 14. 삼일주 15. 일일주 16. 박문주 17. 녹파주 18. 오종주방문
  ◆ 기타 (11종) : 1. 각국 술 이름(諸國酒名) 2. 옛 후비(后妃)가 만든 주명(酒名) 3. 술 이름 소사(酒小史) 4. 갱기(羹器) 5. 음론(飮論) 6. 술 빚는 길일 7. 술 못 빚는 날 8. 음주금기 9. 성주

불취 10. 단주방 11. 모든 술이 깨고 병이 들지 않는 약방문

4. 〈고사신서(攷事新書)〉 1771년, 한문 판각인쇄본, 서명응(徐命膺)

- ◆ 주방문 (50종) : 1. 백로주(百露酒) 2. 소국주(少麴酒) 3. 약산춘(藥山春) 4. 약산춘 별법(藥山春 別法) 5. 호산춘(壺山春) 6. 삼해주(三亥酒) 7. 향온주(香醞酒) 8. 백자주(栢子酒) 9. 호도주양법(胡桃酒釀法) 10. 도화주(桃花酒) 11. 연엽주(蓮葉酒) 12. 녹파주(綠波酒) 13. 벽향주(碧香酒) 14. 하향주(荷香酒) 15. 이화주(梨花酒) 16. 청서주(淸暑酒) 17. 부의주(浮蟻酒) 18. 청감주(淸甘酒) 19. 포도주(葡萄酒) 20. 백주(白酒) 21. 일일주(一日酒) 22. 삼일주(三日酒) 23. 잡곡주(雜穀酒) 24. 지주(地酒) 25. 내국홍로주(內局紅露酒) 26. 노주(露酒) 27. 노주소독(露酒消毒) 28. 계당주(桂當酒) 29. 자주(煮酒) 30. 자주 우법(煮酒 又法) 31. 과하주(過夏酒) 32. 과하주 우법(過夏酒 又法) 33. 밀주(密酒) 34. 밀주 우법(密酒 又法) 35. 화향입주(花香入酒) 36. 화향입주 우법(花香入酒 又法) 37. 오가피주(五加皮酒) 38. 오가피주 우법(五加皮酒 又法) 39. 천문동주(天門冬酒) 40. 구기자지복법(枸杞子漬服法) 41. 구기자주 별법(枸杞子酒 別法) 42. 국화주(菊花酒) 43. 국화주 우법(菊花酒 又法) 44. 석창포주(石菖蒲酒) 45. 백화주(百花酒) 46. 지황주(地黃酒) 47. 무술주(戊戌酒) 48. 주중지약법(酒中漬藥法) 49. 구주불비법(救酒不沸法) 50. 구산주법(救酸酒法)
- ◆ 누룩 (2종) : 1. 조국법(造麴法) 2. 조요국(造蓼麴)
- ◆ 기타 (2종) : 1. 식면후음주(食麵後飮酒) 2. 취하지 않는 법

5. 〈고사십이집(攷事十二集)〉 1737년경/1787년경, 한문 판각인쇄본, 서명응(徐命膺)

- ◆ 주방문 (42종) : 1. 향온주(香醞酒) 2. 백로주(百露酒) 3. 녹파주(綠波酒) 4. 녹파주 우법(綠波酒 又法) 5. 벽향주(碧香酒) 6. 약산춘(藥山春) 7. 약산춘 별법(藥山春 別法) 8. 소국주(少麴酒) 9. 부의주(浮蟻酒) 10. 자주(煮酒) 11. 자주 우법(煮酒 又法) 12. 지주(地酒) 13. 밀주(密酒) 14. 밀주 우법(密酒 又法) 15. 호산춘(壺山春) 16. 삼해주(三亥酒) 17. 도화주(桃花酒) 18. 연엽주(蓮葉酒) 19. 과하주(過夏酒) 20. 과하주 우법(過夏酒 又法) 21. 하향주(荷香酒) 22. 백주(白酒) 23. 이화주(梨花酒) 24. 청감주(淸甘酒) 25. 일일주(一日酒) 26. 삼일주(三日酒) 27. 소주양법(燒酒釀法) 28. 소주양법 우법(燒酒釀法 又法) 29. 관서감홍로(關西甘紅露) 30. 관서계당주 양법(關西桂糖酒 釀法) 31. 무술주(戊戌酒) 32. 송액주(松液酒) 33. 송절주(松節酒) 34. 문장주(文章酒) 35. 문장주 우법(文章酒 又法) 36. 구기주(枸杞酒) 37. 구기주 우법(枸杞酒 又法) 38. 국화주(菊花酒) 39. 국화주 우법(菊花酒 又法) 40. 창포

주(菖蒲酒) 41. 문동주(蘪冬酒) 42. 백자주(栢子酒)
- ◆ 기타 (1종) : 1. 식면후음주법(食麵後飮酒法)

6. 〈고사촬요(故事撮要)〉 1554/1613년, 한문 초간본, 어숙권 편·박희현 증보

- ◆ 주방문 (24종) : 1. 부의주(浮蟻酒) 2. 백로주(白霞酒) 3. 백로주(白霞酒, 旨酒法) 4. 하향주(荷香酒) 5. 청감주(淸甘酒) 6. 호도주(胡桃酒) 7. 백자주(栢子酒) 8. 자주(煮酒) 9. 홍로주(紅露酒) 10. 내국향온법(內局香醞法) 11. 구산주법(救酸酒法) 12. 구주법(救酒法) 13. 도화주(桃花酒) 14. 도화주 일운(桃花酒 一云) 15. 소곡주(小麯酒) 16. 약산춘(藥山春) 17. 과하주(過夏酒) 18. 청서주(淸暑酒) 19. 약주(藥酒) 20. 송순주(松筍酒) 21. 도소주(屠蘇酒) 22. 노주소독방(露酒消毒方) 23. 송엽주(松葉酒) 24. 구황주(救荒酒)
- ◆ 기타 (2종) : 1. 식면후음주(食麵後飮酒) 2. 이앓이 않는 법

7. 〈구황촬요(救荒撮要)〉 명종 9년, 한문 판각본, 명종 명(命)

- ◆ 주방문 (1종) : 1. 천금주법(千金酒法, 붉나모술비즐법)

8. 〈구황보유방(救荒補遺方)〉 현종 원년(1660년), 한문 판각본, 신속(申洬)

- ◆ 주방문 (2종) : 1. 적선소주방(謫仙燒酒方) 2. 적선소주 우방(謫仙燒酒 又方)

9. 〈군학회등(群學會騰, 博海通攷)〉 1800년대 중엽, 한문 판각인쇄본, 저자 미상

- ◆ 주방문 (35종) : 1. 작주부본법(作酒腐本法) 2. 구산주법(救酸酒法) 3. 변탁주위청주법(變濁酒爲淸酒法) 4. 수잡주법(收雜酒法) 5. 화향입주법(花香入酒法) 6. 지약주중법(漬藥酒中法) 7. 일일주법(一日酒法) 8. 일일주법 우법(一日酒法 又法) 9. 삼일주법(三日酒法) 10. 삼일주법 우법(三日酒法 又法) 11. 백자주법(栢子酒法) 12. 백자주법(栢子酒法)−한 말 빚이 13. 포도주법(葡萄酒法) 14. 상심주법(桑椹酒法) 15. 자주법(煮酒法) 16. 백화주법(百花酒法) 17. 도화주법(桃花酒法) 18. 하향주법(荷香酒法) 19. 하엽주법(荷葉酒法) 20. 연엽주법(蓮葉酒法) 21. 송순주법(松筍酒法) 22. 내국향온법(內局香醞法) 23. 벽향주법(碧香酒法) 24. 청서주법(淸暑酒法) 25. 지주법(地酒法) 26. 밀주법(蜜酒法) 27. 취로주견봉(聚露

酒堅封) 28. 노주소독법(露酒消毒法) 29. 두강주법(杜康酒法) 30. 신선고본주법(神仙固本酒法) 31. 백화춘법(白花春法) 32. 죽력고법(竹瀝膏法) 33. 이강고법(梨薑膏法) 34. 추모주법(秋麰酒法) 35. 중원인작호주법(中元人作好酒法)

- ◆ 누룩 (6종) : 1. 조곡길일 2. 조곡법 3. 조곡법 속법 4. 미곡법 5. 녹두곡법 6. 요곡법
- ◆ 기타 (4종) : 1. 조주길일 2. 매삭조곡조양길일법 3. 택수법 4. 음주예병법

10. 〈규중세화〉 기미 납월 초록, 한글 붓글씨본, 저자 미상, 완주 대한민국술박물관 소장본

- ◆ 주방문 (21종) : 1. 이퇴백 효주법 2. 칠일주 3. 삼일주 4. 삼해주법이라 5. 이적선 효주 6. 송순주방문 7. 송엽주 솔방울법 8. 호산춘주 9. 유감주 한법 10. 두견주 11. 이화주 12. 석탄향주법이라 13. 소곡주법 14. 백일주방문 15. 상방문 16. 점주법 17. 효주 18. 효주(별법) 19. 백화주법 20. 과하주법 21. 백일주법
- ◆ 누룩 (1종) : 이화곡

11. 〈규합총서(閨閤叢書)〉 1815년경, 한글 붓글씨 필사본, 빙허각(憑虛閣) 이씨(李氏)

- ◆ 주방문 (19종) : 1. 구기자술(枸杞酒) 2. 복사꽃술(桃花酒) 3. 연잎술(蓮葉酒) 4. 와송주(臥松酒) 5. 꽃향기 술에 들이는 법(花香入酒法) 6. 포도술(葡萄酒) 7. 배꽃술(梨花酒) 8. 진달래꽃술 9. 소국주(少麴酒) 10. 과하주(過夏酒) 11. 감향주(甘香酒) 12. 일일주(一日酒) 13. 삼일주(三日酒) 14. 신증 송절주(新增 松節酒) 15. 송순주(松筍酒) 16. 호산춘(壺山春) 17. 신술 고치는 법 18. 술이 더디 괴거든 19. 소주독 없애는 법
- ◆ 기타 (4종) : 1. 술 빚기 좋은 날 2. 꺼리는 날 3. 술 먹은 뒤 먹지 말아야 할 것(酒後食忌) 4. 소줏불 난 데

12. 〈김승지댁주방문(金承旨宅廚方文)〉 1860년, 한글 필사본, 김승지댁(金承旨宅) 친모(新母)

- ◆ 주방문 (23종) : 1. 사철소주 주방문 2. 소국주 3. 내주방문 4. 찹쌀청주법 5. 두견주법 6. 백환주법 7. 녹자주방문 8. 삼월주법 9. 건조항주법 10. 소주 되날(괴는) 법 11. 황금주법 12.

적성소주법 13. 보리소주법 14. 부의주법 15. 치황주법 16. 감향주법 17. 니화주방문 18. 소자주 19. 송엽주방문 20. 절주방문 21. 도화주법 22. 청명주방문 23. 백화주방문

13. 〈농정찬요(農政纂要)〉 1817년/1877년, 한문 필사본, 저자 미상

◆ 주방문 (7종) : 1. 조주착취법(造酒搾取法) 2. 무양주법(无讓酒法) 3. 청감주법(淸甘酒法) 4. 수잡주방(收雜酒方) 5. 구기자지주법(拘杞子漬酒法) 6. 치산주방(治酸酒法) 7. 채오가피주(菜五加皮酒)

◆ 기타 (2종) : 1. 조곡법(造麴法) 2. 조주길일(造酒吉日)

14. 〈농정회요(農政會要, 治膳編)〉 1830년경, 한문 필사본, 최한기

◆ 주방문 (81종) : 1. 중원인작호주법(中原人作好酒法) 2. 작주부본방(作酒腐本方) 3. 백하주법(白霞酒法) 4. 백하주 지주방(白霞酒 旨酒方) 5. 백하주 우방(白霞酒 又方) 6. 백하주 우방(白霞酒 又方) 7. 삼해주법(三亥酒法) 8. 삼해주 우방(三亥酒 又方) 9. 삼해주 우방(三亥酒 又方) 10. 도화주법(桃花酒法) 11. 도화주 우방(桃花酒 又方) 12. 연엽주법(蓮葉酒法) 13. 소곡주법(少麴酒法) 14. 소곡주 속법(少麴酒 俗法) 15. 약산춘법(藥山春法) 16. 약산춘법 우방(藥山春法 又方) 17. 경면녹파주법(鏡面綠波酒法) 18. 경면녹파주 우방(鏡面綠波酒 又方) 19. 경면녹파주 우방(鏡面綠波酒 又方) 20. 벽향주법(碧香酒法) 21. 벽향주 우방(碧香酒 又方) 22. 벽향주 별법(碧香酒 別法) 23. 부의주(浮蟻酒) 24. 지주(地酒) 25. 일일주(一日酒) 26. 일일주 일운(一日酒 一云) 27. 일일주 우방(一日酒 又方) 28. 삼일주(三日酒) 29. 삼일주 우법(三日酒 又法) 30. 칠일주법(七日酒法) 31. 칠일주법(七日酒法) 32. 사절칠일주방(四節七日酒方) 33. 잡곡주(雜穀酒) 34. 송순주방(松荀酒方) 35. 과하주(過夏酒) 36. 과하주 우방(過夏酒 又方) 37. 과하주 우방(過夏酒 又方) 38. 노주이두방(露酒二斗方) 39. 소주다출방(燒酒多出方) 40. 소맥소주법(小麥燒酒法) 41. 하향주법(荷香酒法) 42. 이화주법(梨花酒法) 43. 청감주법(淸甘酒法) 44. 포도주법(葡萄酒法) 45. 포도주 우법(葡萄酒 又法) 46. 포도주 우법(葡萄酒 又法, 蜜酒) 47. 감주법(甘酒法) 48. 하엽주법(荷葉酒法) 49. 추모주법(秋麰酒法) 50. 모미주법(麰米酒法) 51. 백자주법(栢子酒法) 52. 백자주 우법(栢子酒 又法) 53. 호도주법(胡桃酒法) 54. 와송주법(臥松酒法) 55. 죽통주법(竹筒酒法) 56. 소자주법(蘇子酒法) 57. 죽력고법(竹瀝膏法) 58. 이강고법(梨薑膏法) 59. 백화주법(百花酒法) 60. 화향입주방(花香入酒方) 61. 화향입주방(花香入酒方)-주배 62. 화향입주방(花香入酒方)-유자피 63. 주중지약법(酒中漬藥法) 64. 두강주방(杜康酒方) 65. 두강

주 우방(杜康酒 又方) 66. 도원주(桃源酒) 67. 향설주(香雪酒) 68. 납주(臘酒) 69. 건창홍
주(建昌紅酒) 70. 오향소주(五香燒酒) 71. 산우주(山芋酒) 72. 황정주(黃精酒) 73. 백출주
(白朮酒) 74. 지황주(地黃酒) 75. 창포주(菖蒲酒) 76. 양고주(羊羔酒) 77. 천문동주(天門冬
酒) 78. 송화주(松花酒) 79. 국화주(菊花酒) 80. 오가피삼투주(五加皮三透酒) 81. 하월수
중양주법(夏月水中釀酒法)

◆ 누룩 (12종) : 1. 조진면곡법(造眞麵麴法) 2. 조요곡법(造蓼麴法) 3. 조녹두곡법(造菉豆麴法)
   4. 조미곡법(造米麴法) 5. 백곡법(白麴法) 6. 내부비전곡방(內附秘傳麴方) 7. 연화곡(蓮
   花麴) 8. 조홍곡법(造紅麴法) 9. 조신곡방(造神麴方) 10. 양릉곡(襄陵麴) 11. 홍백지약(紅
   白漬藥) 12. 동양주곡(東陽酒麴)

◆ 기타 (8종) : 1. 주(酒) 2. 주 속법(酒 俗法) 3. 노주소독방(露酒消毒方) 4. 변탁주위청주법
   (變濁酒爲淸酒法) 5. 수잡주법(收雜酒法) 6. 구주불비방(救酒不沸方) 7. 구산주법(救酸酒
   法) 8. 음주방병법(飮酒防病法)

15. 〈달생비서(達生秘書)〉 1918년, 한문 필사본, 황찬(黃瓚), 국립중앙박물관 소장본

◆ 주방문 (32종) : 1. 조하주(糟下酒) 2. 두림주(豆淋酒) 3. 총시주(蔥豉酒) 4. 포도주(葡萄酒)
   5. 상심주(桑椹酒) 6. 구기주(枸杞酒) 7. 지황주(地黃酒) 8. 무술주(戊戌酒) 9. 송엽주(松葉
   酒) 10. 송절주(松節酒) 11. 창포주(菖蒲酒) 12. 녹두주(鹿頭酒) 13. 고아주(羔兒酒) 14. 밀
   주(密酒) 15. 춘주(春酒) 16. 무회주(無灰酒) 17. 병자주(餅子酒) 18. 황련주(黃連酒) 19. 국
   화주(菊花酒) 20. 천문동주(天門冬酒) 21. 섬라주(暹羅酒) 22. 홍국주(紅麴酒) 23. 동양주
   (東陽酒) 24. 금분로(金盆露) 25. 산동 추로백(山東 秋露白) 26. 소주 소병주(蘇州 小瓶酒)
   27. 남경 금화주(南京 金華酒) 28. 회안 녹두주(淮安 菉豆酒) 29. 강서 마고주(江西 麻姑
   酒) 30. 소주(燒酒) 31. 자주(煮酒) 32. 이화주(梨花酒)

◆ 기타 (1종): 1. 조(糟)

16. 〈동의보감(東醫寶鑑, 雜方/穀部/內傷編)〉 1611년/1613년, 한문 판각인쇄본,
   허준

◆ 주방문 (14종) : 1. 구기자주(拘杞子酒) 2. 지황주(地黃酒) 3. 천문동주(天門冬酒) 4. 무술
   주(戊戌酒) 5. 신선고본주(神仙固本酒) 6. 포도주(葡萄酒) 7. 밀주(密酒) 8. 계명주(鷄鳴酒)
   9. 계명주 우방(鷄鳴酒 又方) 10. 백화춘(白花春) 11. 자주(煮酒) 12. 작주본(作酒本) 13. 조
   홍소주법(造紅燒酒法) 14. 지약주법(漬藥酒法)

◆ 누룩 (2종) : 1. 조신국(造神麴) 2. 조반하국법(造半夏麴法)

◆ 기타 (9종) : 1. 주(酒) 2. 주(酒) 3. 소주독(燒酒毒) 4. 제주품(諸酒品) 5. 주상(酒傷) 6. 음주금기(飮酒禁忌) 7. 주독변위제병(酒毒變爲諸病) 8. 주병치법(酒病治法) 9. 성주령불취(聖酒令不醉)

17. 〈민천집설(民天集說)〉 1752년/1822년, 한문 필사본, 두암노인(斗庵老人), 편집(編輯) 백치일인중(白痴逸人重) 교(較)

◆ 주방문 (50종) : 1. 작주본 2. 소곡주 3. 소곡주 별법 4. 호산춘 5. 호산춘 별법 6. 삼해주 7. 내국향온 8. 내국향온 우법 8. 내국향온 우법 10. 부의주 11. 부의주 우법 12. 청감주 13. 청감주(양을 적게 하는 법) 14. 점감주 15. 일일주 16. 삼일주 17. 잡곡주 18. 잡곡주 우법 19. 지주 20. 칠일주 21. 칠일주 우방 22. 오칠주 23. 과하주 24. 석탄향 25. 석탄향 우방 26. 자주 27. 홍로주 28. 백자주 29. 호도주 30. 백하주 31. 하향주 32. 화향주 33. 화향주 우법 34. 백화주 35. 국화주 36. 지황주 37. 오가피주 38. 무술주 39. 신선고본주 40. 도소주 41. 녹주두 42. 송엽주 43. 적선소주 44. 두강주 45. 소곡주 46. 방문주 47. 황감주 48. 삼오로주 49. 구주불비법 50. 구주산법

◆ 누룩 (1종) : 1. 조신곡법

◆ 기타 (1종) : 1. 선취법

18. 〈반찬ᄒᆞᄂᆞᆫ등속(饌饍繕冊)〉 계축(癸丑) 납월(臘月) 24일 (1913년 12월 24일), 한글 필사본, 진주 강씨 가문

◆ 주방문 (3종) : 1. 과(하)주 2. 연잎술 3. 약주

19. 〈방서(方書)〉 1867년, 한문 필사본, 신석근

◆ 주방문 (1종) : 1. 조주법

20. 〈보감록(寶鑑錄)〉 저술 연대 미상, 한글 붓글씨본, 저자 미상

◆ 주방문 (13종) : 1. 감향주 2. 감향주 우일방 3. 감향주 또 일방 4. 과하주 5. 과하주 또 6.

구기주 7. 두견주법 8. 도화주 9. 삼일주 10. 송순주 11. 송순주 일법 12. 송절주 13. 오가
피주법

◆ 기타 (1종) : 1. 술 빚는 길일

21. 〈봉접요람〉 저술 연대 미상, 한글 필사본, 한산이씨, 한복려 소장본

◆ 주방문 (11종) : 1. 두견주법 2. 삼칠주법 3. 과하주법 4. 부원주법 5. 유하주법 6. 송순주법 7.
절주법 8. 석탄향법 9. 경양(액)춘법 10. 녹두누룩술법 11. 황금주법 12. 하양(향)주법 13.
번주법 14. 소곡주법 15. 호산춘법 16. 삼일주법 17. 녹파주법 18. 진상주법

◆ 누룩 (1종) : 1. 녹두누룩

22. 〈부인필지(夫人必知)〉 1915년, 한글 필사본, 빙허각(憑虛閣) 이씨(李氏) 원찬
(原撰)

◆ 주방문 (13종) : 1. 구기주법 2. 도화주법 3. 연엽주법 4. 와송주법 5. 국화주법 6. 두견주법
7. 소곡주법 8. 과하주법 9. 감향주법 10. 일일주법 11. 삼일주법 12. 송절주법 13. 소주(소
주독 없애는 법)

◆ 기타 (1종) : 1. 신 술 .(고치는 법)

23. 〈사시찬요초(四時纂要抄)〉 성종(1469∼1494년), 한문 활자본, 강희맹 편저

◆ 주방문 (2종) : 1. 조곡법(造麴法) 2. 국화주(菊花酒)

24. 〈산가요록(山家要錄)〉 1450년경, 한문 필사본, 전순의

◆ 주방문 (65종) : 1. 주방(酒方) 2. 취소주법(取燒酒法) 3. 향료 지주(香醪 旨酒) 4. 옥지춘
(玉脂春) 5. 이화주(梨化酒) 6. 송화천로주(松化天露酒) 7. 삼해주(三亥酒) 8. 벽향주(碧香
酒) 9. 벽향주 우법(碧香酒 又法) 10. 아황주(鴉黃酒) 11. 아황주 우법(鴉黃酒 又法) 12. 녹
파주(綠波酒) 13. 유하주(流霞酒) 14. 두강주(杜康酒) 15. 죽엽주(竹葉酒) 16. 여가주(呂家
酒) 17. 연화주(蓮花酒) 18. 황금주(黃金酒) 19. 진상주(進上酒) 20. 유주(乳酒) 21. 절주(節
酒) 22. 사두주(四斗酒) 23. 오두주(五斗酒) 24. 육두주(六斗酒) 25. 구두주(九斗酒) 26. 모

미주(牟米酒) 27. 삼일주(三日酒) 28. 칠일주(七日酒) 29. 칠일주 우법(七日酒 又法) 30. 점주(粘酒) 31. 무국주(無麴酒) 32. 소국주(小麴酒) 33. 신박주(辛薄酒) 34. 하절삼일주(夏節三日酒) 35. 하일절주(夏日節酒) 36. 과하백주(過夏白酒) 37. 손처사하일주(孫處士夏日酒) 38. 하주불산법(夏酒不酸法) 39. 부의주(浮蟻酒) 40. 급시청주(急時淸酒) 41. 목맥주(木麥酒) 42. 맥주(麥酒) 43. 향온주조양식(香醞酒造釀式) 44. 사시주(四時酒) 45. 사절통용육두주(四節通用六斗酒) 46. 상실주(橡實酒) 47. 상실주 우용(橡實酒 又用) 48. 하숭사절주(河崇四節酒) 49. 자주(煮酒) 50. 예주(醴酒) 51. 예주 우방(醴酒 又方) 52. 예주 우방(醴酒 又方) 53. 예주 우방(醴酒 又方) 54. 예주 우방(醴酒 又方) 55. 삼미감향주(三味甘香酒) 56. 감주(甘酒) 57. 감주 우방(甘酒 又方) 58. 감주 우방(甘酒 又方) 59. 점감주(粘甘酒) 60. 점감주 우방(粘甘酒 又方) 61. 유감주 우방(乳甘酒 又方) 62. 과동감백주(過冬甘白酒) 63. 목맥소주(木麥燒酒) 64. 수주불손훼(收酒不損毁) 65. 기주법(起酒法)

◆ 누룩 (4종) : 1. 양국법(良麴法) 2. 양국법 우방(良麴法 又方) 3. 조국법(造麴法) 4. 조국법 우방(造麴法 又方)

25. 〈산림경제(山林經濟, 治膳)〉 1715년경, 한문 활자본, 홍만선

◆ 주방문 (40종) : 1. 작주부본법(作酒腐本法) 2. 백로주(白露酒) 3. 소곡주(少麴酒) 4. 약산춘(藥山春) 5. 약산춘 일방(藥山春 一方) 6. 호산춘(壺山春) 7. 삼해주(三亥酒) 8. 내국향온법(內局香醞法) 9. 柏子酒釀法(백자주양법) 10. 호도주양법(胡桃酒釀法) 11. 도화주(桃花酒) 12. 연엽주(蓮葉酒) 13. 경면녹파주(鏡面綠波酒) 14. 경면녹파주 우방(鏡面綠波酒 又方) 15. 벽향주(碧香酒) 16. 하향주(荷香酒) 17. 이화주(梨花酒) 18. 청서주(淸暑酒) 19. 부의주(浮蟻酒) 20. 청감주(淸甘酒) 21. 포도주(葡萄酒) 22. 백주(白酒) 23. 일일주(一日酒) 24. 삼일주(三日酒) 25. 잡곡주(雜穀酒) 26. 지주(地酒) 27. 내국홍로주(內局紅露酒) 28. 노주이두방(露酒二斗方) 29. 노주소독방(露酒消毒方) 30. 자주(煮酒) 31. 자주 일방(煮酒 一方) 32. 과하주(過夏酒) 33. 과하주 일방(過夏酒 一方) 34. 밀주(蜜酒) 35. 밀주 일방(蜜酒 一方) 36. 화향입주법(花香入酒法) 37. 화향입주법 일방(花香入酒法 一方) 38. 주중지약법(酒中漬藥法) 39. 구주불비법(救酒不沸法) 40. 구산주법(救酸酒法)

◆ 누룩 (1종) : 1. 조국(造麴)
◆ 기타 (4종) : 2. 조주길일(造酒吉日, 술 빚기 좋은 날) 3. 술과 초, 누룩 디디기 좋은 날 4. 택수(澤水) 41. 식면후음주법(食麵後飮酒法)

26. 〈산림경제촬요(山林經濟撮要, 造酒諸方)〉 1800년대 중엽, 한문 필사본, 저

자 미상

- ◆ 주방문 (17종) : 1. 작주부본법(作酒腐本法) 2. 삼해주법(三亥酒法) 3. 삼해주법 우방(三亥酒 又方) 4. 도화주법(桃花酒法) 5. 소곡주법(少麴酒法) 6. 소곡주 속법(少麴酒 俗法) 7. 약산춘법(藥山春法) 8. 경면녹파주법(鏡面綠波酒法) 9. 칠일주법(七日酒法) 10. 칠일주법(七日酒法) 11. 사절칠일주법(四節七日酒法) 12. 잡곡주법(雜穀酒法) 13. 송순주법(松芛酒法) 14. 과하주법(過夏酒法) 15. 포도주법(葡萄酒法) 16. 수잡주법(受雜酒法) 17. 구산주법(救酸酒法)
- ◆ 누룩 (2종) : 1. 조미곡법(造米麴法) 2. 조국(造麴)
- ◆ 기타 (1종) : 1. 음주 후 꺼릴 것

27. 〈색경(穡經, 搜聞譜錄)〉 1676년, 한문 필사본, 박세당

- ◆ 주방문 (3종) : 1. 조유하주법(造流霞酒法) 2. 유하주 우법(流霞酒 又法) 3. 조점주법(造粘酒法)
- ◆ 누룩 (1종) : 1. 조신국법(造神麴法)

28. 〈수운잡방(需雲雜方)〉 1500년대 초엽, 한문 필사본, 김유

- ◆ 주방문 (63종) : 1. 삼해주(三亥酒) 2. 삼오주(三午酒) 3. 사오주(四午酒) 4. 벽향주(碧香酒) 5. 만전향주(滿殿香酒) 6. 두강주(杜康酒) 7. 벽향주(碧香酒) 8. 칠두주(七斗酒) 9. 소곡주(小麴酒) 10. 감향주(甘香酒) 11. 백자주(栢子酒) 12. 호도주(胡桃酒) 13. 상실주(橡實酒) 14. 하일약주(夏日藥酒) 15. 우 하일약주(又 夏日藥酒) 16. 하일청주(夏日淸酒) 17. 하일점주(夏日粘酒) 18. 우 하일점주(又 夏日粘酒) 19. 우 하일점주(又 夏日粘酒) 20. 소국주 우법(小麴酒 又法) 21. 진맥소주(眞麥燒酒) 22. 녹파주(綠波酒) 23. 일일주(一日酒) 24. 도인주(桃仁酒) 25. 백화주(白花酒) 26. 유하주(柳霞酒) 27. 이화주조국법(梨化酒造麴法) 28. 오두주(五斗酒) 29. 오두주(五斗酒) 30. 감향주(甘香酒) 31. 백출주(白朮酒) 32. 정향주(丁香酒) 33. 십일주(十日酒) 34. 동양주(冬陽酒) 35. 보경가주(宝卿家酒) 36. 동하주(冬夏酒) 37. 남경주(南京酒) 38. 진상주(進上酒) 39. 별주(別酒) 40. 이화주(梨花酒) 41. 우 이화주(又 梨花酒) 42. 우 벽향주(又 碧香酒) 43. 삼오주(三午酒) 44. 삼오주 일법(三午酒 一法) 45. 오정주(五精酒) 46. 송엽주(松葉酒) 47. 포두주(葡萄酒) 48. 우 포도주(又 葡萄酒) 49. 애주(艾酒) 50. 황국화주(黃菊花酒) 51. 건주법(乾酒法) 52. 지황주(地黃酒) 53. 예주(醴

酒) 54. 예주 별법(醴酒 別法) 55. 황금주(黃金酒) 56. 세신주(細辛酒) 57. 아황주(鴉黃酒) 58. 도화주(桃花酒) 59. 경장주(瓊漿酒) 60. 칠두오승주(七斗五升酒) 61. 우 오두오승주(又 五斗五升酒) 62. 백화주(百花酒) 63. 향료방(香醪方)

29. 〈술 만드는 법〉 1800년대 말엽, 한글 필사본, 저자 미상

- ◆ 주방문 (19종) : 1. 사절주 2. 삼일주 3. 일일주 4. 사시통음주 5. 사절소곡주 6. 두견주 7. 두광주 8. 청명주 9. 오병주 10. 방문주 11. 여름지주 12. 니화주 13. 부의주 14. 송령주 15. 삼선주 16. 청감주법 17. 벽향주 18. 감주법 19. 십일주

30. 〈술방〉 저술 연대 미상, 한글 필사본, 저자 미상, 박록담 소장본

- ◆ 주방문 (34종) : 1. 과하주 2. 과하주 별법 3. 과하주 별법 4. 하향주 5. 이화주 6. 청감주 7. 포도주 8. 하엽주 9. 소자주 10. 백화주 11. 두강주 12. 두강주 별법 13. 죽력고 14. 이강주 15. 삼일주 16. 삼일주 별법 17. 칠일주 별법 18. 칠일주 별법 19. 사절칠일주 20. 가을보리술 21. 가을보리술 별법 22. 화향입주법 23. 유자 넣는 법 24. 술이 잘못되거나 괴지 아니할 때 25. 술이 시면 고치는 법 26. 도화주 27. 연엽주 28. 약산춘 29. 약산춘 별법 30. 경면녹파주 31. 벽향주 32. 지주 33. 송순주 34. 소곡주

31. 〈술방문〉 1801/1861년간, 한글 붓글씨 필사본, 저자 미상, 국립중앙박물관 소장

- ◆ 주방문 (7종) : 1. 송순주법(松筍酒法) 2. 백화주법(百花酒法) 3. 향훈주방문(香薰酒方文) 4. 진종주법(珍種酒法) 5. 석탄주법(惜吞酒法) 6. 홍나주법 7. 두견주방문(杜鵑酒方文)

32. 〈술 빚는 법〉 1800년대 말엽, 한글 필사본, 저자 미상, 국립중앙박물관 소장

- ◆ 주방문 (11종) : 1. 과하주방문 2. 방문주 3. 백일주방문 4.소국주방문 5. 두견주 6. 또 과하주방문 7. 송절주 8. 송순주 9. 또 방문주 10. 삼일주 11. 일일주

33. 〈승부리안주방문〉 저술 연대 미상, 한글 붓글씨본, 저자 미상

◆ 주방문 (12종) : 1. 송순주방문 2. 삼일주방문 3. 과하주방문 4. 옥지춘법 5. 석탄향주 6. 옥
정주법 7. 혼돈주법 8. 오가피주방문 9. 소자주방문 10. 백수환동법 11. 구기주법 12. 감
향주법

34. 〈시의전서(是義全書)〉 1800년대 말엽, 한글 필사본, 저자 미상, 홍정 소장

◆ 주방문 (19종) : 1. 소곡주 별방 2. 과하주 별방 3. 방문주 별방 4. 벽향주 5. 녹파주 6. 성탄
향 7. 황감주 8. 신상주 9. 두견주 10. 송순주 11. 두강주 12. 두강주 일방 13. 삼일주 14. 삼
일주 일방 15. 삼해주 16. 회산춘 17. 일년주 18. 과하주 19. 청감주

35. 〈약방〉 저술 연대 미상, 한글 붓글씨본, 저자 미상, 완주대한민국술박물관 소장

◆ 주방문 (4종) : 1. 술방문 2. 술방문 별법 3. 술방문 우법 4. 술방문 우법

36. 〈양주(釀酒)〉 저술 연대 미상, 한글 붓글씨본, 저자 미상, 전주전통술박물관 소장

◆ 주방문 (13종) : 1. 삼해주 2. 호산춘 3. 세심주 4. 부의주 5. 과하주 6. 보름주 7. 백하주 8.
감주 9. 점주 10. 절주 11. 절세주 12. 육두주 13. 오승주

37. 〈양주방〉* 1837/1800년대 말엽, 한글 필사본, 전라도 지방, 저자 미상

◆ 주방문 (83종) : 1. 두견주 2. 소국주 3. 소국주 우일방 4. 삼해주 5. 회일주 6. 청명주 7. 청명
향 8. 포도주 9. 백화주 10. 당백화주 11. 백하주 12. 백하주 일법 13. 절주 14. 시급주 15.
일일주 16. 오호주 17. 삼일주 18. 육병주 19. 오병주 20. 오병주 우일방 21. 부의주 22. 부
의주 일법 23. 부의주 일법 24. 무술주 25. 무술주 우일방 26. 삼합주 27. 조엽주 28. 합엽
주 29. 자주 30. 녹파주 31. 세심주 32. 소백주 33. 백단주 34. 벽향주 35. 죽엽주 36. 송엽
주 37. 도화주 38. 매화주 39. 층층지주 40. 황금주 41. 사절주 42. 오두주 43. 과하주 44.
선초향 45. 니화주 46. 니화주 우일방 47. 신도주 48. 방문주 49. 향노주 50. 하향주 51. 점
주 52. 감향주 53. 백수환동주 54. 경향옥액주 55. 송순주 56. 천금주 57. 출주 58. 창포주
59. 창포주 우일방 60. 창포주 우일방 61. 일두사병주 62. 서김법 63. 녹파주 우일방 64. 황
감주 65. 사시주 66. 소주만히나는 법 67. 동파주 68. 백화춘 69. 송엽주(송령주) 70. 숑엽

주 71. 소자주 72. 오갑피주 73. 혼돈주 74. 구기자주 75. 옥노주 76. 만년향 77. 호산춘 78. 집성향 79. 구기자주 80. 방문주 우일방 81. 오미자주 82. 석술 83. 소소국주

◆ 누룩 (4종) : 1. 배꽃술누룩 2. 백수환동주누룩 3. 또 한 가지 배꽃술누룩 4. 경향옥액주 누룩

38. 〈양주방(釀酒方)〉 1700년대 후기, 한글 필사본, 저자 미상, 연민선생 소장본

◆ 주방문 (42종) : 1. 니화주법 2. 일해주법 3. 삼해주법 4. 청명주법 5. 별향주법(여덟 말 빚이) 6. 소국주법(엿 말 빚이) 7. 소국주법(닷 말 빚이) 8. 소국주법(너 말 빚이) 9. 소국주법(서 말 빚이) 10. 하절주법(한 말 빚이) 11. 노송주법(닷 되 빚이) 12. 백하주법(서 말 빚이) 13. 하향주법(한 말 빚이) 14. 합주법(한 말 빚이) 15. 향감주법(한 말 빚이) 16. 백점주법(두 말 빚이-여름에 쓰는 법) 17. 삼일주법(한 말 빚이-여름에 빚느니라) 18. 사절주법(한 말 빚이) 19. 백노주법(서 말 빚이) 20. 향노주법(일곱 말 닷 되 빚이) 21. 점주법(한 말 두 되 빚이) 22. 청감주법(한 말 빚이) 23. 과하주법 24. 감향주법 25. 유화주법(일곱 말 닷 되 빚이) 26. 죽엽주법(엿 말 빚이) 27. 도화주법 28. 백일주법(닷 말 빚이) 29. 작주법 30. 뉴직주법 31. 급용주법 32. 보리소주법 33. 속주법 34. 니화주의 누룩 넣는 법 35. 회산춘법 36. 사 절주법 37. 가로밀 아니하고 빚는 약주법 38. 백화주법 39. 니금하는 법 40. 백일주법 41. 두견주법 42. 오병주법

◆ 누룩 (2종) : 1. 이화주 누룩법 2. 이화주의 누룩 넣는 법

39. 〈양주집(釀酒集)〉 저술 연대 미상, 한글 필사본, 저자 미상, 박록담 소장본(사본)

◆ 주방문 (40종) : 1. 소국주(小菊酒) 2. 녹파주(綠波酒) 3. 점미녹파주(粘米綠波酒) 4. 삼오주(三午酒) 5. 사오주(四午酒) 6. 삼해주(三亥酒) 7. 우 삼해주(又 三亥酒) 8. 우우 삼해주(又 又 三亥酒) 9. 과하주(過夏酒) 10. 하시절품주(夏時節品酒) 11. 하시주(夏時酒) 12. 하향주(霞香酒) 13. 벽향주(碧香酒) 14. 우 벽향주(又 碧香酒) 15. 서향주(暑香酒) 16. 감향주(甘香酒) 17. 백화주(白花酒) 18. 우 백화주(又 白花酒) 19. 우우 백화주(又又 白花酒) 20. 죽엽주(竹葉酒) 21. 황금주(黃金酒) 22. 백오주(百五酒) 23. 백일주(百日酒) 24. 백자주(栢子酒) 25. 우 백자주(又 栢子酒) 26. 약백자주(藥栢子酒) 27. 호도주(胡桃酒) 28. 일일주(一日酒) 29. 삼일주(三日酒) 30. 칠일주(七日酒) 31. 사시주(四時酒) 32. 삼양주(三釀酒) 33. 삼두주(三斗酒) 34. 오병주(五瓶酒) 35. 일두육병주(一斗六瓶酒) 36. 소주(燒酒) 37. 피모 소주(皮牟(麰)燒酒) 38. 모미주(牟(麰)米酒) 39. 우 모미주(又 牟(麰)米酒) 40. 우 피모소주

(又 皮牟(麰)燒酒)

40. 〈언서주찬방(諺書酒饌方)〉 저술 연대 미상, 한글 필사본, 저자 미상, 박록담 소장본

◆ 주방문 (38종) : 1. 백하주(白霞酒) 2. 백하주 별법(白霞酒 別法) 3. 삼해주(三亥酒) 4. 옥지주(玉脂酒) 5. 이화주(梨花酒) 6. 벽향주(碧香酒) 7. 벽향주(碧香酒) 또 별법 8. 유하주(流霞酒) 9. 유하주 우법(流霞酒 又法) 10. 두강주(杜康酒) 11. 아황주(鴉黃酒) 12. 죽엽주(竹葉酒) 13. 연화주(蓮花酒)-일명 무국주 14. 소국주(小麴酒) 15. 우 소국주(又 小麴酒) 16. 모미주(麰米酒) 17. 추모주(秋麰酒) 18. 세신주(細辛酒) 19. 향온 빚는 법(香醞釀酒法) 20. 내의원 향온 빚는 법 21. 점주(粘酒) 22. 감주(甘酒) 23. 서김 만드는 법 24. 하일절주(夏日節酒) 25. 하숭의 사시절주 26. 하숭의 사시절주(별법) 27. 하절삼일주(夏節三日酒) 28. 하일불산주(夏日不酸酒) 29. 부의주(浮蟻酒) 30. 부의주 우방(浮蟻酒 又方) 31. 하향주(荷香酒) 32. 합자주(榼子酒) 33. 삽주뿌리술 34. 소주 많이 나게 고는 법(燒酒多出法) 35. 밀소주 36. 쌀 한 말에 지주 네 병 나는 술법(米一斗旨酒四甁出酒法) 37. 자주(煮酒) 38. 신 술 고치는 법

◆ 누룩 (3종) : 1. 누룩 만드는 법 2. 누룩 만드는 법 (또 한 법) 3. 누룩 만드는 법 (또 한 법)

41. 〈역주방문(曆酒方文)〉 1800년대 중엽, 한문 필사본, 저자 미상, 윤용진 소장

◆ 주방문 (43종) : 1. 세신주(細辛酒) 2. 신청주(新淸酒) 3. 소곡주방(小曲酒方) 4. 백자주방(栢子酒方) 5. 백화주방(百花酒方, 白花酒) 6. 녹파주방(綠波酒方) 7. 백파주방(白波酒方) 8. 진상주(進上酒) 9. 옥지주방(玉脂酒方) 10. 옥지주 우방(玉脂酒 又方) 11. 과하주방(過夏酒方) 12. 벽향주방(碧香酒方) 13. 삼해주방(三亥酒方) 14. 삼오주방(三午酒方) 15. 과하주방(過夏酒方) 16. 하향주방(夏香酒方) 17. 감하향주방(甘夏香酒方) 18. 편주방(扁酒方) 19. 이화주방(梨花酒方) 20. 향온주방(香醞酒方) 21. 삼일주방(三日酒方) 22. 소주방(燒酒方) 23. 추모주(秋麰酒) 24. 삼일주방(三日酒方) 25. 백화주방(百花酒方) 26. 백화주방(百花酒方) 27. 유화주방(柳花酒方) 28. 두강주방(杜康酒方) 29. 아황주방(鵝黃酒方) 30. 연화주방(蓮花酒方) 31. 오가피주방(五加皮酒方) 32. 소자주방(蘇子酒方) 33. 죽엽주방(竹葉酒方) 34. 송엽주방(松葉酒方) 35. 모소주방(牟燒酒方) 36. 모소주방 우방(牟燒酒方 又方) 37. 삼칠소곡주방(三七小曲酒方) 38. 일야주방(一夜酒方) 39. 광제주방(광제주방) 40. 백화주방(百花酒方) 41. 자주방(煮酒方) 42. 모소주방(牟燒酒方) 43. 소곡주방(小曲酒方)

42. 〈오주연문장전산고(五洲衍文長箋散稿)〉 1850년, 한문 필사본, 이규경

- ◆ 주방문 (22종) : 1. 양주(釀酒) 2. 천야홍주방(天冶紅酒方) 3. 계명주(鷄鳴酒) 4. 계명주(鷄鳴酒) 5. 구기오가피삼투주(枸杞五加皮三骰酒) 6. 장춘법주(長春法酒) 7. 제화향입주(諸花香入酒) 8. 남번소주 번명 아리걸(南番燒酒 番名 阿里乞) 9. 청명주(清明酒) 10. 도소주(屠蘇酒) 11. 구작양주 잡주(口嚼釀酒 咂酒) 12. 비주(飛酒) 13. 준순주(浚巡酒) 14. 아랄길주 황주(阿剌吉酒 黃酒) 15. 경각화준순주(頃刻花浚巡酒) 16. 동양주(東陽酒) 17. 동양주(東陽酒) 18. 제홍국 국모(製紅麴 麴母) 19. 천리주(千里酒) 20. 비선주(飛仙酒) 21. 백수환동주(白首還童酒) 22. 청매자주(青梅煮酒)
- ◆ 누룩 (12종) : 1. 주국(酒麴) 2. 홍국제방(紅麴諸方) 3. 단국(丹麴) 4. 법국(法麴) 5. 약국(藥麴) 6. 천리주국(千里酒麴) 7. 비선국(飛仙麴) 8. 경각화준순주국(頃刻花浚巡酒麴) 9. 백수환동주국(白首還童酒麴) 10. 백수환동주국 일법(白首還童酒麴 一法) 11. 동양주국(東陽酒麴) 12. 동양주국(東陽酒麴)
- ◆ 기타 (2종) : 1. 고인주량설(故人酒量說) 2. 주명 고·로·약 칭 '상'(酒名 膏·露·藥 稱 '霜')

43. 〈온주법(醞酒法)〉 1700년대 후기, 한글 필사본, 의성김씨 종가 소장

- ◆ 주방문 (51종) : 1. 술법 2. 서왕모유옥성향주 3. 계당주 4. 녹두주(녹되주) 5. 삼해주 6. 삼해주 우법 7. 삼해주 우법 8. 니화주 9. 니화주 또 한 법 10. 니화주 또 한 법 11. 하절니화주 12. 과하주 13. 포도주 14. 국화주 15. 지황주 16. 천문동주 17. 오가피주 18. 송엽주 19. 지주 20. 녹파주 21. 감향주 22. 사절주 23. 향감주 24. 정향극렬주 25. 적선소주 26. 청명주 27. 지주 28. 소자주 29. 감점주 30. 감점주 또 한 법 31. 감점주 또 한 법 32. 연엽주 33. 연엽주 또 한 법 34. 과하점미주 35. 구기자주 36. 오호주 37. 급주 38. 하절삼일주 39. 하향주 40. 창출주 41. 소주 많이 나는 법 42. 정향주 43. 석향주 44. 밤세향주 45. 절주 46. 신방주 47. 안정주 48. 청명불변주 49. 소국주 50. 백자주 51. 사미주
- ◆ 누룩 (3종) : 1. 니화국법 2. 니화국법 또 한 법 3. (조국법)
- ◆ 기타 (1종) : 1. (장과 술 아니하는 날)

44. 〈요록(要錄)〉 1680년경, 한문 필사본, 저자 미상, 고대 신암문고 소장

- ◆ 주방문 (29종) : 1. 이화주(梨花酒) 2. 감향주(甘香酒) 3. 향온방(香醞方) 4. 백자주(栢子酒) 5. 삼해주(三亥酒) 6. 자주(煮酒) 7. 우방 자주(又方 煮酒) 8. 벽향주(碧香酒) 9. 소국주(小

麴酒) 10. 하향주(夏香酒) 11. 하일주(夏日酒) 12. 하일청주(夏日淸酒) 13. 연해주(燕海酒) 14. 무시주(無時酒) 15. 칠일주(七日酒) 16. 일일주(一日酒) 17. 급주(急酒) 18. 죽엽주(竹葉酒) 19. 송자주(松子酒) 20. 송엽주(松葉酒) 21. 애주(艾酒) 22. 오정주(五精酒) 23. 황화주(黃花酒) 24. 황금주(黃金酒) 25. 출주(朮酒) 26. 국화주(菊花酒) 27. 인동주(忍冬酒) 28. 점주법(粘酒法) 29. 오가피주(五加皮酒)

45. 〈우음제방(禹飮諸方, 각식 술방문)〉 1890년경, 한글 필사본, 연안이씨, 동춘당가 소장본, 대전선사박물관

◆ 주방문 (25종) : 1. 송순주 2. 호산춘 3. 청화주 4. 청화주 5. 두견주 6. 추향주 7. 송순주 8. 삼해주 9. 소주삼해주 10. 일년주 11. 녹파주 12. 청명주 13. 화향주 14. 송화주법 15. 점감주 16. 감향주 17. 황정주 18. 황구주 19. 감향주 20. 삼칠주 21. 보리소주 22. 이화주 23. 방문주 24. 구일주 25. 백일주

46. 〈윤씨(尹氏)음식법(饌法)〉 1854년, 한글 필사본, 윤씨

◆ 주방문 (4종) : 1. (인동주) 2. 도인주 3. 국화주 방문 4. 송엽주 방문

47. 〈음식디미방(閨壼是議方)〉 1670년, 한글 필사본, 정부인 안동장씨, 경북대학교 도서관 소장본

◆ 주방문 (50종) : 1. 순향주 2. 삼해주 3. 삼해주 4. 삼해주 5. 삼해주 6. 삼오주/사오주 7. 사오주 8. 이화주법 9. 이화주법 10. 이화주법 11. 이화주법 12. 점감청주 13. 감향주 14. 송화주 15. 죽엽주 16. 유화주 17. 향온주 18. 하절삼일주 19. 삼일주 20. 사시주 21. 소곡주 22. 일일주 23. 백화주 24. 동양주 25. 절주 26. 벽향주 27. 남성주 28. 녹파주 29. 칠일주 30. 벽향주 31. 두강주 32. 절주 33. 별주 34. 행화춘주 35. 하절주 36. 시급주 37. 과하주 38. 점주 39. 점감주 40. 하향주 41. 부의주 42. 약산춘 43. 황금주 44. 칠일주 45. 오가피주 46. 차주법 47. 소주 48. 밀소주 49. 찹쌀소주 50. 소주
◆ 누룩 (2종) : 1. 주국방문 2. 이화주 누룩법

48. 〈음식방문(飮食方文, 술방문)〉 1800년대 중엽, 한글 필사본, 저자 미상

◆ 주방문 (16종) : 1. 소곡주 2. 보혈익기주 3. 연수향춘주 4. 부의주 5. 사절주 6. 오병주 7. 황
감주 8. 하향주 9. 감향주 10. 청감주 11. 이화주 12. 석탄향 13. 목욕주(닥주/저주) 14. 삼
일주 15. 동과주 16. 호산춘

49. 〈음식방문니라〉 신묘년(1891년 추정, 이월), 한글 붓글씨본, 문동(文洞), 조응식
가 소장본

◆ 주방문 (17종) : 1. 화향입주법 2. 두견주법 3. 소국주법 4. 감홍(향)주법 5. 송절주법 6. 송순
주법 7. 송순주법 일방 8. 송순주법 또 일방 9. 과하주법 10. 삼일주법 11. 삼칠주법 12. 팔
선주법 13. 삼오주법 14. 녹타주법 15. 선표향법 16. 매화주법 17. 잠(감)절주법

50. 〈음식보(飮食譜)〉 1600년대 후기~1700년대 초엽, 한글 필사본, 숙부인 진주정
씨(石崖先生 夫人) 수필(手筆)

◆ 주방문 (12종) : 1. 삼해주법 2. 청명주법 3. 청명주 별법 4. 백화주법 5. 매화주법 6. 두강주
법 7. 백병주 바삐 빚는 법 8. 진향주방문 9. 단점주방문 10. 과하주법 11. 오병주법 12. 소
국주방문

51. 〈음식책(飮食冊)〉 1838년/1898년경, 한글 필사본, 저자 미상

◆ 주방문 (6종) : 1. 약주의 지주 방문주로 담그는 법 2. 합주 하는 법 3. 송순주 하는 법 4. 감
홍주 하는 법 5. 우 감주 6. 감홍로 하는 법

52. 〈의방합편(醫方合編, 釀酒方)〉 저술 연대 미상, 한문 활자본, 저자 미상, 국립
중앙박물관 소장

◆ 주방문 (23종) : 1. 녹파주(綠波酒) 2. 녹파주 별법(綠波酒 別法) 3. 벽향주(碧香酒) 4. 부의
주(浮蟻酒) 5. 일일주(一日酒) 6. 잡곡주(雜穀酒) 7. 화향입주법(花香入酒法) 8. 오가피주
(五加皮酒) 9. 무술주(戊戌酒) 10. 노인우가 적선소주(老人尤佳 謫仙燒酒) 11. 송순주(松笋
酒) 12. 소곡주(少曲酒) 13. 백하주(白霞酒) 14. 호산춘(壺山春) 15. 청감주(清甘酒) 16. 향
온법(香醞法) 17. 도소주(屠蘇酒) 18. 홍로주(紅露酒) 19. 자주법(煮酒法) 20. 백자주(柏子

酒) 21. 청감주(淸甘酒) 22. 하향주(荷香酒) 23. 노주소독방(露酒消毒方)

53. 〈이씨(李氏)음식법〉 1800년대 말, 한글 필사본, 저자 미상

◆ 주방문 (15종) : 1. 신도주 2. 송순주 3. 두견주 4. 이화주 5. 일년주 6. 소국주 7. 상원주 8. 감향주 9. 송절주 10. 오갈피주 11. 창출주 12. 무술주 13. 절통소주 14. 동파주 15. 청향주신방

54. 〈임원십육지(林園十六志, 온배지류/미료지류)〉 1827년간, 한문 필사본, 서유구, 고려대본(高麗大本)/대판본(大板本)

◆ 주방문 (230종) : 1. 봉양법(封釀法) 2. 수중양법(水中釀法) 3. 상조법(上槽法)–대판본 4. 수주법(收酒法)–대판본 5. 자주법(煮酒法)–대판본 6. 조주본방(造酒本方) 7. 조부본방(造腐本方) 8. 조부본방 일법(造腐本方 一法) * 이류(酏類) : 1. 백하주방(白霞酒方) 2. 백하주 우방(白霞酒 又方) 3. 백하주 우방(白霞酒 又方) 4. 향온주방(香醞酒方) 5. 녹파주방(綠波酒方) 6. 녹파주 우방(綠波酒 又方) 7. 녹파주 일방(綠波酒 一方) 8.벽향주방(碧香酒方) 9. 벽향주 일방(碧香酒 一方) 10. 벽향주 우방(碧香酒 又方) 11. 유하주방(流霞酒方) 12. 소국주방(小麴酒方) 13. 소곡주 속법(少麴酒 俗法) 14. 부의주방(浮蟻酒方) 15. 동정춘방(洞庭春方) 16. 경액춘방(瓊液春方) 17. 죽엽춘방(竹葉春方) 18. 인유향방(麟乳香方) 19. 석탄향방(惜呑香方) 20. 벽매주방(辟霾酒方) 21. 오호주방(五壺酒方)–고려대본 22. 하향주방(荷香酒方) 23. 향설주방(香雪酒方) 24. 벽향주방 이법(碧香酒方 異法) * 주류(酎類) : 1. 호산춘방(壺山春方) 2. 호산춘 우방(壺山春 又方) 3. 잡곡주방(雜穀酒方)–고려대본 4. 두강춘방(杜康春方)–고려대본 5. 무릉도원주방(武陵桃源酒方) 6. 동파주방(東坡酒方)–고려대본 * 향양류(香釀類) : 1. 도화주방(桃花酒方) 2. 도화주 일운(桃花酒 一云) 3. 송로양방(松露釀方) 4. 송화주방(松花酒方)–고려대본 5. 松茅酒方(고려대본) 6. 죽엽청방(竹葉清方) 7. 하엽청방(荷葉清方) 8. 연엽양방(蓮葉釀方) 9. 연엽양 일방(蓮葉釀 一方) 10. 령주방(醽酒方)–고려대본 11. 국화주방(菊花酒方) 12. 만전향주방(滿殿香酒方) 13. 밀온투병향방(蜜醞透瓶香方) 14. 밀주방(蜜酒方) 15. 화향입주방(花香入酒方) 16. 화향입주 우방(花香入酒 又方) * 과라양류(菓蓏釀類) : 1. 송자주방(松子酒方) 2. 송자주 우방(松子酒 又方) 3. 핵도주방(核桃酒方) 4. 상실주방(橡實酒方) 5. 산사주방(山查酒方) 6. 포도주방(葡萄酒方) 7. 포도주 일방(葡萄酒 一方) 8. 포도주 우방(葡萄酒 又方) 9. 포두주 우우방(葡萄酒 又又方) 10. 감저주방(甘藷酒方) * 이양류(異釀類) : 1. 이양류(異釀類) 2. 청서주방(清暑酒方) 3. 봉래

춘방(蓬來春方) 4. 신선벽도춘방(神仙碧桃春方) 5. 와송주방(臥松酒方) 6. 죽통주방(竹筒酒方) 7. 지주방(地酒方) 8. 포양방(抱釀方)-고려대본 * 시양류(時釀類) : 1. 약산춘방(藥山春方) 2. 약산춘 일운(藥山春 一云) 3. 삼해주방(三亥酒方) 4. 삼해주 우방(三亥酒 又方) 5. 삼해주 노주방(三亥酒 露酒方) 6. 춘주방(春酒方)-고려대본 7. 상시춘주법(常時春酒法) 8. 속미주방(粟米酒方)-고려대본 9. 법주방(法酒方)-고려대본 10. 청명주방(淸明酒方) 11. 삼구주방(三九酒方)-고려대본 12. 서미법주방(黍米法酒方)-고려대본 13. 당량주방(當梁酒方)-고려대본 14. 갱미주방(秔米酒方)-고려대본 15. 납주방(臘酒方) 16. 칠석주방(七夕酒方)-고려대본 17. 분국상락주방(笨麴桑落酒方)-고려대본 18. 동미명주방(冬米明酒方)-고려대본 * 순내양류(旬內釀類) : 1. 순내양류(旬內釀類) 2. 일일주방(一日酒方) 3. 일일주 우방(一日酒 又方) 4. 계명주방(鷄鳴酒方)-고려대본 5. 삼일주방(三日酒方) 6. 삼일주 일방(三日酒 一方) 7. 삼일주 우방(三日酒 又方) 8. 하삼청방(夏三淸方) 9. 백화춘방(白花春方) 10. 두강주방(杜康酒方)-고려대본 11. 두강주 우방(杜康酒 又方)-고려대본 12. 칠일주방(七日酒方) 13. 칠일주 속법(七日酒 俗釀)-고려대본 14. 칠일주 일방(七日酒 一方)-고려대본 15. 사절칠일주방(四節七日酒方) 16. 계명주방(鷄鳴酒方)-고려대본 17. 계명주 우법(鷄鳴酒 又法)-고려대본 * 제차류(醍醨類) : 1. 천태홍주방(天台紅酒方) 2. 건창홍주방(建昌紅酒方) 3. 하동이백주방(河東頤白酒方)-고려대본 4. 백주방(白酒方) 5. 백주 일방(白酒 一方) 6. 왜백주방(倭白酒方) * 앙료류(醠醪類) : 1. 이화주방(梨花酒方) 2. 집성향방(集聖香方) 3. 추모주방(秋麰酒方) 4. 모미주방(麰米酒方) 5. 백료주방(白醪酒方)-고려대본 6. 분국백료주방(笨麴白醪酒方) * 예류(醴類) : 1. 감주방(甘酒方) 2. 청감주방(淸甘酒方) 3. 왜예주방(倭醴酒方) 4. 왜예주 별방(倭醴酒 別方) 5. 왜미림주방(倭美淋酒方) * 소로류(燒露類) : 1. 소주총방(燒酒總方) 2. 내국홍로방(內局紅露方) 3. 노주이두방(露酒二斗方) 4. 절주방(切酒方) 5. 관서감홍로방(關西甘紅露方) 6. 관서계당주방(關西桂糖酒方) 7. 죽력고방(竹瀝膏方) 8. 이강고방(梨薑膏方) 9. 적선소주방(謫仙燒酒方) 10. 삼일로주방(三日露酒方) 11. 모미소주방(麰米燒酒方)-고려대본 12. 소맥노주방(小麥露酒方) 13. 교맥노주방(蕎麥露酒方) 14. 이모로주방(耳麰露酒方) 15. 송순주방(松筍酒方) 16. 과하주방(過夏酒方) 17. 과하주 일방(過夏酒 一方) 18. 과하주 우방(過夏酒 又方) 19. 오향소주방(五香燒酒方) 20. 포도소주방(葡萄燒酒方) 21. 감저소주방(甘藷燒酒方)-고려대본 22. 천리주방(千里酒方)-고려대본 23. 왜소주방(倭燒酒方)-고려대본 24. 소주다취로법(燒酒多取露法) 25. 소로잡법(燒露雜法) 26. 소번황주법(燒燔黃酒法) * 의주제법(醫酒諸法) : 1. 치주불배법(治酒不醅法) 2. 요산주법(拗酸酒法) 3. 해백주산법(解白酒酸法)-고려대본 4. 치주변미방(治酒變味方)-고려대본 5. 치산박주작호주방(治酸薄酒作好酒方) 6. 탁주위청주방(濁酒爲淸酒方) 7. 치다수주법(治多水酒法)-고려대본 8. 치로주화염법(治露酒火焰法)-고려대본 * 부록 약양제품(藥釀諸品) : 1. 도소주(屠蘇酒) 2. 도소주 일방(屠蘇酒 一方) 3. 장춘주(長春

酒) 4. 신선주(神仙酒) 5. 고본주(固本酒) 6. 오수주(烏鬚酒) 7. 신선고본주(神仙固本酒) 8. 준순주(俊巡酒) 9. 유학주(愈瘧酒) 10. 홍국주(紅麴酒) 11. 거승주(巨勝酒) 12. 호마주(胡麻酒) 13. 오가피주(五加皮酒) 14. 선로비주(仙露脾酒) 15. 의이인주(薏苡仁酒) 16. 천문동주(天門冬酒) 17. 백령등주(百靈藤酒) 18. 소자주(蘇子酒) 19. 백출주(白朮酒) 20. 지황주(地黃酒) 21. 우슬주(牛膝酒) 22. 당귀주(當歸酒) 23. 창포주(菖蒲酒) 24. 구기주(枸杞酒) 25. 구기주(枸杞酒) 26. 인삼주(人蔘酒) 27. 서여주(薯蕷酒) 28. 복령주(茯苓酒) 29. 국화주(菊花酒) 30. 황정주(黃精酒) 31. 상실주(桑實酒) 32. 상심주(桑椹酒) 33. 밀주(蜜酒) 34. 요주(蓼酒) 35. 강주(薑酒) 36. 장송주(長松酒) 37. 회향주(茴香酒) 38. 축사주(縮砂酒) 39. 사근주(沙根酒) 40. 인진주(茵蔯酒) 41. 청호주(靑蒿酒) 42. 백부주(百部酒) 43. 해조주(海藻酒) 44. 선묘주(仙茆酒) 45. 통초주(通草酒) 46. 남등주(南藤酒) 47. 천금주(千金酒) 48. 송액주(松液酒) 49. 송절주(松節酒) 50. 백엽주(柏葉酒) 51. 송지주(松脂酒) 52. 초백주(椒柏酒) 53. 죽엽주(竹葉酒) 54. 괴지주(槐枝酒) 55. 우방주(牛蒡酒) 56. 마인주(麻仁酒) 57. 자근주(柘根酒) 58. 화사주(花蛇酒) 59. 호골주(虎骨酒) 60. 미골주(麋骨酒) 61. 녹두주(鹿頭酒) 62. 녹용주(鹿茸酒) 63. 무회주(戊灰酒) 64. 양고주(羊羔酒) 65. 올눌제주(膃肭臍酒) 66. 백화주(百花酒) 67. 주중지약법(酒中漬藥法) * 상음잡법(觴飮雜法) : 1. 음주방병법(飮酒防病法) 2. 음주불취법(飮酒不醉法) 3. 음주즉취법(飮酒卽醉法) 4. 논화동음법(論華東飮法) 5. 논음저(論飮儲)

- ◆ 누룩 (23종) : 미료지류(味料之類)/국얼(麴糵) : 총론(總論) 1. 맥국법(麥麴法) 2. 맥국법(麥麴法) 3. 맥국법(麥麴法) 4. 맥국법(麥麴法) 5. 맥국법(麥麴法) 6. 면국방(麪麴方) 7. 백국방(白麴方) 8. 백국방(白麴方) 9. 미국방(米麴方) 10. 미국방(米麴方) 11. 내부비전국방(內府秘傳麴方) 12. 연화국방(蓮花麴方) 13. 금경로국방(金莖露麴方) 14. 양양국방(襄陽麴方) 15. 요국방(蓼麴方) 16. 여국방(女麴方) 17. 맥완법(麥䴹法) 18. 황증방(黃蒸方) 19. 황증방(黃蒸方) 20. 황증방(黃蒸方) 21. 홍국방(紅麴方) 22. 수납조법(收臘糟法) 23. 조얼방(造糵方)
- ◆ 주례총서(酒禮叢書) : 1. 연기(緣起) 2. 총론(總論)
- ◆ 양주잡법(釀造雜法) : 1. 논국품(論麴品) 2. 치국법(治麴法) 3. 치주재법(治酒材法) 4. 택수법(擇水法)
- ◆ 수주의기(收酒宜忌) : 1. 수주불훼법(收酒不毀法) 2. 수로주법(收露酒法) 3. 수잡주법(收雜酒法) 4. 잡기(雜忌)

55. 〈잡지(雜誌)〉 저술 연대 미상, 한문 붓글씨본, 저자 미상, 한복려 소장본

- ◆ 주방문 (1종) : 1. 구기자술

56. 〈정일당잡지(貞一堂雜識)〉 1856년, 한글 필사본, 정일당

  ◆ 주방문 (4종) : 1. 하일청향죽엽주 2. 사절소국주 3. 연일주 4. 부의주

57. 〈조선고유색사전(朝鮮固有色辭典)〉 1930년대, 일본어 활자인쇄본, 일본인 키
   타카와

  ◆ 주방문 (7종) : 1. 삼해주(三亥酒) 2. 약주(藥酒) 3. 탁주(濁酒) 4. 소주(燒酎) 5. 백주(白酒) 6.
   과하주(過夏酒) 7. 도소주(屠蘇酒)
  ◆ 누룩 (1종) : 1. 곡자(麴子)

58. 〈조선무쌍신식요리제법(朝鮮無雙新式料理製法)〉 1936년간, 한글 활자본,
   이용기

  ◆ 주방문 (85종) : 1. 술밑 만드는 법(造酒法) 2. 술 담글 때 알아둘 일 3. 곡미주(麴米酒) 4. 송
   순주(松筍酒) 5. 우 송순주(又 松筍酒) 6. 백로주(白露酒) 7. 우 백로주(又 白露酒) 8. 삼해
   주(三亥酒) 9. 우 삼해주(又 三亥酒) 10. 이화주(梨花酒) 11. 도화주(桃花酒) 12. 연엽
   양(蓮葉釀) 13. 호산춘(壺山春) 14. 경액춘(瓊液春) 15. 동정춘(洞庭春) 16. 봉래춘(蓬來春)
   17. 송화주(松花酒) 18. 우 송화주(又 松花酒) 19. 죽엽춘(竹葉春) 20. 죽통주(竹筒酒) 21.
   집성향(集成香) 22. 석탄향(惜呑香) 23. 하삼청(夏三淸) 24. 청서주(淸暑酒) 25. 자주(煮
   酒) 26. 매화주(梅花酒) 27. 연화주(蓮花酒) 28. 유자주(柚子酒) 29. 포도주(葡萄酒) 30. 우
   포도주(又 葡萄酒) 31. 우 포도주(又 葡萄酒) 32. 우 포도주(又 葡萄酒) 33. 두견주(杜鵑酒)
   34. 과하주(過夏酒) 35. 우 과하주(又 過夏酒) 36. 우 과하주(又 過夏酒) 37. 우 과하주(又
   過夏酒) 38. 우 과하주(又 過夏酒) 39. 향설주(香雪酒) 40. 무릉도원주(武陵桃源酒) 41. 동
   파주(東坡酒) 42. 법주(法酒) 43. 송자주(松子酒) 44. 송자주(松子酒) 45. 감저주(甘藷酒)
   46. 칠일주(七日酒) 47. 우 칠일주(又 七日酒) 48. 우 칠일주(又 七日酒) 49. 백료주(白醪酒)
   50. 부의주(浮蟻酒) 51. 잡곡주(雜穀酒) 52. 신도주(新稻酒) 53. 백화주(百花酒) 54. 백화
   주(百花酒) 55. 삼알주(三日酒) 56. 우 삼일주(又 三日酒) 57. 우 삼일주(又 三日酒) 58. 혼
   돈주(混沌酒) 59. 청주(淸酒) 60. 탁주(濁酒) 61. 우 탁주(又 濁酒) 62. 합주(合酒) 63. 모주
   (母酒) 64. 감주(甘酒) 65. 임금주(林檎酒, 능금술) 66. 계피주(桂皮酒) 67. 생강주(生薑酒)
   68. 소주 고는 법 69. 또 소주 고는 법 70. 또 소주 고는 법 71. 또 소주 고는 법 72. 또 소
   주 고는 법 73. 또 소주 고는 법 74. 소주특방(燒酒特方) 75. 우 소주특방(又 燒酒特方) 76.

출소주(秫燒酒) 77. 옥촉서소주(玉蜀黍燒酒) 78. 감홍로(甘紅露) 79. 이강고(梨薑膏) 80. 죽력고(竹瀝膏) 81. 상심소주(桑椹燒酒) 82. 상심소주(桑椹燒酒) 83. 우담소주(牛膽燒酒) 84. 상심소주(桑椹燒酒) 85. 관서감홍로(關西甘紅露)

- ◆ 누룩 (9종) : 1. 보리누룩/맥국(麥麴) 2. 밀누룩(小麥麴) 3. 밀누룩(小麥麴) 시속법(時俗法) 4. 흰누룩(白麴) 5. 쌀누룩(米麴) 6. 또 쌀누룩(米麴) 7. 내부비전국(內府秘傳麴) 8. 홍국(紅麴) 9. 누룩 만드는 법(造麴法)
- ◆ 기타 (2종) : 1. 술 담그는 날(造酒日) 2. 양주기일(釀酒忌日)

59. 〈주방(酒方)〉* 1800년대 초엽, 한글 필사본, 저자 미상, 이씨 소장본

- ◆ 주방문 (18종) : 1. 감주법 2. 청감주법 3. 일두주방문 4. 녹파주방문 5. 백화주방문 6. 박향주방문 7. 소국주방문 8. 삼일주방문 9. 칠일주방문 10. 백일주방문 11. 이화주방문 12. 과하주방문 13. 백하주방문 14. 백하주방문(또 한 법) 15. 구가주방문 16. 별소주방문 17. 보리소주방문 18. 백하주법

60. 〈주방(酒方)〉 1827년(1887년), 한글 한문 혼용필사본, 수구산부여해(壽扣山富如海), 임용기 소장본

- ◆ 주방문 (14종) : 1. 삼해주방문(三亥酒方文) 2. 두강주방문 3. 일일주방문(一日酒方文) 4. 삼합주방문(三合酒方文) 5. 구일주방문(九日酒方文) 6. 삼칠주방문(三七酒方文) 7. 별향주방문(別香酒方文) 8. 호산춘주이방문 9. 별춘주방문(別春酒方文) 10. 연엽주방문(蓮葉酒方文) 11. 도화주방문(桃花酒方文) 121. 황금주방문(黃金酒方文) 13. 녹파주방문(綠波酒方文) 14. 아소국주방문

61. 〈주방문(酒方文)〉 1600년대 말엽, 한글 필사본, 하생원, 서울대 가람문고 소장

- ◆ 주방문 (30종) : 1. 과하주(過夏酒) 2. 백화주(白花酒) 3. 삼해주(三亥酒) 4. 벽향주(碧香酒) 5. 합주(合酒) 6. 닥주(楮酒) 7. 절주(節酒) 8. 자주(煮酒) 9. 소주(燒酒) 10. 점주(粘酒) 11. 점주 우법(粘酒 又法) 12 연엽주(蓮葉酒) 13. 감주(甘酒) 14. 감주 우일법(甘酒 又一法) 15. 급청주(急淸酒) 16. 송령주(松鈴酒) 17. 급시주(急時酒) 18. 무곡주(無麴酒) 19. 이화주(梨花酒) 20. 보리주(麰酒) 21. 보리소주(麰燒酒) 22. 일일주(一日酒) 23. 서김법(酵法) 24. 단술누룩법(甘酒麴造法) 25. 술맛 그르치지 않는 법 26. 신 술 고치는 법 27. 소주 별방(燒酒

別方) 28. 일해주(一亥酒) 29. 하향주 30. 청명주(淸明酒)

62. 〈주방문조과법(造果法)〉 1925년(계해년 정월), 한글 붓글씨 필사본, 가야촌, 한복려 소장

- ◆ 주방문 (23종) : 1. 벽향주법(팔두오승 빚이) 2. 벽향주법(삼두 빚이) 3. 세신주방 4. 삼해주 (열 말 비지법) 5. 니화주법 6. 단점주법(甘粘酒) 7. 딱술법(楮酒) 8. 소자주법 9. 백화 주(엿 말 비지법) 10. 구도주(엿 말 비지법) 11. 구도주(엿 말 비지법) 12. 니화주법 13. 하향 주법 14. 술이 시거든(救酸酒法) 15. (화향입주법) 16. (급청주법) 17. 쌀보리소주법 18. 쌀 보리소주법 19. 겉보리소주법 20. 백화주법(열두 말 빚이) 21. 백화주법(열 말 빚이) 22. 합 주법 23. 백화주(서 말 비지법)
- ◆ 기타 (10법) : 10법

63. 〈주방문초(酒方文抄)〉 저술 연대 미상, 한문 활자본, 저자 미상

- ◆ 주방문 (6종) : 1. 과하주법(過夏酒法) 2. 백화주법(白花酒法) 3. 백하주법(白河酒法) 4. 오병 주법(五甁酒法) 5. 청명주법(淸明酒法) 6. 하일두강주법(夏日杜康酒法)

64. 〈주식방(酒食方, 延世大閨壺要覽)〉 1896년간, 한글 필사본, 저자 미상, 연세 대학교 소장본

- ◆ 주방문 (1종) : 1. 천일주법

65. 〈주식방(酒食方, 高大閨壺要覽)〉 1800년 초·중엽, 한글 필사본, 저자 미상, 고려대 신암문고 소장

- ◆ 주방문 (30종) : 1. 중원인호작주법 2. 소곡주법 3. 과하주법 4. 백일주법 5. 부의주법 6. 부 럽주 7. 소주 많이 나는 법 8. 보리술법 9. 일일주법 10. 국화주법 11. 송국주법 12. 청주법 (청명주법) 13. 백화주 14. 호산춘 15. 삼해주 16. 삼칠일주 17. 삼칠일주(우법) 18. 소자주 19. 사절주 20. 연엽주 21. 칠일주법 22. 벽향주 23. 벽향주법 24. 칠일주 25. 별향주 26. 노 산춘 27. 과하주 28. (감주) 29. 감향주 30. 감향주 우법

66. 〈주식방문〉 저술 연대 미상, 한글 붓글씨본, 저자 미상

 ◆ 주방문 (2종) : 1. 합주방문 2. 아달두견주방문

67. 〈주식시의(酒食是儀)〉 1900년경, 한글 필사본, 저자 : 연안이씨, 동춘당가 소
　　 장본, 대전선사박물관

 ◆ 주방문 (8종) : 1. 구기자주법 2. 감향주법 3. 별약주법이라 4. 화향입주방 5. 두견주 6. 점
　 감주 7. 감향주 8. 송순주

68. 〈주정(酒政)〉 1800년대 말엽, 한문 붓글씨본, 저자 미상

 ◆ 주방문 (9종) : 1. 소국주(小麴酒) 2. 소국주(小麴酒) 3. 아소국주(兒小麴酒) 4. 백일주(百日
　 酒) 5. 두강주(杜康酒) 6. 방문주(方文酒) 7. 방문주(方文酒) 8. 방문주 소주(方文酒 燒酒)
　 9. 두견주방(杜鵑酒方)

69. 〈주찬(酒饌)〉 1800년대 말엽, 한문 필사본, 저자 미상

 ◆ 주방문 (80종) : 1. 과하주(過夏酒) 2. 삼해주(三亥酒) 3. 소곡주(少麴酒) 4. 과하주(過夏酒)
　 5. 과하주(過夏酒) 6. 과하주(過夏酒) 7. 소국주(小麴酒) 8. 황금주(黃金酒) 9. 일일주(一日
　 酒) 10. 하절불산주(夏節不酸酒) 11. 사시절주(四時節酒) 12. 사시절주(四時節酒) 13. 이화
　 주(梨花酒) 14. 백하주(白霞酒) 15. 오가피주(五加皮酒) 16. 황감주(黃柑酒) 17. 하향주(荷
　 香酒) 18. 청감주(淸甘酒) 19. 절주(節酒) 20. 청주(菁酒) 21. 천금주(千金酒) 22. 소자주(蘇
　 子酒) 23. 창포주(菖蒲酒) 24. 송엽주(松葉酒) 25. 송순주(松荀酒) 26. 송엽주(松葉酒) 27.
　 송순주(松荀酒) 28. 두견주(杜鵑酒) 29. 도화주(桃花酒) 30. 도화주(桃花酒) 31. 도인주(桃
　 仁酒) 32. 지황주(地黃酒) 33. 오향주(五香酒) 34. 삼합주(三合酒) 35. 구기주(枸杞酒) 36.
　 도소주(屠蘇酒) 37. 지골주(地骨酒) 38. 육일주(六日酒) 39. 진상주(進上酒) 40. 석탄향(石
　 炭香) 41. 두강주(杜康酒) 42. 선령비주(仙灵脾酒) 43. 호산춘(壺山春) 44. 녹용주(鹿茸酒)
　 45. 연일주(連日酒) 46. 송계춘(松桂春) 47. 광릉춘(廣陵春) 48. 부겸주(浮蒹酒) 49. 천문동
　 주(天門冬酒) 50. 방문주(方文酒) 51. 도화춘(桃花春) 52. 경액춘(瓊液春) 53. 은화춘(銀花
　 春) 54. 지황주(地黃酒) 55. 백화춘(白花春) 56. 별 백화주(別 白花酒) 57. 추포주(秋葡酒)
　 58. 백탄향(白灘香) 59. 내국향온(內局香醞) 60. 홍로주(紅露酒) 61. 백자주(栢子酒) 62. 부

의주(浮蟻酒) 63. 낙산춘(樂(藥)山春) 64. 청서주(淸暑酒) 65. 구황주(救荒酒) 66. 신선고본주법(神仙固本酒法) 67. 적선소주(謫仙燒酒) 68. 진향주(震香酒) 69. 주방(酒方) 70. 주방별법(酒方 別法)-조소주 71. 무술주(戊戌酒) 72. 경감주(瓊甘酒) 73. 백화춘(白花春) 74. 왕감주(王甘酒) 75. 하절청주(夏節淸酒) 76. 하절이화주(夏節梨花酒) 77. 예주(醴酒) 78. 시급주(時急酒) 79. 자주법(煮酒法) 80. 작주부본법(作酒腐本法)

70. 〈쥬식방문〉 저술 연대 미상, 한문 활자본, 저자 미상

◆ 주방문 (6종) : 1. 백화춘 술방문 2. 삼해주방문(三亥酒方文) 3. 송순주법 4. 연일주법 5. 청명주방문(梅岐方文) 6. 칠일주법

71. 〈증보산림경제(增補山林經濟)〉 1767년, 한문 필사본/활자본, 유중임(柳重臨)

◆ 주방문 (77종) : 1. 작주부본방(作酒腐本方) 2. 백하주법(白霞酒法) 3. 백하주법 우방(白霞酒法 又方) 4. 백하주 우방(白霞酒 又方) 5. 백하주 우방(白霞酒 又方) 6. 삼해주법(三亥酒法) 7. 삼해주법 우방(三亥酒法 又方) 8. 삼해주 우방(三亥酒 又方) 9. 도화주법(桃花酒法) 10. 도화주법 우방(桃花酒法 又方) 11. 연화주법(蓮葉酒法) 12. 소곡주법(少麴酒法) 13. 소곡주 속법(少麴酒 俗法) 14. 별소곡주방(別少麴酒方) 15. 소곡주 별법(少麴酒 別法) 16. 비시소곡주방(非時少麴酒方) 17. 약산춘법(藥山春法) 18. 약산춘법 우방(藥山春法 又方) 19. 경면녹파주법(鏡面綠波酒法) 20. 경면녹파주법 우방(鏡面綠波酒法 又方) 21. 경면녹파주법 우방(鏡面綠波酒法 又方) 22. 방문주 별법(方文酒 別法) 23. 벽향주법(碧香酒法) 24. 벽향주법 우방(碧香酒法 又方) 25. 벽향주법 별법(碧香酒法 別法) 26. 부의주(浮蟻酒) 27. 지주(地酒) 28. 일일주(一日酒) 29. 일일주 우방(一日酒 又方) 30. 삼일주(三日酒) 31. 삼일주법 우법(三日酒法 又法) 32. 칠일주법(七日酒法) 33. 칠일주법(七日酒法) 34. 사절칠일주방(四節七日酒方) 35. 잡곡주(雜穀酒) 36. 송순주방(松筍酒方) 37. 송순주 본법(松筍酒 本法) 38. 송순주법(松筍酒法) 39. 송순주법(松筍酒法) 40. 과하주(過夏酒) 41. 과하주 우방(過夏酒 又方) 42. 과하주 우방(過夏酒 又方) 43. 노주이두방(露酒二斗方) 44. 소주다출방(燒酒多出方) 45. 소맥소주법(小麥燒酒法) 46. 노주소독방(露酒消毒方) 47. 하향주법(荷香酒法) 48. 절주방(節酒方) 49. 이화주법(梨花酒法) 50. 청감주법(淸甘酒法) 51. 포도주법(葡萄酒法) 52. 감주법(甘酒法) 53. 하엽주법(荷葉酒法) 54. 추모주법(秋麰酒法) 55. 모미주법(麰米酒法) 56. 백자주법(栢子酒法) 57. 호도주법(胡桃酒法) 58. 와송주법(臥松酒法) 59. 죽통주법(竹筒酒法) 60. 소자주법(蘇子酒法) 61. 죽력고법(竹瀝膏法) 62. 이강

고법(梨薑膏法) 63. 백화주법(百花酒法) 64. 화향입주방(花香入酒方) 65. 화향입주방(花香入酒方) 66. 화향입주방(花香入酒方) 67. 주중지약법(酒中漬藥法) 68. 두강주방(杜康酒方) 69. 두강주방 우방(杜康酒方 又方) 70. 백자주법(栢子酒法) 71. 변탁주위청주법(變濁酒爲淸酒法) 72. 수잡주법(收雜酒法) 73. 구주불비방(救酒不沸方) 74. 구산주법(救酸酒法) 75. 하월수중양주법(夏月水中釀酒法) 76. 중원인작호주법(中原人作好酒法) 77. 조주제법(造酒諸法)

- ◆ 누룩 (8종) : 1. 조곡길일(造麴吉日) 2. 조곡방(造麴方) 3. 조곡방 속법(造麴方 俗法) 4. 조진면곡법(造眞麵麴法) 5. 조요곡법(造蓼麴法) 6. 조녹두곡법(造菉豆麴法) 7. 조미곡법(造米麴法) 8. 조주길일(造酒吉日)
- ◆ 기타 (2종) : 1. 음주방병법(飮酒防病法) 2. 택수(擇水)

72. 〈치생요람(治生要覽)〉 1691년, 한문 필사본, 저자 미상

- ◆ 주방문 (15종) : 1. 내국향온 2. 홍로주 3. 청감주 4. 하향주 5. 백하주 6. 부의주 7. 송엽주 8. 도화주 9. 청서주 10. 소국주 11. 과하주 12. 약산춘 13. 구황주 14. 송순(주) 15. 천금주

73. 〈침주법(侵酒法)〉 저술 연대 미상, 한글 필사본, 저자 미상, 한복려 소장본

- ◆ 주방문 (49종) : 1. 삼일주 2. 세향주 3. 녹하주 4. 삼해주 5. 유감주 6. 세신주 7. 백화주 8. 남경주 9. 처화주(처하주) 10. 닥주(저주) 11. 구과주 12. 니화주(이화주) 13. 보리주법 14. 국화주 15. 적선소주 16. 송순주 17. 녹파주 18. 또 녹파주 19. 찹쌀녹파주(점미녹파주) 20. 부점주 21. 삼일주 22. 또 삼일주 23. 칠일주 24. 일두주 25. 산주 26. 감주 27. 하향주 28. 삼칠주 29. 니화주(이화주) 30. 또 니화주 31. 청하주 32. 송엽주 33. 애엽주 34. 소주 35. 뉴하주(유하주) 36. 뫼속주(매속주) 37. 부의주 38. 진상주 39. 향온주 40. 홍소주 41. 백자주 42. 소주 43. 보리소주 44. 삼일주 45. 무시절주 46. 육두주 47. 삼두주 48. 청감주 49. 감주
- ◆ 누룩 (1종) : 1. 누룩법

74. 〈태상지(太常志)〉 고종 10년(1873년), 한문 필사본, 이근명(李根命)

- ◆ 주방문 (2종) : 1. 양주(釀酒) 2. 울금주(鬱金酒)
- ◆ 누룩 (1종) : 1. 조국(造麴)

75. 〈학음잡록(鶴陰雜錄)〉 1800년대 말엽, 한문 필사본, 鶴陰(?)

- ◆ 주방문 (21종) : 1. 백로주 2. 백로주(지주 빚는 법) 3. 소곡주 4. 약산춘 5. 약산춘 우방 6. 호산춘 7. 호산춘 우방 8. 삼해주 9. 내국향온 10. 백자주 11. 호도주 12. 도화주 13. 도화주 우방 14. 연엽주 15. 지황주 16. 오가피주 17. 오가피주 우방 18. 무술주 19. 천문동주 20. 구기주 21. 창포주
- ◆ 누룩 (2종) : 1. 조곡법 2. 조요국
- ◆ 기타 (1종) : 3. 양주법(택수)

76. 〈한국민속대관(韓國民俗大觀)〉 1985년간, 한글 활자본, 고려대 민족문화연구소 발행

- ◆ 주방문 (41종) : 1. 이화주(梨花酒) 2. 이화주(梨花酒) 3. 이화주(梨花酒) 4. 이화주(梨花酒) 5. 하절 별법 이화주(梨花酒) 6. 약주(藥酒) 7. 백하주(白霞酒) 8. 소곡주(小麴酒) 9. 하향주(荷香酒) 10. 부의주(浮蟻酒) 11. 청명주(淸明酒) 12. 감향주(酣香酒) 13. 절주(節酒) 14. 방문주(方文酒) 15. 석탄주(惜呑酒) 16. 법주(法酒) 17. 호산춘(壺山春) 18. 송자주(松子酒) 19. 백자주(柏子酒) 20. 포도주(葡萄酒) 21. 두견주 22. 원시적 증류법(는지) 23. 고리 이용법 24. 노주(露酒) 25. 감홍로(甘紅露) 26. 이강고(梨薑膏) 27. 도소주(屠蘇酒) 28. 과하주(過夏酒) 29. 사마주(四馬酒) 30. 청명주(淸明酒) 31. 유두음(流頭飮) 32. 국화주(菊花酒) 33. 와송주(臥松酒) 34. 죽통주(竹筒酒) 35. 지주(地酒) 36. 청서주(淸署酒) 37. 송하주(松下酒) 38. 전주(煎酒) 39. 소자주(蘇子酒) 40. 오가피주(五加皮酒) 41. 구기주(枸杞酒)
- ◆ 누룩 (1종) : 1. 생곡(生麴)

77. 〈해동농서(海東農書)〉 1799년, 한문 필사본, 서호수(徐浩修)

- ◆ 주방문 (43종) : 1. 작주부본방(作酒腐本方) 2. 백하주(白霞酒) 3. 소곡주(少麴酒) 4. 약산춘(藥山春) 5. 약산춘 우일방(藥山春 又一方) 6. 호산춘(壺山春) 7. 삼해주법(三亥酒法) 8. 내국향온법(內局香醞法) 9. 백자주양법(栢子酒釀法) 10. 호도주양법(胡桃酒釀法) 11. 도화주(桃花酒) 12. 도화주 일방(桃花酒 一方) 13. 연엽주(蓮葉酒) 14. 경면녹파주(鏡面綠波酒) 15. 경면녹파주 일방(鏡面綠波酒 一方) 16. 벽향주(碧香酒) 17. 하향주(荷香酒) 18. 이화주(梨花酒) 19. 청서주(淸暑酒) 20. 부의주(浮蟻酒) 21. 부의주 일방(浮蟻酒 一方) 22. 청감주(淸甘酒) 23. 포도주(葡萄酒) 24. 백주(白酒) 25. 삼일주(三日酒) 26. 일일주(一日酒) 27. 잡

곡주(雜穀酒) 28. 지주(地酒) 29. 내국홍로주양법(內局紅露酒釀法) 30. 노주소독방(露酒消毒方) 31. 노주이두방(露酒二斗方) 32. 자주(煮酒) 33. 자주 우법(煮酒 又法) 34. 과하주(過夏酒) 35. 과하주 우방(過夏酒 又方) 36. 밀주(密酒) 37. 밀주 우법(密酒 又法) 38. 화향입주방(花香入酒方) 39. 화향입주 우법(花香入酒 又法) 40. 주중지약법(酒中漬藥法) 41. 구주불비법(救酒不沸法) 42. 구산주법(救酸酒法) 43. 중원인양호법(中原人釀好酒)

◆ 누룩 (2종) : 1. 조곡길일(造麴吉日) 2. 조곡(造麴)

◆ 기타 (4종(: 1. 조주길일(造酒吉日) 2. 조주기일(造酒忌日) 3. 택수(擇水) 4. 식면후음주(食麵後飲酒)

78. 〈현풍곽씨언간주해〉 1602년~1650년, 한글 필사본(번역본), 곽주 가

◆ 주방문 (2종) : 1. 죽엽주(두엽쥬법) 2. 포도주(보도쥬법)

79. 〈홍씨주방문〉 1800년대, 한글 필사본, 저자 미상

◆ 주방문 (37종) : 1. 옥녹주 2. 옥녹주 별법 3. 백수환동주 4. 동파삼일주 5. 부의주 6. 황구주 7. 소곡주 별방문 8. 성탄향 9. 선초향주 10. 벽향주 11. 녹파주 12. 약주 13. 백일주 별법 14. 청명주방문 15. 절주 16. 호산춘 17. 백일주법 18. 백일주 19. 삼해주 20. 두강주 21. 일일주 22. 사월주 23. 백화춘 24. 홀도주(혼돈주) 25. 황금주 26. 사절소주법 27. 송순주법 28. 송순주 29. 과하주 30. 국화주방문 31. 도화주 32. 두견주방문(8말 빚이) 33. 두견주 추후별방문(3말 5되 빚이) 34. 두견주 추후별방문(7말 5되 빚이) 35. 백화주 36. 만전향주 37. 도화주(4말 빚이)

80. 〈활인심방(活人心方)〉 1400년대 초엽, 한문 필사본, 퇴계(退溪) 이황(李晃) 수적본(手蹟本)

◆ 주방문 (3종) : 1. 저령주 2. 지황주 3. 무술주

81. 〈후생록(厚生錄)〉 1767년(영조 43) 이전, 한문 활자본, 신중후(辛仲厚)

◆ 주방문 (7종) : 1. 일일주법(一日酒法) 2. 일일주법 우법(一日酒法 又法) 3. 삼일주(三日酒)

4. 잡곡주방(雜穀酒方) 5. 중원인작호주(中原人作好酒) 6. 적선주방(謫仙酒方) 7. 청감주방(清甘酒方)

82. 〈조선상식문답(朝鮮常識問答, 風俗)〉 1948년간, 한글 활자본, 최남선

1. 약주란 말은 무슨 뜻입니까? 2. 조선술의 유명한 것은 무엇이 있습니까?(관서감홍로, 전주이강고, 전라도 죽력고) 3. 누룩

83. 기타

* <동국세시기(東國歲時記)> 1849년, 홍석모

1. 정월 : 세주·도소주 2. 상원 : 이롱주(치롱주) 3. 봄철가주(과하주·소주·두견주·도화주·송순주·소주(공릉삼해주)·관서감홍로·벽향주·해서 이강주·호남 죽력고·계당주, 호서의 노산춘주, 유듀국)

* <성호사설(星湖僿說, 萬物門)> 조선 숙종대, 이익, 국립중앙도서관·규장각

1. 주(酒) 2. 주재(酒材) 3. 오재·삼주(五齊三酒) 4. 명수(明水) 5. 오곡(五穀) 6. 부백(浮白) 7. 회주(灰酒) 8. 도량(度量) 9. 주기보(酒器譜) 10. 곡명(穀名) 11. 향음주례(鄉飮酒禮)

* <조선세시기(朝鮮歲時記)> 1916년~1917년, 장지연, 매일신보

1. 신춘명주(춘주류) : 1. 도화춘 2. 이화춘 3. 두견춘 4. 송순춘 5. 소국춘
2. 과하주·소곡주류 : 1. 평양의 감홍로 2. 벽향주 3. 해서의 이강고 4. 호남 및 영남의 죽력고 5. 계당주 6. 호서의 노산춘 7. 서향로 8. 사마주

* <임하필기(林下筆記, 春明逸史)> 1871년(고종 8 탈고, 1961년 영인), 임하려(1871), 서울대학교 규장각 소장본

향음주례(鄉飮酒禮)를 행하다

* <열양세시기(列陽歲時記)> 1819년, 김매순, 광문회(光文會)에서 인간(印刊, 1927년)

  1. 정월(正月) 도소주(屠蘇), 귀밝이술(耳明酒). 2. 유월(六月) 보름 유두국(流頭麴) 3. 중추(中
     秋) 햅쌀술

* <경도잡지(京都雜誌)> 조선 정조대, 유득공.

  1. <풍속조(風俗條)> : 1. 주식(酒食), 2. 유상(遊賞), 3. 시포(市舖), 4. 시문(詩文)
  2. <세시(歲時)> : 1. 원일(元日), 2. 정월 보름 날, 3. 유월 보름